FRITZ HOFFMANN

DIE THEOLOGISCHE METHODE DES OXFORDER DOMINIKANERLEHRERS ROBERT HOLCOT

VERLAG ASCHENDORFF
MÜNSTER

BEITRÄGE ZUR GESCHICHTE DER PHILOSOPHIE
UND THEOLOGIE DES MITTELALTERS

Texte und Untersuchungen

Begründet von Clemens Baeumker · Fortgeführt von Martin Grabmann
und Michael Schmaus · Herausgegeben von Ludwig Hödl
und Wolfgang Kluxen

Neue Folge
Band 5

Mit kirchlicher Druckerlaubnis
Nr. 306/6-13/71. Münster, den 27. April 1971
Dr. Lettmann
Generalvikar

Gedruckt mit Unterstützung
der Deutschen Forschungsgemeinschaft

INHALTSVERZEICHNIS

VORWORT

Die Kritik am Nominalismus bildete die sachliche Veranlassung zu der vorliegenden Untersuchung. Diese Kritik setzte für den Verfasser vor vielen Jahren an einer bestimmten historischen Vorgegebenheit ein, nämlich mit der ersten Kritik am Nominalismus Wilhelms v. Ockham durch den Oxforder Kanzler Johannes Lutterell. Sie wurde in der 1941 in Breslau veröffentlichten Dissertation: Die erste Kritik des Ockhamismus durch den Oxforder Kanzler Johannes Lutterell (nach der Hs C CV der Bibliothek des Prager Metropolitankapitels) vorgelegt.

Nach dem Kriegsende erforderte die damals noch ausstehende Edition der Quelle, die als Grundlage der ersten Untersuchung gedient hatte, sowie die durch die Forschungen von Philotheus Boehner und seinen Freunden und Schülern ausgelöste neue Erörterung des „Nominalismus" im 14. Jahrhundert eine erneute Durcharbeitung dieses Problems. Die Edition der Handschrift veröffentlichte ich 1959 in Leipzig unter dem Titel: Die Schriften des Oxforder Kanzlers Johannes Lutterell, Texte zur Theologie des vierzehnten Jahrhunderts. Der erste Teil dieses Bandes enthält die besagte Gegenschrift Lutterells zu Ockhams Lehre sowie einen Brief des Magisters über die selige Gottesschau, der an Papst Johannes XXII. gerichtet war. Im zweiten Teil („Erläuterungen") wurde nach einer Einführung in die Quelle eine Darstellung des Standes der Frage in der neueren Forschung vorgelegt.

Die Kritik, die meine erste Arbeit besonders von Ph. Boehner erfuhr, ging von einem ganz anderen Ansatzpunkt aus. Der Ockhamismus kann von zwei verschiedenen Aspekten her beurteilt werden, nämlich vom metaphysisch-theologischen Aspekt und vom formal-methodischen her. Im letzten Fall spielen die Fragen der Logik und der Semantik die Hauptrolle. Auf diesem Gebiete bewegte sich die wichtigste Arbeit Boehners und seine Kritik an denjenigen Mediävisten, die den Gang der scholastischen Lehrtradition stärker von der metaphysisch-theologischen Seite her beurteilten. Diese Kritik und ihren methodischen Ansatz habe ich in meiner Veröffentlichung 1959 berücksichtigt. Tatsächlich kann die Theologie des 14. Jahrhunderts ohne Einbeziehung der logischen und sprachlogischen Methode nicht recht gewürdigt werden. Schon mein Lehrer Josef

Koch drängte mich daher damals zu einer nochmaligen Aufnahme des Studiums dieser Theologie, die nach seiner Ansicht bisher zu wenig in Korrelation zur Aussagenlogik gesehen wurde.

Daß ich diese Aufgabe an einem weiteren Oxforder Magister, dem Dominikaner Robert Holcot, demonstriere, verdanke ich dem freundschaftlichen Rat des leider zu früh verstorbenen Professors Dr. Bruno Decker, Mainz, der mich gelegentlich eines Besuches der Erfurter Handschriftensammlung Amploniana 1960 auf Holcot verwies. Im Bestand der Amploniana befindet sich sowohl ein Wiegendruck der Werke Holcots wie mehrere Handschriften, die allerdings der Ergänzung durch die entsprechenden Codices, vor allem englischer Bibliotheken, bedürfen. Für den Sentenzenkommentar und die „Conferentiae" wurde zuerst der Druck herangezogen, der allerdings sehr häufig durch die Handschriften ergänzt und korrigiert werden mußte.

Den Herren der Katholisch-Theologischen Fakultät Mainz bin ich mit besonderem Dank verbunden: für Hinweise und Hilfen bei der Beschaffung des handschriftlichen und literarischen Materials, für die Förderung und wohlwollende Aufnahme meiner Arbeit. Nach dem Tode von Professor Decker fand ich die gleiche freundschaftliche und fördernde Bereitschaft bei Herrn Professor Dr. Rudolf Haubst. Mein Dank gebührt auch dem Altrektor, dem verstorbenen Herrn Professor Dr. Johannes Kraus, durch den ich zu einer ausführlichen Heranziehung der Quästionen Crathorns veranlaßt wurde. Noch während der Drucklegung empfing ich von Herrn Professor Dr. Heinrich Schepers eine wertvolle literarhistorische Studie über Holcot und Crathorn, die mir wichtige Daten für den Lebenslauf Holcots und die Entstehung seiner Werke vermittelte.

Der Versuch, am Beispiel Holcots den Einfluß der Logik und Sprachtheorie auf die theologische Methode zu zeigen, will keineswegs die bisher geleistete mediävistische Forschungsarbeit revolutionieren. Im Gegenteil! Auch wo neue Schritte der Deutung gewagt werden, kann dies nur im kontinuierlichen Zusammenhang mit den „Alten Meistern" der Scholastik und der Mediävistik geschehen.

Über alte Quellen neu zu schreiben ist wohl eine notwendige Aufgabe, deren wichtigstes Ziel darin besteht, den Zusammenhang des Ganzen aufzuzeigen. Dazu ist eine doppelte Erkenntnisbemühung notwendig: die eine, die der Eruierung der Quelle dient; die andere, die sie dem Verständnis der Gegenwart öffnet. Dem zweiten Ziel dienen auch die vorsichtigen Versuche, die Linien von Holcots Theologie zur Gegenwart zu ziehen. Zu einem solchen Verständnis der geistesgeschichtlichen Arbeit erhielt ich die Anregungen aus dem philosophiegeschichtlichen Werk von Professor Dr. Johannes Hirsch-berger. Ihm sei an dieser Stelle ein herzliches Wort des Dankes gesagt.

Den Herausgebern der von Clemens Baeumker begründeten „Bei-träge", Herrn Professor Dr. Ludwig Hödl und Herrn Professor Dr. Wolfgang Kluxen, danke ich sehr für die Aufnahme meiner Arbeit in das von ihnen besorgte Reihenwerk und der damit verbundenen Mühe. Dem Verlag Aschendorff sei für die umsichtige Durchfüh-rung des schwierigen Druckes besonders gedankt. Fräulein Char-lotte Queisser danke ich für die Mitarbeit bei der Herstellung eines satzfertigen Manuskriptes, beim Lesen der Korrekturen und der Erstellung der Register.

Bei der Wissenschaftlichen Bibliothek der Stadt Erfurt, beson-ders Herrn Direktor Walter Strobel, fand ich stets freundliche Un-terstützung durch Bereitstellung der handschriftlichen Quellen und der Literatur.

Möge die vorgelegte Studie einen Beitrag für die Erforschung und Eröffnung der Quellen des mittelalterlichen Geisteslebens bil-den!

I

EINLEITUNG

Der Dominikanerorden unterhielt seit etwa 1233 in Northampton ein Priorat, das in der ersten Hälfte des 14. Jahrhunderts einen bedeutenden geistigen Mittelpunkt in Mittelengland darstellte[1]. Dort trat Robert Holcot einige Jahre vor 1326 ein. Holcot ist herzuleiten von dem gleichnamigen Dorf in Northamptonshire, dem Geburtsort unseres Magisters. Über sein Geburtsdatum gibt es keine Mitteilung. Es wird daher auch in der Literatur übergangen. Der Orden schickte ihn etwa 1326 zu Studien nach Oxford, wo er im Studienjahr 1330/31 die Vorlesungen über die Sentenzen begann[2]. Über seine Lehrtätigkeit in Oxford sind wir dank der sorgfältigen quellenkritischen Studien von Heinrich Schepers sehr genau unterrichtet, der von einer eindeutigen Zeitbestimmung, nämlich der großen Sonnenfinsternis vom 16. Juli 1330, ausgeht, die von Crathorn als aktuelles Ereignis am Anfang seiner Sentenzenvorlesung ausdrücklich erwähnt wird. Crathorn war aber nicht nur Socius (= Kollege) Holcots in Oxford, sondern auch sein wichtigster Gegner, wie sich aus den literargeschichtlichen Belegen von Schepers und den inhaltlichen Übereinstimmungen der Texte nun mit Sicherheit ergibt. Von diesen festen Ansatzpunkten aus ergeben sich folgende Zeitbestimmungen für Holcots Lehrtätigkeit in Oxford: 1330—1332 Vorlesungen zu den Sentenzen; 1332 der geistreiche und temperamentvolle „Sermo finalis", der am Ende der Sentenzenvorlesungen, nicht jedoch der Lehrtätigkeit Holcots steht[3] (so auch

---

[1] Vgl. Beryl Smalley, English friars and antiquity in the early fourteenth century, Oxford 1960, 135.
Im Verzeichnis der Magister des Dominikanerordens wird Northampton als Geburtsort Holcots angegeben. Vgl. Jacobus Quétif - Jacobus Echard, Scriptores ordinis Praedicatorum I. Paris 1719 — Torino 1961, 629a.

[2] Emden datierte den Beginn der Oxforder Lehrtätigkeit Holcots in das Jahr 1332; vgl. A. B. Emden, A biographical register of the University of Oxford to A. D. 1500, II, 946. Vgl. jedoch dazu die ausführlich begründeten Korrekturen von Heinrich Schepers, Holcot contra dicta Crathorn, in PhJ 77 (1970) 320—354, bes. 325, 349—351.

[3] Ediert von J. C. Wey, The Sermo finalis of Robert Holcot, MS XI (1949) 219—224.

Schepers) und in dem sich die Studentenunruhen an der Universität
Oxford widerspiegeln[4]; 1332—1333 die Lectio super Bibliam (ab-
weichend von der Pariser Ordnung nach der Sentenzenvorlesung!)
und die Quaestiones quodlibetales; 1334 die „Inceptio" Holcots als
Magister der Theologie. Auf Grund von zwei Pariser Handschriften
des Weisheitskommentares könnte eine spätere Lehrtätigkeit Holcots in Cambridge angenommen werden. Dies hätte für den ein-
stigen Magister von Oxford einen Abstieg bedeutet, da die junge
Universität von Cambridge noch kein Ansehen besaß[5]. Ein sicheres
Datum haben wir für den zusammenhängenden Aufenthalt Holcots in Northampton von 1343 bis 1348, wo er wahrscheinlich
das Priorat der Dominikaner leitete. Aber nicht erst in Northampton, wo Robert Holcot einst das Ordensgewand der Dominikaner
anlegte, erwarteten den Magister der Theologie die Aufgaben der
Seelsorge. Vielmehr haben sie ihn durch sein ganzes Leben begleitet. Ab 1332 erhält er die Vollmacht eines Confessionarius der
Diözese Lincoln, noch vor 1342 für die Diözese Salisbury, was
seinen Aufenthalt im Haus der Dominikaner in Salisbury für
diese Zeit vermuten läßt[6]. 1343 wird er Archidiakon in Southamp-
ton, 1347 in Northampton und Buckingham[7]. Freundschaftliche
Beziehungen verbanden ihn mit dem Bischof von Durham, Richard
de Bury, dessen Philobiblon ihm auf Grund einiger Handschriften-
notizen zugeschrieben wurde[8]. Im Jahre 1349 setzte in Northampton

[4] Vgl. B. Smalley, a.a.O.: His sermo finalis, delivered when he resigned his
chair to his successor, Roger Gosford O. P., can be dated by its references
to the disturbances at Oxford caused by riots between northern and southern
students, which led to the migration to Stanford in the spring of 1334; he re-
fers to the troubles and not to the actual migration.
[5] Vgl. Emden, a.a.O.; Smalley, a.a.O. 136. In Cambridge bestand schon vor Beginn des 13. Jahrhunderts ein Studium, das Trivium und Quadrivium umfaßte. Es erhielt 1318 von Papst Johannes XXII. die Anerkennung als Studium
generale oder Universitas. Im Vergleich zu Oxford blieb Cambridge lange
Zeit bedeutungslos. Erst im 16. Jahrhundert gelangte die Universität als Boll-
werk der Reformation zu hohem Ansehen. Vgl. Encyclopaedia Britannica
IV (1956) 652—654. Da außer den beiden Hs-Notizen keine zuverlässigen
Zeugnisse vorliegen, ist die Annahme, Holcot habe auch in Cambridge gelehrt, unsicher (vgl. Schepers a.a.O. 350f).
[6] Vgl. Smalley, a.a.O.
[7] Vgl. Emden, a.a.O.
[8] Vgl. B. Smalley, Robert Holcot O.P. In: AFP XXVI (1956), 8f; dslb., English
friars... 67 u. 134. Nach Stil und Darstellungsweise hat das Philobiblon eine
große Ähnlichkeit mit dem Weisheitskommentar, jedoch enthält es eine Anzahl griechischer Vokabeln, die im gesamten Schrifttum Holcots sonst nicht
vorkommen. Eine Mitwirkung Holcots ist nach dem Urteil von B. Smalley
durchaus glaubwürdig, wenn auch de Bury als der eigentliche Autor des
Werkes anzusehen ist.

der schwarze Tod seinem in gleicher Weise der Wissenschaft wie der Seelsorge gewidmeten Leben ein Ende, im selben Jahr, da Wilhelm Ockham in München starb[9].

Robert Holcot stand bei seinen Zeitgenossen in hohem Ansehen. Dies verdankte er in erster Linie denjenigen Werken, die für den Dienst des Seelsorgers bestimmt waren. Dazu gehörten nicht nur die besonders für den Predigtdienst entworfenen Werke „Moralitates" und „Convertimini", die mit vielen praktischen Beispielen ausgestattet sind[10]. Noch mehr erfreuten sich die Schriftkommentare größter Beliebtheit. Holcot hat deren drei verfaßt, sämtlich zu Büchern des Alten Testamentes, nämlich zu Weisheit, Ecclesiasticus und Zwölf Propheten[11]. Nun legten die Kommentatoren des Dominikanerordens im frühen 14. Jahrhundert großen Wert auf eine volkstümliche, bilderreiche und dabei gepflegte Darstellung, mag ihnen dabei auch das mehr wissenschaftlich ausgerichtete Werk des heiligen Thomas zur Vorlage gedient haben[12]. Holcot zeichnete sich in dieser Kunst besonders aus. Sein Weisheitskommentar gehörte zu den Standardwerken jeder guten theologischen Bibliothek des späteren Mittelalters und ist in einer außerordentlich großen Zahl von Handschriften und Frühdrucken erhalten[13]. Diese der „praktischen Theologie" dienenden Werke erweisen ihren Verfasser als einen klugen Lehrer des christlichen Lebens und erfahrenen Erzieher der jungen Prediger. Mrs. Smalley rühmt ihn als Genie des Humors und des Esprits unter den Moraltheologen seiner Zeit; und es waren derer nicht wenige[14]!

Um so mehr erfordert die Theologie dieses Dominikaners unsere Aufmerksamkeit; denn als Theologe gehört er zu den umstrittenen Magistern am Anfang der „Via moderna" wie Durandus de S. Porciano, Wilhelm Ockham, Nikolaus d'Autrecourt. Zudem beruhen

[9] Eine Zusammenstellung der biographischen Notizen über Robert Holcot findet sich bei Paolo Molteni, Robert Holcot o.p., Dottrina della Grazia e della Giustificazione con due questioni quodlibetali inedite. Pinerolo 1967, 23—29; jedoch sind jetzt hinzuzuziehen die neuesten Untersuchungen von Schepers, a.a.O.

[10] Vgl. Smalley, English friars ... 145ff; dslb., Robert Holcot 25.

[11] Vgl. Smalley, English friars ... 137ff; dslb. Robert Holcot 9ff.

[12] B. Smalley (English friars ... 133) verweist auf das Beispiel des Michael de Furno; vgl. Th. Kaeppeli, Der Johanneskommentar des Michael de Furno O.P., AFP IV (1934) 225—8.

[13] Vgl. Smalley, a.a.O. 141f.

[14] Vgl. Smalley, a.a.O. 133: Robert Holcot ... represents a „Decorates period" in the history of exegesis, preferring decoration to decorum. No medieval moralist, and it is a large claim, ever had a stronger sense of humour. Holcot was the most celebrated and the most diversely gifted of all the friars in the classicising group.

die Ausführungen seines Sentenzenkommentares und der Quodlibeta auf den gleichen theologischen Grundauffassungen, von denen
auch seine Schriftkommentare und Beispielsammlungen getragen
sind[15]. In den Werken der Philosophiegeschichte wird Holcot zu den
ältesten Schülern Wilhelm Ockhams gezählt[16]. In der Trennung der
Glaubenserkenntnis von der Philosophie und in der Betonung der
Allursächlichkeit Gottes soll Holcot noch über Ockham hinausgehen[17].

Die Lehrtätigkeit des Oxforder Dominikanerlehrers fiel in eine
bewegte Zeit. Mit dem Beginn des 14. Jahrhunderts setzt auch schon
die Kritik an der Theologie der großen Systematiker des 13. Jahrhunderts ein. Duns Scotus übte sie an dem Lehrgebäude des Thomas von Aquin[18]. In Durandus begegnen wir dem ersten Domini-
kanermagister, der offen an Thomas Kritik übt[19]. Diese Wandlung
in der theologischen Argumentation beeinflußte Form und Stil der
Literatur. Auf den Text des Lombarden wird immer weniger Rücksicht genommen[20]. Im allgemeinen zeigt sich ein stärkeres Eingehen
auf Fragen der theologischen Erkenntnislehre, der natürlichen und
übernatürlichen Gotteserkenntnis und des Gottesbegriffes. So wachsen bei vielen Magistern die Kommentare zum ersten Band der

[15] Für die theol. Übereinstimmung von Weisheitskommentar und Sentenzenkommentar vgl. Alois Meissner, Gotteserkenntnis und Gotteslehre nach dem
englischen Dominikanertheologen Robert Holcot, Limburg 1953, passim.

[16] Vgl. Überweg - Geyer, Die patristische und scholastische Philosophie, Berlin
1928, 587ff. Holcot als „Nominalist": Johannes Hirschberger, Geschichte der
Philosophie I, Freiburg ⁸1965, 567; Holcot als Ockhamist: Hans Meyer, Abendländische Weltanschauung III, Paderborn - Würzburg 1952, 304. Eine von
Ockham unterschiedene, wenn auch von ihm beeinflußte Lehrrichtung stellt
de Gandillac bei Holcot fest, besonders in der Erkenntnistheorie. Auch mit
dem Begriff einer „Logik des Glaubens" entferne sich Holcot vom ursprünglichen Ockhamismus, getrieben vom Kampf gegen den von ihm so sehr gefürch-
teten Averroismus. Vgl. A. Fliche, Histoire de L'église XIII (Le mouvement
doctrinal du XIᵉ au XIVᵉ siècle), Chap. IV: Ockham et la „Via moderna", par
M. de Gandillac 486ff.

[17] Hinweise bei E. Gilson, History of Christian Philosophy in the Middle Ages,
New York 1955, 500f. (Gilson selbst urteilt differenzierter.)

[18] Vgl. Josef Koch, Durandus de S. Porciano O.P. Forschungen zum Streit um
Thomas von Aquin zu Beginn des 14. Jahrhunderts I. Teil, Literargeschichtliche Grundlegung, BGPhMA XXVI, Münster 1927, 401.

[19] Jakob von Metz nimmt bereits eine kritische Stellung zur Lehre des hl. Thomas
ein, freilich in viel vorsichtigerer Weise als Durandus. Vgl. J. Koch, a.a.O.
402. Vgl. ferner Lothar Ullrich, Fragen der Schöpfungslehre nach Jakob von
Metz, Leipzig 1966, 31ff.; Bruno Decker, Die Gotteslehre des Jakob von Metz,
BGPhMA XXXXII, 1, Münster 1967, 3f.

[20] Vgl. Hermann Schwamm, Robert Cowton O.F.M. über das göttliche Vorherwissen, Philosophie u. Grenzwissenschaften III, Innsbruck 1931, 403.

Sentenzen stark an im Vergleich zu den übrigen Büchern. Dies ist besonders auffällig bei Wilhelm Ockham. Holcots „Sentenzenkommentar" wird in der Überschrift als „Opus quaestionum et determinationum super libros sententiarum"[21] bezeichnet, worin die Veränderung der Zielsetzung von einer Kommentierung zur kritischen Erörterung der von Petrus Lombardus angestoßenen theologischen Probleme — viel mehr als dies bleibt von seiner Theologie nicht übrig — zum Ausdruck kommt. Schließlich führt die Vorliebe für die theologische Diskussion zu einem außerordentlichen Anwachsen der Quaestiones quodlibetales[22].

So trat in der Theologie die Aufgabe der Kritik immer mehr in den Vordergrund. Dieser Entwicklung kam die fortschreitende Vervollkommnung der Logik und Sprachlogik geradezu entgegen. Zwar spielten in der Thomaskritik des Durandus logische Probleme noch keine entscheidende Rolle[23]; jedoch sind die theologischen Kämpfe um Wilhelm Ockham und Nikolaus d'Autrecourt an der Pariser Universität in den vierziger Jahren des 14. Jahrhunderts ohne Berücksichtigung des erkenntnistheoretischen Hintergrundes nicht recht zu würdigen[24].

Theologiegeschichtlich gesehen stehen wir hier vor einer merkwürdigen Entwicklung. In der theologischen Beweisführung vollzieht sich eine Rückkehr zur Methode der Frühscholastik, die so stark von der Grammatik und der Logik geprägt war. Entgegen allen Bemühungen der konservativen Theologen[25] gewann die Dialektik in der Frühscholastik einen wachsenden Einfluß auf die theologische Aussage[26]. Sehr deutlich wird dies in der Christologie, deren spekulative Durchdringung ein Hauptanliegen des zwölften

---

[21] So der Text der Inkunabel Lyon 1497, fol. a ra lin. 6—7. Vgl. A. Meissner, Gotteserkenntnis und Gotteslehre... 13. Ein drastisches Beispiel für den Stilwandel in den Sentenzenkommentaren bietet Crathorn, von dem bis heute lediglich ein Werk mit dem Titel „Quaestiones" bekannt ist, das für ein Auszug aus einem bisher nicht gefundenen Sentenzenkommentar oder gar für eine Irrtumsliste gehalten wurde, bei dem es sich tatsächlich um die Vorlesung zu den Sentenzen des Petrus Lombardus handelt. Vgl. Schepers, a.a.O. 322f.

[22] So auch bei Holcot; vgl. u. S. 414—430.

[23] Vgl. J. Koch, a.a.O. 192.

[24] Vgl. Hubert Elie, Le complexe significabile, Paris 1936, 37.

[25] Für die allgemeine Zurückhaltung der frühscholastischen Theologen gegenüber den „heidnischen" Schriftstellern und Philosophen vgl. A. M. Landgraf, Dogmengeschichte der Frühscholastik II, 1, Regensburg 1953, 56—69 (Das Verhältnis der frühscholastischen Theologie zur Philosophie).

[26] Vgl. W. Breuning, Die hypostatische Union in der Theologie Wilhelms von Auxerre, Hugos von St. Cher und Rolands von Cremona, Trier 1962, 97.

Jahrhunderts war[27]. Die Subsistenztheorie, die das Innesein der menschlichen Natur in der zweiten göttlichen Person wesentlicher und inniger deuten wollte als die Assumptustheorie und die Habitustheorie, bediente sich dazu der Dialektik. Gilbertus Porretanus († 1154), der Begründer der Subsistenztheorie[28], erklärte das Verhältnis von Person und Natur in Christus in den charakteristischen Formeln seiner grammatisch-logischen Methode[29]. Für Petrus von Poitiers († 1205), „einen der beachtlichsten Vertreter der Habitustheorie", war die Frage nach der Bedeutung christologischer Aussagen ein primär logisches Problem[30]. Bei Simon von Tournai († 1201), der aus der Porretanerschule kommt und Anhänger der Subsistenztheorie ist, läßt sich genau verfolgen, wie sprachlogische Überlegungen mit der Entwicklung der Christologie Hand in Hand gehen[31]. Wilhelm von Auxerre († 1231), etwas weniger Hugo von St. Cher († 1263), besonders stark wieder Roland von Cremona († um 1259) verbinden das sachlich-theologische Interesse mit der dialektischen Kunst in der Aussageform. Mag auch diese Methode den heutigen Leser verwirren, weil die aus einer Theorie gefolgerten Sätze „mit allen Mitteln der logischen und grammatikalischen Zergliederung überprüft werden"[32], so wird doch die sachliche Thematik nicht völlig überdeckt. Es bestand ein echtes Interesse an der Erkenntnis und Darstellung des „Menschlichen" in der Person Jesu Christi[33]. Die theologische Argumentation erinnerte oft genug an das letzte Fundament aller dogmatischen Spekulation: die Heilige Schrift[34]. Schließlich erstrebte man eine wirklich theologische Lösung der schwebenden Fragen, die auch bei Hugo von St. Cher in einem gewissen Maße erreicht wurde[35].

Die Vorherrschaft der Dialektik in der Methode der Frühscholastik wurde zunächst gebrochen durch das Einströmen der aristotelischen Naturphilosophie und Metaphysik im 13. Jahrhundert. Dieser Vorgang und seine Auswirkung auf die Methode der Theologie ist so oft von berufener Seite dargestellt worden, daß

---

[27] Vgl. Landgraf, a.a.O. 11. Das Werk Breunings gewährt uns in einer gründlichen Spezialstudie einen Einblick in diesen Vorgang. Die Feststellungen Landgrafs erhalten somit eine notwendige Ergänzung nach der methodischen Seite der Christologie hin.
[28] Vgl. Breuning, a.a.O. 35.
[29] Vgl. ebd. 39.
[30] Vgl. ebd. 42.
[31] Vgl. ebd. 47ff.
[32] Vgl. ebd. 22, bes. Anm. 70.
[33] Vgl. ebd. 30.
[34] Vgl. ebd. 19.
[35] Vgl. ebd. 213.

sich hier eine Wiederholung erübrigt. Die Tatsache muß aber erwähnt werden, um die weitere Entwicklung im 14. Jahrhundert zu verstehen. Zwischen der logisch argumentierenden Theologie der Frühscholastik und ihrer „Parallele" im 14. Jahrhundert besteht nämlich ein entscheidender Unterschied. Im 12. und anfangenden 13. Jahrhundert machte man von der Dialektik einen recht unbekümmerten Gebrauch, soweit sie nicht in Kreisen der monastischen Theologen von Grund auf abgelehnt wurde. Selbst bei Roland von Cremona, der den Wissenschaftscharakter der Theologie skeptisch beurteilte, gehörte die Dialektik zum Rüstzeug des Theologen[36]. In der Spätscholastik wird die Logik mehr und mehr zum Werkzeug der Kritik. Dazu kommt eine Reflexion über die Grenzen, die der Logik in der Theologie gesetzt sind, und dies bei Magistern, die selbst von der Logik und der spekulativen Grammatik ausgiebig Gebrauch machen, wenn sie theologische Fragen erörtern.

Auch in Holcots Auseinandersetzungen mit seinen theologischen Gegnern geben meist logische Argumente den Ausschlag. Das starke Interesse dieser Theologen an der Bedeutung des sprachlichen Ausdrucks und der Redeform wurde, wie gesagt, durch die Weiterentwicklung zweier Disziplinen geweckt, die sich dem Theologen natürlicherweise als methodische Instrumente anboten: der Logik und der Sprachlogik. Die Logik, die bereits in den Summulae logicales des Petrus Hispanus[37] zu einem beliebten Werkzeug der wissenschaftlichen Argumentation geworden war, wurde in der Folgezeit weiter ausgebaut. Boehner nennt in seiner übersichtlichen Darstellung der scholastischen Logik Autoren, die in die geistige Umwelt Holcots gehören, wie Ockham und Bradwardine[38]. Die Sprachlogik erfuhr in der zweiten Hälfte des 13. Jahrhunderts eine Hochblüte an der Universität Paris, wo sie besonders von den dänischen Magistern wie Johannes, Boethius, Martinus, Simon von Dacia gepflegt wurde[39]. Der Einfluß sprachlogischer Überlegungen auf die theologische Argumentation der Scholastik müßte in der Forschung stärker berücksichtigt werden. Die Darstellung von Manthey über die Verwendung der Sprachphilosophie bei Thomas von Aquin[40] hat verhältnismäßig wenig Gehör gefunden, so daß die jüngst von Josef de Vries ausgesprochene Erinnerung berechtigt ist[41]. Schon jetzt sei

---

[36] Vgl. ebd. 243.
[37] Petri Hispani, Summulae logicales, ed. I. M. Bocheński, Torino 1947.
[38] Vgl. Ph. Boehner, Medieval Logic, Manchester 1952, 14.
[39] Vgl. den Abschnitt: „Die Logik als Instrument der Theologie", bes. S. 63—70.
[40] Vgl. F. Manthey, Die Sprachphilosophie des hl. Thomas von Aquin, Paderborn 1937.
[41] „Auch das gutgemeinte Bestreben, Thomas stets möglichst metaphysisch zu

darauf hingewiesen, daß wir den Ausdruck „Sprachphilosophie"
nicht im modernen Sinne verstehen dürfen, wenn wir ihn auf
sprachtheoretische Erörterungen der Scholastik anwenden. Er ist
aber insofern berechtigt, als über die rein formalen Gesetze der
Grammatik und der Logik hinaus auch nach dem Zustandekommen
und Bedeuten der Begriffe, nach dem Verhältnis von Begriff,
Zeichen und Sache gefragt wird. Dies sind alles Fragen, die über
die formale Seite des Redens und Erkennens hinausgehen und als
philosophisch bezeichnet werden können. Dieser sprachphilosophische Akzent ist auch durch die fast durchgängige Verbindung der
theologischen Sachfragen mit der Reflexion über die Aussageweise
bedingt. Auch kündigt sich bereits eine Differenzierung der Grammatik nach den Sprachidiomen an[42].

Noch viel notwendiger ist die Berücksichtigung der Logik und
Sprachlogik für das Verständnis der Theologie bei den Oxforder
Magistern der ersten Hälfte des 14. Jahrhunderts. Manches Urteil
über theologisch hart klingende Sätze dürfte sich mildern, wenn
der Einfluß einer logisch und sprachlogisch ausgerichteten Methode
stärker in Betracht gezogen wird. Freilich entsteht dabei auch die
Frage nach der grundsätzlichen Zulässigkeit streng logischer Aussageweisen in der Theologie[43]. Wir werden sehen, daß Holcot diese
Frage selbst gestellt hat[44].

Ein anderer, neuer Beweggrund für die eigenartige Theologie
des frühen 14. Jahrhunderts, der bisher kaum Beachtung fand, liegt
in der Einbeziehung der praktischen Erfahrung. Während die großen Systeme des 13. Jahrhunderts aus wenigen Grundgedanken in
einem kühnen Entwurf gleichsam wie aus einem Guß gebildet wurden, will der Theologe des 14. Jahrhunderts seine Gedanken immer
wieder an den Erfahrungen des praktischen Lebens überprüfen.

deuten, kann in die Irre führen. Damit allein, daß eine Deutung recht metaphysisch klingt, ist noch keine Gewähr gegeben, daß sie den wirklichen Sinn des
Textes trifft. Wer Thomas viel gelesen hat, weiß, einen wie überraschend
breiten Raum in seinen Werken denklogische und sogar bloß sprachlogische
Überlegungen einnehmen." Vgl. Josef de Vries, Das esse commune bei Thomas
von Aquin. In: Scholastik 39 (1964) 163—177; 176f.

[42] Vgl. dazu Jan Pinborg, Die Entwicklung der Sprachtheorie im Mittelalter,
BGPhMA XXXXII 2, Münster-Kopenhagen 1967, 180ff („Aurifabers Sprach-
auffassung und der Nominalismus").

[43] Auch in der Theologie der Gegenwart wird das Verhältnis von Logik und
Glaube erneut erörtert, so von Edmund Schlink, Der theologische Syllogismus
als Problem der Prädestinationslehre. In: Einsicht und Glaube (Festschrift für
Gottlieb Söhngen), Freiburg 1962, 299—320. Ferner Wladimir Richter, Logik
und Geheimnis. In: Gott in Welt (Festgabe für Karl Rahner) I, Freiburg 1964,
188—206.

[44] S. u. S. 23f.

In einer quodlibetalen Quaestio beruft sich Holcot für die Willensfreiheit ausdrücklich auf die Erfahrung und Autorität[45]. Auf der
gleichen Linie liegt der Hinweis auf den „allgemeinen Naturver-
lauf", der nichts anderes als die gemeinhin festgestellte Erfahrung
bedeutet[46]. Philosophische und theologische Theoreme erfahren eine
Ernüchterung vom empirischen Erkennen her, zu dem auch die
Berufung auf geschichtliche Fakten gehört. Holcot begründet seine
Skepsis gegen die natürliche Gotteserkenntnis der antiken Philosophen mit dem Hinweis, daß diese erst lange nach den alttesta-
mentlichen Patriarchen gelebt hätten, von denen sie ihre Weisheit
über Gott erhielten[47]. Das schon bei den Vätern gebrauchte Motiv
vom „Diebstahl der Hellenen"[48] kehrt hier wieder. Nur anscheinend wird in diesem skeptischen Urteil über die natürliche Gotteserkenntnis der Heiden das Schwergewicht vom Bereich der menschlichen Natur auf die göttliche Offenbarung verlegt. In Wirklichkeit
richtet sich das Interesse auf die Frage, wie der Mensch in seiner
tatsächlichen Existenz Gott erfährt und worin sein Anteil an dem
von Gott gewirkten Heil besteht. Indem Holcot das Verbum
„glauben" in einem ampliativen Sinn gebraucht[49], ist es ihm mög-

---

[45] Quaestio: Utrum voluntas humana in utendo creaturis sit libera. (P fol. 165 va
11ff) Den Hauptteil der Quaestio beginnt Holcot: In ista quaestione pono tres
conclusiones. Prima est quod voluntas est causa libera suorum actuum. Haec
conclusio patet experimento et auctoritate. Experimento sicut ponit Aristoteles
in experimento secundo Physicorum. Capio aliquem, qui potest ire ad forum
et potest non ire ad forum. Si talis vadat, quaero, quae est causa immediata
istius itineris. Non potest dari quod aliquid aliud quam voluntas, quia sicut
homo experitur in se, si aliquis sibi dicat quod ibit, potest libere non ire, si
vult, et similiter si aliquis dicat sibi, quod non ibit, potest libere ire, si vult.
Unde talis experientia satis rationaliter suadet arbitrii libertatem. (fol. 165 vb
33—44).

[46] Ad quartum concedo quod voluntas habita cognitione obiecti potest in casu
indifferenter velle et nolle, et quando arguitur: non magis determinatur ad
unum scilicet ad volutionem quam nolutionem, igitur producet utrumque vel
neutrum, nego consequentiam in agente libero. Sed de agente solum naturaliter
antecedens non potest esse verum sine consequente secundum communem
cursum naturae, quia licet voluntas antequam velit, non magis determinatur
ad velle quam nolle, quia tamen est sufficientis virtutis ad utrumque, ideo
potest indifferenter quodcumque voluerit. (fol. 166 vb 28—37).

[47] Holcot, I Sent. q. 4 (fol. d VI vb 7—10): Ad auctoritatem Apostoli dico quod
ante ortum magnorum philosophorum fuerunt patriarchae et cultus dei fuit
revelatus hominibus, et ideo philosophi hoc sciverunt... (Diebstahl der Hellenen.)

[48] Vgl. Clemens Alexandr., Strom. I, 107, 6; V 89, 1—2 (BKV 2. Reihe Bd. XVII,
96; Bd. XIX, 194).

[49] Eine solche erweiterte Bedeutung von „glauben" liegt seiner dreifachen Unterscheidung zugrunde: I Sent. q. 1 (fol. a V ra 40 — b 11): Tertio distinguo de isto
termino credere et pono duas distinctiones. Prima est quod credere est duplici-

lich, so skeptisch klingende Worte über die Motivierung des Glaubens bei vielen Christgläubigen seiner Zeit zu sagen, deren Glaubenszustimmung zum großen Teil durch das Beispiel angesehener
Männer hervorgerufen werde[50]. Das gleiche Bestreben, dem
menschlichen Verhalten in den vielfältigen Gegebenheiten des
Glaubensbereiches nachzugehen, liegt der rigorosen Unterscheidung
von menschlicher Freiheit und göttlicher Gnade beim meritum
zugrunde. Darum die starke Betonung der Freiheit als Prinzip verdienstlichen Handelns auf Seiten des Geschöpfes, wie es schon von
Scotus, dann von Ockham und nun wieder von dem Dominikaner
Holcot hervorgehoben wird! Während die Lehre des hl. Thomas
über den Menschen in einer gewissen Distanz zur Theologie bleibt
und trotz ihrem Platz in der Summe der Theologie eigentlich eine
philosophische Lehre ist, fragen Scotus, Ockham und Holcot nach

ter: vel actualiter vel habitualiter. Secunda est ista propter diversum modum
loquendi sanctorum quod credere dicitur multipliciter: Uno modo assentire
quod sic est in re, sicut per illam propositionem denotatur. Et sic accipitur
credere communissime. Unde illa propositio dicitur credita, cui fit assensus.
Et sic credimus tam illa, quae scimus, quam illa, quae formaliter opinamur.
Et sic diffinit Augustinus credere libro suo de praedestinatione sanctorum c. 1:
Credere, inquit, est aliqua cum assensione cogitare. In qua diffinitione nihil
ponitur ad libertatem pertinens. Item Hugo libro primo Sententiarum ca. IX:
Fides est perceptio veritatis cuiuscumque rei cum assensione. Alio modo accipitur credere magis stricte pro assentire propositionibus, de quarum veritate non
constat nisi per testimonium alienum. Et sic dicimur credere ea, quae non
videmus, neque per sensum neque per rationem. Unde Augustinus Super
Johannem homilia seu tractatu LXVIII et LXXIX: Quid est fides nisi
credere quod non vides? Tertio modo accipitur credere strictissime pro assentire revelato a deo et testimonio per miracula et velle vivere et operari
secundum ea. Sic credere includit tam actus voluntatis quam intellectus. Et
istud solum credere est meritorium loquendo de meritorio stricte et secundo
modo secundae distinctionis. Et isto modo loquitur Augustinus de fide in multis
locis et de actu credendi. Unde Augustinus Super Johannem homilia XXIX:
Credere in deum est credendo amare, credendo in eum ire, credendo ei
adhaerere, eius membris incorporari. Die Amplifikation eines Begriffes über
seine traditionelle theologische Bedeutung hinaus finden wir bei Holcot öfter.
Ihr folgt dann eine genaue Analyse und Abgrenzung der verschiedenen Bedeutungen, wofür die Amplificatio die methodische Voraussetzung bildet.
Ein besonders markantes Beispiel ist der Begriff „meritum"; hier spricht
Holcot sogar von einer Äquivokation des Begriffes hinsichtlich seiner verschiedenen Bedeutungen. Vgl. I Sent. q. 1 (fol. a III v). In der gleichen
Quaestio nennt Holcot „meritum" einen „Sammelbegriff" (fol. a VII vb 35—39):
... iste terminus meritum est unum nomen collectivum significans omnes actus
bonos unius personae ... vel est nomen commune cuilibet actui meritorio.

[50] Vgl. I Sent. q. 1 (fol. a V vb 36—40): Et ideo credo quod una magna causa
assensus in his, quae fidei sunt modernis temporibus in multis fidelibus est, quia
sciunt tam peritos viros et veraces, qui nec falli potuerunt nec fallere voluerunt, talia credidisse.

der Art und Weise, wie der Mensch in seiner menschlichen Existenzweise, jedoch unter dem Einwirken göttlicher Offenbarung und
Gnade handelt.

Dieses Interesse an den natürlichen Weisen menschlichen Existie-
rens innerhalb des Glaubensbereiches führt also nicht zu einer
philosophischen Menschenlehre. Im Gegenteil! Nur Glaube und
Theologie vermögen die Wahrheit über Gott und Gottes Handeln
mit dem Menschen auszusagen. Der rein philosophischen Lehre
begegnet man mit Skepsis. Diese wird auf eine seit 1277 immer
noch zugkräftige Formel gebracht: Kampf dem Averroismus! Van
Steenberghen hat mit Recht darauf hingewiesen, daß die Verurteilung, die Bischof Tempier von Paris am 7. März 1277 gegen
219 Sätze des sogenannten lateinischen Averroismus richtete, eine
doppelte Bedeutung hatte. Sie stellte zunächst einen Sieg der
augustinistischen Theologen über den Aristotelismus dar, einen
Sieg, der nur von kurzer Nachwirkung war. Dahinter kündete sich
jedoch eine viel tiefer greifende Krise an, die von dem Zusammen-
treffen einer heidnischen Philosophie mit dem genuin christlichen
Geist ausgelöst wurde[51]. Was bei manchen Magistern des 14. Jahrhunderts als „Fideismus" erscheint[52], ist als Abwehr der Überfremdung des theologischen Denkens durch die Philosophie zu verstehen.
Als Hauptfeind galt Averroes. Dieses zuweilen versteckte Motiv
verdient bei den Theologen des frühen 14. Jahrhunderts stärkere
Berücksichtigung[53].

Was Robert Holcot betrifft, so hat gerade er sich mit einer sel-
tenen Schärfe gegen Averroes geäußert, den er als Verächter aller
Gesetze, sowohl der Christen wie der Juden als auch der Mohamme-
daner, bezeichnet[54]. Was Gott ist, vermag nur der Christ in der
Aussage des Glaubens zu sagen, und diese Aussage ist niemals dem
heidnischen Philosophen erreichbar[55].

---

[51] Vgl. F. Van Steenberghen, The Philosophical Movement in the Thirteenth
Century, Edinburgh 1955, 100—106.
[52] Alois Meissner, Gotteserkenntnis und Gotteslehre... 23, erhebt diesen Vorwurf gegen Robert Holcot. Vgl. auch das starke Erwachen der augustinischen
Tradition und die damit verbundene Abwehrhaltung gegen den Einfluß der
griechischen Philosophie bei Gregor von Rimini, wie es M. Schüler, Prädestination, Sünde und Freiheit bei Gregor von Rimini, Stuttgart 1934, 22; 30f;
117f; 127, dargestellt hat.
[53] Für Herveus Natalis vgl. J. Santeler, Der kausale Gottesbeweis bei Herveus
Natalis... Philosophie und Grenzwissenschaften III, 1, Innsbruck 1930, 62f.
[54] Vgl. „Futura contingentia" Anm. 204; „Der Wissenschaftscharakter der Theologie" S. 105—107.
[55] Vgl. „Gotteslehre" Anm. 19.

Das Erbe Augustins erwies sich als brauchbares Instrument in diesem Kampf gegen eine mit der Theologie konkurrierende Philosophie. Damit beschworen allerdings die „Augustinisten" der verschiedenen Richtungen erneut einen Streit über die ungelösten Fragen nach dem Verhältnis der heilsursächlichen Gnade und der Freiheit des geschöpflichen Willens herauf. Diese Auseinandersetzungen sprengten jedoch nach keiner Seite hin den umspannenden Rahmen des erneuerten Augustinismus, mögen einzelne Autoren auch ihre Gegner des Pelagianismus beschuldigen. Wenn Ockham und Holcot, und vor diesen schon Duns Scotus und Durandus die natürliche Freiheit des Willens betonen und dabei zunächst methodisch von dem Einwirken der Gnade abstrahieren, so bewegen sie sich damit durchaus nicht in antiaugustinistischen Bahnen, sofern sie mit dieser Abstraktion zunächst nur auf eine Vorbedingung des Heils hinweisen wollten. Dies hat auch Augustinus getan und sich mit dieser Hervorhebung der menschlichen Freiheit energisch gegen den Determinismus der Antike gewandt[56]. Manche Darstellungen der letzten Zeit scheinen mir die Gegensätze zwischen den Autoren des beginnenden 14. Jahrhunderts allzu sehr zu verschärfen, so wenn etwa Gregor von Rimini, Bradwardine und der tieffromme Richard Fitzralph als Vorkämpfer des Augustinismus gegen die „pelagianisierenden" Theologen, unter ihnen vor allem Wilhelm Ockham und Robert Holcot, herausgestellt werden[57]. Auch Holcot kann zu solcher Deutung Anlaß geben, besonders dann, wenn seine Aussagen aus dem methodologischen Aspekt herausgelöst rein sachlich interpretiert werden. Molteni zitiert in dem Abschnitt über Freiheit und Gnade einen Text, wonach es der Mensch „dispositive et incomplete" in seiner Macht habe, sich durch den rechten Gebrauch seiner Freiheit für den Empfang von Gnade und Acceptatio zu disponieren[58]. Wir werden sehen, daß bei Holcot solche

[56] Vgl. zu diesem Thema die immer noch lesenswerte Studie von K. Kolb, Menschliche Freiheit und göttliches Vorherwissen nach Augustin, Freiburg 1908, bes. S. 33ff.

[57] So etwa H. A. Oberman, Archbishop Thomas Bradwardine, a fourteenth century Augustinian, Utrecht 1957, 34ff. Noch stärker hebt den Gegensatz heraus: G. Leff, Bradwardine and the Pelagians, Cambridge 1957, 188ff; 216ff; ders., Gregor of Rimini, Manchester 1961, 177; 185ff.

[58] Vgl. Molteni, a.a.O. 69 und 73 (dort die Zitate aus Holcot in den Anm. 23—25). Molteni berücksichtigt die sprachlogische Methode Holcots zu wenig. Im Text der Anm. 25 (I Sent. q. 1 a. 6 L) stellt Holcot zwei Aussageweisen gegenüber: „ut tunc et ex conditione" und „absolute loquendo". Solche termini technici der Disputierkunst dürfen bei der Interpretation von Texten dieser Zeit nicht übergangen werden. Vgl. unsere Bemerkungen zur „Ars obligatoria" u. S. 19, 62, 351. Holcot sagt, daß „absolute loquendo" die Gnade allein von der freien Willensverfügung Gottes abhängt.

Texte erst unter Berücksichtigung der sprachlogischen Redeweisen
ins rechte Verständnis rücken. Gegensätze der theologischen Argumentation und Methode müssen nicht immer Gegensätze des theologischen Systems sein, obwohl sich Methode und Sachinhalt gegenseitig bedingen und ergänzen. Ein abschließendes Urteil kann
jedoch nur unter Berücksichtigung des ganzen Systems und niemals
von einzelnen Aussagen her gefällt werden. Es wird sich zeigen,
daß die Motive, welche die Theologie Holcots durchziehen und
vorwärtstreiben, trotz ihrer Mannigfaltigkeit in sachlicher Verbindung und gegenseitiger Wechselwirkung miteinander stehen. Dadurch erhält die theologische Methode Holcots eine einheitliche
Prägung. Gerade dies ist das Kennzeichen eines theologischen
Systems, das in seiner Gesamtheit eine wirkliche Bereicherung der
Theologiegeschichte darstellt und somit von bleibendem Wert ist,
mag es auch durch manche Einseitigkeiten Widerspruch hervorrufen. So hat Thomas von Aquin in genialer Weise seine ganze
Theologie vom Gottesbegriff her aufgebaut. Läßt man diesen Ein-
heitsgrund außer acht, so erhält man nur Zerrbilder seiner Theologie[59]. Vom Gottesbegriff her und seiner Ausgestaltung in der gesamten Theologie erschließt sich das Verständnis für die Lehre des
Aquinaten. Die Ausgestaltung der Theologie von einem Leit-
begriff her erfordert mehr als eine nur exakt wissenschaftliche
Anstrengung. Gestaltung, auch in der Begriffsbildung, ist künst-
lerische Tätigkeit[60]. Wenn man dieses Lob dem großen Lehrer des
Dominikanerordens geben darf, so ist es auch erlaubt, eine theologische Methode anzuerkennen, die in einer eigenen Weise ein in
sich geschlossenes theologisches Lehrsystem herbeiführte. So wird
sich das Genie des Humors und Esprits[61] auch als Meister in der
Kunst der theologischen Argumentation herausstellen und darum
einen Ehrenplatz in der Ordensfamilie des Aquinaten beanspruchen
dürfen.

Aus der Fülle des Materials mußte von vornherein eine Auswahl
getroffen werden. Darum beschränkten wir uns zuerst quellenmäßig
auf jene systematischen Werke Holcots, die uns auch in handschriftlichen Texten zugänglich waren, theologischen Inhalt haben
und deren Textüberlieferung im allgemeinen als gesichert angesehen werden darf. Dazu gehören der Sentenzenkommentar, die Conferentiae und die Quaestiones quodlibetales.

---

[59] Vgl. Alexander Horváth, Studien zum Gottesbegriff, Freiburg (Schweiz) 1954,
17ff.
[60] Vgl. ders. a.a.O. 43.
[61] Vgl. Anm. 14.

Von der sachlichen Seite gesehen besteht das Ziel dieser Darstellung in der theologischen Methode unseres Magisters. Wie schon gesagt wurde, steht diese formal unter dem bestimmenden Einfluß der scholastischen Logik und Sprachphilosophie. Durch die ganze Untersuchung hindurch wird sich daher gerade diese Thematik immer wieder bemerkbar machen; sie soll jedoch in einem eigenen Kapitel umrissen und in ihrem geschichtlichen Zusammenhang aufgezeigt werden. Dieser Einfluß der Sprachphilosophie wird wiederholt an theologischen Themen sichtbar gemacht. Es ist ein Erfordernis sauberer Methodik, daß an diesen Stellen die Erörterung der eigentlich theologischen Thematik zurücktritt. Im folgenden Kapitel werden wiederholt Beispiele aus dem großen Sachgebiet der Theologie in dieser Weise verwendet. Dabei besteht nicht die Absicht, jedesmal eine theologische Lösung der angestoßenen Sachfragen vorzulegen.

Daran schließt sich ein Kapitel über den Wissenschaftscharakter der Theologie. Will man erkennen, was ein theologischer Entwurf sagen will, so muß zuerst der Ursprung der einzelnen Aussagen erforscht werden, d. h. es muß nach den formalen und inhaltlichen Prinzipien gefragt werden. Die Frage danach, was Theologie überhaupt zu sagen vermag, richtet sich auf die formalen Prinzipien. In dem Kapitel über den Wissenschaftscharakter der Theologie soll diese Frage untersucht werden. An diese Untersuchung der Prinzipien der theologischen Erkenntnis schließt sich ein Kapitel über die Prinzipien der Glaubenserkenntnis an. Auch hier geht es um formale Prinzipien, nicht um die Substanz des Glaubens oder um den materialen Inhalt der Glaubenserkenntnis.

Im Kapitel über die Gotteslehre werden auch inhaltliche Prinzipien der Theologie Holcots angegangen, besonders in dem Teil über den Gottesbegriff. Dadurch soll der Eindruck vermieden werden, die Ausformung dieser Theologie sei allein durch die Sprachlogik geschehen. Auch sachliche theologische Prinzipien und Grundsätze haben dabei entscheidend mitgewirkt.

Schließlich wird in dem Kapitel über die Futura contingentia der Versuch gemacht, die formalen und sachlichen Prinzipien im theologischen Denken Holcots in ihrer gegenseitigen Zuordnung und Durchdringung aufzuzeigen. Dieser Gegenstand wurde aus mehreren Gründen gewählt. Er gehört zu den umstrittensten der scholastischen Theologie. Im Fortschreiten der mittelalterlichen Theologiegeschichte wächst das Interesse der Magister an den Fragen um Prädestination und Freiheit. Dieses Thema ist nicht nur ein Schnittpunkt der verschiedenen theologischen Schulen, sondern auch der apologetischen Bemühungen in der Abwehr des alten Heidentums und der Erneuerung eines heidnischen Lebensgefühls durch eine rationalistische Philosophie (Averroismus) oder eine Kultur, die ihre Maßstäbe antiken Vorbildern entnahm (Renaissance).

In einem weiteren Kapitel sollen die Ergebnisse der Untersuchung zusammengefaßt werden. Wir wenden uns dann noch einmal besonders bestimmten Fragen der logischen und theologischen Methodik zu und wollen versuchen, die Resultate, die sich im Laufe der Arbeit ergeben haben, zusammenzustellen und zu rechtfertigen.

Im letzten Kapitel wird eine möglichst ausführliche Darstellung des literarischen Materials der von Holcot verfaßten oder ihm zugeschriebenen systematischen Werke gegeben, soweit es uns zugänglich war. Für die Bibelkommentare und die Predigtwerke (Beispielsammlungen) verweisen wir auf die bereits zitierten Arbeiten von B. Smalley.

DIE LOGIK ALS INSTRUMENT DER THEOLOGIE

1. Das Anliegen der theologischen Kritik

Mit dem Beginn des vierzehnten Jahrhunderts setzte wie mit einem Schlage eine neue Richtung in der Theologie ein, die sich in dem gleichen Maße, wie sie sich dem Neuen zuwandte, kritisch zu den vorangegangenen Autoritäten und ihren theologischen Systemen äußerte. Den Anfang und entscheidenden Wendepunkt dieser neuen Theologie stellt Duns Scotus dar, der von zwei wesentlichen Punkten her die Theologie des Thomas von Aquin in Frage stellte. Der erste Haupteinwand richtete sich gegen den Gottesbegriff des hl. Thomas. Dieser ist in den Augen des Scotus zu allgemein, um als Grundlage für die theologischen Gottesaussagen zu dienen und das Besondere des göttlichen Seins darzustellen. Demgegenüber betonte Scotus gerade die Einmaligkeit und einzigartige aktuelle Existenz der mit „Gott" bezeichneten Wirklichkeit[1]. Wie grundlegend dieser kritische Ansatz an dem ganzen System des Thomas wirken mußte, ergibt sich aus der entscheidenden Rolle, die der Gottesbegriff in der Gesamtkonzeption des Aquinaten spielte, die Philosophie und Theologie umfaßte. Horváth hat dies in einer Studie dargelegt[2]. Der zweite Ansatzpunkt der kritischen neuen Theologie war die Lehre vom Menschen. Während Thomas im intellektiven Erkennen die dem Menschen eigentümliche Tätigkeit sah[3], stellte Scotus den Willen als das vornehmste Vermögen des Menschen heraus, weil durch dieses die menschliche Seele zum Prinzip des geistigen Lebens wird[4]. Die Kritik entbrannte also in ihrem Aus-

---

[1] Vgl. E. Gilson, Johannes Duns Scotus, Düsseldorf 1959, 122f.

[2] Vgl. A. M. Horváth, Studien zum Gottesbegriff, 17ff.

[3] Vgl. Thomas Aq., S. th. I q. 76 a. 1: Propria autem operatio hominis, inquantum est homo, est intelligere; per hanc enim omnia alia animalia transcendit.

[4] Vgl. Duns Scotus, Op. Ox. II d. 25 q. unica n. 20 (ed. Vivès XIII 213 a): ..., tam nobilis perfectio animae, huiusmodi est voluntas, qua anima est in actu primo. Vgl. J. Auer, Die Menschliche Willensfreiheit im Lehrsystem des Thomas von Aquin und Johannes Duns Scotus, München 1938, 107. Damit wird nicht behauptet, daß Scotus allgemein einen „Primat des Willens gegenüber dem Verstand" vertreten habe. Dies läßt sich nur in den Grenzen und mit jenen Unterscheidungen sagen, die Gilson sowohl für den göttlichen (S. 296f)

gangspunkt an theologischen und philosophischen Gegenständen. Diese Feststellung ist für das Verständnis der ganzen weiteren Entwicklung von Wichtigkeit. Wie bei Scotus so hatte auch bei Durandus de S. Porciano[5] und selbst bei Petrus Aureoli[6] die Logik und die Sprachphilosophie noch nicht den beherrschenden Einfluß auf die theologische Kritik wie später bei Wilhelm Ockham und Robert Holcot. Jedoch gilt auch von diesen Magistern, wovor Josef Koch im Hinblick auf Durandus warnte, die Denker des Mittelalters doch nicht ausschließlich oder hauptsächlich nach ihrer Stellung zum Universalienproblem zu beurteilen[7]. Auch Holcots Theologie erhielt ihre Formung von theologischen Begriffen, besonders von dem der Freiheit Gottes und der damit verbundenen Kontingenz von allem, was aus dieser Freiheit hervorgeht. Freilich hatte bei der Ausformung dieser Theologie die Sprachlogik ein außerordentliches Gewicht. Hier machte sich der Einfluß der Schule von Oxford bemerkbar, die „in Mathematik, Physik und Sprachlogik besonders hervorragte"[8]. Dies gab auch seiner theologischen Beweisführung im Sentenzenkommentar und in den Quodlibeta, jener abstrakten und ausgedehnten Darstellung von Einzelfragen, die den Leser ermüden kann und es oft so schwer macht, aus dem vielen Pro und Contra die Lehre des Magisters herauszufinden, die Form. Auch von Holcot gilt, was Philotheus Boehner über Wilhelm Ockham gesagt hat: The Venerabilis Inceptor must be ruminated[9]. Bei wiederholter Lektüre erschließt sich der Scharfsinn des Autors, sein Interesse an der konkreten Situation, in der eine theologische Frage durch je neue Aspekte nach allen möglichen Richtungen hin untersucht werden kann. Freilich ist es gerade bei diesen Denkern notwendig, den gegenseitigen Einfluß zu berücksichtigen, den Methode und theologisches (oder philosophisches) Theorem aufeinander ausüben[10].

Der Einfluß der Logik auf die Theologie, in Oxford besonders ausgeprägt, darf jedoch nicht nur als Eigenart der Engländer oder

wie für den menschlichen Willen (S. 607ff; 615ff) herausgearbeitet hat. Scotus ging es vor allem um die Hervorhebung der Freiheit und geistigen Selbstmächtigkeit des Menschen, die er in der geistigen Entscheidungsmacht des Willens gewährleistet sieht. Vgl. E. Gilson, Johannes Duns Scotus, a.a.O.

[5] Vgl. J. Koch, Durandus de S. Porciano, 192.

[6] Vgl. R. Dreiling, Der Konzeptualismus in der Universalienlehre des Franziskanerbischofs Petrus Aureoli, Münster 1913, 215.

[7] Vgl. J. Koch, a.a.O. 2f.

[8] Vgl. J. Auer, a.a.O. 15f.

[9] Vgl. Ph. Boehner, O.F.M., Ockham, Philosophical Writings, Edinburgh 1957, S. V.

[10] Darauf hat in anderem Zusammenhang Johannes Auer, a.a.O. 36f (und wiederholt) hingewiesen: „Ein anderer Erkenntniswille und Erkenntnisweg wie ein anderer Seinsbegriff, Potenzbegriff u.s.w. bedingen eben einander."

gar als Verfallserscheinung angesehen werden. Er ist für das ganze
Abendland aus der geschichtlichen Entwicklung zu erklären. Der
Aufschwung der Logik im 13. Jahrhundert wurde durch das Bekanntwerden des aristotelischen Schrifttums ausgelöst. Zwar wurde
die Kommentierung des Aristoteles zunächst durch die Verbote von
1210 und 1215[11] offiziell eingeschränkt. Da jedoch die logischen
Werke von diesen Verboten ausdrücklich ausgenommen waren[12],
wandten sich die Magister der Artistenfakultät diesen mit besonderem Eifer zu[13].

Das Aufblühen der aristotelischen Logik ist jedoch nicht nur den
mehr von außen wirkenden geschichtlichen Umständen zu verdanken. Das philosphische Werk des Stagiriten wird erst in seiner ganzen Wirkung richtig eingeschätzt, wenn man sowohl den Anstoß
berücksichtigt, den es von seiner Physik erhielt, als auch den
bestimmenden Einfluß seiner logischen Methode in Betracht zieht.
Für die Beurteilung dieses Einflusses ist die Feststellung von größter Bedeutung, daß Aristoteles seine gesamte philosophische Arbeit
mit einem zweckfreien Exerzitium der syllogistischen Logik begann.
Ernst Kapp[14] hat an eine vor über hundert Jahren erschienene
Studie erinnert, die sich mit der Reihenfolge der Bücher des Organons beschäftigte[15]. Der Autor habe nachgewiesen, „daß die Topik
völlig anders ausgefallen wäre, wenn Aristoteles sie nach Fertig-
stellung seiner Analytiken ausgearbeitet hätte". Die Topik muß
geschichtlich an den Anfang des Organons gesetzt werden. Bei
ihrer Abfassung leiteten Aristoteles noch nicht inhaltliche Ziele,
sondern die Einübung in eine Methode der Disputierkunst als einer
Art geistiger Gymnastik[16]. „Sie besteht darin, daß man ein gestell-
tes Problem — irgendein strittiges Problem — von wahrschein-
lichen Prämissen ausgehend erörtert, oder, wenn man in der Beweisführung angegriffen wird, es vermeidet, sich dabei selbst zu widersprechen. Für diese Art von philosophischem Training werden stets
zwei Personen sowie ein Problem benötigt; die eine Person spielt
die Rolle des Fragenden, die andere die des Antwortenden und

---

[11] Vgl. Denifle-Chatelain, Chartularium Universitatis Parisiensis, Paris 1889,
Bd. I, S. 70 n. 11; S. 78 n. 20.

[12] Vgl. H. Roos, S. J., Die modi significandi des Martinus de Dacia, BGPhMA
XXXVII, 2, Münster 1952, 112.

[13] Vgl. meine Darstellung dieser Entwicklung in: Die Schriften des Oxforder
Kanzlers Johannes Lutterell, EThSt VI, Leipzig 1959, 143—146.

[14] Vgl. E. Kapp, Der Ursprung der Logik bei den Griechen, Göttingen 1965, 11.

[15] Gemeint ist Christian August Brandis, Über die Reihenfolge der Bücher des
aristotelischen Organons, Abhandl. d. Berliner Akad., 1833.

[16] Vgl. Kapp, a.a.O. 17.

Widersachers." Es ist klar, daß hier die scholastische „Ars obligatoria" ihren Ursprung hat. Bei Aristoteles spielte dieses geistige
Training allerdings mehr die Rolle einer „Vorbereitung für die
Aufgaben des wirklichen Lebens und der Philosophie"[17], während
bei den Theologen des 14. Jahrhunderts doch der Eindruck entsteht, daß die Disputierkunst zuweilen allzu stark in die Sachproblematik einfließt. Dennoch sollte uns die Stellung der Disputierkunst als eine Art methodischen Prinzips der Philosophie, die ihr
Aristoteles — angeregt durch die sokratische Kunst des philosophischen Dialogs — in genialer Weise gab, davor warnen, sie grundsätzlich abzuweisen. Sieht man nämlich die Zielsetzung dieser Scholastiker nicht vornehmlich in der Darstellung der Glaubenslehre,
sondern in der Handhabung eines methodisch richtigen Gespräches
von theologischer Thematik, dann erhält die Anwendung der Ars
obligatoria in dieser Theologie ihr gutes Recht. Die Texte bei Holcot sprechen für diese Interpretation. Nach Kapp liegt in der Disputierkunst die ursprüngliche Bedeutung der Logik: „Somit dürfen
wir sagen, daß sogar ihr Name darauf hinweist, daß die Logik
ursprünglich verstanden wurde als eine Wissenschaft von dem, was
geschieht, wenn wir nicht für uns selbst denken, sondern wenn wir
reden und versuchen, einander zu überzeugen[18]." Geistesgeschicht-
lich erleben wir in der theologischen Methode des 14. Jahrhunderts
eine neue Art von Aristotelesrenaissance, diesmal nämlich seiner
Beweiskunst. Dazu kommt ein anderer Anstoß aus der Theologie
selbst, deren Geschichte uns zeigt, daß sie von Zeit zu Zeit zu einer
kritischen Prüfung ihrer Grundlagen, ihrer Begriffe und Methoden
schreitet. Die Logik bildet ein geeignetes Instrument für diese
Aufgabe.

Die kritische Reflexion in der scholastischen Theologie darf nicht
als Zeichen des Verfalls angesehen werden. Schon Josef Koch
bezeichnete es als unberechtigt, „mit Duns Scotus oder Ockham die
Spätscholastik zu beginnen und bei beiden nach Zeichen der Auflösung oder des Niederganges zu suchen". Er fügte hinzu: „Der
kritische Geist, der sie und ihre Schüler beseelt, ist durchaus scholastisch[19]." Sprengard hat sich in seiner Untersuchung der scholastischen Philosophie des vierzehnten Jahrhunderts die Erforschung
dieser kritischen Richtung zum Ziel gesetzt[20]. Er verfolgt dieses

---

[17] Vgl. a.a.O. 19.
[18] Vgl. a.a.O. 26.
[19] Vgl. J. Koch, Scholastik. In: RGG V, ([3]1961) 1497.
[20] Vgl. K. A. Sprengard, Systematisch-historische Untersuchungen zur Philosophie
des XIV Jahrhunderts, 2 Bde. Bonn 1967 und 1968. Der zweite Band bringt
eine Untersuchung der Erkenntnislehre Crathorns. Leider setzt Verf. seine

Ziel in zwei Richtungen. Erstens gilt seine Kritik dem Urteil der „herrschenden spätscholastischen Mediaevistik"[21]. Ihr gegenüber setzt sich der Verfasser das Ziel, die kritische Philosophie der „Modernisten"[22] des vierzehnten Jahrhunderts in ihrer wissenschafts-methodischen Bedeutung zu erhellen. Die Darstellung der kritischen Denkmethode ist sein zweites Ziel. Diese hat zwar ihren Schwerpunkt in der Erkenntnislehre, wirkt sich aber auf alle philosophischen Bereiche aus[23]. Den Einfluß der Logik auf dieses neue Denken hat Sprengard im zweiten Band seines Werkes an Hand der Quästionen des Oxforder Dominikaners Crathorn dargestellt. Wir werden auf diesen Magister noch öfter zurückkommen, da er Holcots Denken beeinflußt hat.

2. Logik und Sprachphilosophie als Instrumente der Kritik

Robert Holcot ist ein besonders ausgeprägter Theologe dieser kritischen Richtung, die sowohl die theologische Aussage selbst wie ihre Begründung durch Autoritäten einer kritischen Prüfung unterzieht. Nur die Heilige Schrift und das kirchliche Lehramt setzen der Kritik eine absolute Grenze. Diese theologische Methode ist eine Methode der Reflexion. Sie richtet die Aufmerksamkeit nicht nur auf den Inhalt, sondern auch, oft sogar vornehmlich, auf die Art und Weise der Aussage. Dies ist der erste und am meisten auffallende Unterschied in der Art des Theologisierens zwischen Holcot und etwa Thomas von Aquin oder auch Duns Scotus. Zwar ist jede Theologie auch Reflexion im Sinne von Überlegen und Überdenken der Glaubensgeheimnisse. Bei Holcot richtet sich jedoch die Reflexion vornehmlich auf die Aussageweise von theologischen Sätzen und damit auf die formale Richtigkeit der theologischen Rede. Nun dienen vor allem Logik und spekulative Grammatik der Untersuchung der Aussageformen. So ist es natürlich, daß sich in einer Theologie der methodischen Reflexion logische und grammatische Überlegungen häufen müssen.

Kritik nur an der älteren Literatur an. Dieser Ansatzpunkt ist heute durch die neueren Forschungen zum großen Teil überholt und brachte Sprengard um wertvolle Hilfen für das Verständnis der erkenntnistheoretischen Problematik und ihre sachgemäße Darstellung. Vgl. die sehr kritische Rezension von Heinrich Schepers in PhJ 76 (1969) 395—400; ferner meinen Artikel: Einige Bemerkungen zu den Aufgaben einer künftigen Mediaevistik des XIV. Jahrhunderts: Philosophie und Theologie 46 (1971) 256—265.

[21] Vgl. a.a.O. I, 37ff und 55ff.
[22] Dieser Ausdruck bei Sprengard I, 10.
[23] Vgl. Sprengard, a.a.O. I, 71—73.

Beide Disziplinen boten sich unserem Magister als Instrumente an, die zu einer für ihre Zeit bedeutenden Vollendung entwickelt waren. Geschichtlich war diese Entwicklung angestoßen durch das Bekanntwerden der aristotelischen Werke im Abendland. Da der Gegenstand der scholastischen Lehre „authentische" Texte waren, „d. h. Texte, denen Autorität zukommt"[24], ist Stoffzufuhr für die Weiterentwicklung der scholastischen Wissenschaft von hoher Bedeutung. Nun wurden zwar durch die Aristotelesverbote von 1210 und 1215[25] das Studium und die Erklärung der Werke des Stagiriten zunächst gehemmt; dennoch führten gerade diese Verbote zu einer stärkeren Beschäftigung mit der Logik des Aristoteles, weil seine logischen Werke ausdrücklich ausgenommen waren[26]. Diese Arbeit wurde hauptsächlich in der Artistenfakultät geleistet. Da jedoch der Magister der Theologie dem scholastischen Bildungsgang entsprechend aus dem Magister artium hervorging[27], brachte er von dort her natürlicher Weise das formale Rüstzeug für die theologische Argumentation mit. Die Magister begnügten sich auch nicht mit einer textgetreuen Kommentierung der aristotelischen Logik. So hoch zwar die Achtung vor den Autoritäten war (Bernhard von Chartres: „Wir sind Zwerge auf den Schultern von Riesen"), so wurden darüber zwei weitere Aufgaben der Wissenschaft nicht vernachlässigt, nämlich die Autoritäten kritisch zu würdigen und nach neuen Ergebnissen zu suchen. (Unanfechtbare Autorität kam nur der Hl. Schrift und den Entscheidungen des kirchlichen Lehramtes zu.) Eine zugleich ehrfürchtige wie kritische Haltung gegenüber den Autoritäten sicherten der Scholastik zwei wichtige Elemente echter Wissenschaft: Empfänglichkeit für geistige Tradition und Selbständigkeit der Stellungnahme, der Kritik, des Weiterdenkens. Was die Logik betrifft, so kann heute gerade im Hinblick auf den kühnen Entwicklungsgang der scholastischen Logik nicht mehr dem Ausspruch Kants zugestimmt werden, die Logik habe seit den Tagen des Aristoteles keinen Schritt vorwärts gemacht[28]. Wenn dieses Wort des großen Philosophen nur darauf

[24] Vgl. J. Koch, a.a.O. 1495.
[25] Vgl. o. Anm. 11.
[26] Vgl. o. Anm. 12.
[27] Für die Magister aus dem Ordensstand gab es später allerdings Ausnahmen von diesem Statut. Vgl. H. Junghans, Ockham im Lichte der neueren Forschung, Leipzig 1964, 51f.
[28] Vgl. Immanuel Kant, Kritik der reinen Vernunft, Vorrede zur zweiten Auflage. Herausgeg. v. Ernst Cassirer, Bd. 3, 13: „Daß die Logik diesen sicheren Gang schon von den ältesten Zeiten her gegangen ist, läßt sich daraus ersehen, daß sie seit dem Aristoteles keinen Schritt rückwärts hat tun dürfen, wenn man ihr nicht etwa die Wegschaffung einiger entbehrlicher Subtilitäten oder deut-

zielte, den genialen Anstoß hervorzuheben, den Aristoteles der Logik als einer Wissenschaft von den „Operationsregeln" ein für allemal gab, dann hat es eine gewisse Berechtigung[29]; denn die formale Logik kann sich grundsätzlich nur auf dem von Aristoteles einmal markierten Wege fortentwickeln, und aller Forschritt besteht nur in einer präziseren Herausarbeitung ihres Formalismus und der damit verbundenen Befreiung vom Inhaltlichen. In dieser Aufgabe läßt sich das gleichbleibende Bindeglied zwischen traditioneller und moderner Logik sehen[30]. Jedoch Kant hat selbst in der Problematik seiner „transzendentalen Logik" seine eigene Behauptung überschritten[31]. Neuer Stoff und tiefere Erkenntnis des überlieferten Materials verlangen neue und verfeinerte Erkenntnismittel. Schon die Logikwerke des dreizehnten Jahrhunderts hatten manches mehr zu sagen als Aristoteles, wie schon ein Blick in die Summulae logicales des Petrus Hispanus beweist[32]. Die scholastischen Magister waren sich dieser eigenen Leistung auch bewußt. Dies zeigt ein von De Rijk mitgeteilter Text aus einem Anonymus des 15. Jahrhunderts. Nachdem Aristoteles das Verdienst zuerkannt wird, die Prinzipien auch für die moderne Logik aufgestellt zu haben, wird sehr deutlich ausgesprochen, daß seine Logik einer Weiterführung und Vollendung bedarf[33]. Erst recht bleibt die Frage nach der Möglichkeit verschiedener Logiken unberücksichtigt, die noch im Zeitalter Kants von Bolzano (1781—1848) aufgeworfen und durch Frege (1848—1925) zum Hauptthema der modernen Logik wurde[34].

lichere Bestimmung des Vorgetragenen als Verbesserungen anrechnen will, welches aber mehr zur Eleganz als zur Sicherheit der Wissenschaft gehört. Merkwürdig ist noch an ihr, daß sie auch bis jetzt keinen Schritt vorwärts hat tun können und also allem Ansehen nach geschlossen und vollendet zu sein scheint."
Auf diesen Text weist auch hin L. M. De Rijk, Logica modernorum, Assen 1962, 13 Anm. 1.

[29] Vgl. H. Scholz, Geschichte der Logik, Berlin 1931, 2f.
[30] Vgl. F. von Kutschera, Das Verhältnis der modernen zur traditionellen Logik. In: PhJ LXXI (1964), 219—229.
[31] Vgl. H. Scholz, a.a.O. 14.
[32] Vgl. dazu De Rijk, a.a.O. 15f.
[33] Vgl. a.a.O. 15: Si isti tractatus superius enumerati pertinerent ad logicam, sequeretur quod Aristoteles incomplete et insufficienter nobis tradidisset logicam et quod absque meritis in fine Secundi Elenchorum (c. 34, 184 b 3—8) peteret sibi grates haberi de logice traditione completa. Sequela probatur quod ipse illorum tractatuum notitiam nobis non tradidit. Der Text ist entnommen einer Kölner Edition vom Jahre 1493: Copulata tractatuum parvorum logicalium textus et copulata omnium tractatuum Petri Hispani.
[34] Vgl. a.a.O. 13.

3. Die Logik des Glaubens

Von solchen Überlegungen her sollte man Verständnis finden für Holcots Begriff der Logica fidei, der so oft kritisiert und mit dem Brandmal der Erkenntnisskepsis behaftet wurde. Rein methodisch gesehen setzte sich Holcot durch diesen Begriff in Distanz zur aristotelischen Logik, deren Allgemeingültigkeit er nur für die Erfahrungswelt anerkennt, für die Theologie jedoch bezweifelt[35]. Holcot hat das Problem andersartiger „Logiken" in der Theologie, insbesondere innerhalb der Trinitätslehre und der Christologie[36], empfunden. Aber auch auf dem Gebiet des sittlichen Handelns

[35] Vgl. Holcot I Sent. q. 5 (fol. e V ra 27—49): Ad quintum, quando accipitur... Similiter non est inconveniens quod logica naturalis deficiat in his, quae fidei sunt. Et ideo sicut fides est supra physicam naturalem ponens res produci per creationem, ad quam philosophia naturalis non attingit, ita moralis doctrina fidei ponit quaedam principia, quae scientia moralis non concedit. Eodem modo rationalis logica fidei alia debet esse a logica naturali. Dicit enim Commentator secundo Metaphysicae commento decimoquinto, quod quaedam logica est universalis omnibus scientiis et quaedam propria unicuique scientiae. Et si hoc est verum, a multo fortiori oportet ponere unam logicam fidei.
Ebd. (Ink. fol. e V rb 8—16): Sed quid est dicendum: Estne logica Aristotelis formalis vel non? Dico quod si non vis vocare logicam formalem nisi illam, quae tenet in omni materia, sicut dicit Commentator primo Physicorum commento XXV: Sermo concludens per se debet concludere in omni materia, tunc patet quod non. Si vis vocare logicam formalem illam, quae per naturalem inquisitionem in rebus a nobis sensibiliter notis non capit instantiam, dico quod sic.

[36] Vgl. II Sent. q. 1 (fol. f VIII rb 55 — va 28): Omnis natura est bonum. Ipsa res, quae est mala, est natura. Ergo eadem res est bona et mala. Hoc plane dicit Magister II libro dist. XXXIV c. V, quod in his duobus contrariis, quae sunt bonum et malum, fallit regula dialecticorum, quia eadem res est bona et mala. Quod autem eadem actio vel idem actus sit rectum et non rectum diversis intentionibus et considerationibus, probatur ex intentione venerabilis Anselmi De veritate c. VIII per tria exempla. Idem, inquit, debet esse et non esse, debet, inquit, esse bene et sapienter et non debet esse, quantum ab iniqua voluntate concipitur. Et ita quis audebit negare debere esse quod tanta sapientia et bonitate permittitur? Deneget qui audet, ego non audeo. Ergo secundum Anselmum: Peccatum debet esse, et ultra: Ergo quando fit iuste fit. Et hoc est verum, quia actus fit iuste et iniuste a diversis. Primum exemplum Anselmi est de Christo quod Christus debuit pati mortem et Christus non debuit pati mortem. Multis enim modis eadem res suscipit diversis considerationibus contraria. Secundum exemplum: Eadem percussio est recta et non recta. Quando reus percutitur ab aliquo, cuius non interest percutere, recta est, quia ille debet percuti, non recta est, quia ille non debet percutere. Tertium exemplum: Clavi ferrei debuerunt penetrare carnem Christi et non debent penetrare carnem Christi. Caro Christi debuit dolere et non debuit dolere. Licet modus loquendi in istis exemplis mihi non placeat, utor tamen eis ad propositum meum.

stellte es sich ihm, wie die zitierten Stellen zeigen (besonders Anm. 36). Holcot beruft sich auf ein Wort Anselms von Canterbury: „In den Gegensätzen von gut und böse lassen uns die Gesetze der Dialektik im Stich; denn dieselbe Sache ist gut und bös, je nachdem ob etwas aus weiser Anordnung oder aus einem verkehrten Willen hervorgeht." Anselm bringt zum Beweis seines Argumentes drei Beispiele: „Vom Tode Christi lasse sich sowohl sagen: Er mußte ihn leiden, wie: Er durfte ihn nicht erleiden, je nach der verschiedenen Betrachtungsweise. Das zweite Beispiel: Dieselben Schläge sind gerechtfertigt und ungerecht, nämlich als gerechte Strafe einerseits, als Grausamkeit andererseits. Drittes Beispiel: Der Leib Christi mußte durchbohrt werden und durfte nicht durchbohrt werden." Holcot fügt hinzu, daß ihm diese Redeweise nicht gefällt, er sich ihrer jedoch zum Beweis seiner Behauptung bedient. Der Einwand gegen die Allgemeingültigkeit der aristotelischen Logik ist nach verschiedenen Seiten hin bedeutsam. Wieder einmal taucht in der „Spätscholastik" ein Problem auf, dessen Lösung oder wenigstens intensive Bearbeitung der Neuzeit vorbehalten bleiben mußte, weil das erforderliche methodische Instrument noch fehlte; der Ansatzpunkt neuer Erkenntnisse wurde jedoch richtig gesehen. Anneliese Maier hat mehrfach auf solche Beispiele hingewiesen[37]. Der Anstoß für die neuen Methoden und Fragestellungen kam von einer neuen Erkenntnistheorie, die von der Logik und von der Naturphilosophie ihre Formung erhielt. Das bedeutete für das fortschreitende vierzehnte Jahrhundert: Logisierung der Methode und Abkehr vom ontologischen Interesse zugunsten eines für die Scholastik völlig neuen Empirismus[38]. Die Grundtendenz dieser Methodik war bei den Magistern der Oxforder Schule ziemlich gleich, mögen sie sich auch in Einzelfragen oft heftig bekämpft haben. Holcot gehörte so sehr zu dieser Richtung, daß man ihm den Traktat de maximo et minimo, der aus der Hand des Roger Rosetus stammt, zuschreiben konnte[39].

Der Begriff der Logica fidei wirft jedoch noch eine andere Frage auf, nämlich die nach der Verwendbarkeit der aristotelischen Logik in der theologischen Argumentation. Gerade Holcots Theologie

---

[37] So für das Problem der intensiven Größe: A. Maier, Zwei Grundprobleme der scholastischen Naturphilosophie, Rom 1951, 87f. Für das Gebiet der Proportionsrechnung: Dslb., An der Grenze von Scholastik und Naturwissenschaft, Rom ²1952, 261. Dslb., Ausgehendes Mittelalter I, 377ff; 456f.

[38] Vgl. Zwei Grundprobleme der scholastischen Naturphilosophie, a.a.O.

[39] Vgl. A. Maier, An der Grenze von Scholastik und Naturwissenschaft, 260f; bes. 261 Anm. 8. Der Traktat trägt in der Holcot-Inkunabel die Überschrift: Determinationes quarundam aliarum quaestionum. Vgl. jedoch u. S. 25 Anm. 41.

zeigt, daß sich die theologische Methode nicht unbesehen nach den Regeln der aristotelischen Logik ausformen läßt. Diese Erkenntnis wurde durch eine konsequente Formalisierung der Logik noch gefördert. Die starke Verwendung der Logik in der Theologie zeigte zugleich die Grenzen und die Fragwürdigkeit streng logischer Methodik auf dem theologischen Gebiete. Das Ergebnis ist eine grundsätzliche Unterscheidung zwischen Glauben und natürlichem Denken. Diese Unterscheidung ergab sich für Holcot als ein Erfordernis scharfsinniger Methodik. Damit ist keineswegs eine Verachtung der Vernunft für Glaube und Theologie, noch eine Leugnung des natürlichen Sittengesetzes verbunden. Überhaupt muß man sich hüten, auf Grund einzelner Stellen über Holcots Theologie ein Gesamturteil zu fällen. Holcots kritische Methode führte zu überspitzten Formulierungen. Das sollte immer berücksichtigt werden. Außerdem bereitet gerade bei Holcot die handschriftliche Überlieferung besondere Schwierigkeiten hinsichtlich der Zuverlässigkeit des Textes wie auch der Echtheit der einzelnen Schriften. Alois Meissner glaubte, in Holcots Gotteslehre eine starke Neigung zu Fideismus und Traditionalismus, ja eine Verachtung der Vernunftskräfte feststellen zu können[40].

Zum Beweis für diesen „Kampf gegen die Ratio" weist Meissner auf vier Stellen im Inkunabeltext hin, an denen Holcot von „unbeweisbaren Wahrheiten" spreche. Zwei von ihnen sind den Determinationes entnommen. Ihre Zuverlässigkeit wurde von den Bearbeitern des Frühdruckes in Frage gestellt. (Die erste von ihnen stammt nicht von Holcot.) Nach Schepers muß aber eine zuverlässige Texttradition vorgelegen haben. Eine handschriftliche Quelle für das Opus als Ganzes ist nicht erhalten. Darum haben wir es hier als Quelle beiseite gelassen[41]. An der dritten Stelle geht es um die

---

[40] Vgl. A. Meissner, Gotteserkenntnis und Gotteslehre... 23: „Holcot vertritt in der Frage der Gotteserkenntnis also einen ausgesprochenen Fideismus und Traditionalismus." Ebd. 129: „Auf der subjektiven Seite liegt diesem Denken ein weitgehender Skeptizismus zugrunde. Aus ihm entwickelt sich ein scharfer Kampf gegen die Ratio, von der man meint, sie sei in Gebiete eingedrungen, auf denen sie in keiner Weise zuständig ist." Vgl. dazu die Anm. 13 auf S. 129: „Er kennt eine ganze Reihe von unbeweisbaren Wahrheiten: Daß die Seele unsterblich ist (Sent. II q. 2, R), daß Gott frei war, die Welt zu schaffen (Determ. q. 11 a. 3, K), daß Gott die Welt in der Zeit, nicht aber von Ewigkeit geschaffen habe (Sent. II q. 2 a. 5 Q), daß Gott mit den geschöpflichen Akten mitwirke (Determ. q. 11 a. 4 AA). Vgl. dazu die entsprechenden Lehren Ockhams."

[41] A. Pelzer schreibt diese (wohl nur die erste) dem Roger Rosetus zu. Vgl. A. Maier, An der Grenze... 261 Anm. 8. S. o. Anm. 39. Zur Textüberlieferung der Determinationes vgl. ferner E. A. Moody, A Quodlibet Question of Ro-

philosophische Unbeweisbarkeit einer zeitlichen oder ewigen Weltschöpfung. Holcot lehrt, daß die Ewigkeit der Welt demonstrativ
weder bewiesen noch widerlegt werden könne; es handele sich hier
vielmehr um ein „Problema neutrum", wie schon Aristoteles im
ersten Buch der Ethik lehre[42]. Darin stimmt Holcots Lehre mit derjenigen des hl. Thomas überein, nur daß Thomas die Stelle genau
aus der Topik des Aristoteles zitiert[43]. Bleibt also noch die von
Meissner zuerst genannte Belegstelle für Holcots Fideismus, daß
die Unsterblichkeit der Seele nur aus dem Glauben erkennbar sei.
Auf diese Stelle soll hier einmal näher eingegangen werden, weil
sich an ihr die schwierige Aufgabe einer genauen und treffenden
Interpretation der Texte gut aufzeigen läßt. Sie steht in der
Quaestio: Ob Gott von Ewigkeit her wußte, daß er die Welt hervorbringen werde[44]. Im Laufe der Quaestio stellt sich für unseren
Magister die Frage, daß bei einer ewigen Dauer der Welt Gott
unzählige Seelen schaffen müsse[45]. Da dies aber der allgemeinen
scholastischen Lehre eines faktisch Unendlichen widerspricht[46],
stellte sich für unseren humanistisch gebildeten Magister die Möglichkeit ein, mit der Seelenwanderungslehre der Pythagoräer zu
argumentieren. Er zitiert hierfür einige Verse aus Ovids Metamor-
phosen und hebt dann die Lehre des Glaubens deutlich, doch in

bert Holkot, O. P. on the Problem of the Objects of Knowledge and Belief.
In: Speculum XXXIX (1964) 56f., besonders H. Schepers, a.a.O. 336.

[42] Holcot, II Sent. q. 2 (fol. h vb 32—41): Quinto restat videre, an deus potuit
producere mundum ab aeterno. In hoc articulo dico tria: Primum est quod
haec propositio: Mundus fuit ab aeterno, non potest demonstrative probari
nec improbari, et ideo est problema neutrum. Patet primo Ethicorum. Dico
secundo idem de hac propositione: Mundus fuit creatus vel conservatus a deo
vel effective productus ab aeterno. Tertio dico quod haec includit contradictionem: Mundus fuit creatus a deo ab aeterno vel effective productus ab
aeterno. Dies Dritte wird nun mit ausführlichen dialektischen Künsten bewiesen.

[43] Vgl. Thomas Aq. S. th. I q.46 a.1 u. 2; ebd. a.1: Nec rationes, quas ad hoc
Aristoteles adducit, sunt demonstrative simpliciter, sed secundum quid, scilicet
ad contradicendum rationibus antiquorum ponentium mundum incipere secundum quosdam modos in veritate impossibiles. — Tertio quia expresse dicit
in I lib. Topic (c.11, 104 b 12—16) quod quaedam sint problemata dialectica,
de quibus rationes non habemus, ut utrum mundus sit aeternus.

[44] Vgl. Holcot, II Sent. q. 2 (fol. g II rb 37—40): Utrum deus ab aeterno sciverit
se producturum mundum.

[45] Vgl. ebd. (fol. h II va 27—32): Tertio in omni die potuisset creasse unam
animam et conservasse. Et sic per consequens iam foret altera multitudo
infinita actu. Consequens impossibile secundum quosdam. Immo de facto
posita aeternitate mundi infiniti homines fuissent, et cum anima sit in-
corruptibilis, essent nunc infinitae animae.

[46] Vgl. A. Maier, Diskussionen über das aktuell Unendliche in der ersten Hälfte

sehr maßvollem Ton davon ab[47]. Das eigentliche Thema der Stelle ist also nicht die Unsterblichkeit der menschlichen Seele, sondern die Möglichkeit einer unendlichen Zahl von Seelen, der Holcot die Seelenwanderungslehre der Pythagoräer entgegenhält. Infolge der Seelenwanderung bedürfte es auch in einer ewigen und unendlichen Körperwelt nicht unendlich vieler Seelen. Diesem Mythos setzte Holcot die Antwort des Glaubens entgegen. Es geht also nicht direkt um die Frage einer philosophischen Beweisbarkeit der unsterblichen Menschenseele. Das Argument kommt vielmehr aus einem heidnischen Mythos, vorgetragen von einem heidnischen Dichter. Eigentlicher Fragepunkt ist die Zahl der Seelen im Vergleich zu der Zahl der Körper. Die Unsterblichkeit der menschlichen Seele wird in den Zusammenhang dieser Frage hinein verwoben. Vielleicht darf man den komplizierten Text in folgender Weise übersetzen: „Was immer von diesen Versen zu halten sei, allein der Glaube bestimmt die Unsterblichkeit der Seele mit der Zahl der Seelen entsprechend der Zahl der Körper". Oder: ... „allein der Glaube bringt die Unsterblichkeit der Seele in Übereinstimmung mit der Zahl der Seelen entsprechend der Zahl der Körper." Das würde aber heißen: Der Glaube, auf den wir uns gegenüber Ovid stützen, lehrt uns, daß Gott nur soviele unsterbliche Seelen schafft, wie er mit den entsprechenden Körpern vereinigt. So nach dem Text der Inkunabel. Er stimmt mit keiner der mir erreichbaren Handschriften wörtlich überein. Zwei von ihnen sprechen präzis aus, die Unsterblichkeit der menschlichen Seele werde nur durch den Glauben gelehrt. Die übrigen Handschriften verbinden in ähnlicher Weise wie im Inkunabeltext die Unsterblichkeit der Seele mit der Menge der Seelen und deren Verhältnis zu der Menge der Körper, also in der Weise, wie sich die Frage durch die Seelenwanderungslehre der Pythagoräer stellt. Ich setze die Texte zum Vergleich hintereinander:

1. P (fol. 55 ra 16—22): Ad tertium de infinitate animarum in actu: illa ratio non concludit contra Pictagoricos, qui posuerunt

---

des 14. Jahrhunderts. In: Ausgehendes Mittelalter, Rom 1964, 41—85; 43. Zur Diskussion dieser Frage in Oxford zur Zeit Holcots: 74—82.
[47] Vgl. Holcot, ebd. (fol. h III rb 25—34): Ad tertium de infinitate animarum in actu: Ista ratio non concluderet Pictagoricis, qui posuerunt reditionem animarum ad corpora et ponunt quod anima transit de corpore hominis ad corpus bestiae et econtra, sicud recitat Ovidius Metamorph. XV et dicit sic: Morte carent animae semperque priore relicta Sede novis domibus vivunt habitantque receptae. Quicquid sit de eis, tamen immortalitatem animae humanae sola fides determinat cum multitudine animarum secundum multitudinem corporum.
Das Ovid-Zitat ist in verschiedenen Handschriften ausführlicher.

reditionem animarum ad corpora et quod anima transit de corpore ad corpus. Et etiam immortalitas animae sola fide tenetur et quod multitudo animarum fiat cum multiplicatione corporali.

2. A 1 (fol. 67 v 16—17): Quidquid sit de istis verbis, tamen immortalitatem animae humanae sola fides dicit.

3. O (fol. 152 ra 61—63): Quidquid sit in istis versibus, tamen immortalitas animae sola fide tenetur in multitudine animarum secundum multitudinem corporum vel multiplicationem.

4. B (fol. 56 vb 11—13): Quicquid sit de hiis, immortalitas animae humanae sola fide defendit in multitudine animarum secundum multiplicationem corporum.

5. C (fol. 52 r 7—8): Quicquid sit de hoc, immortalitas animae humanae fide sola tenetur cum multiplicatione animarum cum multitudine corporum.

6. A 2 (fol. 60 vb 27—29): Tamen immortalitas animae sola fide tenetur cum multitudine animarum cum multitudine corporum.

7. RBM (fol. 47 rb 15—17): Quicquid sit in hiis versibus, tamen immortalitas animae sola fide tenetur in multitudine animarum secundum multitudinem corporum vel multiplicationem.

Der anschließende Text bestätigt, daß es Holcot in der Antwort auf das Ovidzitat nicht direkt um die Unsterblichkeit der Seele als vielmehr um die Frage nach der Möglichkeit einer unendlichen Zahl von Seelen ging. Nun bewegt sich nämlich die Erörterung um den Begriff eines tatsächlich Unendlichen. Holcot gab ein solches Existieren eines Unendlichen zu, entgegen der Meinung der älteren Autoren[48], wie aus dem Text der Handschriften folgt[49]. Jedoch ist

---

[48] Vgl. A. Maier, a.a.O. 42f. Dasselbe Problem taucht auch bei der Erörterung der theologischen Methodik auf. Vgl. „Der Wissenschaftscharakter der Theologie" Anm. 209.

[49] Vgl. RBM (fol. 48 rb 18—37): Aliud tamen potest dici quod conclusio de infinitate in actu potest concedi convenienter. Nam vocando esse in actu idem quod esse rem veram in hoc mundo, in quolibet continuo sunt infinita actu distincta ab invicem. Nam volo quod a significet primam partem proportionalem alicuius continui 1,3, 5 et 7 et sic in infinitum secundum numeros impares, et sit b nomen commune secundae parti proportionali eiusdem continui et quartae et sextae et octavae et sic in infinitum secundum progressionem numeri paris, tunc manifestum est quod infinita a sunt in hoc continuo et infinita b similiter et quaecumque a et b distant ab invicem situ et loco, quia inter quaecumque a sunt aliqua b et inter quaecumque b sunt aliqua a. Ista tamen omnia constituunt unum continuum et pro tanto apud Aristotelem 3 Physicorum vocatur haec multitudo in potentia, quia omnis res, quae est pars alicuius, dicitur apud eum in potentia isto modo. Et sic sol est in potentia ens, quia est pars sui orbis secundum eum. Et corpus hominis est quoddam ens in potentia, quia est pars hominis. Sed puto quod apud Aristotelem non potest esse multitudo infinita in actu, et ideo secundum eum non

bei der Interpretation der Texte Vorsicht geboten. Tatsächlich kennt Holcot nur die unendliche Teilbarkeit. Der Inkunabeltext hat bereits einschränkende Formulierungen[50]. Auch nach dem Wortlaut der Handschriften wird nur das unendlich Teilbare als tatsächlich Unendliches, als eine wahrhaft unendliche Sache gekennzeichnet. Nach diesem Text kann Holcot jedenfalls nicht zu den Vertretern eines tatsächlich Unendlichen gezählt werden. Vielmehr zeigt sich wieder einmal mehr, daß er seinen eigenen Modus loquendi hat[51], der auch genau erklärt wird und den man bei der Interpretation des Textes berücksichtigen muß. Im Inkunabeltext scheint der Editor bereits diesen tatsächlichen Standpunkt Holcots einbezogen zu haben.

forent infinitae animae. Quam tamen viam teneret ad hoc vitandum, ex libro suo non claret. Reditus animarum ad corpus non videtur probabile. P (fol. 55 ra 23—49): Aliter potest dici quod conclusio de infinito in actu potest concedi convenienter. Nam accipiendo esse in actu idem quod est esse rem veram in hoc mundo hoc non est inconveniens. Immo hoc est in quolibet continuo quod in illo sunt infinita actu distincta situ ab invicem. (Nun folgt das Beispiel mit dem Aristoteleszitat wie in RBM. Der Schlußsatz lautet:) Reditus neuter animarum ad corpora videtur probabilis.

[50] Vgl. Holcot, II Sent. q.2 (fol. h III rb 35ff): Aliter potest dici quod conclusio de infinito in actu potest concedi concedendo nunc et negando esse in actu idem quod esse rem veram in hoc mundo, quia in quolibet continuo sunt infinita in actu distincta situ ab invicem, quia volo quod a significet primam partem proportionalem alicuius continui... usw. wie der Text in der Hs.

[51] Die von A. Maier (a.a.O. 81) zitierten Ausführungen Holcots über das tatsächlich Unendliche sind ein typisches Beispiel für die sprachlogische Aufspannung dieses Problems. Holcot bringt zunächst den Einwand: Dem Unendlichen widerspricht das Verfallen in die Vergangenheit: Infinito repugnat esse pertransitum. Im Falle einer ewigen Weltschöpfung wäre eine unendliche Menge der Vergangenheit verfallen; denn unendlich <viele> Menschen wären schon gestorben: Sed si mundus fuisset ab aeterno, multitudo infinita fuisset pertransita, quia infiniti homines fuissent mortui (II Sent. q. 2; fol. h II va 16—19). In der Responsio unterscheidet Holcot zwischen einer unendlichen Menge und einer unendlichen Größe. Nun vollzieht sich folgende Argumentation: Der Satz: Dem Unendlichen widerspricht das Verfallen in die Vergangenheit, muß für die unendliche Größe (= Quantität) verneint werden, weil es eine solche nicht gibt und darum ihr nichts widersprechen kann: Tunc ad propositum cum dicitur: Infinito repugnat esse pertransitum, nego istam, si intelligatur de quanto infinito (RBM: de quantitate infinita), quia nullum tale est et ideo nihil sibi repugnat (fol. h II vb 3—6). Rein logisch besteht also der Satz zu Recht: ‚Der unendlichen Größe widerspricht nicht das Verfallen in die Vergangenheit.‘ Weil es nämlich keine unendliche Größe gibt, kann ihr auch nichts widersprechen. Durch diesen aussagelogischen Kunstgriff wird das Problem sachlich aufgehoben. Die unendliche Menge wird von Holcot wie eine Einheit angesehen. Wie man nun von einer physikalischen Einheit, über die von einem Ausgangspunkt zu einem Ziel hin eine Bewegung geht, sagen kann, sie sei vergangen, weil Ausgangspunkt und Weg in der Vergangenheit

liegen, wenn das Ziel erreicht ist, so kann man auch von einer unendlichen Menge sagen, sie sei vergangen, weil sich mit der Zeit, welche die unendliche Menge durchläuft, auch Vergangenheit mit ihr verbindet. Die Wandlung des ontologischen Problems in ein aussagenlogisches ist deutlich, und die ganze weitere Argumentation bewegt sich auf diesem Boden. Da andrerseits nur vom Gegenwärtigen „proprie loquendo" ausgesagt werden kann, daß es ist, lassen sich alle Aussagen über Zukünftiges oder Vergangenes nicht in Einklang bringen mit dem Satz: Eine unendliche Menge ist vergangen, oder auch: Eine unendliche Menge ist zukünftig; denn weder Vergangenes noch Zukünftiges ist nach Holcots Lehre überhaupt. Darum lassen sich weder von einzelnen Menschen noch von einzelnen Mengen dieselben Aussagen machen wie von der „unendlichen Menge". Auch unterscheidet Holcot diese scharf von der „ganzen Menge", wohl weil dieser Begriff keine Einheit bezeichnet. Schließlich steht Holcot, was den Begriff des tatsächlich Unendlichen betrifft, auf dem Boden der Scholastiker des 13. Jahrhunderts. Er lehnt es sachlich ab, wenn er auch aussagenlogisch das potentiell Unendliche als ein tatsächlich Unendliches bezeichnet. Dies geht daraus hervor, daß er die unendliche Quantität ablehnt und das Attribut „unendlich" bei der Behandlung der ganzen Frage nur synkategorematisch gebraucht, worauf er ausdrücklich hinweist. Zur Veranschaulichung folgt hier der Text des Sentenzenkommentars nach P (Ergänzungen und Korrekturen nach RBM fol. 47 vb 4ff), da die Inkunabel sinnentstellende Fehler enthält (P fol. 54 rb 20—va 20): Ad primum istorum, quando arguitur quod infinito repugnat esse pertransitum, dico quod possumus loqui de infinito dupliciter: vel secundum quantitatem continuam, sicut est de magnitudine infinita, vel de infinito secundum multitudinem. Et hoc dupliciter, quia vel in actu vel in potentia, cuiusmodi est multitudo partium proportionalium in continuo. Similiter a esse pertransitum potest dupliciter exponi. Nam uno modo exponitur in successione sive in successivis per esse primo futurum et postea praeteritum. Et sic dicimus quod dies praeteritus est pertransitus. Alio modo exponitur esse pertransitum in permanentibus per hoc quod est aliquo modo motum ab uno extremo alicuius quantitatis ad aliud eiusdem. Et sic dicimus quod magnitudo, super quam factus est motus aliquis, est pertransita ab uno mobili, cum pervenerit a fine usque ad finem illius per medium. Tunc ad propositum quod infinito repugnat <esse pertransitum>, nego illam, si intelligatur de quanto infinito (quantitate infinita RBM), quia nullum est et ideo nihil sibi repugnat. Et quando arguitur quod si mundus fuisset ab aeterno, infinita multitudo fuisset pertransita, dico quod nullum inconveniens est concedere illam propositionem, quia quolibet tempore praeterito infinita multitudo est pertransita et similiter pertransita multitudine (magnitudine RBM) quantumcumque parva concedendum est quod infinita multitudo est pertransita, quia omnis magnitudo est una multitudo infinita, quia omnis magnitudo est unum, 2, 3, 4 et in infinitum, ut est de copulato extremo. Et similiter quod infiniti homines fuissent mortui, si mundus fuisset ab aeterno, et quando arguitur quod quilibet eorum fuit futurus demonstratis omnibus hominibus praeteritis, potest dici quod illa est falsa, quia est implicativa falsa; implicat enim quod aliqui fuerunt omnes illi, et sic est neganda; et haec similiter: Tota multitudo hominum fuit futura, quia infinita multitudo non est aliqua una multitudo. Aliter potest dici quod tota multitudo hominum nunquam fuit futura, et ideo non est modo pertransita proprie loquendo de pertransito. Aliter dicunt alii, qui negant tales consequentias: A erit, ergo a est futurum; a fuit, ergo a est praeteritum. Ipsi habent negare hanc quod multitudo hominum infinita sit praeterita, quia ille terminus „multitudo

Man sieht also, daß einzelne Textstellen nicht genügen, um einen „Fideismus" Holcots nachzuweisen. Er weist wiederholt auf den Dienst hin, den die rechte Überlegung dem Glauben zu leisten vermag. Mehr noch! Der Mensch ist nach Holcots Lehre verpflichtet, die natürlichen Geisteskräfte zu benutzen, um zur rechten Erkenntnis in der Wissenschaft und im Glauben zu gelangen[52]. Wer sich in gebührender Weise um Einsicht bemüht, der wird hinreichende Gründe finden zu glauben. Die zitierte Stelle ist auch für Holcots Lehre vom Glauben sehr aufschlußreich. Sie zeigt, daß für ihn der Glaube nicht aus einem einfachen Befehl des Willens hervorgehen kann, da er eine intellektive Zustimmung ist. Holcot geht nicht über die Analyse hinaus, die später das erste Vaticanum vom Glauben gibt. Dabei werden die Motive der natürlichen Einsicht und der übernatürlichen Erleuchtung harmonisch verbunden. Es heißt ausdrücklich[53], daß die Glaubenszustimmung nicht in einem „blinden", d. h. von der Einsicht unabhängigen Impuls des Geistes gegeben wird. Dieser ‚caecus motus animi' ist nichts anderes als Holcots von der Einsicht losgelöster Willensimpuls. Darum müssen Holcots Bemerkungen, man könne zum Glauben genötigt werden[54],

hominum" supponit pro multitudine, quae est. Similiter ista consequentia potest negari: Quilibet istorum fuit futurus, ergo tota multitudo fuit futura, sicud non sequitur: Quodlibet istorum est praeteritum demonstratis omnibus cogitationibus angelorum praeteritis; igitur tota multitudo cogitationum est praeterita. Nec sequitur: Quilibet istorum fuerit futurus, igitur omnes isti fuerint futuri. Et sic in hac propositione: Infinita multitudo fuit futura, si ille terminus „infinita" possit stare syncategorematice, concedo quod haec est vera, sed nego istam: Tota haec multitudo fuit futura, et similiter hanc: Tota haec multitudo est praeterita. (Concedo tamen quod infiniti homines fuerint futuri.) ( ) om. RBM.

[52] Vgl. Holcot, I Sent. q.1 (fol. a V rb 51—va11): Unde Damascenus libro II Sententiarum c.26, ubi ostendit, quae sunt in nobis et in nostra potestate et quae non sunt, dicit: In nobis enim est percipere quantumcumque (1. quamcumque) volumus artem et non percipere (vgl. De fide orth. II c.26; PG 94, 960). Et Aristoteles dicit II Ethicorum c.2 quod ignorantes aliquid eorum, quae sunt in legibus, quae oportet scire et non sunt difficilia, punirentur. Etiam puniunt quoscumque, qui propter negligentiam legis ignorant verum. Ex his tamen non sequitur quod homo possit assentire conclusioni sciendae statim ex solo imperio voluntatis, sed oportet quod addiscat et per rationem causetur in eo assensus, qui communiter vocatur scientia. Et eodem modo in eis, quae fidei sunt, statuit deus quod homo sit sollicitus circa salutem propriam et inquirat et addiscat. Et videtur mihi quod sufficienter inquirenti sunt rationes sufficientes ad causandum assensum fidei.
Vgl. Aristoteles, Ethic. Nic. III, 7 (Γ c. 7 1113 b 30 — 1114 a 3).

[53] Vgl. Vat. I sess.3 c.3 (D 1790f/3009f).

[54] Vgl. Holcot, Conferentiae a.2 (fol. 0 VII ra 11—17): Et ideo loquendo uniformiter similiter conceditur quod homo necessitatur ad sciendum quod triangulus habet tres per demonstrationem. Eodem igitur modo loquendi

im Zusammenhang mit dieser Stelle gesehen werden. Holcot hält unbedingt an der Freiheit des Glaubensaktes fest. Die ausführliche, logisch zugespitzte Argumentation über den Glaubensassens muß immer unter der an den Eingang gestellten Frage gelesen werden, die Holcot, um den Fragepunkt noch schärfer hervortreten zu lassen, negativ und positiv formulierte: „Nicht verstehe ich diesen Artikel in dem Sinne der Frage, ob jemand den Glaubensakt frei ausüben oder unterlassen kann, der mit dem Glaubenshabitus ausgestattet ist, weil der Mensch den Akt des Wissens, des Meinens und der Einsicht so in seiner Macht hat[55]. Ich sehe vielmehr vom Glaubenshabitus ab und frage unabhängig davon, ob die Glaubens-

concedo quod homo fidelis necessitatur ad credendum quod deus est trinus et unus et ad testimonium multorum hominum, quos reputat fide dignos, necessitatur homo ad credendum dictum quod ipsi testificantur esse verum. Vgl. A. Meissner, Gotteserkenntnis und Gotteslehre, 39 Anm. 44. Die auch von M. zitierte Stelle ist derart aus dem Zusammenhang gelöst, daß die wahre Absicht der ganzen Argumentation dieses Artikels gar nicht deutlich wird. Holcot ging es darum zu zeigen, daß ein bloßer Willensimpuls keine Erkenntnis bewirkt. Alle Erkenntnis beruht auf Einsicht. Auch der Glaubensakt setzt irgendeine begründete Einsicht voraus wie jede intellektive Zustimmung zu einer Wahrheit. Einsicht aber fordert Zustimmung. Diese Forderung ist unter den von Holcot gebrauchten Ausdrücken: nötigen, zwingen zu verstehen. Der ganze Artikel stellt eine allerdings mit dialektischer Kunstfertigkeit durchgeführte Analyse der psychologischen Seite des Glaubensaktes vor, was aus Meissners Darstellung nicht ersichtlich wird. Wir behandeln die ganze Frage eingehend in dem Abschnitt über den Glauben.

[55] Holcot spielt hier auf die von Thomas v. Aquin wiederholt ausgesprochene Lehre an, daß jedes geistige Wesen im Gebrauch eines Habitus frei ist. Der Wille ist es, welcher den Akt aus dem Habitus hervorgehen läßt. In dieser Weise ist der Habitus auf den Akt prinzipiell hingeordnet, jedoch in der Weise, daß der Wille dabei befiehlt. Vgl. Thomas Aq., S. th. I q.57 a.4; q.107 a.1; I II q.49 a.3 und an vielen anderen Stellen. Besonders deutlich wird der freie Gebrauch des Habitus ausgesprochen I II q.71 a.4: Respondeo dicendum quod peccatum comparatur ad virtutem sicut actus malus ad habitum bonum. Aliter autem se habet habitus in anima et forma in re naturali. Forma enim naturalis ex necessitate producit operationem sibi convenientem. Unde non potest esse simul cum forma naturali actus formae contrariae, sicut non potest esse cum calore actus frigidationis, neque simul cum levitate motus descensionis, nisi forte ex violentia exterioris moventis. Sed habitus in anima non ex necessitate producit suam operationem, sed homo utitur eo cum voluerit (Averroes, De anima III com. 18). Unde simul habitu in homine existente potest non uti habitu aut agere contrarium actum. Et sic potest habens virtutem procedere ad actum peccati. Ebenso deutlich ist die Freiheit im Gebrauch des Habitus ausgesprochen: Ebd. q.78 a.2. Zu dem Grundsatz: Habitus definitur esse quo quis utitur, cum voluerit, vgl. auch Augustinus De bono coniug. c.21 (PL 40, 390). Holcot schließt sich dieser Freiheitslehre des hl. Thomas wie selbstverständlich an. Darum sind die gegen ihn erhobenen Vorwürfe, er leugne die Freiheit der Glaubenszustimmung, nicht gerechtfertigt.

zustimmung ohne eine andere vernunftmäßige Einsicht frei gegeben werden kann. Ich frage überhaupt, ob der Wille durch einen bloßen Befehl die Zustimmung zu einer vorher wie nachher unbewiesenen Behauptung verursachen kann allein um des ewigen Lohnes willen. So verstanden vertrete ich in diesem Artikel die negative Antwort, nämlich daß die Zustimmung zu einem Glaubenssatz wie überhaupt zu irgend einer Behauptung nicht einfach und allein Sache der freien Willensentscheidung ist[56]."

Ich habe den Wortlaut der zitierten Stelle etwas gekürzt und umschrieben, jedoch glaube ich, gerade dadurch schärfer zu formulieren, was Holcot sagen wollte. Es ging ihm um den Erweis, daß keine intellektive Zustimmung nur durch den Willen und ohne irgend einen Vernunftsgrund gegeben wird. Dies geht aus seinen langen Beweisführungen ganz deutlich hervor, die eine scharfsinnige Darstellung der Glaubensbegründung von der psychologischen Seite her sind, wie wir im Abschnitt über den Glauben sehen[57]. Auch sollte uns die einschränkende Formel: „I n d i e s e m S i n n e vertrete ich in dem Artikel die verneinende Antwort" (Et ad istum intellectum teneo... partem negativam) vor einer erweiternden und zu allgemeinen Auslegung der einzelnen Argumente warnen. Wer hier nur von der Sache her sieht und den Stil der dialektischen Aussagekunst vernachlässigt, interpretiert am Text vorbei[58]. So wenig Holcot die Bedeutung der Einsicht für den Glauben leugnete, so fern ist er im Naturrecht vom Fideismus. Vielmehr lehrt er ausdrücklich die Einsicht der natürlichen Vernunft in die obersten sittlichen Prinzipien und vertritt eine gesunde Harmonie dieser natürlichen sittlichen Vernunft mit den Geboten des Evangeliums. Diese können zwar nicht mit der natürlichen Vernunft als verpflich-

---

[56] Holcot, I Sent. q.1 (a II rb 19—34): Unde non intelligo istum articulum ad talem intellectum, utrum habens habitum fidei potest producere actum credendi et non producere, quia sic haberet homo actum scientiae et opinionis et intellectus principiorum in sua potestate. Sed pono aliquem non habituatum in fide et audiat talis alium praedicantem istum articulum: Deus est trinus et unus et quod qui hoc crediderit, habebit vitam aeternam. Tunc quaero, an iste statim sine alia evidentia rationis possit libere assentire isti. Et universaliter quaero an voluntas possit per suum imperium causare assensum in intellectu respectu alicuius propositionis sibi dubiae sicut ante imperium propter praemium vitae aeternae. Et ad istum intellectum teneo in hoc articulo partem negativam videlicet quod credere articulis fidei vel quamcumque propositionem non est in hominis libera potestate.

[57] Vgl. „Die Lehre vom Glauben", S. 175.

[58] Vgl. dazu, was De Vries zu der Vernachlässigung der Sprachlogik selbst bei der Thomas-Interpretation bemerkte. Vgl. „Einleitung", Anm. 41.

tend bewiesen werden; jedoch erkennen wir im Glauben, daß sie vernünftig sind[59].

Holcots logisierte Theologie kann nur aus ihrer eigenen Methodik verstanden werden. Diese ist nach zwei Richtungen hin von Bedeutung. Die logischen und sprachphilosophischen Überlegungen dienen immer wieder der theologischen Reflexion. Sie zeigen andrerseits die Grenze einer streng logischen Methodik in der Theologie. Holcot hat dies mit dem Begriff der logica fidei scharf formuliert. Vor dem Vorwurf des Irrationalismus sollte uns dabei die Tatsache warnen, daß Holcot diesem Begriff das Attribut „rationalis" hinzufügte[60]. Damit kommt zum Ausdruck, daß die Wahrheit des Glaubens von einer anderen Ratio (Sinngebung) durchwaltet ist als die uns umgebende empirische Natur. Hier wird ein Problem theologischer, ja allgemein geistesgeschichtlicher Methodik vorhergeahnt, dessen Lösung oder wenigstens klare Formulierung späteren Zeiten vorbehalten blieb. Das Paradoxon wirkt in der aristotelischen Syllogistik zerstörend, in der theologischen Erkenntnis vermittelt es Einsicht. Holcot hat allerdings zunächst nur die Tatsache aufgewiesen, daß die rein formale Anwendung aristotelischer Syllogistik auf theologische Gebiete zu Fehlschlüssen führen kann. Dadurch kam es zu Formulierungen, in denen wir heute eine störende Härte finden. Es sind etwa die theologischen Fragen um die Trinitätslehre[61], um das Vorherwissen Gottes und die Futura contingentia[62], um das sitt-

---

[59] Vgl. Holcot, I Sent. q.4 (fol. d VI vb 35—52): Ad tertium potest dici quod aliquid praecipitur in iure naturali dupliciter: Uno modo expresse vel formaliter sicut hic: Hoc facias alteri quod tibi fieri vis. Alio modo latenter et quasi in suo antecedente, et sic praecipiuntur illa, quae ad hoc sequuntur. Illa vero, quae dicuntur sequi ad hoc praeceptum, sunt in duplici genere, quia quaedam sequuntur consequentia naturali et evidenti naturaliter, quaedam tantum consequentia credita. Illa quae primo modo sequuntur, possunt per rationem naturalem ostendi esse facienda et rationabilia. Illa vero, quae tantum sequuntur secundo modo, non possunt ostendi sed tantum creduntur esse rationabilia. Et huiusmodi sunt quaedam, quae in evangelio continentur, quia ratione naturali non potest ostendi quod concupiscere rem alienam sit peccatum mortale vel quod homo debeat deum diligere plus quam se.

[60] Vgl. Ders. I Sent. q.5 (fol. e V ra 42—43): Eodem modo rationalis logica fidei alia debet esse a logica naturali.

[61] Vgl. ebd. (fol. e V ra 54— b 8): Sunt igitur in logica fidei tales regulae: Quod omne absolutum praedicatur in singulari de tribus et non in plurali. Alia quod unitas tenet suum consequens, ubi non obviat relationis oppositum. Et ideo concessis praemissis dispositis in modo et in figura negatur conclusio, quia in conclusione obviat relationis oppositio, sicud si arguitur sic: Haec essentia est pater; haec essentia est filius; ergo filius est pater. Et utraque praemissarum est vera et apparet dispositio tertiae figurae.

[62] Vgl. „Futura contingentia", S. 337f u. 350.

liche Verhalten des Menschen[63]. Die darin angestoßene methodische Problematik wies jedoch in die Zukunft. Daß die Geisteswissenschaften im allgemeinen eine eigene, vom naturwissenschaftlichen Fragen im Grunde verschiedene Methode verlangen, hat H. G. Gadamer schon am Anfang seines grundlegenden Werkes ausgesprochen[64]. Innerhalb der Theologie dürfte die Aufgabe einer neuen Methodenforschung der Fundamentaltheologie zufallen[65]. In einer Einzelfrage hat E. Schlink die Grenzen syllogistischer Methodik in der Theologie aufgezeigt[66]. Bei grundsätzlicher Anerkennung theologischer Konklusionen ergäbe sich in der Prädestinationslehre der erregende Tatbestand, „daß logisch richtige Folgerungen aus theologisch unbestreitbaren Prämissen zu irrigen Aussagen führen". Aus den biblischen Aussagen über Gottes Gnadenwahl und Verwerfung lassen sich logisch einwandfrei Folgerungen ziehen, die einander ausschließen. Daher käme es, daß „durch derartige Konklusionen die Prädestination weithin zu einem Schreckgespenst oder doch zu einem Noli me tangere der Christen geworden ist". Auch bei Holcot gehörte die Prädestinationslehre zu den Themen, an denen die Strenge syllogistischer Logik die Beweisführung aufhebt. Schlink betont, daß trotzdem auf die theologischen Konklusionen nicht verzichtet werden darf. Theologie gibt sich selbst auf, wenn sie sich mit der Wiedergabe der biblischen Aussagen begnügt. Noch weniger darf das Paradoxon theologischer Konklusionen zu einem theologischen Irrationalismus führen. Die Lösung sieht Schlink in der Einsicht, daß die einzelnen biblischen Aussagen eine je eigene Struktur der theologischen Folgerungen erfordern. Diese Erkenntnis, die der Forderung Söhngens nach einer theologischen Kategorienlehre verwandt ist, wurde in Holcots Logica fidei vorausgeahnt, wenn auch der Begriff viel zu unentwickelt war, um von

---

[63] Vgl. o. S. 23f.

[64] Vgl. H. G. Gadamer, Wahrheit und Methode, Tübingen ²1965, 1—7.

[65] Vgl. G. Söhngen, Fundamentaltheologie. In: LThK IV (²1960) 452—459; bes. Abschnitt 3 (456f): Theologische Kategorienlehre. „Als eines der wichtigsten und allerdings auch schwierigsten Geschäfte einer solchen Fundamentaltheologie erscheint mithin eine theologische Kategorienlehre, die Kategorialanalyse zu sein beanspruchen kann entsprechend der kategorialanalytischen Arbeit in der allgemeinen und in der regionalen Ontologie und Fundamentalphilosophie, namentlich auch unserer Tage. ... Die theologische Kategorienlehre führt aus der Wortbedeutung der Kategorie als Aussage mit sich eine theologische Sprachlehre oder Semantik als Theologie der Sprache. Ihren Anhang dürfte eine theologische Stilkunst und Stilkritik bilden. Theologische Sprachlehre und theologische Stilkunst sind im großen und ganzen Desiderate geblieben, falls sie als solche überhaupt empfunden werden, zumal in der Neuzeit."

[66] Vgl. E. Schlink, Der theologische Syllogismus als Problem der Prädestinationslehre. In: Einsicht und Glaube, 299—320; 318f.

ihm aus schon zu einer Verfeinerung der theologischen Methode
und also zu positiven Ergebnissen zu kommen. Mit dem Begriff
der Logica fidei blieb Holcot mehr bei der negativen Erkenntnis
stehen, daß nämlich die aristotelische Logik für die theologische
Beweisführung nicht ausreicht. Schlink nennt allerdings noch eine
andere Einsicht, die wie ein Prinzip über dem gesamten Komplex
von Gnadenwahl und Prädestination steht. Es ist das Prinzip der
Freiheit. „Die Struktur aller theologischer Aussagen ist ursprung-
haft von daher bestimmt, daß Gott dem Menschen in der personalen
Freiheit seines geschichtlichen Handelns begegnet." Wir werden auf
den Begriff der Freiheit im Abschnitt über den Gottesbegriff näher
eingehen.

4. Logik des Glaubens und göttliche Freiheit

In Holcots Lehre über die Futura contingentia bedingen sich gegenseitig die Freiheit des göttlichen Willens und die Möglichkeit
gegensätzlicher Aussagen. Damit die Kontingenz und damit auf
seiten Gottes die Freiheit gewahrt bleibt, muß eine Aussage über
zukünftiges Kontingentes in der Weise wahr sein, daß sie auch
nicht wahr sein kann. Dies ist jedoch nicht so zu verstehen, daß
sich die Wahrheit in Falschheit wandelt und umgekehrt. Vielmehr
ist sie immer nur entweder wahr oder falsch, obwohl sie das eine
wie das andere sein kann[67]. Die syllogistische Methode dient hier

---

[67] Vgl. Holcot, II Sent. q.2 a.7 (fol. h V ra 21—44): Dico ergo sicut dicitur
communiter quod propositio de futuro [necessario] est vera, sic tamen quod
nunquam potest fuisse vera. Et ideo aliter est vera quam illa, quae est de
praeterito simpliciter vel de praesenti. Est tamen sic vera quod nullo modo
ad sui veritatem requirit aliquam de futuro esse veram, quia si aliqua talis
sit vera, necessarium erit postea quod illa fuerit vera. In propositionibus autem
de futuro in materia contingenti sic est quod utrumque contradictoriorum
potest esse verum et tamen nec simul nec successive. Praeterea aliqua propositio est vera et potest esse falsa et tamen non potest desinere esse vera nec
incipere esse falsa <nec potest mutari a veritate in falsitatem>. Item aliqua
propositio est vera et potest esse falsa et tamen non potest mutari a veritate
in falsitatem. Item aliqua propositio fuit vera ab aeterno et est vera nunc et
tamen potest fuisse falsa ab aeterno, et tamen si fiat falsa, non aliter se
habebit, quam se habuerit ab aeterno, quia si nunc sit falsa, ab aeterno fuit
falsa. Item Sortes potest facere aliquam propositionem fuisse veram ab aeterno,
quae nunquam fuit <vera et facere aliquam propositionem esse scitam a deo,
quae nunquam fuit> scita a deo, et tamen deus non potest incipere scire
eam. Istae propositiones patent in talibus: Sortes erit beatus. Sortes non erit
beatus, quia ista, quae est vera de istis, semper erit vera, et tamen potest
nunquam fuisse vera, non tamen incipere esse vera. (Streichungen [ ] und
Zusätze < > nach RBM). Natürlich gibt es auch solche Sätze, die aufhören
wahr zu sein, und anfangen, falsch zu sein, etwa Voraussagen künftiger kon-

der logischen Herausarbeitung der Kontingenz. Von diesem Gesichtspunkt aus sind auch solch hart klingende Sätze zu beurteilen wie: Gott kann täuschen. Die Seele Christi konnte getäuscht werden. Die Heilige Schrift kann falsch sein. Ein falscher Glaube kann verdienstlich sein u. ä.[68]. Solche Sätze dienen der logischen Herausarbeitung einer theologischen Einsicht in die Freiheit Gottes und die Kontingenz all des Zukünftigen, das aus der Freiheit Gottes hervorgeht. Das Widerspruchsprinzip, das für jede kategorische Aussage gilt, erfährt bei den Aussagen über das zukünftige Kontingente eine Grenze seiner Gültigkeit. Dies forderte schon Aristoteles mit Rücksicht auf die Freiheit der menschlichen Überlegungen und Entscheidung[69]. Bei Holcot erfahren wir kraft logischer Regeln eine Kritik an der Gültigkeit der aristotelischen Logik angesichts der Freiheit, und zwar sowohl der göttlichen wie der menschlichen.

5. Logik des Glaubens und menschliche Freiheit

Wie wir bereits gesehen hatten, wird die aristotelische Logik durch die Freiheit Gottes in den Futura contingentia und in der Prädestination in Frage gestellt. Jedoch auch der sittliche Wert einer menschlichen Handlung ist nicht mit den Regeln der Dialektik zu beurteilen[70]. Holcot schließt sich hier einer Sentenz des Petrus

tingenter Ereignisse, die im Augenblick der Erfüllung den voraussagenden Satz logisch von der Wahrheit in die Falschheit wandeln. Vgl. Holcot ebd. (44ff): Sed in quibusdam propositionibus contingentibus illa, quae est vera, potest desinere esse vera et incipere esse falsa, si continue maneat, sicut patet de istis: Anima antichristi creabitur. Dies iudicii erit. Sortes nascetur in a. Nam in primo instanti esse ipsius antichristi haec incipit esse falsa, si continue maneat: Anima antichristi creabitur ...

[68] Ders., II Sent. q.2 a.9 (fol. h VI vb 22—39): Ad octavum principale cum dicitur: Si deus sciret contingentia, posset ea revelare angelo vel homini sic quod post revelationem manerent contingentia, concedo. Et cum arguitur: Tunc quicquid est revelatum futurum in sacra scriptura, sicut de die iudicii, resurrectione et huiusmodi, posset esse contingens et per consequens scriptura possit esse falsa, concedo. Et concedo quod haec est possibilis: Abraham meruit in fide falsa et quod homo potest mereri per fidem falsam ita bene sicut per fidem veram ... Et si arguatur: Ergo anima Christi potuit fuisse decepta, quia anima Christi credidit quod dies iudicii erit, et haec potest esse falsa. Ergo haec est possibilis: Christus praedicavit falsum ... Vgl. S. 392, Anm. 47.

[69] Vgl. „Futura contingentia", S. 297.

[70] Vgl. Holcot, II Sent. q.1 (fol. f VIII rb 51—va 5): Quod autem haec sit vera: Omne malum est bonum, haberi potest a beato Augustino Ench. c.XII: Omnis natura bonum est nec res aliqua mala esset, si res ipsa, quae mala est, natura non esset. Ex quo arguitur sic: Omnis natura est bonum. Ipsa res, quae est mala, est natura. Ergo eadem res est bona et mala. Hoc plane dicit Magister II libro dist. XXXIV c.VI. quod in his duobus contrariis, quae

Lombardus an, daß in dem Gegensatz von gut und bös die logische Regel versage, wonach ein und demselben Dinge nicht Gegensätzliches innewohnen könne[71]. Der Lombarde wiederum zitiert wörtlich aus dem Enchiridion des hl. Augustinus, für den das Böse nur im Guten entstehen und daher nur im Guten sein kann[72]. In Holcots Argumentation werden jedoch die Akzente anders gesetzt als bei Augustinus und Petrus Lombardus. Augustinus geht von dem Grundsatz aus, das Böse sei ein Mangel des Guten. Die Beweisführung ist ontologisch. Jede Natur ist als Natur gut. Sie muß als Natur bleiben, wenn sie durch das Böse verdorben werden soll. Als Natur bleibt sie jedoch gut. So kann das Böse nur am Guten wirksam werden. Petrus Lombardus zitiert diese Sätze des Augustinus[73]. Holcot setzt nun an Stelle eines Seienden, nämlich Natur, Handlung, Sache, ein Geschehen. Zwar bezeichnet das Substantiv „Actus" im weiteren Sinne das Tun des Menschen. Dennoch zieht Holcot der substantivischen Ausdrucksweise die verbale vor. Erst nachdem er erklärt, daß „schlechte Tat" soviel bedeutet wie das schlechte Geschehen einer Tat, und „gute Tat" das gute Geschehen einer Tat, bedient er sich des Substantives „Tat" und sagt, daß dieselbe Tat gerecht von Gott aus und ungerecht vom Menschen aus geschehen kann. Der Wandel in der grammatikalischen Ausdrucksweise entspricht dem Wandel des theologischen Verständnisses. Schließlich gehört seine ganze Aufmerksamkeit der terminologischen Seite:

sunt bonum et malum, fallit regula dialecticorum, quia eadem res est bona et mala.

[71] Vgl. Petrus Lomb., Sent.II d.34 c.5: Ideoque in his contrariis, quae mala et bona vocantur, illa dialecticorum regula deficit, qua dicunt, nulli rei duo simul inesse contraria... Vgl. Augustinus, Enchirid. c. 12 u. 14 (PL 40, 236 u. 238).

[72] Vgl. Petrus Lomb. und Augustinus a.a.O.: Cum autem bona et mala nullus ambigat esse contraria, non solum simul esse possunt, sed mala omnino sine bonis et nisi in bonis esse non possunt. Et haec duo contraria ita simul sunt, ut, si bonum non esset in quo esset, prorsus nec malum esse potuisset, quia non modo ubi consisteret, sed unde oriretur, corruptio non haberet, nisi esset quod corrumperetur; quoniam nihil est aliud corruptio quam boni exterminatio. Ex bonis igitur mala orta sunt, et nisi in bonis non sunt.

[73] Vgl. a.a.O. c.4: Sicut enim morbis ac vulneribus corrumpuntur corpora, quae, ut ait Augustinus in Enchiridio, „sunt privationes eius boni, quod dicitur sanitas, ita et animorum quaecumque sunt vitia, naturalium sunt privationes bonorum. Quid est enim aliud quod malum dicitur, nisi privatio boni?" „Bonum enim minui malum est; quamvis quantumcumque minuatur, necesse est, ut aliquid remaneat, si adhuc natura est. Non enim consumi potest bonum quod est natura, nisi et ipsa consumatur. Cum vero corrumpitur, ideo malum est eius corruptio, quia eam qualicumque privat bono. ... Quamdiu itaque natura corrumpitur, inest ei bonum, quo privetur." Vgl. Augustinus, a.a.O. c.11 n.3 u.12 n.4 (PL 40, 236).

„Gut" und „böse", „gerecht" und „ungerecht" sind nicht absolute, sondern respektive Begriffe[74]. Dieser ganze Abschnitt der Quaestio ist sehr aufschlußreich. Er zeigt uns erstens, wie sehr Holcot auf der Lehre der Väter und der älteren Theologen aufbaut. Nach Augustinus und dem Lombarden wird noch Anselmus zitiert (mit dem Beinamen „Venerabilis"). Auch er lehrte, daß dieselbe Handlung recht und unrecht sein kann je nach den verschiedenen Betrachtungsweisen: „diversis intentionibus et considerationibus"[75]. Holcot versteht hier den Begriff „intentio" sicher nicht im Sinne der moralischen Absicht, aus der eine Handlung geschieht und von der ihr moralischer Wert mitbestimmt wird. Von dieser moralischen Intention ist an dieser Stelle überhaupt nicht die Rede. Vielmehr geht es um verschiedene Blickpunkte der Beurteilung. Damit ergibt sich zweitens ein sachgerechtes Verständnis für die Aufhebung der strengen Syllogistik auf dem Gebiet der moralischen Wertung. Holcot konnte sich dabei auf Anselm, Petrus Lombardus („fallit regula dialecticorum" bei ihm wörtlich) und schließlich Augustinus stützen. Gerade aus einer Redewendung des großen Kirchenvaters, die auch der Lombarde zitiert[76] und die bei beiden im Umkreis der von Holcot gebrauchten Texte steht, wird aber deutlich: Die Einsicht in die Unzulänglichkeit der formalen Syllogistik für Theologie und Ethik ist keineswegs „Irrationalismus"[77]. Vielmehr wird die paradoxe

[74] Vgl. Holcot, II Sent. q.1 (fol. f VIII rb 41—51): Ad primum istorum dicitur quod actum esse malum est ipsum male fieri, et eodem modo actum esse iustum est actum iuste fieri; actum esse iniustum est actum iniuste fieri, quia igitur idem actus fit iuste a deo et ab homine iniuste, quia contra praeceptum. Ideo idem actus potest vere dici bonus et malus, iustus et iniustus. Unde bonum et malum, iustum et iniustum et huiusmodi non sunt termini absoluti sed respectivi sicut simile vel aequale. Alioquin haec foret impossibilis: Omne malum est bonum, sicut ista: Omne nigrum est album.

[75] Vgl. o. Anm. 36.

[76] Vgl. Augustinus, Enchiridium c.13 (PL 40, 237); Petrus Lombardus, Sent.II dist.35 c.3: Unde Augustinus in Enchiridio: Omnis natura bonum est: nec res aliqua mala esset, si res ipsa, quae mala est, natura non esset. Non igitur potest esse malum nisi esset aliquod bonum. Quod cum dici videatur absurde, connexio tamen ratiocinationis nos compellit hoc dicere.

[77] Wie sehr ist doch auch das Urteil über einen Magister von dem allgemeinen Ansehen abhängig, das er genießt! Ich weise hin auf die durchaus zutreffenden Ausführungen von J. Lechner zu der inhaltlichen Bedeutung von Holcot II Sent. q.1, die er allerdings auf Grund mehrerer Handschriften Johannes Rodington zuschreibt. Ein Stück dieser Quaestio Holcots wird nämlich in einem Quodlibet de conscientia des Johannes Rodington als q. 6 geführt mit der gleichen Überschrift: Utrum creator generis humani iuste gubernet universum. Lechner nennt folgende Codices: 1. Vaticana Cod. Ottob. lat. 179 1r—24v. 2. Bibl. Municipale (S. Francesco) Assisi Cod. 106 129ra—146vb. 3. Seminarbibliothek in Brügge Cod. Ms 41/133, 145r—164r. 4. Pariser Natio-

(Augustinus sagt: die absurd scheinende) Aussage von der Ratio gefordert. Holcots „Logik des Glaubens" beruht auf dieser dem Glauben eigenen Ratio. Er dachte hier einen Gedanken weiter, dessen Wurzeln bis tief in die frühe Scholastik, ja in die Patristik reichen.

6. Fruchtbarkeit und Grenze einer „logisierten" theologischen Methode — weitere Beispiele

Die angeführten Beispiele zeigen, daß Holcots logische Methode nicht zu einer Zerstörung der Theologie geführt hat, sondern bestimmte theologische Einsichten sogar schärfer hervortreten ließ. Dennoch wird eine Gesamtwertung wohl zu dem Ergebnis kommen, daß gerade durch die kritische Reflexion über die theologischen Aussageformen die Grenzen menschlicher Aussagemöglichkeiten sehr deutlich bewußt gemacht wurden. Zu diesem Ergebnis gelangt man aber erst, wenn man Holcots Methode nicht von vornherein als abwegig ablehnt, sondern ihr zunächst einmal bis in einzelne theologische Aussagen hinein folgt. Gerade dann erschließt sich das eben genannte doppelte Ergebnis. Wir müssen darum zunächst noch weiterhin diese Methode in ihrer Anwendung auf einzelne theologische Fragen beobachten.

a) Gottes Gutheit und die Sünde — aussagenlogische Formulierung

Die im vorigen Abschnitt behandelte Thematik, in der es um die gegenseitige Abstimmung von Gottes Allmacht und Gerechtigkeit

---

nalbibliothek Ms lat. 15 561 230ra—245vb. 5. Clm. 22 023 1—17; hier fehlt allerdings die q.6. Bei der inhaltlichen Beschreibung des Quodlibets stützt sich Lechner hauptsächlich auf diese q.6. Am Anfang (S. 1160) bemerkt L. über dessen Verfasser: „Desgleichen kann er sich mit einem übertriebenen Theologismus (vgl. W. v. Ockham) oder theologischen Determinismus (vgl. Th. v. Bradwardina) nicht befreunden. In dieser Hinsicht richten sich einzelne seiner Ausführungen ganz deutlich gegen Ockham, so z. B. gegen dessen Verdienstlehre." Sein abschließendes Urteil sei ebenfalls zitiert (S. 1168): „Überblickt man nach diesen wenigen Proben den Inhalt unseres Quodlibet noch im ganzen, so kann man sagen, daß es einen sehr guten Einblick gibt in die ethischen Problemstellungen der damaligen Zeit, ferner daß Rodington öfters durch Anwendung einer glücklichen Terminologie, durch Einstreuung von Schulbeispielen zur Klärung der Fragen beiträgt und daß er, wenn auch nicht ein erstrangiger, doch ein solider Denker augustinischer Ausprägung, vornehmlich im Sinne Anselms ist. Dabei hält sich unser Autor bei aller Aufgeschlossenheit für fremde Gedankengänge doch frei von den extremen Richtungen seiner Zeit und wahrt sich eine gewisse Selbständigkeit." Die Hauptquelle, auf die dieses Urteil sich stützt, ist aber, wie gesagt, nicht das Quodlibet Rodingtons, sondern eine Quaestio aus dem Sentenzenkommentar Holcots. Vgl. J. Lechner, Johannes von Rodington, O.F.M., und sein Quodlibet de conscientia. In: Aus der Geisteswelt des Mittelalters (Festgabe Martin Grabmann) BGPhMA Suppl.-Band III, 2, 1125—1168.

sowie menschlicher Freiheit geht, wurde auf diese Weise in eine terminologisch aufs äußerste verfeinerte Aussageweise gebracht[78].

[78] Vgl. Holcot, II Sent. q.1 (fol. f VIII ra1—b18): Supponatur etiam haec propositio quod aliquod peccatum sit res, quia aliquod peccatum est actus voluntatis, quibus suppositis sequitur necessario quod deus sit immediata causa peccati sub duplici forma arguendi. Nam sequitur in darii: cuiuslibet actus voluntatis deus est causa. Aliquod peccatum est actus voluntatis. Ergo alicuius peccati deus est causa. Similiter sequitur per syllogismum expositorium: Huius actus deus est causa. Hic actus est peccatum. Ergo huius peccati deus est causa. Consimili modo contingit probare quod deus est principalior causa peccati quam voluntas creata, quia quamcumque rem deus et natura causant, deus principalius causat. Ex eodem sequitur quod deus voluntate beneplaciti vult peccatum esse et fieri, quia arguitur sic: Omne illud cuius deus est causa effectiva, deus vult esse voluntate beneplaciti. Sed peccati deus est causa effectiva. Ergo peccatum deus vult esse. Sed tunc ad istam propositionem: Deus est auctor peccati, quam semper negat Augustinus, quomodo erit dicendum? Investigat enim Augustinus libro 83 Quaestionum q.3 et 4 de causa peccati et similiter q.21 quaerit, utrum deus sit auctor mali. In qua conclusione dicit plane ista duo videlicet quod deus est auctor omnium quae sunt rerum et tamen non est auctor mali nec peccati. Et allegat eum Magister primo Sententiarum d.46 c.14 similiter explanans quid ipse intelligit per deum esse auctorem peccati libro 83 Quaestionum q.3 et arguit sic: Nullo sapiente homine auctore fit homo deterior. Est autem deus omni homine sapiente praestantior. Ergo deo auctore non fit homo deterior. Quid autem sit fieri deo auctore deteriorem, subiungit: Illo autem auctore cum dicitur, illo volente dicitur. Unde concludit: Est ergo vitium volentis, quo est homo deterior, quod vitium, si longe est a dei voluntate, ut ratio docet, in quo sit, quaerendum est. Posset dici ad istud quod ideo homo peccat, quia fecit contra voluntatem signi et non contra voluntatem beneplaciti dei. Unde quando homo volendo aliter se habet, quam deus sibi praecipit, talis peccat. Et huic sententiae concordant communiter omnes diffinitiones, quae dantur communiter de peccato, quas recitat Magister Sentent. lib.I d.25 (muß heißen: lib.II d.35) in principio. ... Tertio diffinitur a beato Augustino Contra Faustum lib.12 (muß heißen: lib.22 c.27; PL 42, 418) quod peccatum est dictum vel factum vel concupitum contra legem dei. Lex autem dei dicitur dei voluntas, quia est signum suae voluntatis. Quod autem nullus peccet volendo contra voluntatem beneplaciti, hoc est: habendo volutionem, quam deus non vult eum habere voluntate beneplaciti, manifestum est quod est impossibile. Nam sic haberet volitionem, quam deus non causaret quod est contra primum suppositum. Et tunc ad Augustinum, quando probat quod deus non est auctor peccati per hoc quod esse auctorem peccati est vitium tantum quod in hominem sapientem non cadit, potest dici consequenter ad dicta quod nullo modo cadit in sapientem quod statuat malas leges vel erroneas vel iniusta praecepta, per quae homo inclinetur ad deterius. Nam si hoc faceret, necessario foret insipiens, quia vel statueret ex ignorantia vel ex malitia. Sive sic sive sic, sequitur insipientia, quia omnis malus est ignorans. Deus autem praestantior est omni homine tam in bonitate quam in sapientia. Ergo nullo modo statuit mala, quibus homo fit deterior. Et quia homines statuentes leges iniquas dant aliis licentiam et auctoritatem peccandi, ideo ad mentem Augustini in proposito statuens malas leges vocatur auctor peccati. Deus hoc non facit. Ideo non dicitur ad istum intellectum auctor peccati, quia nemini praestat licentiam et

Holcots Beweisführung stellt Gottes Allursächlichkeit für alle Dinge an die Spitze. Das Argument wird gemäß der aussagenlogischen Methode in der Form eines Satzes vorgelegt. Dieser Satz: „Die Sünde ist eine Sache", hat zunächst nur die Funktion eines dialogischen Ausgangsargumentes. Daher sagt Holcot: „Supponatur", es möge zu Grunde gelegt werden. Nicht nur die Vokabel, auch die konjunktivische Form weist auf die konditionale Redeweise hin. Holcot betrachtet nämlich in Wirklichkeit den sündigen Willensakt nicht als eine „Sache", sondern als ein Geschehendes, wie eben gezeigt wurde. Insofern nun die Sünde entsprechend dem Ausgangsargument als eine Sache genommen wird, ist Gott auch für sie die unmittelbare und erste Ursache[79]. Dieses Anfangsargument wird in syllogistischer Form vorgelegt. Zwei Schlußformen werden dabei verwendet, der Schluß in der Form Darii und der schon bei Ockham beliebte Syllogismus expositorius. Holcot schränkt sodann die Ursächlichkeit Gottes für die Sünde sofort auf die Voluntas beneplaciti ein. Niemals kann die voluntas signi Gottes zur Ursache der Sünde werden. Das von Gott gegebene Gesetz ist nach Augustinus Zeichen des göttlichen Willens. Ein schlechtes Gesetz wäre moralisch Ursache der Sünde und würde wie bei einem schlechten menschlichen Gesetzgeber Unwissenheit und Bosheit und infolge beider Torheit in den göttlichen Gesetzgeber hineintragen. Der Begriff der voluntas signi dient dazu, Gottes Urheberschaft im Sinne einer moralischen Mitschuld an der Sünde auszuschließen. Diese bestünde nur, wenn Gott ungerechte Gesetze geben würde; denn das göttliche Gesetz ist Zeichen des göttlichen Willens. Andrerseits ist Gott die Wirkursache aller Dinge, auch des menschlichen Willensaktes und auch dann, wenn dieser sündigt. Für die Ursächlichkeit dient der Begriff der Voluntas beneplaciti. Nichts kann geschehen, ohne daß Gott es will. So kann von derselben sündigen Handlung ausgesagt werden: Gott will diese — Gott will diese nicht; eine Handlung ist gerecht — eine Handlung ist ungerecht. Im Hintergrund dieser gegensätzlichen Formel steht jedoch eine klare Unterscheidung. Holcot sagt nämlich, Gott müsse zwar Wirkursache der Sünde genannt, er dürfe aber nicht als Urheber der Sünde bezeich-

---

auctoritatem peccandi. Dicitur autem auctor poenae secundum Magistrum II Sentent. d.37, et hoc potest intelligi, quia leges statuit punitivas. Sic igitur ex isto articulo patent tria: Unum quod deus est causa omnis rei, et hoc dicit Augustinus libro III De trin. cap. 5, 8 et 9, sicut fuit allegatum. Secundum est quod deus est causa peccati, id est volitionis, quae est peccatum. Et tertium est quod non debet dici auctor peccati quasi auctoricans leges peccandi.

[79] Zur Diskussion dieser Frage in der Theologiegeschichte vgl. Molteni a.a.O. 76 und 81.

net werden. Wirkursache der Sünde sei er, weil er Ursache jeder
Sache sei, also auch des sündigen Aktes. Er trage aber keine Schuld
an der Sündhaftigkeit des Aktes. Diese Unterscheidung wird von
Holcot gestützt mit derjenigen zwischen der voluntas beneplaciti
und der voluntas signi, die er ausführlich und in engster Anlehnung
an Augustinus und Petrus Lombardus darstellt. Diese ganze Quaestio bietet keinen Anlaß, bei Holcot eine besondere Herausbildung
des Begriffes der Potentia dei absoluta festzustellen[80]. Mit Thomas
Bradwardine hielt Holcot an der Allursächlichkeit Gottes auch für
die Sünde fest. Jedoch vermeidet er die extremen Formulierungen
Bradwardines, in denen Gott letzten Endes zum Urheber der
Sünde gemacht wird[81], obwohl auch Bradwardine diesen Begriff
ebenso wie Holcot ablehnt. Bradwardine scheint die allzu harten
Folgerungen seiner Lehre über die Ursächlichkeit Gottes selbst
empfunden zu haben[82], zu denen er vielleicht durch die dialektisch
ausgeschliffenen Aussagen Holcots getrieben wurde. Geht man
jedoch den Lehren beider Magister auf den Grund, so ergibt sich,
daß die sachlichen Unterschiede nicht so groß waren, wie sie in der
Einkleidung der scholastischen Disputation erscheinen und zuweilen

---

[80] Dies behauptet H. A. Oberman, Archbishop Thomas Bradwardine, a fourteenth
century Augustinian, 45: „He maintains a connection between God and sin,
as nothing happens outside God's will or even contrary to it. ,Sequitur necessario quod Deus sit immediata causa peccati (I Sent. q.1 — muß heißen:
II Sent.). Ex eodem sequitur quod Deus voluntate beneplaciti vult peccatum esse
et fieri (Ib. EE). Patent tria... secundum est quod Deus est causa peccati i. e.
volitionis, quae est peccatum et tertium est quod non debet dici auctor peccati
quasi auctenticans leges peccandi.' (Ib.)" Aus diesen aus dem Zusammenhang
genommenen Sätzen folgert Oberman für Holcot: „He does not indeed defend
determinism, but there is not only question here of exposition, but also of an
elaboration of the 'potentia absoluta' idea in the doctrine of the will, extending
so far that spontaneity is lost — a thought which Bradwardine expressly tries
to avoid." Der gesamte Textzusammenhang rechtfertigt diesen Vorwurf gegen
Holcot in keiner Weise. Im Gegenteil! Holcot sagt ausdrücklich, Gott habe die
Sünde zugelassen, weil er die Freiheit des Menschen wollte. Vgl. u. Anm. 114.
Es kann immer nur davor gewarnt werden, Holcots Lehrrichtung nach einzelnen
Sätzen zu beurteilen. Dies gilt auch für den anschließenden Satz Obermans
(a.a.O.): "We could never read in De Causa Dei the opinion: 'quod voluntas
potest necessitari ad eliciendum actum suum modo naturae et non libere'.
(I Sent. q.3)." Dieser Satz Holcots steht mitten in einem psychologisch aus-
gezeichnet formulierten Abschnitt über Motiveinflüsse, die den freien Willensentschluß beeinträchtigen können. (I Sent. q.3 a.3, fol. b VI va 24—b VII rb 40)
Mit der Potentia absoluta hat er überhaupt nichts zu tun. Vgl. dazu u. S. 189.
[81] Vgl. G. Leff, Bradwardine and the Pelagians, 64 Anm. 3. Zitiert wird aus
Causa Dei: ... quod concedimus dicentes, quod Deus est causa efficiens, formalis, finalis malae actionis, sed non materialis.
[82] Vgl. S. Hahn, Thomas Bradwardinus und seine Lehre von der menschlichen
Willensfreiheit, Münster 1905, 43.

auch heute noch durch eine isolierte Auslegung einzelner Stellen und Zeilen unnötig hochgespielt werden.

b) Kasuistische Tugendlehre — Amphibologie

Am Ende einer Quaestio über die Gottesliebe[83] steht ein Satz, den Holcot mit Hilfe der Amphibologie erklärt: „Sokrates ist mehr als Plato verpflichtet, Gott zu lieben[84]." Man fragt sich zuerst, wie solche Sätze, die abseits jeder Systematik liegen, in die Theologie gelangen konnten. Die Erklärung liegt wohl in dem zunehmenden psychologischen und kasuistischen Interesse an theologischen Fragen im vierzehnten Jahrhundert. Holcots Weisheitskommentar war darum so beliebt[85], weil die theologische Systematik durch Rücksicht auf Einzelfälle und Erfahrungstatsachen unterbrochen und belebt wird[86]. Probleme der Praxis sprengen die Systematik, und nun bietet eine indessen reif entwickelte Logik und Sprachphilosophie ihre Hilfe zur Lösung der Fragen an. Daß ein Heiliger mehr gehalten ist, Gott zu lieben, als ein neugeborener Mensch oder ein Erwachsener, ist im Hinblick auf den Akt der Gottesliebe an sich nicht einzusehen. Der Satz jedoch, einer müsse Gott mehr lieben als ein anderer, kann wahr sein, wenn er gemäß der Amphibologie richtig unterschieden wird. Die Amphibologie besteht darin, daß der Begriff „mehr" sowohl auf das Verbum „gehalten werden" wie auf

[83] Vgl. Holcot, I Sent. q.4 (fol.c VIII vb33—34): Utrum viator teneatur frui soli deo.

[84] Vgl. ebd. (fol.e III vb11—24): Contra quaero quomodo sanctus homo vel Magdalena tenetur magis diligere deum quam homo hodie natus vel adultus: vel plus quia intensiori actu, vel plus quia maius bonum debet sibi velle, vel plus ex circumstantia quia magis propter se: nullum istorum apparet. Potest dici quod haec propositio: Sortes magis tenetur diligere deum quam Plato, est distinguenda secundum amphibologiam eo quod ly magis potest determinare ly tenetur vel ly diligere. Si primum, propositio est vera, si secundum, falsa, quia non tenetur diligere magis, sed magis tenetur aequaliter diligere. Et sic unus homo non tenetur diligere magis quam alius, tamen magis tenetur, id est ex pluribus causis (verbessert nach RBM u. P I Sent. q.3).

[85] Auf die außerordentliche Verbreitung dieses Kommentars weist B. Smalley hin, Robert Holcot, a.a.O. 85.

[86] Hingewiesen sei auf die Beispiele, die Holcot für die Verdienstlichkeit eines „falschen Glaubens" bringt, etwa I Sent. q.1 (fol. a VIII rb 45—va 14): Et ad confirmationem quando arguitur quod sufficit vetulae credere, sicut audivit praelatum suum praedicantem, immo ei oboedire tenetur, ponatur ergo quod sit haereticus et ipsa putat eum esse fidelem, tunc est possibile quod ipsa mereatur volendo credere haeresim... ideo non diminuit de merito. Vgl. ebd. (fol. a VIII rb 6—19); III Sent. q.1 a.6 (fol. 1 V vb 1—15). Solche und ähnliche Beispiele sind der Erfahrung des praktischen religiösen Lebens entnommen. B. Smalley bringt ähnliche Hinweise (Robert Holcot, a.a.O. 87f). Ich glaube, daß hinter diesen „skeptischen" Äußerungen ein pastoral-praktisches Anliegen steht.

das Verbum „lieben" bezogen werden kann. Im ersten Fall ist der Satz wahr, im zweiten ist er falsch. Tatsächlich kann für den einen Menschen aus vielerlei Gründen die Verpflichtung zur Gottesliebe größer sein als für einen anderen, etwa im Hinblick auf besondere Gaben und Gnaden, die er empfangen hat. Die Größe und Intensität der Gottesliebe bleibt dabei an sich immer gleich. Gott ist immer und von allen über alles zu lieben.

Die Lösung einer Amphibologie liegt, wie schon Aristoteles gezeigt hat[87], in der rechten Trennung und Verbindung der Termini. Die Logiker des 12. Jahrhunderts griffen die aristotelischen Begriffe auf und benutzten sie als willkommene Instrumente der Rede- und Disputierkunst. Zugleich erfuhren diese Instrumente dabei zum Teil eine Weiterentwicklung und Verfeinerung. L. M. De Rijk hat verschiedene aufschlußreiche Texte veröffentlicht, welche die Entwicklung der Logik im 12. Jahrhundert zeigen[88]. Schon der Wandel in der Vokabel deutet die Weiterentwicklung der aristotelischen Amphibolie in die scholastische Amphibologie an. Zwar wird mit dem Begriff auch weiterhin ein Paralogismus bezeichnet, besonders wenn er in der älteren Form von Amphibolia (oder Amphiboloia) gebraucht wird[89]. Die Worterklärung jedoch, die in den „Fallaciae Vindobonenses" gegeben wird, läßt den Paralogismus in den Hintergrund treten und hält sich im rein Formalen der Aussage: Die Amphibologie ist ein „sermo totus in circuitu"[90]. Das Interesse an der aussagelogischen Form der Amphibologie zeigt sich noch deutlicher bei der auf einer Sprachgewohnheit beruhenden Amphibologie. Die „Fallaciae Parvipontanae" unterscheiden nämlich zwei Arten: die „Amphiboloia in constructione" und die „Amphiboloia praeter constructionem". Die erste Art entspricht dem bei Aristoteles in den Sophistici Elenchi c. 4 und c. c. 19—20 behandelten Paralogismus. Die zweite Art ist bei ihm nur durch eine einzige Redewendung in c. 4 angedeutet. Es ist die zweite der drei Arten von Amphibolie, die auf einer Gewohnheit der Ausdrucksweise beruht[91]. E. Rolfes übersetzt diese Stelle: „Es gibt aber drei Weisen der Begründung mittels Homonymie und Amphibolie: eine, wenn der Satz oder das Wort im eigentlichen Sinne mehreres bedeutet wie Adler und Hund (als Tier und als Sternbild), eine, wenn

---

[87] Vgl. Soph. El. 19—20 (c. 19—20, 177 a9—b).
[88] Vgl. L. M. De Rijk, Logica Modernorum I. On the twelfth century theories of fallacy.
[89] So in den „Frustula logicalia" bei De Rijk a.a.O. 617, 7ff; in den „Fallaciae parvipontanae", a.a.O. 572—575.
[90] Vgl. a.a.O. 504, 19—21.
[91] Vgl. Soph. El. 4 (c.4, 166 a14—19): . . . εἰς δε ὅταν εἰωδότες ὦμεν οὕτω λέγειν.

wir gewohnt sind, so zu sprechen, die dritte, wenn das Verbundene mehreres, das Getrennte nur eines bedeutet, wie z. B. das Kennen der Buchstaben[92]." Zu der zweiten Art macht Rolfes folgende Anmerkung: „Silvester Maurus bringt als Beispiel das lateinische gemma, das eigentlich Edelstein, im Sprachgebrauch aber auch Knospe bedeutet. Als Beispiel für einen Satz oder eine Redeweise führt er an: litus arant, sie pflügen das Gestade, was auf Grund der Gewohnheit auch heißen kann: sie mühen sich vergebens[93]." Dasselbe taucht in den von De Rijk edierten „Fallaciae Parvipontanae" als Beispiel gelegentlich der „Amphiboloia praeter constructionem"[94] auf. Hier haben wir zweifellos eine Erweiterung der Amphibolie aus sprachphilosophischem Interesse. Ja, man weist nun sogar den verschiedenen, mehr oder weniger zufälligen Begriffsformen unterschiedliche Bedeutungen zu: Die Amphibolia liegt nur bei personaler Bezeichnungsweise beider Termini vor, die Amphiboloia, wenn eine der Bezeichnungsweisen impersonal ist[95].

Auch Holcot bedient sich dieses erweiterten Gebrauches der Amphibologie. Dies zeigt deutlich eine Stelle in dem Quodlibet: Utrum theologia sit scientia, wo es um die Aussageweisen von Sätzen über Zukünftiges oder Vergangenes geht[96]. Wir lassen uns

---

[92] Vgl. Aristoteles, Sophistische Widerlegungen. Übers. E. Rolfes. Verl. Felix Meiner, Leipzig 1948, 8.

[93] Vgl. a.a.O. 70 Anm. 8.

[94] Vgl. a.a.O. 574, 29—575, 9: Nunc restat eius species distinguere secundum quod adtenditur praeter constructionem. Est itaque prima species quando aliqua oratio transsumitur secundum se totam ad aliud significandum quam significet ex partium inpositione, ut haec: „litus aro", „laterem lavo" ex transsumptione significant me inutile opus exercere, cum aliud ex propria institutione partium significent. ... Eodem modo est transsumptio cum dicitur: „iste non cessat comedere ferrum"; quod falsum est quantum ad usum; verum tamen significat quantum ad proprietatem.

[95] Vgl. a.a.O. 575, 15—21: Et notandum quod plerique indifferentium differentiam facientes dicunt aliud esse amphiboliam, aliud amphiboloiam. Amphibolia est, ut aiunt, quando utraque significatio est personalis, ut „video canem comedere lupum"; amphiboloia vero quando altera significationum est personalis, altera inpersonalis, ut „video canem comedere panem".

[96] Vgl. Holcot, Quodl. Theologia [151]: Et ideo dicitur quod tales propositiones sunt aliter distinguendae secundum modum amphibologiae, eo quod possunt accipi proprie pro seipsis, sicut sonant, et sic sunt falsae, vel improprie et pro aliis propositionibus, et sic possunt esse verae. Unde haec propositio: Antichristus est possibilis, est falsa de virtute sermonis. Si tamen pro ista: Haec est possibilis: antichristus est, propositio est vera. Eodem modo haec propositio: Antichristus erit, secundum quod conceditur a doctoribus, accipitur pro ista: Haec aliquando erit vera, si formetur: antichristus est. Et consimiliter dico de propositionibus de praeterito. Nam ista: Caesar fuit, aequivalet isti: Haec fuit vera: Caesar est, et sic est concedenda.

hier auf die schwierigen Formen der Zeitbestimmung in der Aussage nicht ein. Uns geht es nur um den Gebrauch der Amphibologie. Holcot spricht dabei nicht etwa von der fallacia amphiboliae, sondern vom modus amphibologiae, nach dem die Sätze zu unterscheiden sind. Die Amphibologie besteht hier in der Möglichkeit, die Sätze im eigentlichen oder im uneigentlichen Sinne zu verstehen; im ersten sind sie falsch, im zweiten wahr. Die ganze Formulierung an dieser Stelle zeigt, wie der Paralogismus, der natürlich auf dem Grund der Amphibologie besteht, in den Hintergrund tritt zugunsten eines logisch-technischen Gebrauches, der die verschiedenen Modi loquendi unterscheiden und vergleichen soll. Der Paralogismus der Amphibologie wird sogar so sehr verdeckt, daß die eigentlich falsche Aussage zugelassen werden kann, wenn sie nur secundum modum amphibologiae richtig verstanden wird.

Man muß sich diese Entwicklung von Logik und Sprachphilosophie immer wieder in Erinnerung bringen, um die Vorliebe der Theologen für die Untersuchung der Aussagebedeutung theologischer Begriffe und Sätze zu verstehen. Wenigstens an einigen Beispielen soll der Einfluß der Sprachphilosophie auf die methodische Gestaltung theologischer Themen gezeigt werden.

c) Genugtuung und Barmherzigkeit — Amphibologie

Holcot verwendet die Amphibologie auch gelegentlich der Auseinandersetzung mit der Satisfaktionslehre des Anselmus: Die Aussage, daß die Größe der Bosheit durch das Maß der verletzten göttlichen Güte bestimmt werde, sei gemäß der Amphibologie gemacht. Im eigentlichen Sinne sei sie falsch, weil die Bosheit ein negativer Terminus sci. Darum können Bosheit und Gottes Güte nicht wie zwei Dinge miteinander verglichen werden. So dürfe der Vergleich nur in uneigentlichem Sinne angewandt werden, insofern die Bosheit im Hinblick auf die Verletzung der unendlichen Güte Gottes „unendlich" genannt werden könne[97]. Freilich stehen wir

---

[97] Vgl. Holcot, II Sent. q.1 (fol. f IV vb 14—32): Ad secundum quando arguitur, si malitia peccati foret infinita intensive, ergo foret tanta, quanta est bonitas dei, dici potest distinguendo consequens: Tanta est haec malitia, quanta est dei bonitas, secundum amphibologiam eo quod potest accipi proprie, et tunc est falsa. Denotatur enim quod malitia peccati sit aliquid et bonitas dei aliquid et neutrum istorum maius alio. Et hoc est falsum, quia malitia est terminus negativus et non est magis res in anima, ubi deberet esse bonitas, quam in lapide, sicut dicit Anselmus de conceptu virginali c.V. Alio modo potest accipi ista propositio improprie, prout ista et consimili termino utimur, quando bene respondemus ad quaestionem factam per ‚quanta est de bonitate', per ‚quantum est de peccato mortali' et per ‚quanta est de bonitate dei'. Et hoc est verum. Dicimus enim quod utraque est infinita intensive, sed diversimode, quia bonitas dei est infinita intensive, peccati malitia est privatio boni infiniti

hier einer völlig anderen Methode gegenüber als bei Thomas von Aquin, der den Begriff der Amphibologie in seiner Theologie nicht ein einziges Mal verwendet[98]. Die ganze Quaestio ist ein Musterbeispiel für die Formalisierung der theologischen Aussagen bei Holcot. Unter der Frage: Ob der Schöpfer des Menschengeschlechtes über dieses gerecht regiert[99], werden die mannigfaltigsten Einwände gegen Gottes Gerechtigkeit angesichts der Sünde und ihrer Folgen durchexerziert. Holcot weist selbst auf diese Zielsetzung hin: Alles soll der Übung willen gesagt sein ohne irgendeine Behauptung[100]. Es wäre ein Mißverständnis, in dieser Bemerkung einen Beweis für die Preisgabe jeder ernsten Absicht zu sehen, theologische Aussagen zu machen. Sie sind allerdings hineingeflochten in das kunstvolle Gewebe der aussagenlogischen Methode. Berücksichtigt man diese und macht man sich die Mühe, diesem methodischen Aufbau Zug um Zug zu folgen, so zerfließen die gegen Holcot erhobenen Vorwürfe eines exzessiven Voluntarismus und einer Überbetonung der Potentia dei absoluta. Mit dem Magister wird an der unbedingten Gutheit des göttlichen Willens festgehalten, auch gegenüber der Sünde, die weder der Allmacht noch der Gutheit Gottes Abtrag tun kann, weil die Sünde wohl gegen Gottes Gebot, niemals jedoch gegen Gottes Allmacht geschieht[101]. Gott nötigt keinen Menschen

secundum durationem. Ideo aliquo modo duratio est infinita intensive. P hat an dieser Stelle direkt den Ausdruck: Hic est amphibologia eo quod potest accipi proprie, et tunc est falsa... Alio modo potest ista propositio improprie accipi... et hoc est verum. Sonst fast gleichlautender Text (P fol. 39 vb 38—55). In RBM fehlt der Ausdruck „amphibologia".

[98] Jedenfalls ist er weder in dem Thomas-Lexikon von Schütz noch in dem minuziösen Wortkatalog von Roy J. Deferrari und M. Inviolata Barry (A complete Index of The Summa theologica of St. Thomas Aquinas, Baltimore 1956) verzeichnet.

[99] Vgl. Holcot, II Sent. q.1 (fol. e VIII ra 14—16): Utrum creator generis humani iuste gubernat genus humanum.

[100] Vgl. ebd. (fol. g va 39—41): Haec omnia dicta sint occasione exercitii sine quacumque assertione.

[101] Vgl. ebd. (fol. g rb 43—va 12): Ad septimam concedo quod tyranni et mali homines sunt instrumenta divinae voluntatis, non quod deus eos necessitet ad persequendos sanctos, sed quia permittit et cooperatur eis in persecutione sanctorum, sicut ubicumque creaturae agenti cooperatur voluntarie agenti secundum positionem, cui istae rationes innituntur. Quia tamen illis tyrannis praecepit oppositum, ideo non plus excusantur, quasi omnino facerent contrarium beneplacito dei et deo resisterent. Unde Augustinus Enchir. 99 de peccantibus dicit: Quantum ad ipsos attinet, quod deus noluit fecerunt; quantum vero ad omnipotentiam dei nullo modo illud facere valuerunt. Quod verbum exponit Magister in primo Sententiarum dicens sic: Ac si diceret: Fecerunt contra dei praeceptum quod appellatur dei voluntas; sed non fecerunt contra dei voluntatem omnipotentem, quia hoc non valuerunt. Unde dicit Magister similiter quod deus implet voluntatem suam hoc est

zum Bösen. Andrerseits muß die Allursächlichkeit Gottes auch für den sündhaften Willensakt aufrecht erhalten werden. Holcot trägt diesen beiden Forderungen, die sich aus der Gutheit und der Allmacht Gottes ergeben, durch die Unterscheidung von Voluntas beneplaciti und Voluntas signi Rechnung. Holcot lehnt die satisfaktorische Zuordnung der Sündenstrafe auf die Verletzung des göttlichen Gebotes und damit der Heiligkeit Gottes selbst ab. Damit werde die Gerechtigkeit des göttlichen Richters allzu billig nach dem Maßstab menschlicher Rechtsübung bemessen[102]. Gott setze vielmehr selbst das Maß der Genugtuung an. Nur so kann es überhaupt eine Gottes Gerechtigkeit entsprechende Genugtuung geben. In dieser muß für die biblisch begründete Freiheit Gottes Raum bleiben, sich zu erbarmen, wessen er sich erbarmen will[103]. Holcot stützt sich auf die Worte des Apotels Paulus Röm. 9, 11—20, von denen aus das harte Wort über die Reprobatio ante praevisa merita gesehen werden muß[104]. Es dient auch zum Ausdruck der absoluten Freiheit Gottes in allen Werken nach außen. Im übrigen steht es so vereinzelt da, daß man von ihm nicht auf einen schrankenlosen Voluntarismus in Holcots Gotteslehre schließen kann. Schließlich

praescientiam et voluntatem similiter per malas hominum voluntates dist. 48 c.2. Et nota dictum Magistri 47. dist. c. ultimo. Neque inquit ideo praecepit deus omnibus bona vel prohibuit mala vel consuluit optima, quia vellet ab omnibus fieri bona, quae praecepit fieri, vel mala, quae prohibet vitari. Si enim vellet, utique et fierent, quia in nullo potest ab homine superari vel impediri voluntas eius. (Gemeint ist hier natürlich die Voluntas beneplaciti.)

[102] Vgl. ebd. (fol. g vb 42—gII ra 9): Ad auctoritatem Anselmi, Cur deus homo, c. 12, quando dicit recte ordinare peccatum etc. dico quod istud sicut sonat est falsum loquendo de poena satisfactoria vel qualis debet infligi pro satisfactione, quia multa peccata ad tempus deus dimittit impunita, quia dissimulat peccata hominum propter poenitentiam, et tamen non sequitur quod deus ad tempus relinquit aliquid deordinatum in mundo. Et ideo potest intelligi sic quod ordinare peccatum est statuere leges punitivas et illas opportunae executioni mandare. Opportunae dico, quando deo placet. Ad aliam auctoritatem eiusdem libri c.20 quod secundum mensuram peccati etc. dico quod mensura peccati est uno modo attendenda secundum mensuram legis, cuius est praevaricatio, et satisfactio est mensuranda mensura legis punitivae. Satisfacit autem homo deo, quando poenam subit pro peccato, quam placet deo sibi infligere. Unde omnis poena, quae sibi placet infligi pro peccato, est sibi satisfactio condigna. Et ideo illa verba Anselmi et consimilia sanctorum sunt prolata ad modum iudicii humani nobis noti et non sunt omnia propria iudici divino.

[103] Vgl. ebd. (fol. f VII rb 24—40).

[104] Vgl. ebd. (fol. f VII ra 23—28): His visis ad primam formam argumenti dico quod deus praedestinat ante meritum et reprobat ante demeritum, et tamen sine acceptione personarum, quia acceptio significat in acceptis praeponere unum alteri aliter quam debet et sic substrahere ab uno aliquid sibi debitum. Vgl. u. S. 286.

werden wenige Zeilen später aktive Reprobation und Vorherwissen miteinander verbunden, so daß der erste Ausspruch seine Schärfe völlig verliert[105]. Wiederholt spricht Holcot für ein aus Gottes Freiheit und Weisheit hervorgehendes Maß im Urteil Gottes über Gut und Bös[106]. Holcot vertritt durchaus das Theologumenon einer recht verstandenen Genugtuung. Gottes Wille und Handeln ist nicht Willkür, sondern nur über jedes menschliche Urteil erhaben[107].

[105] Vgl. ebd. (fol. f VII rb 4—18) Text nach P (42 rb 21—41): Similiter ista: Deus ordinavit b vel animam b ad poenam aeternam, debet exponi uno modo sic: Deus ordinavit animam b ad poenam, id est: Deus praescit animam b ad poenam et vult ei dare poenam et hoc est verum. Alio modo sic: Deus ordinavit animam b ad poenam id est: praescit ad poenam et vult esse principalis causa, quare habebit poenam vel quare erit digna habere poenam, et hoc est falsum. Si tamen non plus intelligatur per istam: Deus ordinavit b ad poenam aeternam nisi quod praescit et vult sibi dare poenam aeternam, concedo illam. Unde utraque istarum est concedenda in aliquo sensu: Deus ordinat animam b ad vitam aeternam et: Deus ordinat animam b ad poenam aeternam. Prima tamen est in uno sensu contingens et in alio sensu non. Et similiter secunda est in uno sensu contingens dependens a futuro, quia in uno sensu ponitur pro praescire. Unde licet deus ordinaverit b ad poenam, potest tamen nunquam ordinasse b ad poenam, sicut in proxima quaestione sequenti tractabitur.

[106] Vgl. Anm. 102, aber auch den folgenden Text, in dem freilich zu beachten ist, daß der Begriff „condignus" in einer anderen Beziehung gebraucht wird als oben, nämlich in Beziehung der Strafe zum Gesetz, oben hingegen in der Beziehung von Strafe und genugtuender Gerechtigkeit. Der Text lautet (fol. g vb 28—44): Ad secundam formam, quando arguitur: Deus semper remittit partem poenae condignae, ergo recedit ab aequalitate, dici potest quod poena dicitur condigna alicui culpae dupliciter: Uno modo, quia tam magna est poena, quam magna fuit culpa. Et tunc esset tanta, quantam ipse meruit, qui peccavit. Alio modo dicitur poena condigna culpae, quia tanta est, quantam placet iusto iudici infligere pro ea. Primo modo deus punit citra condignum, secundo modo non. Contra: Omnis poena posset esse condigna cuicumque culpae. Ergo si infligeret Neroni poenam Judae, condigna esset utrique utraque. Sed tanta esset modo, quanta tunc esset, et modo poena Neronis est minor. Ergo Nero minus modo punitur. Dico quod omnis poena est condigna culpae secundo modo, quantum placet sibi infligere pro culpa, et non valet consequentia: Ergo poena minor est diminuta, quia eoipso quod est ab eo volita, est iusta et condigna illo modo.
Am Ende der Quaestio verteidigt Holcot Gottes Gerechtigkeit im Erbarmen mit verschiedenen Sündern. Er gebraucht dabei den Begriff einer „proportionata misericordia". Der Text der Inkunabel ist gegenüber P u. RBM erheblich verkürzt, gibt jedoch den Sinn der Stelle unter Verzicht auf die Rechenkunststücke präzis wieder (vgl. fol. g II rb 30—35): Ad secundam formam septimi argumenti, quando arguebatur duobus peccatoribus decedentibus etc. concedo quod minus in quantitate remittetur uni quam alteri, sed aequale in proportione, quia utrobique vel secundam vel tertiam vel quodamvis ut deo placuerit aliam partem. Et sic neutri fit iniuria, sed utrique proportionata misericordia.

[107] Vgl. ebd. (fol. g II ra 9—18): Ad tertium quando arguitur quod multa videmus

d) Eine Quaestio über Gottes Weltregierung — terminologische Zielsetzung

Entscheidend für das Verständnis der ganzen Quaestio und die richtige Auslegung einzelner Sätze ist die Einsicht in die aussagenlogische Methode, in der die ganze Erörterung durchgeführt wird. Holcot setzt am Beginn der Responsio selbst die Akzente für eine vorwiegend terminologische Erörterung, indem er zuerst die in der Quaestioüberschrift gebrauchten Begriffe erklären will. Es wird gesagt, in welchem Sinn sie gebraucht werden können und in welcher Bedeutung sie tatsächlich jeweils angewandt werden. Auch der Begriff „Schöpfer" wird in seiner Aussagebedeutung genau erklärt, obwohl diese für die Quaestio belanglos ist[108]. Nur für den ersten Menschen kann Gott „Schöpfer" im eigentlichen Sinne genannt werden, da alle anderen Menschen nicht unmittelbar aus Gottes Schöpferhand hervorgehen. Unter „Genus humanum" versteht Holcot die Gesamtheit der Menschen, nicht eine zweite Intention, also den Oberbegriff von Species[109]. Daß solches überhaupt gesagt wird, zeigt schlaglichtartig das terministische und logikalische Interesse unseres Autors an der Formulierung der theologischen Aussagen. Von größter Wichtigkeit für das sachliche Verständnis ist sodann die Erörterung des Adverbiums „gerecht"[110]. Holcot

---

impunita in mundo, concedo videlicet quod puniuntur aliqua et aliqua remittuntur, sed bene ordinantur etiam sine punitione, quia sicut deo placet, ita fit et ideo iuste fit. Mirantur tamen homines, quare deus sic permittit, qui putant deum obligatum ad regendum mundum suum secundum capita eorum, et tunc male iret negotium. Et ideo quando expectat, misericorditer expectat. Et quando punit, iuste punit. Et quando remittit, tam misericorditer quam iuste remittit.

[108] Vgl. ebd. (fol. f II vb 38—52): Circa istam quaestionem (nämlich: Utrum creator generis humani iuste gubernat genus humanum) in cuius titulo non est magna difficultas, primo expono terminos quaestionis et intelligo per creatorem generis humani deum, non quod omnes homines creat, quia nullum hominem creat, sed animas tantum. Unde ad formam quaestionis dici debet negative quod est falsa, quia implicativa falsi; sed dicitur vulgariter creator generis humani, quia creat animas et quia creavit animam primi hominis similiter corpus, id est primam materiam, unde fecit corpus. Si tamen nihil esset in homine nisi materia prima et anima intellectiva et totum esset suae partes, deberet concedi quocumque homine demonstrato: Iste homo fuit creatus a deo, ut videtur. Sed de hoc modo non curo.

[109] Vgl. ebd. (52—55): Similiter per genus humanum non intelligo aliquam intentionem secundam, quae tamen vocari possit genus humanum; sed intelligo per genus humanum idem quod omnes homines.

[110] Vgl. ebd. (fol. f II vb 55—f III rb 39) Text der Ink. verbessert nach P u. RBM: Tertio distinguo de isto adverbio iuste. Potest enim deus tripliciter dici iuste gubernare. Primo modo ideo, quia gubernat sicut debet et sicut tenetur. Sic enim in quibusdam locutionibus exponimus istum terminum iuste. Iste homo

iuste se habet, quando facit illud quod debet et ad quod ex officio obligatur et tenetur. Et sic multipliciter loquitur Anselmus De veritate c.12, ubi dicit quod duo sunt necessaria voluntati ad iustitiam scilicet velle quod debet et nolle quod non debet. Et Proslogio X. Denique quod non iuste fit neque debet fieri, et quod non debet fieri non iuste fit. Secundo modo potest intelligi quod deus iuste gubernat, quia aequaliter gubernat, sic videlicet quod in dando praemia et poenas quod pertinet ad iustitiam distributivam, servat aequalitatem proportionis inter meritum et praemium et similiter inter culpam et supplicium, ita quod aeque bonum sit praemium sicut meritum et econverso, et aeque malum poena sicut culpa et econtra. Et sic videtur iustitia accipi communiter apud loquentes de iustis iudicibus, quia videlicet commensurate et aequaliter adaequant poenas culpis et praemia meritis. Tertio modo potest dici deus iuste gubernare creaturam, si ly iuste exponatur, id est: sicut decet deum et convenit creaturae. Et hoc est generaliter: sicut ipse vult. Unde isti termini convertuntur: Hoc est iustum, et: Deus vult hoc. Et sic accipit Anselmus iustum Proslogio XI: Vere, inquit, universae viae domini misericordia et veritas, et tamen iustus dominus in omnibus viis suis et utique sine repugnantia, quia quos vis punire, non est iustum salvari, et quibus vis parcere, non est iustum damnari. Nam illud solum est iustum quod vis, et non iustum quod non vis. Igitur secundum eum deum velle hoc et hoc esse iustum convertuntur. Exponendo igitur diversimode istam determinationem iuste diversimode dicendum est ad quaestionem. Exponendo primo modo: „Deus iuste gubernat" id est: sicut debet et quia debet, dico quod in quibusdam operationibus divinis circa homines facit iuste, in quibusdam non iuste ad illum intellectum. Facit autem iuste primo modo, id est quod debet et quia debet certe, quando punit hominem pro culpa et praemiat hominem pro bono opere. Similiter quando infundit gratiam se bene disponenti et quando auget gratiam bene operanti et quando subtrahit peccanti, quia omnia ista deus debet et ad ista tenetur. In quibusdam autem operationibus non facit iuste illo modo, sicut quando creavit mundum; quando instituit homini tales leges, sicut modo habemus; quando ordinavit ista sacramenta fore media ad nostram salutem. Et ad nihil eorum tenebatur et nihil istorum iuste fecit ad istum intellectum datum.

Quod autem non sit inconveniens isto modo loqui de deo dicendo deum debitorem creaturae et quod deus facit quod debet et sicut debet, probo sic: Hoc est verum de deo; igitur non est inconveniens deo. Consequentia patet, quia nullum inconveniens deo est impossibile secundum Anselmum. Antecedens probo sic: Omne communicans alteri communicatione politica debet alteri quod sibi promittit. Sed deus communicat cum hominibus communicatione politica seu civili sicut dominus servis et eis multa promittit. Igitur post promissionem est vere debitor. Confirmatur ratio, quia non est inconveniens ponere in deo illud sine quo fidelitas servari non potest neque eius veritas; sed si promisit et non est debitor, non est fidelis.

Secundo sic: Homo potest mereri apud deum; igitur potest deum facere debitorem suum. Consequentia patet, quia mereri non est aliud quam quod aliquis faciat sibi debitum: vel quod faciat sibi idem vel magis vel alio modo debitum seu multiplicius debitum, ita quod diffinitione istius termini mereri includitur facere aliquid debitum. Ergo homo merendo apud deum facit aliquem sibi debitorem, et non nisi deum. Igitur etc.

Tertio patet idem primo Sententiarum d.43 c.4, ubi sic dicitur: Hoc verbum debet venenum habet. Multiplicem et involutam intelligentiam tenet nec deo proprie competit, qui non est debitor nobis nisi forte ex promisso. Ex quo

nennt drei Weisen der Bedeutung, in denen es gebraucht werden
kann. In der ersten Weise nennt man einen Menschen gerecht,
wenn er das tut, wozu er verpflichtet ist. In einer zweiten Bedeutung spricht man von einer gerechten Weltregierung Gottes, wenn
er den Guten den ihnen gebührenden Lohn, den Übeltätern die
verdiente Strafe nach dem Maß ihrer jeweiligen Taten zuerteilt.
Diese Weise gehört zur Justitia distributiva. In einer dritten Weise
ist „gerecht" gleichbedeutend mit dem Ausdruck: „Wie es Gott
zusteht und dem Geschöpf gebührt." In diesem Falle sind die Ausdrücke gleich: „Dies ist gerecht" und: „Gott will dies". Nun lesen
wir bei Holcot, daß in den ersten beiden Bedeutungsweisen Gott
zuweilen gerecht, zuweilen nicht gerecht genannt werden kann. Löst
man diesen Satz aus dem Zusammenhang heraus, so scheint er
wieder einmal ein Zeugnis mehr für den „voluntaristischen Gottesbegriff" Holcots und seine „Vorliebe" für die Potentia dei absoluta
abzugeben. Berücksichtigt man jedoch die verschiedenen Auslegungen (expositiones) des Begriffes „gerecht", so lösen sich die sachlichen Schwierigkeiten, und es bleibt der Versuch, Gegensätzliches
in der Form dialektischer Aussagen in das Ganze eines theologisch
vertretbaren Systems zu bringen. Keineswegs behauptet Holcot mit
der Gleichsetzung von Gottes Gerechtigkeit und Gottes Willen,
daß Gottes Wille an gar keiner Gerechtigkeit orientiert sei, sondern
daß Gottes Gerechtigkeit uns unbegreiflich ist. Dies dürfte aus den
mit Absicht so ausführlich zitierten Texten deutlich genug hervorgehen. Andrerseits wird der auf Gottes Gerechtigkeit angewandte
Begriff der Justitia distributiva der Freiheit Gottes gegenüber dem

arguitur sic: Si non est nobis proprie debitor, nisi ex promisso, ergo est nobis
proprie debitor. Consequentia tenet ab exceptiva ad suam affirmativam exponentem.
Sic dico ad quaestionem exponendo ly iuste primo modo videlicet quod in
quibusdam deus iuste gubernat et in quibusdam non, quia quandoque facit
quod debet et sicut debet, quando scilicet circa nos implet illud quod promisit,
et quandoque facit illud quod nullo modo debet, exponendo ly „iuste debet"
obligatorie. Exponendo vero ly „iuste gubernare" secundo modo, sic dico
similiter quod quandoque iuste gubernat et quandoque non. Nam aliquando
maxime de malis hominibus, qui nullum praemium recipiunt nisi in praesenti,
forte posset contingere quod aliquis praecise tantum bonum recipit, quantum
meruit de bonis temporalibus. Similiter forte aliquando contingit in praesenti
quod homo aequaliter punitur, sicut culpa requirebat, licet hoc non servetur
communiter. Et certe sic loquendo de iustitia isto secundo modo est difficile
nimis salvare, immo impossibile est in omnibus operationibus divinis servare
iustitiam, quamvis etiam isto secundo modo sit credenda quaedam ratio
iustitiae in divinis operationibus nobis incomprehensibilis. Tertio modo exponendo ly iuste absolute dico quod sic, quia deus sic gubernat sicut decet
et sicut convenit creaturis.

Geschöpf, insbesondere seinem freien Erbarmen nicht gerecht. Die aus der zeitgenössischen Naturphilosophie in die Theologie usurpierte Methode des mathematischen Kalkuls[111], auf die auch Holcot spaltenweise eingeht und die wir besonders in der Reflexion über Sünde, Verdienst und Gnade so störend empfinden, wird von unserem Autor gerade in dieser Quaestio durch die Herausstellung der unbegreiflichen, in Freiheit waltenden Erbarmung Gottes grundsätzlich aufgehoben. Sodann gibt es Bereiche des göttlichen Handelns, in denen Gott aus absoluter Freiheit wirkt und wo die Frage nach einem gerechten Handeln in dem Sinne „gerecht, wie es Gott zusteht" theologisch unbedeutsam ist. Holcot rechnet dazu die Weltschöpfung, die einzelnen Gebote (nicht jedoch die obersten moralischen Prinzipien, wie gezeigt wurde), die zu unserem Heil angeordneten Sakramente. Diese einmal von Gott gesetzte Welt- und Gnadenordnung gründet nach Holcot in der göttlichen Freiheit ebenso wie in einer uns freilich oft nicht begreiflichen göttlichen Gerechtigkeit und göttlichen Ratio. Holcot ist weit davon entfernt, mit Hilfe des Begriffes der Potentia dei absoluta die Gültigkeit der für uns gesetzten Ordnung in Frage zu stellen. Vielmehr dient der Begriff nur, die Freiheit Gottes und die Kontingenz alles Außergöttlichen herauszustellen. An der einzigen Stelle der Quaestio, an der die absolute Allmacht mit extremen Redewendungen ausgesprochen wird, ohne jedoch den Begriff selbst zu bringen, betont Holcot geradezu in einer umkehrenden Weise, daß diese Aussagen im Hinblick auf die bestehende, von Gott gesetzte Ordnung nichts besagen[112].

Schließlich sagt Holcot, daß Gott sich im Sinne der Iustitia distributiva zum „Schuldner" des Geschöpfes mache[113]. Er läßt damit innerhalb der von Gott in Freiheit gesetzten Ordnung alle Möglichkeiten für theologische Aussagen bestehen, in denen Gott und seine Geschöpfe in die Korrelation des Heilsgeschehens gebracht werden. Dies erfordert auch der biblische Sprachgebrauch, wie Holcot zeigt, wobei er diese Redewendung ausdrücklich als metaphorisch bezeichnet. Den Schluß des Abschnittes bildet das Argument der mensch-

---

[111] Vgl. A. Maier, Ausgehendes Mittelalter I, 436f.

[112] Vgl. Holcot, II Sent. q.1 (fol. f III va 52—b7): Ad quintum quando arguitur de homine creato sine originali etc. nihil habemus dicere secundum legem statutam nunc. Deus tamen posset multipliciter ordinare sicut sibi placeret, vel annihilando ipsum vel conservando sibi vitam aeternam sine meritis. Et non valet: Ponitur in caelo sine meritis; igitur homo potest mereri caelum ex puris naturalibus, sicut patet. Et posset eum ponere in inferno, si vellet, vel posset eum manu tenere extra pro semper, sicut vellet. Et quicquid faceret, iuste fieret tertio modo exponendo ly iuste.

[113] Vgl. „Futura contingentia", Anm. 143.

lichen Freiheit. Nur um ihren Preis könnte Gott die Sünde verhindern[114]. Sie ist aber ebenso unentbehrlich für Gottes heilsgeschichtliches Handeln mit dem Menschen wie die Freiheit Gottes selbst. Holcot sagt dies nicht mit diesen Worten. Dennoch darf man sagen, daß der ganze Textabschnitt theologisch aus einem Guß ist. Holcot macht also weder Gott zum Mitschuldner der Sünde noch vertritt er einen theologischen Optimismus in der Weise, wie wir ihn Jahrhunderte später bei Leibniz[115] finden, wonach die Sünde zur vollkommenen Schönheit des Universums gehöre. Schon Holcot kennt dieses Argument und lehnt es für die bestehende Weltordnung nicht ab. Jedoch ließe sich eine Welt denken, in der es keine menschliche Sünde gäbe. Sie wäre nicht weniger vollkommen und schön, jedoch von anderer Schönheit[116]. Dieser Gedanke war nicht neu. Schon Jakob von Metz lehrte, daß Gott ein anderes besseres Universum hätte schaffen können als das bestehende. Den Gegensatz dieser Lehre zu der aristotelischen Kosmologie hat Decker mit genauen Quellennachweisen dargestellt. Er wies auch darauf hin, daß schon Thomas von Aquin die Lehre vertrat, Gott könne ein völlig neues Universum schaffen, indem er den Geschöpfen dieser

---

[114] Vgl. Holcot, II Sent. q.1 (fol. g ra 34—b2): His visis dico ad primam formam istius principalis, quando arguitur: Nullus iuste aliquos gubernans punit eos etc. Nego istam intellectam de voluntate beneplaciti; nam ideo iuste punit eos, quia praecepit eis, ne facerent. Et quando arguitur quod esset summa causa peccati, concedo. Tamen potest dici quod non est causa peccati, quia ista causalis est vera: Deus vult Sortem peccare, quia Sortes vult peccare et non econtra. Ideo Sortes est magis causa peccati quam deus. Non tamen est maior causa vel melior seu principalior. Vel potest concedi quod deus est summa causa peccati et summe causat. Tamen hoc non obstante imputatur creaturae quod in potestate ipsius fuit deum esse causam istius peccati. Unde eoipso quod homo est liber, quia deus statuit coagendo unicuique creaturae secundum modum naturae suae, sequitur quod homo habet in sua potestate facere deum coagere et non coagere, sicut sibi placet, quia deus serviret hominis voluntati. Unde peccatoribus exprobat deus: Servire me fecistis in peccatis vestris. Contra: Deus libere cooperatur voluntati; ergo non servit. Verum est, sed est metaphorica locutio. Sed quare non subtrahit cooperationem? Tunc enim nemo peccaret. Respondeo, quia Deus non vult; tunc enim impediret liberum arbitrium.

[115] Vgl. Gottfried Wilhelm Leibniz, Theodizee I, 8; deutsch herausgeg. von Gerhard Krüger, Leibniz, Die Hauptwerke, Stuttgart ³1949, 182ff.

[116] Vgl. Holcot, II Sent. q.1 (fol. g rb 14—23): Ad tertiam concedo quod deus vult mala fieri. Sed quia praecipit hominibus, ne mala fiant, ideo hoc relinquit in eorum dispositione, et ideo peccant et eis debet imputari quod deus causat peccatum. Quia tamen argumentum videtur niti ad probandum quod mala et peccata sunt de perfectione universi, concedo quod haec perfectio, quae nunc est exigit mala fuisse facta et homines peccasse. Tamen si nunquam homo peccasset, non minus fuisset universum perfectum et pulchrum, sed tamen alia pulchritudine.

neuen Welt höhere Wesensvollkommenheiten zuerteile als jene,
die den Geschöpfen des jetzt existierenden Kosmos zu eigen sind,
Den scholastischen Theologen ging es darum, gegen Aristoteles die
absolute Schöpfungsallmacht Gottes auf diese Weise hervorzuheben[117].

Holcot begründet, wie wir sahen, seine Ausführungen über die
Gerechtigkeit der göttlichen Weltregierung mit dem Theologumenon der „von Gott gesetzten Ordnung", das auf dem Begriff der
Potentia dei absoluta aufruht. Wir sehen, wie dieser Begriff im
Zusammenhang der theologiegeschichtlichen Tradition in ein neues
Licht rückt. Die hier daraus gezogenen Folgerungen sind weit entfernt von einem extrem voluntaristischen Gottesbild. Hier zeigt
sich das methodische Feingefühl des Meisters im Gebrauch theologischer Formulierung. Die einzelnen theologischen Begriffe haben in
den verschiedenen Bereichen der Theologie nicht die gleiche Rele-
vanz. Diese Erkenntnis ist ein Ergebnis der an Logik und Sprachphilosophie geschulten theologischen Methode.

e) Natürliche Gottesliebe — aussagenlogische Begründung

Ein weiteres Beispiel für den Einfluß der Methode auf die theologische Spekulation bietet uns die Quaestio über die Gottesliebe[118].
Wir untersuchen hier den dritten Artikel dieser Quaestio, in dem
die Möglichkeit erörtert wird, aus natürlichen Kräften Gott über
alles zu lieben. Diese Frage war angesichts der von Augustinus
gelehrten Notwendigkeit der Gnade für den Akt der Hinwendung
zu Gott von höchstem Interesse. Gerade in der Gnadenlehre galt
den scholastischen Theologen Augustinus allgemein als die Autorität, mögen sie auch auf anderen Gebieten, insbesondere solchen
philosophischer Art, dem großen Kirchenvater nicht gefolgt sein.
Andrerseits erwachte unter dem Einfluß des aristotelischen Natur-
begriffs das Interesse daran, was der Mensch aus den von Gott
verliehenen natürlichen Kräften zu tun vermag. Eine solche Fragestellung, die im Hinblick auf die Natur des Menschen zunächst einmal von der Allursächlichkeit der Gnade für das Heil absieht,
mußte jedoch Konfliktstoff heraufbeschwören. Dies um so mehr, je
kritischer man von der großartigen Synthese des hl. Thomas
Abstand nahm. Daher spricht Holcot bereits von „Schwierigkeiten"
in der Frage nach der natürlichen Gottesliebe[119]. Er bejaht freilich

---

[117] Vgl. B. Decker, Die Gotteslehre des Jakob von Metz, 275—278.
[118] Vgl. Holcot, I Sent. q.4 (fol. c VIII vb 32—34): Utrum viator teneatur frui
soli deo.
[119] Vgl. ebd. (fol. d III ra 34—39): Nunc videnda sunt quaedam circa fruitionem
viae, ubi primo occurrunt quatuor difficultates communes. Prima utrum homo

ihre Möglichkeit ebenso wie Thomas, Duns Scotus und Wilhelm Ockham. An dieser Stelle hier soll die andersartige Methode Holcots im Vergleich mit der Behandlung der gleichen Frage bei Thomas von Aquin dargelegt werden. Thomas von Aquin behandelt die Möglichkeit einer natürlichen Gottesliebe an mehreren Stellen des Sentenzenkommentars und der Summa Theologiae. Für Thomas sind es ontologische Gründe, auf die er seine These von der natürlichen Gottesliebe stützt. Dem Menschen und noch mehr dem Engel ist ein natürliches Gesetz eingegeben, nach dem er Gott über alles lieben soll. Eine nur um des eigenen Nutzens willen hervorgerufene Gottesliebe wäre Verkehrung der Natur und damit Sünde[120]. Diese im Sentenzenkommentar hervorgebrachte Begründung erfährt in der theologischen Summe eine Erweiterung durch den Begriff der inclinatio naturalis. Natürlicherweise neigt jedes Wesen, das nicht aus sich selbst, sondern von einem anderen her existiert, zu jenem hin. Diese Hinneigung vollziehen die vernunftlosen Wesen natürlicherweise, die vernunftbegabten Wesen bewußt, wobei die Ratio der Natur folgt[121]. Schärfer konnte die ontologische Begründung der natürlichen Gottesliebe nicht herausgearbeitet werden. An einer späteren Stelle der Summa wird der aristotelische

possit ex suis naturalibus diligere deum super omnia. Secundo utrum deum super omnia diligendum possit naturali ratione demonstrari. (Die dritte und vierte „difficultas" gehört nicht in unsere Frage. Sie stehen bei Thomas I Sent. d.1 q.2 a.2; ed. Mandonnet 92ff.)

[120] Vgl. Thomas Aq., II Sent. d.3 q.4 (ed. Mandonnet 125f): Omnis dilectio aut est usus aut fruitionis. Si ergo angeli diligebant Deum in statu innocentiae, aut utentes aut fruentes. Si utentes, ergo utebantur re fruenda, quod est magnae perversitatis secundum Augustinum lib. XI De civitate Dei, cap. XXIV, col. 338, t. VII; et ita esset dilectio peccati, et non naturalis. Si ut fruentes, ergo Deum propter seipsum diligebant, quia frui est amore inhaerere alicui rei propter seipsam. Praeterea: Deum esse super omnia diligendum, cum sit legis naturalis, scriptum erat in mente angeli multo expressius quam in mente hominis. Sed non contingit sine peccato facere contra id quod per naturalem legem cordi inditum est. Ergo si Deum super omnia non diligebant, peccabant. Quamdiu ergo sine peccato fuerunt, Deum super omnia dilexerunt. Vgl. ferner III Sent. d.29 a.3 (ed. Moos 929 n.38).

[121] Vgl. Ders., S. th. I q.60 a.5: Inclinatio enim naturalis in his, quae sunt sine ratione, demonstrat inclinationem naturalem in voluntate intellectuali naturae. Unumquodque autem in rebus naturalibus, quod secundum naturam hoc ipsum quod est, alterius est, principalius et magis inclinatur in id cuius est, quam in seipsum. Et haec inclinatio naturalis demonstratur ex his quae naturaliter aguntur, quia unumquodque, sicut agitur naturaliter, sic aptum natum est agi, ut dicitur in II Physic. (c.8: 199 a 8—15; Thomas 1. 13 n.3) ... Quia igitur bonum universale est ipse Deus et sub hoc bono continetur etiam angelus et homo et omnis creatura, quia omnis creatura naturaliter secundum id quod est, Dei est, sequitur quod naturali dilectione etiam angelus et homo plus et principalius diligat Deum quam seipsum.

Begriff des aptum natum, der an der ersten Stelle bereits zitiert wird, noch ausdrücklicher auf die natürliche Eignung des Menschen für die Gottesliebe angewandt[122]. Bei Holcot werden im Unterschied zu Thomas die theologischen Fragen mit logischen Erwägungen angegangen. Das ganze Verfahren bei der Erörterung der Argumente und Gegenargumente ist syllogistisch aufgebaut. Schon im Stil fällt die Häufung aussagenlogischer Bemerkungen auf: Consequens falsum; nec consequentia valet nec consequens est possibile; contra primam (secundam) conclusionem arguitur sic u. ä. Dieser Wandel der Methode bedingt einen Wandel der theologischen Beweisführung. Während Thomas die natürliche Gottesliebe aus der Natur des Menschen hervorgehen läßt, baut Holcot seine Argumente auf lauter möglichen Aussagen und Urteilen auf. So lautet der erste Beweisgrund Holcots: Alles, was der menschliche Intellekt für höchst liebenswert zu halten vermag, das kann er auch über alles lieben, und dies aus natürlichen Kräften, weil er ganz und gar Herr seiner Willensentschlüsse ist, wie Augustinus lehrt[123]. Vielleicht darf man in diesem augustinischen Wort von der sich selbst genügenden Freiheit des Willens einen Hinweis auf die Natur des Menschen sehen. Man wird jedoch diese Intention Augustinus nicht unterschieben dürfen. Er argumentierte theologisch-heilsgeschichtlich für die menschliche Freiheit gegen den antiken Determinismus[124]. Erst die scholastischen Theologen fragen unter dem Einfluß der aristotelischen Philosophie nach dem natürlichen Vermögen des menschlichen Geistes, wie schon gesagt wurde. Holcot steht auf diesem philosophischen Boden, kleidet aber seine Beweise unermüdlich in aussagenlogische Formen. Dies wird beim zweiten Beweis schon durch die Einleitungsformel angedeutet: „Unter dieser Form will ich argumentieren". Den Mittelpunkt des zweiten Beweises bildet ein Urteil des Intellektes und ein dieser Einsicht folgender

---

[122] Vgl. ebd. I II q.109 a.3: Diligere autem Deum super omnia est quiddam connaturale homini et etiam cuilibet creaturae non solum rationali sed irrationali et etiam inanimatae, secundum modum amoris, qui unicuique creaturae competere potest. Cuius ratio est, quia unicuique naturale est quod appetat et amet aliquid, secundum quod aptum natum est esse; sic enim agit unumquodque, prout aptum natum est, ut dicitur in II Physic (c.8. 199 a 10).

[123] Vgl. Holcot, I Sent. q.4 (fol. d III ra 48—b12): Hanc conclusionem probo sic: Omne illud quod intellectus humanus ex suis naturalibus potest credere summe diligendum, potest ex suis naturalibus summe diligere, quia irrationabile omnino videtur quod homo crederet aliquid esse ab eo diligendum et tamen quod non posset illud summe diligere, cum nihil sit magis in potestate voluntatis quam ipsa voluntas, ut habetur III de lib. arb. cap. III. Sed deus est huiusmodi.

[124] Vgl. „Futura contingentia" S. 297.

Befehl des Willens: Gott ist über alles zu lieben. Diesem Urteil gehen unendlich viele Einzelurteile in der Form voraus: Gott ist mehr zu lieben als Plato, mehr zu lieben als Sokrates usw., weil er besser (und damit liebenswerter) ist als Plato, als Sokrates usw. Die formale Richtigkeit dieses Schlusses, so argumentiert Holcot logisch weiter, ergäbe sich evident aus der Umkehrbarkeit von Antecedens und Consequens[125]. Die ganze Beweisführung bewegt sich somit im rein Formalen des Denkvollzuges. Dies wird noch deutlicher im 3. und 4. Beweis für die natürliche Gottesliebe. Im dritten geht Holcot von der Möglichkeit einer natürlichen Liebe des Wohlwollens aus, die der Mensch wie auf jedes Geschöpf so in höchster Weise auf Gott richten kann[126]. Das Argument ist Thomas nicht fremd; denn auch er erörtert die natürliche Gottesliebe in Analogie zu der Liebe der Geschöpfe zueinander in ihren verschiedenen Formen: des Verlangens, des Wohlwollens, der Freundschaft, der sozialen Hingabe um des gemeinsamen Heiles willen[127]. Holcots Formulierungen sind jedoch so gehalten, daß sie auf das formale Gelten der Aussagen und Folgerungen abzielen, während Thomas den Seinsgrund zu erhellen strebt. Bei Thomas ist die Liebe des Wohlwollens Prinzip der Freundesliebe, die Caritas schließt die Freundesliebe ein. So entsteht in einer harmonischen Zusammenschau von Wohlwollen, Freundesliebe und Caritas ein lebendiges Bild der Gottesliebe als höchste und reifste Liebe des Menschen zu Gott und als Gottes Liebesantwort an den Menschen, die sich adäquat im Begriff der Freundschaft zusammenfassen läßt. Der Wandel in der Auffassung kommt sprachlich in einem Wandel der Redeweise zum Ausdruck, indem Holcot die Substantiva: „Wohlwollen", „Freundschaft" u. a. durch Tätigkeitsworte ersetzt, wobei sich zuweilen gekünstelte Formulierungen ergeben: Velle deum esse deum. Velle deo maximum bonum. Auch Thomas sieht rein

---

[125] Vgl. Holcot ebd. (fol. d III rb 12—22): Secundo arguo sub hac forma: Homo potest per sola naturalia diligere deum plus quam istam rem demonstrando Sortem, et plus quam istam rem demonstrando Platonem, et sic de aliis rebus. Ergo potest per sola naturalia deum diligere super omnia. Consequentia patet, quia antecedens et consequens convertuntur. Antecedens probo, quia intellectus potest dictare quod deus est melior quam Sortes et quam Petrus etc. et quod tunc magis tenetur diligere deum. Ergo voluntas cum sit libera, potest illud bonum plus diligere quam aliquid aliorum etc.

[126] Vgl. ebd. (fol. d III rb 22—28): Tertio arguo sic: Homo potest ex solis naturalibus velle deum esse deum et non aliud a deo esse deum. Sit ergo talis sic volens Sortes et arguo sic: Sortes vult deo maximum bonum et nulli alteri a deo vult tantum bonum. Ergo plus diligit deum quam quodcumque aliud. Igitur potest deum naturaliter diligere super omnia.

[127] Vgl. Thomas Aq., III Sent. d.27 q.2 a.1 (ed. Moos 874 n.107f).

sachlich die Liebe des Wohlwollens darin, daß sie für den anderen
Gutes erwünscht. Thomas formuliert jedoch in einer Weise, daß
die Tätigkeit, die mit dem Verbum bezeichnet wird, Ausdruck
eines Seinszustandes ist, der mit dem Substantiv bezeichnet wird[128].
Holcot hingegen ersetzt das Substantiv durch das Verbum. Diese
Form der Rede zieht sich durch den ganzen Kommentar und gibt
der theologischen Beweisführung den Charakter des Fließens und
steten Wandelns. Nun findet sich in der Grammatica speculativa
des Thomas von Erfurt eine sprachlogische Erklärung, die auf diesen Modus loquendi genau paßt. Der Magister führte, wie es in
dieser Disziplin allgemein üblich war, den Modus significandi über
den Modus intelligendi auf den Modus essendi zurück. Der Letzte
wird nun in den Modus entis und den Modus esse unterschieden.
Der Modus entis ist die Weise eines Bleibenden und kommt dem
Sein zu. Der Modus esse ist die Weise des Fließens und der Aufeinanderfolge und kommt dem Werden zu. Im Bereich des sprachlichen Zeichens ist das Nomen dem Modus entis zugeordnet, also
der Weise des Bleibenden, das Verb jedoch dem Modus esse, also
der Weise des Fließens und der Aufeinanderfolge[129]. Wir beobachten nun, wie Holcot in der sprachlichen Formulierung die dem
Modus fluxus et successionis entsprechende Ausdrucksweise immer
wieder bevorzugt. Diese Methode entspricht einer Grundtendenz
seiner Theologie, die Systematik des Seienden und seiner Strukturen von der Dynamik des Handelns und den mannigfaltigen Möglichkeiten des Geschehens her aufzulockern.

Im vierten Beweis geht Holcot von der verkehrten Liebe des
Menschen zu einem Geschöpf aus[130]. Ihr liegt ein irriges Urteil

---

[128] Vgl. ebd.: Secundo homo alia in seipsum retorquet per affectum et sibi appetit,
quaecumque sibi expediunt. Et secundum quod hoc ad amatum efficitur, amor
benevolentiam includit, secundum quam aliquis bona amata desiderat.

[129] Vgl. Grammatica speculativa (ed. Garcia, Quaracchi 1910, 6) c.8 n.24: Et ut
sciamus, a qua rei proprietate iste modus significandi sumatur, notandum est,
quod in rebus invenimus quasdam proprietates communissimas, sive modos
essendi communissimos scilicet modum entis et modum esse. Modus entis est
modus habitus et permanentis, rei inhaerens, ex hoc quod habet esse. Modus
esse est modus fluxus et successionis, rei inhaerens, ex hoc quod habet fieri.
Tunc dico, quod modus significandi activus per modum entis, qui est modus
generalissimus Nominis, trahitur a modo essendi entis, qui est modus habitus
et permanentis. Sed modus significandi activus per modum esse, qui est
modus essentialis generalissimus Verbi, trahitur a modo essendi ipsius esse,
qui est modus fluxus et successionis ... Ad hanc intentionem Commentator
IV Phys. cap. 14 dicit, quod duo sunt modi principaliter entium, scilicet modus
entis et modus esse, a quibus sumpserunt Grammatici duas partes orationis
principales, scilicet Nomen et Verbum.

[130] Vgl. Holcot, a.a.O. (fol. d III rb 28—40): Quarto quia homo errans potest

zugrunde, was Holcot mit dem Partizip „errans" andeutet. Wozu
nun der Mensch, wenn auch auf Grund eines Irrtums, einem
Geschöpf gegenüber aus natürlichen Kräften fähig ist, das kann
er auch auf Gott hin, wo die alles übersteigende Liebe auf Grund
einer richtigen Einsicht hervorgerufen wird. Dabei steht die Frage,
ob Gott ihm im Augenblick eines solchen Liebesaktes die Gnade
eingießen muß, sowohl von der Sache selbst her wie um der Freiheit Gottes willen außerhalb der Beachtung. Die Beispiele für die
Bedeutung der Logik in der theologischen Methodik bei Holcot
ließen sich beliebig vermehren. An ihnen läßt sich die Eigenart
dieser Theologie am deutlichsten aufzeigen. So taucht auch bei den
einzelnen theologischen Themen, die hier ja nur oder vorwiegend
nur um ihrer theologischen Methodik willen behandelt werden, die
Frage nach dem Einfluß der Logik auf. Wir wollen die Reihe der
Beispiele mit der Quaestio des Sentenzenkommentars beenden, in
der Holcot über das Wissen Gottes von den Futura contingentia
handelt. Es ist die zweite Quaestio des zweiten Buches und trägt die
Überschrift: Utrum deus ab aeterno sciverit se producturum mundum[131]. Da auf das theologische Thema der Futura contingentia an
eigener Stelle ausführlich eingegangen wird, soll hier nur der Einfluß der logischen Methodik gezeigt werden.

Die genannte Quaestio unterscheidet sich schon in ihrem formalen
Aufbau von den übrigen. Gemeinsam ist ihr mit den meisten
Quästionen die große Zahl der argumenta principalia. Während
aber sonst im zweiten Teil nach einer kurzen Antwort auf die
Hauptfrage eine ausführliche Beantwortung der Argumente folgt,
hat diese Quaestio ein umfangreiches Mittelstück von neun Artikeln. Der 10. Artikel bringt dann die Responsio zu den Argumenten, von denen jedoch nur zwei, nämlich das 7. und 8., ausgewählt
werden. Die Frage der zukünftigen kontingenten Dinge und Ereignisse wird in den Artikeln 7—9 und in der Responsio zu den beiden
Argumenten behandelt. In allen drei Artikeln geht es um das Verhältnis von Wahrheit und Kontingenz einer Aussage über zukünftiges Kontingentes[132]. Der 9. Artikel enthält gleich am Anfang vier

---

diligere creaturam super omnia et frui creatura ex suis naturalibus, ergo pari
ratione frui deo. Si dicatur ad ista quod eoipso quod homo dictat quod vult
diligere deum super omnia et incipit deum diligere, deus infundit sibi gratiam
ita quod simul incipit diligere, quando habet gratiam, sed hoc non impedit
argumenta, quia dato quod deus non facit hoc, nec minus tamen homo talis
diligeret deum super omnia...

[131] Vgl. fol. g II rb 38—39.
[132] Vgl. Ders. II Sent. q.2 (fol. g VI ra 14—19): Septimo an in propositionibus
de futuro sit veritas determinata. Octavo an deus possit revelando causare in

logische Regeln, welche die Ars disputandi betreffen[133]. Da die Verpflichtung des Ponens auf eine Behauptung des Opponens zu den wichtigsten Elementen der Disputation gehörte, wurde die Disputierkunst auch als Ars obligatoria bezeichnet.

Eine solche Methode hat dieser theologischen Richtung den Vorwurf des „Nominalismus" eingebracht, der kritisch und abwertend gemeint war. Kardinal Ehrle kennzeichnete das starke Hervortreten der Logik in der Theologie des späteren Nominalismus als ein „Überwuchern des Artistentums in der Theologie"[134]. Sprengard hat dieser „kritischen Theologie" am Beispiel Crathorns einen legitimen Platz in der philosophiegeschichtlichen Entwicklung zugewiesen[135]. Hier sei außerdem daran erinnert, daß die „Ars obligatoria" ihren Ursprung in der aristotelischen Philosphie hat und von dorther ihre Bedeutung als Instrument des philosophischen (und theologischen) Dialogs erhielt[136].

Auf die Bedeutung der Obligationen und besonders des Zeitfaktors in ihnen werden wir in dem Abschnitt über die Futura contingentia nochmals eingehen[137]. Holcot gebraucht übrigens selbst an dieser Stelle den Begriff der Ars obligatoria. Von den Regeln dürfte für das Verständnis der darauf folgenden theologischen Spe-

creatura notitiam futurorum contingentium. Nono an revelatum a deo post revelationem maneat contingens.

[133] Vgl. ebd. (fol. h VI rb 16—38) Text geringfügig korrigiert nach RBM u. O u. P; RBM fol. 50 rb 37ff, O fol. 153 vb 47ff, P fol. 58 ra 31ff: In nono articulo primo supponendae sunt aliquae regulae logicales propter quasdem formas argumentorum, quae regulae in arte obligatoria diffusius pertractantur. Et est primo sciendum quod, quando opponens ponit casum et quando respondens admittit, respondens est obligatus ad respondendum secundum casum. Et quandocumque dicitur ab opponente: Ponatur quod ita sit, vel aliquid aequivalens, fit respondenti una positio, quae est species obligationis, si admittat. Secundo suppono istud quod omne sequens ex posito formaliter est concedendum et quod omne repugnans posito (positioni RBM, O) est negandum et quod ad impertinens respondendum est secundum suam qualitatem secundum quod constat respondenti. Tertio suppono ex eadem arte quod omnis positio aequivalet uni depositioni, quia illa aequivalent respondenti. Quia si ponitur quod tu es Romae, tunc deponitur ista: tu non es Romae, quia tota responsio sua in propositionibus concedendis et negandis et dubitandis uniformiter se habebit facta sibi ista positione: tu es Romae, et facta depositione istius: tu non es Romae. Et ideo qui posuit unum contradictorium, deposuit reliquum et econtra. Quarto suppono hanc regulam: Posito falso contingenti non est inconveniens concedere impossibile per accidens eadem arte.

[134] Vgl. F. Ehrle, Der Sentenzenkommentar Peters von Candia, Münster 1925. 111.

[135] Vgl. o. S. 19f.

[136] Vgl. o. S. 18f.

[137] Vgl. „Futura contingentia", S. 351f.

kulation die dritte am wichtigsten sein. Sie lautet: Die Annahme des einen zieht die Ablehnung des anderen (des Contradictoriums) nach sich. Diese Regel spannt die nun folgende Argumentation, die nur in einer ausführlichen Responsio zum 7. und 8. Argument besteht, in ein Kalkul der Bejahung und Verneinung ein. Daraus erklären sich die hart klingenden Sätze, die wir dort finden: Das zukünftige Kontingente ist geoffenbart; es bleibt jedoch kontingent und kann also auch nicht eintreffen; also ist in diesem Falle die Offenbarung falsch. Ferner: Der Mensch könne bewirken, daß ein Prophet kein Prophet sei. Christus könne sich getäuscht haben, als er das Auftreten des Antichrist prophezeite. Gott kann einen falschen Glauben hervorrufen. Solche Sätze, deren Härte Holcot selbst empfand und die er natürlich auch theologisch aufzuarbeiten suchte[138], müssen im Hinblick auf den starken Einfluß der Logik auf seine theologische Methode gesehen werden. Damit verbindet sich das Anliegen, die Freiheit Gottes gegenüber allem Geschaffenen (gleich Außergöttlichen) unbedingt zu wahren. Um der Freiheit Gottes willen muß das zukünftig Kontingente auch nach der Offenbarung Gottes kontingent bleiben. Daraus ergibt sich die Möglichkeit — der Regel der positio und depositio folgend —, daß die göttliche Aussage falsch sein kann. Dabei wird mit subtiler Schärfe der Irrtum aus dem Wissen Gottes selbst ausgeschlossen. Das Wissen Gottes um die Existenz eines zukünftigen Kontingenten kann auch das Wissen um dessen Nichtexistenz sein, ohne daß in Gott eine Veränderung vor sich geht. Es kann auch ein solches Wissen niemals gegeben haben, nämlich dann, wenn das Zukünftige nicht geschieht. Durch dieses logische Kalkul wird auch gesagt, daß Gott über Nichtexistierendes kein intuitives Wissen hat. Ausdrücklich lehnt Holcot in dieser Quaestio die Möglichkeit der intuitiven Erkenntnis eines Nichtexistierenden gegen Ockham ab. Der Beweis wird auch dafür mit sprachlogischen Gründen gestützt[139]. Diese Hinweise auf den Einfluß der Sprachlogik in der Theologie der Futura contingentia sollen hier genügen, da die theologische Thematik eigens behandelt wird.

7. Der Einfluß der Sprachphilosophie

Wie bereits gesagt wurde, entwickelte sich neben der Logik als ein selbständiger Zweig die Sprachphilosophie. Das Wort wird hier nicht in seiner modernen Bedeutung gebraucht, sondern soll jene Disziplin bezeichnen, welche als „Grammatica speculativa" im

---

[138] Vgl. ebd.
[139] Vgl. Holcot, a.a.O. (fol. g VII ra—b).

Laufe des 13. Jahrhunderts die alte Grammatik des Priscian und Donatus sowie deren Kommentierungen ablöste. Während diese rein formal die grammatischen Gesetze der richtigen Wort- und Satzbildung lehrte, geht es in der Grammatica speculativa um eine philosophische Untersuchung der Wortbedeutungen und ihr Verhältnis zum Begriffsinhalt (Idee) und zum Gegenstand. Die alte Grammatik diente als Schlüssel zum Studium und Verständnis der antiken Klassiker. In dem Maße, wie in der Theologie Fragen der Aussageweise, also der Methodik in den Blick kommen, mußte es zu einer Ablösung der alten Grammatik durch andere, z. T. neue Disziplinen kommen, die für die neuen Aufgaben besser geeignet waren. In diesem wissenschaftstheoretischen Erfordernis der Theologie des 13. Jahrhunderts liegt auch ein Erklärungsgrund für die rasche Entwicklung der Logik und der Sprachphilosophie zur gleichen Zeit. Wie lebendig das Wissen um diese Entwicklung damals war, zeigt das von dem Troubadour Henri d'Andely im Jahre 1256 verfaßte Gedicht: La Bataille des septs Arts[140]. „Die Grammatik, die in Orléans residiert, zieht, aufgemuntert von den Klassikern und heidnischen Dichtern, in den Krieg gegen die Logik, die in Paris ihren Wohnsitz hat. Sie wird besiegt. Der Dichter spricht die Hoffnung aus, daß die nächste Generation der Logik den Rükken kehren und wieder zu den klassischen Studien zurückkehren werde[141]."

In Paris blühte im 13. Jahrhundert nicht nur die Logik, sondern auch die Grammatica speculativa. Man wird annehmen dürfen, daß sie von der Logica modernorum ihren entscheidenden Anstoß erhielt, die ein neues Interesse an den Aussageformen geweckt hatte. Doch bot schon die alte Grammatik gewisse Ansatzpunkte für eine sprachlogische Weiterbildung. Pinborg[142] weist in seinem gründlichen und umfassenden Werk über die Sprachtheorie im Mittelalter darauf hin: „Schon die Tatsache, daß die Grammatik als Wissenschaft den logischen Untersuchungen des Aristoteles und der Stoa entwuchs, hat in diese Richtung gewirkt". Eine gewisse Schlüsselstellung nimmt Priscian ein. Bei ihm finden wir einerseits „viele Reste der philosophisch-logischen Sprachtheorie, z. B. in den Definitionen der Hauptwortklassen (Priscian, ed. Hertz I 55) und

---

[140] Vgl. J. L. Paetow, The Battle of the seven Arts, California 1914. Zit. bei M. Grabmann, Die geschichtliche Entwicklung der mittelalterlichen Sprachphilosophie und Sprachlogik. In: Mittelalterliches Geistesleben III, München 1956, 245.
[141] Vgl. Grabmann a.a.O.
[142] J. Pinborg, Die Entwicklung der Sprachtheorie im Mittelalter. BGPhMA XXXXII, 2.

in einigen syntaktischen Begriffen („subiectum', ‚praedicatum'). Andrerseits hat sich die mittelalterliche Logik auch von Priscian anregen lassen: viele Begriffe der terministischen Logik sind ursprünglich grammatische Termini[143]." Den Begriff ‚Modus significandi' finden wir bereits bei Boethius, jedoch nicht als „terminus technicus", wie Pinborg hinzufügt[144]. Man darf aber nicht übersehen, daß dem Gebrauch dieses Begriffes durch die „Modisten" eine ursprünglichere Bedeutung zugrunde liegt, in der ganz allgemein für die Analyse einer jeden Aussage die „Bezeichnungsweise" (modus significandi) vom Bezeichneten (significatum) abgehoben wird. Sieht man den Modus significandi zuerst oder vornehmlich von seinem Gebrauch durch die Modisten her, dann wird jede weitere Bedeutung als Umdeutung gewertet werden[145]. Wir möchten aber neben diesem Gebrauch etwa auf die Verwendung durch Thomas von Aquin hinweisen, der mit Hilfe des Modus significandi die Unvollkommenheit des geschöpflichen Erkennens und Aussagens von der Vollkommenheit der göttlichen Eigenschaften abhebt. Das mit den göttlichen Namen Bezeichnete kommt Gott in eigentlicher Weise zu. Die Bezeichnungsweise hingegen entspricht dem geschöpflichen Erkennen und seinen begrenzten Ausdrucksmöglichkeiten[146]. Die Texte zeigen, daß es Thomas um eine Frage der theologischen Aussage und ihrer Bedeutung geht. Es ist nicht zu

---

[143] Vgl. ebd. 22f; für Priscian vgl. jetzt: Grammatici latini, ed. H. Keil, II, 55.
[144] Vgl. ebd. 30.
[145] So bei Pinborg a.a.O. 195.
[146] Vgl. Thomas Aq., S.th. I q.13 a.3: In nominibus igitur, quae deo attribuimus, est duo considerare, scilicet perfectiones ipsas significatas, ut bonitatem, vitam et huiusmodi, et modum significandi. Quantum igitur ad id quod significant huiusmodi nomina, proprie competunt deo, et magis proprie quam ipsis creaturis, et per prius dicuntur de deo. Quantum vero ad modum significandi non proprie dicuntur de deo; habent enim modum significandi, qui creaturis competit.
S.c.g. I c.30: Et sic in omni nomine a nobis dicto quantum ad modum significandi imperfectio invenitur, quae deo non competit, quamvis res significata aliquo eminenti modo deo conveniat, ut patet in nomine bonitatis et boni; nam bonitas significat ut non subsistens, bonum autem ut concretum; et quantum ad hoc nullum nomen deo convenienter aptatur, sed solum quantum ad id, ad quod significandum nomen imponitur. An der zweiten Stelle bringt Thomas offenbar auch die spezifisch sprachlogische Bedeutung des Modus significandi ins Spiel, wenn er sagt, daß sowohl ‚bonitas' wie ‚bonum' als Gottesnamen ungeeignet sind, weil ‚bonitas' kein Subsistierendes und ‚bonum' ein konkret Seiendes bezeichnet. Daß es Thomas um die Bezeichnungsweise geht, sieht man deutlich aus der Formulierung: ‚ut non subsistens', ‚ut concretum'. Die Apposition ‚ut' bezeichnet die Art und Weise. Diese ist nach Thomas unvollkommen, das Bezeichnete selbst trifft in eminenter Weise auf Gott zu.

verkennen, daß er dabei den Modus significandi als einen Terminus technicus gebraucht, wenn auch nicht in der spezifischen Weise, wie es die Modisten tun.

Aus all dem ergibt sich bereits, daß sich Logik und Grammatica speculativa nicht ausschließen, wenn sie auch je eigene Disziplinen bilden[147]. Eine gemeinsame Aufgabe umgreift beide Disziplinen: die Erforschung der Formen und der Bedingungen von Begriffen und Aussagen. Daraus erklärt sich auch der Gebrauch mancher Termini in beiden Disziplinen, worauf bereits Pinborg hingewiesen hat. Mehr noch, beide Disziplinen stehen in einer gewissen Zuordnung zueinander. Die Bezeichnung der Grammatica speculativa als „Sprachlogik" (so auch Grabmann) darf nicht im Sinne einer unzulässigen Vermischung von Logik und Grammatik verstanden werden[148]. Martin Heidegger hat auf diese Art der Grammatik den glücklichen Ausdruck „Bedeutungslehre" geprägt[149] und den für die grammatischen Summen gebrauchten Titel: „Modi significandi" mit „Bedeutungsformen" übersetzt. J. Pinborg spricht von der „mittelalterlichen Lehre der Wortklassen"[150]. Die Hauptleistung dieser Disziplin besteht nach Heidegger nicht in dem „Versuch der Ineinsbildung von Grammatik und Logik"[151], sondern in einem Verstehen der Struktur der Bedeutungen. Dabei sind nicht psycholo-

---

[147] Mit diesem Argument verteidigen sich die Modisten vor ihren nominalistischen Gegnern. Vgl. Pinborg, a.a.O. 175.

[148] Grabmann spricht von einer „Logisierung der Grammatik" (a.a.O.). Dieser Ausdruck ist für die Kennzeichnung der geschichtlichen Entwicklung legitim, wie wir gleich sehen werden.

[149] Grabmann (in der Abhandlung: Die Entwicklung der mittelalterlichen Sprachlogik. Mittelalterliches Geistesleben I, München 1956, 145f) bemerkt dazu: „Vor allem hat M. Heidegger in seiner schon früher erwähnten Monographie über die Kategorien- und Bedeutungslehre des Duns Scotus die von ihm als erstes Scotuswerk betrachtete Grammatica speculativa in moderne Beleuchtung gerückt, hat die in ihr entwickelten Gedankengänge mit sinnverwandten modernen Problemstellungen in innige Fühlung gebracht und hat das Gerippe des mittelalterlichen Textes mit Fleisch und Blut lebendiger Gegenwartsphilosophie umkleidet. Besonders hat Heidegger es verstanden und vermocht, den mittelalterlichen Autor in die Formen der Philosophie Husserls, in die Terminologie der Phänomenologie einzufügen. Er kann auch Texte aus Lotze anführen, die ,man eine verdeutlichende Übersetzung der kurzen Sätze des Duns Scotus nennen könnte' (M. Heidegger, S. 139) ... Jedenfalls wird eine weitere inhaltliche und problemgeschichtliche Untersuchung und Würdigung der mittelalterlichen Sprachphilosophie und Sprachlogik, vor allem der Summae de modis significandi unsere Erkenntnis der ,scholastischen Züge im modernen Denken und der modernen Züge im scholastischen Denken' bereichern und vertiefen."

[150] Vgl. J. Pinborg, Die Entwicklung der Sprachtheorie im Mittelalter, 10.

[151] So nach K. Werner, Die Sprachlogik des Johannes Duns Scotus, Wien 1877, 549.

gische und historische Untersuchungen der Sprache das Ziel, sondern „die Herausstellung der letzten theoretischen Fundamente, die der Sprache zugrunde liegen"[152]. Damit steht die Bedeutungslehre „in allernächster Beziehung zur Logik". Faßt man die Logik mit Heidegger als „Theorie des theoretischen Sinnes" auf, so ist die Bedeutungslehre als Teil der Logik „die Lehre von den Sinnbestandsstücken"[153]. Damit muß die Grammatica speculativa als ein Teil der Logik angesehen werden, dieser gleichsam vorgelagert[154]. Sie ist als philosophische Untersuchung der Sprachbedeutung eine bedeutende Leistung der Scholastik und darf nicht wegen des Mangels psychologischer und volkskundlicher Überlegungen negativ kritisiert werden, da diese nicht zu ihrer Aufgabe gehören. Im übrigen schränken die mittelalterlichen Autoren selbst die Aufgabe ihrer Disziplin in gebührender Weise ein und grenzen sie gegenüber anderen ab[155].

[152] Vgl. M. Heidegger, Die Kategorien- und Bedeutungslehre des Duns Scotus, Tübingen 1916, 163.

[153] Vgl. a.a.O. 160.

[154] Wir wollen auch hier die Begriffe „Sprachlogik" und „Sprachphilosophie" beibehalten.

[155] So Thomas von Erfurt über das Formalobjekt der Grammatik in seiner Grammatica speculativa, cap. VI (ed. Garcia, 4f): Item sciendum est, quod vox, inquantum vox, non consideratur a grammatico, sed inquantum signum, quia grammatica est de signis rerum; et quia vox est habilissimum signum inter alia signa, ideo vox inquantum signum prius consideratur a grammatico quam alia signa rerum. Sed quia esse signum accidit voci, ideo grammaticus considerans vocem considerat eam per accidens.
Johannes de Dacia bestimmt das Formalobjekt der Grammatik („subiectum in grammatica") durch den modus construendi und grenzt es damit vom Formalobjekt anderer Disziplinen ab, die mit der Grammatik das Materialobjekt: den modus exprimendi, gemeinsam haben (ed. Otto 76, lin. 3—22; vgl. Anm. 164): Item si grammaticus modum exprimendi per se consideraret, tunc grammaticus universaliter ipsum consideraret. Sed consequens est falsum, ergo et antecedens. Falsitas consequentis apparet. Nam musicus modum cantandi et passiones modi cantandi considerat. Sed modus cantandi est quidam modus exprimendi. Item naturalis docet modum exprimendi; docet enim naturalem modum vociferandi et universaliter omnem modum sonandi. Item rhetor considerat modum exprimendi, nam considerat modum persuadendi ornato modo ad placandum iudicem in favorem partis propriae et ad indignationem partis adversae. Sed manifestum est, quod grammaticus non est musicus nec naturalis nec rhetor, ergo etc. Unde dicendum est, quod modus construendi est subiectum in grammatica, quia illud est subiectum in grammatica, de quo et de cuius partibus tam secundum speciem quam etiam de partibus integralibus per se determinatur in grammatica. Sed tale quid est modus construendi, quia de partibus suis, cuiusmodi sunt constructibilia, et de eius principiis, quae sunt modi significandi, et de omni modo construendi tam transitivo quam intransitivo determinatur per se in grammatica. Ergo modus construendi est subiectum in grammatica.

Mit dem Urteil Heideggers über die hohe Bedeutung der Sprachlogik stimmt dasjenige von Grabmann überein, der sich wiederum
auf einen hervorragenden Kenner dieser Literaturgattung, auf
Heinrich Roos, berufen konnte[156]. Die Sprachlogik handelt über
das Wort, insofern es als stimmlicher Laut eine bestimmte Bedeutung hat. Die Bedeutung des Wortes wird nicht nur durch das, was
das Wort selbst bezeichnet, bestimmt, sondern auch durch das, was
es mitbezeichnet. Die Mitbezeichnung (consignificatio) gibt der
Bedeutung des Wortes (significatio) eine bestimmte Form. Diese
geformte Bedeutung ist der Modus significandi. Ihm entspricht im
intentionalen Bereich der Modus intelligendi, in der extramentalen
Wirklichkeit der Modus essendi. Diese Dreiteilung und gegenseitige Beziehung von Denkinhalt, sprachlichem Ausdruck und Sachverhalt ist ein deutlicher Beweis dafür, daß die Vertreter der Lehre
von den Modi significandi in der Universalienlehre auf dem Boden
des Realismus stehen.

Im 14. Jahrhundert galten die Modisten geradezu als ausgeprägte
Vertreter des Realismus. Der erste Angriff, der auf die Zerstörung
der Modi significandi abzielte, ging von nominalistischer Seite aus.
Pinborg hat diesen Kampf, der zuerst von dem Erfurter Magister
Johannes Aurifaber vorgetragen wurde, dargestellt und das dazu-
gehörige handschriftliche Material ediert[157]. Die Nominalisten stütz-
ten sich u. a. auch auf das Ökonomieprinzip und wiesen darauf hin,
daß die Modi significandi für die rechte Handhabung der Grammatik überflüssig seien[158]. Was die Nominalisten begonnen hatten,
vollendeten die Humanisten[159], so daß der Wunsch des Troubadours
Henri d'Andely schließlich doch noch in Erfüllung ging[160].

Martinus[161], Simon[162], Boethius[163], Johannes von Dacia[164] lehren
in der zweiten Hälfte des 13. Jahrhunderts in Paris die Sprachlogik

[156] Vgl. M. Grabmann, Die geschichtliche Entwicklung der mittelalterlichen
Sprachphilosophie und Sprachlogik, a.a.O. 250.
[157] Vgl. J. Pinborg, Die Entwicklung der Sprachtheorie im Mittelalter. II Teil:
Johannes Aurifaber und die Diskussion über die Modi significandi im XIV.
Jahrhundert. S. 139ff.
[158] Vgl. a.a.O. 173.
[159] Vgl. a.a.O. 210ff.
[160] Vgl. o. Anm. 140 u. 141.
[161] Vgl. H. Roos, Die modi significandi des Martinus de Dacia. Dort findet man
auch eine Einführung in die Bedeutung der Grammatik für die Bildung im
Mittelalter sowie in die Entwicklung der Grammatik zur Sprachlogik (S. 72—
120).
[162] Vgl. J. Pinborg, Eine neue sprachlogische Schrift des Simon de Dacia. In:
Scholastik 39 (1964) 220—232. Dieser und der in der folgenden Anm. genannte Artikel zeigen die Entwicklung sprachphilosophischer Eigenlehren bei
den verschiedenen Magistern der Grammatica speculativa.

und haben uns in ihren Werken Zeugnisse für die Entwicklung einer ganz eigenen Literaturgattung hinterlassen. Die Titel ihrer Werke lauteten: De modis significandi oder Grammatica speculativa. Johannes Dacus überschreibt sein Werk einfach Summa grammatica. In Erfurt wirkte am Anfang des 14. Jahrhunderts Magister Thomas, der wahrscheinlich in Paris studiert hatte. Aus seiner Feder stammt das weit verbreitete Werk: Grammatica speculativa sive De modis significandi, das lange Zeit Duns Scotus zugeschrieben wurde, bis es Grabmann gelang, Thomas von Erfurt als Autor nachzuweisen[165]. Der Einfluß dieser Disziplin auf den gesamten scholastischen Lehrbetrieb ist noch viel zu wenig beachtet worden. Nicht nur die Theologen, auch die Juristen und Mediziner bedienten sich des logischen und sprachlogischen Instrumentes in ihren Werken. In Bologna verfaßte der berühmte Kanonist Huguccio eine Sprachlehre, von der wir heute noch über 100 Handschriften besitzen[166]. Petrus Hispanus, der spätere Papst Johannes XXI., der als Verfasser der Summulae logicales gilt, stand zu seiner Zeit als Arzt in hohem Ansehen. Besonders lebhaftes Interesse fand die Sprachphilosophie von der Rhetorik her. Grabmann hat auf die Beziehungen zwischen der Sprachphilosophie und der Redekunst, einschließlich der Dichtkunst und der Theorie der Predigt, hingewiesen[167]. Überschauen wir unter diesem Gesichtspunkt die vielfältigen Werke, die Holcot verfaßte, so können wir feststellen, wie die Sprachphilosophie seine Theologie ebenso wie seine Exegese und

---

[163] Vgl. H. Roos, Ein unbekanntes Sophisma des Boethius von Dacia. In: Scholastik 38 (1963) 378—391. Auf genuines Eigengut des Martinus von Dacia hat Roos in seinem Werk, Die modi significandi des Martinus de Dacia, S. 147 hingewiesen.

[164] Vgl. Johannis Daci Opera, ed. Alfredus Otto. De Haag (Hauniae) 1955, Bd. I und II. Der Autor bezeichnet sein Werk als Summa grammatica und zeigt schon auf der ersten Seite den spekulativen Charakter seiner Untersuchung (S. 47): Primo intendimus principia grammaticae rationative inquirere. Sodann ist das philosophische Anliegen dieser Grammatik sehr eindeutig in der Frage nach der causa efficiens ausgesprochen. Zwar wird die Auffindung der Prinzipien der Grammatik dem Metaphysiker zugesprochen, doch hat auch der Grammatiker die Aufgabe, a posteriori nach den Prinzipien zu fragen (S. 69—70). Sehr ausführlich wird der Gegenstand der Grammatik behandelt (S. 71—79). Im übrigen ist das Werk nach Quästionen eingeteilt.

[165] Vgl. M. Grabmann, Thomas von Erfurt und die Sprachlogik des mittelalterlichen Aristotelismus, München 1943.

[166] Vgl. Roos, Die modi significandi des Martinus de Dacia, 100f.

[167] Vgl. M. Grabmann, Die geschichtliche Entwicklung der mittelalterlichen Sprachphilosophie und Sprachlogik, 252. Dort weist Grabmann hin auf das zusammenfassende Werk von Th.-M. Charland, O.P., Artes praedicandi. Contribution à l'histoire de la Rhétorique au moyen âge (Publication de l'Institut d'études médiévales d'Ottawa VII) Paris — Ottawa 1936.

seine pastoral-praktischen Anweisungen begleitete. Auf die weite Verbreitung seiner Bibelkommentare wurde schon hingewiesen[168]. B. Smalley hat eine Liste der Handschriften und ihre genaue Beschreibung gegeben[169].

Sprachphilosophie und Theologie standen dabei in mannigfaltiger Beziehung zueinander. Grabmann[170] hat darauf aufmerksam gemacht, daß schon die Form des scholastischen Lehrbetriebes mit lectio, quaestio, expositio und determinatio das Interesse an der sprachlichen Struktur des Textes wecken mußte. In der Disputation spielten die Bedeutungsverschiedenheiten der Wörter eine große Rolle. Diesen Umstand mußte eine Theologie, die auf Klarheit des Ausdruckes Wert legte, unbedingt berücksichtigen. Daher finden wir auch bei Holcot fortgesetzt Reflexionen und Analysen über den Bedeutungsgehalt und den Bedeutungswandel der Begriffe und Aussagen. Die Grenzen zwischen den Disziplinen, die von verschiedenen Gesichtspunkten her solchen Untersuchungen dienen, bleiben dabei fließend. Sprachlogische, aussagenlogische und terministische Argumente lösen sich gegenseitig ab und überkreuzen sich. Doch ist deutlich zu spüren, daß alle Beweisgründe von einer methodologischen Erudition getragen werden, die Logik und Sprachlogik umfaßt. Die Methode dieser „Theologie der Reflexion" steht unter dem direkten und indirekten Einfluß der genannten methodologischen Disziplinen. Die Vertrautheit der Magister mit diesen Disziplinen bringt eine größere Variationsbreite der theologischen Rede mit sich. Ein Wandel in der Methode der theologischen Rede wird vorbereitet, der sich sprachlogisch in einem Wechsel vom statisch - substantivischen Wortgebrauch zum fließend - verbalen kundtut. Daß es sich hier nicht nur um Modeworte handelt, glauben wir an Hand der Quellenbelege aus der Grammatica speculativa des Thomas von Erfurt exakt nachgewiesen zu haben[171].

Auf einen Begriff soll hier besonders eingegangen werden, weil er das sprachphilosophische Interesse Holcots deutlich werden läßt, den Begriff „Modus loquendi" oder „Forma loquendi". Beide Begriffe bedeuten nicht dasselbe, stehen aber in Entsprechung zueinander. Holcot benutzt sie, um Aussagen zu harmonisieren, die einen logischen Widerspruch enthalten und trotzdem von den Menschen gebraucht werden. Den Stoff bietet die Quaestio über das Vorherwissen Gottes[172]. Darin stellt sich die Frage nach der sprachlogischen und logischen Form von Aussagen über ein Vergangenes

---

[168] Vgl. „Einleitung", S. 3.
[169] Vgl B. Smalley, Robert Holcot. In: AFP XXVI (1956) 11ff.
[170] Vgl. a.a.O. 252.   [171] Vgl. o. Anm. 129.
[172] Vgl. Holcot, II Sent. q.2 (fol. g II rb 38—39). Die folgenden Texte korrigiert

und Zukünftiges. Solche Aussagen, die eigentlich etwas Negatives oder Nichtexistierendes betreffen, sind nach ihrem eigentlichen oder uneigentlichen Aussagegehalt zu unterscheiden. In eigentlicher Bedeutung genommen ist eine Aussage falsch, in der ein Negatives oder Nichtexistierendes wie ein Wirkliches oder Reales ausgesagt wird. Holcot weist auf folgende Beispiele hin: „Ich erkenne eine (nicht existierende) Rose." „Ich kenne Cäsar." „In einem Auge ist Blindheit." „Ich weiß um den Antichrist." Holcot zitiert zwei Meinungen zu dieser Frage. Nach der ersten, die sich auf Anselmus stützen kann, sind solche Aussagen zuzulassen, wenn die Uneigentlichkeit einer solchen Rede berücksichtigt wird. Die Uneigentlichkeit der Aussageweise ist dann die besondere „Forma loquendi"[173]. Holcot läßt dann die Stimme der Gegner zu Wort kommen, die diesen uneigentlichen „Modus loquendi" ablehnen. Wir übergehen die zahlreichen Gründe, die für und wider angeführt werden. Wichtig ist hier die eigene Stellungnahme unseres Magisters, der das Problem auf der Ebene des sprachlichen Ausdrucks und nicht der sachlichen Wirklichkeit erblickt[174]. Im eigentlichen Gebrauch

nach O fol. 149 ra 60ff, P fol. 49 rb 14ff, RBM fol. 44 ra 62ff: Utrum deus ab aeterno sciverit se producturum mundum.

[173] Vgl. ebd. (fol. g VI rb 1—31): Circa tertium articulum restat videre, an rosa non existente haec sit concedenda: Rosa concipitur, rosa intelligitur. Et est hic unus modus dicendi quod sic, quia tales termini: concipi, intelligi, cognosci et eis aequivalentes possunt verificari tam de terminis supponentibus pro nihilo sicut pro re. Potest enim homo intelligere esse illud quod nihil est secundum istos. Concedunt enim quod illud quod nihil est, est intelligibile et cognoscibile, immo illud, cui repugnat esse, potest intelligi et a nobis imaginando cognosci. Unde intellectus format propositiones de non entibus et habet de eis conceptus tam complexos quam incomplexos. Et dicitur praedicatum inesse subiecto, nec pro se nec pro alio existente, sed pro illo quod nihil est, ac si esset aliquod. Istud confirmatur per Anselmum De casu diaboli c. 11: Multa enim, inquit, dicuntur secundum formam loquendi, quae non sunt aliquid secundum rem; sicut enim dicimus de aliquo quod habet visum: visus est in eo, ita dicimus quod habet caecitatem: et caecitas est in eo, cum haec non sit aliquid, et hanc habere non sit habere, quia caecitas non magis est in oculo, ubi debet esse visus, quam non-visus vel absentia visus in lapide, ubi visus non debet esse. Et infra: Multa quoque similiter dicuntur aliquid secundum formam loquendi, quae non sunt aliquid, quoniam sic loquimur de illis sicut de rebus existentibus. Et illo modo malum et nihil significant aliquid, et quod significatur, est aliquid non secundum rem sed secundum formam loquendi. Et infra: Et tamen negamus aliquid omnino esse quod dicit aliquid. Ita dicimus hoc quod dicit nihil est; nam et hoc et quoddam proprie non dicuntur nisi de eo quod est aliquid. Sed cum ita dicitur sicut modo dixi, non dicitur eo quod sit aliquid sed quasi aliquid dicitur. Haec ille. Istud confirmatur per rationes multipliciter.

[174] Vgl. ebd. (fol. g VII ra 8—10): Quantum autem ad istos varios modos loquendi magis est difficultas verbalis quam realis.

der Rede ist die positive Aussage über ein Nichtexistierendes falsch. Auf eine andere Weise können aber solche Sätze in der Absicht derer, die sich ihrer bedienen, etwas Wahres bezeichnen. Jedoch ist eine solche Redeweise weder philosophisch noch logisch legitim, sondern „nach dem Belieben des Redenden" (ad placitum)[175]. Holcot selbst steht dem Gebrauch solcher uneigentlichen Redeweise kritisch gegenüber[176]. Die Berufung auf Anselmus, auf den sich die Vertreter der ersten Richtung stützen, hilft nichts, da jener die positive Aussageweise über etwas Nichtexistierendes selbst als uneigentlich bezeichnet[177]. Schließlich ist die Behauptung, die Blindheit sei im Auge, im eigentlichen Sinne genommen falsch. Entscheidend für das Verständnis der von Holcot benutzten Beweiskunst ist jedoch nicht diese kritische Stellungnahme, sondern die vornehmlich sermocinale Bedeutung, die er der ganzen Frage gibt. Darauf sei noch einmal besonders hingewiesen.

---

[175] Vgl. ebd. (lin. 11—27): Unde tales propositiones: Antichristus intelligitur; Caesar cognoscitur; rosa intelligitur et huiusmodi, sunt distinguendae penes amphiboliam eo quod possunt accipi proprie et pro seipsis ad virtutem vocabulorum, et sic sunt falsae. Nam proprie ista: Antichristus intelligitur, convertitur cum ista: Antichristus est intellectus, quae propositio est falsa, cum subiectum supponit respectu verbi de praesenti quod nullo modo ampliat. Alio modo possunt tales propositiones accipi pro aliis interdum pro veris secundum voluntatem utentium, ut ista propositio: Antichristus intelligitur, accipitur pro ista: Intellectio quaedam est, qua antichristus, si foret, foret intellectus vel: Conceptio quaedam est, quae foret conceptio antichristi, si esset. Eodem modo ista: Species antichristi est, accipitur pro illa: Species quaedam est, quae foret species antichristi, si antichristus esset. Et huiusmodi nec est philosophice nec logice dictum sed solum ad placitum, quod scilicet tales ampliantur intellectum, cognitum, conceptum et huiusmodi.

[176] Vgl. ebd. (lin. 27—35): Et ideo proprie loquendo videtur quod tales sunt negandae: Rosa intelligitur nulla rosa existente. Antichristus intelligitur a deo. Anima patris mei intelligitur a me. Nam proprie illa est manifeste falsa propter istud quod implicatur, quia implicatur quod pater meus vivit et habeat animam. Conceduntur tamen improprie pro aliis propositionibus. Antichristus intelligitur a deo, conceditur pro ista: In deo est quaedam intellectio, qua antichristus foret intellectus, si antichristus esset, et sic de consimilibus.

[177] Vgl. ebd. (lin. 35—42): Ad primum argumentum alterius viae de auctoritate Anselmi: Anselmus ibidem dicit quod ista pronomina hic et quoddam non dicuntur nisi de eo quod est aliquid. Similiter Anselmus dicit ibidem quod quando loquimur de non entibus quasi de rebus, improprie loquimur. Unde auctoritas nihil facit pro eis, sicut cum dicimus: Caecitas est in oculo, quia haec proprie accepta est falsa; significat enim quod caecitas sit aliquid existens in oculo.
Zu den Anselmus-Stellen in den vorhergehenden Anmerkungen 173 u. 177 vgl. De casu diaboli c. 11, ed. Schmitt I 250, 21—251, 16. Bei Anselmus lautet der Satz (Anm. 177): Nam ,hoc' et ,quod' proprie non dicuntur nisi de eo quod est aliquid.

Allein die Sprachphilosophie dient nicht ausschließlich als Instrument kritischer Unterscheidung, Holcot gebraucht sie auch zur Vermittlung zwischen gegensätzlichen theologischen Sentenzen. Dies läßt sich in der Eucharistielehre zeigen, in der sich Holcot mit zwei Erklärungen für das sakramentale Geschehen am Brot eingehend beschäftigt, die einander widersprechen, der Transsubstantiatio und der Annihilatio. Holcot analysiert die Bezeichnungsweise der beiden Ausdrücke. Er interpretiert nun den Begriff der Annihilatio in einer Weise, in der er nicht mehr im ausschließenden Widerspruch zu demjenigen der Transsubstantiatio steht. Soll der Ausdruck der Annihilatio nichts anderes besagen als den Tatbestand, daß vorher die Substanz des Brotes da war und nun nicht mehr ist noch sein wird, weder ganz noch irgend ein Teil von ihr, dann ist er zuzulassen. Der Kontext zeigt, daß es Holcot um eine klare Herausstellung der beiden Elemente der Transsubstantiation geht: das Aufhören der Brotsubstanz und die beginnende Präsenz des Leibes Christi. Man wird daher in dieser Darstellung der Transsubstantiation nicht eine nominalistische Aushöhlung des Glaubensgeheimnisses sehen dürfen, zumal Holcot die berechtigte Absicht der gegenteiligen Sentenz anerkennt: Die Gegner, die den Ausdruck der Annihilatio zugunsten der Transsubstantiatio ablehnen, beabsichtigen damit eine angemessenere und vollständigere Ausdrucksweise für das Geheimnis, in der sowohl der Terminus a quo wie der Terminus ad quem des wunderbaren Geschehens ausgesprochen ist. Jedoch handele es sich um zwei verschiedene Wunder[178]. Diese Harmonisierung, die Holcot mit Hilfe einer Analyse der Begriffsbedeu-

---

[178] Vgl. Holcot, IV Sent. q.3 (fol. n vb 3—27): Et ad probationem dico quod non manet panis nec aliqua pars eius. Et cum dicitur: Vel substantia panis annihilatur etc., potest dici quod conclusio est vera ad bonum intellectum, sic videlicet intelligendo quod substantia panis prius fuit et modo nec est nec erit nec aliqua eius pars. Et quando aliqui dicunt quod non annihilatur sed convertitur in corpus Christi, dico quod volunt quod ad exprimendum congrue et explicite sacramenti miraculum non sufficit dicere quod panis annihilatur, quia sic nulla mentio fit de existentia corporis Christi de novo in sacramento. Et ideo convenientius exprimitur miraculum sacramenti sub terminis istis: panis transsubstantiatur in corpus Christi, ubi exprimitur miraculum tam ex parte termini a quo quam ex parte termini ad quem. Et sunt duo distincta miracula. Unum est quod substantia panis desinit esse sine actione corrumpente. Aliud quod corpus Christi incipit ibi esse cum speciebus remanentibus. Et isto modo utuntur doctores istis propositionibus: panis convertitur in corpus Christi; panis transmutatur vel transit in corpus Christi, quia magis explicatur per eas miraculum sacramenti, et tamen nihil aliud per eas denotatur nisi quod ubi fuit substantia panis prius et postea desinit ibi esse virtute divina sine activa corruptione creaturae manentibus accidentibus vel intentionibus sive speciebus consimilibus.

tungen vornimmt, stellt eine Vermittlung zwischen Thomas von
Aquin und Wilhelm Ockham dar.

Der Begriff der Annihilatio wird bereits von Petrus Lombardus
angedeutet[179], jedoch nicht weiter erörtert. Thomas von Aquin setzt
sich mit ihm sowohl im Sentenzenkommentar[180] wie in der Summa
theologiae[181] kritisch auseinander. An beiden Stellen werden zwei
Möglichkeiten erwogen, das Aufhören der Brotsubstanz als einen
von der Transsubstantiation getrennten Vorgang zu erklären: die
Auflösung der Brotsubstanz in die materia praeiacens und die Ver-
nichtung. Die erste Möglichkeit würde mancherlei Widersprüche
zur Folge haben, die zumeist auf die Koexistenz zweier Körper am
selben Ort hinausliefen, nämlich der materia praeiacens des Brotes
mit dem Leibe Christi in der Hostie. Die Annihilatio wird im Sentenzenkommentar von Thomas abgelehnt, weil mit diesem Ausdruck genau genommen ein Vorgang bezeichnet wird, dessen Ergebnis ein reines Nichts ist. Dies trifft jedoch für die Transsubstantiation nicht zu. Dieses Argument geht also von der Begriffsbedeutung
aus. Es ist offenbar, daß Holcots gegenteilige Argumentation sich
formal auf dem gleichen Boden bewegt. Terminologische Analysen
führen ihn zu einer bedingten Zulassung des Begriffes der Annihilatio. In der Summa theologiae tauchen die terminologischen Erwägungen nicht mehr auf. Hier begründet Thomas die Ablehnung
der Annihilatio der Brotsubstanz metaphysisch und theologisch: Es
gibt keine Wirkursache für die Annihilatio; denn die verursachende
Form des Sakramentes zielt eindeutig auf die Gegenwart des Leibes
Christi hin. In der Philosophischen Summe[182] nennt Thomas schließlich einen Hauptgrund theologischer Natur gegen die Annihilatio:
Durch die häufige Spendung dieses Sakramentes würden wiederholt
Werke der natürlichen Schöpfung vernichtet werden, und dies
gerade im Vollzug eines Heilssakramentes.

---

[179] Vgl Petrus Lombardus, IV Sent. d.XI c.2 (ed. Quaracchi 1916, 803 n.106):
Illi dicunt, vel in praeiacentem materiam resolvi vel in nihilum redigi.
[180] Vgl. Thomas Aq., IV Sent. d.11 q.1 a.2 (ed. Moos 440f).
[181] Vgl. ders., S. th.III q.75 a.3.
[182] Vgl. ders., S.c.g.IV c.63: Similiter etiam impossibile videtur quod substantia
panis omnino in nihilum redeat. Multum enim de natura corporea primo
creata iam in nihilum rediisset ex frequentatione huius mysterii. Nec est
decens ut in sacramento salutis divina virtute aliquid in nihilum redigatur.
Dagegen tritt in einer quodlibetalen Quaestio die Begriffsbedeutung von
Annihilatio deutlich als Argument hervor. Vgl. Quodl. V q.6 a.1 [11] (ed.
Spiazzi 104): Respondeo dicendum quod annihilatio quemdam motum importat. Omnis autem motus denominatur a termino ad quem; unde terminus
annihilationis est nihil.

Wilhelm Ockham tritt eindeutig für den Begriff der Annihilatio ein[183]. Der Beweis beginnt mit einer Unterscheidung: Würde der Begriff der Annihilatio die Umwandlung (Conversio) ausschließen, dann darf nicht gesagt werden, das Brot werde vernichtet. In Fortsetzung des Beweises wird der Begriff mit einer neuen Bedeutung erfüllt: Annihilatio bedeutet nun, daß etwas so in das reine Nichts zurückgeführt wird, wie es vor der Erschaffung der Welt war. Diesen Zustand des reinen Nichts erklärt nun der folgende Satz: Die Brotsubstanz besitzt (nach der Transsubstantiation) im Leib Christi kein wahreres noch wirklicheres Sein als in der schöpferischen Allmacht Gottes. Dem Argument liegt eine bestimmte Vorstellung dieser Annihilatio zugrunde, nämlich als Zurücknahme eines Seienden in die Schöpfungsallmacht Gottes. Dieses „Sein in der göttlichen Allmacht" steht der Annihilatio nicht entgegen, wie Ockham im folgenden Satz weiter erklärt. Während Thomas das Nichts als kontradiktorisches Gegenteil des Seins darstellt, bezeichnet Ockham mit „wahrem Nichts" den Zustand vor der Erschaffung, in den ein Geschöpf durch Gottes Allmacht zurückgeführt werden kann. Ockham sieht so das sakramentale Geschehen als eine Wirkungsweise des im Sakrament handelnd anwesenden Gottes. Hier werden die philosophischen Seinskategorien ersetzt durch eine theologische Aussageweise, die das Sein und Geschehen innerhalb der stets wirkenden Allmacht Gottes erblickt. In dieser Sicht gibt es für kein tatsächlich Existierendes oder in sich Mögliches die Weise eines absoluten Nichts, weil beides ein Sein in der schöpferischen Allmacht Gottes besitzt.

Holcot steht dem theologischen Ansatz dieses Problems bei Ockham nahe und distanziert sich in diesem Punkt von Thomas. Von beiden unterscheidet ihn die sermocinale Sicht des Gegenstandes, während Thomas und Ockham viel stärker theologisch - spekulativ argumentieren. Dieser gewandelte Aspekt wirkt sich in der gesamten Methodik aus und hat Holcot immer wieder den Vorwurf des Nominalismus eingebracht. Man wird zugeben müssen, daß die

---

[183] Vgl. Wilhelm Ockham, IV Sent. q.6 K: Ad septimum dico accipiendo annihilationem sic quod illud reducatur in nihil et non convertatur in aliquid aliud, sic panis non annihilatur. Accipiendo tamen sic quod illud dicatur annihilari quod redigitur in ita purum nihil sicut fuit ante mundi creationem, sic vere annihilatur panis. Quod probatur, quia non habet verius esse nec actualius substantia panis in corpore Christi quam in potentia dei creativa. Sed non obstante esse quod habet in essentia divina sive in potentia dei sive secundum continentiam virtualem sive perfectionalem sive quocumque alio modo, vere potest panis annihilari, licet habeat esse in potentia dei. Ergo eodem modo non obstante tali esse quod habet in corpore Christi vere potest dici annihilari.

theologische Spekulation an Tiefe verlor, was sie an formaler
Schärfe in der Analyse der Begriffe und Aussageweisen gewann.
Eine starke Heranziehung von Logik und Sprachphilosophie führte
zugleich zu einer stärkeren Formalisierung. Es ist die Frage, ob
dieser Prozeß mit Nominalismus bezeichnet werden kann. Wir
möchten diese Frage verneinen, wenn mit Nominalismus wie bisher eine ganz bestimmte Lehrrichtung in der Universalienfrage
bezeichnet wird. In diesem entscheidenden Punkt ist Holcot sicher
nicht „Nominalist" gewesen, viel weniger jedenfalls als der theologisch bedeutend spekulativere Wilhelm Ockham. Formalismus in der
Methodik darf nur bedingt als Nominalismus bezeichnet werden[184].

Wir möchten diesen Abschnitt über die Bedeutung der Logik in
der Theologie Holcots nicht schließen, ohne ein Motiv in Erwägung
zu bringen, das möglicherweise den tiefsten Grund für das wachsende Interesse der Scholastik an Wortbedeutung und Aussageform
abgab. Diese Theologie ist eine Theologie des Wortes Gottes und
wollte es auch in der Scholastik bleiben. Vom 13. und 14. Jahrhundert gilt dies ganz sicher. Gerade Thomas von Aquin, der die
Philosophie zum methodischen Instrument der theologischen Spekulation machte[185], hat sich zur Autorität der Hl. Schrift in einer über-
raschenden Weise geäußert, überraschend darum, weil seine Formulierungen an das „sola scriptura" Martin Luthers anklingen. Wir
setzen die von Bruno Decker untersuchten Textstellen in Anmerkung[186]. Der dritte Text verdient besondere Aufmerksamkeit, weil
er wichtige Grundsätze für die theologische Methodik der Scholastik enthält. Thomas vergleicht die Beweiskraft des Schriftwortes
mit der auf natürlicher Einsicht beruhenden Aussage. In diesem
Vergleich wird ein zweiter impliziert, nämlich derjenige zwischen
einer auf Autorität überhaupt beruhenden Aussage und der aus
Vernunfteinsicht gewonnenen. Thomas stellt fest, daß der Autori-
tätsbeweis der schwächste ist, sofern er nur unter dem Gesichts-

---

[184] Vgl. den Abschnitt: „Der Inhalt des Glaubens", S. 226.

[185] Dies ist in dem Sinne gemeint, wie es B. Geyer vor vielen Jahren grundlegend dargelegt und Van Steenberghen wieder neu formuliert hat: eine
gute philosophische Bildung nach Methode und Gesetzlichkeit eben der Philosophie als Voraussetzung und Grundlage der Theologie. Vgl. B. Geyer, Der
Begriff der scholastischen Theologie. In: Synthesen in der Philosophie der
Gegenwart (Festgabe für Adolf Dyrroff) Bonn 1926, 112—125; F. Van
Steenberghen, The philosophical Movement in the Thirteenth Century, 114f.

[186] Vgl. B. Decker, Sola scriptura bei Thomas von Aquin. In: Universitas (Festschrift für Bischof Stohr) Bd. I, Mainz 1960, 117—129. Decker hat fünf
Texte herangezogen, wobei er sich z. T. auf handschriftliches Material stützte:
1. Com. in De divin. nom. 1.4, 11—13; 2. S.th.III q.1 a.3; 3. S.th.I q.1 a.8
ad 2; 4. Quodl. XII q.17 a.26; 5. De veritate q.14 a.10 ad 11.

punkt der logischen Beweiskraft gesehen wird; jedoch wird er am kräftigsten, wenn er sich auf die Offenbarung stützt[187].

Die starke Heranziehung der Hl. Schrift durch Holcot ist ein ebenso auffallendes Merkmal wie der Gebrauch von Logik und Sprachphilosophie in seiner Theologie. Sowohl die Schriftkommentare wie die systematischen theologischen Werke weisen diese merkwürdige Verbindung von logischer Strenge des Beweisens und Schriftautorität auf. Vielleicht gab gerade die Achtung vor dem Worte Gottes einen entscheidenden Anstoß dazu, sich immer wieder der Untersuchung der Formen und Bedeutungen der theologischen Aussagen zu widmen.

Es sei in diesem Zusammenhang auf das Thema verwiesen, das sich der Deutsche Evangelische Theologentag 1958 stellte: Das Problem der Sprache in Theologie und Kirche[188]. W. Zimmerli wies darauf hin, daß sich schon im Alten Testament, also im Schriftwort selbst, Reflexionen über die richtige und verantwortungsvolle Verwendung des Wortes finden. „Wehe denen, die das Böse gut und das Gute böse nennen (be-rufen), die Finsternis zu Licht und Licht zur Finsternis machen', ruft Jesaja (5,20) einem Geschlechte zu, das meint, unter Absehen von dem in seinem Recht sich vorstellenden Herrn Lebensbereiche und Ordnungen benennen zu können. Des Konfuzius Programm der ‚Richtigstellung der Begriffe' als erste Reformtat in einer Zeit der Verwilderung erfährt hier seine tiefbiblische Begründung[189]." Es folgt aber noch eine

---

[187] Vgl. Thomas Aq., S.th.I q.1 a.8 ad 2: Ad secundum dicendum quod argumentari ex auctoritate est maxime proprium huius doctrinae: eo quod principia huius doctrinae per revelationem habentur, et sic oportet quod credatur auctoritati eorum, quibus revelatio facta est. Nec hoc derogat dignitati huius doctrinae. Nam licet locus ab auctoritate, quae fundatur super ratione humana, sit infirmissimus, locus tamen ab auctoritate, quae fundatur super revelatione divina, est efficacissimus.

[188] Vgl. W. Schneemelcher (Herausg.), Das Problem der Sprache in Theologie und Kirche. Referate vom Deutschen Evangelischen Theologentag 27.—31. Mai 1958 in Berlin, Berlin 1959.

[189] Vgl. W. Zimmerli, Die Weisung des Alten Testamentes zum Geschäft der Sprache, a.a.O. (Anm. 188) 15, besonders Anm. 68, die wir hier unverkürzt wiedergeben, weil in dem Zitat der Zusammenhang zwischen der richtigen Form des Wortes, der Moral und dem Recht einen klassischen Ausdruck findet. (Es sei erinnert an unseren Hinweis auf die Rolle der Sprachphilosophie in der Rechtsgelehrtheit, vgl. S. 69) Kung-futse, Gespräche (Lun-Yü), hers. von R. Wilhelm, ²1914, Buch XIII 3 (S. 135): Dsi Lu sprach: „Der Fürst von We wartet auf den Meister, um die Regierung auszuüben. Was würde der Meister zuerst in Angriff nehmen?" Der Meister sprach: „Sicherlich die Richtigstellung der Begriffe." Dsi Lu sprach: „Darum sollte es sich handeln? Da hat der Meister weit gefehlt! Warum denn deren Richtigstellung?" Der Meister sprach: „Wie roh du bist, Yu! Der Edle läßt

zweite, viel bedeutungsvollere Feststellung für das Sprachproblem in der Heiligen Schrift. Zimmerli nennt es den „Triumph des Verbalsatzes im Alten Testament". „Fragt Israel seinen Gott, den es rühmen möchte: Wer bist du?, so antwortet dieser im Dekalogvorspruch: ‚Ich bin Jahwe, dein Gott, der dich aus Ägyptenland, dem Knechtshause, herausgeführt hat', und weist es damit auf die Geschichte rettender Begegnung, die vor seinen Augen liegt[190]." Der Gott Israels wird nicht mit schmückenden Adjektiven „beschrieben" und „benannt" und damit „zur Sprache gebracht", sondern durch das Sagen seines Wirkens, in dem er sich seinem Volk und der ganzen Erde als heiliger und richtender und rettender Gott erweist. Bei Holcot läßt sich deutlich ein Wechsel in der Form der Sprache feststellen, wobei es zu einem viel häufigeren Gebrauch des Verbums kommt[191]. Man kann also sagen, daß er sich damit dem biblischen Sprachstil genähert hat. Vor allem soll aber hier das Verständnis dafür geweckt werden, daß Logik und Sprachphilosophie als Mittel der Reflexion über den Aussagemodus tatsächlich dem biblischen Denken und Sprechen nicht wesensfremd sind. In einem weiteren Referat auf dem oben erwähnten Theologentag hat E. Fuchs darauf hingewiesen, daß es eine der schwierigsten Aufgaben der Evangelisten war, die verschiedenartigen Logien Jesu aufzuarbeiten[192]. Zwar sind die einzelnen Evangelisten dabei verschiedene Wege gegangen, entsprechend der Verschiedenartigkeit ihrer Komposition. Dabei hat aber das ganze Evangelium einen eigenen Sprachstil gefunden. „Die Evangelien wollen insgesamt als Sprachphänomene gewürdigt sein. Sie sind auch Sprachleistungen von einmaligem Rang (E. Auerbach)"[193]. Der Grund für die Einmaligkeit dieses Phänomens liegt darin, daß im Evangelium alles, was sich für das Heil des Menschen ereignet und ereignen wird, zum Wort der Offenbarung geworden ist. So bietet sich die einzelne Evangelienkomposition „wie ein Drama, das auf die Ebene

---

das, was er nicht versteht, sozusagen beiseite. Wenn die Begriffe nicht stimmen, so stimmen die Worte nicht; stimmen die Worte nicht, so kommen die Werke nicht zustande; kommen die Werke nicht zustande, so gedeiht Moral und Kunst nicht, so treffen die Strafen nicht zu; treffen die Strafen nicht, so weiß das Volk nicht, wohin Hand und Fuß setzen. Darum sorge der Edle, daß er seine Begriffe unter allen Umständen zu Worte bringen kann und seine Worte unter allen Umständen zu Taten machen kann. Der Edle duldet nicht, daß in seinen Worten irgend etwas in Unordnung ist. Das ist es, worauf alles ankommt."

[190] Vgl. a.a.O. 16.
[191] Vgl. o. S. 60.
[192] Vgl. E. Fuchs, Die Sprache im Neuen Testament, a.a.O. (Anm. 188) 22.
[193] Vgl. a.a.O. 23.

der Sprache hinaufgehoben wird[194]". Es muß dabei freilich das
Unterscheidende der biblischen Sprache gegenüber dem mehr tech-
nisch-instrumentalen Gebrauch der Sprache in der Wissenschaft
gesehen werden. In der Bibel wird die Sprache selbst zum Ereignis; sie bildet Geschichte. „Wo Geschichte zustande kommt, da ist
die Sprache nicht mehr nur Instrumentar für alle möglichen Sinn-
deutungen, sondern da wird die Sprache selbst weltbildend und
weltzerstörend zum Ereignis[195]." Man wird sich fragen müssen,
ob nicht der Eindruck von dieser Sprachgewalt des biblischen Wortes auch ein Motiv für die Theologen war, dem Formalen von
Begriff und Aussage ihre höchste Aufmerksamkeit zuzuwenden. Für
Holcot möchten wir dies jedenfalls bejahen.

[194] Vgl. ebd.
[195] Vgl. a.a.O. 32.

DER WISSENSCHAFTSCHARAKTER DER THEOLOGIE

1. Stand der Frage

Unter dem Begriff der Theologie als Wissenschaft verbergen sich mehrere Fragen, die ungeachtet ihres inneren Zusammenhanges in sehr verschiedene Richtungen weisen.

a) Glauben und Wissen

Die erste Frage ist die nach dem Verhältnis von Glauben und Wissen, die sich wiederum nochmals teilen läßt nach ihrer inhaltlichen und ihrer methodischen Bedeutung: Erstens, in welchem Verhältnis stehen der Inhalt des Glaubens und der Inhalt des Wissens zueinander? Zweitens, wie weit kann Gewußtes auch geglaubt werden und umgekehrt? Für die Zuordnung von Glauben und Wissen hat Augustinus ein für allemal den Grund gelegt. Zwar war er nicht der erste Wegbereiter einer theologischen Wissenschaft. Dies dürfte bereits Clemens von Alexandrien gewesen sein[1]. Jedoch hat Augustinus wie vorher kein anderer den Glauben als „Wissenschaft" im Sinne einer hohen geistigen Qualität gekennzeichnet[2]. Ausgehend von der altlateinischen Übersetzung von Is. 7, 9: Nisi credideritis, non intelligctis, brachte er die Zuordnung von Glaube und Vernunft auf die Formel: Intellige ut credas, crede ut intelligas[3]. Mit dieser Formel war zweierlei für alle Zukunft erreicht. Dem Glauben wurde die Fähigkeit zuerkannt, Vernunft und Wissen des Menschen zu tieferer Erkenntnis zu führen. Der Vernunft wurde grundsätzlich die Möglichkeit zugesprochen, zum Glauben in ein Dienstverhältnis zu treten. Damit eröffnete Augustinus den Weg einer Glaubenserkenntnis, der über

---

[1] Clemens fordert, die natürliche Erkenntnis für den Glauben nutzbar zu machen, und verwirft einen Glauben, der dem natürlichen Wissen feindlich ist. Der Dienst des Intellektes besteht nicht nur in der Verteidigung des Glaubens, sondern auch in einem tieferen Verständnis des Glaubensinhaltes, dessen Mitte Christus selbst ist. Vgl. Stromata I c.9 PG 8, 739f; BKV, 2. R. Bd. XVII, 45; n.41 1—4.

[2] Vgl. M.-D. Chenu, O.P., La théologie comme science au XIIIe siècle, Paris 1957, 67f.

[3] Vgl. Augustinus, Sermo 43 c.7 (PL 38, 258).

das schlichte Glaubensverständnis der ursprünglichen Offenbarungs-
lehren weit hinausführen konnte. Von seinem Verständnis der
Theologie als Wissenschaft sind alle Magister der Scholastik ausgegangen, mögen sie auch dann die Linien weiter und nach anderen
Richtungen gezogen haben. Bis Thomas von Aquin jedoch verstanden sie die Theologie als Glaubenswissenschaft im Sinne des
hl. Augustinus, d. h. als vertiefte Erkenntnis des Glaubens mit Hilfe
des Intellektes („intellectus" fidei, scientia nur in einem weiteren
Sinne), der nicht allein aus eigener Kraft, sondern unter Führung
und Erleuchtung des göttlichen Geistes voranschreitet. Dies ist mit
Quellenbelegen bereits ausführlich von Chenu dargestellt worden[4],
so daß wir uns hier mit einigen Hinweisen begnügen können, die
dem Verständnis der Entwicklung bis zu Holcot dienen sollen. Aus
dem augustinischen Verständnis der Theologie erklärt sich ihre
Benennung als „Weisheit", während mit „Wissenschaft" die geord-
nete Erkenntnis der geschaffenen Dinge (Alexander von Hales:
„der verursachten Dinge") bezeichnet wird[5]. Nennen wir noch je
einen Theologen des Dominikaner- und Franziskanerordens, bevor
wir die „thomasische Wende" über den Wissenschaftsbegriff der
Theologie umreißen. Petrus von Tarantasia beginnt seinen Prolog
zum Sentenzenkommentar mit der Frage, ob die Theologie eine Wissenschaft sei[6]. Theologie ist, so antwortet er, Erkenntnis in einem
göttlichen Licht, in dem allein die göttlichen Dinge erkannt werden.
Seine Antwort geht jedoch auf die eigentliche methodische Problematik nicht ein, sondern begnügt sich mit dem Hinweis auf die
Unterscheidung, die Augustinus zwischen der Wissenschaft als
Kenntnis der menschlichen Dinge und der Weisheit, die auf das
Göttliche zielt, trifft[7]. Er gesteht jedoch zu, daß man die Theologie,

---

[4] Vgl. a.a.O. 15—66.

[5] Vgl. Alexander von Hales, S.th. Introd. q.1 c.1 (ed. Quaracchi 1924, 2): Notandum quod est scientia causae et scientia causati. Scientia vero causae causarum est sui gratia; scientia vero causatorum, sive sint causae sive effectus
tantum, non est sui gratia, quia referuntur et dependent a causa causarum.
Hinc est quod theologia, quae est scientia de Deo, qui est causa causarum,
sui gratia est. Nomen ergo scientiae appropriatur scientiae causatorum, nomen
vero sapientiae scientiae causae causarum. Unde et ipse Philosophus dicit quod
philosophia prima, quae est sui gratia et de causa causarum, debet dici
sapientia. Simili ratione doctrina theologica, quae transcendit omnes alias
scientias, debet dici sapientia. Vgl. Chenu, a.a.O. 37ff.

[6] Vgl. Petrus de Tarantasia, Prol. I Sent. q. unica a.1 (Tolosa 1652/Ridgewood
1964, 3): Utrum theologia sit scientia.

[7] Vgl. a.a.O.: Respondeo. Sicut dicit Augustinus I De libero arbitrio, scire
aliquid est ratione percipere, aut ergo secundum viam rationis inferioris,
quae consulit leges inferiores causarum et effectuum naturalium ab illis lumen
cognitionis, scilicet principia sua suscipiendo; aut secundum viam rationis

die im strikten Sinne Weisheit ist, im weiteren Sinne auch als Wissenschaft bezeichnen könne. In der Antwort zur dritten Obiectio klingt wenigstens ein Thema an, das in der Folgezeit immer brennender wird. Es bewegt sich um den Ausgang der theologischen Wissenschaft von den Prinzipien des Glaubens. Petrus bietet eine eigenartige Lösung: Jede Wissenschaft geht von Prinzipien aus, die nicht allen, sondern nur den Gelehrten, den Weisen einsichtig sind. So auch die Theologie! Ihre Prinzipien sind nur den Gläubigen bekannt[8]. Die Antwort beweist, wie sehr Petrus unmittelbar aus dem Glauben heraus argumentiert. Die Notwendigkeit der Theologie wird darum nicht (oder nur mittelbar) von der Erkenntnis her gesehen, sondern von dem übernatürlichen Ziel des Menschen her[9]. Petrus steht, obwohl Zeitgenosse des hl. Thomas, noch ganz und gar auf dem Boden der älteren Dominikanerschule[10].

Der zweite Theologe ist der große Franziskaner Bonaventura. Er untersucht im Prolog die Bedeutung der Theologie hinsichtlich ihrer Material-, Formal-, Final- und Wirkursache. Die Notwendigkeit einer eigenen theologischen Wissenschaft hat er jedoch gar nicht als Frage empfunden[11]. „Er scheint sich dessen nicht bewußt

superioris, quae consulit leges aeternas dispositionum divinarum ab illis lumen irridiationis accipiendo. Inferiora quidem perfecte a ratione capiuntur, superiora vero non, quia excellunt, sicut lux candelae perfecte ab oculo capitur, sed lux solis non. Unde oportet, quod multo maior credatur, quam videri possit. Habitus vero cognitionis secundum viam inferiorem proprie dicitur scientia, habitus perficiens secundum viam superiorem proprie sapientia. Nam ut ait Augustinus 14 De trin. [in marg.: Aug. 14 de Trinit. cap. 1]: Scientia est proprie cognitio rerum humanarum, sapientia divinarum. Large tamen utraque dicitur et sapientia et scientia. Dico ergo, quod theologia large potest dici scientia, sed stricte et proprie sapientia.

[8] Vgl. a.a.O. ad 3.: Principia per se nota seu communes animi conceptiones duplicia sunt. Quaedam enim sunt communia, quae omnes suscipiunt, ut: Omne totum maius est sua parte; quaedam propria alicuius scientiae, quae non omnes, sed docti probant, ut: In omni, quod est citra primum, differunt esse et quod est. Non omnis scientia procedit ex communibus principiis, quae per se nota sunt omnibus, immo ex propriis, quae solum sapientibus. Sic Theologia procedit ex articulis fidei, qui per se noti sunt non omnibus, sed fidelibus, quia in genere credibilium omnia alia per ipsos probantur, ipsi vero non, quamvis manifestentur rationibus quibusdam et defendantur.

[9] Vgl. a.a.O. a.5 (S. 5f): Utrum Theologia sit necessaria. Respondeo: ... Cum ergo non possint homines in finem tendere, nisi eum cognoscant, nec per naturales Philosophias nosse valeant (non enim per naturam cognoscibile est, quomodo lux infinita intellectui finito se contemperando infundat immediate) oportet, quod sit alia scientia superior, quae hoc doceat, quae sit de Deo, inquantum est finis, non generaliter cuiuslibet creaturae, sed creaturae rationalis.   [10] Vgl. Überweg-Geyer, 399.

[11] Vgl. Bonaventura, Prol. I. Sent. (ed. Quaracchi 1934, I, 6—12). Vgl. E. Gilson, Johannes Duns Scotus, 14.

gewesen zu sein, daß die Notwendigkeit der Theologie mit der Begründung bestritten werden kann, daß die Philosophie genüge" (Gilson). Dabei finden wir bei ihm bereits beachtliches Verständnis für Methodik, nämlich für die Verschiedenartigkeit der Aussagen und Beweise, wie eine Bemerkung in der zweiten Quaestio des Prologs beweist. Jede Wissenschaft hat nach Bonaventura ihre Weise vorzugehen, und diese muß sich gleichbleiben in jedem ihrer Teile. Die Heilige Schrift hat ihre eigene Weise der Darstellung. Sie ist die des Typos und der Erzählung, nicht diejenige des Beweisens[12]. Bei Holcot finden wir zahlreiche Bemerkungen, die auf die unterschiedlichen Aussageweisen aufmerksam machen, die sich jeweils nach dem Stoff und der Absicht einer Argumentation richten.

b) Die Theologie als eigene Wissenschaft

Thomas von Aquin ist als erster für den eigentlichen Wissenschaftscharakter der Theologie eingetreten. Gleich den Magistern vor ihm geht er aus von der These des Augustinus: „Dieser Wissenschaft schreibe ich das alles als Aufgabe zu, wodurch der reinste, zur Seligkeit führende Glaube hervorgebracht, verteidigt und gestärkt wird[13]." Auch für Thomas ist damit der Glaube Ausgang und Ziel der Theologie. Somit steht er grundsätzlich in der augustinischen Tradition. Was ist nun an seiner Fassung der Theologie als Wissenschaft neu? Die theologische Erkenntnislehre des hl. Thomas hat eine ausführliche Darstellung durch M. Grabmann gefunden, die von einer tiefen Einfühlung in das Denken des Aquinaten getragen ist[14]. Grabmann stützte sich dabei vor allem auf den Kommentar zu dem Werk des Boethius De Trinitate. Was diese Untersuchung auszeichnet, ist die Herausarbeitung der verschiedenen Motive in der Theologie des hl. Thomas. Der Einfluß der

---

[12] Chenu weist auf folgende Stelle hin (Prol. I. Sent. q.2 obi.4): Modus procedendi in parte scientiae debet esse uniformis modo totalis scientiae; sed modus procedendi in sacra scriptura est typicus et per modum narrationis, non inquisitionis. Cum ergo liber iste pertineat ad sacram scripturam, non debet procedere inquirendo.
Chenu nennt diese verschiedenen modi procedendi „modes littéraires". Dies erinnert an die „literarischen Arten" der Exegese. Wir glauben, daß der Vergleich mit den modi loquendi der Scholastik näher liegt. Vgl. Chenu a.a.O. 56.

[13] Vgl. Thomas Aq., Expositio super librum Boethii de Trinitate, q.2 a.2 (ed. Decker 86): Sed contra est quod Augustinus dicit XII De trinitate: „Huic scientiae tribuo illud tantum quo fides saluberrima, quae ad veram beatitudinem ducit, gignitur, defenditur, roboratur."
Ergo de his quae fidei sunt est scientia. Vgl. Augustinus, De trinitate XIV c.1 n.3 (PL 42, 1037).

[14] M. Grabmann, Die theologische Erkenntnis- und Einleitungslehre des hl. Thomas von Aquin, Freiburg (Schweiz) 1948.

6*

aristotelischen Philosophie ergab sich durch die historische Entwicklung. Daher wird in den Kommentaren, die in der Frühscholastik zum Werk des Boethius geschrieben wurden, die Frage nach dem Wissenschaftscharakter der Theologie noch gar nicht gestellt[15]. Dagegen lag es für Thomas nahe, das Instrument der aristotelischen Logik und Wissenschaftslehre für die Bestimmung der Theologie als Wissenschaft zu benutzen, weil er dieses Werkzeug auf Grund seiner eigenen Kenntnis der aristotelischen Philosophie meisterhaft beherrschte[16]. Da der Streit um den sog. „lateinischen Averroismus" oder radikalen oder heterodoxen Aristotelismus[17] in Paris erst entbrannte, als Thomas die Universität dieser Stadt schon verlassen hatte, konnte er noch keinen Einfluß auf die Ausführungen in dem Boethiuskommentar haben[18]. Die Beweiskraft der historischen Daten gibt dieser Feststellung Van Steenberghens und Grabmanns recht. Dennoch wird man bedenken müssen, daß Thomas, der auch die Kommentare der arabischen Philosophen zu den aristotelischen Schriften kannte, als er den Sentenzenkommentar und denjenigen zu De Trinitate schrieb, bereits unter dem Schatten des Averroes stand. Es ist undenkbar, daß ein solches Genie nicht schon im Entwurf seiner Lehre jene Momente der arabischen Aristotelesauslegung berücksichtigte, die über kurz oder lang zum Zusammenstoß der verschiedenen Lehren führen mußten. Übrigens verweisen auch Grabmann und Van Steenberghen auf das lang vorbereitete Heranreifen der Krise in Paris[19].

Während diese Motive die Theologie des hl. Thomas mehr von außen her beeinflußten, erschließt ein drittes das Verständnis für das Wesen seines Denkens von innen her. Für Thomas ist das Erkennen der Wahrheit und das Aufzeigen dieser Erkenntnis nicht nur ein Mittel, um die Offenbarung Gottes zu betrachten und den

---

[15] Vgl. a.a.O. 111.

[16] Vgl. a.a.O. 131.

[17] Zu diesen Bezeichnungen vgl. Grabmann a.a.O. 130f, der seinerseits auf Mandonnet und Van Steenberghen hinweist: P. Mandonnet O.P., Siger de Brabant et l'averroisme latin au XIII\e siècle I, Louvain 1911; II, Louvain 1908. F. Van Steenberghen, Siger de Brabant d'après ses oeuvres inédits. Second volume: Siger dans l'histoire de l'Aristotélisme, Louvain 1942, 490—497.

[18] 1257—1258 Verfassung des Kommentars zu Boethius, De Trinitate. 1259 verläßt Thomas Paris. 1260—65 Entstehung des „heterodoxen Aristotelismus". Vgl. Grabmann a.a.O. 131. Van Steenberghen a.a.O. 490. B. Decker in Prolegomena zu S. Thomae de Aquino Expositio super librum Boethii De Trinitate, 44.

[19] Vgl. Grabmann a.a.O.: „Übrigens bemerkt auch Van Steenberghen von dem Werden dieses heterodoxen Aristotelismus: «Bien entendu, ce fait ne s'est pas produit brusquement; il a été le résultat d'une longue fermentation des idées» (a.a.O. 490)."

Willen zur Hingabe an Gott anzuregen. Vielmehr wird das Erkennen der Weg zur vollkommensten Vereinigung mit Gott. In diesem „Intellektualismus" besteht der entscheidende Unterschied des thomasischen Denkens zu demjenigen der augustinistisch orientierten Scholastiker. Grabmann verweist auf einen Text im Boethiuskommentar: „Die Vollkommenheit des Menschen besteht in der Vereinigung mit Gott. Deshalb muß der Mensch mit allem, was in ihm ist, so gut er kann, danach streben, sich zu göttlichen Dingen zu erheben, indem er mit dem Intellekt sich der Beschauung, mit der Vernunft der Erforschung des Göttlichen hingibt[20]." Auf dieses Ziel, sich mit Gott zu vereinigen, strebt die ganze Denkarbeit des Menschen hin. Ihr liegt eine Sehnsucht zu Grunde, „die unsere geistige Natur der geistigen Vollendung, die sie nur in Gott finden kann, entgegendrängt (S. c. G. III, 50)"[21]. In doppelter Weise umklammert Thomas Natur und Übernatur, Wissen und Glauben, Theologie und Mystik: erstens durch den Grundsatz, daß die Gnade die Natur nicht zerstört, sondern vollendet; zweitens durch den Begriff der scientia subalternata, der die Kontinuität von göttlichem und theologischem Wissen herstellt[22]. Der Begriff der scientia subalternata leistet somit einen zweifachen Dienst. Erstens stellt er den Wissenschaftscharakter der Theologie heraus. Zweitens wahrt er den kontinuierlichen Zusammenhang zwischen dem Wissen Gottes und dem theologischen Wissen, wodurch die Theologie zugleich wissenschaftlichen und mystischen Charakter erhält[23].

Die Einheit und Geschlossenheit dieser Idee hat immer wieder die enthusiastische Zustimmung der Theologen gefunden, die auch in der Darstellung Grabmanns zu spüren ist. Zugleich fordert sie gerade aus demselben Grunde immer wieder zur kritischen Besinnung auf. Kaum zehn Jahre nach dem Erscheinen von Grabmanns Werk hat Beumer auf die Fragen und Schwierigkeiten hingewiesen,

[20] Vgl. Thomas Aq., In Boethii De Trinitate q.2 a.1 (ed. Decker 82, lin. 8—17).
[21] Vgl. Grabmann a.a.O. 117.
[22] Vgl. a.a.O. 117 u. 143.
[23] Grabmann verweist für diese Kontinuität von göttlichem und theologischem Wissen auf Chenu: „Sowohl die technische Forderung der Wissenschaft wie auch der «sens religieux» legen es der Theologie auf, sich an den Glauben fest anzuklammern, da der Glaube die Kontinuität des Wissens Gottes (scientia subalternans) mit der theologischen Wissenschaft (scientia subalternata) versichert. Chenu beruft sich hier auf folgende Thomasstelle: Ille qui habet scientiam subalternatam, non perfecte attingit ad rationem sciendi (bei Grabmann, a.a.O.: fidei — Druckfehler), nisi inquantum eius cognitio continuatur quodammodo cum cognitione eius, qui habet scientiam subalternantem (De Veritate q.14 a.9 ad 3; ed. Spiazzi 298)." Vgl. Grabmann, a.a.O. 143; Chenu a.a.O. 73.

welche sich aus dem Begriff der scientia subalternata für die Theologie ergeben[24]. Diese konzentrieren sich auf die Frage, ob die theologischen Konklusionen nun eigentlich Gegenstand des Wissens oder des Glaubens sind[25]. Die von Thomas vorgenommene strenge Unterscheidung von Prinzipien (als Gegenstand des Glaubens) und Konklusionen (als Gegenstand des Wissens) kann nicht ohne feinere Unterscheidungen hingenommen werden. Dem Verständnis dessen, was Thomas beabsichtigt hat, wird man sich am besten nähern, wenn man neben den sachlichen Aussagen in gleicher Weise die methodologischen berücksichtigt. Das Hauptanliegen besteht für Thomas in der Sicherung des Wissenschaftscharakters der Theologie. Die Art seines Denkens neigt zur Synthese, zum Ausgleich der Gegensätze. In diesen zwei die Methode der Theologie bestimmenden Prinzipien entfernt sich Robert Holcot am weitesten von seinem großen Ordenslehrer. Bleiben wir zunächst noch einmal bei den Ausführungen des hl. Thomas, mit denen er den Wissenschaftscharakter der Theologie aufzeigt, damit diese ihren Platz in der Reihe der Wissenschaften behalte. Drei Schritte sollen zu diesem Ziel führen. Erstens wird der Ausgangspunkt der Theologie, das Wissen Gottes, als Wissenschaft im höchsten Sinne bezeichnet. Zweitens wird die Legitimität eines solchen Ausgangspunktes mit dem Hinweis auf die weltlichen Wissenschaften bewiesen; denn auch sie gehen von Prinzipien aus, deren Beweis sie anderen Disziplinen überlassen und die sie nicht selbst beweisen. So spricht

---

[24] Vgl. J. Beumer S.J., Thomas von Aquin zum Wesen der Theologie. In: Scholastik 30 (1955) 195—214.

[25] Vgl. a.a.O. 202f. Beumer geht bei dieser Frage von der gleichen Stelle in De ver. (q.14 a.9 ad 3; s.o.) aus wie Chenu. Beumer bemerkt: „Die knappe Fassung erschwert das Verständnis, zumal da außerdem die vorherrschende Intention des Autors in eine andere Richtung geht." Wir meinen, daß der hl. Thomas den Begriff der scientia in der Theologie in einer gewissen sachlichen Ambivalenz gebraucht, nämlich vom „Wissen" Gottes und der Heiligen und dem theologischen (menschlichen) „Wissen". Die Möglichkeit, beide Arten einander zuzuordnen, beruht auf ihrer höheren Einheit, die aber nur im Glauben und in der Mystik erfahren wird. Im System der Theologie dient nun der Begriff der scientia subalternata als methodisches Instrument, das — wie gezeigt — einen doppelten Dienst leistet: Es sichert den Wissenschaftscharakter der Theologie und fügt zugleich Glauben und Wissen, Theologie und Mystik harmonisch zusammen. Wird dieser Begriff als „Hilfsbegriff" des theologischen Erkennens gesehen, ohne ihn nach der sachlichen Seite hin zu überfordern, dann lassen sich seine Möglichkeiten und seine Grenzen gerecht gegeneinander abwägen. Zu dieser Aufgabe theologischer Methodik vgl. J. Auer, Die Bedeutung der „Modell-Idee" für die „Hilfsbegriffe" des Katholischen Dogmas. In: Einsicht und Glaube, 259—279. — So problematisch die Anwendung der Modell-Idee bei dogmatischen Formeln ist, so hilfreich könnte sie sich auf dem Gebiet theologischer Methodik erweisen. Dies sei hier be-

es nicht gegen den Wissenschaftscharakter der Theologie, wenn sie von den Prinzipien des Glaubens ausgeht. Drittens ist die Methode der Theologie wissenschaftlich, weil sie von den Prinzipien aus argumentierend zu neuen Schlußfolgerungen voranschreitet. An allen drei Stellen, wo Thomas den Wissenschaftscharakter der Theologie systematisch darlegt, finden wir diese drei Begründungen. Es ist dies der zeitlichen Reihenfolge nach im Prolog des Sentenzenkommentars, in dem eben zitierten Kommentar zu Boethius' De Trinitate und in der ersten Quaestio der Summa theologiae. Im Sentenzenkommentar finden sich die entscheidenden Aussagen im Artikel 5[26]. Schon die Überschrift, Utrum modus procedendi sit artificialis, weist auf die wissenschafts-methodische Zielsetzung hin. Die Methode des Beweises, sagt Thomas, richtet sich nach den jeweiligen Zielsetzungen. Thomas kennt deren mehrere: moralische, belehrende, erbauende, apologetische. Ihnen dient der verschiedene Sinn der Heiligen Schrift. Wir erkennen in diesen Ausführungen das feine Gefühl für wissenschaftliche Methodik. Ein Satz ist jedoch besonders hervorzuheben, weil er in ganz eindeutiger Weise den Wissenschaftscharakter der Theologie hervorhebt: Zuweilen muß die Methode dieser Wissenschaft den Beweis benutzen, sowohl durch Autoritäten wie durch Vernunftgründe und natürliche Analogien[27]. Darin besteht nämlich nach allgemeiner scholastischer Lehre jeder wissenschaftliche Beweis, daß er auf Auctoritas und Ratio gestützt vorgeht. In den anderen beiden Werken erweist Thomas den Wissenschaftscharakter der Theologie durch ihre argumentative Methode. Sie gelangt durch schlußfolgerndes Denken von den Prinzipien zu den Schlußfolgerungen[28]. In der Summa theolo-

---

sonders im Hinblick auf den Begriff der Theologie als scientia subalternata vermerkt.

[26] Die Ausführungen im Prolog des Sentenzenkommentars über die Theologie als scientia subalternata übergehen wir hier, weil sie als späterer Einschub nachgewiesen sind. Vgl. Grabmann a.a.O. 124f; Chenu a.a.O. 82f. Der Artikel 5 des Prologs scheint uns jedoch für die wissenschafts-methodische Auffassung der Theologie mindestens als ebenso wichtig wie der Begriff der scientia subalternata.

[27] Vgl. Thomas Aq., Prol. I Sent. q. unica a.5 (ed. Mandonnet 18): ... et ideo oportet modum huius scientiae esse quandoque argumentativum, tum per auctoritates, tum etiam per rationes et similitudines naturales.

[28] Vgl. ders. Expositio super librum Boethii De trinitate, a.a.O. (87): Et sicut deus ex hoc, quod cognoscit se, cognoscit alia modo suo, id est simplici intuitu, non discurrendo, ita nos ex his, quae per fidem capimus primae veritati adhaerendo, venimus in cognitionem aliorum secundum modum nostrum discurrendo de principiis ad conclusiones, ut sic ipsa, quae fide tenemus, sint nobis quasi principia in hac scientia et alia sint quasi conclusiones. Decker zitiert als Quelle dieser Lehre Wilhelm von Auxerre: Guilelmus Altissiodoren-

giae widmet Thomas schließlich dem Wissenschaftscharakter wie
der argumentativen Methode der Theologie je einen eigenen
Artikel[29].

Was bewegte Thomas dazu, die Wissenschaftlichkeit der Theologie so stark hervorzuheben? Diese Entwicklung dürfte maßgeblich
durch zwei Ereignisse vorangetrieben worden sein, erstens durch
das Eindringen des Aristotelismus in die abendländische Geisteswelt und zweitens durch die Berührung mit den Lehren der arabischen Philosophen, insbesondere des Averroes.

c) Der Dienst der Philosophie in der Theologie

Beide Ereignisse, von denen das eine das andere bedingte und
nach sich zog, beschworen eine neue Frage über das Verhältnis
von Glauben und Wissen herauf, nämlich die nach dem möglichen
Dienst der Philosophie in der Theologie. In der Antwort auf diese
Frage schieden sich die „konservativen" Theologen von den „fort-
schrittlichen". Die erste Gruppe sah das Ideal in der augustinischen
Glaubenstheologie und befürchtete vom Aristotelismus her das Eindringen und Überwuchern des Rationalismus in die Theologie. Der
Konflikt gelangt in der Verurteilung des „Averroismus" durch den
Erzbischof von Paris, Stephan Tempier, zu seinem Höhepunkt und
zu einem gewissen Abschluß[30]. Allerdings war dieser Triumph nur
von kurzer Dauer. Der eigentliche Sieger für die folgende Zeit blieb
der „Aristotelismus", dessen Metaphysik und Logik fortan die
Methode der scholastischen Theologie bestimmten. Diese ganze
Entwicklung brachte nun eine Frage zur höchsten Aktualität, nämlich die nach der Legitimität einer theologischen Wissenschaft überhaupt. Diese Frage entsteht immer dann, wenn der Dienst der
Philosophie in der Theologie bezweifelt oder wenigstens umstritten
wird. Wyser hat darauf hingewiesen, daß die Rückkehr zu einer
„Theologie des Wortes, das heißt zu einer Glaubenstheologie" in
der Weise, wie sie in der protestantischen dialektischen Theologie
vollzogen wurde, „eine übertriebene irrationale Auffassung der
theologischen Erkenntnis" bedeutete. Es liegt in der Folgerichtigkeit dieses Aspektes, „daß jeder Anspruch auf eine hochschulmäßige

sis Summa aurea IV tr.3 c. De baptismo parvulorum q.1, Sed contra 3, f.13
va 3—5 (ed. F. Regnault, Parisiis 1500): Sicut aliae scientiae habent sua
principia et conclusiones suas, ita etiam theologia; sed principia theologiae
sunt articuli fidei. Der Vergleich zeigt, wie Thomas durch den Zusatz „secundum modum nostrum discurrendo" die Beweismethode der Theologie hervorhebt.

[29] S.th. I q.1 a.2 und 8.
[30] Vgl. F. Van Steenberghen, The Philosophical Movement in the Thirteenth Century, bes. Kap. VI, 94ff.

Wissenschaftlichkeit (der Theologie) ohne Zögern fallen gelassen wird"[31]. Durch den Einfluß des Aristotelismus auf die theologische Methode wurde die Frage nach dem Wissenschaftscharakter der Theologie grundsätzlich gestellt und immer wieder aktualisiert. Vom Averroismus her wurde sie polemisch-kritisch aufgeworfen. Dies bezeugt die „Sammlung der Irrtümer der Philosophen", die Ägidius Romanus zusammengestellt hat. Hier finden sich Aussagen, die jeweils zwanzig Jahre später von Duns Scotus in kühler Überlegenheit und von Robert Holcot mit heftigen Worten bekämpft wurden. Diese Sammlung selbst wie das immer erneute Auftreten der antiaverroistischen Kampfparolen mit gesteigerter Heftigkeit der Formulierungen beweist, wie aktuell die Gefahr für die Theologie blieb, von der Philosophie verfälscht oder beseitigt zu werden. Jedenfalls wurde dies von den scholastischen Magistern so empfunden. Der Averroismus galt im 13. Jahrhundert als die große abendländische Häresie, dessen stärkste Waffe die Berufung auf seine angebliche Wissenschaftlichkeit war. So blieb es auch durch das ganze 14. Jahrhundert. Jede Generation mußte sich ihm erneut stellen. Gegenüber dem überragenden Ansehen des Aristoteles half selbst die Berufung auf eine Autorität wie Augustinus nicht. So blieb nur der Weg, die Zuständigkeit des Aristoteles und der Philosophen überhaupt für jene Fragen und Disziplinen zu verneinen, in denen ihre Methode versagt[32]. Diese Aufgabe erforderte eine ausgezeichnete Bildung in den Künsten der Logik, der Aussageformen und der Disputation. Was also an den Magistern des 14. Jahrhunderts oft als ein „Überwuchern der Logik und Sprachphilosophie" getadelt wurde, erweist sich auf dem Hintergrund des Averroismus als eine Notwendigkeit der apologetischen Aufgabe der Theologie.

Nun die Texte selbst. Die etwa 1270 verfaßten Errores Philosophorum[33] stellen uns Averroes als einen Verächter des Glaubens vor, der seine Kritik sowohl gegen die Christen wie gegen die Sarazenen richtet. Er wendet sich u. a. gegen die Lehre von der

---

[31] Vgl. P. Wyser O.P., Theologie als Wissenschaft, Salzburg-Leipzig 1938, 11; Verf. weist hin auf K. Barth, Dogmatik, I, 1, 3—10.

[32] So auch R. Schmücker, O.F.M., Propositio per se nota, Gottesbeweis und ihr Verhältnis nach Petrus Aureoli, Werl 1941, 9. Aureoli bedient sich allerdings noch eines anderen Argumentes, das ebenfalls im Kampf gegen den Averroismus häufig benutzt wurde. Es ging von dem Vorwurf der falschen Aristoteles-Interpretation aus und setzte dieser das richtige Verständnis des Aristoteles entgegen.

[33] Zu dieser Datierung vgl. J. Koch und J. O. Riedl, Giles of Rome, Errores Philosophorum. Critical Text with Notes and Introduction, Milwaukee 1944, LIX.

Schöpfung aus dem Nichts sowie gegen eine Glaubensdisziplin, die ohne Vernunfteinsicht vom Willen die Zustimmung zum Gesetz verlangt[34]. In einer Anmerkung weist der Editor darauf hin, daß sich Ägidius durch die Kritik, die Averroes an der theologischen Spekulation der Mutakallimun übte, mit getroffen fühlte[35], nicht jedoch Thomas, der die Möglichkeit einer Schöpfung aus dem Nichts gegen Averroes mit rein philosophischen Gründen darlegte, ohne die theologischen Gegner des Kommentators überhaupt zu erwähnen[36]. Der Grund dafür ist einsichtig und zeigt die Einstellung des hl. Thomas zu unserer Frage theologischer Methodik. Philosophischen Einwänden will Thomas in der gleichen Disziplin begegnen und nicht den Eindruck erwecken, ihnen mit der Berufung auf den Glauben auszuweichen. Es ist jene Grundhaltung der philosophischen Redlichkeit, die er am Anfang seiner Schöpfungslehre in der Summa bekundete: Man möge nicht philosophisch beweisen bzw. widerlegen wollen, was nicht zu beweisen geht, damit man den Glauben nicht in Verruf bringe[37]. Auf dieser Ebene bewegt sich die Abwehr des „Rationalismus", der in der Gestalt des „Averroismus" die christliche Theologie des 13. und 14. Jahrhunderts bedrohte. Es gab zwei Wege, ihm entgegenzutreten: den Weg der philosophischen Diskussion und den Weg einer im Geiste des hl. Augustinus erneuerten und durch den Zuwachs an scholastischem Wissen bereicherten Glaubenstheologie. Thomas beschritt den ersten Weg auch auf die Gefahr hin, als „Rationalist" miß-

---

[34] Vgl. a.a.O. 16,5—17: Praeter tamen errores Philosophi arguendus est, quia vituperavit omnem legem, ut patet ex II° Metaphysicae et etiam ex XI°, ubi vituperat legem Christianorum sive legem nostram Catholicam et etiam legem Sarracenorum, quia ponunt creationem rerum et aliquid posse fieri ex nihilo. Sic etiam vituperat in principio III^ii Physicorum, ubi vult quod propter contrariam consuetudinem legum aliqui negant principia per se nota negantes ex nihilo nihil fieri, immo, quod peius est, nos et alios tenentes legem derisive appellat loquentes quasi garrulantes et sine ratione se moventes. Et etiam in VIII° Physicorum vituperat leges et loquentes in lege sua appellat voluntates, eo quod asserant aliquid posse habere esse post omnino non esse; appellat enim hoc dictum voluntatem, ac si esset ad placitum tantum et sine omni ratione. Et non solum semel et bis, sed pluries in eodem VIII° contra leges creationem asserentes in talia prorumpit.
Ebd. 18, 10—20, 2: Ulterius erravit dicens in eodem XII° a nullo agente posse progredi immediate diversa et contraria, et ex hoc vituperat loquentes in tribus legibus, videlicet in lege Christianorum, Sarracenorum et Maurorum, quia hoc asserebant.

[35] Vgl. a.a.O. 17, Anm. 41.

[36] Vgl. Ebd.; Thomas Aq., In octo libros Physicorum Aristotelis Expositio, L. VIII, 1.2, com. 973 [3] u. 974 [4]; (ed. Maggiòlo (Marietti 1954) 505f).

[37] Vgl. Thomas Aq., S.th. I q.46 a.2.

verstanden zu werden. Wie nahe diese Gefahr lag, beweist das Urteil von 1277.

Thomas hatte allerdings auch einen theologisch-sachlichen Grund, sich von der Lehre der mohammedanischen Theologen zu distanzieren, die alles Geschehen in einer allumfassenden und unmittelbaren Weise auf den Willen Gottes zurückbezogen und eine Einwirkung der Dinge untereinander leugneten. Diesem „Fatalismus" gilt der Spott des Averroes, darum nennt er sie „loquentes", „garrulantes"[38]. In zwei Kapiteln der Summa contra Gentiles[39] hebt Thomas die christliche Lehre über die Allursächlichkeit des göttlichen Willens ab. Danach geschieht erstens der Allmacht dieses Willens kein Eintrag, wenn er von einem Sinn und einer Zielsetzung geleitet wird. Gottes Wollen geht aus seiner Weisheit hervor, oder besser das Gewollte ist nicht Ergebnis des göttlichen Willensaktes allein, sondern zugleich auch der göttlichen Weisheit[40]. Zweitens hebt die Allursächlichkeit des göttlichen Willens nicht die Ordnung und Abhängigkeit der geschaffenen Dinge untereinander auf. Das zweite der beiden genannten Kapitel dient in seinem größeren Teil dieser Lehre und wendet sich gegen die Theologen, die bei allen Dingen und Geschehnissen unmittelbar und unter Verachtung der

[38] Vgl. Giles of Rome, Errores Philosophorum, a.a.O. 17 Anm. 11: „Loquentes" is accepted as the translation of the Arabic „mutakallimûn", that is, „disputants". They are theologians to whom Averroes, the philosopher, is opposed. With conscious pleasure he sets his own scholarly achievements against their dillettantism, the chief task of which, in his opinion, is to show how everything that happens is completely and directly traceable to God (Cf. Averroes, In Metaphysicae VII, com. 31: loquentes nostrae legis opinantur quod agens omnia est unum, et quod non operantur in se invicem).

[39] Vgl. dazu a.a.O.: The anger of Giles is thus understandable. His mistake, however, lies in not having distinguished between the Christian and the Mohammedan theology as did Thomas in Summa contra gentiles, I c.87; II c.28; etc. Cf. E. Gilson, Pourquoi saint Thomas a critiqué saint Augustin, AHD I (1926—27), 8—25.

[40] Vgl. Thomas Aq., Summa contra gentiles I c.87. Thomas unterscheidet zwischen causa und ratio: Gottes Wille hat keine Ursache, wohl aber einen Grund: Quamvis autem aliqua ratio divinae voluntatis assignari possit, non tamen sequitur quod voluntatis eius sit aliquid causa. Danach spricht Thomas dem göttlichen Willen doch eine Ursache zu. Diese ist als Zielursache der göttliche Wille selbst in seiner Gutheit: Voluntati enim causa volendi est finis. Finis autem divinae voluntatis est sua bonitas. Ipsa igitur est Deo causa volendi, quae est etiam ipsum suum velle. Der Schluß dieses kurzen Kapitels lautet: Per praedicta autem excluditur error quorundam dicentium omnia procedere a Deo secundum simplicem voluntatem, ut de nullo oporteat rationem reddere, nisi quia deus vult. Quod etiam Scripturae divinae contrariatur, quae deum perhibet secundum ordinem sapientiae suae omnia fecisse, secundum illud Psalmi (103, 24): „Omnia in sapientia fecisti." Et Ecclesiastici 1, 10 dicitur quod deus „effudit sapientiam suam super omnia opera sua".

Ordnung der natürlichen Ursachen auf Gottes Allmacht verweisen; auch die natürliche Ordnung ist von Gott gesetzt und damit kein Argument gegen seinen allmächtigen Willen. Thomas nennt am Ende dieses Kapitels[41] zwei Gegner. Die eine Richtung könnten wir als „Deterministen" bezeichnen, weil sie den Willen Gottes durch irgendeine Notwendigkeit einschränken, die andere Richtung als „Voluntaristen", weil sie alles auf den einfachen, von jeder auf die gewollten Dinge hin tendierenden Ratio gelösten Willen zurückführen. Dies sind zweifellos die Mutakallimun. Es ist offenbar, daß Thomas in seiner Lehre von der Allmacht Gottes von ihnen deutlich abrückt, wie andrerseits Ägidius Romanus und Duns Scotus in einer gewissen Nähe zu ihrer Allmachtslehre stehen, am meisten jedoch Robert Holcot, der die absolute, sich selbst genügende Freiheit des göttlichen Willens in offener Polemik gegen Anselmus behauptet[42]. Wir sehen, wie auch durch theologische Grundsätze die verschiedene Beurteilung des Averroes bestimmt wird. So unterscheidet sich in diesem Punkte Holcot deutlich von Thomas[43], den er jedoch nicht nennt.

[41] Vgl. a.a.O. II c.28 et 29. Thomas schließt diese zusammengefaßten Kapitel mit den Worten: Sic igitur per praedicta excluditur duplex error, eorum scilicet qui, divinam potentiam limitantes, dicebant deum non posse facere nisi quae facit, quia sic facere debet; et eorum qui dicunt quod omnia sequuntur simplicem voluntatem, absque aliqua alia ratione vel quaerenda in rebus vel assignanda.

[42] Vgl. Holcot, II Sent. q.1 LL (fol. g vb 43—g II ra 18): Ad auctoritatem Anselmi, Cur deus homo, ca. XII (ed. Schmitt II 69, 12) quando dicit, recte ordinare peccatum etc., dico quod istud sicud sonat est falsum, loquendo de poena satisfactoria vel qualis debet infligi pro satisfactione, quia multa peccata ad tempus deus dimittit impunita, quia dissimulat peccata hominum propter poenitentiam, et tamen non sequitur quod deus ad tempus relinquat aliquid deordinatum in mundo... Ad aliam auctoritatem eiusdem libri ca. XX (ed. Schmitt 86, 19) quod secundum mensuram peccati etc., dico quod mensura peccati est uno modo attendenda secundum mensuram legis, cuius est praevaricatio, et satisfactio est mensuranda mensura legis praevaricativae. Satisfacit autem homo deo, quando poenam subiit pro peccato, quam placet deo sibi infligere. Unde omnis poena, quae sibi placet infligi pro peccato, est sibi satisfactio condigna. Et ideo illa verba Anselmi et consimilia sanctorum sunt prolata ad modum iudicii humani nobis noti et non sunt omnia propria iudici divino. Ad tertium quando arguitur quod multa videmus impunita in mundo, concedo videlicet quod puniuntur aliqua et aliqua remittuntur, sed bene ordinantur etiam sine punitione, quia sicut deo placet, ita fit et ideo iuste fit... Et ideo quando expectat, misericorditer expectat; et quando punit, iuste punit; et quando remittit, tam misericorditer quam iuste remittit.

[43] Vgl. Thomas Aq. a.a.O. (II c.28/29): Divina autem bonitas nullo exteriori indiget ad sui perfectionem. Non est igitur per modum necessitatis ei debita creaturarum productio. (So auch Holcot: Vgl. „Futura contingentia" S. 343). Potest tamen dici esse sibi debitum per modum cuiusdam condecentiae. Iustitia

d) Die Kritik an der Philosophie durch Scotus

Die Kritik des Scotus an den arabischen Philosophen geht einen völlig anderen Weg als die des Thomas. Sie hat zwei Ansatzpunkte, nämlich einen im Wesen Gottes und einen im Wesen des Menschen. Beidemal gibt es für den Philosophen keinen Weg, dies zu erkennen. Im Wesen Gottes liegt die Eigenschaft, die außergöttlichen Dinge nicht notwendig zu verursachen. Diese Eigenschaft ist aus den Naturdingen nicht zu erkennen. Im Gegenteil! Die natürliche Ratio in dem Bemühen, Gott aus seinen Wirkungen zu erkennen, wird eher in den Irrtum des „Nezessitarismus" geführt; denn die natürlichen Dinge zeigen sich der bloßen Vernunft eher als notwendig und dauernd und ewig, denn als kontingent. Dies beweist die Erfahrung. Scotus knüpft hier deutlich an die antiaverroistischen Thesen an, die wir in den Errores Philosophorum und in dem Urteil Stephan Tempiers finden[44]. Der Grundirrtum, gegen den sich beide Dokumente wenden, ist die Lehre von der Ewigkeit der Welt, die nach Ägidius in den Werken des Aristoteles überall enthalten und von den Philosophen übernommen worden sei. Wir sahen, wie sich dieser Irrtum nach der Meinung des Scotus aus dem Fehler ergibt, von der Erfahrungswelt auf das Wesen Gottes zu schließen. Aus der gleichen Wurzel erklärt sich auch der Irrtum, von den Himmelsbewegungen auf die Zahl der geistigen Substanzen zu schließen[45]: Similiter videntur philosophi ex motibus concludere quod numerus istarum substantiarum separatarum sit secundum

autem proprie dicta debitum necessitatis requirit: quod enim ex iustitia alicui redditur, ex necessitate iuris ei debetur. Sicut igitur creaturarum productio non potest dici fuisse ex debito iustitiae, quo deus creaturae sit debitor, ita nec ex tali iustitiae debito, quo suae bonitati sit debitor, si iustitia proprie accipiatur. Large tamen iustitia accepta potest dici in creatione rerum iustitia, inquantum divinam condecet bonitatem.
Aus dem vorletzten Satz (Sicut igitur ... proprie accipiatur) wird offenbar, wie sehr Thomas die Verborgenheit des göttlichen Wesens vor dem begrifflichen Erkennen achtet, da er auch auf die Gutheit und Vernünftigkeit der göttlichen Willensentschlüsse, insofern sie Gott seinem Wesen „schuldet", nur den Begriff der iustitia im weiteren Sinne angewandt haben will.
[44] Vgl. Gilson, Duns Scotus, 37f; Op.Ox., Prol. q.1 a.2, n.14; I, 15 (ed. Vat. 24f, n.41). Gilson zitiert den Scotus-Text der ersten beiden Bücher des Opus Oxoniense nach der Ausgabe von M. F. Garcia O.F.M. (Quaracchi 1912 u. 1914), behält jedoch die Bezifferung der Artikel wie bei Wadding bei. Wir geben die Zitation wie bei Gilson wieder, setzen jedoch in ( ) Klammern die Seitenzahl und die Numerierung der Abschnitte hinzu, wie sie sich in der neuesten von Balic besorgten Vaticanischen Ausgabe der Scotus-Werke finden. Zu der Irrtumsliste des Stephan Tempier vgl. Chart. Univ. Par. I ed. crit. S. 546.
[45] Vgl. Gilson, a.a.O. 38; Op.Ox. Prol. q.1 a.2, n.14; I, 15 (ed. Vat. 25 n.41).

numerum motuum coelestium. Wir finden hier wieder, was schon Ägidius an Aristoteles und den arabischen Philosophen Avicenna und Algazel tadelte[46]. Wir werden bald sehen, wie Holcot solche Irrtümer in heftigen Worten Averroes vorwirft. Scotus schließt seine Kritik mit den Worten: Quae omnia sunt absurda[47].

Den zweiten Ansatzpunkt seiner Kritik findet Scotus im gegenwärtigen Zustand des Menschen. Er ist derjenige einer gefallenen Natur. In diesem Zustand ist es dem Menschen unmöglich, sein Ziel zu erkennen und dieses mit natürlichen Mitteln zu erreichen. „Die Philosophen behaupten die Vollkommenheit der Natur und leugnen die übernatürliche Vollkommenheit; die Theologen dagegen erkennen die Mangelhaftigkeit der Natur, die Notwendigkeit der Gnade und die übernatürliche Vollkommenheit[48]." Duns Scotus sieht also die Notwendigkeit der Offenbarung im Zusammenhang mit der Erbsünde. Die Frage nach den Möglichkeiten der philosophischen Erkenntnis wird von ihm aus dem sachlichen Aspekt in den personalen gerückt. Er fragt nicht: Was vermag die Philosophie über das Ziel des Menschen zu erkennen? sondern: Was vermag der Philosoph darüber zu erkennen? Der Philosoph ist jedoch ein Mensch in seinem jetzigen Zustand, d. h. im Zustand der Sünde. „Ein Philosoph würde sagen, daß für den Menschen in seinem jetzigen Zustand (pro statu isto) keine übernatürliche Erkenntnis notwendig sei, sondern daß er aus dem einfachen Zusammenspiel der natürlichen Ursachen die ganze Erkenntnis gewinnen könne, die er braucht[49]." Gestützt auf Augustinus[50] verneint Scotus diesen Anspruch des Philosophen. Er beweist wiederholt, daß die Erfahrung zeigt, wie die Philosophen in den Fragen über das letzte Ziel des Menschen, ja sogar gegenüber den höchsten Gegenständen der Metaphysik, gescheitert sind, weil sie sich auf die menschliche Ver-

---

[46] Vgl. ders. a.a.O.; Errores Philosophorum, a.a.O. I, 14 (S. 10); für Avicenna: VI, 15 (S. 32); für Algazel: VIII, 5 (S. 38—40).

[47] Vgl. Gilson, a.a.O.; Op.Ox. Prol. q.1 a.2 n.14; I, 15 (ed. Vat. 25 n.41).

[48] Vgl. Gilson, a.a.O. 16; Op.Ox. Prol. q.1 a.1,3; I, 5 (ed. Vat. 4f n.5): In ista quaestione videtur controversia inter philosophos et theologos. Et tenent philosophi perfectionem naturae et negant perfectionem supernaturalem; theologi vero cognoscunt defectum naturae et necessitatem gratiae et perfectionem supernaturalem.

[49] Vgl. ebd.: Diceret ergo philosophus quod nulla est cognitio supernaturalis homini necessaria pro statu isto, sed quod omnem cognitionem sibi necessariam posset acquirere ex actione causarum naturalium. Ad hoc adducitur simul auctoritas et ratio philosophi ex diversis locis.

[50] Gilson (a.a.O. 23, Anm. 2) verweist auf Op. Ox. Prol. q. 1 a. 4, 23; I, 21—22 (ed. Vat. 41 n. 66f), wo wiederum Augustinus genannt wird, De civ. dei XVIII, 41, 3 (PL 41, 602): Quamvis nescientes ad quem finem et quonam modo essent ista omnia referenda ... Die nescientes sind die Philosophen.

nunft allein verließen. Wie Gilson festgestellt hat, liegt bei Scotus nicht eine grundsätzliche Kritik an der Philosophie von seiten der Theologie vor, sondern eine Art des Denkens in den Begriffen „Philosophen" und „Theologen" an Stelle der Begriffe „Philosophie" und „Theologie". Es ist „weniger eine ausdrückliche Lehre als vielmehr eine Geisteshaltung"[51]. Weil sich Scotus in diesem Denken einerseits von der biblischen Offenbarung und andrerseits von der heilsgeschichtlichen Stellung des Menschen leiten läßt, dürfte es erlaubt sein, seinen Ansatzpunkt an der Kritik der arabischen Philosophen als biblisch-heilsgeschichtlich zu bezeichnen. Wir werden übrigens die gleiche Terminologie, die Gegenüberstellung von „Philosophi" und „Catholici", bei Holcot wiederfinden. Aus dieser Grundeinstellung oder „Geisteshaltung" ist zu verstehen, was Scotus zum Wissenschaftscharakter der Theologie sagt. Das wissenschaftsmethodische Interesse steht, obwohl auch solche Fragen wie etwa über die Art der Erkenntnis geistiger Objekte mit subtiler Schärfe untersucht werden, absolut zurück hinter dem Anliegen, die Theologie von ihrem Inhalt her als ein Wissen von Gott und über Gott aufzuweisen. Ausgehend von der augustinischen Definition: Theologia est sermo vel ratio de Deo[52], zeigt Scotus, wie dieser sermo vel ratio in Gott nicht nur seinen Ursprung, sondern auch seine vollkommenste Verwirklichung hat. Gott allein besitzt die vollkommenste Theologie (Theologia divina, Theologia in se), danach die Seligen, denen Gott das Wissen unmittelbar mitteilt. Was der Mensch im Pilgerstand wahrhaft von Gott zu erkennen vermag, das erhält er mittels der Offenbarung aus dem göttlichen Wissen. Die so entstehende Theologie ist noch unvollkommener als die Theologie der Heiligen. Da nämlich Gottes Offenbarung entsprechend der Weise unseres Erkennens in abstrakten Begriffen zu uns kommt, kann das Objekt unserer Theologie nicht Gottes Wesenheit (wie in der Theologia divina und bei den Seligen), sondern nur ein Begriff von Gottes Wesenheit sein, mag auch das Subjekt weiterhin Gottes Wesenheit bleiben. „Das erste Objekt unserer Theologie, insofern sie im eigentlichen Sinne ‚unsere' ist, kann also nur das erste der durch Abstraktion erkannten Objekte sein, von dem ausgehend die ersten Wahrheiten unmittelbar erkannt werden können. Dieses erste ist der Begriff des ‚unendlichen Seienden'. Kurz das Subjekt ‚unserer Theologie' ist dasselbe wie das der ‚Theologie in sich', das Objekt ‚unserer Theologie' jedoch, selbst wenn es sich

---

[51] Vgl. Gilson, a.a.O. 24; auch 36, 346, 664, 671, 674.
[52] Vgl. Scotus, Op. Ox. Prol. q.3 a.1 n.2; I, 46 (ed. Vat. 91 n. 132). Vgl. Gilson, a.a.O. 48.

um die Theologie des Notwendigen handelt, ist nicht dieses Subjekt; es ist nur der Begriff des unendlichen Seienden, der der vollkommenste Begriff ist, den wir über dieses Subjekt haben können: quia iste est conceptus perfectissimus, quem possumus habere de illo quod est in se primum subiectum[53]." Ockham wird an dieser Feststellung des Scotus mit seinem theologischen „Konzeptualismus" ansetzen, Holcot wird weiter fortschreiten und den Aussagecharakter der Theologie hervorheben. Endlich wird bei beiden Magistern auch der Grundsatz des Scotus fortwirken, daß nämlich über Gott nur wahrhaft und zuverlässig reden kann, dessen „Wissen" von Gott, d. h. aus göttlicher Offenbarung stammt. Allerdings wird nun die methodologische Frage in den Vordergrund rücken, ob man diese Rede über Gott als „Wissenschaft" im Sinne des eigentlichen methodischen Gebrauches des Begriffes bezeichnen kann.

e) Die methodologische Beurteilung der Theologie durch Ockham

Bei Wilhelm Ockham tritt nun die Frage nach dem Wissenschaftscharakter der Theologie in den Vordergrund. Seine Untersuchung vollzieht sich in drei Schritten bzw. Fragen: Erstens was ist Erkenntnis[54]? Zweitens worin besteht die Eigenart wissenschaftlicher Erkenntnisse, wissenschaftlicher Sätze[55]? Drittens kann die Theologie als Wissenschaft bezeichnet werden[56]? Die gesamte Erörterung wird mit einer Bemerkung eingeleitet, die mit Augustinus die theologischen Wahrheiten in ihrer „praktischen" Bedeutung sieht: Sie dienen dazu, den Menschen zur Seligkeit und zum wahren Leben zu führen[57]. Jedoch darf man nach dieser Einleitung bei Ockham nicht

---

[53] Vgl. Gilson, a.a.O. 56. Dort auch der volle Wortlaut der Scotus-Stelle: Op. Ox. Prol. q.3 a.4, n.12; I, 55—56 (ed. Vat. 110f n.168). Die für diese Frage wichtigen Ausführungen des Scotus stehen in q.1 und 3 (ed. Vat.: Pars 3) des Prologs zum Sentenzenkommentar.

[54] Diese Frage wird natürlich von vornherein auf die theologische Erkenntnis bezogen. Daher die Überschrift der Quaestio 1: Utrum sit possibile intellectui viatoris habere notitiam evidentem de veritatibus theologicis.

[55] Vgl. Ockham, Prol. Sent. q.2 (fol. b ra 1—5): Supposito ex quaestione praecedenti quod per potentiam divinam multae veritates purae theologicae possunt evidenter cognosci, quaero: Utrum notitia evidens illarum veritatum sit scientia proprie dicta. Ebd. (25—27): Circa illam quaestionem primo videndum, quae propositio est scita scientia proprie dicta. Secundo quae est scientia proprie dicta.

[56] Vgl. ebd. q.3 (in ord. VII) (fol. c IV ra 32—34): Tertio principaliter quaero: Utrum theologia, quae de communi lege habetur a theologis, sit scientia proprie dicta.

[57] Vgl. ebd. q.1 (fol. a rb 49—va 2): Circa tertium sciendum est quod omnes veritates necessariae viatori ad aeternam beatitudinem habendam sunt veritates theologicae. Hoc patet per beatum Augustinum XIV De trinitate c. 1 sic

erwarten, daß die nun folgende Erörterung bei diesem Aspekt der Heilsbedeutung der theologischen Wahrheiten stehen bleibt. Vielmehr werden in der ersten Quaestio die erkenntnistheoretischen Fragen der theologischen Wahrheiten und Aussagen und deren Verhältnis zur philosophischen Erkenntnis erörtert. In einem ganz allgemeinen Sinne wird der Theologie die Bezeichnung als Wissenschaft zugebilligt; denn in diesem Sinne besteht eine Wissenschaft in einer Zusammenstellung vieler Erkenntnisse, die sich auf ein oder mehrere Objekte beziehen. Diese Zusammenstellung und Sammlung ist nicht willkürlich, sondern nach einer bestimmten Ordnung. Sie umfaßt Begriffe und Aussagen, Prinzipien und Schlußfolgerungen. Sie enthält ferner Beweise, „Irrtümer" und die Auflösung der falschen Argumente. Sie nimmt die notwendigen Einteilungen und Definitionen vor. Eine dreifache Methode ist somit dieser Wissenschaft zu eigen: Sie hat einzuteilen, zu definieren und zu vergleichen. Entsprechend der Vielfalt dieser Inhalte und Aufgaben beruht diese Art von Wissenschaft auch nicht auf einem einzigen Habitus, sondern sie enthält dieser viele, die nach Gattung und Art verschieden sein können, dennoch aber eine gewisse Ordnung unter sich haben. Wird Wissenschaft in diesem Sinne verstanden, so kann zugegeben werden, daß dieselbe Wahrheit in verschiedenen Wissenschaften behandelt werden kann, ja selbst in solchen, die auf natürlichen Gründen aufbauen. Auch ist dabei (bei diesem weiten Begriff von Wissenschaft) nicht entscheidend, daß sie nur strenge Beweise enthält. Vielmehr kann sie sich auch rechtmäßig anderer einsichtiger Begründungen bedienen[50]. In einem anderen

dicentem: Non itaque quicquid sciri potest ab homine in humanis rebus, ubi plurimum supervacuae vanitatis et noxiae curiositatis est, huic scientiae tribuo, sed id tantummodo, ubi fides saluberrima, quae ad veram vitam ducit, gignitur, nutritur, defenditur ac roboratur.

[58] Vgl. ebd. (fol. a va 31—b 9): Ad primum istorum ad praesens dico quod scientia dupliciter accipitur: Uno modo pro collectione multorum pertinentium ad notitiam unius vel multorum determinatum ordinem habentium. Scientia isto modo dicta continet tam notitiam incomplexam terminorum quam notitiam complexam et hoc principiorum et conclusionum. Continet etiam reprobationes, errores et solutiones falsorum argumentorum. Continet etiam divisiones necessarias et diffinitiones ut frequenter. Et de scientia illo modo dicta dicitur communiter quod in ea est triplex modus procedendi scilicet: divisivus, diffinitivus et collativus... Et scientia illo modo non est una numero, sed continet multos habitus non tantum specie sed etiam frequenter genere distinctos, ordinem tamen aliqualem inter se habentes, propter quem ordinem specialem, quem non habent ad alia scibilia et cognoscibilia, possunt dici una scientia. Et illo modo capiendo scientiam non est inconveniens eandem veritatem pertinere ad distinctas scientias etiam naturaliter inventas, quia eadem conclusio in distinctis scientiis per distincta media potest evidenter probari. Sive possit demonstratione potissima probari in illis sive non, non multum curo,

Sinne wird „Wissenschaft" als ein bestimmter Habitus genommen,
in der Gattung seiner Qualität unterschieden von anderen Weisen
eines geistigen Habitus wie etwa des Verstandes, der Weisheit, der
Kunstfertigkeit und der Klugheit. In diesem Falle kann eine Wahrheit nicht Gegenstand verschiedener Wissenschaften sein[59]. Diese
Abgrenzung des Habitus „Wissenschaft" im zweiten Teil dieses
Stückes ist nicht mehr nur der Art nach, wie sie doch im ersten Teil
verstanden wird. Vielmehr wird Wissenschaft nunmehr gegen andere Arten eines intellektuellen Habitus abgegrenzt wie Weisheit,
Klugheit u. ä., die sich der Gattung nach von allen Arten der Wissenschaft im Sinne des ersten Abschnittes unterscheiden. Ockham
legt nun an die Theologie dieses Verständnis von Wissenschaft an.
Der folgende Vergleich von Metaphysik und Theologie steht ganz
unter diesem (strengen) Wissenschaftsbegriff. Mag die Metaphysik
auch Seinseigenschaften von Gott beweisen, so gehören doch alle
Wahrheiten, die Gott allein zukommende Eigenschaften betreffen,
allein in eine Wissenschaft, die von Gott sub ratione deitatis handelt. Und am Ende dieses Abschnittes heißt es noch einmal: Wenn
die Metaphysik Beweise über göttliche Eigenschaften führt und
diese der Theologie abspricht, so ist zu erwidern: Solche Beweise
betreffen nur die Tatsache, nicht aber den Grund dieser Wahrheiten; die demonstratio propter quid ist allein Sache der Theologie[60].

   Nachdem so die Aussagen über Gott grundsätzlich der Theologie
zugewiesen wurden, kann nun die eigentliche Frage nach dem Wis-

quia illa scientia non solum continet demonstrationes proprie dictas, sed etiam
alias probationes quascumque evidentes.

[59] Vgl. ebd. (25—33): Aliter accipitur scientia pro habitu existente in genere
qualitatis distincto contra alios habitus intellectuales scilicet contra intellectum,
sapientiam, artem et prudentiam, et illo modo eadem veritas non pertinet ad
distinctas scientias, quia unius conclusionis non est nisi una scientia illo modo
dicta, quia quaelibet talis scientia est una res numero non continens notitiam
aliarum praemissarum nec plurimarum conclusionum.

[60] Vgl. ebd. (fol. a II ra 3—23): Similiter dato quod tales veritates sic probantes
passiones entis de deo pertinent praecise ad Metaphysicam, tamen omnes veritates enuntiantes passiones proprias de deo solo et sub propria ratione deitatis
virtualiter contentas secundum modum loquendi sic arguentium pertinent ad
scientiam de deo sub propria ratione deitatis, sicut tales veritates: Deus est
trinus, deus est infinitus, deus est causa omnium prima, deus est actus primus,
et sic de multis aliis veritatibus enuntiantibus de deo passiones soli deo con-
venientes et contentas in deo secundum rationem propriam deitatis secundum
eos. Ergo ista pertinent ad scientiam de deo sub propria ratione deitatis. Si
dicatur quod illae passiones demonstrantur de deo in metaphysica et ideo non
pertinent ad theologiam, hoc non valet, quia illae passiones non demonstrantur
in metaphysica nisi demonstratione quia; sed demonstratione propter quid
demonstrantur de deo in theologia sub propria ratione deitatis mediate vel
immediate etiam secundum eos et ultimo in rationes deitatis resolvuntur.

senschaftscharakter der Theologie gestellt werden. Dies geschieht jedoch erst in der übernächsten Quaestio (q. 3), die aber in der Quaestio 2 vorbereitet wird. Ockham fragt zuerst: Kann die evidente Erkenntnis theologischer Wahrheiten (die ja nur durch die göttliche Allmacht gegeben werden kann) Wissenschaft im eigentlichen Sinne genannt werden? Die Antwort ist von der Lösung zweier methodisch vorgeordneter Fragen abhängig: Erstens was ist ein wissenschaftlicher Satz im eigentlichen Sinne? Zweitens was ist Wissenschaft im eigentlichen Sinne[61]? Drei Bedingungen erfordert ein wissenschaftlicher Satz: Notwendigkeit, Fraglichkeit und syllogistische Beweisbarkeit. Kontingente Sätze sind nicht wissenschaftlich im strengen Sinn. Durch sich und in sich selbst einsichtige Sätze ebenfalls nicht, weil sie jeden wissenschaftlichen Beweis überflüssig machen. Wissenschaftlich im strengen Sinne ist ein Beweis, wenn er von notwendigen Sätzen ausgehend syllogistisch geführt werden kann[62]. Entsprechend diesen Bedingungen fällt auch die Antwort zu der zweiten Frage aus, was Wissenschaft im eigentlichen Sinn sei. Nach dieser Definition von wissenschaftlichem Satz und Wissenschaft im eigentlichen Sinne ist es unmöglich, das (durch Gottes Allmacht gegebene) evidente Wissen über Gottes Wesen als Wissenschaft im eigentlichen Sinne zu bezeichnen[63]. Damit lehnt es Ockham ab, den aristotelischen Wissenschaftsbegriff auf das Wissen Gottes und der Seligen anzuwenden. Sowohl das thomasische Modell der Theologie als scientia subalternata wie auch die scotische Ausgangsbasis von der Theologia divina und der Theologia beatorum verfällt so einer Kritik, die von den Grundsätzen der wissenschaftlichen Methodologik ausgeht.

Nun ist der Boden bereitet für die Antwort auf die dritte Frage, ob die Theologie, die von den Theologen im allgemeinen getrieben wird, Wissenschaft im eigentlichen Sinne sei[64]. Im ersten Teil der

---

[61] Vgl. Anm. 55.

[62] Vgl. ebd. (fol. b ra 25—39) Der in Anm. 55 zitierte Text lautet weiter: Circa primum dico quod propositio scibilis scientia proprie dicta est propositio necessaria, dubitabilis, nata fieri evidens per propositiones necessarias evidenter per discursum syllogisticum applicatas ad ipsum. Per primam conditionem quod sit necessaria, excluditur propositio contingens ... Secunda conditio quod sit propositio dubitabilis patet, quia per hoc excluditur propositio per se nota, quae, quamvis sit necessaria et possit esse evidenter nota, quia tamen non est dubitabilis, ideo non est scibilis scientia proprie dicta.

[63] Vgl. ebd. (fol. b IV va 45—49): Secundum hoc ad istam quaestionem prima conclusio erit ista quod nihil intrinsecum deo potest de divina essentia demonstrari, ita quod divina essentia in se subiciatur et aliquid quod est realiter divina essentia, praedicetur in se.

[64] Vgl. Anm. 56.

7*

Quaestio werden drei verschiedene Lehren zu diesem Thema vorgetragen, die des hl. Thomas, des Franciscus de Marchia und des
Heinrich von Gent[65]. In der Responsio führt Ockham die beiden
letzten auf die des hl. Thomas zurück und lehnt diese ab[66]. Das
Zugeständnis, Kraft der göttlichen Allmacht könne es doch eine
eigentliche Wissenschaft über einige theologische Wahrheiten geben,
hebt die Konsequenz der Beweisführung nicht auf. Das Omnipotenzprinzip wird von Ockham niemals als Argument gegen die allgemeine Gültigkeit der logischen und der Naturgesetze gebraucht.
Auch steht dieses Zugeständnis nicht im Gegensatz zur vorigen
Quaestio, in der die Frage verneint wurde, ob das Wissen von theologischen Wahrheiten, die durch die göttliche Macht evident gemacht
werden, als Wissenschaft im eigentlichen Sinne bezeichnet werden
kann[67]. Erstens steht in dieser Frage „per potentiam divinam" und
nicht „de potentia dei absoluta". Die Frage bleibt damit innerhalb
der von Gott gesetzten Ordnung. Zweitens ist somit der Fragepunkt
nicht eine außerhalb der gesetzten Ordnung bestehende Möglichkeit.
Dies entspricht genau der Absicht, in der folgenden Quaestio zu
untersuchen, was über die Methode der Theologie secundum communem cursum zu sagen ist. Die Theologie kann nach Ockham also
nicht als Wissenschaft im eigentlichen Sinne des Begriffes bezeichnet werden, da sie weder von einem durch sich Erkannten, noch von
einer durch intuitive Erkenntnis gewonnenen Erfahrung[68], sondern

---

[65] Vgl. ebd. q.3 (fol. c IV ra 53—va 20).

[66] Vgl. ebd. (fol. c IV va 22—31): Contra conclusionem principalem, in qua omnes
istae opiniones concordant, arguo primo quod quantumcumque de potentia dei
absoluta posset esse scientia proprie dicta de veritatibus theologicis et forte in
aliquibus ita fit de facto quantum ad aliquas veritates, tamen quod sic non sit
secundum communem cursum arguo primo sic: Omne quod est evidenter notum,
aut est per se notum aut notificatum est per per se nota aut per experientiam
mediante notitia intuitiva, et hoc mediate vel immediate. Sed nullo istorum
modorum possunt ista credibilia esse nota.

[67] Vgl. o. Anm. 55.

[68] Zu einem tieferen Verständnis dieses Satzes müßte die erste Quaestio herangezogen werden, in der Ockham ausführlich über die Unterschiede von notwendigen und kontingenten Wahrheiten, von intuitiver und abstraktiver Erkenntnis handelt. Dort finden wir auch die Feststellung, daß die intuitive
Erkenntnis, die sich auf einen einfachen Terminus oder eine Sache richtet,
zur Erkenntnis des Kontingenten dient (fol. a IV ra 40—43): Et universaliter
omnis notitia incomplexa termini vel terminorum seu rei vel rerum, virtute
cuius potest evidenter cognosci aliqua veritas contingens, maxime de praesenti,
est notitia intuitiva. Vorher sagte Ockham, daß es von kontingenten Wahrheiten keine Wissenschaft im strengen Sinne gibt (fol. a II rb 12—19): Dico ergo
ad quaestionem quod praecise non intelligo quaestionem de notitia evidenti
scientifica, sed de notitia evidenti in communi, quia quaedam veritates theologicae supernaturaliter cognoscibiles sunt necessariae et quaedam contingentes,

vom Glauben ausgeht; denn die „Credibilia" sind auf keine dieser Weisen zu erkennen. Daher gibt es auch für Ockham keinen eigenen wissenschaftlichen Habitus der Theologen. Die Theologie vermag den erworbenen Habitus des Glaubens zu vermehren, jedoch naturgemäß nur beim gläubigen Theologen. Sie vermittelt ferner zahlreiche wissenschaftliche Habitus[69], wie dies auch in anderen Wissenschaften der Fall ist. Außerdem vermittelt die Theologie noch zahlreiche wissenschaftliche Habitus von Folgerungen, die sich auf keine natürlichen Wissenschaften erstrecken, sondern dem theologischen Wissen allein dienen. Mit Hilfe all dieser Habitus, mögen sie durch

quae nec naturaliter nec supernaturaliter possunt scientifice cognosci. Hinter dieser Bemerkung steht der Wissenschaftsbegriff des Aristoteles, wonach der streng wissenschaftliche Beweis in der Herleitung bzw. Zurückführung einer Wahrheit auf die Prinzipien besteht. Andrerseits ist die Einbeziehung der Erfahrung (experientia) durch die intuitive Erkenntnis in die theologische Methodenfrage zu verstehen. Ockham kommt damit der auf Logik und Erfahrung ausgerichteten „Schule von Oxford" entgegen. Die gleiche Feststellung, daß wir von Gott weder ein Wissen aus unmittelbarer Einsicht noch aus Erfahrung haben, finden wir in der quodlibetalen Quaestio Ockhams (Quodl. I q.1, fol. a ra 1—5): Quaestio prima: Utrum possit probari per rationem naturalem quod tantum unus sit deus. Ockham verneint die Frage und begründet es mit der Unmöglichkeit einer evidenten Gotteserkenntnis (ebd. 25—33): Cuius ratio est, quia non potest sciri evidenter quod deus est. Ergo non potest evidenter probari quod tantum unus est deus... Consequentia plana est. Antecedens probatur, quia haec propositio: deus est, non est per se nota, quia multi dubitant de ea. Nec potest probari ex per se notis, quia in omni ratione tali accipietur aliquid dubium vel creditum. Nec etiam nota est per experientiam, ut manifestum est.

[69] Vgl. Ockham, Prol. Sent. q.9 (fol. c V va 17—43). Ideo dico ad istum articulum quod theologus respectu credibilium augmentat habitum fidei acquisitae, quando fides acquisita praecedit studium suum. Quando autem non praecedit, tunc acquirit fidem acquisitam, si sit fidelis. Et talis habitus non est in infideli. Praeter autem istum habitum de facto et in maiori parte studens in theologia, sive sit fidelis sive sit haereticus sive infidelis, acquirit multos habitus scientiales, qui in aliis scientiis possent acquiri. Et praeter istos acquirit multos habitus scientiales consequentiarum, quae ad nullas scientias naturales pertinent, respectu autem omnium sive sint incomplexa sive complexa et hoc sive sint propositiones sive sint consequentiae quaecumque sive sint scibilia sive credibilia tantum, quilibet studens in theologia potest acquirere habitum apprehensivum. Et mediantibus istis habitibus scilicet respectu scibilium naturaliter et consequentiarum propriarum theologiae et mediantibus habitibus apprehensivis possunt haberi omnes actus possibiles theologo de communi lege praeter solum actum credendi, quia mediantibus illis potest praedicare, docere, roborare et omnia talia. Quod autem talis habitus praeter fidem et habitus connaturales, qui possunt naturaliter acquiri, non sit scientia proprie dicta, patet. Nihil scitur evidenter, ad cuius assensum requiritur fides, quia habitus inclinans ad notitiam evidentem non plus dependet a fide quam econverso. Sed secundum omnes sanctos et omnes opinantes contrarium sine fide nullus potest assentire veritatibus credibilibus; ergo respectu illarum non est scientia proprie dicta.

natürliches Wissen oder aus den der Theologie allein eigenen Schlußfolgerungen gewonnen werden, vermag der Theologe seine Aufgabe zu erfüllen, den Glauben predigen, dozieren, bekräftigen und dergleichen. Nur eines vermag er damit nicht: den Akt des Glaubens hervorzubringen. Zum Schluß dieses Stückes betont Ockham nochmals, daß ein solcher theologischer Habitus nicht als Wissenschaft im eigentlichen Sinne bezeichnet werden kann; denn der Grund der Evidenz, die in der Theologie gewonnen wird, kommt vom Glauben.

So läßt sich zusammenfassend feststellen, daß Ockham den Wissenschaftscharakter der Theologie im weiteren Sinne bejaht, im strengen Sinne jedoch ablehnt. Das Schwergewicht der ganzen Fragestellung verlagert sich dabei von den grundsätzlichen und metaphysischen Argumenten (Thomas, Scotus) auf diejenigen der Methodik. Die Ablehnung der Theologie als Wissenschaft im strengen Sinne enthebt den Theologen nicht der Pflicht wissenschaftlicher Bildung. Im Gegenteil! Der Theologe verfügt über zahlreiche wissenschaftliche Argumente und Einsichten. Aus ihnen ergeben sich die entsprechenden Habitus. Diese erstrecken sich nicht nur auf die eigentlich theologischen Schlußfolgerungen, sondern auch auf das Gebiet des natürlichen Wissens. Damit steht der Theologe, was die wissenschaftliche Forschung angeht, in einer Reihe mit dem Philosophen, dem Astronomen und Naturkundigen. Für die Aussagen über Gott sub ratione deitatis ist er jedoch allein zuständig. Der Angriff, den der Averroismus im Namen der Wissenschaftlichkeit gegen den Glauben vortrug, wird somit von Ockham in doppelter Weise abgewehrt. Erstens erfährt der Mensch allein durch den Glauben, was vom Wesen Gottes erkennbar ist. Keine natürliche Wissenschaft und keine Philosophie ist dafür zuständig. Zweitens verfährt auch der vom Glauben ausgehende und von ihm geleitete Theologe nach den allgemeinen wissenschaftlichen Grundsätzen, wenn er theologische Einsichten gewinnt und theologische Schlußfolgerungen zieht. Dabei kann er sich auch auf Gebieten des natürlichen Wissens bewegen, insofern alles seiner Aufgabe dient, den Glauben zu verkündigen, zu verteidigen, zu erklären und zu stärken. Einen eigenen Habitus des theologischen Wissens im Sinne des Aureoli oder gar eine Art höherer Erleuchtung, die den Theologiegelehrten gleichsam auf eine Zwischenstufe zwischen den schlichten Gläubigen und den im Schauen Seligen stellt, wie Heinrich von Gent lehrte, gibt es nicht. Ockham denkt hier nüchterner, mehr pragmatisch. Allerdings leistet die Theologie auch dem gläubigen Theologen selbst einen Dienst, da sie seinen erworbenen Glaubenshabitus vermehrt. Der Grundsatz des Scotus, daß eigentlich der Theologe und nicht der Philosoph für die Aussagen über Gott zuständig ist, hat sich bei Ockham durchgesetzt. Dies wird auch bei Holcot so bleiben. Um so dringlicher erhebt sich nun die Forderung zu untersuchen, worin die Aufgaben theologischer Methodik bestehen und wie sich theologische Methode von derjenigen des natürlichen Wissens unterscheidet. Daraus erklärt sich das wachsende Interesse der Theologen im 14. Jahrhundert an den Fragen theologischer Erkenntnis, die in den immer ausgedehnteren Prologen oder im ersten Buch der Sentenzenkommentare oder in eigenen (quodlibetalen) Quästionen behandelt werden. Mit Absicht wird gesagt: das wachsende Interesse; denn schon beim hl. Thomas fanden wir gerade in den Einleitungsquästionen zum Sentenzenkommentar eingehende Erörterungen der theologischen Erkenntnismethodik[70]. Im 14. Jahrhundert werden diese Untersuchungen jedoch um ein vielfaches umfangreicher und subtiler.

2. Theologische Methodik nach der Quaestio quodlibetalis ,Utrum theologia'

a) Die Zuständigkeit des Theologen für die Gottesaussagen

Schon der erhebliche Umfang der quodlibetalen Quaestio Holcots, „Ob die Theologie eine Wissenschaft sei"[71], läßt uns eine vielseitige Erörterung erwarten. Um eine wiederholende Umschreibung des bereits edierten Textes zu vermeiden, wollen wir den komplizierten Weg der Beweise unter zwei Prinzipien stellen, ein sachliches und ein methodisches. Das sachliche Prinzip zielt auf den Inhalt der theologischen Aussage. Holcot stellt die Frage nach dem Wissenschaftscharakter der Theologie mitten hinein in die vom Averroismus aufgeworfene Problematik um das Verhältnis von Theologie und Philosophie, besser von Theologen und Philosophen. Mit dem methodischen Prinzip meinen wir die bis ins einzelne gehende Untersuchung und Differenzierung der theologischen Aussagearten sowie des Wissenschaftsbegriffes an sich. Wir werden sehen, wie dabei die unbekümmerte Anwendung des Begriffes „scientia" auf das absolute göttliche Wissen selbst, die wir bei den scholastischen Theologen bis Duns Scotus[72] einschließlich finden, aus rein wissen-

---

[70] Vgl. S. 87f.

[71] Vgl. Utrum Theologia sit scientia. A Quodlibet Question of Robert Holcot O.P. edited by J. T. Muckle C.S.B. In: MS XX, (1958) [127]—[153] (im folgenden abgekürzt: Quodl. Theologia).

[72] Vgl. Gilson, a.a.O. 51. Op. Ox., Prol. q.3 a.3 n.7; I, 51. Scotus prägt zwar in diesem Zusammenhang den Begriff der Theologia divina, jedoch geht aus dem Zusammenhang klar hervor, daß damit ein Wissen gemeint ist.

schaftstheoretischen, also methodologischen Gründen hinfällig wird.
Doch wenden wir uns zuerst dem sachlichen Prinzip zu.

Holcot weist in der Antwort zum 5. Dubium die Aussage über
Gott grundsätzlich der Zuständigkeit der Theologen zu. Was die
Philosophen an richtigen Einsichten besaßen, das empfingen sie
von den „Gesetzgebern" oder von anderen, die vor ihnen lebten
und von den Stammeltern ein Wissen von Gott übernommen hatten,
das sich wie eine schattenhafte Spur durch die Generationen fort-
setzte und dessen sich die Späteren oft nicht mehr bewußt waren[73].
Schon in diesen ersten Sätzen erkennt man die gegen Averroes
gerichtete Polemik, die am Ende dieser Responsio heftig zum Aus-
bruch kommt. Averroes spreche verächtlich von den „Legislatores",
welche ihre Gesetze gegen die Vernunftgründe der Philosophen
stellen. Unter den „leges" sind die Gesetze des mohammedanischen
Glaubens zu verstehen, gegen dessen Theologen Averroes seine
philosophische Kritik richtete[74]. Holcot stellt die Legislatores bewußt
über die Philosophen. Er gibt diesem Begriff einen hohen Klang,
indem er Lykurg, Sokrates und Cicero zu ihnen zählt. Aber auch die
Urheber der „Sekten" wie die der Sarazenen gehören dazu. Sie
wußten über Gott und seine Eigenschaften mehr zu sagen als die
Philosophen. Das gleiche gilt von Abraham und den anderen Patriarchen. Ihnen verdanken die ältesten Philosophen in Chaldaea und
Ägypten ihre Weisheit über Gott; denn von diesen Ländern ist die
Philosophie zu den Griechen gekommen. Das schon bei den Vätern
gebräuchliche Motiv vom „Diebstahl der Hellenen" (Clemens Alexandrinus, Strom. I 107,6) finden wir hier wieder. Die Philosophen
aber haben ihre Lehre mit den Aussprüchen der Gesetzgeber und
mit der von den Vätern gehüteten göttlichen Prophetie vermischt,
indem sie zu diesen Lehren und zum Volksglauben ihrerseits manche
Begründungen hinzufügten, viele falsche, wenige wahre[75]. So hat
Aristoteles geglaubt oder gemeint, daß es Engel gäbe; ob er nun
durch die Philosophie oder durch eine Eingebung dazu gekommen
sei, läßt Holcot dahingestellt. Doch wußte der Philosoph den Engeln
keinen anderen Dienst zuzuschreiben, als daß sie die Himmelskörper
bewegen. Darauf folgt die heftige Anklage gegen Averroes, den

---

[73] Vgl. den Text in Quodl. Theologia, S. [144]—[146]. Vgl. „Futura contingentia"
Anm. 224. Parallelen im Sentenzenkommentar: I Sent. q.4 (fol. d VI vb 7—13,
27—30; fol. d VII ra 32—48).

[74] Vgl. Errores Philosophorum (ed. Koch-Riedl 16,5—17 und 18,10—20,2) S. o.
Anm. 34. Zu „legislatores" vgl. auch Clemens Alexandr., Strom. I 107,5.

[75] So schon bei Augustinus, De civ. Dei XVIII c.41 n.2 (PL 41, 601; CSEL XL
pars II 334,1—2); vgl. Heinrich von Gent, Summa a.7 q.6 (1f 55,0); Duns
Scotus, Prol. pars 1 q.1, III (ed. Vat. I, 41 n.67).

Verächter aller Gesetze, der Christen, der Juden und der Sarazenen[76]. Er leugne die Weltschöpfung, richte seinen Spott gegen den christlichen Glauben an die Trinität und gäbe schließlich den Glauben selbst der Verachtung preis mit der Behauptung, daß man wohl vom Glauben zur Philosophie wechseln könne; wer jedoch einmal zur Philosophie gelangt sei, dem sei es unmöglich, zum Glauben zurückzukehren[77].

In den folgenden Zeilen wendet Holcot die spöttische Kritik des Averroes an den Theologen auf diesen selbst zurück. Aus der Bewegung, so sagt Holcot, könne der Kommentator niemals die Existenz der Engel beweisen. Vielmehr erstrecken sich seine Beweise lediglich auf die Kreisbewegung der Himmelskörper, die ihnen natürlicherweise zueigen sei im Unterschied zu den gradlinigen Bewegungen der schweren und leichten Körper. Volksglaube sei es jedoch zu meinen, daß die Engel die Himmelskörper bewegen wie ein Wagenlenker seinen Wagen, damit Gott in seiner Familie keine Müßiggänger habe. Jedoch für den Katholiken gibt es keine Notwendigkeit, die ihn zur Zustimmung zu einem solchen Glauben zwänge[78]. Mit dem letzten Vorwurf trifft Holcot genau den Spott des Averroes gegen die Mutakallimun, sie machten die Gesetze und den Glauben zum Ausgangspunkt und zur Grundlage ihrer Disputationen und Spekulationen[79]. Nun heißt es umgekehrt: Averroes mache den „Volksglauben" zum Ausgangspunkt seiner Philosophie. Kein Katholik werde gezwungen, eine Volksmeinung zu glauben. Der Angriff auf den Kommentator ist natürlich auch auf die Philosophen im allgemeinen gezielt und soll sie mahnen, in dem Bereich

---

[76] Vgl. dazu die Anmerkung 48 in Errores Philosophorum zum Text (ed. Koch-Riedl 18,10—20,2; o. Anm. 34): vituperat loquente in tribus legibus, videlicet in lege Christianorum, Sarracenorum et Maurorum. In der Anmerkung wird der Leser auf die bei Thomas gebräuchliche Unterscheidung von lex Sarracenorum: Contra Gent. III c.97 und lex Maurorum: ebd. III c.65 und 69 hingewiesen. Die Lesart Maurorum wird Judaeorum (bzw. Hebraeorum) aus inhaltlichen Gründen vorgezogen.

[77] Zur Kritik des Scotus vgl. o. S. 93—96.

[78] (Muckle stützt sich vor allem auf P. Wir möchten nach Kenntnis und Vergleich der Lehre Holcots in seinem gesamten Werk einige Korrekturen vorschlagen, in denen wir die Lesart von RBM und B vorziehen.)
Vgl. Holcot, Quodl. Theologia, S. [146]: Unde ad primum argumentum de dicto commentatoris dico quod ipse per motum nunquam probare potuit angelos esse. Posset enim dici quod motus circularis est corporibus caelestibus naturalis sicut motus rectus gravibus et levibus, nec potest demonstrari oppositum. Opinabile tamen est vulgo quod angeli illa corpora movent sicut auriga currum, ne deus in familia sua teneat otiosos; sed nulla necessitas cogit catholicum hoc sentire.

[79] Vgl. o. Anm. 34.

der natürlichen Erkenntnis zu bleiben, der für Holcot bereits unter
die exakt wissenschaftliche Methodik fällt. Sodann ist die Stelle ein
indirektes Zeugnis für Holcots Überzeugung vom Wissenschaftscharakter der Theologie. Wir werden nämlich darüber belehrt, zu
welchen Ungereimtheiten der Philosoph gelangt, wenn seine Aussagen die Theologie betreffen, von der er im Grunde nichts versteht. Der Tadel des Averroes gegen die Theologen als „loquentes"
und „garrulantes" richtet sich nun gegen ihn selbst und gegen die
Philosophen, die sich mit unzureichenden Mitteln, nämlich mit denen
der natürlichen Erkenntnis, an theologische Aussagen heranwagen.
Diese von Scotus angeregte Methode, den „Averroismus" schon an
den Grenzen der Theologie abzuweisen, ist damit tatsächlich wissenschaftlich, weil methodisch begründet, und darf somit nicht als
„Fideismus" abgewertet werden. Schon in den nächsten Zeilen zieht
Holcot auch Aristoteles in seine Kritik hinein. Sie richtet sich zuerst
gegen seine Lehre von der Ewigkeit der Bewegung[80]. Seine Behauptungen sind keine Beweise, weil sie von kontingenten Sätzen ausgehen oder sich auf solche stützen. Für Holcot ist der Satz: ‚Gott ist
die erste Ursache', ebenso kontingent wie der Satz: ‚Gott bewegt
durch eine unendliche Zeit'[81]. Notwendig ist ja nur das Wesen Gottes selbst. Alles Wirken der göttlichen Ursache außerhalb ihres
Wesens ist kontingent. So läßt sich gerade das, was Aristoteles
bewiesen zu haben glaubte: die Notwendigkeit einer ewigen Bewegung, nicht beweisen; denn selbst zugegeben, Gott bewege die
Welt in einer unendlichen Bewegung, so bliebe doch dieser Satz ein
kontingenter Satz und hebt damit die Notwendigkeit der unendlichen Fortdauer der Bewegung auf. Die Sätze des Aristoteles über
die Ewigkeit der Bewegung beweisen also nichts. Um das Gewicht
dieses Gegenargumentes zu verstehen, muß man sich an die Kontingenzlehre des Scotus erinnern, für den die Tatsache der Kontin-

[80] Vgl. Aristoteles, Physica VIII, 1 (Θ c.1 250 b 15—18); 5 (c.5 256 b 12—13); 9
(c. 9 266a 6—9).
[81] Vgl. Holcot, Quodl. Theologia, S. [146]: Ad secundum concedendum est quod
omnes propositiones, quas Aristoteles ponit 8. Physicorum, vel sunt contingentes vel probantur per contingentes, et per consequens non demonstrant. Haec
est enim contingens: deus est prima causa; deus movit per tempus infinitum.
Immo haec est falsa similiter: omnis motus potest reduci in corpus et omnis
causalitas hic reperta ab eis, licet non ita sit in rei veritate. Sunt enim effectus
multi, sicut fide tenemus, quos solum deus potest causare, sed constat quod
ibi non est motus. Unde cum super aeternitate motus et mundi fundetur sua
persuasio 8. Physicorum, planum est quod fundatur super falso et per consequens non est demonstratio. Et per hoc patet responsio ad Platonem,
Trismegistum, Apuleium, Avicennam et Ovidium et omnes alios. Plura alia
de blasphemiis commentatoris in leges quaere 2⁰ Metaphisicae, commentis 14
et 15.

genz aus der Erfahrung feststeht[82]. Scotus meint jedoch die persönliche Erfahrung des einzelnen, nicht das Zeugnis der Natur, die
nicht zu zeigen vermag, was Kontingenz ist. Darum haben auch die
Philosophen, die von dem natürlichen Geschehen ausgingen, nichts
von der Freiheit Gottes in seinem Wirken nach außen zu sagen vermocht[83]. Auf diesem geistigen Boden steht Holcot. In einer ganz
eigenen Weise ergänzen sich dabei natürliche Erfahrung und Theologie und grenzen sich ebenso gegeneinander ab. Auch die Behauptung, alle Bewegung sei auf Körper zurückzuführen und ebenso
jede damit zusammenhängende Kausalität[84], wird von Holcot zu-
rückgewiesen. Wiederum überkreuzen sich theologisches und philosophisches Argument. Es gibt viele Wirkungen, deren Urheber Gott
allein ist, wie wir im Glauben wissen, von denen aber feststeht, daß
in ihnen keine Bewegung ist. Da aber die ganze Überredungskunst,
die Aristoteles im 8. Buch der Physik aufwendet, auf der (unbewiesenen) Lehre von der Ewigkeit der Bewegung und der Ewigkeit der
Welt aufbaut, geht sie von einer falschen Voraussetzung aus und ist
somit kein Beweis. Holcot schließt diesen Angriff auf die Kritik der
Philosophen mit einer Namensliste, auf der wir u. a. auch Plato und
Avicenna finden. Um dies zu verstehen, muß man sich das erste Ziel
seiner Gegenargumente vergegenwärtigen: Es geht nicht nur um die
Zurückweisung einzelner Lehren, die dem Glauben widersprechen.
Es geht zuerst darum zu zeigen, daß der Philosoph für die Gottes-
lehre nicht zuständig ist. Dann fällt noch einmal ein hartes Wort
gegen Averroes. Seine Lehren werden als Blasphemien bezeichnet.
Der Leser könne sie im Kommentar zum zweiten Buch der Metaphysik selbst finden.

b) Der Gegenstand der Theologie: Gott als primum credibile

Ohne weitere Überleitung schließt sich an diese Kritik, die Holcot
an den Aussagen der Philosophen übt, die Aussage über den Gegenstand der Theologie an. Es ist Gott in seiner ewigen Wesenheit und
in dem Walten seiner Vorsehung. Im göttlichen Sein ist alles enthalten, von dem wir glauben, daß es ewig in Gott existiert. Im
Glauben an Gottes Vorsehung ist alles eingeschlossen, was Gott in
der Zeit zum Heile der Menschen anordnet. In diesen ersten Glaubensprinzipien besitzen wir bereits alles, was wir glauben, wie alle
Erkenntnis aus den ersten Erkenntnisprinzipien entfaltet wird. Mit
diesem Vergleich knüpft Holcot an die Lehre des hl. Thomas an.
Die Stelle wird in den Handschriften (außer in P) genau angege-

---

[82] Vgl. „Futura contingentia" S. 301f.
[83] Vgl. o. Anm. 44.
[84] Vgl. Aristoteles, De coelo III, 1 u. 2 (Γ c.1 298a 27 — b 5; c.2 300 a 20—21).

ben[85], das Zitat ist fast wörtlich. Bei Thomas stehen diese Aussagen allerdings im Zusammenhang mit der Frage nach dem möglichen Wachsen der Glaubenserkenntnis. Thomas unterscheidet dabei zwischen der unveränderlichen Substanz des Glaubens und seiner Entfaltung im Laufe der Zeit, die eine Zunahme der einzelnen Glaubensartikel mit sich bringt, während die Substanz des Glaubens unverändert bleibt. Diese ist für Holcot der eigentliche Gegenstand der Theologie und jeglicher Aussage über Gott. Mit Berufung auf Thomas kann nun Holcot sagen, daß dieser höchste Gegenstand der Theologie nicht beweisbar ist; Thomas nennt ihn ja das primum credibile. Nun lehre Thomas aber das Gegenteil[86], nämlich die natürliche Demonstrierbarkeit Gottes. Dieser Widerspruch existiert im Lehrgebäude des Thomas tatsächlich nicht, weil Thomas sehr wohl zwischen theologischer und philosophischer Gotteserkenntnis unterscheidet. Da es jedoch für Holcot nur eine wahre Gotteserkenntnis gibt, nämlich die des Glaubens und des gläubigen Theologen, muß er eine andere Lösung suchen. Er unterscheidet darum zwischen Demonstrierbarkeit an sich und Demonstrierbarkeit für unser menschliches Erkennen und argumentiert nun: Daß Gott existiere, ist ein notwendiger Satz und darum an und für sich beweisbar. Als notwendiger Satz ist er auch als solcher syllogistisch demonstrierbar. Dennoch kann er von uns Menschen im Pilgerstand nicht bewiesen werden. Und wenn Thomas die Theologie als Wissenschaft bezeichne[87], so könne er damit nur beabsichtigen zu sagen, daß ihre Aussagen in sich wißbar, d. h. in dem Sinne wahr sind, daß es eine Wissenschaft von ihnen geben kann; wir aber können es nur im Glauben erfahren, daß sie wahr sind[88].

---

[85] Vgl. Thomas Aq., S.th. II II q.1 a.7: Utrum articuli fidei secundum successionem temporum creverint.

[86] Vgl. ders. S.th. I q.2 a.2.   [87] Vgl. ebd. q.1 a.2.

[88] Vgl. Holcot, Quodl. Theologia, S. [146]—[147]: Modo dicit S. Thomas secunda secundae q.1 articulo 7. quod, sicut omnia principia continentur in primo principio, ita omnes articuli implicite continentur in aliquibus primis credibilibus, scilicet ut credatur deum esse et providentiam habere circa hominem, secundum illud Hebr. XI, 6: Accedentem ad deum oportet credere quia est et quia inquirentibus se remunerator sit. Sic in esse divino includentur omnia, quae credimus in deo aeternaliter existere. In fide autem providentiae includuntur omnia, quae temporaliter a deo ad salutem hominum dispensantur. Ex his patet quod unum de primis credibilibus secundum eum est deum esse, et omnes propositiones quas credimus de deo, quae sunt de praedicatis absolutis et aeternaliter deo convenientibus, includuntur in isto, et per consequens non est demonstrabile a nobis. Quod autem dicit quod deum esse est demonstrabile, verum est in se, quia est propositio necessaria, et taliter demonstrabilis et nata fieri evidens per discursum sillogisticum, tamen a nobis viatoribus demonstrari non potest. Quando autem dicit quod Theologia est

Diese Stelle darf als das Herzstück der Quaestio angesehen werden. Wir fassen ihre Aussage kurz zusammen. Was Gott ist, kann nicht der Philosoph sagen. Im Pilgerstand gibt es nur einen Weg der Gotteserkenntnis: den Glauben. Sieht man die Glaubenssätze in ihrem An-sich-sein, dann können sie auch als Gegenstand des Wissens bezeichnet werden. Die Seligen besitzen ein solches Wissen, wie Holcot am Anfang der Quaestio sagt. Dennoch kann dieses Wissen nicht als Wissenschaft im aristotelischen Sinne bezeichnet werden, wie wir bald sehen werden. Holcot sagt von diesem Wissen an sich, daß es syllogistisch einsichtig gemacht werden kann. Es muß also nicht intuitiv sein. Diese Meinung entspricht Holcots Lehre, daß im Stande der Vollendung jede Art des Wissens zugänglich ist. Daher sagt er im Unterschied zur Lehre des hl. Thomas[89], daß die Engel auch ein diskursives Erkennen besitzen. Wie sollten ihnen sonst die geheimen Gedanken der Menschen offenbar sein[90]?

c) Ablehnung einer unmittelbar evidenten Gotteserkenntnis

Nachdem Holcot so die alleinige Zuständigkeit des Theologen für die Gotteserkenntnis festgelegt hatte, bleiben ihm für die These einer „natürlichen" Gotteserkenntnis nur zwei Autoritäten, die er für wichtig genug hält, sich mit ihnen auseinanderzusetzen. Die erste ist Johannes Damaszenus[91] mit seinem in der Scholastik viel diskutierten Satz, allen sei die Erkenntnis, daß Gott existiere, von Natur aus eingegeben. Thomas knüpft in der Quaestio über die Gotteserkenntnis sofort im ersten Artikel an diesen Satz an und gibt der ontologischen Formel des Damasceners eine aussagenlogische Formulierung: Ist der Satz: Gott existiert, eine durch sich bekannte Aussage? Die Lösung des Thomas hilft uns, Holcot zu verstehen. Der Satz: Gott existiert, ist in sich (an und für sich genommen) eine durch sich bekannte Aussage. Subjekt und Prädikat sind identisch; denn Gott ist sein Sein. Wie wir bald sehen werden, setzt Holcot schon an dieser Stelle seine Kritik an, in der die im Grunde metaphysischen Argumente des hl. Thomas mit Hilfe der Aussagenlogik bekämpft werden.

scientia, vult dicere quod veritates theologicae sunt in se scibiles, hoc est, ita verae quod de eis potest esse scientia, et tamen quod istae sint verae nos credimus tantum.

[89] Vgl. Thomas Aq., S.th. I q.58 a.3 und 4.

[90] Vgl. Holcot, II Sent. q.4 (fol. i VII va 23—28): De septimo an angelus componat vel dividat vel discurrat. Tenet Thomas quod non. Et hoc est mirabile, cum tamen dicat quod angeli occultas cogitationes hominum sciant tantum per signa quod non est nisi arguitive et discursive. Et ideo probabile videtur quod componunt et dividunt et discurrunt.

[91] Vgl. De fide orthod. I,3 (PG 94,793 C).

Erst recht würde Holcot die weiteren Ausführungen ablehnen: Da der Satz: „Gott ist" für uns nicht unmittelbar erkennbar ist, muß er durch das bewiesen werden, was mehr bekannt ist in Beziehung auf unsere Erkenntnis und zugleich weniger bekannt ist in Beziehung auf seine Natur: nämlich durch die Wirkungen Gottes[92]. Für Holcot gibt es keinen Gottesbeweis, der von den Wirkungen Gottes ausgeht, besonders nicht von jenen, die der Mensch mit seiner sinnenhaften Erfahrung wahrnimmt[93]. Doch bleiben wir zunächst bei seiner Kritik an der Propositio per se nota: Deus est. Wie wir sahen, lehnt sie Thomas als Weg der Gotteserkenntnis ab. Jedoch spricht er dem Satz in seinem An-sich-sein Wahrheit zu. Holcot richtet auch gegen diese Möglichkeit seine Kritik. Freilich muß man sagen, daß er an den Stellen, wo er über die Methodik der natürlichen und der theologischen Gottesaussagen spricht, auf die eigentliche Problematik der Propositio per se nota nicht eingegangen ist[94], obwohl dieser Satz eines der Hauptthemen scholastischer Methodik war, wie Schmücker gezeigt hat[95]. In der vorliegenden Quaestio quodlibetalis weist Holcot das thomasische Argument der Identität von Subjekt und Prädikat mit sprachlogischen Gründen ab. Das formale Innesein des Prädikates im Subjekt beweise nicht die Wahrheit des Satzes. Darauf beruht ja bei Thomas, wie wir sahen, die Wahrheit des Satzes: Deus est. Allerdings setzt Thomas Subjekt und Prädikat dieses Satzes auf der metaphysischen Ebene gleich. Holcot zieht den Vergleich auf die Erkenntnisebene. Das rein formale Innesein von esse in Deus besagt nichts über die Wahrheit des Satzes: ‚Deus est'

[92] Vgl. Thomas Aq., S.th. I q.2 a.1: Dico ergo quod haec propositio Deus est, quantum in se est, per se nota est, quia praedicatum est idem cum subiecto; Deus enim est suum esse, ut infra patebit. Sed quia nos non scimus de Deo quid est, non est nobis per se nota, sed indiget demonstrari per ea, quae sunt magis nota quoad nos et minus nota quoad naturam, scilicet per effectus.

[93] Vgl. das Kpitel über die „Gotteserkenntnis", bes. S. 262f.

[94] Im Quintum dubium unserer Quaestio Quodl. Theologia, S. [139] werden beide Argumente zitiert, zuerst die Propositio per se nota, danach sehr ausführlich das anselmische Argument. Quintum dubium est de septima conclusione, quae dicit quod nulla propositio affirmativa est evidens, cuius subiectum est deus. Contra: ergo deum esse non est per se notum. Item nec deum esse videtur esse demonstrabile. Utrumque istorum est falsum. Ergo. Primum arguitur multipliciter, quia Damascenus dicit quod cognitio existendi deum omnibus hominibus est naturaliter inserta. Item quia praedicatum est de intellectu subiecti. Tertio quia veritatem esse est per se notum; sed deus est veritas. Ergo ipsum esse est per se notum... Quarto quia secundum Anselmum, Proslogion 2° et 3°, deus non potest cogitari non esse. Nachdem Holcot ausführlicher als auf Johannes Damascenus auf Anselmus eingegangen ist, bringt er eine ganze Liste von Philosophen und deren Argumente für die Gottesbeweise.

[95] Vgl. R. Schmücker, Propositio per se nota..., passim, bes. S. 100ff, 139ff.

im Sinne des scholastischen Verständnisses. Ein Beispiel macht dieses formal-logische Argument klar und zugleich unwiderleglich. In dem Satz: ‚Der vernunftlose Mensch ist ein Mensch‘, ist das Prädikat ‚Mensch-sein‘ im Subjekt ‚Der vernunftlose Mensch‘ enthalten; das Prädikat ist Teil des Subjektes. Im Subjekts- wie im Prädikatsbegriff ist der Begriff „Mensch" enthalten. Dennoch ist der Satz nicht nur keine Propositio per se nota, sondern unmöglich[96]. Formallogisch ist dieses Gegenargument absolut stichhaltig. Man kann auch nicht einwenden, der Begriff „vernunftloser Mensch" habe nichts mehr von der Bedeutung des Begriffes „Mensch"; denn er besagt weder eine reine Kontradiktion des Begriffes Mensch noch gar eine Chimäre. Dennoch geht das Argument an Thomas und an dem Problem der Propositio per se nota vorbei. Was von Johannes Damascenus bei Holcot übrig bleibt, ist eine Umdeutung der angeborenen Gotteserkenntnis in eine allen Menschen angeborene Anlage zur Gotteserkenntnis[97]. Mit dieser Deutung steht er allerdings wieder ganz auf dem Boden des thomasischen Denkens, wie aus der Responsio des Thomas zu dem Satz des Damasceners hervorgeht. Thomas deutet das natürliche Angeboren-sein der Gotteserkenntnis als ein allen Menschen gemeinsames Verlangen nach der Seligkeit. Nur über dieses Verlangen nach dem Heil geht die Erkenntnis Gottes, indem er als das absolute Heil gefunden wird[98]. Ausführlich stellt Thomas in seinem Kommentar zu De divinis Nominibus die natürlichen Vorbedingungen der Gotteserkenntnis im Glauben dar. Nirgends ist dabei die Rede von angeborenen Erkenntnissen, an die der offenbarende Gott anknüpft, sondern stets nur von den Anlagen

---

[96] Vgl. Holcot, Quodl. Theologia, S. [147]f: Ad responsionem, quando dicitur quod praedicatum est in intellectu subiecti et similiter quod idem praedicatur de se, ergo propositio est vera, nego utramque consequentiam. Cum enim dico: homo irrationalis est homo, certum est quod conceptus, qui est praedicatum, est pars subiecti, id est aequivalenter et per consequens de intellectu subiecti, hoc est: hoc subiectum non concipitur sine eo, et tamen propositio est impossibilis.

[97] Vgl. Holcot ebd.: Ad Damascenum patet, quia nulla cognitio est homini naturaliter inserta neque dei neque principii neque conclusionum. Sed potest utcumque glossari: cognitio dei est omnibus hominibus naturaliter inserta, hoc est: in omni homine est anima capax dei et cognitionis eius. Ad responsionem, quando... (Fortsetzung vgl. Anm. 96).

[98] Vgl. Thomas Aq., S.th. I q.2 a.1 ad 1.: Ad primum ergo dicendum quod cognoscere deum esse in aliquo communi, sub quadam confusione, est nobis naturaliter insertum, inquantum scilicet deus est hominis beatitudo. Homo enim naturaliter desiderat beatitudinem, et quod naturaliter desideratur ab homine, naturaliter cognoscitur ab eodem. Sed hoc non est simpliciter cognoscere deum esse.

und Potenzen des menschlichen Geistes und den ihm natürlicher
Weise zugänglichen Erkenntnisprinzipien[99].

Noch spärlicher sind die Aussagen Holcots im Sentenzenkommentar. Hier wird die Propositio per se nota sofort auf einen Satz angewandt, der eigentlich das Ergebnis eines unter aristotelischem
Einfluß geformten Gottesbeweises ist. Die Frage lautet nun, ob
durch sich erkannt sei, daß das erste bewegende Prinzip notwendigerweise wirkend tätig sei. Holcot verneint. Kein Satz sei durch sich
wahr, in dem ein zusammengesetzter Terminus zugrunde liegt,
wenn nicht zugleich in sich wahr ist, daß die einzelnen Teile des
zusammengesetzten Terminus voneinander ausgesagt werden können. Unter einem zusammengesetzten Terminus verstanden die
scholastischen Logiker sowohl einen mit einem Attribut oder Adjektiv versehenen Begriff wie: „weißer Mensch", als auch einen einfachen Satz wie: „Ein Mensch läuft". Ohne Zusammensetzung werden Begriffe gebraucht wie „Mensch" allein. An diese allgemein
angenommene Lehre knüpft Holcot an[100].

Sie wird von ihm durchaus formal richtig auf die Propositio per
se nota angewandt. Die Teile der kritisierten Propositio per se nota
können nicht als etwas durch sich Evidentes voneinander ausgesagt
werden. Es ist nämlich weder durch sich evident, daß es ein notwendiges Sein gibt, noch daß ein Bewegendes Prinzip der Bewegung
(Holcot sagt: das erste Bewegende) sei[101]. Natürlich soll mit diesem
Argument auch der auf Aristoteles aufbauende Gottesbeweis aus
der Bewegung getroffen werden. Jedoch begründet Aristoteles das
Primum movens mit der Unmöglichkeit eines regressus in infinitum.
Da es nämlich Bewegung immer gibt[102], die einzelnen Bewegungen
aber nicht notwendig sind, muß es ein erstes Bewegendes geben, das
notwendig bewegt, aber selbst nicht bewegt wird; denn jede einzelne
empfangene Bewegung ist nicht notwendig. Um dieses erste, selbst
unbewegte Prinzip aller Bewegung aus der gesamten Reihe der
Bewegenden und Bewegten herauszunehmen, unterscheidet Aristo-

---

[99] Vgl. Thomas Aq., In librum b. Dionysii De divin. nom. Expositio. C.1, l.1
(Marietti 1950,6ff).

[100] Vgl. Bocheński, Logik, 176 (n.26. 02).

[101] Vgl. Holcot, II Sent. q.2 (fol. d VII va 4—12): Ad tertium quando dicitur:
Haec est per se nota: Necesse est principium movens esse actu operans,
dicendum quod non. Quia nunquam propositio est per se nota, in qua
subicitur terminus complexus ex partibus, nisi sit per se notum quod illae
partes de seinvicem praedicantur. Et ideo non potest per se esse notum, nisi
sit per se notum: Aliquod ens est quod est necesse esse. Nec ista: Primum
movens est, nisi ista sit nota: Aliquid movens est movens primum.

[102] Vgl. Aristoteles, Physica 8,9 (Θ c.9 266a 6—9) u. passim; ferner 8,5 (Θ c.5
256b 4—24).

teles im Phänomen der Bewegung zwischen dem Bewegenden, dem Bewegten und einem Dritten, nämlich dem, in dem bewegt wird. Dies muß den beiden ersten gemeinsam sein; denn nur so kann die Bewegung vom Bewegenden zum Bewegten übergehen. Zugleich wird damit einsichtig, daß jenes, von dem alle Bewegung notwendig ihren Anfang nimmt, unbewegt sein muß. Denn diese drei, Bewegendes, Bewegtes und das, in dem beide bewegen bzw. bewegt werden, gehören zwar in die Reihe der notwendigen Bewegung, sind jedoch als Einzelbewegungen zufällig. Nicht so darf es beim Prinzip der Bewegung sein, das darum selbst keiner Einzelbewegung unterliegen kann. Da andererseits Bewegung nur in einer Bewegung mitgeteilt werden kann, muß das Prinzip der Bewegung, von dem alle Bewegung notwendig ausgeht, zugleich in Ruhe und in Bewegung sein. Diese Bedingung sieht Aristoteles in der Kreisbewegung erfüllt, die wir bei den Himmelskörpern finden. In der ersten Bewegung finden wir „Ruhe" oder „Kreisbewegung" oder beides zusammen[103]. Von diesen Voraussetzungen aus kann Aristoteles schließlich sagen, daß es nur ein Prinzip der Bewegung geben kann, die erste Bewegung, ewig (= continuus) und selbst unbewegt[104]. Wie aus all dem zu ersehen ist, bleibt die ganze Beweisführung um das Primum movens auf dem Boden der Physik. Die Propositio per se nota: „Deus est", kommt jedoch aus einer ganz anderen Denkrichtung. Für Aureoli ist sie, wie Schmücker gezeigt hat, „ein Satz, der leicht und schnell zu erkennen ist, und so ist auch die Existenz Gottes eine Tatsache, die leicht und einfach erfaßt werden kann. Diese Leichtigkeit jedoch ist ohne Zweifel eine Eigentümlichkeit der meisten Beweise aus der inneren Erfahrung"[105]. Augustin und Bonaventura bauen nun ihre Gottesbeweise auf einer solchen „vorrationalen, aber durchaus nicht irrationalen Überzeugung" auf, „daß Gott uns trotz seines unendlichen Abstandes im Sein doch im Erkennen und Lieben unmittelbar nahe ist"[106]. Obwohl also Aureoli so

---

[103] Vgl. De caelo 1,2 (A c.2 268b 17—20); zu dem Begriff φορά als Prinzip aller Bewegung vgl. Physica 7,2 (H c.2 243a 39—40): Πρῶτον οὖν εἴπωμεν περὶ τῆς φορᾶς· πρώτη γὰρ αὕτη τῶν κινήσεων.

[104] Vgl. Physica 8,7 (Θ c.7 260a 23—26): Δῆλον γὰρ ὡς εἴπερ ἀναγκαῖον μὲν ἀεὶ κίνησιν εἶναι, πρώτη δὲ ἥδε καὶ συνεχής, ὅτι τὸ πρῶτον κινοῦν κινεῖ ταύτην τὴν κίνησιν, ἣν ἀναγκαῖον μίαν καὶ τὴν αὐτὴν εἶναι καὶ συνεχῆ καὶ πρώτην; vgl. dazu ebd. 6,9 (Z 240a 29—31).

[105] Vgl. Schmücker, a.a.O. 245, 256, 263.

[106] Schmücker (a.a.O. S. 199—201) zitiert aus Petrus Aureoli I. Sent. d.2 q.2: Praeterea duarum propositionum, quarum una includit alteram et supponit, si supponens et includens est per se nota et communis animi conceptio, multo fortius hoc erit supposita et inclusa. Sed haec propositio: Deus est venerandus,

lebendig in der augustinischen Tradition steht, zögert er nicht, sich
auf den Kommentator zu berufen, um die unmittelbare Evidenz des
Satzes: „Gott existiert" zu beweisen. Es gelingt ihm auf dem Umweg
über die Behauptung des Averroes, allen Menschen sei von ihrer
Natur ins Herz gegeben, Gott zu verehren. Dies schließe jedoch, so
folgert nun Aureoli, die unmittelbare Evidenz des anderen Satzes
ein und setze sie voraus, nämlich, daß Gott existiere. Dasselbe deute
an dieser Stelle auch schon Aristoteles an. Dies ist nicht der einzige
aristotelische Text, auf den sich Aureoli für die Propositio per se
nota beruft. Schmücker hat die Textstelle in ihrem vollen Umfang
zitiert, von der wir hier nur einen Teil wiedergeben. Jedenfalls läßt
sich verstehen, daß Holcot gegen Aristoteles die Propositio per se
nota: „Gott existiert", ablehnt, wenn auch die Lehre des Aristoteles,
auf die er sich dabei beruft, in keinem Zusammenhang mit einer
durch sich selbst evidenten Gotteserkenntnis steht. Bei den von
Aureoli herangezogenen Stellen kann man dies schon mit mehr
Recht sagen, wobei der grundsätzliche Einwand bestehen bleibt, daß
die in sich evidente Erkenntnis der Existenz Gottes augustinisches
Gedankengut ist, das in diesem Punkt dem Aristotelismus geradezu
entgegengesetzt ist. Daß Aureoli sich dennoch auf Aristoteles und
den Kommentator beruft, beweist die hohe Autorität der Philosophen. Daß Holcot ihnen gleichsam ins Angesicht widerspricht,
zeigt seine grundsätzliche Ablehnung der philosophischen Autoritäten in denjenigen Fragen, die göttliche Dinge und deren Erkenntnis betreffen. Doch zurück zur Quaestio quodlibetalis!

Diese Ablehnung, das sei hier wiederum betont, kommt nicht aus
einem gefühlsmäßigen Vorurteil gegen die Philosophie, sondern aus
Argumenten, die sich an den strengen Gesetzen der Logik und der
Wissenschaftsmethodik orientieren. Dies ist jedenfalls Holcots
Überzeugung, die er am Schluß der Responsio zum 5. Dubium zum
Ausdruck bringt[107]. Man versteht den Text am besten, wenn man

---

supponit hanc et includit: Deus est. Deum autem venerandum et adorandum
est per se notum naturaliter et communis animi conceptio, ut Commentator
dicit quinto Ethicorum. De lege enim naturae est, ut dicit, quod Deo sacri-
ficetur, quod autem tali vel tali, puta Bresaidae vel alteri Deae, positivum
est, non naturale; et idem innuit ibi Philosophus (V Eth. Nic., c.10; 1134b
19—24). Ergo communis animi conceptio omnium est, quod Deus sit, ut
videtur (ed. Buytaert II, 560 n.131).

[107] Vgl. Holcot, Quodl. Theologia, S. [148]f: Notandum est quod cum dicitur
aliquid demonstratur de deo aliquid praedicatur de deo proprie loquendo
ly deo non supponit personaliter sed per tales actus signatos denotatur quod
iste terminus deus est subjectum conclusionis in demonstratione ut dicit prima
propositio vel saltem in aliqua propositione sicut dicit secunda et ideo dato

mit seiner letzten Aussage beginnt und ihn in der Richtung zu den ersten hin liest: Wenn der Katholik „Gott" sagt, dann meint er damit etwas ganz anderes als ein Infidelis. In diesen Begriff und seine Definition schließt er nämlich alle Glaubensartikel über Gottes Wesen mit ein, nämlich daß Gott unendlich ist, daß er dreifaltig ist, daß er Schöpfer, Erhalter und beglückendes Ziel seiner Geschöpfe ist. Mehr noch! Zuvor sagt Holcot: Der Gottesbegriff, den der Katholik hat, umschließt zuerst jene Glaubensartikel, deren Termini nicht etwas Geschöpfliches mitbezeichnen. Es ist klar, daß Holcot im Hinblick auf diesen Gottesbegriff sagen kann, weder Aristoteles noch sonst ein Mensch habe jemals den Satz bewiesen: Gott existiert, wenn der Begriff „Gott" in dem Sinne genommen wird, wie ihn der Katholik versteht. Besonders jene Begriffe, die Gottes Wesen so bezeichnen, daß sie nichts Geschöpfliches mitbezeichnen, sind schon gar nicht aus der natürlichen Erkenntnis zu gewinnen. Sie bezeichnen aber das eigentliche Wesen Gottes, nicht jedoch jene Begriffe, die etwas Geschöpfliches mitbezeichnen. Wir müssen hier an Hol-

quod demonstretur aliqua conclusio de aliquo termino communi hoc est demonstretur aliqua conclusio cuius subjectum est terminus communis et praedicatum passio eiusdem puta de triangulo quod habet tres etc., non ideo potest proprie dici quod ista passio demonstratur de aequilatero. Nam possibile est concedere hanc conclusionem: triangulus habet tres etc., et tamen dubitare hanc conclusionem: triangulus aequilaterus habet tres quia nescio utrum sit aliquis talis triangulus aut non, et secundum intentionem Aristotelis possum scire istam: omnis triangulus habet etc., et tamen dubitare de ista: triangulus aequilaterus habet etc. Similiter istud argumentum non videtur valere: demonstro hanc conclusionem de angulo: aliquis angulus est acutissimus; sed angulus contingentiae est acutissimus. Ergo demonstro hanc conclusionem de angulo contingentiae. Nam possibile est quod sciam hanc: aliquis angulus est acutissimus; et non concipiam quod angulus contingentiae sit in rerum natura. Similiter istud argumentum non valet; Aristoteles demonstravit primum corpus esse sphericum, sed primum corpus est nona sphera; ergo probavit nonam spheram esse corpus sphericum. Nam utraque praemissa est vera et conclusio est falsa quia ipse numquam concipit nonam spheram esse. Et eodem modo dico quod hic discursus non valet: Aristoteles demonstravit primam causam esse, hoc est, hanc propositionem: Prima causa est, sed deus est prima causa. Ergo demonstravit hanc propositionem: deus est. Et ideo dico breviter quod nec Aristoteles nec aliquis homo umquam probavit hanc: deus est accipiendo propositionem mentalem quam catholicus accipit per illam quia de tali propositione numquam concipit infidelis adhaerendo alicui complexo affirmativo maxime cuius extremum est iste terminus. Nam dico quod in isto termino vel in diffinitione exprimente quid nominis istius termini includuntur omnes articuli quorum termini non connotant aliquid in creatura et multi alii veri scilicet quod sit ens infinitum, trinum et unum, creativum, gubernativum, beatificativum et huiusmodi. Nam talem conceptum format sibi catholicus et tali utitur pro re quae est deus.

cots Lehre erinnern, daß Gott auch dann Gott bliebe, wenn er nichts geschaffen hätte[108].

Man sagt: Aristoteles habe bewiesen, daß es eine erste Ursache geben müsse, und diese müsse „Gott" genannt werden. Doch dieser Syllogismus beweise ebenso wenig wie der folgende (der bei Holcot davor steht, da wir den Text ja in umgekehrter Richtung zu verstehen suchen): Aristoteles hat bewiesen, der erste Körper sei sphärisch; der erste Körper ist aber die neunte Sphäre; also bewies Aristoteles, daß die neunte Sphäre ein sphärischer Körper sei. In diesem Syllogismus seien beide Prämissen wahr, jedoch die Schlußfolgerung falsch, da Aristoteles niemals eine neunte Sphäre angenommen habe. Aus dem Wortlaut dieser kritischen Bemerkung muß man schließen, daß Holcot zwar den Beweis einer ersten Ursache durch Aristoteles anerkennt, jedoch zugleich abstreitet, daß damit wirklich auch Gottes Existenz bewiesen werden sollte. Es ist also ein literarkritisches Argument, das Holcot gegen die Meinung anführt, Aristoteles habe einen Gottesbeweis aus der Reihe der Ursachen geführt. Vor diesem Argument steht jedoch noch ein erkenntnistheoretisches, ja ontologisches, für das sich Holcot nun auf die Autorität des Aristoteles beruft: Von Eigenschaften, die ich für einen allgemeinen Terminus beweisen kann, ist damit nicht bewiesen, daß sie am tatsächlichen kontingenten Ding existieren. Oder kurz gesagt: Vom allgemein Ausgesagten kann ich nicht die tatsächliche Existenz beweisen. Darum hat folgender Syllogismus keine Beweiskraft: Es gibt einen allerspitzesten Winkel; irgendein tatsächlicher Winkel ist der allerspitzeste; also habe ich die Existenz des allerspitzesten Winkels bewiesen. Ich kann nämlich sehr wohl (theoretisch) beweisen, daß es einen allerspitzesten Winkel gibt, ohne zu wissen, daß er tatsächlich in der Welt der Dinge existiert. Daher ist der Schluß vom theoretisch Bewiesenen auf dessen tatsächliche Existenz wertlos. Holcot knüpft diesen Beweis an eine ähnliche Aussage des Aristoteles im ersten Buch der Analytica posteriora an. Nachdem er im 4. Kapitel gezeigt hat, daß alles, was allgemein ist, den Dingen notwendig zukommt[109], behandelt Aristoteles im folgenden Kapitel die Fehler und Irrtümer, die eine unüberlegte Anwendung dieses Grundsatzes nach sich zieht. Das Gewicht der Frage liegt bei Aristoteles auf der Schwierigkeit, wie denn aus der Erfahrung vieler einzelner, der Art nach unter sich Verschiedener ein allen gemeinsames Allgemeines bewiesen

---

[108] Vgl. „Futura contingentia" S. 343; „Gotteslehre" S. 276.
[109] Vgl. Aristoteles, Anal. post. I,4 (A c.4 73b—74a) Übersetzung nach Rolfes (Felix Meiner, Leipzig 1948, Bd. 11) S. 11—13.

werden soll. Der erste Satz des 5. Kapitels lautet daher: „Man darf aber nicht übersehen, daß man hier oft irrt und kein zuerst bewiesenes Allgemeines hat, wo man es zu haben glaubt." Wann machen wir aber solche Fehler? Von den genannten drei Möglichkeiten geht uns die zweite an: „Einen solchen Fehler machen wir, . . . wenn ein solches (Höheres) zwar vorhanden ist, aber bei spezifisch verschiedenen Dingen auftritt, ohne einen eigenen Namen zu haben." Aristoteles demonstriert dies am Beispiel des Dreiecks, womit wir genau an der von Holcot zitierten Stelle sind: „Wenn man deshalb auch von jedem Dreieck, sei es durch dieselbe oder sei es durch eine andere Demonstration, beweist, daß jedes zwei rechte Winkel enthält: das gleichseitige für sich, das ungleichseitige und das gleichschenklige, so weiß man noch nicht vom Dreieck, daß seine Winkel zwei Rechten gleich sind, außer in sophistischer Weise, noch vom Dreieck überhaupt, auch wenn es sonst kein Dreieck gibt. Denn man weiß es nicht von dem Dreieck, sofern es ein Dreieck ist, und nicht von jedem Dreieck, außer der Zahl nach, nicht aber von jedem der Art nach, wenn es auch keines gibt, das man nicht kennt. Wann weiß man es also nicht allgemein und wann weiß man es schlechthin? Offenbar wüßte man es schlechthin, wenn Dreieck sein und gleichseitig sein entweder für das einzelne Dreieck oder für alle dasselbe wäre. Ist es aber nicht dasselbe, sondern verschieden, und kommt die gedachte Eigenschaft dem Dreieck als solchem zu, so weiß man es nicht." Die Lösung des Aristoteles, daß ich das allgemeine Höhere dann gefunden habe, wenn ich es als die allen Arten oder einzelnen gemeinsame erste Eigenschaft beweisen konnte, interessiert Holcot hier nicht. Er bedient sich nur des kritischen Teiles der aristotelischen Beweisführung. Diese stützt nämlich den Ausgangspunkt dieser ganzen Stelle. Er ist sprachlogischer Natur. Wenn ich sage: Es wird etwas von Gott bewiesen, oder: Es wird etwas von Gott ausgesagt, so steht der Begriff „Gott" nicht in personaler Supposition. Dies wäre nur dann der Fall, wenn der Begriff „Gott" wirklich für das stünde, was er bezeichnet. Nun ergibt sich aus der ganzen folgenden Argumentation, daß kein Philosoph zu diesem Gebrauch des Begriffes „Gott" fähig ist. Daher zielen ihre Schlußfolgerungen nicht auf das, was mit „Gott" eigentlich bezeichnet wird, weil dies der Philosoph niemals weiß, sondern nur der Glaubende. Die letzte Feststellung ist zwar erst das Ergebnis der ganzen Beweisführung an dieser Stelle. Doch sehen wir, wie sich logische und theologische Argumente gegenseitig ergänzen und durchdringen.

d) Die Ablehnung des ontologischen Argumentes

In der gleichen Weise wie die unmittelbar evidente Gotteserkenntnis wird von Holcot der Beweis Anselms bekämpft. Beide Beweise sind insofern innerlich verwandt, als ihnen der Gedanke einer unmittelbaren geistigen Erfahrung der Existenz Gottes zugrunde liegt. So ist es nicht zu verwundern, daß Holcot sie in einem Atemzug nennt: Daß Gottes Existenz durch sich selbst bekannt sei, lehren sowohl der Damaszener wie der ehrwürdige Anselmus[110]. Auch gegen Anselmus führt Holcot zuerst ein logisches Argument ins Feld, dem sogleich ein theologisches folgt, u. a. das schon bekannte in einer auf Anselmus abgewandelten Form: Der Ungläubige würde gerade den Gottesbegriff ablehnen, den das ontologische Argument zum Ausgangspunkt nimmt. In der Quaestio quodlibetalis ist die Kritik sehr kurz im Vergleich zu den Ausführungen im Sentenzenkommentar. Holcot wirft dem anselmischen Argument den logischen Fehler der falschen Implikation vor. Die Implikation ist eine logische Relation, in der „eine Sache eine andere einbegreift"[111]. Diese kurze Nominaldefinition ist auf die scholastische Lehre von der Implikation nicht ganz zutreffend. Sie bezeichnet formal richtig das „Eins-im-andern-sein". Jedoch handelt es sich dabei nach der allgemeinen Lehre der Scholastik nicht um Sachen, sondern um Aussagen[112]. Im übrigen ist die scholastische Lehre von den Implikationen so mannigfaltig und so komplex, daß es an dieser Stelle viel zu weit führen würde, darauf näher einzugehen[113]. Es soll jedoch versucht werden, an der Implikation den eigenartigen Ansatzpunkt der Kritik Holcots aufzuzeigen. Unser Magister erblickt in dem anselmischen Argument zwei Fehler der „falschen Implikation". Der erste besteht in der Relation eines gedachten Unendlichen zu einem tatsächlich Unendlichen. Der Bedingungssatz: Wenn ich etwas unendlich Großes denken kann, über das hinaus es nichts Größeres gibt, dann muß dieses auch tatsächlich existieren, schließt die Möglichkeit eines tatsächlich existierenden Unendlichen in sich. Jedoch gerade dies würde der Ungläubige

---

[110] Vgl. Holcot, Quodl. Theologia, S. [147]: Redeamus ergo ad respondendum dictis sanctorum adductis pro quinto dubio in prima quaestione, quae videntur sonare quod deum esse est per se notum, sicut dicunt Damascenus et venerabilis Anselmus. Muckle zitiert diesen Text wörtlich nach P, wo er in der folgenden Quaestio, fol. 204 va 60—b 1 (nicht 199a), steht. Wir korrigieren: *sicut sunt* in *sicut dicunt*.

[111] Vgl. A. Lalande, Vocabulaire technique et critique de la Philosophie, Paris 1962, 480.

[112] Vgl. Bocheński, Logik, 176 (n.26,03) u. 221 (n.30,10).

[113] Vgl. a.a.O. 226.

leugnen. Er könnte sagen: Alles Seiende ist der Ausdehnung wie der Kraft nach endlich[114]. Damit ist dem Beweis die Grundlage genommen, da nach der Lehre der scholastischen Obligationen jede Diskussion sich auf einer von Ponens und Opponens angenommenen Grundlage abspielen muß[115]. Den zweiten Fehler einer falschen Implikation weist Holcot mit Hilfe der Supposition nach. Steht nämlich jenes, über das hinaus nicht Größeres gedacht werden kann, in personaler Supposition, dann existiert es niemals. Holcot hat den Gebrauch der personalen Supposition nicht näher erklärt, jedoch kann aus dem Sinn der Stelle entnommen werden, daß er darin Ockham folgt. Danach liegt eine personale Bezeichnung vor, wenn der Terminus für das von dem Begriffe Bezeichnete steht, mag dies nun eine extramentale Sache, eine Intention, ein stimmlicher Laut oder was immer sein[116]. Steht nun das Subjekt dessen, worüber nichts Größeres gedacht werden kann, in personaler Supposition, so ist dieses niemals tatsächlich existierend. Der Fehler der falschen Implikation wird mit Hilfe der Supposition aufgewiesen. Er besteht nicht im ersten Satz, sondern in der Relation dessen, was immer nur ein Gedachtes bleiben kann, zu einem tatsächlich Unendlichen.

Bocheński hat darauf hingewiesen, daß die scholastische Lehre von der Implikation dem antiken Vorbild des Diodoros folgte, der im Unterschied zu Philon die Zeitvariable berücksichtigt[117]. So kann eine Implikation, die nach philonischer Weise richtig ist, nach Diodoros infolge des Zeitfaktors falsch werden. Auf die Rolle des Zeitfaktors bei den Obligationen hatten wir schon aufmerksam gemacht[118]. Der erste Einwand gegen die falsche Implikation des

---

[114] Vgl. Holcot, Quodl. Theologia, S. [147]: Primo quando accipit illud quo maius cogitari non potest non est solum in intellectu, dico quod haec est implicativa falsi, quia nihil est quia eo maius cogitari possit, si dicam quod omne ens est finitae virtutis et finitum quam intensive quam extensive, sicut aliquis infidelis vellet dicere. Et ad probationem quando dicitur illud quo maius cogitari non potest non est solum in intellectu, dicendum quod, subiecto supponente personaliter, illud nusquam est, quia dico quod est implicativum falsi, quia nihil tale est. Similiter quando accipit deus est quo maius, etc., haec est dubia et ab infideli negaretur.

[115] Vgl. „Futura contingentia" S. 351f.

[116] Vgl. Ockham, Summa logicae I c.64 (ed. Boehner 177): Suppositio personalis universaliter est illa, quando terminus supponit pro suo significato, sive illud significatum sit res extra animam, sive sit vox sive intentio animae, sive sit scriptum, sive quodcumque aliud imaginabile, ita quod quandocumque subiectum vel praedicatum propositionis supponit pro suo significato, ita quod significative tenetur, semper est suppositio personalis.

[117] Vgl. Bocheński, Logik 135 (n.20,08) u. 221 (n.30,10).

[118] S. o. Anm. 115. Vgl. S. 62.

anselmischen Argumentes enthält insofern den Zeitfaktor, weil der ganze Beweisgang in der Diskussion mit dem Ungläubigen gedacht wird. Sonst hätte der Einwand, der Ungläubige werde die Möglichkeit eines unendlich Seienden bestreiten, gar keinen Sinn. Damit ist der Zeitfaktor in der Implikation; denn er gehört wesentlich zur Technik der Obligationen. Daß auch im zweiten Einwand Holcots der Zeitfaktor enthalten ist[119], scheint mir aus dem Wörtlein „nusquam" hervorzugehen, insofern es das konträre Gegenstück des Diodoreischen „für jetzt" ist[120]. Damit beschließen wir die Erörterungen des anselmischen Argumentes im Quodlibet. Wir müssen noch einmal zu ihm zurückkehren, wenn wir die Aussagen Holcots im Sentenzenkommentar untersuchen. Es mag scheinen, als ob Holcot in diesen Ausführungen des Quodlibet in erster Linie die Frage einer natürlichen Gotteserkenntnis diskutiere und dabei die Grenzen zwischen theologischer und philosophischer Erkenntnis Gottes verwische. Doch ist dem nicht so! Vielmehr sind alle Erwägungen über die Gotteserkenntnis von dem Bemühen getragen, den Wissenschaftscharakter zu bestimmen, der dem Satz zukommt: „Gott existiert". Darum müssen wir uns nun den Aussagen zuwenden, die Holcot über den Begriff der Wissenschaft macht.

e) Die Erörterung des Begriffes „Wissenschaft"

Holcot unterscheidet drei verschiedene Bedeutungen des Begriffes „Wissenschaft". In der ersten und am meisten uneigentlichen Weise kann auch der Glaube als Wissen oder Wissenschaft bezeichnet werden, wie es Augustinus in De Trinitate tut[121]. In einem zweiten, engeren Sinne wird als „Wissen" jede evidente Kenntnis bezeichnet, mag sie eine kontingente oder eine notwendige Wahrheit zum Gegenstand haben. Holcot bringt zwei Reihen von Beispielen. Die erste Reihe enthält einfache kontingente Geschehnisse wie etwa: Die Sonne leuchtet, das Feuer wärmt. In der zweiten Reihe ist der Gegenstand des Wissens sowohl kontingent wie notwendig. Dies ist der Fall bei solchen Sätzen wie: Über

---

[119] Vgl. o. Anm. 114: ... dicendum quod, subiecto supponente personaliter, illud nusquam est.
[120] Vgl. Bocheński, Logik, 221.
[121] Vgl. Holcot, Quodl. Theologia, S. [129]: Secundo igitur pono distinctiones de hoc nomine scientia. Et dico quod ad praesens potest accipi tripliciter. Uno modo pro firma adhaesione alicui vero. Et sic accipitur valde improprie, quia sic fides posset dici scientia, et sic forte loquitur Augustinus 14 De Trinitate c.8 [in Mss: 32; cf. PL 42, 1075]: Scimus ea, quae a fide dignis fideliter dicuntur et quae in historiis legimus. Übrigens wird in diesem Zusammenhang scientia sowohl für „Wissenschaft" wie für „Wissen" von Holcot gebraucht.

eines kann nur eine von zwei gegensätzlichen Aussagen getätigt werden und über keines sind beide zugleich wahr. Ferner: Es ist unmöglich, daß dasselbe zugleich ist und nicht ist. Hier umfaßt das Wissen die intuitive komplexe Erkenntnis von Kontingenten zugleich mit der Einsicht in die Prinzipien. (Es handelt sich also um ein Wissen von Prinzipien, das unmittelbar auf die komplexe Erkenntnis von intuitiv erkannten kontingenten Dingen angewandt wird; unmittelbar, d. h. ohne demonstrativen Beweis). Auch dies Wissen kann nach Holcot nicht als Wissenschaft im eigentlichen Sinne bezeichnet werden[122].

In einem dritten Sinne wird Wissenschaft verstanden als evidente Erkenntnis von etwas Notwendigem, das geeignet ist, durch notwendige Sätze bewiesen zu werden. Drei Merkmale gehören zur Wissenschaft in diesem Sinne: Ihr Gegenstand ist etwas Notwendiges. Von Kontingentem gibt es keine Wissenschaft. Die Einsicht muß auf dem Wege der Demonstration, also des syllogistischen Beweisverfahrens erreicht werden. Die Beweissätze müssen notwendige Sätze sein[123]. Dies entspricht aber dem Begriff, den Aristoteles von der Wissenschaft im eigentlichen Sinne hat[124], worauf auch Holcot hinweist. Bezeichnet man Wissenschaft in diesem Sinne als eine Beschaffenheit der Seele, so entsteht sie aus zwei vorgegebenen Beschaffenheiten, die durch das Wissen der Prämissen verursacht wurden. Holcot zitiert diese Lehre von der Wissenschaft als Qualität der Seele, ohne selbst dazu Stellung zu nehmen. Wichtig erschienen ihm lediglich die Folgerungen für den Wissenschaftscharakter der Theologie. Das Wissen der Seligen

---

[122] Vgl. ebd. (Den am Ende dieser Stelle unverständlichen Text der Edition verbessern wir nach RBM): Secundo modo dicitur scientia notitia evidens alicuius veritatis sive contingentis sive necessarii, sicut scimus istam: Sol lucet; ignis calet. Et istas: De quolibet dicitur alterum contradictoriorum et de nullo eorum ambo; impossibile est idem esse et non esse. Et sic scientia includit notitiam intuitivam complexam de contingentibus et intellectum principiorum. Et sic scientia est improprie dicta.

[123] Vgl. ebd. [129]f: Tertio accipitur scientia pro notitia evidenti alicuius necessarii nati fieri evidens per propositiones necessarias ad ipsum demonstrative applicatas. Et sic accipit Philosophus scientiam primo Posteriorum capitulo 9. Et sic non est nisi conclusionis in demonstratione, et sic forte secundum quosdam est una qualitas causata vel nata causari ex duabus qualitatibus, videlicet de duabus notitiis duarum praemissarum.

[124] Vgl. Aristoteles, Analyt. post. I, 9 (A c.9 75b—76a); Übers. v. Rolfes (Meiner, Leipzig 1948) Bd. 11, 19: „Da sich aber selbstverständlich jedes Ding nur aus seinen jeweiligen eigentümlichen Gründen beweisen läßt, also nur dann, wenn das Bewiesene einem Ding als solchem zukommt, so ist es offenbar kein Wissen, wenn man etwas nur aus wahren und unbeweisbaren oder unvermittelten Prämissen beweist."

kann als Wissenschaft im zweiten Sinne bezeichnet werden; denn die Seligen haben von den Artikeln unseres Glaubens ein evidentes Wissen. Für Holcot steht es aber nicht fest, ob das Wissen der Seligen als Wissenschaft im eigentlichen Sinne bezeichnet werden kann. Mit Wissenschaft im eigentlichen Sinne bezeichnet er den aristotelischen Begriff von Wissenschaft. Zu ihm gehört eine gewisse Unvollkommenheit; denn das vollkommenste und unzweifelhafte Wissen richtet sich auf die Prinzipien. Ein solches Wissen bedarf keines Beweises und ermangelt somit eines wesentlichen Merkmales von Wissenschaft im eigentlichen Sinne[125]. Damit entfällt aber sowohl die Herleitung der Theologie vom Wissen Gottes und der Heiligen, womit Thomas durch den Begriff der Scientia subalternata den Wissenschaftscharakter der Theologie im Sinne des Aristoteles feststellte[126], als auch die harmonische Zuordnung von

[125] Vgl. Holcot Quodl. Theologia, S. [130]: His visis infero aliquas conclusiones, nihil tamen asserendo sed humiliter quicquid dixero cuiuslibet catholici correctioni subdendo. Quarum prima est ista: Theologia, quam habet beatus, est scientia secundo modo accipiendo scientiam, quia est notitia evidens veritatis necessarii vel contingentis. Unde articuli fidei nostrae sunt, sicut credimus, evidenter noti beato. Secunda conclusio: non potest constare, utrum debeat dici scientia proprie dicta vel non; nam scientia proprie dicta includit imperfectionem, hoc est: non dicit perfectissimam cognitionem, quia certior vel evidentior est cognitio principiorum quam conclusionis ex primo Posteriorum capitulo 2. [Analyt. Post. I, 2 (A c.2 71b)]. Similiter sicut istius propositionis: sol lucet, cuius notitia habetur evidenter intuitive, sic potest sine periculo dici quod notitia alicuius articuli erit immediate ex notitia intuitiva essentiae divinae ita quod, sicut viso Sorte et albedine existente in Sorte scio evidenter quod Sortes est albus, ita beatus visa essentia divina clare scit hoc complexum esse verum: Deus est trinus et unus ita quod istius notitiam non deducit ex aliquibus propositionibus prius notis vel magis ei immediatis. Et per consequens haec notitia non est scientia tertio modo dicta.

[126] Vgl. Thomas Aq., Prol. Sent. q.1, 3 (ed. Mandonnet 13f): Inferiores autem scientiae, quae superioribus subalternantur, non sunt ex principiis per se notis, sed supponunt conclusiones probatas in superioribus scientiis, et eis utuntur pro principiis, quae in veritate non sunt principia per se nota, sed in superioribus scientiis per principia per se nota probantur... Potest autem scientia aliqua esse superior alia dupliciter: vel ratione subjecti, ut geometria, quae est de magnitudine, superior est ad perspectivam, quae est de magnitudine visuali; vel ratione modi cognoscendi, et sic theologia est inferior scientia, quae in Deo est. Nos enim imperfecte cognoscimus id quod ipse perfectissime cognoscit, et sicut scientia subalternata a superiori supponit aliqua et per illa tanquam per principia procedit, sic theologia articulos fidei, quae infallibiliter sunt probati in scientia Dei, supponit et eis credit et per istud procedit ad probandum ulterius illa, quae ex articulis sequuntur. Est ergo theologia scientia quasi subalternata divinae scientiae, a qua accipit principia sua. Vgl. ders., S.th.I. q.1 a.2.
Vgl. Aristoteles, Analyt. post. I, 9 (A c.9 76a); Übers. Rolfes, a.a.O. 20: „Ist dieses aber klar, so ist auch klar, daß es nicht Sache der jeweiligen Wissen-

Theologia divina, Theologia beatorum und Theologia viatorum, wie sie Scotus vornahm[127]. So kann die Theologia viatoris nicht als Wissenschaft im eigentlichen Sinne angesehen werden. Die Prinzipien, von denen die Theologie ausgeht, sind solche des Glaubens, nicht des Wissens. Auch der Kunstgriff des hl. Thomas, die Theologie als Scientia subalternata des göttlichen Wissens zu erklären, rettet nicht ihren Charakter als Wissenschaft im strengen Sinne; denn auch das Wissen Gottes und der Heiligen kann nicht als Wissenschaft im eigentlichen Sinne bezeichnet werden. Gleiches gilt von dem Harmonisierungsversuch des Scotus. Gegen beide Magister sind mehrere Conclusiones Holcots gerichtet, in denen er jeweils unter anderem Aspekt für den Pilgerstand die Möglichkeit ablehnt, über Gott und göttliche Dinge ein Wissen im Sinne der aristotelischen Auffassung zu erreichen[128].

In dieser Bestimmung der Theologie als Glaubenswissenschaft liegt ein wichtiger Grund für Holcots Abneigung gegen die natürliche Gotteserkenntnis. Wissenschaft im eigentlichen Sinne muß nach Aristoteles auf in sich einsichtige Prinzipien zurückführbar sein. Für die Theologie als Wissenschaft von den göttlichen Dingen würde dies bedeuten, daß wir ihre höchsten Prinzipien — das ist zuerst einmal Gott selbst — in sich erkennen müßten. Dagegen trifft Holcot zwei Feststellungen. Die erste folgt einem bekannten Argument Ockhams, daß wir nämlich im Pilgerstand Gott nicht in sich, sondern nur in einem für Gott supponierenden Begriff erkennen[129]. Im Prolog des Sentenzenkommentars begründet Ock-

---

schaft ist, ihre eigentümlichen Prinzipien zu beweisen. Denn dazu sind Prinzipien erforderlich, die für alles gelten, und die Wissenschaft, die sie hergibt, muß die leitende Wissenschaft für alles sein."

[127] Vgl. o. S. 95f.

[128] Vgl. Holcot, Quodl. Theologia, S. [133]: Quarta conclusio: Nulla notitia, quam viator potest naturaliter adquirere de articulis fidei, est scientia secundo modo vel tertio dicta. Haec probatur dupliciter. Primo sic: Omne scitum secundo modo vel tertio vel est per se notum vel deductum demonstrative ex per se notis, vel notum evidenter in notitia intuitiva extremorum. Sed articuli fidei nullo istorum modorum sunt cogniti. Ergo etc. ... Quinta conclusio est ista: Nulla propositio deducta ex duabus praemissis creditis vel ex altera praemissa credita et altera scita est conclusio scita proprie. ... Sexta conclusio est ista: nulla notitia de veritatibus mere theologicis, et quae in nulla humana probatur scientia, potest dici notitia scientifica; patet ista conclusio; nam tales veritates vel sunt articuli vel ex eis sequentes. Ebd. S. [136]: Decima conclusio et sequitur ex praemissis: Nulla Theologia, quam viator potest naturaliter adquirere, est scientia.

[129] Vgl. ebd. S. [133] (Fortsetzung des ersten Textes der vorigen Anm.: Quarta conclusio... Ergo etc.): Suppono quod non possumus deum naturaliter cognoscere modo in via de lege consueta in se, sic quod nihil concurrat in ratione

ham mit Hilfe der Supposition, in welcher Weise Gott als Subjekt der Theologie bezeichnet werden kann. Für die Theologie des Pilgers ist Gott nur mittels eines Begriffes, der für Gott supponiert, Subjekt der Theologie, während der Selige durch die unmittelbare Gottschau zu in sich einsichtigen Aussagen über Gott gelangt[130]. Daß Ockham nicht einfach von der Gottschau, sondern von in sich einsichtigen Aussagen über Gott spricht, beweist, daß er wie Scotus genau zwischen der Gottschau und der von ihr ausgehenden Theologie des Seligen unterscheidet, die natürlich auf der intuitiven Gotteserkenntnis beruht. Die Verwandtschaft der Aussagen Holcots mit denjenigen Ockhams ist auffallend. A. Maier hat auf solche Übereinstimmungen zwischen Holcot und zahlreichen Magistern seiner Zeit in der Naturphilosophie hingewiesen, aus denen hervor-

obiecti cogniti aliud a deo, sed cognoscimus deum in aliquo conceptu composito sibi proprio vel in aliquo conceptu simplici instituto ad placitum, qui erit aequivalens illi conceptui composito, et talis conceptus supponit pro deo. Et ideo dicimus quod, quando illum conceptum intelligimus, quod intelligimus deum, non quidem in se sed in alio, et illi conceptui attribuimus, quicquid potest deo attribui, non pro se sed pro deo supponenti. Vgl. Wilhelm Ockham, I Sent. d.3 q.2 I: Ita potest dici in proposito quod quamvis nihil terminet actum intelligendi nisi unus conceptus, qui non est deus, quia tamen ille conceptus est proprius deo, et quicquid potest praedicari de deo, praedicatur vere de illo conceptu, quamvis non pro se sed pro deo, ideo dicitur deus cognosci illo conceptu. Et haec est intentio omnium sanctorum frequenter innuentium quod nullus in hac vita potest deum cognoscere. Ebd. d.1 q.5 N: Tamen ex puris naturalibus potest ista propositio esse nota: essentia divina est, in qua non subicitur illa essentia, quae deus est, sed unus conceptus, qui non est divina essentia nec est deus.

[130] Vgl. Wilhelm Ockham Prol. I Sent. q.1 DDD: Ad secundum dico quod aliquae veritates, quae essent theologicae, tali intellectui essent per se notae et aliquae forte per alia notiora sibi. (Danach unterscheidet Ockham zwischen in sich einsichtigen Sätzen des Seligen und evidenten Sätzen des Pilgers und fährt fort:) Patet propter distinctionem terminorum, quia termini primae propositionis sunt res in se, si res possit praedicari, vel aliae intentiones animae, quas viator habere non potest. In secunda autem termini sunt ipsi conceptus, quos de facto habemus, quia nec deum in se nec aliquid quod est realiter deus, possumus cognoscere distincte in se. Ebd. q.3 (in ord. 9) YZ: Ex praedictis et dictis in priori quaestione respondeo ad formam quaestionis et dico: Primo quod accipiendo subiectum pro illo quod supponit, quod deus sub ratione deitatis non est subiectum theologiae nostrae. Hoc patet, quia subiectum isto modo dictum est terminus conclusionis. Sed Deus non est terminus conclusionis, quia illud est terminus conclusionis quod immediate terminat actum intelligendi vel est actus intelligendi. Sed deus in se non immediate terminat actum intelligendi, sed mediante aliquo conceptu sibi proprio, nec est conceptus. Ergo ille conceptus, non deus, erit subiectum theologiae nostrae. Secundo dico quod, accipiendo subiectum pro illo, pro quo supponitur, sic respectu alicuius partis deus sub ratione deitatis est subiectum.

geht, daß unser Magister mit der damaligen Literatur wohl vertraut war[131]. Doch möchten wir daraus wenigstens für seine Theologie nicht folgern, Holcot entbehre der eigenen Originalität. Nicht nur daß er auswählt oder verwirft, was jeweils in sein Lehrgebäude hineinpaßt oder nicht, sein gesamter theologischer Entwurf ist einheitlich, so daß die einzelnen Lehrsätze in einer widerspruchsfreien Relation zueinander stehen, wenn man nur bei der Untersuchung dieses Systems Inhalt und Methode zusammen beachtet. Die philosophische (oder theologische) Lehre eines Magisters ergibt sich aus dem Gesamtzusammenhang seiner Gedankenwelt, wie Bettoni mit Recht sagt[132]. Dies ist ein wichtiges heuristisches Prinzip für die Erforschung einer philosophischen oder theologischen Lehre. Vielleicht kann man sagen, daß die darin ausgesprochene Wahrheit so selbstverständlich ist, daß sie einer Weiterführung bedarf. Gilson bemerkt zu dem Ausspruch Bettonis, daß eine Gesamtlehre sich aus einzelnen Lehrstücken zusammensetzt. Ihnen spürt der Forscher in exakter Quellenauswertung nach, um aus den gewonnenen Erkenntnissen gleichsam ein Mosaikbild des Gesamtentwurfes herzustellen. Zwischen diese Einzelarbeit und dem sich daraus ergebenden Gesamtbild schiebt sich noch ein beiden verschiedenes Drittes: „die Vorstellung, die man im allgemeinen von der Gedankenwelt des betreffenden Lehrers hat" (Gilson). Ihr gegenüber hat der Historiker eine kritische Aufgabe. Er kann sich mit jener allgemeinen Vorstellung nicht abfinden, sondern wird sie an den einzelnen Lehrstücken nachprüfen müssen. Steht sie auch nur zu einer im Widerspruch, so ist der Fehler angesichts der Strenge der methodologischen Erudition in der Scholastik zuerst in der überlieferten allgemeinen Vorstellung von einem Lehrsystem und nicht in diesem selbst zu suchen. Dieses methodische Prinzip hält Gilson für so wichtig, daß er es als eine „goldene Regel" bezeichnet[133]. Wir möchten

---

[131] Es handelt sich um die Möglichkeit eines aktuell Unendlichen. Die Quaestio, in der Holcot diese Frage behandelt (II Sent. 1.2 a.5; zitiert wird nach der Ausgabe Lyon 1518), stellt „ein buntes Mosaik von vielerlei fremden Meinungen" dar. Unter ihnen befinden sich z. T. solche, die zueinander im Gegensatz stehen: Heinrich Harclay, Wilhelm von Alnwick, Grosseteste, Wilhelm Ockham und Fitzralph. Für die Bedeutung Holcots auf naturphilosophischem Gebiet stellt A. Maier fest: „Holkots Ausführungen sind nicht so sehr inhaltlich interessant — denn da bieten sie zu wenig Präzises — als aus einem anderen Grund: es findet sich nämlich kaum ein Gedanke in ihnen, der originell wäre. Man hat ihn in dieser Beziehung ganz entschieden überschätzt." Vgl. A. Maier, Ausgehendes Mittelalter I, 81f.

[132] Vgl. E. Bettoni, O.F.M., L'ascesa a dio in Duns Scoto, Mailand 1943, 117; zit. bei Gilson, Duns Scotus, 34.

[133] Vgl. Gilson, a.a.O. 33f: „Ein zweiter Punkt … verdient unsere Aufmerksam-

auch bei Holcot von dieser Regel keine Ausnahme machen, zumal
wir in einem Falle einen offenbaren „Widerspruch" aus mangelhaf-
ter Textüberlieferung erklären konnten[134]. Übernimmt Holcot
einzelne Lehren anderer Magister, so geschieht dies in einer Weise,
in der das einzelne in den Gesamtzusammenhang des Lehrentwur-
fes assimiliert wird. Die innere Widerspruchsfreiheit im Gesamtzusammenhang einer Lehre ist eine so selbstverständliche Forderung
scholastischer Methodik, daß kein Magister gegen sie verstoßen
konnte, ohne sich für die Lehrtätigkeit an der Universität unmöglich zu machen. Der Vorwurf der inneren Widersprüchlichkeit
eines Lehrsystems gehörte zu den schärfsten Waffen der scholastischen Disputierkunst. Holcot richtete ihn gegen Bradwardine[135].
Wir werden bald an einem weiteren Beispiel sehen, wie Holcot,
auch wo er von Ockham lernt, auf die Einheit des eigenen Systems
bedacht ist. Er kritisiert Ockhams Lehre von der intuitiven Erkenntnis und nimmt nur an, was sich in die eigene Lehre einfügen läßt.

Schon bei der Verwendung des Suppositionsbegriffes Ockhams
müssen wir diesen Grundsatz Holcots beachten. Wenn der Pilger
natürlicherweise Gott nur in einem Begriff erkennt[136], dann ist
es wichtig zu wissen, ob dieser Begriff wirklich für Gottes Wesen
zutrifft und ihm eigentümlich ist. Damit kommen wir zu Holcots
zweitem Einwand gegen den Wissenschaftscharakter der Theologie. Er findet sich einige Abschnitte später und wird von Holcot
wiederholt vorgebracht. Er muß aber im Zusammenhang mit dem
ersten gesehen und verstanden werden und lautet: Der Begriff, den
der Katholik von Gott hat, ist inhaltlich von jenem absolut ver-

keit. Welche Haltung Duns Scotus zu einem Problem... als ganzem einnehmen mag, die Stellung, die er im Prolog zum Opus Oxoniense gegen
Avicenna bezieht, bleibt unverändert. Sie erklären wollen, und zwar — wie
man es getan hat — in Beziehung zur Gesamtheit seiner Lehre, ist gewiß ein
kluges Vorhaben, aber es ist weniger leicht, als es scheint; denn es ist wahr,
daß eine „philosophische Lehre sich aus dem Gesamtzusammenhang der
Gedankenwelt eines jeweiligen Magisters ergeben muß" (Bettoni), aber die
Gesamtheit der Gedankenwelt eines Lehrers ergibt sich auch aus den einzelnen Lehrstücken, die er vorträgt. Zwischen diese beiden schiebt sich etwas
ganz Verschiedenes ein: die Vorstellung, die man im allgemeinen von der
Gedankenwelt des betreffenden Lehrers hat. Für den Historiker nun ist das
das entscheidende Problem. Am Anfang seiner Untersuchung kann sie von
ihm nicht als eine wahre Vorstellung hingenommen werden, sondern als eine,
nach deren Wahrheitsgehalt er sich zu fragen hat; und es ist eine goldene
Regel, daß die Vorstellung von einem Lehrgebäude niemals vollkommen
stimmt, wenn sie zu einer einzigen Sonderthese, die richtig aufgestellt ist,
im Widerspruch steht."

[134] Vgl. „Die Lehre vom Glauben", S. 209.
[135] Vgl. „Futura contingentia", S. 330.   [136] Vgl. o. Anm. 129.

schieden, welchen sich der Heide von Gott macht[137]. Wir sehen, wie sehr wissenschaftsmethodische Argumente beidemal im Spiele sind, wenn die theologische und die natürliche Gotteserkenntnis untersucht und verglichen werden. Die verneinende Antwort zu der Frage, ob die Theologie Wissenschaft im eigentlichen Sinne sei, verstößt die Sacra scientia keineswegs aus der Aula der Wissenschaften. Ganz eindeutig hat Holcot die Aufgabe der menschlichen Vernunft in der Gotteserkenntnis hervorgehoben[138], so daß der

[137] Vgl. o. Anm. 107. Im gleichen Quodl. Theologia, S. [135] sagt Holcot außerdem ausdrücklich, daß der Begriff „Gott" von einem „Katholiken" nur gleichbedeutend mit „trinus et unus" gebraucht werden kann: ... in conceptu quidditativo et proprio, in quo catholicus intelligit deum, intelligit deum trinum et unum. Sed talis conceptus est conceptus formalis vel aequivalenter, si est conceptus simplex institutus ad supponendum pro eodem, pro quo conceptus compositus. Ergo aliqua exponens huius propositionis: deus est, debet esse ista: aliquid est trinum et unum. Haec autem nullo modo potest esse evidens. Ergo nec illa: deus est.

[138] Vgl. Holcot, I Sent. q.1 art. 6 I (fol. a V rb 47—va 11): Similiter leges humanae statuunt et praecipiunt quod aliqui homines sciant scientias practicas et aliqui speculativas et puniunt ignorantes, qui tenentur scire eas, sicut patet tam de artibus mechanicis quam de scientiis speculativis. Unde Damascenus 1. II. Sententiarum c.26, ubi ostendit, quae sunt in nobis et in nostra potestate et quae non sunt, dicit: In nobis enim est percipere, quantumcumque volumus, artem et non percipere. Et Aristoteles dicit II Ethicorum c.II [Eth. Nic. III, 7 (Γ c.7 1113b 30 — 1114a 3)] quod ignorantes aliquid eorum, quae sunt in legibus, quae oportet scire et non sunt difficilia, punirentur. Etiam puniunt quoscumque, qui propter negligentiam legis ignorant verum. Ex his tamen non sequitur quod homo possit assentire conclusioni sciendae statim ex solo imperio voluntatis, sed oportet quod addiscat et per rationem causetur in eo assensus, qui communiter vocatur scientia. Et eodem modo in eis, quae fidei sunt, statuit deus quod homo sit sollicitus circa salutem propriam et inquirat et addiscat. Et videtur mihi quod sufficienter inquirenti sunt rationes sufficientes ad causandum assensum fidei.

Vgl. auch das in gleiche Richtung gehende Urteil von H. A. Oberman, Der Herbst der mittelalterlichen Theologie, Zürich 1965, 78, der sich seinerseits auf Robert Guelluy und M. de Gandillac stützen kann. Beide Autoren treten dem herkömmlichen Urteil entgegen, Wilhelm Ockham habe durch die radikale Trennung von Glauben und Wissen den Niedergang der scholastischen Theologie eingeleitet; vgl. R. Guelluy, Philosophie et Théologie chez Guillaume d'Ockham, Paris 1947, 364: Notons, d'autre part, qu' Ockham refuse de séparer le domaine de la théologie de celui de la métaphysique... Le venerabilis Inceptor ne semble... se donner pour but d'opposer la foi et la raison. Der gleiche Gedanke, den Guelluy ausdrücklich formuliert, liegt der Darstellung von de Gandillac zugrunde; vgl. ders., Ockham et la «Via moderna». In: Histoire de L'Église Bd. 13, Le mouvement doctrinal du XIe au XIVe siècle, 449—465.

Ausdrücklich wendet sich Oberman gegen die Behauptungen von G. Leff (Bradwardine and the Pelagians, 223) und A. Meissner (Gotteserkenntnis und

Vorwurf des Fideismus und Skeptizismus nicht ohne weiteres gerechtfertigt ist. Er mag hingenommen werden, wenn man damit den
sachlichen Unterschied zu der thomasischen Lehre kennzeichnen
will. Er birgt jedoch die Gefahr in sich, das Verständnis für das
Motiv Holcots zu verbauen. Dieses liegt nämlich nicht in einer
grundsätzlichen Skepsis gegen die menschliche Vernunft, sondern
in der eigentlichen Zuständigkeit für eine Aussage über Gott. Hinter der Einsicht, daß nur der Theologe sagen kann, wer Gott ist,
steht die tiefere Erkenntnis, daß es nur der Catholicus sagen kann.
Und auch diesem ist es nur möglich vom Glauben her, d. h. weil
es Gott selbst gesagt hat. Diesen Beweisgang legt Holcot mit der
ihm eigenen logischen Strenge und Folgerichtigkeit dar. Das gleiche
gilt von seinen Aussagen über den Wissenschaftscharakter der
Theologie, so daß die ironische Bemerkung erlaubt ist, daß der „Fideismus" in der Theologie und die „Skepsis" bezüglich der natürlichen Gotteserkenntnis das Ergebnis der auf die Theologie angewandten aristotelischen Wissenschaftsmethodik sind. Gerade weil
der Begriff „Gott" in der ihm eigenen Bedeutung, die nur eine
sein kann, nicht verfälscht werden darf, kann er seinen eigentlichen
Inhalt nur in der vom Glauben inspirierten Aussage behalten. Das
heißt aber, daß die trinitarische Aussage eine Exposition des Satzes
ist: Gott existiert. Ist das erste nicht in sich erkennbar, so ist es
auch das zweite nicht[139]. Zugleich lassen es solche Aussagen als
sehr fraglich erscheinen, Holcot zu den „Nomalisten" zu rechnen.
Mit der Logisierung der Begriffe, die ein solches Urteil zu rechtfertigen scheint, verbindet Holcot das Interesse am gedanklichen
Inhalt des Wortzeichens. Der Begriff ist weder ein Flatus vocis
noch einer Münze vergleichbar, deren Wert willkürlich festgesetzt
wird. Auch darf man sich durch die weitgehende Verwendung der
Logik in der theologischen Argumentation nicht täuschen lassen.
Sie allein ist kein Beweis für den angeblichen Nominalismus eines
Autors. Schließlich finden wir sehr oft sprachlogische Argumente.
Dies dürfte aber für einen Erkenntnisrealismus des Holcot sprechen; denn die Autoren der Grammatica speculativa, die Dacier
in Paris wie auch Thomas von Erfurt, sind keinesfalls als Nominalisten anzusprechen.

f) Die Möglichkeit der intuitiven Gotteserkenntnis im Pilgerstand

Auch die Aussage Holcots, daß wir Gott im Pilgerstand nicht in
einem ihm eigenen Begriff erkennen können, sondern nur in einem

Gotteslehre... 123, 132), die Holcot den Vorwurf des Skeptizismus machen.
Vgl. Oberman, a.a.O. 160 Anm. 72; 220ff.   [139] Vgl. o. Anm. 137.

willkürlich festgesetzten, darf uns nicht zum Urteil des „Nominalismus" verleiten[140]. Diese Aussage erklärt sich viel mehr aus der Lehre über das gegenseitige Verhältnis von intuitiver und abstraktiver Erkenntnis, in der unser Magister Scotus und Ockham folgt, obwohl

[140] Vgl. Holcot, Quodl. Theologia, S. [134]f: Septima conclusio est ista, quam tamen non assero sicut nec quascumque alias. Est haec: Nulla propositio theologica et affirmativa, cuius praedicatum non verificatur nisi de existente, est scibilis de deo evidenter a viatore, ita quod nulla talis: deus est infinitae virtutis; deus est prima causa; deus est bonus; deus est intelligens, et sic de aliis, est evidenter scibilis. Quod probo sic: Quaelibet talis propositio includit istam: deus est; nec potest aliqua talis esse evidens, nisi haec sit evidens. Sed haec non potest esse evidens; igitur. Maior patet. Minorem probo: Illa propositio, cuius subiectum est compositum ex multis terminis, qui sibi invicem non conveniunt evidenter, vel est terminus simplex aequivalens tali composito ex multis, quorum unum non praedicatur evidenter de alio, illa, inquam, propositio non potest esse evidenter nota. V.g. accipio hanc: album est coloratum. Modo subiectum huius est unus terminus simplex aequivalens uni complexo. Nam quid nominis ipsius est: aliquid habens albedinem. Impossibile est autem quod haec sit mihi evidens: album est coloratum, nisi haec sit mihi evidens: aliquod est habens albedinem. Hoc probo, quia sicut subiectum implicativum falsi semper falsificat propositionem affirmativam, quando supponit personaliter quod semper suppono in isto processu, ita subiectum includens inevidentiam totam affirmativam reddit inevidentem. Patet ergo haec maior, scilicet quod illa propositio, cuius subiectum est compositum ex multis terminis, qui sibi invicem non conveniunt evidenter, et hoc vel formaliter vel aequivalenter, non est evidenter nota. Sed haec propositio: deus est, est huiusmodi. Etc. Ad huius autem minoris declarationem suppono primo quod deum in praesenti non possumus cognoscere in aliquo conceptu sibi proprio et simplici, nisi forte ille conceptus sit ad placitum institutus, ita quod ille conceptus est a nobis intellectus et isto conceptu utimur loco rei, quae deus est, ita quod impossibile est deum intelligi a nobis nisi per hoc quod talis conceptus intelligitur. Hoc modo autem conceptus compositus soli deo est conveniens, licet quilibet eius sit abstractus a creaturis. V.g. supponamus quod ens infinitae bonitatis vel illud, quo maius cogitari non potest, vel necesse esse, sit conceptus proprius et exprimens quid nominis huius termini deus. Impossibile est ergo quod haec sit evidens: deus est, nisi haec sit evidens: deus est infinitae virtutis. Haec autem evidens esse non potest; ergo etc. Propterea haec propositio: deus est, non potest sciri nisi per intuitivam notitiam; igitur. Probo assertum, quia non maiorem notitiam habemus de deo quam de creatura. Sed esse non scitur de quacumque creatura nisi per notitiam intuitivam. Ergo nec de deo. Ex isto videtur sequi quod nulla propositio affirmativa est sufficienter evidens per solam notitiam abstractivam vocando abstractivam notitiam illam, per quam non potest sciri esse de re quando est et non esse quando non est. Confirmatur ratio per illud ad Hebraeos: Accedentem ad deum oportet credere quia est [Hebr. 11,6]. Propterea nulla propositio est homini naturaliter evidens, cuius terminos non potest naturaliter apprehendere. Sed conceptum dei nullus adquirit naturaliter, sed tantum per doctrinam; igitur. Propterea nulla propositio implicativa est naturaliter evidens, nisi quaelibet sua exponens sit naturaliter evidens. Sed omnis propositio mentalis, cuius subiectum est conceptus, in quo catholicus intelligit

er auch gegen beide polemisiert. Diese Kritik bezieht sich nur auf einen ganz bestimmten Punkt, wie wir noch sehen werden. Jedenfalls zieht sich die Untersuchung der intuitiven Erkenntnis durch einen großen Teil der Quaestio. Die wichtigste Feststellung lautet, daß die Existenz (das Sein) eines Geschöpfes nur mittels der intuitiven Erkenntnis gewußt werden kann[141]. Von einem weißen Körper kann ich das Weißsein nur aussagen, wenn ich von dem, was weiß ist, ein evidentes Wissen habe. Dies ist der Fall, wenn es evident ist, daß Körper (aliquid) und Weißsein einander zukommen. Habe ich aber nur von einem Glied einer Aussage kein evidentes Wissen, so ist dies auch von der ganzen Aussage auszuschließen. An dieser Stelle spielt Holcot die Kunst der logischen Beweisführung in seine Ausführungen hinein: Wie ein Subjektsbegriff, der etwas Falsches enthält, die ganze Behauptung falsch macht, so nimmt ein Subjektsbegriff, der eine Inevidenz in sich schließt, der ganzen Behauptung die Evidenz. In dieses Argument logischer Technik ist ein zweites eingeschlossen, das der Suppositionslogik angehört. Das Argument gilt nämlich für den Fall der personalen Supposition, in der hier, wie Holcot hinzusetzt, die Termini stehen, also für den Fall, daß die Begriffe für das von ihnen Bezeichnete selbst gebraucht werden[142]. Holcot sieht die intuitive und die abstraktive Erkenntnis im wesentlichen wie Scotus und Ockham. Das Wesentliche, in dem diese drei Magister übereinstimmen, ist die Feststellung, daß die intuitive Erkenntnis sich auf ein Objekt richtet, insofern es existiert[143]. Intuitive Erkenntnis ist für Holcot ein konnotativer Begriff, der für eine Qualität, nämlich das Erkennen, steht und die Gegenwart des erkannten Objektes mitbezeichnet. Damit wird der Begriff der intuitiven Erkenntnis vom Wortgebrauch her definiert, ein neues Beispiel für die Logisierung der Begriffe bei Holcot. Es wird noch darauf hingewiesen, wie durch diese Formalisierung die Begriffe eine leichtere logische Operabilität erhalten. Die Konnotation spielt

---

deum, est propositio implicativa. Ergo ad hoc quod ipsa sit evidens oportet quamlibet eius exponentem esse evidentem. Maior patet. Minor probatur, quia in conceptu quidditativo et proprio, in quo catholicus intelligit deum, intelligit deum trinum et unum. (Fortsetzung vgl. Anm. 137).

[141] Vgl. vorige Anm.: Sed esse non scitur de quacumque creatura nisi per notitiam intuitivam.

[142] Zum Gebrauch der Supposition vgl. o. S. 119.

[143] Scotus unterscheidet dabei genau zwischen Einzelerkenntnis und intuitiver Erkenntnis. Mit der intuitiven Erkenntnis eines Objektes ist nicht ohne weiteres die Erkenntnis seiner singulären Existenz gegeben. Doch brauchen wir auf diese feinen Unterscheidungen hier nicht einzugehen.
Vgl. Gilson, Duns Scotus, 567f.

dabei eine große Rolle[144]. Der folgende Satz bestätigt diese Feststellung: Dieselbe Erkenntnis kann intuitiv oder abstraktiv sein, je
nachdem das mitbezeichnete Objekt in seiner Gegenwart oder Ab-
wesenheit erkannt wird. Gegen Scotus[145] und Ockham[146] lehnt Holcot jedoch die intuitive Erkenntnis als *Kriterium* der Existenz des
intuitiv Erkannten ab. Das erkenntnistheoretische Interesse, das wir
bei Scotus und Ockham finden, weicht bei Holcot einem rein aussagenlogischen: Intuitive Erkenntnis ist ein *konnotativer Begriff*. Er
bezeichnet einen Erkenntnisakt und mitbezeichnet die unmittelbare
Gegenwart und Existenz des Erkenntnisobjektes. Auch Ockhams
These der intuitiven Erkenntnis eines Nichtexistierenden weist Holcot als in sich widerspruchsvoll zurück[147]. Die Polemik gegen Ockham geht aber noch weiter. Die Kennzeichnung des Pilgerstandes
durch den Mangel der intuitiven Gotteserkenntnis wird ausdrücklich abgelehnt. Vielmehr wird die Möglichkeit einer solchen Erkenntnis von Holcot gelehrt, und zwar nicht mit Berufung auf die
absolute Allmacht Gottes, sondern auf Grund eines (in dieser Gna-
den- und Heilsordnung möglichen) Privilegs[148]: „Daher sage ich,

---

[144] Vgl. „Futura contingentia", S. 331.
[145] Vgl. Gilson, a.a.O. Dort auch die Stellen aus Scotus.
[146] Vgl. Wilhelm Ockham Prol. Sent. (ed. Boehner p. 50).
[147] Vgl. Quodl. Theologia, S. [130]: Contra hoc quod ponit Guilelmus quod per
notitiam intuitivam rei non existentis possum evidenter scire rem illam non
esse, ita quod notitia intuitiva est causa totalis illius iudicii, et notitia intuitiva
cum re est causa iudicii oppositi, quando res est. Contra: Impossibile videtur
quod haec sit mihi evidens: Sortes non est, quia non sequitur: non est in loco,
ergo non est. Similiter: non video eum nec tango, ergo non est, quia isti
termini non sunt termini Sanctorum nec philosophorum sed videntur adin-
venti a Scoto. Ideo licet cuilibet uti eis sicut voluerit vel non uti. Unde
videtur quod notitia intuitiva non possit esse non existentis, quia iste terminus est unus terminus connotativus, qui supponit pro quadam qualitate, quae
est notitia, et connotat obiectum cognitum esse existens et praesens in se, propter
quam connotationem illa notitia vocatur intuitiva. Et ideo eadem, si conservetur
miraculose, re destructa, iam non erit notitia intuitiva. Et sic eadem notitia
potest esse modo intuitiva modo abstractiva, quia illud quod connotatur aliter
et aliter se habet.
[148] Vgl. Quodl. Theologia, S. [131]f: Positio Guilelmi, quantum ad propositum
pertinet, ponit tres propositiones. Prima est quod haec est descriptio intellectus
viatoris: intellectus viatoris est ille, qui non habet notitiam intuitivam deitatis
sibi possibilem de potentia dei ordinata. ... Contra ista et primo quod descriptio notitiae intuitivae repugnat descriptioni viatoris, probatur; nam aliqua
veritas contingens de deo potest evidenter sciri a viatore ... Propter quod
dico quod diffinitio exprimens quid nominis huius termini viator est ista:
existens in statu, in quo habens usum liberi arbitrii deus vult ipsum mereri ...
Sic ergo tenetur quod omnis notitia de articulis fidei, quam habet beatus, sive
sit scientia secundo modo sive tertio, est communicabilis viatori, manenti
viatori post illam communicationem. Unde dico quod omnis Theologia via-

daß jede Theologie eines so privilegierten Pilgers Wissenschaft im Sinne der zweiten oder dritten Art und Weise ist." Bei den am Anfang der Quaestio getroffenen Unterscheidungen wird die zweite Art von Wissenschaft den Seligen zugesprochen. Sie besteht in einer evidenten Erkenntnis der Wahrheit sowohl des Notwendigen wie des Kontingenten. D. h. die Seligen besitzen eine evidente Erkenntnis der Glaubensartikel[149]. Gott kann jedoch dem Gläubigen im Pilgerstand eine gleiche intuitive Erkenntnis der Glaubenswahrheiten geben. Holcot sagt ausdrücklich, daß diese Erkenntnis sowohl die Prinzipien der Theologie, also die Glaubensartikel, wie die Konklusionen zum Gegenstand haben kann. Jedoch wäre ein solches Wissen nicht Wissenschaft im aristotelischen Gebrauch dieses Begriffes.

Diese Aussagen Holcots über die intuitive Erkenntnis der Glaubenswahrheiten erschließen uns das Verständnis für das, was mit begrifflicher Erkenntnis gemeint ist. Da wir im Pilgerstand von Natur aus keine intuitive Gotteserkenntnis besitzen, können wir Gott nur in einem Begriff erkennen, der für Gott supponiert. Einen solchen Begriff, der allein geeignet ist, für das von ihm Bezeichnete zu supponieren, gewährt nur der Glaube[150]. In dieser Aussage eine „nominalistische" Aushöhlung der Gotteserkenntnis zu sehen, ginge an der wahren Absicht Holcots vorbei. Diese besteht gerade darin zu beweisen, daß allein der Glaube den zutreffenden Gottesbegriff

toris sic privilegiati est scientia secundo modo vel tertio dicta. Noch deutlicher ist die Möglichkeit der intuitiven Gotteserkenntnis im Pilgerstand in einem vorausgehenden Abschnitt des Quodlibets ausgesprochen, wobei Holcot das menschliche Wissen Christi und den „Raptus Pauli" als Beweise heranzieht. Vgl. ebd. S. [131]: Tertia conclusio est ista: Aliqua theologia communicabilis viatori est vera scientia tertio modo dicta et aliqua est maior et evidentior. Cuius probatio est, quia non includit contradictionem deum communicare viatori certam notitiam cuiuscumque propositionis verae. Sed omnes propositiones, de quibus est fides sunt verae. Ergo potest deus earum notitiam certam causare et communicare viatori. Sunt autem inter eas aliquae immediatae et quaedam, quae natae sunt esse conclusiones. Unde non video contradictionem aliquam, si ponatur quod viator de talibus habeat evidentem notitiam, sicut de illis potest habere. Ad huius evidentiam dico duo: Primum est quod deus potest communicare viatori notitiam intuitivam sui; secundum est quod potest communicare viatori beatitudinem sic quod demonstrato eodem utraque istarum erit vera: Iste est viator; iste est beatus. Unde isti termini non sunt repugnantes nec aliquam repugnantiam important. Utrumque istorum patet fuisse verum de facto de Christo; nam Christus habuit notitiam intuitivam essentiae divinae et fuit comprehensor et viator. De Paulo autem pro tempore sui raptus, licet doctores sentiant quod non fuit viator nec beatus, tamen certum est, ut videtur, posset fuisse viator.

149 Vgl. o. Anm. 121—125.
150 Vgl. o. Anm. 140 u. 137.

gewährt, der die Voraussetzung für eine wahre Aussage über Gott ist.

g) Zusammenfassung: Holcots Kritik am Begriff der Theologie

Wie wir sahen, verbietet es Holcot die strenge Anwendung des aristotelischen Wissenschaftsbegriffes, die Theologie als Wissenschaft im eigentlichen Sinne zu bezeichnen. Er wendet sich zwar nicht ausdrücklich gegen den Begriff der Scientia subalternata des hl. Thomas, aber er wiederholt des öfteren, daß man nicht von Wissenschaft sprechen dürfe, wo die Schlußfolgerung aus Prämissen gezogen werde, von denen wenigstens eine ein Glaubensartikel oder eine aus ihm gefolgerte Wahrheit sei[151]. Nichts, was zum Gebiet des Glaubens gehört, kann zugleich auch demonstrierbar sein. Mit diesem Grundsatz fällt für Holcot der Wissenschaftscharakter der Theologie. Thomas selbst muß ihm als Kronzeuge für dieses Prinzip dienen[152]. Auf den am Eingang dieses Textes erhobenen Einwand, Thomas lehre doch die Beweisbarkeit der Existenz Gottes und den Wissenschaftscharakter der Theologie im eigentlichen Sinne, antwortet Holcot beidemal mit der Unterscheidung „in se" und „quoad

---

[151] Vgl. Holcot, Quodl. Theologia, S. [133]: Quinta conclusio est ista: Nulla propositio deducta ex duabus praemissis credita vel ex altera praemissa credita et altera scita est conclusio scita proprie. Istam probo dupliciter. Primo sic: Notitia principiorum est evidentior notitia conclusionis, primo Posteriorum 1 [A c.2 71b 21, 29—30] «unumquodque propter quod etc.» Sed nullus articulus potest esse evidenter notus, ut patuit in conclusione praecedente. Secundo patet per signum tam haec conclusio quam praecedens, quia signum scientis est posse docere. Nullus autem invenitur, qui sciat plura docere quam sciret unus infidelis; igitur.
Sexta conclusio est ista: Nulla notitia de veritatibus mere theologicis et quae in nulla humana probatur scientia potest dici notitia scientifica; patet ista conclusio; nam tales veritates vel sunt articuli vel ex eis sequentes.

[152] Vgl. ebd. S. [141]f: Octavum dubium est, quia hic videntur multa dici contra doctrinam sancti Thomae. Primo quia deum esse potest demonstrari secundum eum. Secundo quia Theologia est scientia secundum eum, prima parte Summae et in scripto. Respondeo quod praedictae conclusiones sunt sequentes ex doctrina sua, nam ipse tenet quod nullum credibile est demonstrabile. Unde contra eum, qui nihil concipit eorum, quae divinitus sunt tradita, nullam viam habet theologus ad probandum aliquod creditum, sicut patet per eundem, q. prima, articulo 8 in paenultimo, et per Dionysium, de divinis nominibus, c. 2⁰ [PG 3, 640 A]: Si aliquis est qui totaliter eloquiis resistat, longe erit a nostra philosophia; si <autem> ad veritatem eloquiorum sanctorum respicit, [et] hoc et nos canone et lumine utentes ad excusationem … vadimus … [Den unverständlichen Text der Edition haben wir hier nach dem Kommentar des hl. Thomas verbessert. Vgl. S. Thomae In Librum beati Dionysii De div. nom. expositio (Marietti 1950), c.2 1.1, p.37.] Unde dicit idem doctor S. Thomas, prima parte Summae, q.32 articulo primo [S.th. I q.32 a.1] quod Ille qui probare nititur trinitatem personarum, dupliciter derogat fidei …

nos"[153]. Die Existenz Gottes ist eine in sich notwendige Wahrheit und als solche auch in sich demonstrierbar; dennoch kann sie im Pilgerstand nicht bewiesen werden. Die theologischen Wahrheiten sind in sich wißbar und als solche Gegenstand einer Wissenschaft, obwohl sie von uns nur im Glauben erreicht werden können. Zweierlei ist an diesen Worten zu beachten: Holcot sagt, jedenfalls für den zweiten Fall, daß Thomas es selbst so gemeint habe. Der Begriff „scientia" scheint uns hier in einem doppelsinnigen Gebrauch zu stehen, nämlich in den Bedeutungen von „Wissen" und von „Wissenschaft".

Holcot gibt somit die Einheit der Theologie nach ihrer sachlichen und psychologischen Seite hin preis. Er zitiert eine theologische Meinung, nach der die Einheit des theologischen Habitus mit der sachlichen Einheit von Prinzipien und Schlußfolgerungen begründet wird. Wie die Prinzipien die Schlußfolgerungen in sich implizieren, so ist der Habitus der Schlußfolgerungen die Auseinanderfaltung und Verstärkung desjenigen der Prinzipien[154]. Dadurch erlangt der Theologe eine stärkere Gewißheit des Glaubens als der einfache Gläubige. Mit dieser Meinung ist die Annahme verwandt, daß dem Theologen ein besonderes Erkenntnislicht zuteil werde, das zwischen dem Glaubenslicht und dem Lumen gloriae liegt. Beide Lehren finden wir bei Petrus Aureoli, wie Beumer gezeigt hat[155]. Holcot nennt

[153] Vgl. ebd. S. [147]: Quod autem dicit quod deum esse est demonstrabile, verum est in se, quia est propositio necessaria et taliter demonstrabilis et nata fieri evidens per discursum syllogisticum, tamen a nobis viatoribus demonstrari non potest. Quando autem dicit quod theologia est scientia, vult dicere quod veritates theologicae sunt in se scibiles, hoc est ita verae quod de eis potest esse scientia, et tamen quod istae sint verae, nos credimus tantum.

[154] Vgl. ebd. S. [136]: Ponit quidam quod omnis habitus intellectualis, speculativus saltem, idem est secundum substantiam cum habitu principiorum, ita quod non differt ab habitu principiorum nisi sicut habitus explicitus ab habitu implicito. Idem habitus est continens et implicans aliquas veritates et potest quis per studium explicare easdem. In primis autem principiis implicantur universaliter omnes veritates; nam imaginatio sua est quod habitus principiorum et conclusionum non differunt nisi sicut forma remissa et intensa. Habitus enim principiorum est remissus, sed habitus conclusionis est intensus et magis intensus, in quanto ad plures conclusiones se extendit. Unde quod habitus principiorum est magis intensus in doctore quam in rustico, ideo doctor plures conclusiones videt in uno principio quam rusticus. Unde idem habitus sub esse remisso se extendit ad principia et sub esse intenso se extendit ad conclusiones.

[155] Muckle weist S. [136] Anm. 72 darauf hin, daß der in unserer Anm. 154 zitierte Text in RBM unmittelbar im Anschluß an die Lehre Heinrichs von Gent steht. Wir glauben, daß im vorliegenden Falle diese Hs die bessere Lesart bringt. Zur Lehre des Petrus Aureoli vgl. J. Beumer S.J., Der Augusti-

diesen Autor nicht, wohl aber Heinrich von Gent[156], auf den die

nismus in der theologischen Erkenntnislehre des Petrus Aureoli. In: FStud 36
(1954) 137—171. Beumer hat gezeigt, daß Aureoli beide Lehren vertritt.
Erstens spricht er sich in vorsichtiger Weise für eine besondere göttliche Erleuchtung in der theologischen Erkenntnis aus. Der von Beumer zitierte Text
lautet etwas ergänzt: „Ex praedictis itaque claret quod lumen, quo videatur
inhaerentia et clare cognoscatur, dari non potest; sed tale dari potest, quo
termini clarius cognoscantur et auferatur omnis repugnantia terminorum,
ortum habens ex oppositis rationibus et nutriatur inhaerentia eorundem in
mentibus infirmorum, qui forte resilirent propter illa dubia, nisi haberent
probabiles rationes ad declarandam inhaerentiam. Et hoc lumen est habitus
theologicus, de quo superius dicebatur; de quo etiam procedunt omnes auctoritates Augustini, et non de lumine illo fictitio, quod poni impossibile est"
Prooemium ad libr. Sent. 2, 49. (ed. Buytaert 189f). Der erste Satz und die
letzte kritische Bemerkung sind gegen Heinrich von Gent gerichtet, dessen
Lehre vom lumen theologicum allerdings nach der Auffassung seines Gegners,
Duns Scotus, interpretiert wird. Zweitens begründet Aureoli die Einheit des
theologischen Habitus mit der formalen Gleichartigkeit der Erkenntnis der
Prinzipien und der Schlußfolgerungen. Die von Holcot zitierte Meinung
gleicht derjenigen des Aureoli im Prinzip, jedoch nicht in den Einzelheiten.
Vor allem spricht Aureoli nicht von einer stärkeren und schwächeren Intensität der Form in der Erkenntnis der Prinzipien und der Konklusionen, sondern die gleiche Form, die in der Erkenntnis der Prinzipien ist, findet sich in
der Erkenntnis der Konklusionen „secundum post et latus", d. h. insofern
sie aus den Prinzipien folgen und diese erklären sowie zu weiteren Folgerungen führen. In dieser auf Vervollkommnung der Erkenntnis zielenden Ordnung und in dieser erkenntnis-theoretischen Einheit besteht die formale Einheit in einer (einheitlichen) Wissenschaft. Aureoli spricht nicht von einer
stärkeren, wohl aber von einer vollkommeneren Form der Erkenntnis der
Konklusionen als derjenigen der Prämissen. Bei Aureoli und bei dem von
Holcot zitierten Quidam ist es der gleiche Habitus, der in der Erkenntnis der
Prinzipien sub forma remissa, in derjenigen der Konklusionen sub forma
intensa (Aureoli: perfectius) die Einheit der Wissenschaft verbürgt. Die
Texte bei Aureoli vgl. Prooemium ad libr. Sent. 4, 56—57 (ed. Buytaert
268f). Ferner ebd. 89 (S. 279f). Vgl. Beumer a.a.O. 165—167.

[156] Vgl. Holcot, Quodl. Theologia, S. [138]: Nam est una opinio, quae ponit
articulos fidei non solum creditos sed intellectos, et ideo conclusiones ex eis
deductae sunt vere scitae in quodam lumine medio inter lumen gloriae et
lumen fidei. Quod lumen non habent isti simplices sed magni doctores. Et est
opinio Gandavensis* et pro ea videntur esse quaedam auctoritates sanctorum.
Unde Augustinus ad Volusianum: Ecclesiae catholicae fidem profiteor et ad
certam scientiam me perventurum praesumo**. Item Ricardus de trinitate***
primo, in prooemio: Parum nobis debet esse, quae recta sunt et vera de deo
credere, sed satagamus... quod credimus intelligere. Item ibidem: Parum
nobis debet esse, quae vera sunt de aeternis credere nisi detur hoc ipsum
rationis accersione convincere. Et infra dicit Ricardus: Non enim debent
de talium intelligentia comparanda desperare, dum tamen se sentiam firmos
in fide. Propter has autem auctoritates et consimiles est imaginatio Henrici
de Gandavensi quod theologicis datur unum lumen medium inter lumen
gloriae et lumen fidei et in illo lumine adquirunt sapientiam. [RBM bringt
nun hier den Text in unserer Anm. 154, m. E. in richtigem Zusammenhang

Lehre von einem besonderen „mittleren Licht" zurückgeht[157], das den Theologen zu einem wahren und höheren Wissen der göttlichen Dinge befähigt. Holcot lehnt beide Lehren ab. Theologische Sätze sind nicht Sätze des Wissens, sondern des Glaubens; daher bedarf es zu ihrer Erkenntnis nur des Glaubenslichtes. Holcot zieht diese Folgerung nicht ausdrücklich, sie ergibt sich aber aus dem Kontext[158]. Auch zeichnet sich der Theologe nicht durch einen festeren Glauben aus gegenüber dem einfachen Gläubigen. Wohl kann sein Glaube verdienstlicher sein, weil er durch die Kenntnis der Überredungskünste, die Philosophen und Häretiker vorbringen, in größerer

als Beleg für die Einheit der Theologie als Wissenshabitus. Daran schließt sich die Meinung eines „Wynk", den Muckle nicht identifizieren konnte. Wir finden diese Lehre bei Johannes Quidort vertreten, worauf auch Grabmann hingewiesen hat. Auch hier wird der Wissenschaftscharakter der Theologie festgestellt, so daß alle (drei) in quartum dubium aufgezählten Lehrmeinungen das gleiche Ziel haben.] Item Wynk tenet quod in solo lumine naturali et fidei et sequentibus ad articulos adquiritur vera scientia proprie dicta. Est tamen scientia non propter quid sed quia tantum. Contra has opiniones est experientia communis et rationes in quinta conclusione.

   * Muckle bemerkt in Anm. 30: Cf. Henry of Ghent, I. Summae Quaestionum (Paris 1520) art. 3, q.5. Responsio T. folio 30r; art. 13, q.2. Responsio T. folio 96r; gamma „ibid" art. 13 q.6. ad tertium; folio 95v. M: art. 18, q.3. Responsio R. folio 115r.

  ** Muckle in Anm. 32: This text is not in any of the extant Epistles to Volusianus. Likely he is quoting from memory.

***Muckle verweist auf Richard v. St. Viktor, Prologue; PL 196, 889—891.

Grabmann zitiert Johannes Quidort nach der Hs des Cod. lat. 2165 der Wiener Nationalbibliothek. (vgl. Die theologische Erkenntnislehre... 345) Der Sentenzenkommentar des Johann Quidort ist indessen ediert worden, so daß wir den gedruckten Text zitieren können. Vgl. Jean de Paris (Quidort) O. P., Commentaire sur les Sentences. Reportation, Livre I Quaestio 6 (Prooemium q. 6); (ed. Muller, 17f): Dicunt quidam quod (scl. theologia) vere est scientia, quia principia eius certissima sunt theologo, non solum certitudine adhaesionis vel credulitatis sed evidentiae, ita quod theologus non solum habet fidem sicut simplex fidelis, sed etiam intelligit articulos fidei, qui sunt principia huius scientiae, cognitione evidentiae. Ita quod ponunt quoddam lumen medium inter lumen fidei et patriae lumen beatorum, in quo lumine medio dicta principia sunt non solum credita, sed intellecta, sicut principia humanarum scientiarum sunt intellecta. Unde aliquid plus habet theologus de certitudine cognitionis quam simplex fidelis, ita quod simplex fidelis articulos fidei credit tantum, sed de ipsis theologus habet intellectum in quodam lumine medio inter fidem et visionem, sed articulos illos beatus videt. Ita quod simplex fidelis credit, theologus intelligit, beatus videt... Et istud lumen, ut dicunt, competit maioribus, qui habent docere alios. Sed hoc non valet. Non enim est ponere medium illud lumen, quia non est in statu praesenti nisi lumen naturale vel fidei, nec theologus habet aliud lumen quam catholicus simplex.

[157] Vgl. auch Grabmann a.a.O. 306ff.

[158] Vgl. u. Anm. 160.

Anfechtung steht als der Laie. Für dieses Argument beruft sich Holcot ausdrücklich auf Thomas[159].

Im folgenden Abschnitt des Quodlibets nimmt Holcot diese Kritik noch einmal auf. Er lehnt eine Meinung ab, die dem Theologen eine sichere Evidenz in bestimmten theologischen Schlußfolgerungen zuspricht. Aus dem Kontext ergibt sich, daß es sich um die Lehre eines zeitgenössischen Oxforder Magisters handelt: Robert Eliphat, gegen den Holcot auch an anderer Stelle polemisiert. Eliphat lehrte, „daß der Mensch, der es zu einer vollkommenen spekulativen Durchbildung gebracht und sich in seiner intellektuellen Erkenntnis von der Abhängigkeit von den Sinnen und sinnenfälligen Dingen losgelöst hat, den Glauben vorausgesetzt, zu einer evidenten Ableitung der Dreifaltigkeit aus dem Gottesbegriff kommen könnte" (nach A. Lang). Nach dieser Lehre vermag sich der Theologe im Glauben zu einer Gewißheit zu erheben, die derjenigen der Gottschau nahekommt. Das Mittel, das zu diesem Ziele führt, besteht in einer geläuterten Erkenntnis[160].

---

[159] Vgl. Holcot, Quodl. Theologia, S. [142]: Unde fides magni theologi potest esse magis meritoria, si velit, quam fides unius simplicis, cuius ratio est quia, cum credere non sit meritorium nisi quatenus imperatur a voluntate, quanto voluntas imperat credere difficilia et quanto plures persuasiones philosophorum et haereticorum respuit et contemnit, tanto videtur maius mereri apud deum, Thomas 2 q.2 a.10 ad 3. (S.th.II II q.2 a.10 ad 3). Sed certum est quod unus magnus theologus plures persuasiones et rationes haereticorum percipit, quibus non obstantibus adhaeret; igitur. Non tamen dico quod aliquam scientiam adquirit theologus, quam non adquirit fidelis, sed tantum fidem explicitam. Et per modum istum potest dici quod augmentat fidem suam non inhaerendo firmius sed inhaerendo pluribus, vel forte et pluribus et firmius.

[160] Der Text bei Holcot ebd. S. [142] lautet: In hoc etiam discordo ab illo [Muckle schreibt: a Guilelmo, und setzt in Anm. Willo, Witto, ‚I have not identified this quotation.'] qui dixit quod theologus potest de quibusdam consequentiis certiorari, etc. Contra: vel ille tenet per medium intrinsecum vel extrinsecum. Si intrinsecum, vel sumitur ex parte huius termini deus, et sic erit propositio mere credita, vel ex parte alicuius termini importantis causam, et talem consequentiam potest infidelis scire. Si vero teneat per medium extrinsecum, puta per aliquam regulam logicalem, illam potest scire quicumque logicus, sicut patet de hac consequentia: Deus creat, ergo omne creans est deus.
Die Lesart „ab illo" statt „a Guilelmo" kommt der Schreibweise in RBM und P näher (RBM fol. 145 ra 48; P fol. 201 rb 3). Die anonyme Formel erklärt sich aus dem Brauch jener Zeit, den Socius im Magisteramt, mit dem man streitet, nicht mit Namen zu nennen.
Zur Lehre des Robert Eliphat vgl. A. Lang, Die Wege der Glaubensbegründung bei den Scholastikern des 14. Jahrhunderts, BGPhMA XXX, 1—2, Münster 1930, 156ff. Daselbst auch das Zitat aus Prol. Sent. q.2 a.3 concl. 8: Quod perfectus in scienciis speculativis presupposita fide per alienacionem

Holcot unterscheidet in seiner Responsio zwischen innerem und äußerem Mittel. Ein inneres Mittel ist entweder Gott selbst; dann bleibt aber jede Aussage innerhalb des Glaubens; oder es ist eine aus irgend einem der Satzteile erschließbare Ursache; dann stünde diese Erkenntnis jedem Ungläubigen offen. Ein äußeres Mittel wäre etwa eine logische Regel; dann könnte aber jeder geschulte Logiker zu dieser vollkommenen Erkenntnis des Glaubensgeheimnisses gelangen.

Mit dieser Antwort bleibt Holcot seinem Prinzip wie seiner Methode treu. Seinem Prinzip entsprechend kann nur der Glaube, d. h. aber Gott selbst sagen, was über Gott gesagt werden muß; nur von dort empfangen wir den zutreffenden Gottesbegriff. Die anderen beiden Einwände sind aussagenlogischer Natur: Geht eine Erkenntnis unmittelbar aus einem Begriff hervor, dann ist sie vom Glauben unabhängig. Eliphat setzt aber für jene evidente theologische Erkenntnis den Glauben voraus. Darum ist sein Beweis nicht schlüssig; denn was aus einem Begriff an sich oder auf Grund einer rein logischen Regel (medium extrinsecum) folgt, das kann jeder Ungläubige auch einsehen. Dafür braucht der Glaube nicht vorausgesetzt zu werden; es bedarf nur der Kenntnis der Begriffsbedeutung und der logischen Regeln. Daß diese allein aber nicht zur wahren Gotteserkenntnis führen, zeigt Holcot an dem Beispiel eines Syllogismus, mit dem er seinen Gegenbeweis schließt: Gott schafft; also ist alles Schaffende auch Gott.

In seiner Kritik am Wissenschaftscharakter der Theologie beruft sich Holcot wiederholt auf bedeutende Autoren vor ihm. Die Skepsis seines Urteils in dieser Frage war nicht ganz neu. Unter den Dominikanertheologen ist es Robert Kilwardby, der am entschiedensten die Anwendung des aristotelischen Wissenschaftsbegriffes auf die Theologie ablehnte[161]. Dabei stützt sich Kilwardby, der einen Kommentar zu den Analytica Posteriora geschrieben hat, ausdrücklich auf die Ausführungen des Aristoteles über die Wissenschaft. Ihnen entnimmt er die Einwände, deren Lösung er mit dem Satz beginnt: Ad prima ergo igitur tria obiecta de Aristotele respondeo, quod scientia aliter accipitur apud theologos et sanctos et aliter

intellectus a sensibus et a sensibilibus posset ad aliquam noticiam incomplexam de deo devenire, per quam cognosceret evidenter deum esse trinum et unum (Vat. lat. 1111, fol. 77va; Dominikanerkloster Wien, Cod. 108 fol. 18va). Zu der Frage, ob Eliphat auch der „Socius" ist, mit dem sich Holcot in den Conferentiae auseinandersetzt, vgl.: „Die Lehre vom Glauben", S. 196f.
[161] Vgl. Grabmann, a.a.O. 222ff; Verf. zitiert nach F. Stegmüller, Les questions du commentaire des Sentences de Robert Kilwardby: RThAM VI (1934) 55—79; 215—228; bes. 53—60.

apud Aristotelem. Grabmann gibt die Hauptargumente Kilwardbys
an: „Die Theologen und Kirchenväter (sancti) nennen ein Wissen
all das, was durch unseren Geist erkannt, gleichviel ob es geglaubt
oder geschaut (mit Evidenz erkannt) wird. Aber Aristoteles versteht
unter Wissenschaft und Wissen nur eine conclusio causaliter demonstrata, d. h. eine Schlußfolgerung, welche durch die Erkenntnis aus
den Ursachen bewiesen ist, welche Wirkung eines apodiktischen,
streng logischen Beweisverfahrens ist. . . . Weil nämlich die menschliche Vernunft in ihrer Untersuchung die Wahrheit nur dadurch
findet, daß sie vom Oberbegriff durch den Mittelbegriff zum Unter-
begriff sich fortbewegt (decurrendo a termino in terminum per
medium) und weil dieses diskursive Verfahren im Allgemeinen nicht
möglich ist ohne eine Denkbewegung vom Allgemeinen zum gleich
Allgemeinen oder zum Partikulären, deshalb lehrt Aristoteles, daß
die Wissenschaft ein habitus conclusionum ist und vom Allgemeinen
ausgeht. . . . Ganz anders verhält es sich mit der Theologie. Da sie
nicht durch die Erkenntnis menschlicher Erfindung bewirkt ist, sondern — ich rede vom Kanon der Bibel — durch göttliche Inspira-
tion verursacht ist, deshalb ist es nicht notwendig, daß sie vom Allgemeinen ihren Ausgang nimmt. Weil sie ferner sicher und gewiß
ist aus der absoluten Wahrheit selbst, welche sie innerlich inspiriert
hat, deshalb ist es ebenfalls nicht notwendig, daß sie von allgemeinen Ursachen als Prämissen oder von Demonstrationen, die sich
nicht anders verhalten können, hervorgeht." Grabmann bemerkt
dazu, daß Kilwardby „nur wenige Jahre, bevor der hl. Thomas in
seiner Schrift in Boethium de Trinitate zum erstenmal die Theologie als eine Wissenschaft im aristotelischen Sinn erwiesen hat, klar
und unzweideutig mit eingehender Begründung die Übertragung
des aristotelischen Wissenschaftsbegriffes auf die Sacra Scriptura,
die er synonym mit der Theologie auffaßt, abgelehnt hat. Er bezeichnet und bewertet Theologie als scientia in dem viel weiteren
augustinischen Sinne, wonach Wissen und Wissenschaft all das ist,
was mit Gewißheit erkannt wird und inhaltliche Einsichten gewährt." Die Ähnlichkeit in der Auffassung, die fünfzig Jahre später
Holcot von der Aufgabe der Theologie hat, zu derjenigen Kilwardbys ist auffallend. Die theologische Methode wird von derjenigen
der natürlichen Wissenschaften aus mehreren Gründen abgehoben.
Der erste Unterschied besteht in dem steten formalen Bezug auf die
Aussagen der Heiligen Schrift, die nicht nur die Glaubensprinzipien
und damit die Prinzipien der theologischen Konklusionen liefert,
sondern auch die Methode der theologischen Argumentation beein-

flußt. Wie Grabmann gezeigt hat, ist für Kilwardby Theologie synonym mit biblischer Theologie. Dies gilt auch für Robert Holcot[162], und hierin unterscheiden sich diese beiden Dominikaner auch in der theologischen Methodik von Thomas von Aquin. Der zweite Grund, in dem Kilwardby und Holcot ein Hindernis für die Anwendung der aristotelischen Methodik auf die Theologie sehen, besteht in den jeweils verschiedenen Prinzipien und ihrer Einwirkung auf die Beweismethode. In der aristotelischen Philosophie sind die obersten Prinzipien „aus dem Lichte ihrer eigenen Wahrheit in sich bekannt" (so gibt Grabmann den Text bei Kilwardby wieder). Die theologische Erkenntnis bedarf solcher Prinzipien nicht, weil sie von der ewigen Wahrheit selbst ausgeht. Daher entfällt in der Theologie auch das syllogistische Schlußverfahren; ihre Methode ist nicht die eines notwendigen Fortschreitens von Einsicht zu Einsicht, das folgerichtig aus einem höchsten und allgemeinsten Prinzip hervorgeht. Hier ergibt sich noch ein dritter Unterschied. Während der philosophische Beweis von solchen allgemeinsten Prinzipien ausgeht, erhält die Theologie ihren Impuls und ihr Ziel durch bestimmte Werke, die zum Heil der Geschöpfe aus dem freien Ratschluß Gottes hervorgegangen sind. Kilwardby hat dieses Motiv wenigstens indirekt berührt, indem er, was die Methode angeht, die spekulativen Wissenschaften auf die eine Seite, die Sacra Scriptura und die praktischen Wissenschaften auf die andere Seite stellte. Grabmann kommentiert Kilwardby dahingehend: „Es haben also die rationes, die aus Aristoteles entnommen sind, auf die Sacra

---

[162] Holcot spricht dies nicht direkt aus. Er unterwirft jedoch solche Aussagen, die theologisch nicht synthetisierbar sind, der unbedingten Autorität des Schriftwortes. Als deutliches Beispiel dafür stehen seine Ausführungen und Schriftverweise zu dem Satz: Gott kann täuschen. Diese These findet sich in den ausgedehnten Spekulationen über die Wahrheit der futura contingentia. Vgl. Holcot, II Sent. q.2 a.8 CC (fol. h VI r 23—42): Nec video causam, quare deus non potest velle creaturam decipere per seipsum immediate. Unde dicit Augustinus libro 83 quaestionum q.2: quod deus decipit per malos angelos et per malos homines et quod deus iussit filiis Israel decipere Aegyptios. Ubi alludit Augustinus historiae de rege Achab, III. Regum ca. 22, et de spiritu, qui dicit: Egrediar et ero spiritus mendax. Et sequitur: Decipies et praevalebis egredere. Ubi manifestum est secundum Augustinum quod deus dixit malo angelo, ut deciperet regem. Similiter Christus voluit nasci de virgine, ut deciperet dyabolum eius nativitatem secundum sanctos occultans. Similiter Rebecca et Jacob de singulari consilio spiritus sancti deceperunt Isaac, Genesis 27. Similiter Judith Holofernem. Unde videtur quod deus possit decipere etiam per bonos ut satis verisimile est quod frequenter decepit diabolum et malos homines. Similiter deus praecepit Josue quod poneret insidias urbi Hai, quando debuit eam capere. Similiter dixit Josue quod deciperet eos.

Scriptura keinen Bezug; es haben diese aristotelischen Bestimmungen der Wesensmerkmale der Wissenschaft nur für die von der menschlichen Untersuchung herrührenden Wissenschaften eine Geltung und auch hier nicht ganz allgemein, sondern nur in den spekulativen und vornehmsten Wissenschaften, wie solche die mathematischen Disziplinen sind. Auf die praktischen Wissenschaften treffen diese Momente des Wissenschaftsbegriffes nicht zu. Denn sie sind weder demonstrativ noch gehen sie von notwendigen Voraussetzungen aus." Bei Holcot hat dieses Motiv eine radikale Ausformung erfahren. Seine Lehre von der Logica fidei und seine Kontingenzlehre sind die notwendigen Konsequenzen.

Von den bedeutendsten Theologen außerhalb des Dominikanerordens, die der Anwendung des aristotelischen Wissenschaftsbegriffes auf die Theologie ablehnend gegenüberstehen, seien hier nur noch Wilhelm von Ware[163] und Duns Scotus[164] genannt. Beide Magister bestreiten nicht die Wissenschaftlichkeit der Theologie im weiteren Sinne. Für Wilhelm ist Theologie, wenn man sie als Wissenschaft in sich betrachtet (also ohne Berücksichtigung des menschlichen Pilgerstandes), die vollkommenste und allergewisseste Wissenschaft. „Duns Scotus liegt es ebenso fern, der Theologie den wissenschaftlichen Charakter im gewöhnlichen Sinne des Wortes abzusprechen. Er leugnet nicht, daß sie dem Verstande wirkliche Erkenntnis, wahres Wissen gewährt, oder daß sie wissenschaftliche Methode, eingehendes Forschen und Untersuchen, scharfes Definieren, Distinguieren, Argumentieren usw. zuläßt[165]." Beide Theologen erheben jedoch das gleiche Argument gegen den Wissenschaftscharakter der Theologie im strengen Sinne: Weil ihre Prinzipien für uns nicht einsichtig sind, darum ist die Theologie des Pilgers nicht Wissenschaft im eigentlichen Sinne.

Unter den Dominikanertheologen nach Thomas war die Beurteilung der Theologie als Wissenschaft keineswegs einheitlich. Grabmann verweist auf das Urteil von Josef Koch: „Jedenfalls kann davon keine Rede sein, daß das berühmte Dominikanerkloster von Saint-Jacques in Paris gegen Ende des 13. Jahrhunderts sich einträchtig zur Lehre des hl. Thomas bekannt habe. Man muß vielmehr zwei Richtungen unterscheiden, die Thomisten und die Antithomisten; oder vielmehr wäre es richtiger, letztere als kritische Thomi-

---

[163] Vgl. Grabmann, a.a.O. 294ff.
[164] Vgl. a.a.O. 297ff.
[165] Vgl. a.a.O. 298; Grabmann verweist auf die eingehende Untersuchung dieser Lehre durch P. Minges, O.F.M., Das Verhältnis zwischen Glauben und Wissen, Theologie und Philosophie nach Duns Scotus, Paderborn 1908, 78—121.

sten zu bezeichnen[166]". Die Lehre des Durandus und des Herveus
Natalis über den Wissenschaftscharakter der Theologie ist von
E. Krebs und A. Bielmeier dargelegt worden[167]. Grabmann gibt für
Herveus eine kurze Zusammenfassung, aus der hervorgeht, daß auch
dieser Dominikanertheologe den Wissenschaftsbegriff im strengsten
aristotelischen Sinn auffaßte und daher seiner Anwendung auf die
Theologie kritisch gegenüberstand. Den Widerspurch zu Thomas
(S. th. I q. 1 a. 2) scheint er empfunden zu haben und versuchte ihn
zu beheben[168]. Die ganz andere Stellung des Durandus ergibt sich
aus seiner von Augustinus beeinflußten Erkenntnislehre. Von besonderer Bedeutung dürfte es sein, daß sich auch bei einem so treuen
Anhänger des hl. Thomas, wie es Johannes von Neapel war[169],
gewisse Bedenken gegen den Wissenschaftscharakter der Theologie
im aristotelischen Sinne zeigen. Schon in den Quaestiones disputatae[170] macht Johannes gewisse Einschränkungen. Im Quodlibetum
VI q. 1 steht er sogar in der Nähe des Franziskanertheologen Wilhelm von Ware, wonach die Theologie „nicht subiective, sondern
bloß secundum se eine Wissenschaft sei"[171].

Holcot übertrifft diese Autoren an Radikalität. Grabmann hat
ihn in seine Untersuchung der theologischen Methode nicht mehr
einbezogen. Er bemerkt lediglich, daß er „durch seine nominalistische Einstellung die thomistische Tradition verlassen hat" und im
Sentenzenkommentar die Natur und Methode der sacra doctrina
nicht erörtert[172]. Tatsächlich geschieht dies ausführlich in der hier
untersuchten quodlibetalen Quaestio. Jedoch gewährt die Art des
Argumentierens im Sentenzenkommentar wichtige Einsichten in
die theologische Methode dieses Dominikaners. Will man die Aus-

---

[166] Vgl. a.a.O. 337; J. Koch, Jakob von Metz, der Lehrer des Durandus a. S.
Porciano O.P. In: AHD IV (1930) 169—226, bes. 193.

[167] E. Krebs, Theologie und Wissenschaft nach der Lehre der Hochscholastik an
Hand der bisher ungedruckten Defensa doctrinae S. Thomae des Hervaeus
Natalis mit Beifügung gedruckter und ungedruckter Paralleltexte, Münster
1911.
A. Bielmeier O.S.B., Die Stellungnahme des Hervaeus Natalis in der Frage
nach dem Wissenschaftscharakter der Theologie. In: DTh 3 (1925) 399—414.

[168] Vgl. Grabmann, a.a.O. 367f.

[169] Grabmann (a.a.O. 371) verweist auf das Urteil von J. Koch, Durandus de
S. Porciano, 285.

[170] Diese sind ediert von Dom J. Leclercq O.S.B., La théologie comme science
d'après la littérature quodlibétique. In: RThAM XI (1939) 351—374; bes.
367—370.
Vgl. Grabmann, a.a.O. 371ff.

[171] Vgl. a.a.O. 377ff.

[172] Vgl. a.a.O. 380.

sagen Holcots in unserer Quaestio auf einen formalen Nenner bringen, so möchten wir den Wandel zu Thomas und auch zu Scotus darin sehen, daß an Stelle der Theologie als einer einheitlichen Wissenschaft im strengen (Thomas) oder im weiteren Sinne (Scotus) das Theologisieren als Aufgabe tritt. Auch im Gebrauch der Begriffe und Sprachformen vollzieht sich ein Wandel, wobei die substantivischen Wortformen durch verbale ersetzt werden[173]. Einem solchen Wandel der Aussageformen liegt ein tieferer Wandel des Verstehens zugrunde. Die Frage nach dem Wesen der Theologie wird nun abgelöst durch die Fragen nach dem Vollzug des Theologisierens. Darunter versteht Holcot eine ständige Erkenntnisbemühung innerhalb des Glaubens. Sie wird angetrieben von einem dem Menschen natürlicherweise eingegebenen Streben, „natürlich" nicht in der Bedeutung von „notwendig", sondern im Sinne eines in der menschlichen Natur verwurzelten Verlangens nach dem Wissen der göttlichen Dinge[174]. Der Schlußsatz der Quaestio[175] ist ein Bekenntnis zu dieser Theologie, die sich eigentlich im augustinischen „Suchen nach Gott" verwirklicht: „Es ist wahr: unsere Natur verlangt nach dem Wissen der Theologie. Jedoch ist es ebenso wahr, daß wir jene Wissenschaft im gegenwärtigen Leben aus unseren Kräften nicht erreichen können, wie wir ja auch von Natur aus danach verlangen, ewig zu leben, was Gott allein zu gewähren vermag und uns gewähren möge."

3. Theologische Methodik im Sentenzenkommentar

a) Die Fragestellung

Im Sentenzenkommentar hat Holcot zu der Frage nach dem Wissenschaftscharakter der Theologie nicht ausdrücklich Stellung ge-

---

[173] Vgl. „Die Logik als Instrument der Theologie", S. 70, 78f.

[174] Sowohl im Quodl. Theologia, S. [147] wie im Sentenzenkommentar (I q.4; fol. d. VII rb 9—12) sagt Holcot, daß jedem Menschen eine Seele innewohnt, die der Gotteserkenntnis fähig ist [im Quodl.: „Gottes und der Gotteserkenntnis" „anima capax dei et cognitionis eius"]. Hier geht Holcot über diese Behauptung einer natürlichen Empfänglichkeit hinaus; Quodl. Theologia S. [153]: Ad argumentum principale quod est contra viam istam, quando accipitur quod naturaliter desideramus scire theologiam, dico quod ista propositio potest multipliciter intelligi. Primo ut non accipiatur pro ista: naturaliter habemus desiderium ad sciendum theologiam, ut distinguatur naturaliter contra libere, et sic est falsa, tum quia semper nobis inesset, tum quia non possemus non desiderare scire theologiam. Aliter accipitur pro ista propositione: nostra est natura desiderare scire theologiam, et hoc est verum.

[175] Vgl. ebd. ... Nostra est natura desiderare theologiam ... Et tamen cum hoc stat quod illam scientiam non possumus attingere in praesenti ex nobis, sicut

nommen. Das Gleiche gilt von den übrigen quodlibetalen Quästionen, in denen die Fragen des Sentenzenkommentars erneut aufgenommen und zum Teil ergänzt oder erweitert werden. Das Interesse an der Methodik wird dort vielmehr in den theologischen Aussagen selbst geweckt. Diese sind oft nur zu verstehen und anzunehmen unter der Voraussetzung des methodischen Verständnisses. Darauf wurde bereits bei der Darstellung hingewiesen, die dem Einfluß der Logik und Sprachphilosophie auf die theologische Aussage galt[176]. An dieser Stelle geht es nicht mehr um eine Wiederholung jener Darlegungen oder um eine Vermehrung der Beispiele und Belege, obgleich eine Analyse der Methode ein solches Vorgehen erfordert[177]. Über diese Aufgabe hinaus stellt sich sodann die Frage nach dem theologischen Sinn und der theologischen Bedeutsamkeit dieser Methodik. Das Gemeinte läßt sich vielleicht am besten an den Einwendungen und Vorwürfen verdeutlichen, die gegen Holcots Theologie erhoben werden und letztlich die Methodik seiner Aussagen betreffen. Diese Vorwürfe sind in Schlagwörtern zusammengefaßt wie Sekptizismus, absolute Trennung von Glaube und Wissen, Nominalismus, Logisierung der Theologie. Die meisten dieser Vorwürfe dienten von jeher dazu, eine ganze Richtung der Theologie des vierzehnten Jahrhunderts zu kennzeichnen. In den letzten Jahrzehnten ist in der Beurteilung dieser Theologie, gegen die sich die Kritik vornehmlich richtete, eine gewisse Veränderung vor sich gegangen. Für ein sachgerechtes Verstehen der Theologie des Duns Scotus ist Parthenius Minges bereits am Anfang unseres Jahrhunderts eingetreten und hat Entscheidendes dafür geleistet[178]. Philotheus Boehner vertrat ein ähnliches Anliegen für die Theologie und die Philosophie (und darin besonders für die Erkenntnislehre) Wilhelm Ockhams. Sowohl durch seine Einzeluntersuchungen wie durch sorgfältige Editionen der Werke Ockhams hat Boehner zu einem vorsichtigeren und gerechten Urteil über Ockham und den Ockhamismus beigetragen[179]. Eine grundsätzliche Aufwertung der

---

naturaliter desideramus semper vivere et tamen semper vivere a solo deo est, quod nobis concedat.

[176] Vgl. „Die Logik als Instrument der Theologie".

[177] Aus diesem Grunde wurden in die vorliegende Untersuchung der Methode auch verschiedene Inhalte der Theologie einbezogen, um an ihnen die theologische Aussageweise aufzuzeigen.

[178] Besonders zu nennen sind: P. Minges O.F.M., Ist Duns Scotus Indeterminist? BGPhMA V, 4, Münster 1905; Ders., Der Gottesbegriff des Duns Scotus (Theol. Studien der Leo-Gesellschaft 16) Wien 1907.

[179] Eine Zusammenstellung und Auswertung der gesamten Literatur zur Ockham-Kritik im Lichte der Metakritik Boehners liegt vor, leider bis jetzt nur in

ganzen Spätscholastik wurde auch von H. A. Oberman vorgenommen. Schon der Titel seines Werkes soll einen neuen Aspekt zum Ausdruck bringen, unter den der Verfasser diese Zeit gestellt haben möchte: Statt vom „Verfall" der mittelalterlichen Theologie solle man lieber vom „Herbst des Mittelalters" sprechen, „das genau „Erntezeit" bedeutet[180]." Es wäre verfrüht und unrealistisch, eine allgemeine Neuorientierung des Urteils zu erwarten. Soweit Pauschalurteile wie Nominalismus, Ockhamismus, die man ohne genügende Berücksichtigung der Quellen schematisch von Lehrbuch zu Lehrbuch weitergab, abgebaut werden, haben die Arbeiten der genannten Autoren ein hohes Verdienst. Es darf aber nicht übersehen werden, daß die verschiedenen „Theologien" von innerlich unterschiedenen Grundlagen ausgehen, die sowohl gewisse unaufhebbare Gegensätze bedingen als auch die Grenzen ziehen, die jedem theologischen Entwurf gegeben sind. Diese Grenzen schränken nicht nur die Leistungsfähigkeit eines theologischen Systems ein, sondern zugleich auch die Möglichkeit des Verstehens von einem zum anderen. Erst die Einsicht in die gegenseitige Bedingtheit und Abhängigkeit von Aussageform und Aussageinhalt ermöglicht ein umgreifendes Verstehen verschiedener Denksysteme[181].

Für Holcots Theologie stellt sich uns die Frage nach der theologischen Bedeutung seiner Methode, die so stark von der Logik und der Sprachphilosophie seiner Zeit geprägt ist. Die Tatsache dieses Einflusses ist bereits ausführlich dargestellt worden. Auch wurde schon gesagt, daß eine „Methode der Reflexion", wie wir sie als Eigentümlichkeit dieser Theologie kennzeichneten[182], sich mit innerer Notwendigkeit jener Disziplinen bedient, die sich auf die Aussageformen erstrecken. Wir fragen nun, ob eine solche Methode auch eine theologische Bedeutung hat und worin diese besteht.

Maschinenschrift: H. Junghans, Ockham im Lichte der neueren Forschung. Dargestellt an Hand der Arbeiten des Franziskaners Philotheus Böhner und seiner Gesprächspartner.

[180] Vgl. H. Oberman, Spätscholastik und Reformation I. Der Herbst des Mittelalters. Uns liegt die Übersetzung, Zürich 1965, vor. Der Originaltitel lautet: The harvest of Medieval Theology — Gabriel Biel and late medieval Nominalism. Vgl. in der Übers. S. 5.

[181] Das Problem ist bereits von Hans Leisegang in dem Werk: Denkformen, Berlin 1951, angegangen worden. In einer stärkeren Berücksichtigung der Hermeneutik wurde es dann zum Thema bei H.-G. Gadamer, Wahrheit und Methode, Tübingen 1960 und ²1965.

[182] Vgl. „Die Logik als Instrument der Theologie", S. 20.

b) Grenzen der Logik

Unter dem Eindruck der verschlungenen logischen Argumente ist das Urteil verständlich, das von einem Überwuchern der Logik in dieser Theologie spricht[183]. Die Erinnerung an den unheilvollen Einfluß der Dialektiker wie etwa des Anselm von Besate, des Berengar von Tours oder des Roscelin[184], die mit ihrer Disputierkunst die Glaubensaussagen gefährdeten, wird geweckt. Sie riefen jene scharfe Reaktion hervor, die geführt von Petrus Damiani die Anwendbarkeit der Logik auf Glaubensaussagen überhaupt bestritt. Anselm von Canterbury ragt durch seine vermittelnde Stellung hervor. Fest auf dem Boden des Glaubens stehend, verwirft er die zügellose Spekulation der Dialektiker, denen die Hl. Schrift nur als Ausgangspunkt ihrer sophistischen Spielereien dient. Er verlangt vielmehr Unterwürfigkeit nicht nur gegenüber dem Schriftwort, sondern auch gegenüber dem Glaubenszeugnis der Kirchenväter. Überhaupt gilt ihm der Glaube der Kirche als ständiges Korrektiv für die theologischen Aussagen. Jedoch begnügt er sich nicht mit einem blinden Glauben, vielmehr nimmt er die Dialektik, wie man damals die Logik nannte, in den Dienst der Glaubenserkenntnis und des Glaubensbeweises. Diese Disziplin hat einen doppelten Dienst: Sie soll helfen, den Glauben besser zu verstehen, und sie soll den Weg bereiten, den Glauben verstandesmäßig aufzuarbeiten[185]. Durch diese Einstellung zur Aufgabe der Logik in der Theologie überwindet Anselm von Canterbury den Rationalismus der „Dialektiker". Die Logik wird in den Dienst der Theologie genommen. Nun läßt sich zeigen, daß auch Holcot diesem Grundsatz treu bleibt. In der Quaestio über die Präsenz Christi in der Eucharistie[186] beginnt er die Lösung der Frage, indem er die Ratio und die Logik vor diesem Geheimnis in ihre Schranken weist. Dabei wird nicht der blinde Glaube allein empfohlen, sondern Zurückhaltung in der Anwendung rationaler und logischer Argumente[187]. Wir sehen hier

---

[183] Vgl. F. Ehrle, Der Sentenzenkommentar Peters von Candia, 111.

[184] Vgl. Überweg — Geyer, 185ff; 205ff.

[185] Vgl. O. Muck S.J., Zur Logik der Rede von Gott. ZKTh 89 (1967) 1—28; 2.

[186] Vgl. Holcot, IV Sent. q.3 (fol. m V rb 48—51): Utrum in sacramento eucharistiae sub speciebus panis vere et realiter existat corpus Christi.

[187] Vgl. ebd. (fol. m VIII va 16—27): [Ad quaestionem igitur dicendum est quod sic. Et licet creduntur adduci posse rationes, non tamen congruit, ut adducantur nec sufficienter adduci possunt, quia in factis mirabilibus et miraculosis tota facti ratio est potentia, scientia et voluntas facientis] ... Primo dicendum est quid est forma. Pro quo sciendum quod non est nimis logice loquendum in ista materia. Der erste Teil [] findet sich nicht in P und RBM. Jedoch ist er nur eine kurze zusammenfassende Wiederholung einer längeren Erklärung ein wenig davor, in der Holcot mit Berufung auf Augustinus und

den Ausdruck einer klugen Skepsis gegenüber der Leistung der Ratio auf dem Gebiet des Glaubens. Zugleich wird eine völlige Verwerfung der Argumentation, also rationalen Begründens und Beweisens im Glauben, abgelehnt. Diese doppelte Tendenz: Einschränkung der logischen Beweiskunst im Glauben und Abweisung eines Irrationalismus, kommt noch deutlicher in einem Text zum Ausdruck, der in der gleichen Quaestio steht und den wir wegen seiner Bedeutung in der Anmerkung in vollem Wortlaut wiedergeben[188]; denn aus ihm ergibt sich zugleich indirekt der Wissen-

Gregor sehr klar die Grenzen der menschlichen Ratio auf dem Gebiet des Glaubens und zugleich die Erlaubtheit ihrer Anwendung ausspricht. Text in der folg. Anm.

[188] Vgl. ebd. (fol. m VIII ra 52—b 26) Wir korrigieren den Text der Inkunabel nach den Hss P und RBM: Ad quaestionem sine dubitatione et distinctione dicendum est quod sic, cuius credibilitatem persuadeo sic: Suppono unam propositionem, quam ponit beatus Augustinus in quadam epistula ad Volusianum, quae est talis: Dicemus deum aliquid posse quod nos fateamur investigare non posse. In talibus rebus tota ratio facti est potentia facientis. Unde accipitur illa communis propositio in scola quod in rebus mirabiliter factis tota ratio facti est potentia facientis. Et loquitur de incarnatione Christi et eius nativitate. Ex quo arguitur sic: Deus potest facere plus quam possumus intelligere, et potest facere, cuius modum et causam non possumus [sufficienter add. RBM] investigare. Unde ista consequentia non est bona: Homo non potest declarare sufficienter, quomodo sub speciebus panis et vini existat realiter corpus Christi; ergo non potest sic esse in re vel ergo non debet credi sic esse in re. Nam ex quo indubitanter credimus deum plus posse facere quam nos possumus ex naturalibus investigare, consequens est in his, quae dicit nobis esse credenda, captivemus intellectum nostrum. Nec hoc est mirabile, si deus velit nos in quibusdam singularibus ab eo institutis captivare intellectum nostrum, cum intellectus noster sit tam debilis quod non sufficit cuiuscumque rei minimae de toto mundo demonstrando naturam comprehendere, nisi ideo desinimus rerum naturas in operationibus admirari, quia ad eas sic videre sumus usitati (assueti RBM), sicut dicit beatus Augustinus et Gregorius similiter. Et ideo dicendum est, sicut Magister dicit dist. 11. c.4 [IV. Sent. d.11 c.2; ed. 2ᵃ 1916 p.802]: Mysterium fidei credi salubriter potest, investigari salubriter non potest. Quod non est sic intelligendum quod homo non debeat circa illa, quae sunt fidei, arguere et respondere, sed non debet aestimare se posse rationem perfectam assignare. Die Bemerkung, daß wir das Wesen auch des kleinsten Dinges dieser Welt nicht mit dem Intellekt erkennen können, erinnert an Thomas Aq., S.th I q.84 a.7: Unde natura lapidis vel cuiuscumque materialis rei cognosci non potest complete et vere, nisi secundum quod cognoscitur ut in particulari existens. Particulare autem apprehendimus per sensum et imaginationem. Zwei Gründe sprechen gegen die intellektive Erkennbarkeit des Wesens eines Dinges: erstens wird das Wesen nur im Einzelding von unserer Erkenntnis erreicht, und zweitens wird das Einzelne nur mit Hilfe der Sinne und der Einbildungskraft erkannt. Beide Gründe schließen eine unmittelbare Wesenserkenntnis aus. Man beachte Holcots Formulierung: Intellectus noster sit tam debilis quod non sufficit cuiuscumque rei demonstrando naturam comprehendere. Der Hinweis Holcots

schaftscharakter der Theologie im weiteren Sinne, da Holcot ausdrücklich anerkennt, daß man auf die Gegenstände des Glaubens
die Kunst der Argumentation anwenden darf.

c) Verfeinerung der logischen Reflexion

So steht Holcot grundsätzlich auf dem gleichen Boden wie Anselm
von Canterbury, was die Verwendung der Logik, der Disputierkunst und des rationalen Beweisens in der Theologie betrifft. Wie
ist damit seine beißende Kritik zu vereinbaren, die er gegen den
Gottesbeweis des Anselmus und damit zugleich gegen seine Logik
richtet[189]? Die Antwort geben die Texte selbst. Holcots Kritik richtet sich nicht gegen die Anwendung der Logik an sich, sondern
gegen Unvollkommenheiten und Fehler. Die Möglichkeit einer solchen Kritik wurde durch die Verfeinerung der logischen Analyse
theologischer Aussagen geschaffen. Daß eine solche Analyse innerhalb der Theologie überhaupt als legitim gelten konnte, ist Anselms
vermittelnder Stellungnahme zu verdanken. Er wies „der scholastischen Theologie den Weg, den Glauben verstandesmäßig aufzuarbeiten, ohne ihn rationalistisch auszuhöhlen"[190].

Thomas von Aquin hat diese Aufgabe der logischen Analyse von
Glaubensaussagen auf eine neue, höhere Stufe gehoben. O. Muck,
dessen Artikel „Zur Logik der Rede von Gott" hier bereits zitiert
wurde, weist auf zwei Texte hin, in denen Thomas untersucht, wie
Aussagen über Gott getätigt werden können und verstanden werden müssen: S. th. I q. 13 und S. c. g. I c. 30. An beiden Stellen geht
es Thomas um die Untersuchung der Aussage- und Bezeichnungsweisen göttlicher Attribute. Muck hebt den Kern des Problems heraus. Er liegt in der Tatsache, daß wir unvollkommene Ausdrucks-
weisen für ein absolut Vollkommenes gebrauchen müssen. Die Möglichkeit, diese Kluft zu überbrücken, sieht Thomas in der Analogie.

Der Ertrag dieser Thomastexte würde noch viel bedeutsamer
sein, wenn man sie auf ihre rein logischen und sprachlogischen Aussagen untersuchen würde, was Muck nur andeutet. Besonders die
Quaestio 13 des ersten Teiles der theologischen Summe ist in allen
12 Artikeln voll von Überlegungen über die Signifikation der

---

auf die Schwäche des menschlichen Intellektes entspricht dem Gedankengang
des hl. Thomas an der gleichen Stelle, der den menschlichen Intellekt mit
demjenigen der Engel und ihrer überragenden Erkenntniskraft vergleicht.

[189] Vgl. Holcot, I Sent. q.4 (fol. d VII rb 12—17): Ad aliud potest dici quod ratio
Anselmi est sophistica et errat in rei veritate. Unde sicut nos decipimur,
licet hoc non percipiamus ita etiam fuit de isto doctore, qui in multis etiam
pertinentibus ad logicam deceptus fuit valde.

[190] Vgl. O. Muck, a.a.O. 2.

Begriffe, die verschiedenen modi significandi, die unterschiedlichen Weisen des Erkennens und Verstehens. Schon im ersten Artikel mit der Frage: Ob Gott irgendein Name zukomme, beginnt die Responsio mit erkenntnistheoretischen Erwägungen über die Bedeutung der Worte als Zeichen der Erkenntnisinhalte, die wiederum als Abbilder der Dinge anzusehen sind. So dienen die Worte mittels des intellektiven Begreifens zum Bezeichnen der Dinge. Das heißt aber, daß wir etwas nur in der Weise benennen können, die unserem Erkennen entspricht[191]. Mit dieser erkenntnistheoretischen Überlegung leitet Thomas zum Hauptpunkt des Artikels über, in dem die Schwierigkeit erwogen wird, mit unseren aus der geschöpflichen Erfahrung entnommenen Namen die göttliche Wesenheit zu bezeichnen. Aus der Fülle des Stoffes, den diese Quaestio bietet, sei noch Artikel 3 ausgewählt, weil er uns hilft, Holcots Einwendungen gegen Anselmus zu verstehen. Thomas stellt an den Anfang die Frage: Ob Gott ein Name in eigentlicher Weise (nicht nur metaphorisch) zukommt. Im Mittelpunkt der Antwort steht der Begriff der Signifikation: Unser Intellekt b e z e i c h n e t die Dinge in der Weise, wie er sie begreift. Da er die Vollkommenheiten Gottes aus denjenigen der Geschöpfe erkennt, b e z e i c h n e t er sie auch durch die entsprechenden Namen. In diesen Namen, die wir Gott zulegen, ist nun zweierlei zu erwägen: die b e z e i c h n e t e n Vollkommenheiten selbst wie Gutheit, Leben u. dgl. sowie die B e - z e i c h n u n g s w e i s e (modus significandi). Was Namen dieser Art b e z e i c h n e n, kommt eigentlich Gott und ihm noch eigentlicher als den Geschöpfen zu; denn von ihm wird es zuerst ausgesagt. In der B e z e i c h n u n g s w e i s e kommen diese Namen jedoch Gott nicht eigentlich zu; denn diese haben sie so, wie sie den Geschöpfen zukommt[192].

---

[191] Vgl. Thomas Aq., S.th. I q.13 a.1: Respondeo dicendum quod secundum Philosophum voces sunt signa intellectuum, et intellectus sunt rerum similitudines. Et sic patet quod voces referuntur ad res significandas, mediante conceptione intellectus. Secundum igitur quod aliquid a nobis intellectu cognosci potest, sic a nobis potest nominari.

[192] Vgl. ebd. a.3: Deum cognoscimus ex perfectionibus procedentibus in creaturas ab ipso; quae quidem perfectiones in deo sunt secundum eminentiorem modum quam in creaturis. Intellectus autem noster eo modo apprehendit eas, secundum quod sunt in creaturis; et secundum quod apprehendit, ita significat per nomina. In nominibus igitur, quae deo attribuimus, est duo considerare, scilicet perfectiones ipsas significatas ut bonitatem, vitam et huiusmodi; et modum significandi. Quantum igitur ad id quod significant huiusmodi nomina, proprie competunt deo, et magis proprie quam ipsis creaturis, et per prius dicuntur de eo. Quantum vero ad modum significandi non proprie dicuntur de deo; habent enim modum significandi, qui creaturis competit.

Unsere Aufmerksamkeit gelte nicht so sehr dem Inhalt dieser Aussage, sondern ihrer Form oder der ihr zugrunde liegenden logischen Technik. Die signifikative Auffassung des Wortes ist die erkenntnistheoretische Voraussetzung dafür, daß es wirklich von Gott ausgesagt werden kann. In der Verschiedenheit der Bezeichnungsweise läßt sich der Abstand zwischen menschlichem Erkennen und göttlicher Wesenheit zum Ausdruck bringen. Um Holcots Kritik an dem Argument des Anselmus zu verstehen, müssen wir an dem ersten, der signifikativen Bedeutung des Wortes anknüpfen.

d) Kritik an Anselmus

Der Vorwurf, den Holcot gegen Anselmus erhebt, richtet sich auf die Vernachlässigung der signifikativen Bedeutung des Wortes. Signifikativ wird ein Terminus gebraucht, wenn er wirklich etwas bezeichnet. Ockham setzt diesen Gebrauch mit der personalen Supposition in eins, da der Begriff wirklich für das von ihm Bezeichnete steht[193]. Das Bezeichnete kann ein Suppositum sein. Darunter versteht Ockham ein für sich bestehendes, extramentales, individuelles Seiendes, d. h. eine Substanz[194]. Der signifikative Gebrauch des Wortes ist die Vorbedingung für die Erkenntnis der Wahrheit; denn erst in dem Urteil, daß eine Sache wirklich so ist, wie sie erkannt wird, ist die volle Wahrheit erreicht. Weder die sinnenhafte Wahrnehmung noch die vom Intellekt getätigte Wesensdefinition gewähren das Urteil über den wahren Sachverhalt, wie Thomas sagt[195]. Erst wenn der Intellekt im Vergleichen und Unter-

---

[193] Vgl. Ockham, Summa logicae I c.72 (ed. Boehner 197): ... sumi significative vel supponere personaliter potest dupliciter contingere, vel quia pro aliquo significato terminus supponit vel quia denotatur supponere pro aliquo vel quia denotatur non supponere pro aliquo. Vgl. Baudry, Lexique philosophique de Guillaume d'Ockham, 249.

[194] Vgl. Baudry a.a.O. 262; zitiert wird I Sent. d.23 q.1 C: Suppositum est ens completum non constituens aliquod unum ens, non aptum alteri inhaerere, nec ab aliquo sustentatum. Ferner Quodl. IV q.7: Est ens completum incommunicabile per identitatem, nulli natum inhaerere et a nullo subiecto sustentatum.

[195] Vgl. Thomas Aq., S.th. I q.16 a.2: Cum autem omnis res sit vera secundum quod habet propriam formam naturae suae, necesse est quod intellectus, inquantum est cognoscens, sit verus inquantum habet similitudinem rei cognitae, quae est forma eius, inquantum est cognoscens. Et propter hoc per conformitatem intellectus et rei veritas definitur. Unde conformitatem istam cognoscere est cognoscere veritatem. Hanc autem nullo modo sensus cognoscit. Licet enim visus habeat similitudinem visibilis, non tamen cognoscit comparationem, quae est inter rem visam et id quod ipse apprehendit de ea. Intellectus autem conformitatem sui ad rem intelligibilem cognoscere potest; sed tamen non apprehendit eam secundum quod cognoscit de aliquo, quod quid est; sed quando iudicat rem ita se habere, sicut est forma, quam de re

scheiden über eine bezeichnete Sache das Urteil fällt, daß ihr eine durch das Prädikat bezeichnete Form zukommt oder nicht, ist er im Besitz der Wahrheit. Thomas setzt nicht nur die Sinneserkenntnis, sondern auch die in der Definition formulierte Wesenserkenntnis in die Vorhalle der Wahrheit. Erst das Urteil über den Sachverhalt bringt vollkommene Wahrheitserkenntnis. Hier werden die Begriffe nicht mehr in ihrer Bedeutung in sich gebraucht, sondern in der Relation zur bezeichneten Sache. Das bedeutet im Sprachgebrauch des hl. Thomas, Wilhelm Ockhams und Robert Holcots: signifikativ. Holcot fügt außerdem hinzu: „im Urteil" (iudicando), wodurch der Vergleich mit dem zitierten Thomastext nochmals bekräftigt wird. Entscheidend ist, daß diese Autoren — wie übrigens auch Scotus[196]— nicht in der Richtigkeit der Relation zwischen dem Terminus und dem Bezeichneten die Wahrheit als erreicht ansehen, sondern in dem Urteil über Wirklichkeit oder Nichtwirklichkeit der bezeichneten Sache. Wie Boehner gezeigt hat[197], stand auch Anselmus unter dem Einfluß der aristotelischen Lehre über die Wahrheit der Aussage, die er aber als „Richtigkeit der Bezeichnung" interpretierte. Dabei bleibt Anselmus mit seinem Wahrheitsbegriff bei der Relation zwischen Bezeichnung und Bezeichnetem stehen. In der Nähe dieser Auffassung steht Bonaventura[198]. Auch für ihn besteht zwar die Wahrheit einer Aussage in der Wahrheit des Zeichens.

---

apprehendit, tunc primo cognoscit et dicit verum. Et hoc facit componendo et dividendo; nam in omni propositione aliquam formam significatam per praedicatum vel applicat alicui rei significatae per subiectum vel removet ab ea.

[196] Vgl. Ph. Boehner, Theory of Truth. In: Collected Articles (174—200) 196f.

[197] Vgl. ebd. 180. Boehner zitiert aus Anselmus, Dialogus de Veritate c.13 (ed. Schmitt I, 197): Cum enim significatur esse, quod est, aut non esse, quod non est, recta est significatio et constat esse rectitudinem, sine qua significatio recta nequit esse. Si vero significetur esse, quod non est, vel non esse, quod est, aut si nihil omnino significetur, nulla erit rectitudo significationis, quae non nisi in significatione est. Boehner verweist auf die Ähnlichkeit mit dem aristotelischen Text in der Übersetzung der Kategorien durch Boethius (PL 64, 195 D): Nam quo res est vel non est, eo etiam oratio vera aut falsa esse dicitur. Dann fügt Boehner hinzu: The Perihermenias supplied Anselm with the idea and the terms of signification, probably through Boethius, where text and commentary give ample evidence of it. Anselm's own contribution seems to be the emphasis laid on the relation of conformity between signum and signatum, the correctness of which or the rectitudo of which is truth.

[198] Vgl. Boehner, a.a.O. 188: In his positive answer to our problem, the Seraphic Doctor once more falls back on St. Anselm's theory of signification. The truth of a proposition is the truth of a sign, as we have explained before. But this truth ist not an absolute quality or property of a proposition, but only a relative property, given in the relation of the sign to that which is signified.

Weil jedoch das Zeichen keine für sich bestehende Qualität ist, sondern auf ein anderes hin (= qualitas respectiva), so gilt das Gleiche
auch von der Wahrheit des Zeichens; diese besteht im wahren
Bezeichnen und wird eingebüßt im falschen Bezeichnen. Voraussetzung für eine Bezeichnung ist nicht die Existenz der bezeichneten
Sache, sondern ihre Erkennbarkeit. Das Gleiche gilt für die Wahrheit der Bezeichnung[199]. Wir ersehen daraus, daß bei Bonaventura
der signifikative Gebrauch des Terminus nicht unmittelbar auf eine
Sache geht, sondern auf ein „Erkennbares" zielt. Erst über den
Umweg der Eigenart des menschlichen Erkennens wird die Sache
selbst bei Bonaventura Gegenstand der Bezeichnung. Alles, was der
Intellekt ergreift, ist entweder ein Seiendes oder wird im Vergleich
zum Seienden ergriffen oder vorgestellt. Darum gründet jede
Bezeichnung und die Wahrheit einer Bezeichnung (veritas orationis
significantis) entweder einfachhin auf dem Seienden oder auf einer
Hinordnung zum Seienden[200]. Bei Thomas, Duns Scotus[201] und
Wilhelm Ockham liegt Wahrheit in der Aussage, insofern diese
eine Sache bezeichnet und von ihr feststellt, daß sie sich so verhält, wie es der erkennende Intellekt von ihr aussagt. Boehner ist
diesem Sachverhalt in dem zitierten Artikel nachgegangen, um
Ockhams Erkenntnisrealismus und damit den Zusammenhang mit
der Tradition nachzuweisen[202]. Hier interessieren diese Ausführungen und die darin zitierten Texte von ihrer formalen Seite her.
Sie zeigen, wie Anselms Öffnung der Theologie für die Logik zu

[199] Boehner (a.a.O. 189) zitiert aus Bonaventura I Sent. d. 46 a. et q.4 (ed.
Quaracchi I, 829): Ideo dicendum, quod cum veritas orationis sit veritas signi
et veritas signi non dicat qualitatem absolutam... sed respectivam sicut
signum; cum omne, quod contingit significare contingit vere significare, et
etiam falso: sicut ad rationem significandi non oportet rem esse entem, sed
cognoscibilem, sic nec ad rationem verae significationis. (Wir unterbrechen
hier den Text und bringen den zweiten Teil in der folgenden Anm.)

[200] Vgl. ebd.: Et quoniam omne, quod intellectus capit, vel est ens, vel capit sive
imaginatur per comparationem ad ens, ideo omnis significatio et veritas
orationis significantis vel fundatur simpliciter super ens, ut si dicatur: Petrus
est, vel in ordine ad ens.

[201] Boehner (a.a.O. 199) zitiert einen für diesen Sachverhalt sehr aufschlußreichen Text aus Duns Scotus, der die signifikative Bedeutung des Terminus
Deus hervorhebt: Respondeo quod propositio est vera, quia terminus subiec-
tus, quod primo significat, hoc primo ponit in oratione; et si illud aliud
extremum, quod praedicatur, sit idem, propositio affirmativa denotans talem
identitatem vera est. Deus autem significat naturam divinam ut est nata
praedicari de supposito, et illud significatum est idem tribus personis, igitur
propositio hoc significans est vera (Ox. I d.4 q.2 n.2; ed. Vivès t. 9, 429).

[202] Dem gleichen Ziel dient auch der folgende Artikel, der die Untersuchungen
fortsetzt: Ockhams Theory of Signification. Ph. Boehner, Collected Articles
201—232.

einer immer stärkeren Versachlichung und Formalisierung der theologischen Aussage geführt hat. Wenn Anselmus den Namen Gottes
mit der Bedeutung dessen, was größer nicht gedacht werden kann,
gleichsetzt, so meint er dies als eine Bereicherung und Erfüllung
dieses Begriffes durch eine vom Glauben inspirierte höchste Aktivität des Intellektes. Holcot setzt seine Kritik mit einem Denken ein,
das den Begriff rein formal in seiner logisch-technischen Funktion
nimmt. In diesem Gebrauch vermag er freilich nicht zu leisten, was
Anselmus mit ihm erreichen will. Wir wenden uns nun dem Text
Holcots zu und wollen danach die Frage zu beantworten suchen,
worin die Legitimität und die Grenze dieser Kritik am Argument
des Anselmus liegt. Wir müssen uns an die Handschriften halten,
da die Inkunabel den Text verkürzt und fehlerhaft bringt, so daß
der Sinn der Stelle nicht klar hervorgeht. Der Abschnitt beginnt mit
dem Vorwurf, Anselmus habe in der Anwendung der logischen
Regeln schwer geirrt[203]. Dies wird mit dem Hinweis entschuldigt:
Auch wir unterliegen heute solchen Täuschungen, ohne sie zu bemerken. Dann wird das Argument selbst zitiert[204]: Du hörst den Begriff
Gottes in der Bedeutung: etwas, über das hinaus nichts Größeres
gedacht werden kann. Entweder erkennst du, was du hörst, oder du
erkennst es nicht. Nun sagt Holcot[205]: Ich erkenne, was die Teile
dieses Satzes bezeichnen, jedoch erkenne ich es nicht in der Weise
des urteilenden Erkennens, d. h. in einem Urteil, daß etwas existiert,
von dem dieser Terminus in Wahrheit ausgesagt werden könnte,

[203] In den folgenden Anmerkungen wird der Text zum besseren Verständnis
aufgeteilt, aber vollständig nach den Hss P, RBM, O, B, C, A_1 und A_2 gebracht. Die Handschriften weichen nicht wesentlich voneinander ab. In den
Hss wird diese Quaestio als die dritte des ersten Buches gezählt (in der Ink.:
q.4), da q.2 (Ink.) in den Hss an anderer Stelle steht, sofern sie nicht ganz
fehlt. Die Stellen im Text sind: P fol. 26 vb — 27 rb; RBM fol. 28 rb 24ff;
O fol. 136 va—vb; B fol. 29 vb — 30 ra; C 24 v; A_1 32 r; A_2 25 vb — 26 ra.
(Ink. I Sent. q.4; fol. d VII rb 12ff) Vgl. Holcot, I Sent. q.3. Ad aliud potest
dici quod ratio Anselmi est sophistica et etiam (l. errat) in veritate. (RBM,
O, B: Ad secundum quando accipitur quod Anselmus hoc demonstrat scilicet
deum esse, Proslogio c.2 et Contra insipientem per totum, potest dici, quod
ratio Anselmi est suasio, non demonstratio. Et ita est (l. errat) in veritate.
— A_2: ... ratio Anselmi est sophistica et non demonstratio). Unde sicut nos
hiis diebus decipimur per huiusmodi rationes, licet hoc non percipiamus, ita
fuit de isto doctore, qui in multis pertinentibus ad logicam deceptus fuit
valde et frequenter.
[204] Vgl. ebd.: Ad argumentum in sua forma, quando accipitur: Tu audis istum
terminum „istud quo maius cogitari non potest": aut intelligis quod audis
aut non.
[205] Vgl. ebd.: Dico quod intelligo, quid partes istius termini complexi significant,
sed non intelligo iudicando quod aliquid sit, de quo iste terminus posset
verificari significative acceptus.

wenn ich ihn signifikativ gebrauche. Vergleichen wir diesen ersten
Einwand mit dem oben zitierten Thomastext[206]! Urteilendes Erkennen erstreckt sich auf eine extramentale Sache; das Urteil sagt von
einer Sache oder einem Sachverhalt Existenz oder Nichtexistenz
aus. Die Termini werden dabei signifikativ gebraucht, wie Thomas
und Ockham es formuliert haben[207]. Holcot wirft nun dem Argument des Anselmus von Anfang an vor, daß es über die wirkliche
Existenz Gottes nichts aussage. Er begründet diesen schon lange
vor ihm gegen das „anselmische Argument" erhobenen Einwand
mit dem logischen Gebrauch der Begriffe. Werden diese nur als
Bestandteile eines gedachten oder gesprochenen oder geschriebenen
Satzes gebraucht, dann mag das Argument bestehen bleiben. Freilich wird damit nichts über die wirkliche Existenz Gottes gesagt,
weil ja die Begriffe nicht signifikativ gebraucht werden. Somit nutzt
das Argument in diesem Verständnis Anselmus nichts. Im signifikativen Gebrauch zielen die Begriffe auf einen wirklichen Sachverhalt, von dem das Urteil gefällt wird, daß er existiert oder nicht
existiert.

Die rein begriffliche Beweiskraft des anselmischen Argumentes
wird danach nochmals veranschaulicht: Der Begriff, der dem entspricht, was höher nicht gedacht werden kann, existiert nur im Intellekt. Gebrauche ich den Begriff signifikativ, dann ist der Satz
falsch: Das, worüber nichts höher gedacht werden kann, wird
erkannt. Auch eine unendliche Größe kann im Intellekt gedacht
werden, ebenso etwas, das besser ist als Gott. Solche Sätze sind
jedoch falsch, wenn in ihnen die Begriffe signifikativ gebraucht
werden[208].

Das Beispiel mit der gedachten unendlichen Größe war übrigens
naheliegend. Die Möglichkeit eines aktuell Unendlichen (infinitum
in fieri) wurde zur Zeit Holcots eifrig unter den Magistern diskutiert. Holcot selbst bejahte sie. Jedoch handelt es sich dabei nur um
die Unendlichkeit einer Folge, niemals um einen wirklich unendlich
großen Körper, den mit Aristoteles die ganze Scholastik ablehnte[209]. Dieser Umstand macht das vorgetragene Argument beson-

---

[206] Vgl. o. Anm. 191 und 192.
[207] Vgl. o. Anm. 191 bis 195.
[208] Vgl. Holcot ebd. (Fortsetzung von Anm. 205): Unde statim resisto in principio et dico quod ista est falsa: Illud quo maius cogitari non potest, intelligitur a te, sicut illa est falsa: Infinitum magnitudine intelligitur a te vel:
Melius deo intelligitur a te, capiendo subiectum significative, quia sequitur:
Illud quo maius cogitari non potest, intelligitur a te; igitur aliquid intellectum est, quo maius cogitari non potest. Consequens falsum diceret respondens
pro insipiente.
[209] Vgl. A. Maier, Diskussionen über das aktuell Unendliche in der ersten Hälfte

ders wirkungsvoll. Da es keinen unendlich großen Körper gibt, kann seine Existenz auch nicht aus seiner reinen Denkmöglichkeit bewiesen werden. Ebenso wenig kann aus der gedachten Möglichkeit eines höchsten Seienden auf dessen Realität geschlossen werden.

Holcot argumentiert nun weiter: Man mag mit Hilfe einer Unterscheidung folgenden Einwand bringen: Die genannten Aussagen können, „de dicto" oder „de re" gemeint sein. Einige Hss haben statt „de re": „de modo" oder „de facto". Die von Holcot angefügten Beispiele geben einen klaren Sinn davon, was gemeint ist. Sätze wie „Du hörst den Papst singen"; „Du hörst die Engel singen"; „Du hörst nichts", sind „de dicto" wahr, wenn sich nämlich ihre Wahrheit nur auf das Verstehen des gedachten, gesprochenen oder geschriebenen Ausspruches erstreckt. Holcot denkt dabei nicht etwa nur an das rein klangliche Hören des Gesprochenen oder das rein visuelle Aufnehmen des Geschriebenen, sondern auch an das Verstehen der Wortbedeutungen; das mentale Dictum steht gleich am Anfang der Aufzählung. Werden solche Sätze „de re" verstanden, dann sind sie falsch, wie das Beispiel zeigt: „Du hörst die Engel singen" hieße in der Bedeutung „de re" gesagt: Du nimmst mit dem Gehör wahr, daß die Engel singen[210].

Danach wird noch einmal das Gegenargument aufgenommen, daß auf dieselbe Weise auch bewiesen werden könne, etwas Besseres als Gott existiere. Dieses Argument führt Holcot allerdings mittels rein logischer Sophismen ad absurdum, weshalb die Wiedergabe des Textes in der Anmerkung genügen möge[211]. Am Ende

des 14. Jahrhunderts. In: Ausgehendes Mittelalter I, 41; 43, bes. 81f.

Dslb., Das Problem des aktuell Unendlichen. In: Die Vorläufer Galileis im 14. Jahrhundert, Rom 1949, 198; 210.

Vgl. o. den Abschnitt: „Die Logik als Instrument der Theologie", Anm. 51.

[210] Vgl. Holcot ebd. (Fortsetzung von Anm. 208): Posset tamen istud distingui: Illud quo maius cogitari non potest, est intellectum a te eo quod potest esse vera de dicto vel de re (de modo RBM, O, B, C, A_2; de facto A_1. P hat zwischen de und re eine Lücke) sicut ista: Papam cantare missam auditur a te et similia (RBM fügt hinzu: vel angelos canere auditur a te et similia, O fügt außerdem hinzu: vel nichil auditur a te; ähnlich A_2, B u. C). Si est de dicto, vera est propositio: Istud quo maius cogitari non potest, intelligitur a te, quia dictum mentale vel vocale vel scriptum intelligitur a te. Si est de re, propositio est falsa, quia iam non audis missam papae, ut suppono, et ideo neganda sicut ista: Audis angelos cantare ad hunc sensum: percipis per auditum quod angeli cantant, quia iam non audis cantum angelorum.

[211] Die Sophismen werden, wie wir bald sehen, in einem Beweisprozeß gebraucht, der sich ausschließlich im logischen Gefüge der Aussagen bewegt. Daher verwandten wir den Ausdruck: „rein logische Sophismen". Da dieser Beweis aber nicht den eigentlichen Grund des anselmischen Argumentes berührt, be-

führt das Argument nun wieder zur Bekräftigung des Haupteinwandes gegen Anselmus: Die rein gedankliche Wahrheit der angeführten Sätze mag zugegeben werden. Sie trägt nichts zu dem von Anselmus gesteckten Beweisziel bei.

Noch zwei sprachlogische Gegenargumente folgen. Das erste — von dem gleich gesagt wird, daß es nichts taugt — lautet: Die im Intellekt erfaßten Begriffe eines unendlichen Körpers etwa oder dessen, was besser ist als Gott, sind zwar rein gedacht, es entsprechen ihnen aber wirklich Dinge in der realen Welt; denn sie werden für signifikative Worte gebraucht. Holcot antwortet mit einer logisch ausgeschliffenen Formel, indem er diese Deductio (er sagt nicht „consequentia", sondern „propositio, ad quam deducit") als eine propositio inconveniens aufzeigt, die sie für denjenigen ist, der die Existenz Gottes leugnet. So wendet er das Argument in der Hand des Gegners gegen diesen. Wer nämlich die Existenz Gottes leugnet, der gebraucht jene Begriffe (nämlich das höchste Denkbare u. dgl.) signifikativ. Aber gerade darum lehnt er sie ab; denn er leugnet das mit ihnen Bezeichnete[212].

zeichnen wir seine Operationen als „Sophismen". Zum Text bei Holcot vgl. a.a.O. (Fortsetzung von Anm. 210): Unde per eandem formam posset probari quod aliquid melius deo est, quia tu audis hoc quod dico: Melius deo est, et intelligis terminos; igitur melius deo est in intellectu tuo. Quaero igitur, aut est tantum in intellectu tuo aut in intellectu et in re; si secundum, habetur propositum quod aliqua res est melior deo. Si tantum in intellectu, tunc sic melius est istud quod est in intellectu et in re quam illud quod est tantum in intellectu tuo. Similiter nihil melius deo est tantum in intellectu tuo; sed melius deo est tantum in intellectu tuo; igitur melius deo non est melius deo quod apud eum foret magnum inconveniens, licet propositio sit vera in rei veritate. Unde sicut haec propositio de virtute sermonis est neganda: Melius deo est in intellectu tuo, ita ista: Istud quo maius cogitari non potest, est in intellectu tuo, est neganda de virtute sermonis. Si tamen accipitur improprie pro ista: Conceptus correspondentes istis vocibus: Istud quo maius cogitari non potest, sunt in intellectu tuo, vel pro illa: Hoc complexum vocale: istud quo maius cogitari non potest, est in intellectu, hoc est: cognoscitur ab intellectu, vera (so alle Hss außer P: falsa; A₁: vere nihil infert ad propositum suum) est et tamen nihil infert ad propositum suum, sicut manifestum (P: Et sive sic sive sic accipiatur, nihil infert ad propositum suum).

212 Vgl. ebd. (Fortsetzung): (RBM und O beginnen diesen Abschnitt: Etiam nec valet) Sicud nec sequitur (Wir folgen hier dem Text von P.): Conceptus correspondens istis vocibus: Corpus magnitudine infinitum est tantum in intellectu; igitur corpus infinitum est in re extra, ita non sequitur: Conceptus correspondens istis vocibus significative acceptis est in intellectu tuo, videlicet: istud quo melius cogitari non potest vel aliquod melius deo; igitur melius deo est in re extra. Ideo propositio, ad quam fit deductio sicut ad inconveniens, concedenda fuit apud negantem deum esse, ista scilicet: Istud quo maius cogitari non potest, non est istud quo maius cogitari non potest, acceptis terminis significative, sicut debent accipi in illo modo.

Das zweite Gegenargument beruht auf der Konvertierbarkeit eines Namens mit den ihm zugehörigen Bedeutungen. Danach dürfte auch der Name „Gott" mit dem, worüber nichts Höheres gedacht werden kann, gleichgesetzt werden. Solche Begriffsvergleichungen sind legitim und dem in der Sprachlogik Erfahrenen natürlich geläufig, sagen aber nichts über den wahren Sachverhalt aus[213]. Holcot veranschaulicht dies an einem physikalischen Satz: Die Leere kann als ein von keinem Körper erfüllter Raum definiert werden. Diese Definition beweist demjenigen nichts, der die Existenz eines leeren Raumes leugnet. Auch dieses Beispiel erhält seine besondere Beweiskraft auf dem Boden der aristotelischen und scholastischen Naturphilosophie, in der die Existenz eines leeren Raumes (vacuum) abgelehnt wurde[214]. So gibt es viele falsche und einige unmögliche Sätze, in denen jedoch rein beschreibende Aussagen gemacht werden. Dasselbe gilt für Sätze, in denen Gleiches von Gleichem ausgesagt wird. Auch dabei betrifft die Aussage eine rein formale Gleichsetzung von Subjekt und Prädikat; die Realität der Sache bleibt unberührt. So besitzt also das Argument des Anselmus für Holcot nur eine Beweiskraft, die im rein Begrifflichen bleibt. Es besagt lediglich, daß der Begriff „Gott" mit dem, worüber nichts höher gedacht werden kann, gleichgesetzt wird.

e) Anselmus — Holcot: Gleicher Ansatz — methodische Differenz

Trotz dieser scharfen Kritik, die Holcot an dem Argument des Anselmus übt, gibt es einen wesentlichen Punkt der Übereinstimmung. Der Gottesbeweis des Anselmus setzt weder im reinen Denken, noch in einer Naturerfahrung an, sondern in einer unmittelbaren Gewißheit Gottes, die dem gläubigen Denken gewährt wird. In einer Hinsicht wird man daher sagen können, daß der Ansatzpunkt des anselmischen Argumentes der Glaube ist. Damit ist nicht der schlichte Glaube gemeint im Sinne eines antirationalen Fideismus. Vielmehr verbindet sich mit diesem Glaubensbegriff die erkenntnismetaphysische Überzeugung, daß dem inneren Wort des

---

[213] Vgl. ebd. Similiter apud concedentem quod isti termini convertuntur: Deus est, et: Istud quo maius cogitari non potest, sicud dicimus quod quid nominis convertitur cum nomine, hoc est: si istud nomen verificatur de aliquo, quid nominis verificatur de eodem et econverso: apud talem sic negantem deum esse negaretur istud: Deus est istud, quo maius cogitari non potest, sicud ista negatur: Vacuum est locus non repletus corpore. Unde multae propositiones sunt falsae et aliquae impossibiles, et tamen praedicatur descriptio de descripto. Et similiter, in quibus idem praedicatur de se sicut tales: Antichristus est Antichristus; chimera est chimera.

[214] Vgl. A. Maier, Das Problem der Gravitation; 3. Der freie Fall im Vakuum. In: An der Grenze von Scholastik und Naturwissenschaft, 219f.

menschlichen Geistes eine Bedeutungsmächtigkeit zukommt, die durch eine formal-logische Analyse nicht erfaßt werden kann. Darum kann Anselmus sagen, „das Argument besitze als Urwort die „Kraft" solcher Aussage, daß es das Gesagte, wenn es verstanden oder gedacht wird, notwendig als wirklich existent erweist: Tantam enim vim huius prolationis in se continet significatio, ut hoc ipsum, quod dicitur, ex necessitate eo ipso, quod intelligitur vel cogitatur, et revera probetur existere (Resp. 10)"[215]. Durch diesen Ansatzpunkt, der in der lebendigen Glaubenserfahrung liegt, wird der philosophische Beweisweg vom theologischen Denken umgriffen. Der Beweis des Anselmus wird mißverstanden, wenn er im Sinn des Thomas von Aquin als rein philosophischer Gottesbeweis aufgefaßt wird. Vielmehr ist er „ein Stück, und zwar das grundlegende, nämlich die Urform seines theologischen Programms"[216]. Über das Argument des Anselmus ist so viel von begeisterter Zustimmung bis zur kritischen Ablehnung geschrieben worden, daß es den Rahmen dieser Arbeit weit übersteigen würde, dazu eingehend Stellung zu nehmen. Für unseren Vergleich gewähren die Untersuchungen von G. Söhngen, auf die Viktor Warnach weiterbaute, eine sichere Grundlage. Beide betonen die Zuordnung von Glauben und Wissen in diesem Beweis, Söhngen noch stärker den Ausgangspunkt des Glaubens[217], während Warnach auf die augustinische Erkenntnislehre als den „sprachmetaphysischen Hintergrund" hinweist[218].

[215] Vgl. V. Warnach, Zum Argument im Proslogion Anselms von Canterbury. In: Einsicht und Glaube 337—357; 355.

[216] Vgl. G. Söhngen, Kants Kritik der Gottesbeweise in religiös-theologischer Sicht. In: Die Einheit in der Theologie, München 1952, 151.

[217] Vgl. ebd. 151f: „Die logische Struktur des Beweises geht Hand in Hand mit einer theologischen Struktur, die deutlich zu machen Anselm nicht versäumt. Anselm setzt seinen Beweis des Daseins Gottes vielsagend mit dem Wort an: credimus, «wir glauben». Credimus te esse aliquid quo nihil maius cogitari possit — «Wir glauben, du seist etwas, worüber hinaus nichts Größeres gedacht werden könne.» Dieser Gottesgedanke wird sodann allerdings, wie Anselm selbst bemerkt, sola ratione, «allein mit der Vernunft» durchdacht bis zu dem Ergebnis: Aliquid quo maius cogitari nequit, sic vere est, ut nec cogitari possit non esse — «Etwas, worüber hinaus Größeres nicht gedacht werden kann, ist derart in Wahrheit, daß nicht gedacht werden kann, es sei nicht.» Der Glaubensansatz und seine rein vernünftige Durchdenkung zusammen fordern die conclusio oder den Schlußsatz: Intelligo te ergo sic vere esse, ut nec cogitari possis non esse — «Ich sehe ein, du seist also derart in Wahrheit, daß nicht gedacht werden kann, du seist nicht.»

[218] Vgl. Warnach, a.a.O. 355f: „Gerade dieser Abschluß [gemeint ist das Dankgebet, Prosl. 4. D. Verf.] zeigt, daß der Beweis zwar in einen umfassenden theologischen Kontext hineingestellt ist, aber in sich selbst als rein rationaler und damit philosophischer Gedankengang entwickelt wird; betont doch Anselm ausdrücklich, daß er auf Grund jener Argumentation das Dasein Gottes

Damit sind wir zu dem Punkt einer tieferen Übereinstimmung Holcots mit Anselmus gelangt. Anselmus sagt: „Wir glauben, du seist etwas, worüber hinaus nichts Größeres gedacht werden könne[219]." Damit erhält das anselmische Argument seine grundsätzliche Bedeutung von einem Denken her, das mit der Erfahrung des Glaubens übereinstimmt und von dort her seine Kraft empfängt. Dies entspricht aber genau jener Formel, auf die Holcot die inhaltliche Bestimmung des theo-logischen Gottesbegriffes bringt, wenn er sagt: Nur der Katholik bezeichnet mit diesem Begriff in Wahrheit Gott. Wer hingegen den Gottesbegriff ohne diese Bedeutung, die er vom Glauben her erhält, gebraucht, dessen Aussage betrifft nicht Gott; denn die Begriffe, die der Glaubende und der Ungläubige von Gott gebrauchen, sind äquivok[220]. Holcot gebraucht dabei nicht den Begriff „Glauben". Es heißt nicht: Der Philosoph beweist nicht den Gott des Glaubens. Das ist natürlich auch gemeint. Holcot formuliert jedoch anders: Der Philosoph hat nicht den Gottesbegriff, den der Glaubende in seinem Denken gebildet hat. Damit wird die Aussage über Gott dem Denken des Glaubenden überantwortet, nicht dem des Philosophen.

Der Vergleich mit Anselmus läßt sich auch nach dieser Richtung weiterführen. Söhngen und Warnach haben gezeigt, wie das Argumentum aus dem geistigen Erleben und dem persönlichen Suchen und Ringen um Gott hervorgegangen ist, das den Menschen und Christen Anselmus beseelte[221]. Warnach bezeichnet dies als die „ganz persönliche, ausgesprochen ‚existentielle' Note" bei Anselmus. Söhngen führt uns im Schlußkapitel seiner Darlegung zu der Einsicht, daß die „Gottesbeweise" der Scholastiker über das metaphysische und erkenntnismetaphysische Ziel hinausführen zu dem wahren Gott, den man tatsächlich und wirklich nur im Gebet und

einsehen müßte, auch wenn er nicht glauben wollte. Dem widerspricht es nicht, daß hier die Erleuchtung von seiten Gottes eigens erwähnt wird; denn damit ist kein außergewöhnlicher oder „übernatürlicher" Eingriff Gottes gemeint, sondern die Einstrahlung des göttlichen Lichtes, wie sie besonders nach Augustinus die Voraussetzung jeder echten Wahrheitserkenntnis im Menschen ist. Freilich wird durch diese Bemerkung wiederum auf den erkenntnis- und sprachmetaphysischen Hintergrund hingewiesen, ohne den die Beweisführung nicht durchschlagend ist."

[219] Vgl. o. Anm. 217.

[220] Vgl. Holcot, I Sent. q.4 (fol. d VII vb 7—14): Dico tamen quod nunquam aliquis philosophus probavit ratione naturali hanc mentalem: „deus est" demonstrata propositione mentali, quae est in mente fidelis catholici, immo nunquam talem conceptum habuit, sicut correspondet isti voci „deus" in mente fidelis. Unde iste terminus: „deus est" in usu communi est aequivocus inter colentem idolum et colentem verum deum.

[221] Vgl. Söhngen a.a.O. 150, 154ff. Warnach a.a.O. 356f.

nicht im wissenschaftlichen Beweis erreichen kann. „Denn der religiöse Mensch sucht einen Gott, zu dem er beten kann. Das Gebet
ist die Sprache des religiösen Menschen, wie der Beweis die Sprache
des wissenschaftlichen und also auch des philosophischen Menschen
ist. Und betend sucht der religiöse Mensch seinen Gott, auch und
gerade dann, wenn er ihn zu beweisen sucht, wie Anselm seinen
Gottesbeweis im betrachtenden Gebet entdeckt hat und in der
betenden Anrede Gottes, im Proslogion, niederschrieb[222].“ Gerade
diese „existentielle Note“ der theologischen Aussage bedingt eine
besondere Form des theologischen Redens. Auch darauf hat Söhngen
aufmerksam gemacht: „Übrigens ordnet Anselm dieser theologischen Denklogik eine theologische Sprachlogik zu, die sich in
methodischem Wechsel von persönlicher Anrede und sachlicher
Aussage ausdrückt. Von der persönlichen Sphäre und Gottesanrede
des Credo schreitet der Theologe durch die rein sachliche Sphäre
und Aussage der ratio und ratiocinatio hindurch zum intellectus
fidei in die persönliche Sphäre und Gottesanrede der Glaubenserkenntnis[223].“ Warnach hat darüber hinaus gezeigt, wie die rationale Methodik des Beweises bei Anselmus vom augustinischen Denken her beeinflußt war[224]. Wir können hier noch eine dritte Übereinstimmung Holcots mit Anselmus bemerken: das Wissen um die
besondere Art und Weise theologischen Redens überhaupt, das bei
Holcot seinen schärfsten Ausdruck in der Formel von der Logica
fidei fand. An diesem Punkt beginnt jedoch zugleich die entscheidende Unterscheidung der theologischen Methode Holcots zu
derjenigen des Anselmus.

An Stelle einer unmittelbaren und unbekümmerten Anwendung
der Begriffe auf Gott tritt nun eine sprachlogische und semantische
Analyse. Anselmus entwickelt sein Argument aus dem im Glauben
gegebenen Begriff dessen, worüber nichts Höheres gedacht werden
kann. Holcot nimmt diesen Begriff in eine semantische Analyse:
Seine Frage nach der signifikativen Bedeutung des Begriffes wechselt ja nur den griechischen Ausdruck mit dem entsprechenden
lateinischen aus. Darin kommt das Interesse des Logikers zum
Ausdruck: Der Blick ist nicht mehr auf den ontologischen Bedeutungsgehalt der Begriffe gerichtet, sondern auf ihre logische Modalität. „Ursache“ bedeutet für den Metaphysiker ein Seinsprinzip.
„Gott ist die erste Ursache“ ist eine metaphysische Aussage, deren
Bedeutung fast an die eines Axioms heranreicht. Der gleiche Satz

[222] Vgl. Söhngen a.a.O. 155.
[223] Vgl. ebd. 152.
[224] Vgl. o. Anm. 218.

ist für den Logiker ein Modalsatz. Holcot weist darauf hin, daß die Modalität der Ursächlichkeit aus der Relation Gottes zum Geschöpf genommen ist. Als aussagenlogische Folgerung ergibt sich daraus, daß Gott auch Gott bleibt, wenn er nichts verursacht hat, wenn es also keine Geschöpfe gibt[225]. O. Muck hat gezeigt, „daß die Aussagen über Gott durchaus einer logischen Analyse zugänglich sind, auch wenn diese Analyse mit den Mitteln der modernen Logik durchgeführt wird[226]." Das gleiche Bestreben finden wir bei jenen Theologen in der ersten Hälfte des 14. Jahrhunderts, die sich durch eine hervorragende Bildung in der Logik auszeichneten, wie Wilhelm Ockham und Robert Holcot. Die Forschungen von Boehner haben gezeigt, wie viele Erkenntnisse der modernen Logik im Mittelalter, vor allem bei Ockham, vorweggenommen oder wenigstens vorausgesehen wurden[227]. Man muß sich davor hüten, in der aussagenlogischen Analyse der theologischen Rede, wie wir sie gerade bei Holcot beobachten können, eine Überfremdung der Theologie zu sehen. Mit diesem Urteil verbaut man sich von vornherein das Verständnis für einen Prozeß, der sich im 14. Jahrhundert in der Theologie vollzog und gerade von einer ähnlichen methodologischen Entwicklung der Naturwissenschaft in der Gegenwart her gut zu verstehen ist. Es war nämlich hier von entscheidender Bedeutung, einmal solche Ausdrücke zu analysieren, die bisher selbstverständlich und unreflektiert gebraucht wurden wie „absolute Gleichzeitigkeit", „absolute Bewegung". Besonders wichtig wurde diese Aufgabe im Hinblick auf die Atomphysik, wo man weithin mit Begriffen und Vorstellungen arbeitet, denen „keine physikalisch beobachtbaren Tatbestände entsprechen" (Heisenberg)[228].

Das Ziel der aussagenlogischen Reflexion besteht nun gerade darin, die Bedingungen aufzudecken, „unter denen sich die Ausdrücke auf Gegenstände beziehen und in welchem Sinn diese Ausdrücke zu verstehen sind"[229]. In diesem Bestreben, den „Wirklichkeitsbezug von Sätzen" zu analysieren, setzt Muck die Unterscheidung zwischen analytischen und synthetischen Urteilen ein. Während die logische Wahrheit der analytischen Urteile von ihrem Wirklichkeitsbezug unabhängig ist, wird die Erkenntnis der Wirklichkeit für die synthetischen Urteile von unmittelbarer Bedeutung. Synthetische Urteile können sinnvoll mit empirischen Urteilen

[225] Vgl. „Futura contingentia" S. 306.
[226] Vgl. O. Muck, a.a.O. 6.
[227] Vgl. Ph. Boehner, Medieval Logic. Ders., Ockham, Philosophical Writings.
[228] Vgl. Muck, a.a.O. 7.
[229] Vgl. a.a.O.

gleichgesetzt werden, so daß für ihre Wahrheitsgewißheit das empirische Verifikationsprinzip in Anspruch genommen werden kann.

Hier beginnt die Problematik der Aussagen über Gott, da eine empirische Verifikation solcher Aussagen natürlich nicht möglich ist. Wir können hier nicht auf alle Feinheiten und Differenzierungen der Darstellung Mucks eingehen, sondern möchten nur jene Ausführungen herausheben, die zum Verständnis der ähnlichen Fragestellung in der theologischen Methode Holcots dienen. Wenden wir die Unterscheidung von analytischen und synthetischen Urteilen auf die Kritik an, die Holcot an Anselmus übt, dann besteht das anselmische Argument aus einem analytischen Urteil, das über die Wirklichkeit Gottes nichts aussagt. Die Begriffe werden nicht signifikativ gebraucht, sie stehen nicht in personaler Supposition. Auch der Einwand, den Muck gegen diese Kritik zitiert, würde Holcot nicht beeindrucken. Man könnte nämlich einwenden, daß ja die Gottesbeweise einen Weg beschreiten, „der einen Zusammenhang zwischen der erfahrbaren Wirklichkeit und dem transzendenten Gott aufweist"[230]. Wir haben gesehen, daß Holcot den Weg eines philosophischen Gottesbeweises rundweg ablehnt. Zwei Gründe bewegen ihn dazu: Der Philosoph ist für die Aussagen über Gott nicht zuständig. Sodann gibt es aber auch keine Brücke von der Erkenntnisweise der sinnenhaften Erfahrungswelt zur Weise der Erkenntnis Gottes. Der erste Grund bewegt Holcot besonders im Kampf gegen die rationalistische Verfälschung der Theologie. Den Hauptangreifer erblickt er in Averroes, wie wir gesehen hatten. Den zweiten Grund finden wir in der Quaestio quodlibetalis: Utrum creatura rationalis sit a deo facta ad fruendum finaliter solo deo[231]. In der Antwort zur Quaestio sagt Holcot, daß mit Vernunftgründen nicht erwiesen werden kann, daß Gott für den Menschen im Pilgerstand das höchste Ziel sei. Er begründet dies mit der Unerkennbarkeit Gottes für die natürliche Vernunft, die im Pilgerstand für das Erkennen auf die Sinne angewiesen sei, mit deren Hilfe Gott in keiner Weise erkennbar sei[232]. Die unbegrenzte

---

[230] Vgl. a.a.O. 8.

[231] Vgl. Holcot, Quodl. P fol. 170 va 32—34. Die ganze Quaestio reicht bis fol. 172 va 22.

[232] Vgl. ebd. fol. 170 vb 47—62: Haec probatur: Nam non potest probari naturali ratione deum esse vel creatorem vel redemptorem vel quod homo in aliquo alicui rei insensibili teneatur; igitur etc. Assertum probo sic: Omnis nostra cognitio ortum habet a sensu. Igitur quod non potest per aliquem effectum sensibilem probari esse, non potest cognosci ab homine naturali ratione. Sed nihil insensibile potest probari esse per aliquem effectum sensibilem et hoc demonstrative. Igitur non potest ratione naturali probari deum esse super omnia diligendum. Unde videtur quod, si non potest probari

Offenheit des Intellektes für alle Erkenntnisobjekte, seien diese begrenzt oder unbegrenzt, wie sie Thomas von Aquin lehrte[233], läßt Holcot grundsätzlich bestehen, sie kommt aber für ihn nur zur Auswirkung, wenn die Geistseele vom irdischen Körper getrennt oder mit dem unsterblichen Leib vereinigt ist[234].

Woher gewinnt nun die theologische Aussage ihre Verifikation? Für Holcot ist dies eindeutig der Glaube. Er gibt den in der theologischen Rede verwendeten Begriffen signifikativen Charakter, d. h. er bewirkt, daß sie wirklich das bezeichnen, was sie bedeuten. Darum kann Holcot sagen, daß nur der Gläubige den zutreffenden Begriff für Gott zu sagen weiß. Holcot schreibt dem Glauben eine besondere Weise der Erkenntniserfahrung zu, was in dem Begriff der Logica fidei am deutlichsten zum Ausdruck kommt. Dieser Begriff, der das Attribut „rationalis" erhält, weist zugleich eine

naturali ratione deum esse efficientem causam vel finalem vel simpliciter deum esse, sequitur quod nec potest probari ratione naturali deum esse debitum obiectum fruitionis. Sed quod primum non possit probari, patet per insufficientiam argumentorum, quae sunt adducta hucusque, quae satis facile est impedire.

[233] Vgl. Thomas Aq., In De anima III 1. XIII (ed. Pirotta 186f, n. 787—790). Aristoteles, De anima III, 8 (Δ c. 8 431 b 20 — 432 a 2).

[234] Vgl. Holcot, a.a.O. Die Obiectio lautet (P fol. 171 ra 56—66): Secundo sic: Essentia divina non est ab homine cognoscibilis. Igitur non est ab homine fruibilis. Consequentia apparet et antecedens probatur, quia aliquod est obiectum maxime proportionatum intellectui humano. Igitur quicquid ab illa proportione recedit, minus est ab homine cognoscibile quam obiectum datum. Igitur quod infinite ab illa proportione recedit, in infinitum est minus cognoscibile; igitur nullo modo cognoscibile. Sed deus est huiusmodi, quia accepta proportione cuiuscumque creaturae ad intellectum proportio dei ad intellectum excedit illam sicut deus excedit istam creaturam.
Holcot antwortet darauf (P fol. 171 va 45—64): Ad secundum dicendum quod loquendo de intellectu separato, qui in nullo dependet a corpore corruptibili in sua cognitione, non est obiectum proportionatum illi unum nec aliud. Eodem modo est dicendum de anima unita corpori immortali, sicut erit in resurrectione. Et ideo licet argumentum procedat de cognitione sensitiva vel intellectiva in via, non tamen in patria. Vel aliter potest dici et sic quod homini est duplex cognitio possibilis scilicet una per sensum, alia per intellectum. In prima cognitione est dare obiectum maxime proportionatum, quia ⟨est⟩ obiectum aliquod proportionatum optime ut nunc secundum circumstantias ad potentiam sensitivam, et tunc conceditur quod quicquid recedit ab illa proportione, est minus cognoscibile tali cognitione et tali potentia. Et deus nullo modo est sic cognoscibilis sicut nec tangibilis. Si vero loquimur de cognitione intellectiva, sive sit dare obiectum maxime proportionatum sive non, nihil est quod ab illa proportione recedit in infinitum. Unde illa proportio habet magnam latitudinem, infra quam omnis res finita et infinita continetur, quia ita est proportio cognoscentis ad cognitum vel potentiae ad obiectum.

irrationalistische Glaubensauffassung zurück[235]. Unter diesem Aspekt wird die theologische Rede von ihrem Sprachcharakter her relevant. Diese Feststellung erscheint uns wie ein Schlüssel zum Verständnis der oft so verschlungenen Ausführungen Holcots. Unermüdlich untersucht er den verschiedenen Beweiswert theologischer Aussagen[236], die Arten der Supposition theologischer Begriffe[237], die verschiedenen Weisen ihrer Bedeutung und Anwendung[238].

Gegen Thomas von Aquin, den er ausführlich zitiert, lehrt Holcot, daß von Gott der Gattungsbegriff der Substanz ausgesagt werden kann[239]. Thomas hat diese Lehre mehrfach abgelehnt und bekämpft[240]. In der Summa theologiae ist seine Stellungnahme noch entschiedener als im Sentenzenkommentar, wo er in einer vermittelnden Weise gestattet, den Begriff der Substanz auf Gott anzuwenden. Er unterscheidet zwischen dem eigentlichen (proprie) und einem weiteren Gebrauch (largo modo) dieses Begriffes. Im letzten Falle zielt der Begriff lediglich auf das unabhängige Sein der Substanz im Unterschied zu den Akzidentien. Man müsse nur beachten, daß der Substanzbegriff von Gott und den Geschöpfen nicht in gleicher Weise ausgesagt werde. Thomas bedient sich zur Kennzeichnung der unterschiedlichen Redeweise der von ihm gern gebrauchten Begriffe „analog" und „univok": Wegen der verschiedenen Weise, über Gott und die Geschöpfe zu reden, wird Substanz von Gott und den Geschöpfen nicht univok, sondern analog gebraucht. Daß dabei auch sprachlogische Überlegungen im Spiele

---

[235] Vgl. „Die Logik als Instrument der Theologie", S. 39.

[236] An mehreren Beispielen haben wir die Anwendung der Logik auf die Theologie gezeigt. Diese Beispiele können zugleich dazu dienen, Holcots Kritik an den Erkenntnisprinzipien und -methoden der Theologie zu studieren. Vgl. „Die Logik als Instrument der Theologie."

[237] Die Quaestio VI (I Sent.): Utrum aliqua res simpliciter simplex sit in genere (fol. e V va ff), bietet dafür einen eindrucksvollen Beleg.

[238] In der Sakramentenlehre erörtert Holcot besonders bei der Form des Sakramentes die verschiedenen Bezeichnungs- und Bedeutungsweisen der Begriffe. Vgl. IV Sent. q.1 und 3.

[239] Vgl. Holcot, I Sent. q.6 (fol. e VI rb 51 — va 2): Tertia conclusio est quod deus est in genere secundo modo secundae distinctionis quod probo sic: Omnis conceptus praedicabilis de deo et angelo est conceptus generis, quia non sunt eiusdem speciei. Constat ergo non est conceptus speciei nec diffinitionis. Sed conceptus substantiae praedicatur in quid de deo et angelo et similiter substantia incorporea, cuius probatio est, quia ad quaestionem factam per quid de deo convenienter respondetur quod est substantia vel res per se subsistens et substantia incorporea vel est in genere substantiae. In der Inkunabel steht am Rand: Tertia conclusio contra Thomam.

[240] Vgl. Thomas Aq., I Sent. d.8 q.4 a.2; De ente et essentia c.6; De Pot. q.7 a.3; Compend. theol. c.12; S.th. I q.3 a.3.

sind, zeigt der Wortlaut des Textes deutlich genug, insbesondere der ausdrückliche Hinweis auf den verschiedenen „modus praedicandi"[241].

Holcot eröffnet die Quaestio: Utrum aliqua res simpliciter simplex sit in genere, mit einer langen Liste von Autoritäten, die eine verneinende Antwort geben[242]. Schon die allgemeine Formulierung der Frage, in der das Wort „Gott" vermieden wird, deutet die andersartige Tendenz der Problemstellung an. Zu den Autoritäten gehören Augustinus, Ps.-Dionysius, Anselmus und vor allem Thomas, aber auch die Philosophen Aristoteles und Avicenna. Die Antwort wird wiederum mit zwei Autoritäten eingeleitet, und zwar mit dem von Holcot so scharf kritisierten Averroes und mit Wilhelm Ockham, dessen Definition des Begriffes „genus" zitiert wird[243]. Entscheidend für die Beweisführung, in der sich Holcot bewegt, ist jedoch die zweite der beiden an den Anfang gesetzten Unterscheidungen. Sie verlegt die ganze Frage von der ontologischen Problematik auf die aussagenlogische Ebene. Holcot sagt: Der Begriff der Gattung wird einerseits als Bestandteil einer kategorialen Einordnung gebraucht. In diesem Fall bezeichnen wir mit Gattung einen stimmlichen Laut oder einen Begriff, da sich kate-

---

[241] Vgl. Ders. I Sent. d.8 q.4 a.2 ad 1: Ad primum ergo dicendum quod deus simpliciter non est accidens, nec tamen omnino proprie potest dici substantia tum quia nomen substantiae dicitur a substando, tum quia substantia quidditatem nominat, quasi est aliud ab esse eius. Unde illa est divisio entis creati. Si tamen non fieret in hoc vis, largo modo potest dici substantia, quae tamen intelligitur supra omnem substantiam creatam, quantum ad id quod est perfectionis in substantia, ut non esse in alio et huiusmodi, et tunc est idem in praedicato et in subiecto, sicut in omnibus quae de deo praedicantur; et ideo non sequitur quod omne quod est substantia, sit deus, quia nihil aliud ab ipso recipit praedicationem substantiae sic acceptae, secundum quod dicitur de ipso; et ita propter diversum modum praedicandi non dicitur substantia de deo et creaturis univoce sed analogice. Et hacc potest esse alia ratio quare deus non est in aliquo genere, quia scilicet nihil de ipso et de aliis univoce praedicatur.

[242] Vgl. Holcot, I Sent. q.6 (fol. e V va — e VII vb. Die argumenta stehen fol. e V va 24 — e VI ra 13).

[243] Vgl. ebd. (fol. e VI ra 13—27) [Text korrigiert nach O, P u. RBM]: Ad oppositum est Commentator X Met.com. V, ubi dicit esse primum in genere substantiae et metrum et perfectissimum est primus motor, qui est principium sicut forma et finis. Praeterea Damascenus in elimento c.8 [Dial. c.10; PG 94, 563]: substantia est genus generalissimum, quia non habet supra se aliquid genus. Et ista substantia dividitur in corporeum et in incorporeum. Et incorporeum continet deum, angelum et daemonem. Hic videndum est, qualis est conceptus generis. Et dicit Ockam quod omnis conceptus generis est praedicabilis in quid de pluribus differentibus plus quam solo numero habentibus certam proportionem perfectionis inter se, quorum nullus est pars essentialis alterius per se. Vgl. Ockham, I Sent. d.8 q.2 B.

goriale Einordnungen nur auf die aussagbaren Zeichen erstrecken. Andrerseits sagen wir von etwas, es sei in dieser Gattung, weil es in erster Linie durch diesen Begriff oder diesen Laut bezeichnet wird. So sagen wir: Sokrates gehört in die Gattung der Substanz; die Farbe gehört in die Gattung der Qualität[244]. Auf Grund dieser Unterscheidungen bewegt sich der Schlußteil der Quaestio (es ist der größere Teil) in einem Spiel aussagenlogischer Subtilitäten. Das „simpliciter simplex" kann als Substanz bezeichnet werden, aber auch als Qualität, insofern der Gattungsbegriff der Substanz als Begriff (im Sinne der ersten Unterscheidung) eine Qualität des erkennenden Geistes ist. Einigten sich die Menschen auf Steine an Stelle der Wortzeichen, so hätte man nun als Zeichen der Gegenstände Substanzen statt der mentalen Qualitäten. Damit wird nicht die Substanz mit der Qualität gleichgesetzt, wenn man nur die verschiedenen Suppositionsweisen berücksichtigt. In personaler Supposition bezeichnet Substanz die Sache, in einfacher Supposition die Qualitas mentis. Holcot betont, daß gerade in der Unterscheidung der verschiedenen Suppositionsweisen die Auflösung aller Gegenargumente liegt[245].

Daß schließlich ein „simpliciter simplex" als Substanz im Sinne des Genus generalissimum bezeichnet werden kann, geht aus der zweiten Unterscheidung hervor[246]. Sie gibt einfachhin einen weiteren Gebrauch der Begriffe „Substanz" und „Gattung", der es gestattet, diese Begriffe auf Gott anzuwenden. Diese Formel ist derjenigen sehr ähnlich, die der hl. Thomas im Sentenzenkommentar gebraucht, um den Substanzbegriff im weiteren Sinne für die Bezeichnung Gottes zu konzedieren[247].

[244] Vgl. ebd. (fol. e VI rb 3—10): Secunda distinctio est quod aliquid dicitur esse in genere dupliciter: Uno modo sicut pars alicuius coordinationis praedicamentalis, et sic nihil est in genere nisi vox vel conceptus, quia coordinationes praedicamentales non sunt nisi de signis praedicabilibus. Alio modo dicitur aliquid esse in genere, quia principaliter significatur per conceptum vel vocem. Et sic dicitur quod Sortes est in genere substantiae et color in genere qualitatis.

[245] Vgl. ebd. (fol. e VII rb 7—21) [Text korrigiert nach RBM u. P] Ad quartum dubium dico quod omnia praedicamenta sunt in genere qualitatis loquendo de praedicamentis, quae sunt conceptus vel voces. Nam praedicamenta sunt signa communia multis vel naturaliter significantia sicut conceptus vel ad placitum sicut voces. Sed qua ratione voces sunt ad placitum institutae ad significandum res, possent lapides institui, si placeret omnibus ad significandum. Et tunc omnia ista forent in genere substantiae. Sciendum tamen quod conceptus positi in coordinatione praedicamentali dupliciter possunt supponere: vel pro se, et sic vocatur suppositio simplex, vel pro suis significatis, et sic vocatur suppositio personalis. Et secundum has diversas suppositiones solvuntur argumenta facta.

[246] Vgl. o. Anm. 244.   [247] Vgl. o. Anm. 241.

f) Zusammenfassung und Ergebnis

Die Beispiele für die aussagenlogische Formulierung der theologischen Reflexion ließen sich beliebig vermehren. Hier sei nur auf die Sakramentenlehre verwiesen, die schon bei Thomas von Aquin und nun besonders bei Holcot zahlreiche Gelegenheiten zu sprachlogischen Überlegungen gibt, wobei immer wieder der Begriff der Significatio und der verschiedenen Bezeichnungsweisen erörtert wird[248]. Es gibt ein Gebiet, auf dem die Aussagenlogik geradezu als wichtiges Instrument theologisch korrekter Unterscheidungen gebraucht wurde, nämlich das der Futura contingentia. Die Entwicklung der spekulativen Grammatik und der Sprachlogik im 14. Jahrhundert kam der Vorliebe der Magister für das Problem der Futura contingentia und der Prädestination entgegen[249]. Die Anwendung sprachphilosophischer Analysen auf theologische Aussagen ist im 14. Jahrhundert und besonders bei Holcot keine Neuerung. Wir haben gesehen, wie schon Thomas von Aquin solche Überlegungen ausgiebig betreibt. Söhngen und Warnach haben auf die Bedeutung hingewiesen, die der theologischen Denkweise und ihrem sprachlichen Ausdruck im Argumentum des Anselmus zukommt[250]. Neu ist jedoch diese systematische Untersuchung der theologischen Rede nach den Regeln der Logik und ebenso die Einstimmung und Anpassung der Logik an den theologischen Gegenstand. Nun läßt sich von der Logik her begründen, daß die Rede von Gott eine eigene Aussageweise erfordert[251]. Der Erkenntnischarakter der theo-logischen Aussage erfordert eine Reflexion über das Verhältnis von Methode und Erkenntnisgegenstand. Die in der Theologie gemachten Aussagen sind weder philosophischer noch exakt-wissenschaftlicher Natur, beziehen sich aber auf eine Realität, sogar auf das Allerrealste[252]. Wie der Artikel von Muck

---

[248] Vgl. Holcot, IV Sent. q.1: Utrum baptismus rite susceptus conferat gratiam baptizato (fol. 1 VIII ra ff). Besonders fol. VIII vb 53ff: Requiritur etiam in ista forma significatio completa ita quod, si fiet mutatio circa significationem vel modum significandi, non est baptizatus... Vgl. dazu Thomas Aq., IV Sent. d.3 a.3 q.2 ad 5 (ed. Moos, 119 u. 123; n.44,5 u. 70). Holcot kann besonders in der Quaestio über die Eucharistie nur unter Berücksichtigung der sprachlogischen Argumente gerecht beurteilt werden. Vgl. IV Sent. q.3 (fol. m V rb 47 — n III rb 20).

[249] Vgl. unser Kapitel „Futura contingentia".

[250] Vgl. o. Anm. 215 u. 216.

[251] Dem dienen Holcots Ausführungen zu der Frage, ob die Logik des Aristoteles eine formale Logik, d. h. für alle Wissensgebiete gültige Logik sei. „Die Logik als Instrument der Theologie", S. 24f.

[252] Vgl. O. Muck, a.a.O. 17, wo die religiösen Sätze nach Zuurdeeg zur „Sprache der Überzeugung" (convictual language) gehören. Muck interpretiert: „Aus-

zeigt, geht heute das Bemühen darum, den methodischen Ort der religiösen und theologischen Aussagen so zu bestimmen, daß sie unter Beibehaltung ihrer logischen Eigenart nicht aus der allgemeinen Gesetzlichkeit der Logik herausfallen. Die religiöse Rede muß von ihrer Funktion her verstanden werden. Diese besteht in der Verweisung ihres Hörers auf Gott. Von dieser Funktion her erhalten die syntaktischen Eigenheiten der religiösen Rede ihre Bedeutung. Solche sind etwa das Symbol, das Paradox[253], das von der Alltagssprache her übernommene Modell[254]. Diese Feststellung ist besonders wichtig, um der Bedeutung des Paradox in der Theologie gerecht zu werden. Als reine Aussagekategorie ruft es den Protest aller Theologen und Philosophen hervor, welche an der Allgemeingültigkeit einer einzigen Logik für alle Zweige des Wissens und Erkennens festhalten[255]. In der Theologie gilt jedoch von den meisten Aussageweisen, daß sie nicht nur reine Tatsachen feststellen sollen, sondern mit einer Stellungnahme des Sprechenden verknüpft sind[256]. Aufgabe der aussagenlogischen Reflexion ist es nun festzustellen, unter welchen Bedingungen die in der Theologie gebrauchten Begriffe das in der Aussage Gemeinte bedeuten. Daß sich dies bis in den Einzelfall logisch exakt durchführen läßt, zeigte uns heute Bocheński in dem Versuch, die Kontingenz unter dem

sagen der Überzeugung sind weder logisch-tautologisch noch philosophisch-analytisch noch empirisch-indikativ. Darum können sie auch nicht wissenschaftlich oder philosophisch begründet oder widerlegt werden. Dennoch beziehen sie sich auf die „Realität", und zwar auf eine alles umfassende Realität". Vgl. dazu W. F. Zuurdeeg, The Nature of Theological Language. In: JR 40 (1960) 1—8.

[253] O. Muck verweist auf H. H. Farmer (Revelation and Religion, London 1954), nach dem Aussagen über Gott nur von der lebendigen christlichen Gottbegegnung Sinn haben. „Aufgabe der Aussagen sei es, diese Erfahrung zu symbolisieren und dadurch die religiöse Erfahrung selbst zu stützen und zu nähren. Die Erfüllung dieser Funktion sei zugleich das Kriterium der Richtigkeit der gewählten Symbole. Eine Beziehung zur gewöhnlichen Rede bestehe darin, daß „Liebe" Gott nicht nur symbolisch, sondern im eigentlichen Sinn zukomme. Syntaktische Eigenheiten der Rede über Gott, wie etwa Paradoxien, seien von der Funktion dieser Rede her zu verstehen, Hörer und Sprecher auf die religiöse Erfahrungsquelle zu verweisen." Vgl. a.a.O. 19f.

[254] Vgl. a.a.O. 21.

[255] Klaas Schilder hat die umfassendste und schärfste Kritik zur Verwendung des Paradoxon in der neuzeitlichen Theologie geschrieben. Vgl. u. Anm. 256.

[256] Kierkegaards Gebrauch des Paradoxes als „Kategorie" muß wohl so verstanden werden. Selbst wenn er es ausdrücklich als „ontologische Bestimmung" bezeichnet, ist zu berücksichtigen, daß in seiner Theologie das Sein Gottes im Aspekt der Forderung auf den Menschen hin gesehen wird. Dies möchten wir zu Schilders Kritik bemerken; vgl. K. Schilder, Zur Begriffsgeschichte des Paradoxon, Kampen 1933, 114.

Modalkalkül der Logistik unterzubringen. Nur muß dabei beachtet werden, daß der Begriff „kontingent", wie ihn Aristoteles und die Scholastiker verwendeten, nicht ganz dem Begriff von „zufällig" im Sinne von „nicht notwendig" entspricht, da die Kontingenz eine zusammengesetzte Modalität meint, nämlich die Möglichkeit, sowohl wahr wie falsch zu sein. Die Formel für den „Contingentator" im scholastischen Sinne ist etwas komplizierter als für denjenigen der Zufälligkeit, weil sie auch die Möglichkeit des Falschseins enthalten muß, aber sie ist realisierbar. Wenn „Z" den Contingentator als Modalfunktor der Zufälligkeit, „M" den Possibilitator als Modalfunktor der Möglichkeit und „K" den Modalfunktor der scholastischen Kontingenz bezeichnen, dann heißt „Z p": „p ist zufälligerweise wahr", zufällig im üblichen Sinne von nichtnotwendig genommen. Der „Zufälligkeit" im Sinne der scholastischen Kontingenz, bei der die Möglichkeit, wahr wie falsch zu sein, ausgedrückt werden muß, würde folgende Formel entsprechen: K Mp M Np[257].

Die Bedeutung der aussagenlogischen Reflexion liegt darin, die Eigenart der theologischen Aussage aufzuzeigen, sie von philosophischen und naturwissenschaftlichen Aussagen abzuheben und schließlich ihren Erkenntnischarakter zu sichern. Neben dem zitierten Aufsatz von O. Muck ist dieses Anliegen in einem weiteren Artikel zur Diskussion gestellt worden, der den Bedeutungsgehalt des Wortes „Gott" in der theologischen Sprache untersucht[258]. Ein neuer Aspekt wird hier von Helmut Gollwitzer ins Licht gerückt, derjenige der Sprachgeschichte. Wir erkennen unter diesem Aspekt: „In dem Bereich, der durch die biblisch-christliche Sprachgeschichte bestimmt ist, und nur in ihm, ist dem Worte Gott etwas Eigenartiges geschehen. Wie anders die Dinge außerhalb dieses Bereiches liegen, wird häufig übersehen[259]." Wird hier nicht nur mit anderen Worten gesagt, was Holcot lehrte, wenn er die den Christen angehende Aussage über Gott prinzipiell und methodisch dem Glauben unterstellte? Wenn er auf Gottes Offenbarung und damit auf Gottes heilsgeschichtliches Wirken zurückführte, was immer an rechter Gotteserkenntnis und Gottesaussage unter den Menschen angetroffen wird[260]? Eine umfassende Pflege und Übung der theologischen Sprachanalyse führt unausweichlich zur Frage nach dem

---

[257] Vgl. I. M. Bocheński / A. Menne, Grundriß der Logistik, Paderborn 1962, 96f.
[258] Vgl. H. Gollwitzer, Das Wort „Gott" in christlicher Theologie. In: ThLZ 92 (1967) 161—176. Der Artikel zeigt zugleich die Dringlichkeit der Frage angesichts der Versuche einer „Theologie ohne Gott" (oder nach dem in Amerika gebräuchlichen Modewort einer „Gott ist tot"-Theologie).
[259] Vgl. a.a.O. 170.
[260] S. o. S. 104.

Erkenntnischarakter der theologischen Aussage. Das zeigt die ein-
schlägige theologische Diskussion der Gegenwart, von der nur
einige Beispiele gebracht wurden. Wir glauben, für die theologische
Methode des Robert Holcot zu ähnlichen Feststellungen geführt
zu haben. Es soll dabei nicht verschwiegen werden, daß diese
Methode der Reflexion auch ihre Gefahren hat. Muck weist am
Ende seines Beitrags auf die Grenzen dieser Methode hin. „Diese
Reflexion, wie sie etwa in der Sprachanalyse verkörpert ist, ist
zwar fähig, Probleme aufzuklären, die sich bei der direkten Verwendung der Rede von Gott ergeben, und dazu wohl auch notwendig. Sie ist aber nicht fähig, diese Rede zu ersetzen[261].“ Die
Reflexion ersetzt nicht die Rede von Gott. Würde dieser „Theologie
der Reflexion“ eine ausschließliche oder auch nur überragende
Bedeutung zugesprochen werden, so würde dies zu einer Entfrem-
dung der Theologie überhaupt führen. Holcot ersetzt nicht Anselmus oder Thomas oder Duns Scotus oder Wilhelm Ockham, aber
er bringt ein Anliegen innerhalb der theologischen Tradition zur
Sprache, das vor ihm in dieser Geschlossenheit eines theologischen
Gesamtentwurfes noch nicht vorgelegt wurde und in dem er theologische Aufgaben der fernen Zukunft vorausahnte, für deren
Lösung jedoch sein methodisches Instrumentarium nicht ausreichte.
Seine Theologie darf nicht als ausschließlicher Weg angesehen
werden; denn damit würde die Theologie als Rede von Gott zu einer
theologischen Sprachanalyse und einem Theo-Logik-Kalkül verfälscht werden. Holcots Methode der Reflexion darf aber auch nicht
einer strikten Verurteilung verfallen. Die Theologie erfordert um
ihres Vollzuges willen immer wieder solche Reflexionen. Diese
Aufgabe hat Robert Holcot für die Theologie seiner Zeit erfüllt.

[261] Vgl. O. Muck, a.a.O. 28.

IV

DIE LEHRE VOM GLAUBEN

Die theologische Erörterung des Glaubens ist von jeher eine der vornehmsten Aufgaben für den Lehrer der Theologie gewesen. Zugleich gewährt gerade dieses Thema Einsicht in die Methode eines theologischen Systems. Hier werden nämlich sowohl von der formalen wie von der inhaltlichen Seite die Fragen angegangen, die das menschliche Verhalten und die Art der bewußten Stellungnahme gegenüber dem verkündeten Mysterium betreffen. Für die Vätertheologie und die Scholastik waren Wille und Erkenntnis die beiden geistigen Kräfte, mit denen der Mensch gegenüber einem geistigen Gut tätig werden konnte. Da der Mensch im Glauben von Gott vor das geoffenbarte Mysterium gestellt wird, ergibt sich die Frage, wie er auf diesen Anruf hin handeln würde. Im Bereich des christlichen Glaubens (einschließlich des Alten Testamentes) ist Offenbarung immer wesentlich mit dem Wort verbunden, nicht mit dem Geschehen allein. Daher wird das Eingehen auf die Offenbarung von seiten des Menschen vornehmlich ein geistiger Akt sein, ein Akt des Erkennens und des geistigen Strebens. Für den formalen Glaubensakt entsteht somit die Frage nach dem Verhältnis von Erkennen und Wollen, in der die Frage nach der Freiheit des Willens beim Glaubensakt eingeschlossen ist. Der Inhalt oder Gegenstand des Glaubens geht hingegen das menschliche Erkennen an. Beide Themen, die formale Seite des Glaubensvollzugs in Erkennen und Wollen und die inhaltliche Frage nach dem intentionalen Objekt des Glaubens, haben die Theologiegeschichte seit Augustinus bewegt. Sie werden von einem dritten begleitet, das oft nur aus genauer Analyse der Diskussionen ans Licht gebracht werden kann. Es läßt sich in der Frage formulieren, was in dem seinem Wesen nach übernatürlichen Glauben das natürliche Wollen und Erkennen des Menschen leistet. A. Lang ist dieser Frage für das 14. Jahrhundert nachgegangen, hat sie allerdings unter den Gesichtspunkt der Glaubensbegründung gestellt[1]. Da es in der Scholastik aber

---

[1] Vgl. A. Lang, Die Wege der Glaubensbegründung bei den Scholastikern des 14. Jahrhunderts.

keine methodisch abgegrenzte Disziplin gibt, in der die Praeambula
fidei im Sinne der neuzeitlichen Apologetik behandelt werden (worauf Lang selbst in dem Vorwort zu seiner Untersuchung hinweist),
muß man die Frage nach Begründung und Motivierung des Glaubens allgemeiner stellen, wie es hier auch getan wurde. Sonst besteht
die Gefahr, daß man in die Texte Fragestellungen und theologische
Lösungen hineinliest, die sich erst in einer späteren, weiter entwickelten Theologie ergaben. Unter dem Einfluß der aristotelischen
Metaphysik erwachte das Interesse für die natürlichen Kräfte des
Verstandes und des Willens, die am Glaubensakt oder am Akt
der Gottesliebe beteiligt sind. Wenn Thomas von Aquin und Duns
Scotus die natürliche Fähigkeit des menschlichen Geistes zur vollkommenen Gottesliebe lehren, so steht dies nur scheinbar im
Widerspruch zu der theologischen Lehre, daß Gottes Gnadenakt
jeder geschöpflichen Bewegung zu Gott hin vorausgeht; es ist vielmehr rein ontologisch gemeint und zielt nur auf die seinsmäßige
Vorbedingung des übernatürlichen Glaubens. Diese Unterscheidung
ist für das Verständnis der Lehre vom Glauben, wie sie Holcot in
oft recht eigenwilligen Aussagen formulierte, sehr wichtig.

1. Der Akt des Glaubens

Schon die erste Quaestio des Sentenzenkommentars dient der
Erörterung des Glaubensaktes. Die Quaestio trägt die Überschrift:
Ob der Pilger, der im Stand der Gnade den Glaubensartikeln
zustimmt, dadurch das ewige Leben verdiene[2]. Nachdem in acht
Argumenten die Gegengründe ausführlich erörtert wurden, gibt
Holcot nach einer kurzen Responsio ad oppositum eine Einteilung
der Quaestio in sieben Artikel. Artikel 5—7 enthalten die Antwort
zur Forma quaestionis, die Lösung einiger Zweifel und die Antwort zu den Argumenten. In den ersten Artikeln (1—4) steht die
Freiheit der Glaubenszustimmung im Mittelpunkt[3]. Diese bildet
tatsächlich das Hauptanliegen der ganzen Quaestio. Dazu kommen
Aussagen über das Verhältnis von Glaube und Vernunft, die für
das ganze Lehrsystem Holcots entscheidend sind. Wir werden schon

---

[2] Vgl. I Sent. q.1 (fol. a ra 8ff): Utrum quilibet viator existens in gratia assentiendo articulis fidei mereatur vitam aeternam.

[3] Vgl. a.a.O. (fol. a II rb 3—12): Primo videndum est, utrum actus fidei, qui est
credere articulis fidei, sit in libera hominis potestate. Secundo videndum est,
utrum sit in libera potestate hominis, quod actus suus sit meritorius vel demeri-
torius. Tertio utrum deus possit causare in creatura rationali assensum vel
dissensum ipsa creatura non coagente. Quarto utrum sit possibile, quod homo
mereatur sine usu liberi arbitrii. Quinto dicetur ad formam quaestionis. Sexto
solventur quaedam dubia. Septimo dicetur ad rationes principales.

bei dieser ersten Quaestio sehen, daß man bei Holcot von der Überschrift nicht ohne weiteres auf den Inhalt einer Quaestio schließen kann. Oft gibt die am Anfang gestellte „Frage" nur den Anlaß, alle möglichen Themen und Fragen zu erörtern, die in der „Frage" selbst nicht unmittelbar genannt werden und sogar weitab von ihr liegen können[4].

Im ersten Artikel stellt Holcot also die Frage nach der Freiheit der Glaubenszustimmung und verneint sie. Diese Antwort muß überraschen bei einem Magister des Dominikanerordens, der zudem wiederholt den hl. Thomas als Autorität zitiert. In der Frage der Glaubensbegründung wurde Holcot als „Intellektualist" dargestellt[5]. Tatsächlich knüpft er an den „Intellektualismus" des hl. Thomas an. Thomas von Aquin weist den Glauben zunächst der Erkenntniskraft zu, weil das Wahre eigentliches Objekt des Glaubensaktes ist[6]. Mit Augustinus formuliert Thomas den Glauben als ein cogitare cum assensu. Damit wird aber die Ausübung des Glaubensaktes dem Willen überwiesen. Der Glaubensakt unterscheidet sich somit nach Thomas von den anderen Erkenntnisakten dadurch, daß die Zustimmung nicht vom Denken, sondern vom Willen verursacht wird[7]. Erkennen und Zustimmen stehen zueinander im Verhältnis polarer Spannung, die zutiefst im Pilgerstand des Menschen begründet liegt. Dem Glaubenden bleibt bei aller Gewißheit, die ihm die Offenbarung objektiv und die Festigkeit der Zustimmung subjektiv gewährt, eine intellektive Unruhe, die der Intellekt niemals zu überwinden vermag[8]. Der Wille, der den Befehl zur Zustimmung erteilt, ist jedoch bei Thomas kein blinder Drang, sondern ein geistiges Vermögen. Der Willensakt ist actus imperatus, befohlen von der ratio[9]. Da die Vernunft jedoch, wenn sie im Einzelfall urteilen soll, nicht allein die allgemeinen Prinzipien, sondern auch Grundsätze für den Einzelfall berücksichtigen muß, wird sie nur dann sicher gehen, wenn ihr durch Tugend und Disposition das rechte Urteil zur Natur geworden ist (... habitus, secundum quos fiat quodam modo homini connaturale recte iudicare de fine)[10]. Die Menschen urteilen über das Gute nicht gleich und nicht immer richtig. Dies liegt zutiefst begründet in ihrem Pilger-

---

[4] Ein besonders hervorstechendes Beispiel dafür ist die in der Inkunabel einzige Quaestio des dritten Buches über die Inkarnation.

[5] Vgl. A. Lang, a.a.O. 215f.

[6] Vgl. S.th.II II q.2 a.1 ob 3. Im Sentenzenkommentar bezeichnet Thomas den Intellekt als Subjekt des Glaubens. Vgl. III Sent.d.23 q.2 a.3 (ed. Moos 732 n.171).

[7] Vgl. De ver. q.14 a.1.

[8] Vgl. ebd. ad 5.

[9] Vgl. S.th.I II q.17 a.5.

[10] Vgl. ebd. q.58 a.5.

stand. Auch das letzte Gut, die Seligkeit, bildet keine Ausnahme[11].
So läßt Thomas Verstand und Willen im Glaubensakt zusammen-
wirken und begründet die Freiheit des Glaubens seinsmäßig mit der
Geschöpflichkeit und dem Pilgerstand des Menschen.

Daß die intellektive Erkenntnis ein naturnotwendiger und kein
freier Vorgang ist, lehrt auch Wilhelm Ockham[12]. Zunahme und
Minderung in der Aufmerksamkeit des Intellektes seien kein
Beweis dafür, daß der Intellekt eine aktive Potenz sei, sondern
können durch den Willen hervorgerufen werden[13]. Damit ist auch
die konstitutive Bedeutung des Willens für den Glaubensakt, der
für Ockham grundsätzlich ein intellektiver Akt ist, gegeben und der
Anschluß an das Augustinuswort gefunden: Alles übrige kann der
Mensch ohne den Willen, Glauben nur mit dem Willen[14]. Die erste
Glaubenszustimmung kann nach Ockham nur unter Mitwirkung des
Willens zustande kommen. Aus dieser kann der Intellekt weitere

[11] Vgl. ebd. q.1 a.7.

[12] Vgl. II Sent. q.25 ad 17, T (fol. I III ra 26—37): Ad aliud dico, quod ista:
attentio, conatus, intensio et remissio in actu non possunt plus salvari per
activitatem intellectus quam sine ea, quia intellectus ut praecedit omnem
actum voluntatis quantum ad actum elicitum est solum causa naturalis, si
agat. Et ideo ceteris paribus non est maior ratio, quare intellectus plus conatur,
intendit vel remittit actum uno tempore quam alio tempore, quia posito casu
priori semper ageret secundum ultimum potentiae suae, quia causa mere
naturalis, et per consequens aequaliter semper conaretur et actum aeque
intensum causaret.

[13] Vgl. a.a.O. (rb 10—29): Et tunc dicendum est, quod ille gradus cognitionis,
quo actus prior intenditur, causatur tam ab obiecto quam ab actu volendi, et
gradus praecedens tantum causatur ab obiecto. Quia non est imaginandum,
quod actus praecedens tantum causetur ab obiecto et gradus intensus a
volitione, quia sic non cssent causae partiales respectu unius gradus. Sed est
imaginandum, quod obiectum potest aliquam cognitionem causare per se sine
tali volitione, et post cum illa volitione potest causare aliquam cognitionem
facientem per se unum cum cognitione praeexistente, quam non potest causare
sine tali volitione. Quod autem aliqua talis volitio causatur de novo, quando
actus intenditur, patet per hoc, quod talis actus transit de contradictorio in
contradictorium, puta de non intenso in intensum, quod non potest salvari
sine nova causatione cognitionis. Ex istis patet, quod volitio potest esse causa
immediata respectu cognitionis tam sensitivae quam intellectivae.

[14] Vgl. a.aO. ad 21, X (fol. I IV ra 3—17): Unde ergo causabitur actus credendi
talis complexi? Respondeo quod a notitia complexa terminorum et ab
apprehensione complexa et actu volendi, quo aliquis vult assentire tali complexo, quantumcumque nullam evidentiam habeat. Et quantum ad tale complexum potest intelligi dictum Augustini, ubi dicit, quod cetera potest homo
etiam nolens, credere autem non nisi volens. Et sic patet, quod activitas intellectus nihil facit ad causandum primum assensum, quia positis praedictis
notitiis cum actu voluntatis efficaci, sive intellectus agit sive non, necessario
causabitur assensus respectu illius complexi, et posita activitate intellectus
sine actu voluntatis nunquam causabitur.

Glaubensakte ohne Hilfe des Willens folgen lassen[15]. Diese mehr
äußerliche Bedeutung des Willens für die intellektiven Akte werden
wir bei Holcot wiederfinden. Holcot vollzieht bezüglich der Freiheit
des Glaubens zunächst eine Unterscheidung zwischen religiöser und
theoretischer Fragestellung. Die religiöse Fragestellung im Sinne
des übernatürlichen Offenbarungsglaubens wird von vornherein
ausgeklammert. Der gnadenhafte Glaubensakt ist frei. Er geht aus
einem Habitus hervor. Nun steht es aber in der Macht des Menschen, der mit einem bestimmten Habitus ausgestattet ist, jederzeit
die entsprechenden Akte hervorzubringen. Abgesehen vom übernatürlichen Glaubenshabitus ist die Glaubenszustimmung ein Akt
der Erkenntnis[16]. Dieser ist jedoch abhängig vom Grad der Einsicht
und kann darum nicht vom Willen herbeigeführt werden. Mit allem
dialektischen Scharfsinn legt Holcot die naturhafte Gebundenheit
jeder intellektiven Zustimmung an die intellektive Einsicht dar.
Der Wille kann dem Intellekt zwar die Hinwendung zu einem
Erkenntnisobjekt befehlen, jedoch nicht die Zustimmung. A. Lang
hat die Beweisführung Holcots, die schließlich die entgegengesetzte
Ansicht ad absurdum führt, ausführlich wiedergegeben[17]. Nur muß
man dabei den Ausgangspunkt des Beweises berücksichtigen, an
dem das intellektive Moment des Glaubens aus dem Gesamtkom-
plex „Glauben" herausgeschält wird. Für den übernatürlichen Glauben ist die Freiheit wesentlich. Dies lehrt Holcot ebenso entschieden
wie die naturhafte Abhängigkeit einer rein natürlichen Erkennt-
niszustimmung von der Einsicht. Seine Beweisführung ist dabei
nicht bald gemildert, bald hart und unnachgiebig[18], sondern bleibt

[15] Vgl. a.a.O. (fol. I III va 27 — b 11).

[16] Vgl. I Sent. q.1 a.1 (fol. a II rb 12—34): Est ergo primus articulus, an credere
articulis fidei sit in libera potestate hominum ad istum intellectum, quod
apprehenso articulo fidei quocumque sicut quod deus est trinus et unus libere
possit homo per solum imperium voluntatis credere illi articulo vel istam
propositionem esse veram vel credere eam esse falsam. Unde non intelligo
istum articulum ad talem intellectum: Utrum habens habitum fidei potest
producere actum credendi et non producere, quia sic habet homo actum
scientiae et opinionis et intellectus principiorum in sua potestate. Sed pono
aliquem non habituatum in fide, et audiat talis alium praedicantem istum
articulum: Deus est trinus et unus, et quod qui hoc crediderit, habebit vitam
aeternam. Tunc quaero, an iste statim sine alia evidentia rationis possit libere
assentire isti. Et universaliter quaero, an voluntas possit per suum imperium
causare assensum in intellectu respectu alicuius propositionis sibi dubiae sicut
ante imperium propter praemium vitae aeternae. Et ad istum intellectum teneo
in hoc articulo partem negativam, videlicet quod credere articulis fidei vel
quamcumque propositionem non est in hominis libera potestate.

[17] Vgl. A. Lang, a.a.O. 161.

[18] So nach J. Beumer, Zwang und Freiheit in der Glaubenszustimmung nach Robert Holcot. In: Scholastik 37 (1962) 516.

in strenger Folgerichtigkeit zu der am Anfang getroffenen Unterscheidung.

Der Vorwurf, daß diese „intellektualistische Glaubensbegründung in der skeptischen Geisteshaltung ... gegenüber der natürlichen Erkenntniskraft" ihre Hauptwurzel habe[19], ist nicht neu. Er
beruht hauptsächlich auf Holcots These, die Glaubenswahrheiten
seien nicht nur supra, sondern contra rationem. Hugolinus Mala-
branca († 1374) glaubte, unserem Magister einen inneren Widerspruch zwischen dieser These und dem Glaubensintellektualismus
nachweisen zu können: Wenn die Glaubenswahrheiten contra rationem seien, dann könne es auch keine durch Einsicht hervorgerufene
Zustimmung zu ihnen geben[20]. Der Vorwurf übersieht, daß es sich
für Holcot um zwei verschiedene Probleme handelt. Das „Contra
rationem" bewegt sich innerhalb der Frage, ob die aristotelische
Logik auch für den Glauben und seine Wahrheiten gültig sei, oder
ob hier wie schließlich in Gott eine andere „Logik", die ausdrücklich als „rationalis" bezeichnet wird, gefordert werden müsse[21].
Der Fragepunkt betrifft somit die Art und Weise der Erkenntnis
und nicht die Erkenntnismöglichkeit überhaupt. Sodann ist die
besondere Methodik Holcots zu berücksichtigen, die sich auf Grund
ihrer logischen Strenge in gegensätzlichen Aussagen auswirkt. Diese
Methode kennt im vorliegenden Fall gemäß der Regel von „positio" und „depositio"[22] nur zwei Möglichkeiten, nämlich secundum
rationem und contra rationem. Da die erste nicht zutrifft, bleibt
nur die zweite übrig. Schließlich würde der Einwand des Hugolinus
auch auf das „Supra rationem" des hl. Thomas zutreffen, gerade
weil er auf der rein logischen Form der Argumentation beruht.

Holcots Thesen haben wegen ihres logischen Formalismus in der
Folgezeit wiederholt den Widerspruch der Magister hervorgerufen.
Noch Johann von Basel († 1392)[23] und Heinrich von Langenstein
(† 1397)[24] polemisieren gegen seine intellektualistische Begründung
des Glaubens. Wie aufreizend sein logischer Formalismus gewirkt
hat, beweist die um 1400 schon zur Gewohnheit gewordene Formel
„via Holcot", die das „intellektualistische Extrem" (Lang) der
Glaubensbegründung bezeichnet. Lang hat die Belege hierfür
gebracht[25].

[19] Vgl. A. Lang, a.a.O. 163.
[20] Vgl. ebd. 197.
[21] Vgl. „Die Logik als Instrument der Theologie", S. 34.
[22] Vgl. ebd. S. 62f.
[23] Vgl. A. Lang, a.a.O. 206.
[24] Vgl. ebd. 214.
[25] Vgl. ebd. 235ff.

Holcot weist die Freiheit des Glaubens der Habituslehre zu. Sie wird von ihm also nicht vom Zweifel her diskutiert, sondern von der Verwirklichung des Glaubens selbst. Dies ist ein wichtiger Punkt, in dem Holcot von seinen Kritikern in der Scholastik und heute nicht verstanden worden ist. Das Wesen des übernatürlichen Glaubens besteht damit nicht in der Überwindung des Zweifels kraft natürlicher oder gnadenhafter Einsicht, sondern in einem frei hervorgerufenen Akt, der aus einem durch Gottes Gnade verursachten Habitus hervorgeht.

Die Freiheit, Akte zu vollziehen oder zu unterlassen, die aus einem bestimmten Habitus hervorgehen, gehört zu den Elementen der Habituslehre des Aquinaten. Wir begegnen ihr bei der Frage, ob die prophetische Gabe ein Habitus sei[26]. Thomas verneint sie, da der Prophet über diese Gabe nicht frei verfüge; andrerseits gehöre es jedoch zum Wesen des Habitus, daß die aus ihm hervorgehenden Akte jederzeit frei hervorgerufen werden können, wie Aristoteles und sein Kommentator lehren[27]. In dieser Freiheit, die aus der Natur des Habitus folgt, begründet Holcot die Freiheit des Glaubens. Dem Wortlaut nach bewegt er sich dabei in Formulierungen, die wir bei Thomas finden. So erinnert der Vergleich des Glaubenshabitus mit demjenigen des Wissens und der ersten Prinzipien an entsprechende Sätze bei Thomas[28]. Die Freiheit des übernatürlichen Glaubensaktes muß von Holcot schon mit Rücksicht auf die Verdienstlichkeit des Glaubens festgehalten werden. In mehreren Unterscheidungen wird zunächst der strikte Sinn der Begriffe „verdienstlich" und „glauben" herausgearbeitet. Zum Verdienstlichsein im strengen Sinne gehört außer dem göttlichen Gebot und einer verheißenen Belohnung die Freiheit der Handlung[29].

[26] Vgl. Thomas Aq., S.th.II II q.171 a.2; De ver. q.2 a.1.
[27] Vgl. Aristoteles, De anima III c.5 (430 a 15); Averroes i.h.l. com. 18; Thomas Aq., In De anima III 1. 10 (ed. Pirotta 173f, n.728—730). S.th.I II q.53 a.3; q.71 a.4; q.78 a.2; II II q.137 a.4 ad 1; S.c.g. II c.60, 73, 78.
[28] Vgl. Thomas Aq., In De anima a.a.O.; S.th.I II q.57 a.1 u.2; q.94 a.1.
[29] Vgl. Holcot, I Sent. q.1 a.6 (fol. a V ra 1—9): Secundo modo aliquid dicitur meritorium formaliter et essentialiter, quia est ipsum meritum, et sic apud multos actus solius voluntatis dicitur meritorius assistente gratia. Tertio modo dicitur aliquid meritorium, quia est a tali merito essentiali causatum, quemadmodum dicimus quod dare elemosinam est meritorium et tales consimiles operationes imperatae a voluntate elicitae conformiter legi divinae, per quam legem promittitur praemium sic libere facienti.
Darauf folgt eine zweite distinctio (ebd. lin. 10—24): Secundo adhuc pono unam divisionem de eodem termino, quia meritum vel demeritum potest accipi dupliciter. Uno modo large et improprie, alio mode stricte et proprie. In der ersten Weise kann jedes Tun, ob willentlich oder rein natürlich, verdienstlich sein, wenn darauf ein Lohn gesetzt ist. Im strengen Sinne ist nur

Glauben ist eine Zustimmung zur göttlichen Offenbarung[30]. Diesen übernatürlichen Glaubensakt kann nun der Mensch frei hervorrufen. In ihm werden für Holcot beide Erfordernisse des Verdienstlichen erfüllt: Gnade und Freiheit. Daß damit das eigentliche Problem der Freiheit, wie es Thomas gesehen hat, noch gar nicht angegangen wird, zeigt der folgende Text. Holcot unterscheidet den Glaubensakt allzu scharf von seinem bewegenden oder auslösenden Grund. Dieser ist der Wille, der den Glaubensakt von seiten des Menschen verdienstlich macht. Der Wille kann den Glaubensakt ebenso frei hervorrufen wie etwa den Akt der Einsicht in eine geometrische oder physikalische Schlußfolgerung[31]. Man vergesse jedoch nicht, daß Holcot den Willen nicht unmittelbar auf den Akt der Zustimmung wirken läßt, sondern mittels intellektiver Motive. Der Wille wirkt also nur von außen und mittelbar auf den Akt der Zustimmung. Ein solcher Akt, verbunden mit den dazu gehörigen guten Umständen (Gnade, Verheißung des Lohnes) ist ebenso verdienstlich wie jeder andere in ähnlicher Weise vom Willen befohlene und durch äußere Kräfte ausgeführte Akt wie Almosen geben, auf Pilgerfahrt gehen und dergleichen[32]. Der Vergleich, in dem die Werke nur in ihrem äußeren Vollzug gesehen werden, zeigt deutlich, wie scharf Holcot die Übernatürlichkeit und Gnadenhaftigkeit des Glaubens von seinem Vollzug durch die menschlichen Kräfte trennt. Auch innerhalb der letzteren wird die bei Thomas festgehaltene Einheit und Zuordnung von Wille und Erkenntnis preisgegeben. Der Wille bleibt gleichsam außerhalb der intellek-

---

die aus dem freien Willen hervorgehende Handlung verdienstlich: Proprie aut stricte dicitur meritum libera operatio vel omissio operationis conformis legi, per quam pro tali operatione vel omissione praemium quodcumque promittitur per eandem legem, immo ipsa volitio talis operationis, si sit alterius potentiae a voluntate, operatio dicitur meritoria.

[30] Vgl. ebd. (fol. a V rb 4—7; der Text der Ink. ist fehlerhaft. Wir benutzen zur Korrektur P, fol. 4 va 6—12): Tertio modo accipitur credere strictissime pro assentire revelatis a deo et affirmatis per miracula seu testimonium cum velle vivere et operari secundum ea. Sic credere includit tam actus voluntatis quam intellectus. Et istud solum credere est meritorium loquendo de meritorio stricte et secundo modo secundae distinctionis (vgl. vorherige Anm.)

[31] Vgl. ebd. (fol. a V rb 24—28): Similiter actus credendi potest imperari a voluntate sicut actus considerandi aliquam conclusionem geometricam vel physicam quamcumque; et hoc potest esse meritorium in casu sic credere.

[32] Vgl. ebd. (lin. 28—35): Unde si homo tentetur vel per rationes impugnetur ad laudandum deum vel ex devotione velit elicere actum credendi, tunc dicendum est quod tale credere imperatum a voluntate cum bonis circumstantiis est meritorium, sicut quilibet actus alius imperatus a voluntate et exercitatus per potentias alias exteriores, cuiusmodi sunt dare elemosynam et peregrinari ac consimiles.

tiven Einsicht stehen, da die Glaubenswahrheiten nicht nur über, sondern gegen die Vernunft sind[33]. Schon rein natürlich trennt Holcot den Willen von der Einsicht, wie es sein Grundsatz zeigt, daß die Zustimmung zu einer Erkenntnis oder Schlußfolgerung niemals durch den Willen befohlen werden kann[34]. Wenn Gott nun eine Zustimmung zu einem Sachverhalt befiehlt, in die der Intellekt keine Einsicht hat, ist dann sein Gebot wie auch die darauf gesetzte Strafe nicht gegen die Vernunft? Holcot gibt darauf zwei Antworten: Erstens ist, was Gott befiehlt, niemals gegen die Vernunft[35]. Diese Antwort mag theologisch hart klingen und den Anschein erwecken, Holcot setzte die Sittlichkeit in eine absolute Abhängigkeit von der irrationalen Willkür Gottes. Wir werden bald sehen, daß eine solche radikale Auslegung nicht gerechtfertigt ist. Die zweite Antwort mildert den scheinbaren Radikalismus der ersten beträchtlich: Mit Berufung auf Johannes Damascenus und auf Aristoteles sagt Holcot, daß der sorgfältig Überlegende hinreichende Vernunftgründe für seine Zustimmung findet[36]. Die genannten Autoritäten bekräftigen zugleich, daß der Mensch zu solch eifriger Überlegung ethisch verpflichtet ist.

Diese Ausführungen sind nicht nur nach ihrem Inhalt von Bedeutung, sondern erhellen auch die Methodik der Beweisführung. Man

---

[33] Vgl. ebd. (fol. a II va 18—27): Secundo arguo sic principaliter: Non est in potestate hominis assentire propositionibus magis inevidentibus naturaliter et dubitare velit nolit de propositionibus minus inevidentibus. Sed articuli fidei sunt maxime propositiones inevidentes inter omnes propositiones, quae creduntur esse verae; nam sunt contra omnem rationem naturalem sicut quod una res sit tres res et quaelibet illarum trium, vel quod virgo pariat dei filium et huiusmodi. Ergo non est in potestate hominis assentire talibus libere.

[34] Vgl. ebd. (fol. a V va 3—5): Ex his tamen non sequitur quod homo possit assentire conclusioni sciendae statim ex solo imperio voluntatis.

[35] Vgl. ebd. (fol. a V rb 40—46): Nego istam consequentiam, quia consequens est impossibile, quia deus non potest aliquid irrationabiliter praecipere, cum sua voluntas sit sufficiens ⟨causa⟩ (RBM fol. 3 va, bzw. 9 va, lin. 62) respectu omnium praeceptorum suorum. Unde Anselmus, Cur deus homo, lib. I c. VIII: sufficere nobis debet ad rationem voluntas dei, cum aliquid facit, licet non videamus, cur velit; voluntas namque dei nunquam est irrationabilis. Über die unklare Paginierung des Sentenzenkommentars in RBM vgl. u. S. 409.

[36] Vgl. ebd. (fol. a V rb 47 — va 11) [Wir setzen die Responsio an den Anfang, danach die im Text zuvorstehende Begründung aus Johannes Dam. und Aristoteles]: Et videtur mihi quod sufficienter inquirenti sunt rationes sufficientes ad causandum assensum fidei. — Similiter leges humanae statuunt et praecipiunt quod aliqui homines sciant scientias practicas et aliqui speculativas et puniunt ignorantes, qui tenentur scire eas sicut patet tam de artibus mechanicis quam de scientiis speculativis. Unde Damascenus libro II Sententiarum c.26, ubi ostendit, quae sunt in nobis et in nostra potestate et quae non sunt, dicit: (Fortsetzung vgl. S. 31 Anm. 52).

darf in der ersten Antwort nicht einfach einen „Voluntarismus"
der Gotteslehre Holcots sehen, als ob der göttliche Wille allein die
Vernünftigkeit eines Gebotes bestimme. Die starke Heranziehung
der Logik in die Theologie hat solch scharf formulierte Thesen zur
Folge. Betrachten wir die Form der Argumentation. Sie beginnt
mit einem Syllogismus conditionalis: Wenn das Glauben (credere)
nicht im freien Vermögen des Menschen liege, so würde Gott in
einer der Vernunft widersprechenden Weise den Glauben gebieten
und den Unglauben bestrafen. Diese Folgerung ist jedoch zu verneinen, weil der Schluß unmöglich ist. Gott kann nämlich unmöglich etwas gebieten, was gegen die Vernunft ist, weil sein Wille
die hinreichende Ursache aller seiner Gebote ist[37]. Dieses Argument
wird mit einem Zitat aus Anselmus, Cur deus homo[38], bekräftigt.
Der Wortlaut des Textes selbst wie das Anselmuszitat lassen deutlich erkennen, daß der Wille Gottes keinesfalls als alogisch aufgefaßt werden soll. Vielmehr ist er mit einer ratio eigener Art verbunden, die der menschlichen Erkenntnis absolut verborgen bleiben
kann. Holcot benutzt logische Termini, um diese Verborgenheit
Gottes vor dem menschlichen Geiste auszusagen und zugleich seine
Aussage gegen das Mißverständnis des Irrationalismus abzusichern.
Der stärkste ist derjenige der Logica fidei, der uns noch wiederholt
beschäftigen wird. Schon Gilson hat davor gewarnt, im Gebrauch
dieses Begriffes durch Holcot eine Bestätigung für einen theologischen Irrationalismus zu sehen[39]. Die „Logik des Glaubens" ist
in ihrer Weise rational. Sie ist es aber in einer anderen Weise als
die Logik des natürlichen Denkens. In Ockhams Trinitätsspeku-
lation kündigt sich eine solche ausdrückliche Abhebung der Glau-
benswirklichkeit vom menschlichen Denken an. Der Glaube lasse
bestimmte Sätze über Gott zu, denen die natürliche Vernunft nicht
zu folgen vermag[40]. Noch auffallender wird die Ähnlichkeit

---

[37] Vgl. ebd. (fol. a V rb 35ff): Ad primum argumentum primi dubii, quando arguitur quod: si credere non sit in potestate libera voluntatis sic quod intellectus
necessitetur ad credendum ex imperio voluntatis, sequitur quod deus irrationabiliter praeciperet homini credere et irrationabiliter puniret, si non crederet
— Nego istam consequentiam (Fortsetzung vgl. o. Anm. 35).

[38] Vgl. I c.8 (ed. Schmitt II 59 lin. 10—11).

[39] Vgl. E. Gilson, History of Christian Philosophy in the Middle Ages, Toronto
1955, 500f.

[40] Vgl. Ockham, I Sent. d.2 q.11 O (fol. m V va 51—55): Et ita cum non sit
possibile in creaturis, quod plures res distinctae realiter sint una res, ideo in
creaturis non est talis distinctio ponenda nec unquam est ponenda, ubi credita
non compellunt. Ebd. d.33 q.1 E (fol. ee VI ra 37—39): Sed hoc est speciale
in divinis, sicut est ibi speciale quod una res simplex et indistincta est tres
res. Vgl. auch die ganze Argumentation in I Sent. d.2 q.5.

zwischen Holcot und Ockham in einer Bemerkung in der Summa logicae, in der die theologische Bezeichnungsweise bestimmter Begriffe von der aristotelischen Bezeichnungsweise abgehoben wird[41]. Nach Aristoteles bezeichnen „homo" und „humanitas" dieselbe Wirklichkeit und unterscheiden sich nur durch das synkategorematische Bezeichnen, das sie in verschiedener Weise enthalten. Dieser „aristotelische Weg" führt nicht zur „Wahrheit der Theologen". Obwohl auch in der Theologie die Unterscheidung von „homo" und „humanitas" hinsichtlich der synkategorematischen Bezeichnung bestehen bleibt, stehen die beiden Begriffe darüber hinaus für verschiedene Dinge. Der eine bezeichnet oder mitbezeichnet eine Wirklichkeit, die der andere Begriff nicht bezeichnet. „Homo" bezeichnet den Sohn Gottes, „humanitas" supponiert nicht für ihn, noch bezeichnet es ihn. Darum ist die Aussage richtig: „Der Sohn Gottes ist Mensch." Falsch hingegen ist es zu sagen: „Der Sohn Gottes ist die Menschheit." Während also in der Logik des Aristoteles „homo" und „humanitas" synonym gebraucht werden können, ist dies in der Aussageweise der Theologie nicht möglich. Damit wird von Ockham die Anwendung der aristotelischen Logik auf den Glauben gewissen Einschränkungen unterworfen. Holcot entwickelt diesen Gedanken in seiner These von der nicht-aristotelischen Logik des Glaubens weiter.

Der erkenntnistheoretische Unterschied zwischen übernatürlichem Glauben und natürlichem Erkennen entspricht dem sachlichen Abstand der Glaubensinhalte von den Gegenständen der natürlichen Erkenntnis. In beiden Bereichen, dem des Erkennens und

---

[41] Vgl. Ders., Summa logicae I c.7 (ed. Boehner, 23): Ex quibus omnibus sequitur quod secundum viam Aristotelis nihil significatur per hoc nomen „homo", quin significetur per hoc nomen „humanitas", et econverso. Et hoc dico esse de intentione eius. Et ideo vel concederet istam de virtute sermonis: „homo est humanitas", vel negaret eam solum propter aliquod syncategorema aequivalenter inclusum in altero istorum nominum, sicut inferius ostendetur. Sed quamvis haec fuerit intentio Aristotelis, tamen secundum veritatem theologorum non est sic dicendum. Non enim ista nomina sunt synonyma: „homo" et „humanitas", quamvis concederetur, quod neutrum istorum aliquod syncategorema aequivalenter includeret. Immo ista nomina possunt pro distinctis rebus supponere; et aliquam rem significat vel consignificat unum nomen, quam reliquum nullo modo significat. Nam hoc nomen „homo" vere supponit pro Filio Dei, et ideo Filium Dei significat vel aliquo modo importat; hoc autem nomen „humanitas" non supponit pro Filio Dei nec aliquo modo Filium Dei significat, non plus quam hoc nomen „albedo". Propter quod ista est concedenda: „Filius Dei est homo"; haec autem falsa est: „Filius Dei est humanitas". Et ita, cum non quodlibet, quod per unum istorum importatur, eodem modo importatur per reliquum, non sunt synonyma.

des Seins, kommt es bei Ockham und später bei Holcot zu einer starken Hervorhebung der Transzendenz Gottes. Weder Ockham noch Holcot lehren eine irrationale Seinsschicht in dem göttlichen Wesen. Gottes Wollen und Erkennen sind nicht alogisch, wenn auch die Transzendenz der göttlichen Ratschlüsse und Weisheit gegenüber menschlichem Denken und Begreifen sehr betont wird. Der Weg des Menschen zu Gott führt darum nicht über einen Sprung ins irrationale Dunkel. Diese Deutung findet im zitierten Text[42] eine Bestätigung. Holcot erinnert an die Pflicht zu wissen, die denen auferlegt ist, die eine praktische oder spekulative Wissenschaft betreiben. Diese Pflicht werde von den Gesetzen bestätigt, die für verschuldetes Unwissen eine Strafe auferlegen. Allerdings sei das Unwissen nicht durch einen bloßen Willensentschluß zu beseitigen. Vielmehr müsse man vieles Wissen hinzuerwerben, dem man aber nur durch die Einsicht (ratio) bewegt zustimmen könne. Auf dieselbe Weise solle der Mensch nach Gottes Willen in den Dingen des eigenen Heiles sorgfältig forschen und lernen. Wer hinreichende Sorgfalt aufwende, dem würden sich auch genügende Gründe einstellen, die ihn zur Glaubenszustimmung bewegen. Diese auch in den Handschriften enthaltene Stelle zeigt die Bedeutung der Kritik Holcots an der Lehre vom Glaubensassens. Der bloße Willensentschluß kann danach nicht die intellektive Dunkelheit der Offenbarungswahrheit aufheben. Die mangelnde Einsicht erscheint ihm darum auch ungeeignet zur Begründung der Freiheit, die in die Habituslehre verlegt wird. Darüber hinaus kennt Holcot tatsächlich ein Bemühen um Vernunftgründe, die eine vorbereitende Bedeutung für die Glaubenszustimmung haben. Daß dieses Bemühen auch von sittlicher Bedeutung ist, geht aus dem Vergleich hervor, in dem von Gesetz, Pflicht und Strafe gesprochen wird. Im Sentenzenkommentar sind diese wichtigen Ausführungen sehr allgemein und knapp. Sie zeigen dennoch, daß Holcot in der Lehre vom Glaubensassens seinem großen Ordenslehrer näher stand, als es auf den ersten Blick hin scheint. Er hat kritisch manches schärfer gesehen. Kritik bedeutet an und für sich noch nicht Zerfall. Sie gehört zu den legitimen Aufgaben des scholastischen Wissenschaftsbetriebes[43]. So wird er nicht müde, die intellektive Zustimmung grundsätzlich als eine Folge intellektiver Einsicht darzustellen. Der Schluß, daß der Ungläubige durch Vernunftgründe zum Glauben gebracht werden kann, bildet die Krönung dieses Glaubens-Intel-

---

[42] Vgl. o. Anm. 36.
[43] Vgl. o. S. 19.

lektualismus. Daß es sich dabei jedoch nicht um den übernatürlichen Glauben handelt, geht aus der Responsio Holcots zu dem Satz des hl. Augustinus hervor: Anderes kann der Mensch unfreiwillig, glauben nur freiwillig[44]. Glauben als Akt des Verstandes und des Willens, wie ihn Augustinus hier versteht, zielt daher nur auf die fides formata, und auf diese sei das zitierte Augustinuswort gemünzt[45]. Diese Auslegung wird durch die weitere Bemerkung bestätigt, daß ein solcher Glaube nicht erzwungen werden kann mit äußerer („körperlicher") Gewalt.

Schließlich werden die Freiheit sowie die Mitwirkung des urteilenden Intellektes bei der Glaubenszustimmung von Holcot eindeutig gelehrt, wenn er im dritten Artikel dieser Quaestio die Frage stellt, ob Gott in einem Geschöpf den Glauben ohne dessen Mitwirkung hervorrufen könne[46]. Der Magister antwortet mit einem unumwundenen Nein[47]. Zustimmung und Ablehnung des Intellektes wie des Willens können von Gott nicht hervorgerufen werden ohne Mitwirkung von Intellekt und Wille. Der Grund liegt darin, daß der Zustimmungsakt auf einem Urteil beruht. Würde Gott selbst dies bewirken und es so dem Menschen abnehmen, so wäre der Zustimmungsakt kein Akt des Geschöpfes mehr[48]. Einige Zeilen

---

[44] Vgl. Augustinus, In Joan., tract. 26 n.2 (PL 35, 1607).

[45] Vgl. Holcot, 1 Sent. q.1 (fol. a V vb 41—55): Ad auctoritatem Augustini, quando dicit: Cetera potest homo nolens, credere non potest nisi volens etc. Dico quod beatus Augustinus aequivocat frequentur de credere, sicut patuit supra in distinctione facta de credere. Unde accipit credere, prout includit actum voluntatis et similiter intellectus. Similiter illa auctoritas non dicit, nisi quod homo per corporalem compulsionem vel violentiam sensibilem non potest compelli ad credendum. Et hoc videtur innuere per ipsa verba auctoris: Si, inquit, corpore crederetur, fieret in nolentibus. Contra: saltem ergo Augustinus habuit pro inconvenienti quod fides fiat in nolentibus. Dicendum est quod habet pro inconvenienti quod fides formata, quae est fides operans per dilectionem, fieret in nolentibus. Et hoc est impossibile maxime per compulsionem corporalem, quia iste terminus fides sic acceptus connotat actum liberum voluntatis.

[46] Vgl. ebd. a.3 (fol. a III va 29—35; Texte der folgenden Anm. bis 49 korrigiert nach RBM): Tertius articulus est an deus possit causare assensum vel dissensum in creatura rationali ipsa creatura non coagente, ita quod haec sit vera: Homo vel iste angelus assentit isti propositioni sine hoc quod iste homo vel iste angelus causet aliquo modo talem assensum.

[47] Vgl. ebd. (lin. 35—40): Et in hoc articulo similiter sine praeiudicio teneo conclusionem istam negativam: Deus non potest in aliqua creatura rationali causare assensum vel dissensum intellectus seu voluntatis ipsa non coagente vel non concausante talem assensum vel dissensum.

[48] Vgl. ebd. (lin. 40—49): Hoc persuadetur sic: Omne iudicium intellectus creati est actio intellectus creati. Sed omnis assensus vel dissensus intellectus creati propositioni apprehensae est quoddam iudicium intellectus eiusdem. Ergo

später beruft sich Holcot für dieses Argument auf Aristoteles und den Kommentator[49]. Holcot gibt zu, daß Gott im Menschen auch noch ohne dessen Mitwirkung einen Akt der Glaubenszustimmung hervorrufen könne. Diese merkwürdige Annahme ist aus dem von Ockham viel berufenen Axiom zu erklären, daß Gott, was immer er mit einer Zweitursache wirken kann, auch ohne diese bewirken könne[50]. Holcot fügt aber sofort hinzu: Eine solche „Zustimmung" (wörtlich: „Eine solche Sache, wie sie eine so hervorgerufene Zustimmung wäre...") wäre tatsächlich keine Zustimmung[51]. Hier wird die Freiheit und Intellektivität der Glaubenszustimmung in einer Weise vertreten, die der Sache nach der Lehre des hl. Thomas folgt. Was Holcot unterscheidet, ist die an Ockhams Beispiel geschulte Methode der logischen Strenge, mit der er die im System des Aquinaten verbleibende Problematik einzelner Aussagen kritisch aufzeigt.

---

assensus vel dissensus intellectus creati est aliquomodo eiusdem (P). Sed impossibile est deum facere actionem agentis creati sine agente creato. Igitur impossibile est deum facere assensum vel dissensum intellectus creati alicui propositioni sine coactione intellectus creati.

[49] Vgl. ebd. (fol. a III vb 11—29): Maior istius rationis videlicet haec: Omne iudicium intellectus creati est eius actio, videtur manifesta, quia iudicare est agere secundum quod potest haberi a Commentatore secundo De anima, com. 149, ubi loquitur de iudicio sensus communis et dicit sic: Iudicium enim dignius est attribui isti potentiae secundum quod est actus quam secundum quod est potentia, quemadmodum motio eius passiva de sensibus dignius est attribui ei secundum quod est recipiens quam secundum quod est agens. Est ergo apud istum secundum Aristotelem recipiens secundum sensationem et agens secundum iudicium. Recipere enim est aliud quam iudicare et recipere aliquid aliud quam iudicare illud. Et ratio est: Videmus quod haec virtus iudicat intentiones, quas proprie percipit, et earum privationes, et sic est in virtute rationali. Hoc ille. Ex quo patet quod iudicare est agere secundum eum. Ergo assentire et dissentire intellectus non possunt esse ex eo quod recipit, nisi etiam simul agat secundum eum.
Vgl. Aristoteles, De anima III c.2 (426a 1—5; b 8—14).

[50] Vgl. Ockham, Quodl. VI q.6: Praeterea: In illo articulo fundatur illa propositio famosa theologorum: quidquid deus producit mediantibus causis secundis, potest immediate sine illis producere et conservare. Ex ista propositione arguo sic: Omnem effectum, quem potest deus mediante causa secunda, potest immediate per se; sed in notitiam intuitivam corporalem potest mediante obiecto; ergo potest in eam immediate per se. Zit. bei Ph. Boehner, The notitia intuitiva of non-existents according to William Ockham. In: Traditio 1 (1943) 230 Anm. 14.

[51] Vgl. Holcot, a.a.O. (fol. a III va 49—52): Dico tamen quod omnem assensum vel dissensum potest deus producere sine intellectu creato; sed illa res, quae est modo assensus, si sic produceretur, non foret assensus.

Wenn Holcot in der gleichen Quaestio sagt, daß die Glaubenszustimmung auch notwendig erfolgen könne, so ist damit die Notwendigkeit der intellektiven Zustimmung gemeint, nicht aber eine
Notwendigkeit des übernatürlichen und verdienstlichen Glaubensaktes. Ein solches Mißverständnis kann entstehen, wenn man die
einzelnen Aussagen aus dem Zusammenhang löst und die aussagenlogische Methode dieses Magisters außer acht läßt[52]. Die zitierte
Stelle kann allerdings, für sich allein genommen, leicht zur Fehl-
interpretation Anlaß geben. Holcot sagt jedoch nicht, daß „der
Glaubensakt innerlich notwendig" ist, sondern er sagt, es sei möglich, daß ein innerhalb der Gnade Stehender durch Vernunfteinsicht
genötigt den Glaubensartikeln zustimme. Holcot erklärt genau,
wie dies gemeint ist: Auch ein im übernatürlichen Sinne glaubender
Mensch könnte eine Glaubenszustimmung in sich hervorrufen, die
durch intellektive Einsicht in die Glaubwürdigkeit der Glaubensartikel, durch demonstrative Beweise (wörtlich: „durch Beweise,
die als demonstrativ erscheinen"), durch die Gewohnheit, ja durch
ein vernünftiges Vertrauen auf das Glaubensbeispiel zuverlässiger
Männer motiviert wird. Das Motiv kann innerlich so stark sein,
daß es ihm unmöglich ist, nicht zu glauben[53]. Ausdrücklich wird
hinzugesetzt, daß es sich dabei nicht um einen eigentlich verdienstlichen Glaubensakt handelt, weil die Freiheit der Zustimmung fehlt.
Der ganze Abschnitt wird mit „Possibile est" eingeleitet und darf
schon darum nicht als eine kategorische Aussage über den verdienstlichen und übernatürlichen Glauben gewertet werden. Sachlich beruht diese Aussage auf der Beobachtung von pastoralen und
psychologischen Realitäten. Beumer zitiert eine Aufzählung von
Glaubensursachen, die sogar außerhalb des Verstandesbereiches
liegen[54]. Auch die Frage, ob ein falscher Glaube verdienstlich sein

---

[52] Vgl. Beumer, a.a.O. 516. Die von Beumer zitierte Stelle steht im 5. (nicht 6.)
Artikel der 1. Quaestio, fol. a IV ra 44—55. Vgl. folgende Anm.

[53] Vgl. Holcot, I Sent. q.1 a.5 (fol. a IV ra 44—55): Istud assumptum patet primo
sic: Possibile est quod aliquis existens in gratia assentiat articulis fidei necces-
sitatus per rationem, quae videtur sibi demonstrativa vel quae sic saltem generat fidem quod ipse non potest non credere. Similiter propter consuetudinem
credendi certis articulis multi assuefacti et habituati in fide non possunt non
assentire. Ergo talis non meretur credendo accipiendo meritum stricte secundum quod includit actum liberum et assensum liberum et credere pro assentire, quia non est in potestate talis personae non assentire illis articulis, quibus
ipse assentit. Vgl. ferner ebd. a.6 (fol. a V vb 17—21): Et ideo credo quod
una magna causa assensus in his, quae fidei sunt, modernis temporibus in multis fidelibus est, quia sciunt tam periti viros et veraces, qui nec falli potuerunt
nec fallere voluerunt, talia credidisse.

[54] Vgl. Beumer, a.a.O. 518.

könne, ist zum Teil von der pastoralen Erfahrung her zu verstehen[55]. Nicht alles spielt sich in der Praxis so ab, wie es der Universitätslehrer theologisch analysiert. Noch wichtiger ist zum Verständnis der zitierten Stelle der methodische Zusammenhang. In diesem Artikel will Holcot die Antwort „ad formam quaestionis" geben[56]. Der Ausdruck „forma" darf nicht überlesen werden, zumal er zweimal dasteht. Holcot fährt nämlich fort, daß die Quaestio hinsichtlich der Form eine dreifache Bedeutung haben kann, nämlich eine konditionale, eine kausale und eine zeitliche. Die Scholastik unterschied zwischen Stoff und Form der Rede. Zum Stoff gehören die rein kategorematischen Termini, unter Ausschließung der synkategorematischen, zur Form alles übrige, also ob eine Aussage bejahend oder verneinend, kategorisch oder hypothetisch ist, die Art der Beziehung der relativen Termini zueinander, die Modi der Bedeutung usw. Bocheński hat im Anschluß an einen Text von Buridan darauf hingewiesen[57] und gezeigt, daß die Scholastik diese Art der Form in der Rede zum Gegenstand ihrer Logik gemacht hat. Während in der Lehre von den Termini (dazu gehören Supposition, Appellation, Ampliation usw.) deren semantische Form untersucht wird, wird in der Lehre vom Syllogismus, von den Schlüssen usw. die logische Form rein strukturell bestimmt. Bocheński sagt abschließend: „In beiden Auffassungen hat sich die Scholastik einen sehr scharfen Begriff der logischen Form und damit der formalen Logik selbst geschaffen." In diesem Zusammenhang dürfte klar werden, was Holcot mit seiner verneinenden Antwort zur „forma quaestionis" meint. Vergegenwärtigen wir uns noch einmal die Frage. Sie lautet: Ob der Pilger im Gnadenstand durch sein Zustimmen zu den Glaubensartikeln das ewige Leben verdiene[58]. Verneint wird die Frage in dieser logischen Form, weil die Weise der Zustimmung, wenn sie Bedingung oder Ursache des Verdienstes sein soll, nicht eindeutig als frei gesetzter Akt exponiert

---

[55] Vgl. ebd. 519. Dahinter steht noch ein theologischer Grund, die Wahrheit und Kontingenz der Futura contingentia. Vgl. u. S. 310f.

[56] Vgl. Holcot, I Sent. q.1 a.5 (fol. a IV ra 17—25): Quintus articulus est respondere ad formam quaestionis, ubi sciendum est quod quaestio de forma potest habere tres sensus: Potest enim esse conditionalis vel causalis vel temporalis propter verbum gerundivum (scl. „assentiendo") quod in ea ponitur, quod quidem . . . potest exponi per ‚si' et tunc est conditionalis, vel per ‚quia' et tunc est causalis, vel per ‚dum' et tunc est temporalis.

[57] Vgl. J. M. Bocheński, Logik, 181f (n. 26. 12.). Das Beispiel ist entnommen dem Tractatus consequentiarum Johannis Buridani, Parisius (o. J.). Vgl. a.a.O. 554.

[58] Vgl. Holcot, I Sent. q.1 (fol. a ra): Utrum quilibet viator existens in gratia assentiendo articulis fidei mereatur vitam aeternam.

wird[59]. Holcot nennt darauf noch einen zweiten Mangel: Es fehlt
die Exposition: De lege, quae nunc est; denn daß die Glaubenszustimmung verdienstlich ist, liegt nicht im Vermögen des Glaubenden, sondern am göttlichen Gesetz[60]. Die Argumentation ist
also nur von ihrer formal-logischen Seite zu verstehen. Die am
Anfang formulierte Frage muß in dieser Form verneint werden,
weil das Gerundivum „assentiendo" ohne nähere Exposition in
Modalitäten stehen kann, die das Nein fordern[61]. Eine Ausnahme
macht die Modalität der Zeit; sie läßt die Antwort offen[62].

Am Schluß des Artikels gibt Holcot die Möglichkeit einer positiven Antwort auf die Frage zu, nachdem die Modalitäten der
forma quaestionis geklärt sind[63]. Hier wird nun ganz klar, daß
sich die ganze Argumentation nicht gegen die Freiheit der Glaubenszustimmung richtet, sondern eine formal-aussagenlogische
Zielsetzung hat. Dabei wird allerdings die Kontingenz der bestehenden Gnaden- und Heilsordnung kraft göttlicher Setzung sehr
stark unterstrichen.

Die Frage der intellektuellen Zustimmung zur Glaubenswahrheit
wird noch einmal in den Conferentiae aufgenommen und hier in
der Auseinandersetzung mit einem „Socius", der Holcot heftig
widerspricht, breit erörtert. Holcot wurde durch ihn veranlaßt,

[59] Vgl. ebd. (fol. a IV ra 34—46): Ad quaestionem sub primo sensu, quando quaeritur, utrum viator existens in gratia assentiendo articulis fidei mereatur, dico
quod non. Nam haec est una conditionalis, cuius antecedens potest esse verum
consequente existente falso; ergo non est vera . . . Istum assumptum patet
primo sic: Possibile est quod existens in gratia assentiat articulis fidei necessitatus per rationem... (Fortsetzung Anm. 53).

[60] Vgl. ebd. (rb 6—10): Secundo ostendo quod haec consequentia non valet: Iste
viator est in gratia et assentit articulis fidei; ergo meretur, quia possibile est
legem quae nunc est mutari de merendo...

[61] Das gleiche Nein gilt der kausalen Modalität (vgl. ebd. lin. 45—52): Si autem
sensus quaestionis sit iste: An viator, quia assentit, ideo meretur: Dicendum
est a multo fortiori quod non; nam iste causalis infert conditionalem, sicut
patet. Sequitur enim manifeste: Iste est existens in gratia; quia assentit, ideo
meretur; ergo si assentit, meretur; nam omnis talis causalis vera infert conditionalem veram.

[62] Vgl. ebd. (lin. 52—55): Si vero intelligitur quaestio sub tertio sensu, ut sit
una temporalis, tunc oportet dubie respondere; nam dubium est, an aliquis
viator sit in gratia pro tempore, pro quo quaestio quaeritur. Text korrigiert
nach RBM fol. 7 (bzw. 9) ra, 31—34.

[63] Vgl. ebd. (lin. 55 — va 6): Si autem ponatur quod aliquis assentiat et sit in gratia,
dicendum quod talis meretur, non quia credit, nec quia vult credere, sed
quia vult credere et deus acceptat actum suum credendi tanquam dignum
praemio ex pacto et lege iam statuta. Ad istum intellectum tanquam ex
praecisa causa concedendum est quod ipse meretur, et sic patet ad formam
quaestionis.

nun auch zum Freiheitsproblem Stellung zu nehmen. Zum Modellfall dient die Zustimmung Evas zu dem Worte des Teufels: Ihr
werdet sein wie Gott. Schon am gewählten Beispiel wird deutlich,
daß es um den natürlichen Glauben geht. Der Text der Inkunabel
und der Handschrift RBM lautet am Anfang der Erörterung verschieden, führt aber zum selben Ergebnis. In der Antwort auf den
Einwand des Socius erklärt Holcot, daß Eva in ihrer Zustimmung
frei war, zwar nicht in der Weise, daß sie durch einen bloßen Willensentschluß den Worten des Teufels die Zustimmung geben oder
versagen konnte, sondern frei in der Entscheidung, diese Worte
nicht zu untersuchen und zu prüfen, frei für eine sorgfältige Prüfung. Gott überließ diese Überlegung ihren natürlichen Kräften
und dem Gebrauch des eingegossenen Wissens. Nun stand es in
der Freiheit ihres Willens, diese Kräfte und dieses Wissen zu
gebrauchen. Da sie dies unterließ, ist der Wille also doch die
Ursache ihres falschen Glaubens, wenn auch nicht direkt, dann
jedoch indirekt und „interpretativ"[64]. Unter dem direkten Willen
versteht Holcot den bloßen unmittelbaren Willensentschluß. Noch

[64] Vgl. Holcot, Conferentiae a.2 (fol. o VII va 37 — b 22; Text korrigiert nach O,
fol. 208 va 27ff): Ad rationes suas, quae sunt bonae: Ad primam, quando
accipit quod Eva credidit diabolo, dico quod ideo dicitur quod Eva libere
credidit, quia si fuisset usa scientia sibi a deo tunc data, non oportuisset quod
fuisset decepta. Non tamen sic libere credidit quod per solum imperium
voluntatis elegerit assentire dictis diaboli, sed excaecata per inconsiderationem
et negligentiam assensit dictis suis, quae videbantur ideo sibi credibilia esse,
quia neglexit ea discutere. Unde videtur mihi quod prima ratio peccandi fuit
inconsideratio vel negligentia bene utendi naturalibus suis, et stante illa
negligentia credidit propter illam evidentiam, quae apparuit sibi. Nec tamen
ideo excusatur a peccato, quia potuit istam negligentiam amovisse, qua amota
non credidisset. Quod quia non fecit, peccavit. Et ideo fides ista falsa non
causabatur directe ex imperio voluntatis sed indirecte et interpretative, quia
si voluisset dicta temptatoris examinasse et ad divinum praeceptum contulisse,
non fuisset decepta. Et ideo dicimus quod interpretative libere decepta fuit,
non tamen ideo libere, quia per solum voluntatis imperium. Unde dico ad
formam, quando quaeritur aut credidit libere aut necessitata ad credendum,
dico quod credere libere est aequivocum ad credere libere vere et ad credere
libere interpretative. Et dico quod non credidit vere libere sed libere interpretative. Unde stante ista negligentia considerandi et discutiendi dicta tentatoris fuit necessitata ad credendum, sicut credidit. Exemplum potest poni:
Ponatur quod deus praecipiat Sorti quod in videndo res utatur oculis suis
secundum situm eorum naturalem vel quod omnino caveat, ne credat unam
rem esse duas, et ponatur quod Sortes sciat sic ponere unum oculum extra
suum situm naturalem quod res una apparebit sibi duae, habito tunc praecepto
de hoc cavendo volo quod faciat contra praeceptum sic quod decipiatur. Iste
credit esse duo, ubi nunc est nisi unum: Quaero aut libere aut necessitatus.
Dico quod interpretative libere et non vere libere nec per directum imperium
voluntatis. Sic dico in proposito quod mulier habuit praeceptum de bene utendo

einmal wird gesagt, daß dieser niemals eine intellektive Zustimmung herbeiführen kann. Trotzdem hat der Wille indirekt und „interpretativ" einen Einfluß auf die Glaubenszustimmung, insofern er es ist, der die rechten Überlegungen über das, was zum Heile dient, über vernünftige Gründe für die Annahme des Glaubensinhaltes befehlen oder beiseiteschieben kann.

In der unmittelbaren Ausübung des Willens ist dieser „wahrhaft frei". Daneben hat aber der Wille auch eine Möglichkeit der mittelbaren Einwirkung auf geistige Akte, indem er die Bedingungen so wählt, daß ein in sich notwendiger Akt tatsächlich frei verursacht ist. In diesem Fall bezeichnet Holcot den Willen „interpretativ frei". Zur Veranschaulichung bedient sich Holcot eines Beispiels: Gott gebietet mir, einen Gegenstand als ein Einzelnes zu sehen. Nun kann ich die Lage eines Auges so ändern, daß ich die Dinge doppelt sehe. Dann übertrete ich das Gebot notwendig, da ich nach der von mir gesetzten Bedingung, der Lageänderung des Auges, nicht anders als doppelt sehen kann. Dennoch handle ich „interpretativ frei", weil ich diese Bedingung zuvor frei gesetzt habe. Eva hatte eine interpretative Freiheit gegenüber den Überredungsversuchen des Widersachers. Der psychologische Vorgang, wie in der Versuchung die Freiheit freiwillig aufgegeben wird, ist dabei sehr fein beobachtet und verständlich gemacht. Dagegen kommt die im Wesen des Glaubensaktes wirkende freie Zustimmung nicht in den Blick. Die Freiheit, von der Holcot spricht, bleibt allein im Willen und formt nicht den Akt der Glaubenserkenntnis. Dies ist darum nicht möglich, weil der eigentliche Glaubensakt von Holcot zu einseitig intellektualistisch gesehen wird. Ein Erkenntnisakt kann als solcher nicht durch den Willen determiniert werden, weil er in sich notwendig durch die Wahrheit einer Aussage determiniert ist. In dieser These faßt Holcot die Antwort des ganzen Artikels über die Freiheit des Glaubensaktes zusammen[65]. Er beruft sich dafür auf die Erfahrung des Selbstbewußtseins. Nur wer diese hartnäckig leugnet, kann behaupten, daß durch den Willen allein die Zustimmung zum kontradiktorischen Gegenteil eines zweifelhaften Satzes bewirkt werden kann.

in factis et cogitationibus naturalibus suis et scientia infusa quod, si fecisset, nunquam fuisset decepta. Et quia hoc non fecit, ideo secundum quid necessitata fuit ad credendum falsum.

[65] Vgl. ebd. (fol. o VII va 30—36): De isto articulo non plus dicam modo; nam mihi apparet quod omnis homo, qui non vult pertinaciter negare sensum, experitur in seipso quod non potest per imperium voluntatis determinare se ad sensum unius partis contradictionis, quando utraque est sibi dubia, sed expectat novam notitiam, quae faciat illud quod fuit dubium esse certum.

Diese Bedeutung des Willens als äußeren Antrieb für das intellektive Erkennen hat auch Ockham gelehrt und für die Beteiligung des Willens am Glaubensakt auszuwerten gewußt[66]. Übrigens führten die Darlegungen des Socius selbst zu diesem Ergebnis, sagt Holcot; denn er argumentiere gerade für diese „interpretative Freiheit" und beweise damit indirekt, daß der bloße Willensentschluß niemals eine intellektive Zustimmung zu einer nicht evidenten Aussage herbeiführen könne. Vielmehr muß sich der Geist um Einsichten und Erkenntnisse bemühen, die gleichsam als Mittel für die Zustimmung zu einer nicht evidenten Aussage dienen[67]. Holcot zeigt, daß die Argumente des Socius seine eigene Beweisführung bestätigen[68].

So gelangt in den Conferentiae also noch einmal die Freiheit bei der Hinwendung zum Glauben und die natürliche Vorbereitung des Glaubens zur Erörterung. Holcot weist auf die sittliche Verantwortung hin, die der Mensch in der Beurteilung der Praeambula fidei zeigen müsse. In dem, was die Vernunft für die Vorbereitung des Glaubens zu leisten vermag, bleibt sie außerhalb des Offen-

---

[66] Vgl. o. S. 174f.

[67] Vgl. Holcot, Conferentiae a.2 (fol. o VII rb 41—48): Ad primum argumentum respondet, quando accipitur, non est in potestate hominis dubitantis de aliqua propositione causare in se opinionem illius libere, dicit quod sic, quia libere potest inquirere medium et causam illius, de quo dubitat, et habito medio assentire; et negat istam consequentiam: Non est in potestate hominis credere sine medio; ergo non est in potestate hominis credere libere.

[68] Vgl. ebd. (fol. o VII va 2—36): Haec dicta sua, quae dividuntur in duas partes, quia in prima parte arguit contra me et in secunda respondet ad quaedam argumenta mea. Unde opponendo bene tangit contra me quaedam motiva, sed in respondendo declinat simpliciter ad viam, quam voluit expugnasse; dicit enim in respondendo, sicut superius est recitatum quod ideo est in libera potestate hominis causare in se opinionem, quia potest libere quaerere media et rationes causantes illam opinionem; sed sine mediis et rationibus talibus per solum imperium voluntatis hoc non potest facere. Et illud est omnino quod ego in ista quaestione declaravi: quod sic est in potestate nostra credere articulos fidei sicut scire quod triangulus habet tres angulos vel aliquam aliam conclusionem scilicet quod luna est eclipsabilis, quia videlicet in potestate nostra est addiscere causas et demonstrationes ad istas. Sed sicut proposita ista: Triangulus habet tres, haec est mihi neutra, si nunquam didici geometriam, et vellem illi assentire, quia (O) vellem eam scire, et tamen manet neutra, similiter est in propositionibus fidei. Et sit ista gratia exempli proposita: Christus natus est de virgine, alicui homini, forte erit sibi neutra vel credet eam forte esse falsam. Et dico quod talis homo non potest per solum imperium voluntatis facere quod ista appareat sibi vera. Si tamen a multis fide dignis audierit quod homines, qui iam praecesserunt, sunt iam beatificati, quia hoc crediderunt esse verum, et multa mirabilia fecerunt vel magis deus per eos, qui talia crediderunt, possibile est quod talia sibi sufficiant ad faciendum fidem (O) de veritate istius: Christus est natus de virgine.

barungsgeheimnisses. Mit diesen Gedanken bewegt sich Holcot durchaus in den Bahnen des hl. Thomas, der die Beweisführung der natürlichen Vernunft vom Gebiet des Glaubens ausschließt, dabei aber der menschlichen Vernunft die Aufgabe beläßt, gewisse Überlegungen über die göttliche Urheberschaft und die göttlichen Zeugnisse für das Offenbarungswort anzustellen[69]. Holcots Unterscheidung zwischen dem Akt der Glaubenserkenntnis, der aus dem Glaubenshabitus frei hervorgerufen werden kann, und dem Akt der natürlichen Erkenntnis, der nicht dem freien Ermessen des Willens unterliegt, kommt der Lehre des hl. Thomas entgegen, wonach Glaube und Wissen nicht das gleiche Objekt haben können[70]; denn im Wissen stimmen wir auf Grund der Einsicht in die Wahrheit des Gegenstandes zu, die wir aus den ersten Prinzipien herleiten können[71]. Darum bezeichnet Thomas das intellektive Erkennen als eine Art zu sehen, wobei die „Einsicht" vom Gegenstand selbst und unabhängig vom Willen bewegt wird[72]. Dies trifft für die Meinung und den Glauben jedoch nicht zu[73].

In diesem letzten Punkt geht Holcot allerdings einen Schritt über Thomas hinaus. Er lehrt, daß jede intellektive Zustimmung, auch die der Meinung und des natürlichen Glaubens, nur durch ein intellektives Motiv ausgelöst werden kann. Der bloße Wille vermag eine zweifelhafte Ansicht nicht gewisser zu machen[74]. Man könnte diese Lehre als kritischen Intellektualismus bezeichnen.

---

[69] Vgl. Thomas Aq., S.th.II II q.2 a.1 ad 1: Fides non habet inquisitionem rationis naturalis demonstrantis id quod creditur; habet tamen inquisitionem quandam eorum, per quae inducitur homo ad credendum, puta quia sunt dicta a deo et miraculis confirmata.
Vgl. ebd. q.1 a.5 ad 3.

[70] Vgl. ders., De ver. q.14 a.9; S. th.II II q.1 a.5.

[71] Vgl. De ver. a.a.O.: Quaecumque autem sciuntur proprie accepta scientia, cognoscuntur per resolutionem in prima principia, quae per se praesto sunt intellectui, et sic omnis scientia in visione rei praesentis perficitur.

[72] Vgl. S. th.II II q.1 a.4: Illa autem videri dicuntur, quae per seipsa movent intellectum nostrum vel sensum ad sui cognitionem.

[73] A.a.O.: Unde manifestum est, quod nec fides nec opinio potest esse de visis aut secundum sensum aut secundum intellectum. Ähnlich lesen wir in demselben Artikel kurz zuvor: Alio modo intellectus assentit alicui non quia sufficienter moveatur ab obiecto proprio, sed per quandam electionem voluntarie declinans in unam partem magis quam in aliam.

[74] Vgl. Holcot, I Sent. q.1 a.1 (fol. a 2 rb 35 — va 19): Non est in potestate hominis opinari libere unam propositionem sibi dubiam. Ergo non est in potestate hominis credere articulo fidei vel assentire propositioni sibi dubiae. Vel sic: Non est in potestate hominis causare in se actum opinionis. Ergo nec est in sua potestate causare in se actum fidei respectu eiusdem propositionis, respectu cuius non potest causare actum opinionis. Consequentiam probo sic, quia

Nach Holcot würde der Wille sündigen, wenn er etwa im Falle der Glaubenspflicht die notwendige intellektive Beschäftigung mit dem Glaubensobjekt nicht befiehlt. Der Intellekt geht nicht fehl. Thomas beläßt den einzelnen Kräften und Wirkungsweisen beim Glaubensakt eine stärkere Zuordnung und ein harmonisches Zusammenspiel. Holcot grenzt diese Kräfte kritisch gegeneinander ab, ohne dabei die Linie des großen Ordenslehrers grundsätzlich zu verlassen. Freilich bedroht eine allzu kritische Abgrenzung den systematischen Zusammenhang. Dazu kommt in der Methode jene starke Heranziehung formal-logischer Argumentationen, die gewisse Härten in einzelnen Aussagen mit sich bringt, wie gezeigt wurde.

Zur Erläuterung dieser Feststellungen vergleichen wir Holcots Lehre über den Glauben mit der des hl. Thomas noch in einem anderen Punkt. Thomas behandelt sowohl in der Summa wie im Sentenzenkommentar die Frage, ob auch etwas Falsches Gegenstand des Glaubens sein kann[75]. Diese seltsame Frage zielt auf zwei theologische Probleme, die auch von Holcot erörtert werden, nämlich die Sicherheit des Glaubens bezüglich der zukünftigen kontingenten Dinge und den unüberwindlichen Irrtum in manchen Akten des Cultus latriae. Die von Holcot gebrauchten Argumente sind dieselben wie bei Thomas, nur daß sie um einige vermehrt und breiter erörtert werden. Die Frage selbst wird von Holcot

potentia, quae non potest in id, quod minus est et facilius, non potest in id, quod est maius sibi et difficilius. Sed difficilius et maius est hominem causare in se assensum firmum et sine formidine, cuiusmodi est assensus fidei, quam assensum cum formidine, cuiusmodi est assensus opinionis. Si ergo in hunc assensum non potest homo libere, ergo nec in assensum fidei. Antecedens patet tam per experimentum quam per auctoritatem. Experiri enim quilibet potest in seipso, quod proposita sibi propositione, quae est sibi neutra vel dubia, puta quod rex sedet vel quod papa est Romae, non potest sine alia ratione addita assentire vel dissentire, sed velit nolit nisi plus concipiat propositio erit sibi dubia sicut prius et manebit sibi dubia, donec cogatur assentire ei propter evidentiam connexionis illius ad aliam propositionem, quam credit esse veram, vel propter testimonium aliquorum, quibus rationabiliter debet credere, vel propter notitiam aliquam intuitivam novam in eo, vel quia aliquo modo aliter sibi apparet de significato illius propositionis, quam ante apparuit. Item patet per auctoritatem Commentatoris secundo De anima com. CLII, ubi intendit probare, quod imaginatio non est opinio, ut per hoc probet, quod imaginatio non est intellectus. Et arguit per duas rationes. Primo sic: imaginari possumus, cum volumus, quando habemus speciem rei sensibilis in memoria. Sed opinari non possumus, cum volumus, quia opinio non est nisi illius, quod apparet nobis verum. Ergo opinio non est imaginatio. Secunda ratione ibidem facta ad praesens dimissa, patet ex hac ratione plane, quod apud Aristotelem et Commentatorem non est in libera potestate hominis opinari, quando vult.

[75] Vgl. S. th.II II q.1 a.3; Sent. III d.26 a.1 (ed. Moos S. 765 n. 31—35).

bejaht: Auch etwas Falsches kann Gegenstand des Glaubens sein. Gott selbst vermag sogar einen falschen Glauben zu gebieten[76]. Die Formulierungen sind sehr deutlich: Der falsche Glaube ist verdienstlich, da in ihm freiwillig geglaubt werde, was Gott zu glauben befiehlt. Dies sei entscheidend, nicht jedoch, ob der Glaubenssatz wahr oder falsch sei. Einen Grund für diese Formulierungen muß man in der Äquivokation des Glaubensbegriffes sehen. Holcot verwendet Glauben (im religiösen, übernatürlichen Sinne) und Meinen äquivok[77], während Thomas bei diesem Problem des „falschen Glaubens" zwischen dem übernatürlichen Glauben, der nie falsch sein kann, und dem menschlichen Urteil, das sich täuschen kann, unterscheidet[78].

Dem Vorwurf, Gott werde zum Urheber der Täuschung gemacht, begegnet Holcot mit zwei Unterscheidungen[79]. Zuerst unterscheidet

---

[76] Vgl. Holcot, I Sent. q.1 ad 5 (fol. a VIII ra 48 — b 9): Ad quintum principale quando infertur pro inconvenienti, quod homo posset mereri per fidem falsam: Consequens est contra Anselmum II Cur deus homo c. XVI: Dico quod illud verbum allegatum est argumentum discipuli et non determinatio magistri. Unde non habendo respectum ad auctoritatem sed ponderando propositionem, quae infertur pro inconvenienti, videlicet quod homo posset mereri per fidem falsam, concedo eam. Homo enim volendo credere certam propositionem, quae praecipitur esse credenda et est falsa, potest mereri nec pertinet ad meritum fidei, utrum sit vera vel falsa. Sed hoc per se pertinet ad rationem meriti fidei, quod voluntarie credatur, sicut deus vult credi. Posset autem deus praecipere aliquid falsum credi, quod non est dubium. Similiter de facto videtur, quod Abraham crediderit filium suum interficiendum et se filium interfecturum. Folgen weitere Beispiele.

[77] Vgl. III Sent. q.1 (fol. 1 V vb 41—56): Praeterea Lucae II legimus, quod Christus duodecim annorum, cum ascenderit in Hierusalem cum parentibus et illi consummatis diebus festivitatis redirent, remansit in templo puer Jesus nesciente matre in Hierusalem. Ipsa vero procedens itinere unius diei aestimavit eum fuisse in comitatu virorum cum Ioseph. Cum autem constaret, quod abesset, quaesierunt eum dolentes inter cognatos et notos. In tertio die regressi sunt in Hierusalem et invenerunt eum in templo in medio doctorum. Supra istam historiam quaero, an beata virgo meritorie credidit ipsum fuisse inter notos et cognatos vel non. Non licet dicere, quod non, quia credidit; etiam omnis actus credendi et volendi, quem post conceptionem filii habuit, fuit meritorius; ergo oportet dicere, quod meritorie credidit falsum.

[78] Vgl. S.th.II II q.1 a.3 ad 3: Illa determinatio temporis, in qua decipiebatur, non erat ex fide, se ex coniectura humana. Possibile est enim hominem fidelem ex coniectura humana falsum aliquid aestimare. Sed quod ex fide falsum aestimet, hoc est impossibile.

[79] Vgl. I Sent. q.1 ad 5 (fol. a VIII rb 17—32): Ad secundum inconveniens quod infertur in eodem argumento, quod deus posset fallere et decipere, dico, quod non habendo respectum ad auctoritatem sed respiciendo ad virtutem voluntatis concedo, quod deus potest fallere et decipere, id est: voluntarie causare errorem in mente hominis et facere eum credere aliter, quam res se habet. Augusti-

er bezüglich des falschen Glaubens zwischen der Anwendung dieses
Begriffes auf die göttliche Urheberschaft und der Anwendung auf
die Wirkung des göttlichen Willens. Im ersten Fall verneint Holcot, daß Gott täuschen könne, im zweiten Fall bejaht er es. Der
Text ist sehr knapp, in der Hs RBM noch kürzer als im Druck.
Trotzdem dürfte der Sinn eindeutig sein: Gott ist nicht Ursache
des Irrtums, jedoch liegt es in seiner Macht, einen falschen Glauben zu befehlen. Die zweite Unterscheidung ist sprachlogisch.
„Täuschen" kann zweierlei bedeuten: einen Irrtum verursachen und
einen Irrtum in ungerechter Weise verursachen. Augustinus ver-
wende diesen Begriff im zweiten Sinne, der jedoch nicht in der
eigentlichen Bedeutung dieses Wortes liege. Nach Holcot kann
Gott in gerechter Weise täuschen, und manche Geschöpfe haben sich
dies als Strafe verdient[80].

Der wichtigste Grund für diese Behauptung, Gott könne einen
falschen Glauben vorschreiben, ist für Holcot die Freiheit Gottes
gegenüber den zukünftigen kontingenten Geschehnissen[81]. Die
Frage ist folgende: Wie kann ein geoffenbartes zukünftiges Ereignis auch nach der Offenbarung kontingent bleiben angesichts der
Sicherheit des göttlichen Vorherwissens und Vorhersagens? Da
Gottes Freiheit unbedingt gewahrt bleiben muß, sieht Holcot nur
die Möglichkeit, bei einer Änderung des göttlichen Ratschlusses die
Falschheit des Geoffenbarten anzunehmen. Diese Falschheit besteht
allerdings nur für die Erkenntnis des Geschöpfes, nicht für Gott.

nus autem accipit fallere et decipere sic videlicet, quod in diffinitione
exprimente quid nominis istius quod dico fallere includatur iniuste causare
errorem vel deordinate causare errorem vel aliquis talis terminus sive determinatio, quae deo convenire non posset. Et sic tenet argumentum suum de
LXXXIII Quaestionibus, q. XIV. Sed ad virtutem vocis capiendo propositiones argumentum suum non concludit, nisi sicut ex impossibili sequitur quodlibet, quia hoc modo est impossibilis: Christus fefellit in hoc facto.

[80] Vgl. II Sent. q.2 (fol. h VI ra 7—23): Ego autem contradictionem non video
sequi, si conceditur deum asserere falsum scienter. Sed deum mentiri vel
periurare vel deum esse falsum eo modo, quo mendax dicitur esse falsus, non
conceditur, quia secundum Augustinum libro De mendacio mendacium est
falsa vocis significatio cum intentione fallendi. Et hoc debet sic exponi:
cum intentione deordinata fallendi. Deus autem non potest habere intentionem
deordinatam in aliquo facto suo, et ideo deus non potest mentiri neque
peccare. Nulli tamen dubium, quin deus possit asserere falsum scienter et cum
intentione fallendi creaturam, quia non includit contradictionem in deo, immo
imperfectus esset, si non posset intelligere, quia aliqua creatura potest mereri,
ut decipiatur a deo. Et credo, quod daemones meruerunt decipi et iuste a deo,
ita quod deus multa facit intentione fallendi eos et fecit intentione fallendi.

[81] Dieses Argument kehrt öfter wieder, so z.B. II Sent. q.2 (fol. h VII va);
III Sent. q.1 a. 8 (fol. l VI vb 12ff).

Solche Sätze sind aus der radikalen Logisierung der theologischen Beweisführung zu verstehen. Der Blick wird allzu stark vom Inhalt abgelenkt und von den formal notwendigen Folgerungen gefangen genommen. Es muß doch auffallen, daß Holcot gerade in der Quaestio, die das Problem der zukünftigen kontingenten Geschehnisse behandelt, vier logische Regeln seiner Responsio ad argumenta vorausschickt. Die dritte von diesen ist besonders geeignet, die danach folgende theologische Spekulation in ein Kalkül der Bejahung und Verneinung einzuspannen. Die Regel lautet: Die Annahme des einen zieht die Ablehnung des anderen (des Contradictoriums) nach sich[82]. Aus dieser Methode muß man die Argumentation verstehen: Das zukünftige kontingente Geschehen ist geoffenbart; es bleibt jedoch kontingent und kann also auch nicht eintreffen; also ist in diesem Falle die Offenbarung falsch. Aus der gleichen Methode erklären sich auch Sätze wie die folgenden: Der Mensch könne bewirken, daß ein Prophet kein Prophet sei. Christus könne sich getäuscht haben in der Prophezeiung des Antichrist. Die Hl. Schrift könne falsch sein, alles Sätze, die in der genannten Quaestio stehen. Die aus ihnen entstehenden theologischen Widersprüche sucht Holcot durch weitere Unterscheidungen zu lösen. Anselm von Canterbury folgend unterscheidet er bei den notwendig unveränderlichen göttlichen Ratschlüssen zwischen einer vorausgehenden und nachfolgenden Notwendigkeit[83]. Da Holcots

---

[82] Vgl. II Sent. q.2 a.9 (fol. h VI rb 28—36): Tertio suppono ex eadem arte, quod omnis positio aequivalet uni depositioni, quia illa aequivalent respondenti, quia si ponitur, quod tu es Romae, tunc deponitur ista: Tu non es Romae, quia tota responsio sua in propositionibus concedendis et negandis et dubitandis uniformiter se habebit facta sibi ista positione: Tu es Romae, et facta depositione istius: Tu non es Romae. Et ideo qui posuit unum contradictorium, deposuit reliquum et econtra.

[83] A.a.O. ad 8 (fol. h VII vb 12—55): Ad diffinitionem prophetiae cum dicitur, quod est divina inspiratio etc. praeter veritatem immobili necessitate demonstrat etc., intelligo hanc diffinitionem de veritate immobili multorum contingentium, sicut loquitur Anselmus de immobili necessitate futurorum. Dicit enim libro II Cur deus homo c.XVII, quod illud quod deus proponit, antequam fuerit, non potuit non esse futurum. Et alibi dicit rem futuram necesse est esse futuram. Qualiter autem haec necessitas sit intelligenda, declarat De concordantia c.II et similiter in loco praeallegato dicens, quod est duplex necessitas, praecedens et subsequens. Necessitas praecedens est causa, ut res sit. Necessitas subsequens est necessitas, quam res facit. Vult dicere quod tales conditionales sunt necessariae: Si aliquid est futurum, illud erit. Si deus scivit aliquid esse futurum, illud erit. Si Iob prophetavit resurrectionem, resurrectio erit. Et dicit hoc idem Boethius sub verbis magis convenientibus IV De consolatione, prosa ultima. Duplex est necessitas, una simplex, videlicet omnes homines esse mortales; secunda conditionalis, ut si aliquem ambulare scias, eum ambulare necesse est. Haec distinctio ponitur ab aliis in ista materia

Lehre über die Futura contingentia noch ausführlich dargestellt wird, sollen diese Hinweise genügen, um das von dort her kommende Motiv für einen von Gott selbst gebotenen „falschen Glauben" zu zeigen.

Die Vergleiche der Lehren Holcots mit denen des Thomas von Aquin entheben uns nicht der Antwort auf die Frage nach dem „Socius", gegen den sich unser Magister ausdrücklich wendet. Bei dieser Frage gilt es jedoch zu berücksichtigen, daß die Conferentiae später verfaßt wurden. Holcot kommt auf Fragen des Sentenzenkommentars zurück und führt diese zum Teil weiter.

Zu den Magistern, die zur Zeit Holcots in Oxford oder Cambridge eine voluntaristische Glaubensbegründung vertraten, gehören Robert Eliphat (Halifax, Alifas, Elephas), Johann von Rodington, Walter Chatton, Crathorn und vielleicht noch der „Ockhamschüler" Adam Woodham. Für den letzten verlassen wir uns auf die Mitteilung Langs: „Beim Zustandekommen des Glaubens sind nur zwei Faktoren beteiligt, der Wille und die Gnade; das imperium voluntatis erzeugt im Verein mit dem habitus infusus fidei die absolute Festigkeit des Glaubensassenses"[84]. Eine genauere und Holcots Polemik entsprechendere Äußerung finden wir bei Robert Eliphat. Hier wird die Mitwirkung der Gnade ausgeklammert und die Festigkeit der Zustimmung allein auf den Willen zurückgeführt[85]. Diese Herausstellung des Willens als Ursache der Glau-

---

sub istis verbis: Quaedam est necessitas consequentiae et quaedam necessitas consequentis. Cum ergo dicitur, prophetia habet immobilem veritatem, hoc est necessitatem, verum est consequentem vel conditionalem vel respectivam, non autem absolutam consequentiae. Et sic concordant dicta Anselmi II Cur deus homo c.XVII, ubi inquirit, an Christus potuit voluisse servare vitam suam, et dicit, quod illud, quod deus proposuit, antequam fuit, non potuit non esse futurum. Hoc est dictum: Haec conditionalis est necessaria, si deus proposuit aliquid futurum, illud est futurum. Nam De concordia c.II dicit· Aliqua res ut quaedam actio non necessitate futura est, quia priusquam sit, fieri potest, ut non sit futura. Rem vero futuram necesse est esse futuram. Unde futurum non potest esse futurum simul et non futurum. Et infra: Cras seditio futura in populo non de necessitate erit seditio; potest enim fieri, antequam fit, ut non fiat. Ecce plane vult dicere, quod futurum potest esse non futurum, et tamen haec est necessaria: Omne futurum est futurum. Et quod impossibile est, quod aliquid simul sit futurum et non futurum, licet sit verum, quod aliquid sit futurum et potest non esse futurum, et aliquid non est futurum et potest esse futurum.

[84] Vgl. A. Lang, Die Wege der Glaubensbegründung..., 151.

[85] Vgl. ebd. 158. Lang zitiert Robert Eliphat nach den Hss Vat.lat.1111, fol.20 vb, und Wien, Dominikanerkloster 108, fol.79 rb: Fides infusa non est principium motivum ad credendum. Ideo teneo istam conclusionem, quod ex fide infusa solum sine acquisita non potest plus credere vel assentire habens quam non habens, sed dico, quod principium movens ad assentiendum articulis fidei

benszustimmung entspricht genau der von Holcot angegriffenen Lehre. Daher sieht Lang mit Recht in Robert Eliphat einen Gegner Holcots in der Frage der Glaubensbegründung[86].

Auch Walter Chatton und Johann von Rodington teilen dem Willen eine entscheidende Rolle am Zustandekommen der Glaubenszustimmung zu. Walter Chatton schließt jedoch die Alleinursächlichkeit des Willens für den Akt der Zustimmung ausdrücklich aus. Dem tugendhaften Willensbefehl liegt eine vernünftige Überlegung zugrunde. Der erste Ausgangspunkt kann nicht der Wille sein; vielmehr ist eine Einsicht in die Vernunftgemäßheit des Entschlusses erforderlich[87]. Wegen dieser vermittelnden Stellung scheidet Walter Chatton als Gegner Holcots in dieser Frage aus.

Johann von Rodington, der bald nach 1330 in Oxford lehrte, neigte dagegen einem stärkeren Voluntarismus zu. A. Lang gibt den Text des ersten Buches des Sentenzenkommentars nach der Hs Cod. Vat. lat. 5306 (fol. 1 ra — 112 va) wieder[88]. In der 4. Conclusio der ersten Quaestio hebt Rodington die Notwendigkeit des Willens für die Glaubenszustimmung hervor. Von zwei Menschen mit gleicher Kenntnis eines Satzes kann der eine ihn gläubig annehmen, der andere kann ihn ablehnen. Der Grund für dieses unterschiedliche Verhalten kann nur im Willen liegen; denn beide haben ja die gleiche Erkenntnis (fol. 2 rb). Rodington erwähnt auch einen Einwand gegen seine voluntaristische Glaubensbegründung: Die Glaubenswilligkeit müsse immer zum Glauben führen, die größere Glaubenswilligkeit auch zur größeren Glaubensfestigkeit (fol. 2 rb). Dieses Argument finden wir auch in Holcots Sentenzenkommentar, dessen Abfassung zeitlich mit der Lehrtätigkeit des Rodington in Oxford zusammenfällt[89]. Vielleicht richtet sich

---

est voluntas imperans intellectui ad assentiendum alicui apprehenso et hoc in illis, in quibus assentit intellectus sine omni ratione inducente intellectum ad assentiendum. Vgl. ders., Die Entfaltung des apologetischen Problems in der Scholastik des Mittelalters, Freiburg 1962, 167f.

[86] Vgl. A. Lang, Robert Holcot, in LThK VIII (²1963) 1339.

[87] Vgl. ders., Die Wege der Glaubensbegründung ... 107f.

[88] Vgl. a.a.O. 153f.

[89] Vgl. Holcot, I Sent. q.1 a.1 (fol. a II va 42—52): Si ergo in potestate hominis esset credere propositionem sibi propositam etiam illam, ad quam non habet rationem moventem, in potestate hominis esset facere res apparere sibi sicut vellet. Et ideo contradictio est: Credo quod haec propositio est vera et: Ista propositio non apparet mihi esse vera etc. Ex quo concluditur quod haec similiter de virtute vocis est falsa: Fides est non apparentium vel de non apparentibus esse veris, quia si non apparerent esse vera, nullo modo esset fides de eis. (Der letzte Satz ist außerdem ein Beleg für Holcots Abhebung

noch ein zweites Argument Holcots gegen diesen Magister, der
neben den Willen den Glaubenshabitus als Teilursache der Glaubenszustimmung stellt[90]. Holcot hätte dann allerdings diesen
Beweisgrund auf eine konkrete Formel gebracht. Er definiert diesen
„charismatischen Antrieb" des Glaubens (Lang) als eine vom Willen ergriffene Einsicht, daß den Glaubenden das ewige Leben ver-
heißen sei. Entscheidend ist in der Argumentation, daß diese
Einsicht im Glauben gewonnen wird. Holcot führt das Argument
in den logischen Widerspruch, daß der Glaube zum Glauben
führe[91]. Jedenfalls darf nach diesen Texten angenommen werden,
daß sich Holcots Argumente im Sentenzenkommentar zum Teil auf
die von Johann von Rodington vertretenen Lehren beziehen[92].

Die Gegenargumente, die Holcot im zweiten Artikel der Conferentiae anführt, treffen offensichtlich die Lehre des Robert Eliphat.

---

der theologischen Aussageweise, die sich an die sprachlogischen Regeln halten
muß, von der freieren Redeweise der Heiligen Schrift, die sich oft der uneigentlichen Rede bedient.) Vgl. außerdem ebd. (fol. a III ra 11—17): Quarto
sic: Si voluntas per solum suum imperium posset determinare intellectum ad
assentiendum propositioni sibi dubiae, sequeretur quod nunquam oporteret
quod homo dubitaret de quacumque propositione, si ipse vellet. Et sic homo
respondendo in quacumque materia nunquam haberet dubitare, nisi quando
vellet. Consequens est falsum et contra omnem experientiam.

[90] Vgl. A. Lang, a.a.O. 154.

[91] Vgl. Holcot, ebd. (fol. a III rb 1—18): Nono contra hoc quod dicitur quod
voluntas concipiens praemium aeternum promitti solis credentibus praecipit
intellectui, ut assentiat uni parti contradictionis determinate, arguo sic: Antequam voluntas praecipiat intellectui quod assentiat determinate uni parti et
certo articulo, concipit praemium aeternum posse dari vel dandum credentibus
et credituris, quia propter hoc solum praecipitur intellectui, ut assentiat. Ergo
ante omnem assensum illorum, quae fidei sunt, credit homo articulum fidei.
Consequens impossibile. Istam consequentiam probo sub hac forma: Ante
omnem assensum fidei credit quod praemium aeternum dabitur credentibus. Sed
praemium aeternum dari credentibus est unus articulus fidei. Ergo antequam
credat praemium aeternum dari credentibus, credit praemium aeternum dari
credentibus quod est impossibile. Unde manifeste ponit haec opinio quod haec
fides est ante assensum et quod fides non est ante assensum, quae sunt contradictoria.

[92] J. Lechner hat bereits 1935 ausführliche Mitteilungen über ein Quodlibet des
Johannes von Rodington gemacht, in denen er den handschriftlichen Befund
genau schildert. Vgl.: ders., Johannes von Rodington und sein Quodlibet de
conscientia. In: Aus der Geisteswelt des Mittelalters. BGPhMA Supplement-
band III, 2. Halbband, 1124—1168. Seine inhaltlichen Untersuchungen helfen
uns nicht weiter, weil sie sich fast ausschließlich auf die q.6 des Quodlibet
beziehen: Utrum gubernator humani generis iuste gubernat genus humanum.
Diese Quaestio muß versehentlich in das Quodlibet hineingeraten sein. Sie ist
auch nicht in allen Hss enthalten. Ihr Verfasser ist Robert Holcot. Vgl.
ders., II Sent. q.1.

Doch ergeben sich rein vom Textvergleich her noch zwei andere mögliche Gegner Holcots: Gregor von Rimini und Crathorn. Nach Holcots Darstellung bietet die Lehre des bekämpften „Socius" ein gegensätzliches Bild. Zuerst erscheint er als Vertreter eines ausgeprägten Voluntarimus, der Holcots Lehre, daß der Wille allein zur intellektuellen Zustimmung nicht genügt, entschieden ablehnt[93]. Im weiteren Verlauf des Artikels erfahren wir, daß derselbe Socius auch Wege und Mittel zuläßt, mit deren Hilfe der Mensch den schwer zugänglichen Wahrheiten zustimmen kann. Somit gehen seine Argumente in doppelte Richtung. Zuerst bekämpft er die Lehre Holcots, daß jeder intellektiven Zustimmung eine intellektive Einsicht vorausgehen muß. Doch später gibt er zu, daß der menschliche Geist nach Mitteln und Gründen für eine von ihm vertretene Meinung sucht und somit die Zustimmung nicht dem reinen Willensentscheid überläßt. Nichts anderes habe er selbst gelehrt, fügt Holcot hinzu, wobei er seine Ausführungen im Sentenzenkommentar zitiert[94].

Wir hatten bereits gesehen, daß Robert Eliphat den letzten Grund für die Glaubenszustimmung im Befehl des Willens erblickt. Nun erfahren wir, daß auch dieser scheinbar extreme Voluntarismus den Willen irgendwie als geistige Kraft versteht oder mindestens mit dem Intellekt in eine harmonische Relation stellt. A. Lang beschreibt den psychologischen Vorgang der Glaubenszustimmung nach Eliphat wie folgt: „Der Mensch erfaßt erst im allgemeinen den Inhalt eines Glaubenssatzes und erkennt confuse, daß er keinen

---

[93] Vgl. Holcot, Conferentiae a.2 (fol. o VI vb 46—51): Contra secundum articulum arguit idem socius. Qui quidem articulus est talis quod liberum arbitrium non sufficit ad determinandum intellectum hominis ad actum credendi ita quod praecise non credat aliquis aliquam propositionem esse veram, quia vult credere eam esse veram.

[94] Vgl. ebd. (fol. o VII rb 41—va 15): Ad primum argumentum respondet, quando accipitur: non est in potestate hominis dubitantis de aliqua propositione causare in se opinionem illius libere: dicit quod sic, quia libere potest inquirere medium et causam illius, de quo dubitat, et habito medio assentire, et negat istam consequentiam: Non est in potestate hominis credere sine medio. ... Haec dicta sua, quae dividuntur in duas partes, quia in prima parte arguit contra me et in secunda respondet ad quaedam argumenta mea. Unde opponendo bene tangit contra me quaedam motiva, sed in respondendo declinat simpliciter ad viam, quam voluit expugnasse; dicit enim in respondendo, sicut superius est recitatum quod ideo est in libera potestate hominis causare in se opinionem, quia potest libere quaerere media et rationes causantes illam opinionem. Sed sine mediis et rationibus talibus per solum imperium voluntatis hoc non potest facere. Et illud est omnino quod ego in ista quaestione declaravi quod sic est in potestate nostra credere articulos fidei sicut scire quod triangulus habet tres angulos ...

Widerspruch einschließt. Darauf befiehlt der Wille die gläubige Zustimmung. Nun wird aber der Wille den Intellekt noch zu genauerer Erforschung der Wahrheit veranlassen und zur Aufsuchung von Gründen und Wahrscheinlichkeiten, um so die Wahrheiten, die einstweilen nur im Willen festgehalten werden, dem Verständnis näher zu bringen[95]."

Diese Argumentation erinnert an diejenige Holcots. Doch geht Eliphat im Vertrauen auf die Leistung des Intellektes innerhalb des Glaubens weit über Holcot hinaus. Er spricht dem spekulativ durchgebildeten Menschen die Möglichkeit zu, das Geheimnis der Trinität aus dem Gottesbegriff evident herzuleiten. So könne der Theologe zu einer größeren Sicherheit in der Erkenntnis der Glaubensgeheimnisse gelangen als der schlichte Gläubige. Holcot bekämpft diese Lehre im Quodlibet: Utrum theologia sit scientia[96].

Ist Eliphat der Socius, mit dem Holcot in den Conferentiae streitet? Auch Crathorn lehrt die natürliche Erkennbarkeit des Trinitätsgeheimnisses[97]. Gegen Eliphat sprechen zudem literarkritische Argumente. Holcot sagt ausdrücklich, daß in den ersten drei Artikeln derselbe Magister sein Gegner ist[98]. Und er fügt hinzu, daß dieser Gegner auch gegen ihn geschrieben habe[99]. Nun gibt es zwei Magister, die gegen Robert Holcot opponiert haben und bei denen wir die zitierten gegnerischen Lehrmeinungen finden. Es sind Gregor von Rimini und Crathorn. Im ersten Artikel der Conferentiae bekämpft Holcot die Lehre vom Complexum significatum (Gregor: Complexum significabile) als Gegenstand der Erkenntnis[100]. Was den zweiten Artikel angeht, so könnte man hinter den angeführten Gegenargumenten Gregor von Rimini vermuten. Er betonte gegen die intellektualistische Glaubensbegründung Holcots kräftig die Bedeutung der Willensentscheidung. Insbesondere war er ein Geg-

---

[95] Vgl. A. Lang, Die Wege der Glaubensbegründung, 159.

[96] Vgl. in unserem Abschnitt: „Der Wissenschaftscharakter der Theologie", Anm. 160.

[97] Vgl. Sprengard, a.a.O. II, 26, 113f. Kraus, Die Stellung des Oxforder Dominikanerlehrers Crathorn..., 77.

[98] Vgl. Holcot, Conferentiae (Einl. fol. o V va 25—27): Et contra tres primos articulos arguit quidam socius reverendus in sua prima lectione super bibliam. Dgl. a.2 (fol. o VI vb 46): Contra secundum articulum arguit idem socius. Dgl. a.3 (fol. o VIII vb 11—14): Tertius articulus, contra quem invehitur, est quod cognitio creaturae est res distincta a creatura. Dicit enim iste socius subtiliter quod omnis cognitio est potentia cognitiva.

[99] Vgl. M. Dal Pra, Linguaggio e conoscenza assertiva nel Pensiero di Roberto Holkot. In: Riv.crit. di storia d. filosofia XI (1956) 31f, 39f. Dal Pra lehnt Elies These einer Kontroverse zwischen Holcot und Gregor von Rimini ab.

[100] Vgl. u. S. 214, 237ff.

ner jener syllogistischen Zurückführung der Glaubensbegründung auf äußere Glaubwürdigkeitsmotive (Autorität, Wunder), wie wir sie gerade bei Holcot finden[101]. Gregor kennt natürlich auch Glaubwürdigkeitsmotive wie die Wunder und die Heiligkeit der Kirche. Die Glaubensentscheidung kann für ihn aber nicht auf einer syllogistisch hergeleiteten Erkenntnis beruhen.

Wie schon angedeutet, muß auch Crathorn als möglicher „Socius" Holcots in Erwägung gezogen werden. Wie Gregor bietet auch dieser Magister einen aufschlußreichen Beitrag zur Erörterung des Erkenntnisproblems, um das es hier geht. Während Gregor von Rimini durch die Forschungen Elies und Würsdörfers bereits bekannter geworden ist, zielten die Arbeiten und Editionen von Johannes Kraus hauptsächlich auf die Universalienlehre Crathorns. Daß dieser Magister bisher in der Forschung kaum berücksichtigt wurde, lag wohl nicht zum wenigsten an der Spärlichkeit und Unsicherheit der Textüberlieferung. Die von ihm überlieferten Quästionen sind Auszüge aus dem Sentenzenkommentar[102], wenn nicht sogar die Niederschrift seiner Vorlesung selbst. Der Erfurter Codex trägt über dem am Ende stehenden Verzeichnis der Quästionen die Notiz: Errores Parysius et in Anglia condempnati[103]. Kraus glaubte auf Grund dieser Notiz, daß diese Auszüge von den Ordensoberen veranlaßt wurden, um den von der Lehre des hl. Thomas abweichenden Sondermeinungen Crathorns entgegenzutreten[104]. Der ganze Aufbau und die Durchführung der Argumentation geben aber keinen Hinweis darauf, daß es sich um eine Sammlung von Irrtümern handelt.

Crathorn gehört mit Holcot und Gregor von Rimini zu jenen Magistern, die ihre Aufmerksamkeit besonders den Regeln der Ausdrucksweise zuwenden. In der Erkenntnis, daß die theologische Aussage nicht nur vom Inhalt, sondern auch von der Art und Weise

---

[101] Für Gregor von Rimini vgl. A. Lang, Die Wege der Glaubensbegründung..., 192f. Für Holcot vgl. Conferentiae, a.2 (fol. o VII va 20—30): Similiter est in propositionibus fidei. Et sit ista gratia exempli proposita: Christus natus est de virgine, alicui homini. Forte erit sibi neutra vel credet eam forte esse falsam, et dico quod talis homo non potest per solum imperium voluntatis facere quod ista appareat sibi vera. Si tamen a multis fide dignis audierit quod homines, qui iam praecesserunt, sunt iam beatificati, quia hoc crediderunt esse verum et multa mirabilia fecerunt vel magis deus per eos, qui talia crediderunt, possibile est quod talia sibi sufficienter faciant fidem de veritate istius: Christus est natus de virgine.

[102] Vgl. J. Kraus, Die Stellung des Oxforder Dominikanerlehrers Crathorn zu Thomas von Aquin, 68, bes. Anm. 8; vgl. H. Schepers, Holcot contra dicta Crathorn, a.a.O. 322f.

[103] Cod. Amplon. 4o 395a fol.56 rb.   [104] Vgl. Kraus a.a.O. 87.

des Redens bestimmt wird, reflektieren sie über Differenz und
Zuordnung von Sprache und Sachverhalt. Sprengard hat, ausgehend
von dem Material und den Forschungen, die Johannes Kraus zur
Universalienlehre Crathorns bereits geboten hat, die Lehre dieses
Dominikaners in einen weiteren erkenntnistheoretischen Zusammenhang gestellt[105]. Sprengards Absicht um eine positivere und
damit gerechtere Beurteilung der „kritischen Philosophie" des 14.
Jahrhunderts verdient Anerkennung, wenn auch die Durchführung
dieses Vorhabens berechtigte Kritik hervorgerufen hat. Vielleicht
sollte man sich daran erinnern, daß diese kritischen Denker viel
stärker in der scholastischen Tradition stehen, als es manchmal sogar
nach der Darstellung Sprengards erscheint. Die Unterscheidung von
vox und res gehört zu den Grundvoraussetzungen der klassischen
Erkenntniskritik von Aristoteles bis Thomas von Aquin. Darum
ist es gut, auch von den tatsächlich neuen Ansätzen der Denker des
14. Jahrhunderts aus die Verbindungslinien in die Vergangenheit
zu ziehen. Diese Methode bewahrt vor Vergröberungen. Im weiteren Verlauf der Vergleiche, die wir nun zwischen Holcot auf der
einen Seite und Gregor mit Crathorn auf der anderen Seite durchführen, dürfte sich die Waagschale zugunsten Crathorns als „Socius"
des Holcot neigen. Das theologiegeschichtliche Interesse und insbesondere eine auffallende geistige Verwandtschaft zwischen den
beiden Denkern rechtfertigt es, daß wir Gregors Lehre so ausführlich heranziehen.

Auch für den Gegner im 3. Artikel der Conferentiae lassen sich
die Verbindungslinien zu Gregor von Rimini und Crathorn
unschwer ziehen. Holcot zitiert die Lehre, wonach die Potenzen
der Seele mit der Seelensubstanz gleichgesetzt werden. Als Begründung diene das Ökonomieprinzip[106]. Beides findet sich wörtlich
bei Gregor von Rimini[107]. Er beruft sich für diese Lehre auf Augustinus und Averroes. Auch die sensitiven Potenzen, die Holcot aus-

---

[105] Vgl. Sprengard, a.a.O. Band II („Crathorn, ein Oxforder Modernus des XIV.
Jahrhunderts"); zu dem Problem von Differenz und Zuordnung von Sach-
welt und Sprachwelt vgl. ebd. 49 u. 56.

[106] Vgl. Holcot, ebd. a.3 (fol. o VIII vb 12—21): Dicit enim iste socius subtiliter
quod omnis cognitio est potentia cognitiva. Potentia autem cognitiva hominis est anima intellectiva, in quo dicit verum. Unde infert quod omnis
cognitio est potentia cognitiva. Ista via et omnis consimilis, per quem homo
reducitur ad paucas res sic quod ponendo paucitatem rerum, quae non
cadunt sub sensu, possunt salvari omnia, quae ponit communis philosophia,
quae innititur experientiae, est multum acceptabilis imaginationi hominis.

[107] Vgl. J. Würsdörfer, Erkennen und Wissen nach Gregor von Rimini,
BGPhMA XXII, 1, Münster 1917, 29. Vgl. bei Gregor II Sent. d.16/17 q.3,
initium. (Genaue Angaben der Stellen im hs. Text bei Würsdörfer.)

drücklich ausnimmt („Quae non cadunt sub sensu"), läßt Gregor
mit der Seelensubstanz zusammenfallen, womit er sich wissent-
lich in Gegensatz zu Thomas von Aquin setzt[108], dem er vorwirft,
daß er gegen das Ökonomiegesetz verstoße: „Diese Meinung gefällt
mir nicht, weil sie eine Vielfalt der Dinge setzt, zu der weder die
Erfahrung noch ein aus der Erfahrung gewonnener Grund noch
eine heilige Autorität zwingt[109]." Doch auch Crathorn lehrt die
Identität der Seele mit ihren Vermögen[110]. Holcot erkennt das Ökonomieprinzip an, soweit es zur Gleichsetzung der Seelensubstanz
mit den geistigen Potenzen dient. Ja, er wirft dem Socius nun vor,
daß er sich vergeblich auf dieses Prinzip berufe, weil er am Ende
„mehr Dinge" in der Seele annehme, als man gemeinhin zu tun
pflege. Er erfindet neue Benennungen oder, mehr noch, er erneuert
die alten[111].

Holcot zählt nun im einzelnen die Punkte auf, in denen die Lehre
des Socius sich sonderbar ausnimmt und ihrem Grundansatz, der
Gleichsetzung von Wesen und Potenzen, widerspricht. Zuerst wiederholt er die an den Anfang gesetzte These, auf die sich sein
Socius schon seit zwei Jahren verlege: Das Formalprinzip der
Erkenntnis der intellektiven Seele sei sie selbst. Dennoch nehme
er in der Seele subjektiv bestehende Erkenntnisbilder (species)
an[112]. Das erste entspricht wörtlich der Lehre Gregors von
Rimini[113]. Auch hier muß sofort wieder ergänzt werden, daß für

---

[108] Vgl. Thomas Aq., I Sent. d.3 q.4 a.2 (ed. Mandonnet 116); S.th. I q.54 a.3;
q.77 a.5.

[109] Vgl. Würsdörfer, a.a.O. 32; Gregor v. R. II Sent. d.16/17 q.3 a.1: Ista
opinio non placet mihi eo, quod pluralitatem rerum ponat, ad quam ponen-
dam nec cogit experientia nec ratio ex experientia sumpta nec aliqua
auctoritas sacra. Quod non experientia, patet: nullus enim experitur animam
et eius potentiam quasi duo distincta; quod non ratio, patebit solvendo; quod
etiam nec auctoritas sacra patet, quia nullibi in sacro canone habetur.

[110] Vgl. Sprengard, a.a.O. II, 23, 96. Kraus, a.a.O. 83.

[111] Vgl. Holcot, Conferentiae a.3 (fol. o VIII vb 21—24): Sed vere istius positio
nihil operatur ad finem talem. Non enim pauciores res ponit in anima quam
communiter ponentes, sed forte plures; facit enim novas nominum trans-
sumptiones vel magis renovat antiquas.

[112] Vgl. ebd. (lin. 24—28): Unde principalis conclusio, quam iste iam per biennium nisus est probare, est ista quod illud, quo homo formaliter intelligit,
est anima hominis. Ponit tamen species subiective inhaerentes ipsi animae.

[113] Vgl. Gregor v. R., II Sent. d.16/17 q.1 a.1 (Würsdörfer, 15 Anm. 5):
Praemitto quod per formam substantialem hominis intelligo principium intrinsecum distinctum a materia per quod homo est homo, sicut et per formam
substantialem generalem intelligimus eam partem compositi, secundum quam
ipsum est hoc aliquid ... per animam vero intellectivam intelligo illud quo
primo homo intelligit. Vgl. ebd. (Würsdörfer 17 Anm. 3): Nunc secundo
probo per rationem, quod anima intellectiva sit forma substantialis hominis,

Crathorn zur aktuellen Erkenntnis nur die erkennende Seele und
der Gegenstand erforderlich sind[114]. Zu der zweiten Behauptung
könnte Gregors Lehre von der Species geführt haben, die sehr
differenziert ist und verschiedene Arten von Erkenntnisbildern
kennt[115]. Daß sie eine subjektive Existenz in der Seele haben, ließe
sich aus den Ausführungen erschließen, die Gregor über die Species
der Erinnerung gemacht hat. Hier sagt er nämlich ausdrücklich mit
Berufung auf Augustinus, daß nicht die Dinge selbst Gegenstand
der Erkenntnis sind, sondern die von ihnen real zu unterscheidenden Species[116]. Gregor kennzeichnet diesen Unterschied zwar nicht
wörtlich als realen, aber er hebt das Phantasiebild als eigentliches
Objekt der Erinnerung so deutlich vom wirklichen Ding ab, daß es
sachlich auf eine reale Unterscheidung hinausläuft.

Das Bild, das Holcot von der Psychologie und der Erkenntnislehre des Socius entwirft, erscheint widersprüchlich. Aber gerade
die sehr differenzierte Lehre Gregors von Rimini gibt Anlaß zu
solcher Kritik. Einerseits setzt er die Seele in einen unmittelbaren
Kontakt mit dem Erkenntnisobjekt; die erste Art der verschiedenen
Species (vgl. Anm. 115) ist nämlich mit der Form des realen Dinges
identisch, was zu einer spezifischen Identität von Erkenntnisspecies
und extramentaler Sache führt[117]. Andrerseits wird er nicht müde,

---

et est ratio communis, quae sumitur a Philosopho 3º De anima. Homo
intelligit et non seipso primo neque per materiam suam primo, igitur per
formam suam aliquam primo intelligit, et ultra igitur anima intellectiva est
forma hominis, sed non accidentalis, igitur substantialis.

[114] Vgl. Kraus, a.a.O. 83.

[115] Vgl. Gregor v. R., II Sent. d.7 q.3 (Würsdörfer, 51 Anm. 3 u. 4): Dico quod
(sc. nomen „species") quadrupliciter potest accipi: primo communissime pro
omni forma ad notitiam habendam concurrente, et secundum hunc modum
etiam ipsa forma corporis, quod cognoscitur, dicitur species. Secundo com-
munius pro omni forma, quae est aliquo modo ratio cognoscendi aliam rem,
et secundum hunc modum ars et alii habitus cognitivi possunt dici specis. Tertio modo communiter pro forma qualibet, quae est similitudo et imago rei cognitae, per quam res illa cognoscitur, et secundum hunc modum etiam ipsa actualis notitia dicitur species. Quarto modo sumitur specialiter et proprie, sc. pro
forma, quae est similitudo seu imago rei cognitae, per quam recognoscitur
manens naturaliter in anima; etiam postquam anima desiit actualiter cognoscere, est apta nata ducere animam in notitiam rei cuius ipsa est imago et
similitudo. Zur Lehre Holcots über die Species als Erkenntnisbilder vgl. u.
S. 221f.

[116] Die Texte und Stellen bei Gregor wie bei Augustinus vgl. Würsdörfer, a.a.O.
52ff.

[117] Vgl. Holcot, Conferentiae a.3 (fol. o VIII vb 32—34): Ponit etiam in materia
ista quod species in anima intellectiva vel in angelo est vere et realiter eiusdem speciei cum re extra.

die Mittlerrolle der mentalen Erkenntnisbilder für die Erkenntnis herauszustellen, ohne daß er ihre allgemeine Notwendigkeit behauptet[118]. Wir sehen, auch hier umgeht Gregor eine letzte Festlegung. Holcot hat jene Gleichsetzung von Species erster Art (vgl. Anm. 115) und Dingform im Auge, wenn er seinem Socius vorwirft, er lehre eine tatsächliche, physische Angleichung des erkennenden Geistes an sein Erkenntnisobjekt. Die Seele oder der reine Geist werde seinem Erkenntnisobjekt entsprechend warm oder kalt, schwarz oder weiß und verändere so wie ein Chamäleon nach der jeweiligen umgebenden Gegenstandswelt den eigenen Zustand[119]. Diese Darstellung trifft gewiß nicht die eigentliche Intention der Lehre Gregors, sondern verwandelt diese in einer nüchtern — pragmatischen Weise in einen naiven Erkenntnisrealismus, den Gregor gerade durch seine differenzierte Lehre von den Species vermeiden wollte.

Die Gegenargumentation Holcots trifft auch auf Crathorn zu. Er lehrt wörtlich, daß die Seele durch die Wahrnehmung sinnenfälliger Gegenstände verändert wird[120]. Diese Veränderung wird aber nicht unmittelbar bewirkt, sondern über ein Medium, das, selbst verändert, auch verändernd auf die Wahrnehmungsorgane einwirkt[121]. Auch Crathorn vertritt eine spezifische Identität des Begriffsinhaltes (qualitas verbi) und des Gleichnisbildes der extramentalen Sache mit dem Ding selbst[122].

[118] Vgl. Würsdörfer, a.a.O. 52f. Gregor v. R., I Sent. d.3 q.1 a.1 concl. 2 (a.a.O. 53 Anm. 4): Ex his verbis manifeste patet secundum Augustinum, res ipsas sensibiles non in se et immediate per cogitationem cognosci, sed per eius imaginem seu speciem, et per consequens res sensibiles tantum mediante tali cogitatione cognoscuntur.

[119] Vgl. Holcot, Conferentiae a.3 (fol. o VIII vb 35—48; Fortsetzung des Textes Anm. 109): Et consequenter concedit quod angelus est aliquando calidus, aliquando frigidus, aliquando albus et aliquando niger et quod vera natura lapidis est in caelo empirico cum angelo, non tamen qualitas (P!) vel accidens in angelo sed est substantia dependens ab angelo, sicut substantia ignis in ferro ignito . . . Dicit etiam quod anima est vere et realiter colorata per colorem, quando intelligit colorem, et quando intelligat nigrum, est nigra, et fusca, quando intelligit fuscum et sic de aliis coloribus, quos sentit, sicut dicitur sive vere sive fabulose de cameleone secundum Isidorem Ethymologiae II c. quod vario modo mutat colorem ad inspectum corporis quod videt. Vgl. Quodl. P q.49 (fol. 159ra—160rb).

[120] Vgl. Sprengard II, 24: Obiectum visum immutat videntem (Crathorn, q.1, fol.5vb, wir zitieren aus dem Codex Amplonianus, Erfurt, Q 395a).

[121] Obiectum extrinsecum immutat medium inter videntem et obiectum et non immediate ipsum videntem (Crathorn, q.1, fol.6ra).

[122] Alia conclusio est quod illa qualitas, quae est verbum et similitudo naturalis rei cognitae existentis extra animam, est eiusdem speciei cum re illa, cuius est similitudo (Crathorn, q.1 fol.7rb).

Das Gleiche wiederholt sich in Holcots Kritik an der Lehre über
die Propositio mentalis[123]. Tatsächlich lehrt Gregor, daß die Propositio mentalis ein Bild und eine Verähnlichung der gesprochenen
Propositio ist und sich daher bei den Menschen verschiedener Sprachen durch das verschiedene Sprachidiom unterscheidet[124]. Auch
wenn der Mensch rein innerlich redet, mit schweigendem Munde,
wird er sich verschiedener Sprachen bedienen[125]. Gregor weiß bereits
um den unterscheidenden Einfluß der Sprache auch auf das nicht
mit den Lippen geformte Wort. Daneben kennt Gregor aber auch
rein innere Aussagen, die naturhafter Weise bei der Erfahrung
bestimmter einfacher oder komplexer Erkenntnisse entstehen[126].

[123] Vgl. Holcot, Conferentiae, a.3 (lin.50 — fol.p ra 14): Asserit etiam iste quod
nulla est propositio mentalis in homine, nisi quae est naturalis similitudo propositionis vocalis et scriptae. Et quot (P!) sunt differentiae propositionum
scriptarum in libro, quia quaedam sunt propositiones aureae et quaedam ar-
genteae, quaedam nigrae et quaedam virides et albae et sic de ceteris coloribus, tot secundum eum sunt propositiones mentales in homine, qui tales videt
et legit distincte secundum speciem ita quod in postrema cellula capitis sunt
tales propositiones mentales, in quibusdam plures et in quibusdam pauciores
secundum quod aliqui diversos libros legunt diversis coloribus descriptos.
Praeter istas propositiones vel conceptus mentales, qui sunt naturales similitudines vocum vel scriptorum, non est aliqua alia propositio mentalis ponenda. Ex quo sequitur quod graecus, qui nunquam audivit latinum nec vidit
scriptum, et latinus, qui est cum graeco catholicus, nullam habent propositionem communem nec unus unam alteri similem. Unde secundum eum caecus
et surdus a nativitate non possent aliquam propositionem mentalem habere.
[124] Vgl. Gregor v. R., I Sent. prol. q.1 a.3 (Würsdörfer, a.a.O. 36 Anm. 5—7):
. . . est genus enuntiationum mentalium . . . quae sunt vocalium enuntiationum imagines vel similitudines ab exterioribus vocibus in animam derivatae vel per ipsam fictae . . . Et istae non sunt eiusdem rationis in omnibus
hominibus, sed aliae sunt in graeco, aliae in latino etiam idem significantes,
sicut aliae sunt enuntiationes vocales, quas profert exterius graecus, ab his
quas idem significantes profert latinus.
[125] Vgl. ebd. . . . has (sc. enuntiationes) in se potest advertere quilibet, cum
tacens ore loquitur corde formando verba similia his quae, si ore loqueretur,
proferret exterius.
[126] Vgl. ebd. (Würsdörfer, a.a.O. 37 Anm. 2 u. 4): Quoddam vero genus est enuntiationum mentalium, quae nullarum sunt similitudines vocum, nec secundum
illarum diversitatem in hominibus habentibus diversificantur, sed eaedem sunt
secundum speciem apud omnes id ipsum naturaliter significantes, quod vocales
eis subordinatae ad significandum ad placitum et per institutionem significant,
et illae sunt illa verba quae nullius linguae sunt, et ista verba vocalia verba
exterius sonantia et mentalia primo modo dicta praecedunt . . .
Ebd. concl.3: . . . quaedam (sc. enuntiationum mentalium) immediate ex rerum
intuitivis notitiis incomplexis, tamquam ex partialibus causis, vel ex aliis
complexis vel incomplexis ex illis mediate vel immediate causatis seu ex
habitibus ex talibus notitiis complexis derelictis causantur, vel forsitan etiam
quaedam non ex aliquibus incomplexis notitiis causantur, sed sunt simpliciter

Auch bei Crathorn finden wir Formulierungen, die vom Einfluß des Sprachidioms auf das Denken Zeugnis geben. Wie wir noch sehen werden, beantwortet er die Frage nach dem Gegenstand des Wissens in ähnlichem Sinne wie Gregor von Rimini und entgegen der Lehre Holcots[127]: Nicht der Satz, sondern das mit dem Satz Bezeichnete ist Gegenstand des Wissens im eigentlichen Sinne. Zur Begründung führt Crathorn u. a. auch die unterschiedliche Formung einer Aussage über die gleiche Sache bei einem Engländer etwa oder bei einem Griechen an. Der Unterschied besteht nach dem Wortlaut des Textes nicht nur im sprachlichen Ausdruck (propositio vocalis), sondern auch in der gedanklichen Formung des Satzes (propositio mentalis)[128].

Holcots kritische Darstellung trifft auf die erste Art der mentalen Aussagen zu. Sie berücksichtigt jedoch nicht jene anderen innerlichen Aussagen, die der Geist rein aus sich selbst hervorzubringen vermag[129]. Gregor spricht von verschiedenen Gattungen der mentalen Aussagen; freilich bleibt offen, ob nicht bei Gregors Ansatz alle inneren Aussagen vom Sprachidiom abhängig sind und daher Holcots Formulierung, der Socius lehre die natürliche Ähnlichkeit jeder inneren Aussage mit der gesprochenen oder geschriebenen, auch auf die Lehre Gregors zutrifft. Verstanden hat er sie nicht. Gerade in diesem Punkt schreiten Gregor und Crathorn über Holcot weit hinaus, da von Holcot die grammatischen und sprachlogischen Formen im Einklang mit der gesamten Lehrtradition der Scholastik als bei allen Menschen übereinstimmende angesehen wurden.

primae venientes in mentem naturaliter, de quibus nescimus quando in nobis existunt aut unde vel quomodo ...

[127] S. u. S. 244ff.

[128] Vgl. Crathorn, q.4. Utrum viator possit scire scientia proprie dicta quod sit tantum unus deus (Fol.26rb—30va). Fol.26 rb 24—33: Unum et idem potest sciri a duobus, qui non communicant in aliqua propositione mentali vel vocali sicut patet de anglica et graeco, quorum uterque potest scire quod tertio die sol eclipsabitur. Igitur non omne quod potest sciri scientia proprie dicta est propositio mentalis vel vocalis ... Ideo videtur mihi quod id quod proprie scitur a sciente quod omne mixtum est corruptibile vel quod sol certo die eclipsabitur, non solum sunt haec propositiones vel consimiles: sol tali die eclipsabitur, omne mixtum est corruptibile, sed ista quae per tales propositiones importantur.

[129] Vgl. ebd. (Würsdörfer, a.a.O. 38 Anm. 2): Huiusmodi sunt enuntiationes illae, quas quis absque prolatione exteriori enuntiationum vocalium et interiori etiam formatione illis similium format, dum aliquam veritatem mente demonstrat; huiusmodi etiam essent quascumque formaret, qui naturaliter surdus esset aut nullam omnino loquelam linguae didicisset, dum aliquam veritatem mente demonstraret.

Damit stellt sich die Frage nach dem Socius, gegen den Holcot in den Conferentiae (a. 2—3) angeht. Der textliche Befund schließt zwar Gregor von Rimini nicht unbedingt aus. Wir werden aber sehen, daß die Übereinstimmung der Textzitate zugunsten Crathorns spricht. Die Conferentiae enthalten außerdem eine Bemerkung, die eine sehr genaue Datierung dieser Schrift erlaubt. Holcot bemerkt, sein Socius vertrete bereits zwei Jahre die Lehre, daß der Mensch formaliter durch die Seele selbst erkenne.[130]. Aus einer neueren literarkritischen Studie von Heinrich Schepers[131] können wir entnehmen, daß auch die Datierung die Annahme eindeutig bestätigt, daß Crathorn der von Holcot so heftig bekämpfte Gegner ist. Schepers setzt Crathorns Quaestionen für 1330 an. Holcots Hinweis, daß er mit seinem Socius schon zwei Jahre streite, versetzt uns in das Jahr 1332, da Crathorns Gegenthesen in den 1330 verfaßten Quaestiones nachzuweisen sind. Holcot nennt allerdings eine andere Quelle, die Lectio super Bibliam. Diese schloß sich nach dem Brauch der mittelalterlichen Universitäten der Sentenzenvorlesung zeitlich an. So ergibt sich, daß beide Magister zur Zeit ihres Streites auf derselben Stufe ihrer akademischen Laufbahn standen. Die Kontroverse ist damit vom Textbefund wie von der Datierung der Schriften her sehr genau für den Zeitraum von 1330 bis 1332 anzusetzen.

2. Der Inhalt des Glaubens

a) Der literarische Befund

Die Frage nach dem intentionalen Objekt der Glaubenserkenntnis gehört zum traditionellen Lehrgut der scholastischen Theologie. Thomas von Aquin stellte sie an den Anfang seiner Lehre vom Glauben und unterschied sofort zwischen dem Glaubensgegenstand an und für sich und insofern er vom menschlichen Geist ergriffen wird[1]. Er bemerkte dazu, daß dieser doppelte Aspekt bereits bei älteren Autoren zu finden sei[2]. Da Thomas den Glaubensakt als

---

[130] Vgl. Holcot, Conferentiae a.3 (fol. o VIII vb 24—27): Unde principalis conclusio, quam iste iam per biennium nisus est probare, est ista quod illud, quo homo formaliter intelligit, est anima hominis.

[131] Vgl. H. Schepers, Holcot contra dicta Crathorn, a.a.O. 343.

[1] Vgl. Thomas Aq., S.th.II II q.1 a.2: Sic igitur obiectum fidei dupliciter considerari potest: uno modo ex parte ipsius rei creditae, et sic obiectum fidei est aliquid incomplexum, scilicet res ipsa, de qua fides habetur. Alio modo ex parte credentis, et secundum hoc obiectum fidei est aliquid complexum per modum enuntiabilis.

[2] Vgl. ebd.: Et ideo utrumque vere opinatum fuit apud antiquos, et secundum aliquid utrumque est verum. Der Herausgeber der bei Marietti 1952 erschienenen Thomasausgabe weist auf Philipp den Kanzler und Wilhelm von Auxerre hin. Belegstellen ebd. (ed. Caramello 5, Anm. 8).

eine besondere Art des Erkennens ansah, stellte er ihn in eine
Reihe mit dem Wissen und dem Meinen, die beide auf Aussagbares
ausgehen. So hat auch der Glaube Aussagbares zum Gegenstand
und zielt somit auf ein Complexum[3]. Thomas sagt sogar, der
Glaube (fides = Glaubensakt) ist ein Complexum. Andererseits ist
der Glaubensgegenstand an sich etwas Einfaches, ein Incomplexum,
nämlich die veritas prima, d. h. Gott selbst[4].

Diese Darstellung der Frage durch Thomas ist gut geeignet,
Holcots Lehre verständlich zu machen. Wir erhalten zugleich einen
Einblick, inwieweit der große Lehrer des Dominikanerordens auf
Holcot Einfluß hatte und in welchen Punkten der Oxforder Dominikaner neue Wege beschritt. Holcot hat der Frage nach dem
Objekt des Glaubensaktes große Aufmerksamkeit gewidmet. Sie
wird an zwei Stellen ausführlich behandelt, im Sentenzenkommentar und in den Conferentiae. Freilich darf man sich nicht auf den
gedruckten Text verlassen, in dem die Quaestio des Sentenzenkommentars so verstümmelt und fehlerhaft wiedergegeben wird,
daß Holcots Lehre daraus nicht mehr zu erkennen ist. Das Rätsel
um einen scheinbaren Widerspruch zwischen den Ausführungen im
Sentenzenkommentar und denen im ersten Artikel der Conferentiae[5] läßt sich literarkritisch lösen. Auf dem gleichen Wege
kommt man auch den Fragen nach dem Gegner näher, mit dem sich
Holcot in der Quaestio des Sentenzenkommentars auseinandersetzt, sowie gegen welchen „Socius" er in den Conferentiae polemisiert. Dal Pra, der das Problem neuerdings von der sachlichen wie
von der personalen Seite aufgegriffen hat, stützte sich leider nur auf
die gedruckten Texte. So kam er trotz seiner Kritik an Elie über
dessen Auslegung der Texte nicht hinaus[6].

Die Quaestio des Sentenzenkommentars trägt die Überschrift:
De obiecto actus credendi: Utrum sit ipsum complexum vel res
significata per complexum[7]. In der Inkunabel stehen am Anfang
und am Ende der Quaestio je eine Bemerkung, die gegen die
Zuverlässigkeit des Textes mißtrauisch machen. Am Anfang heißt

---

[3] Vgl. ebd.: Sed contra fides est media inter scientiam et opinionem. Medium
autem et extrema sunt eiusdem generis. Cum igitur scientia et opinio sint circa
enuntiabilia, videtur quod similiter fides sit circa enuntiabilia. Et ita obiectum
fidei, cum fides sit circa enuntiabilia, est aliquid complexum.

[4] Vgl. ebd. a.1: Sic igitur in fide, si consideremus formalem rationem obiecti,
nihil est aliud quam veritas prima.

[5] Vgl. H. Elie, Le complexe significabile, 43.

[6] Vgl. M. Dal Pra, Linguaggio e conoscenza assertiva nel Pensiero di Roberto
Holkot, a.a.O. 15—40, bes. 23.

[7] Vgl. Holcot, I Sent. q.2 (fol. a VIII vb 30—b ra 40).

es: Quaestio secunda, quam non omnes codices habent. Am Schluß
ist zu lesen: Finis quaestiunculae imperfectae. Ganz anders sieht der
literarische Befund in den Handschriften aus. In RBM steht diese
Quaestio, die im Druck eine reichliche Spalte füllt, im 4. Buch als
q. 10 im Umfang von neun Spalten. In 0 wird die Quaestio zweimal als „Prolog" bezeichnet. Dieser Codex enthält außerdem eine
Einleitungsrede, eine Lobrede auf die Theologie. Danach soll früher der Prolog gestanden haben, wie eine Notiz unter der ersten
Spalte der ersten Quaestio sagt; er wurde an das Ende des Buches
hinter die „Notabilitates quaestionum" gesetzt[8]. Nach einem
umfangreichen Inhaltsverzeichnis am Ende des Werkes, das außer
den einzelnen Quästionen auch die Articuli, Dubia, Conclusiones
und Notabilia aufzählt, folgt tatsächlich auf 5 1/2 sehr eng beschriebenen Spalten unsere Quaestio, die nochmals ausdrücklich im Text
und am Rande als Prolog bezeichnet wird[9]. Am Ende dieser
Quaestio steht wiederum, daß hier der Prolog zum Werke Holcots
schließt, der unmittelbar hinter die Einleitung an den Anfang
gehörc[10].

Schon in der dritten Zeile des gedruckten Textes finden wir den
ersten groben Fehler: Ockham wird als Gegner genannt und ihm
eine Lehre zugeschrieben, die er nie vertreten hat. In den Handschriften RBM und O steht nicht Ockham, sondern Tarentesius.
Die Stelle lautet: Est apud quosdam dubium et tenet Tarentesius
quod universaliter scientiae et opinionis et fidei et cuiuscumque
talis assensus obiectum est res significata et non ipsum complexum[11].
Wenn es sich nicht um einen Fehler bei der Wiedergabe des
Namens handelt, könnte angenommen werden, daß der zur Zeit
des hl. Thomas lehrende Tarentesius als Autorität für die von
Holcot bekämpfte Lehre dient, die intellektive Zustimmung richte
sich auf die bezeichnete Sache selbst und nicht auf den Satz (= complexum). Der Text der Inkunabel bietet nur die fünf (in den Hand-

---

[8] Vgl. ebd. q.1 (O Prologus, fol. 120 va 73): Nota quod superius immediate post
sermonem deficit prologus huius operis et ponitur in fine libri statim post notabilitates quaestionum. Et incipit prologus isto modo: De obiecto actus credendi:
Utrum erit ipsum complexum vel res significata per complexum. Zur Bedeutung
des „Sermo" vgl. u. S. 404 Anm. 4.

[9] Vgl. ebd. am Ende (O fol. 205 vb unten): Nota quod sequens articulus prologus
est operis Holkoth super Sententias et ideo statim post sermonem primum loco
prologi poneretur. (Danach fol. 206 ra 1—3): Prologus in opus Holkoth (rechts
am Rand). De obiecto actus credendi, utrum erit ipsum complexum vel res
significata per complexum.

[10] Vgl. ebd. (O fol. 207 rb 39—40): Explicit prologus in opus Holkoth, qui immediate post sermonem in principio poneretur.

[11] Vgl. ebd. (O fol. 206 ra 3; RBM fol. 129 va 3).

schriften sechs) Argumente, die für die Gegenmeinung angeführt werden können. Auch dieser Teil enthält sinnentstellende Kürzungen. Darauf folgt eine kurze Responsio des Magisters, womit die Quaestio abbricht. Die ausführliche Darstellung der eigenen Lehre fehlt und ist nur aus den Handschriften zu gewinnen. Bevor wir uns die Frage nach dem Opponens stellen, wollen wir uns den Argumenta zuwenden.

b) Die Aussage als Gegenstand der Erkenntnis

Nach dem Brauch der scholastischen Disputationsmethode, die auch den Aufbau der Quaestio formte, wird die gegenteilige Lehre an den Anfang gestellt. Sie bestimmt die „res significata" als Gegenstand der Erkenntnis und der intellektiven Zustimmung. Nach dem Wortlaut und dem Zusammenhang des Textes ist hier zweifellos die Sache der Außenwelt gemeint. Dieser Ansicht wird Holcot seine Lehre vom Complexum als Gegenstand der Erkenntnis entgegenstellen. Zunächst formt er jedoch 6 Gegenargumente. In ihrer logisch ausgeklügelten Formulierung können sie gut von Holcot selbst stammen, keinesfalls von dem genannten „Tarentesius", wenn dieser mit dem Dominikaner Peter von Tarantasia identisch ist.

Das erste Argument lautet: Nimmt man einen Beweis in seinem An-sich-sein, so daß keine Erkenntnis vorausgeht außer derjenigen der Termini, dann verursacht ein solcher Beweis den Akt der Zustimmung; denn als Beweis bewirkt er das Wissen. Bei einem solchen Beweis muß sich die Erkenntnis nicht auf den Beweisgang selbst noch auf die Schlußfolgerung als solche, noch eine der Prämissen richten; diese brauchen gar nicht begriffen zu werden. (Der Beweis wird ja am Beginn des Argumentes in seinem reinen An-sich-sein genommen.) Die intellektive Zustimmung richtet sich dann auf die Sache und nicht auf das Zeichen[12]. Mit „forma demonstrationis" sind hier gerade nicht der „Modus" und die „Strukturen" des Beweises gemeint, wie es Dal Pra auffaßt, durch den fehlerhaften Inkunabeltext verleitet[13]. Vielmehr muß von der kategorialen

---

[12] Der Text wird nach RBM und O zitiert, die fast wörtlich übereinstimmen, während der Inkunabeltext eine erhebliche Lücke aufweist. Vgl. O fol. 206 ra 5—11; RBM fol. 129 va 7—14: Hoc probatur multipliciter. Primo sic: Posita sola forma demonstrationis ita quod nulla cognitio praecedat nisi cognitio terminorum, causatur actus assentiendi, quia effectus demonstrationis est facere scire; sed posita tali demonstratione non oportet quod ista demonstratio cognoscatur nec etiam conclusio nec aliqua praemissarum, quia non oportet quod apprehendatur; igitur assensus est respectu rei et non respectu signi.

[13] Der Text in der Inkunabel lautet: Primo posita sola formatione demonstrationis est facere scire. Sed posita tali demonstratione . . . (weiter wie in den

14*

Bedeutung von forma ausgegangen werden. Danach benennt der Begriff „forma" solche zusammengesetzten Inhalte, die auf sich selbst hin, nicht zum Hinweis auf ein anderes bestehen. „Figura" wird dagegen für solche Gegenstände gebraucht, die auf andere hin erstellt wurden. Beide Begriffe werden von Aristoteles zuerst auf die Körperwelt angewandt. Abälard, dessen Dialektik wir diese Begriffserklärung entnehmen, hat eine allgemeinere, auch den logischen Bereich einschließende Deutung gegeben[14]. Dieses Verständnis von „forma demonstrationis" wird durch das hinzugefügte „sola" bestätigt. Der Beweis wird also „sola forma", d. h. als reine Zusammensetzung der Termini genommen. Als Beweis macht er wissend. Da er in dieser Auffassung nicht das Wissen über seine formale Struktur bewirkt, kann er ohne Berücksichtigung des ganzen demonstrativen Beweisverfahrens zum Wissen der Termini führen. Diese zielen aber nach allgemeiner scholastischer Tradition auf die res. Daher kann das Argument schließen: Die Zustimmung richtet sich auf die Dinge, nicht auf die Zeichen.

Die Antwort Holcots auf dieses Argument ist in mehrfacher Beziehung aufschlußreich. Sie zeigt erstens die aussagenlogische Auffassung des Erkenntnisaktes überhaupt. Zweitens ist zu ersehen, daß diese aussagenlogische Auffassung der Erkenntnis nicht als nominalistisch anzusehen ist, wenn man mit diesem Adjektiv eine beim Intentionalen, Begrifflichen verbleibende Erkenntnisabsicht meint. Drittens demonstriert die Textvariante zwischen der Inkunabel und den Handschriften von neuem die Unzuverlässigkeit des gedruckten Textes. Wir ziehen daher die Responsio textlich vor, bevor wir uns den anderen Argumenten zuwenden[15]. Hol-

---

Hss.) Der erste Satz ist also nicht nur sinnentstellend verkürzt, er enthält auch eine Wortvariante zu dem Text der Hss: Statt forma demonstrationis steht: formatione demonstrationis. Dal Pra übersetzt diesen Satztorso: Ecco il primo: a considerare soltanto il modo in cui la dimostrazione viene costruita, proprio delle dimostrazione e di far conoscere (facere scire).

[14] Vgl. Petrus Abaelardus, Dialectica. Tract. I Vol.II,10: De forma et figura (ed. Rijk 99,35—100,8): Est autem figura compositio corporis quo nos ad demonstrationem vel repraesentationem alterius utimur, ut sunt ea quae geometrica corpora dicunt, quibus ad demonstrationem mensurandi geometres utuntur. Figuram quoque cuiuslibet imaginationem dicimus quae ad repraesentationem alicuius facta est, et haec quidem est magis consueta significatio, ut scilicet eorum compositiones figuras dicamus quae aliquid nobis significant ac repraesentant. Figuras itaque in his accipimus subiectis quae propter alia facta sunt; formas autem eorum compositiones nominamus quae pro seipsis, non propter demonstrationem aliorum, composita sunt, ut hoc meum corpus et quodcumque sola natura operatur.

[15] Vgl. Holcot, I Sent. q.2 (fol. b ra 25—33); Paralleltexte: RBM IV Sent. q.10, fol. 129 va 58—b 1; O Prologus, fol. 206 ra 35—41. Zum Vergleich setze ich den

cot knüpft an die vom Opponens aufgestellte Gegenbehauptung an: Werde ein Beweis in seinem reinen An-sich-sein, d. h. nur als Komplex von Termen, genommen, so brauchen weder der Beweisgang selbst, noch die Schlußfolgerung, noch die Prämissen erfaßt zu werden. Das Argumentum wird noch einmal in der Form eines Syllogismus vorgelegt. Allerdings greift nun Holcot nur den ersten Teil des Argumentes heraus: Die Schlußfolgerung werde als solche nicht erfaßt. Er fährt fort: Also werde sie nicht gewußt. Seine Antwort lautet: Der Schluß ist richtig, aber die Prämisse falsch; denn eine Schlußfolgerung ist in ihrem reinen Formsein zugleich ergriffen und gewußt. Damit soll gesagt werden, daß sich die in einem Beweis gebrauchten Termini nicht von dem Beweis gesondert erfassen lassen, wenn man sie nicht aus der ganzen Zielsetzung des Beweises herausreißt. Eine Ausnahme bildet die reflexe Erkenntnis, in der die Erkenntnisabsicht auf den Erkenntnisakt selbst und nicht auf den Sachverhalt gerichtet ist. Holcot stellt beide Arten der Erkenntnis gegenüber. Der Satz wird mit einem „Tamen" eingeleitet. Der Magister erkennt also eine Weise rein formaler Erkenntnisbedeutung eines Beweises an. Er bedient sich dazu des Vergleiches mit dem Gedächtnis. Nach Aristoteles gebraucht der Mensch das Gedächtnisbild entweder für sich selbst oder für eine andere Sache. In derselben Weise verfährt der menschliche Geist, wenn er sein Erkennen in einem Falle auf dieses selbst hin gebraucht, im anderen Falle im Hinblick auf die Sachverhalte; dann aber richtet sich seine Zustimmung auf die Termini, nicht insofern sie material genommen, sondern insofern sie signifikativ angewandt werden.

Text der Inkunabel und der wörtlich übereinstimmenden Hss RBM und O nebeneinander:

Inkunabel

Ad primum argumentum:
Non video evidentiam, si stet in isto: Conclusio non est comprehensa, ergo non est scita. Concedo consequentiam et nego antecedens, quia conclusio est formata et apprehensa. Dico tamen, sicut dicit Aristoteles in De mem. et rem. c.IV quod homo utitur cognoscendo speciem in memoria vel pro se vel pro alia re, eodem modo quod mens utitur cognitione sua aliquando pro se, aliquando pro rebus. Unde assentio istis terminis naturaliter acceptis, sed non significative.

RBM u. O

Ad primum argumentum:
Non video evidentiam, si stet in isto: Conclusio non est apprehensa, ergo non est scita. Concedo consequentiam et nego antecedens, quia conclusio est formata et apprehensa. Dico tamen, sicut dicit Aristoteles in De mem. et rem. c.IV quod homo utitur cognoscendo specie in memoria vel pro se vel pro re alia, eodem modo quod mens utitur cognitione sua aliquando pro se, aliquando pro rebus, unde non assentiendo istis terminis materialiter sumptis, sed significative acceptis.

Der Schlußteil des Satzes, „unde non assentiendo...", gehört nur zu „aliquando pro rebus". Die Responsio gibt also die rein formale Erkenntnisweise einer Demonstratio nur für die reflexe Erkenntnis zu, in der die Erkenntnisabsicht auf das formale Gelten und die formale Richtigkeit des Beweises gerichtet ist. Wird der Beweis jedoch in seiner Bedeutung für die Erkenntnis des Sachverhaltes genommen, dann lassen sich die Form des Beweises und die Terme nicht voneinander sondern. Die Complexa der Demonstratio, der Conclusio, der Prämissen zielen jetzt auf einen Sachverhalt, die Begriffe werden dabei signifikativ, d. h. in ihrer Bezeichnungskraft, also auf die res hin, und nicht materialiter, d. h. in ihrem grammatikalischen oder logischen Seinstand gebraucht. Diese Ausführungen liegen genau in der Konsequenz der Lehre Holcots, daß die Wahrheit der Gegenstand der Aussage (Complexum) ist. Folgt man dem handschriftlichen Text Wort für Wort, so heben sich die Widersprüche, zu denen man durch die unkritische Benutzung des Druckes gelangt, von selbst auf. Wir werden auch sehen, wie auf diesem Wege die Stellung Holcots in der Lehre von der Erkenntnis und vom Glauben eindeutig wird. Sie unterscheidet sich sowohl von der Tradition der Dominikanerschule als auch von Ockham, ohne zu beiden Richtungen in einen ausschließlichen Widerspruch zu treten. Dies geschieht allein gegenüber der Lehre vom Complexum significatum (significabile) des Crathorn und des Gregor von Rimini, besonders erst in den zeitlich später liegenden Conferentiae.

Alle sechs Argumente verteidigen die Lehre, die in der extramentalen Sache den Gegenstand der intellektiven Zustimmung sieht. In diesem Sinne ist auch das zweite Argument gemeint: Wenn schon die Species oder der Habitus einer Sache eine Erkenntnis dieser Sache vermittelt, um so mehr wird der Satz, der aus Erkenntnissen über eine extramentale Sache zusammengesetzt ist, die Zustimmung zu der extramentalen Sache bewirken[16].

Die Antwort bewegt sich auf der Ebene des „Intentionalismus", der für Holcots Erkenntnislehre charakteristisch ist: Der Akt der Zustimmung wird nicht im Hinblick auf die Sache, sondern in Bezug auf das Zeichen gegeben[17]. Das dritte Argument geht von der Verschiedenheit des intentionalen und des realen Erkenntnis-

---

[16] Vgl. ebd. (fol. a VIII vb 42—45; wörtlich wie in RBM u. O): Secundo sic: Species rei vel habitus causat cognitionem rei, ergo multo magis propositio composita ex cognitionibus rei extra causat actum assentiendi rei extra.

[17] Vgl. a.a.O. (fol. b ra 33—35; Text korrigiert nach RBM u. O): Ad secundum nego consequentiam, quia assensus non est natus esse respectu rei extra sed tantum respectu signi.

objektes aus: Der gedachte Satz und die extramentale Sache sind verschiedene Erkenntnisobjekte, auf die sich je verschiedene Zustimmungsakte richten. Zum Beweis wird auf Gottes Vorherwissen gewiesen, das den Sachverhalten der Zukunft zustimmte, ehe es darüber Aussagen oder komplexe Erkenntnisse gab[18]. Die Responsio zum dritten Argument weitet sich in den Handschriften zur ausführlichen Untersuchung aus, die sich durch den ganzen nun folgenden Hauptteil der Quaestio hinzieht und aus der sich auch Holcots Stellung zu den übrigen Argumenten ergibt. Da diese keine besonders gekennzeichneten Responsiones erhalten, sollen sie hier gleich angefügt werden.

Das vierte Argument beruft sich auf den aristotelischen Satz, daß Wahrheit und Falschheit davon abhängen, ob eine Sache tatsächlich ist oder nicht ist. Bevor einem Satz zugestimmt werden kann, muß eingesehen werden, daß sich die Sache wirklich so verhält, wie es der Satz behauptet. Darum — so folgert der Opponens — richtet sich die intellektive Zustimmung zuerst auf die Sache[19].

Fünfter Beweis: Die Prämissen eines Beweises dienen der Erkenntnis einer Sache und sind aus Sacherkenntnissen zusammengesetzt; dies ist nicht bei den Erkenntnissen der Schlußfolgerungen der Fall. Also verursachen diese nicht die Erkenntnis eines Sachverhaltes[20]. — Dieses Argument beweist also ex contrario, daß die intellektive Zustimmung sich zuerst auf den Sachverhalt richtet; denn die Schlußfolgerung ist keine erste, sondern bereits eine abgeleitete intellektive Zustimmung.

Das sechste Argument ist sehr kurz formuliert; daher ergänzen wir die Übersetzung aus dem Sinnzusammenhang: Wenn die intellektive Zustimmung sich nicht zuerst auf den Sachverhalt richte, dann wäre jede Zustimmung und alle Wissenschaft ein zusammengesetzter (Ink.: reflexer) Akt[21].

---

[18] Vgl. a.a.O. (fol. a VIII vb 45—50): Tertio sic: Propositio in mente et res extra sunt distincta cognoscibilia; ergo distinctis assensibus eis assentitur. Confirmatur, quia ab aeterno non fuerunt propositiones nec complexa sed tantum deus, et tamen posito quod tu nunc non sedeas, ipse assentit quod tu non sedes.

[19] Vgl. a.a.O.; Text aus RBM (129 va 21—25) u. O (fol. 206 ra 14—17): Quarto modo in eo quod res est vel non est, est oratio vera vel falsa. Igitur oportet quod intelligatur quod res sic se habeat, sicut complexum denotat, antequam assentiatur quod propositio sit vera. Igitur primus assensus est respectu rei. Vgl. Aristoteles, Cat.12 (c.12 14 b 21—22).

[20] Vgl. Holcot ebd. (RBM lin.26—28; O lin.17—18): Quinto: Praemissae sunt cognitiones rei et ex cognitionibus rei compositae, et non cognitiones conclusionis. Igitur non causant assensum conclusionis rei.

[21] Vgl. ebd. (RBM lin.28—29; O lin.18—19): Sexto tunc omnis assensus foret actus complexus et omnis scientia etc.

Auf diese Argumente folgt nun zuerst eine zusammenfassende Responsio des Magisters, an die sich die Antworten zu den Argumenta anschließen, so daß der Text der Inkunabel, der mit diesen abbricht, rein formal den Eindruck einer kleinen Quaestio hervorrufen konnte. Hier wird das Complexum als Gegenstand des Wissens wie des Glaubens bezeichnet. „Unter dem Objekt des Glaubensaktes verstehe ich allein das, was als geglaubt bezeichnet wird, und unter dem Objekt des Erkenntnisaktes verstehe ich allein das, was als gewußt bezeichnet wird. Und weil keine extramental existierende Sache im eigentlichen Sinne als gewußt bezeichnet wird — ich weiß nämlich nicht den Stein, sondern daß der Stein schwer ist; so wird von mir gewußt, daß der Stein schwer ist; und das Verbum: „es wird gewußt", wie auch die Partizipien „gewußt" oder „geglaubt", werden nicht von etwas Einfachem, sondern von einem Complexum ausgesagt, das auf mannigfaltige Weise formuliert wird — darum sagt man, daß allein das Complexum Gegenstand des Glaubensaktes ist[22]." Diese Antwort stützt sich auf die aristotelisch-thomistische Lehre, daß der Akt der intellektiven Zustimmung zu einer Wahrheit, der Akt des Wissens, beim Menschen ein zusammengesetzter ist. Der menschliche Intellekt erkennt durch Trennung und Zusammensetzung[23]. Die einfache intellektive Erfassung eines Wesensverhaltes enthält noch nicht die Entscheidung zwischen Wahrheit und Falschheit. Darum kann der einfache Akt der intellektiven Erkenntnis, der unmittelbar auf einen Erkenntnisgegenstand gerichtet ist, kein Wissen im eigentlichen Sinne vermitteln. Er ist immer wahr und daher nicht geeignet, die Frage nach der Wahrheit eines Sachverhaltes zu entscheiden[24].

[22] Vgl. a.a.O. (RBM lin.37—49; O lin.24—31): Per obiectum actus credendi non intelligo aliud nisi illud quod denominatur creditum, et per obiectum actus sciendi illud quod denominatur scitum, et quia nulla res extra excepto deo proprie dicitur scita — non enim scio lapidem sed lapidem esse gravem ita quod „lapis est gravis" est scitum a me, ita quod nec hoc verbum „scitum" nec aliquod tale participium, sicut est scitum vel creditum, praedicatur de aliquo incomplexo sed tantum de complexo, quod complexum vario modo formatur — et ideo tenetur quod solum complexum est obiectum actus credendi.

[23] Vgl. Thomas Aq., St.th.I q.58 a.4; Com. in De an. III, l. XI (ed. Pirotta n.746—748). Vgl. auch S.th.I q.17 a.3.

[24] Vgl. Holcot, a.a.O. (RBM lin.30—34; O lin.19—22): Contrarium tenent multi dicentes quod actus sciendi est ipsa conclusio demonstrationis et actus credendi, quia si scire sit actus simplex (RBM und O: sequens), tunc non esset actus veridicus sed simplex intelligentia. Zur Konjektur sequens > simplex vgl. Thomas Aq., S.th.I II q.8 a.2: Omnis enim actus denominatus a potentia nominat simplicem actum illius potentiae, sicut intelligere nominat simplicem actum intellectus. An anderer Stelle weist Thomas darauf hin, daß die Engel in den Übersetzungen aus der arabischen Sprache „Intelligenzen" genannt werden, weil sie

c) Die philosophiegeschichtliche Situation

In diesem Text blicken wir in die Kämpfe auf dem Gebiet der Erkenntniskritik, die in der Geschichte der Philosophie durch die Parteien der „Realisten" und „Nominalisten" gekennzeichnet sind. In Oxford haben diese Kämpfe eine bedeutende Rolle im wissenschaftlichen Betrieb der Universität gespielt. Sie lösten den Streit um Wilhelm Ockham aus, der zu seiner Entfernung von der Universität und zur Eröffnung des Prozesses gegen ihn in Avignon führte[25]. Sein Gegner Johannes Lutterell machte ihm in seiner Anklageschrift den Vorwurf, die Logik zu mißbrauchen, da er durch seine Darstellung der begrifflichen Erkenntnis jede Sacherkenntnis ausschließe[26]. Dagegen betonte Lutterell wiederholt, daß die Sache selbst Gegenstand und Ziel der Erkenntnis sei. Dabei setzt er für „res" auch „substantia", so daß es unmöglich ist, darunter etwas anderes als die extramentale Sache zu verstehen. Die von Lutterell gebrauchten Formulierungen[27] betonen in der gleichen kräftigen

stets geistig erkennend sind. In einem weiteren Artikel wird dieses Erkennen durch seine Einfachheit vom menschlichen Erkennen unterschieden, das durch Zusammensetzung und Trennung zum Wissen gelangt. Vgl. a.a.O. I q.79 a.10: Respondeo dicendum quod hoc nomen „intelligentia" proprie significat ipsum actum intellectus, qui est intelligere. In quibusdam tamen libris de arabico translatis substantiae separatae, quas nos angelos dicimus, Intelligentiae vocantur, forte propter hoc, quod huiusmodi substantiae semper actu intelligunt. Vgl. ferner ebd. q.58 a.4 (s. o. Anm. 23).

[25] Vgl. J. Koch, Neue Aktenstücke zu dem gegen Wilhelm Ockkam in Avignon geführten Prozeß. In: RThAM, VII (1935) 353—380; VIII (1936) 79—93, 168—197.

[26] Vgl. Johannes Lutterell, Libellus contra doctrinam Guillelmi Occam (ed. Hoffmann n.187f): 30. articulus: Quod de nulla substantia scitur aliquid nec aliqua substantia cognoscitur in via, sed tantum conceptus de conceptu. Istud est periculosum, quia omnem scientiam realem tollit et fidem. Motivum suum est unum in talibus omnibus: quia cum complexio, quae scitur, fit ex conceptibus, qui non sunt substantiae, igitur solum est scientia de conceptibus. Et eodem modo habet dicere de fide articulorum, quae sunt de complexis quod complexio illa creditur, sed quod res aeternae, de quibus sunt complexiones illae, non creduntur.

[27] Vgl. ebd. (n.190): Quod enim in conceptu cognoscitur a nobis, verius dicitur cognosci quam conceptus, ut est illud, in quo ipsum cognoscitur. Sicud enim medium non terminat motum mobilis sed extremum, quia tunc non esset idem motus in medio et in extremo, ita conceptus, in quantum est medium, in quo intellectus cognoscit substantiam vel deum, non terminat cognitionem, quae est motus quidam intellectualis in rem intelligendam, sed res, cuius conceptus ille est similitudo, nisi in actu reflexo, in quo conceptus ille est res intellecta, non medium, in quo res intelligitur. Igitur intelligitur res rei; res per intellectum rei componitur; res de re enuntiatur. Omnia enim ista sunt praedicabilia et intentionalia ad actum animae pertinentia de rebus, ut actui animae subiciuntur denominatione extrinseca vere praedicabilia.

Weise wie die Gegenargumente des „Tarentesius" bei Holcot die
res als Objekt der Erkenntnis. Im zweiten Argument fügt Holcot
ausdrücklich zu res „extra" hinzu.

Daß die Wissenschaft nicht von den Dingen handelt, sagt Ockham wörtlich im Sentenzenkommentar. Doch im gleichen Abschnitt
betont er auch das Gegenteil. Den Widerspruch zwischen den beiden
Aussagen hebt Ockham mit Hilfe der Suppositionslogik auf. Die
Supposition bildet für Ockham die Brücke vom Begriff zur Sache[28].
Lutterell hingegen benutzte diesen Begriff gegen Ockham. Er
bezeichnete die von Ockham gelehrte Supposition der Begriffe als
die Trennungswand zwischen Erkenntnisakt und Sache. Er verglich
den Erkenntnisakt mit der Ortsbewegung. Wie der Bewegungsakt
sein Ziel im bewegten Objekt habe und nicht in sich selbst, da er
als Mittel für die Bewegung des Objektes dient, so sei auch der
Begriff nur Mittel der Sacherkenntnis, die Sache aber das Ziel[29].
Ockham hingegen wandte seine ganze Aufmerksamkeit dem intentionalen Sein zu und legte damit die Grundlagen für die subtilen
Erörterungen des Formalen im Erkennen. Wir befinden uns also

---

[28] Vgl. Ockham, I Sent.d.27 q. 3 AA: Ad secundum in contrarium dicendum est,
sicut dictum est prius quod scientiam esse de aliquibus est dupliciter: vel quia
illa sunt partes propositionis scitae, vel quia sunt illa, pro quibus partes conclusionis supponunt. Primo modo scientia non est de rebus extra, sed est de
aliis rebus, et hoc secundum aliquam opinionem est de entibus rationis. Hoc
tamen non assero quod non est de rebus extra. Sed ex hoc non sequitur quod
propositiones non sunt verae, quia non sequitur: subiectum est alia res a praedicato, ergo propositio non est vera. Nam per talem propositionem: homo est
animal, vel: homo est risibilis, non denotatur quod subiectum sit praedicatum
sed quod stant pro eodem, et ideo est propositio vera. Sed secundo modo
scientia est de rebus extra, quia subiectum et praedicatum propositionis, quamvis non sint una res, tamen supponunt pro eadem re. Et isto modo scientia est
de rebus extra, hoc est: termini propositionis scitae supponunt pro rebus
extra.
Für die theologische Gotteserkenntnis vgl. ders. I Sent. d.3 q.2 M: Si dicatur:
nos demonstramus unitatem de Deo et perfectionem simpliciter, sed non demonstramus, nisi cognoscimus, quid demonstramus, ergo cognoscimus unitatem dei.
perfectionem simpliciter et huiusmodi: Dico quod, si ista supponat personaliter,
assumptum est simpliciter falsum, quia illam unitatem quae deus est, non
demonstramus nec illam perfectionem simpliciter, quae deus est demonstramus.
Si autem supponat simpliciter, assumptum est verum, quia istos conceptus, qui
non sunt deus, quamvis stant pro deo, demonstramus de aliquo conceptu. Et
ideo istos conceptus in se cognoscimus vel ipsis cognoscimus deum et alia, sed
non ipsum deum in se, sed tantum in istis conceptibus, qui tamen supponunt
pro ipso deo in se, quamvis ipsum in se non cognoscamus.
[29] Vgl. Anm. 27; dazu vgl. Thomas Aq., S.th. I q.5 a.6: Terminatur autem
motus corporis naturalis simpliciter quidem ad ultimum; secundum quid
autem etiam ad medium, per quod itur ad ultimum quod terminat motum,
et dicitur aliquis terminus motus, inquantum aliquam partem motus terminat.

auf dem Kampfplatz der „Realisten" und „Nominalisten". Beide
Richtungen hatten in Oxford nach dem Fall Ockhams und der Entfernung Lutterells aus dem Kanzleramt ihre Nachfolger. Holcot
setzte in der Erkenntnistheorie die Linie Ockhams fort, ohne ihm
in allen Punkten sklavisch zu folgen. Sein Gegner war ein Anhänger des „Realismus". Keinesfalls war es Ockham, den Holcot als
Autorität für seine eigenen Thesen benutzen konnte. Dies ist tatsächlich in der von Moody veröffentlichten quodlibetalen Quaestio
geschehen[30]. Dort wird auch ein Autor genannt, der die von Ockham und Holcot bekämpfte Lehre vertreten haben soll, daß nicht
das complexum, sondern die res Objekt der Zustimmung im Glauben wie im Wissen sei. Dieser Magister ist Walter Chatton, der
etwa zur Zeit Ockhams in Oxfort lehrte[31]. Die in Frage stehende
Quaestio Walter Chattons ist von O'Callaghan eingehend untersucht[32] und einige Jahre später ediert worden[33]. Gilson zitierte den
wichtigsten Satz daraus, der Chattons eigene Lehre gegenüber Ockham und Aureolus abhebt[34]. Er zeigt zweierlei: Erstens bestätigt er
die Richtigkeit der Bemerkung Holcots, Chatton lehre die res als
Gegenstand der Erkenntnis, wobei unter res die extramentale Sache
zu verstehen ist. Zweitens macht er offenkundig, daß dieser Realismus nicht als naiv und exzessiv verstanden werden darf. Das
„Sein", das die extramentale Sache im Intellekt erhält, bleibt im
Bereich des Intentionalen, Begrifflichen: „Wenn wir sagen, die

[30] Vgl. E. A. Moody, A Quodlibet Question of Robert Holkot, O.P. on the
Problem of the Objects of Knowledge and of Belief, a.a.O. 53—74; 59,5—13:
Circa istam quaestionem sunt duo articuli declarandi: Primus est, quid est
illud quod est scitum, creditum, dubium vel opinatum? Secundus est videre
de articulo quaestionis. Circa primum est dubium, quid debet dici scitum tanquam obiectum. Et est haec opinio una quod tantum complexum est scitum,
quam tenet Occham. Alia, quam tenet Chattona, quod complexum non est
obiectum actus sciendi nec credendi, sed res per complexum significata; unde
actus credendi istam, „Deus est trinus et unus", habet ipsum deum pro obiecto,
et actus sciendi istam, „Homo est animal", habet hominem pro obiecto; nec
actus sciendi per demonstrationem habet, pro obiecto conclusionem demonstrationis, sed rem significatam per conclusionem.
[31] Vgl. a.a.O. 66.
[32] Vgl. J. J. O'Callaghan, Walter of Chatton's Doctrine of Intuitive and Abstractive Knowledge, Study and Text. Univ. of Toronto Doctorate — Ab-
stract, 1949.
[33] In: Nine Mediaeval Thinkers, ed. J. R. O'Donnell, C.S.B. (Pontifical Institute
of Mediaeval Studies) Toronto 1955, 233—269.
[34] Vgl. Gilson, History of Christian Philosophy in the Middle Ages, 787: Ita
rem esse in anima est cognitionem esse in anima, qua posita, res denominatur
cognita extrinseca denominatione... Isto modo visio diceretur quoddam esse
rei visae. Iste intellectus potest concedi, qui vellet; tamen cum isto stat quod
non sit ibi ens obiectivum distinctum a visione et visibili.

Sache sei in der erkennenden Seele, so bedeutet dies soviel wie: Die
Erkenntnis sei in der Seele; „Sache" werde in dem Satz: Die Sache
sei erkannt, in einer äußeren Bezeichnungsweise benannt." Wie
schon Lutterell, geht es Chatton darum, den Realcharakter der
begrifflichen Erkenntnis kräftig zu unterstreichen. Das „Sein" des
gesehenen oder erkannten Gegenstandes ist selbstverständlich von
begrifflicher Art. Die erkannte Sache erhält kein neues Sein, das
sich als Gegenstand vom Erkennen und vom Erkennbaren unterscheidet. Sie ist jedoch Ziel des Erkenntnisaktes[35]. Für Ockham und
Holcot liegt dieses Ziel im intentionalen Bereich, in der begrifflichen
Erfassung der res und im Urteil über den Sachverhalt. Daß Begriffe
und Aussagen jedoch Dinge der Außenwelt bezeichnen und Sachverhalte betreffen, ist auch diesen „nominalistischen" Magistern
selbstverständlich und wird von ihnen ausdrücklich gesagt[36]; sonst

[35] Vgl. bei Lutterell, Libellus contra doctrinam Guilelmi Occam (ed. Hoffmann
n.35): Dici potest quod quando dicitur res ut intellecta et secundum quod
intellecta, ista sincategorematica ‚ut' et ‚secundum quod', sive accipiuntur
reduplicative vel determinative, possunt reduplicare vel determinare rationem
concepti et huiusmodi quod est esse conceptum, que se tenet ex parte
cognoscentis, et sic res secundum tale esse conceptum non est nisi ratio vel
similitudo in anima subiective, qui etiam conceptus dicitur, a qua res
denominatione extrinseca dicitur ‚intellecta' vel ‚concepta' quod est vere
quoddam esse diminutum veniens a vero esse rei et tamen non inferens quam
esse rei solum in suo simili; et sic animal secundum quod intellectum in ista
propositione ‚homo est animal' non predicatur plus quam conceptus. Alio
modo possunt determinare vel reduplicare rationem intellecti, que se tenet a
parte rei intellecte, in ordine tamen ad intellectum, et secundum tale esse
non est conceptus in anima, sed vera res, in ordine tamen ad intellectum, et
sic de eadem mediante esse primo modo dicto dicuntur iste intentiones:
predicari vel subici, superius inferius.

[36] Für Ockham vgl. o. Anm. 28; für Holcot s. o. S. 212. Der Realcharakter der
Erkenntnis kommt auch in verschiedenen Sätzen im letzten Teil der von Moody
edierten Quaestio zum Ausdruck, Utrum deus posset scire plura quam scit
(vgl. a.a.O. 63, 233—252): Conceptus vero aliquando est species et est reprae-
sentativa rei extra, aliquando non: sicut sunt copulae, conceptus verbales,
et conceptus syncategorematici, et conceptus connotati concretorum vel ab-
stractorum qui de nulla re sunt verificabiles, nec de aliquibus rebus, mediante
hac copula est... Sciendum est etiam quod ista res quae est species lapidis
non semper est actus intelligendi, nec statim est habitus; sicut non semper est
pars propositionis nec semper est illud quo utitur intellectus. Sed ista res est
actus intelligendi quando anima utitur ea pro re intellecta... Sed iste terminus „scientia" est unus terminus supponens pro aliquibus signis ordinatis
ad significandum verum vel falsum, et cum hoc connotat sive importat quod
certus sit intellectus et (quod) sic est in re sicut per eam denotatur. Iste terminus vero „dubitatio" supposuit ante pro eadem propositione, et simul im-
portavit et connotavit quod intellectus non fuit certus utrum sic esset in re
sicut per istam denotatur vel non. Die aussagenlogische Formulierung der
Realerkenntnis kommt besonders deutlich in folgenden Sätzen zum Ausdruck

stünden sie nicht in der Tradition der aristotelischen Kategorienlehre und Ontologie. Holcot setzt sich von einem reinen Nominalismus ebenso wie Ockham ab, indem er zwischen der auf das Complexum gerichteten Erkenntnisintention und derjenigen, die auf die Sache zielt, wohl unterscheidet. Im zweiten Fall werden die Begriffe signifikativ gebraucht, d. h. als Zeichen für eine res, im ersten Fall materialiter, d. h. in ihrem rein intentionalen Sein[37]. Der signifikative Gebrauch des Begriffes beruht nach Ockham auf dem natürlichen Kausalnexus zwischen Sache und Begriff[38]. Damit erübrigen sich für Ockham die geistigen Erkenntnisbilder, die species. Wie steht es damit bei Holcot? Wir können die Frage in diesem Zusammenhang nicht übergehen. Theologische Gegenstände, wie hier die Lehre vom Glaubensobjekt, werden bei Holcot immer von logischen und erkenntnistheoretischen Argumenten her erörtert. So wird auch in unserer Quaestio die Species-Lehre ausdrücklich angegangen.

Holcot bezeichnet mit species wie Gregor von Rimini das Erinnerungsbild[39]. Im Unterschied zu Ockham und Gregor finden wir bei Holcot auch Bemerkungen, in denen ganz eindeutig „species" in der Bedeutung von Erkenntnisbild gebraucht wird. Dieser Wortgebrauch erscheint ganz selbstverständlich und wird nicht näher erläutert. Der Zusatz: „si ponatur in intellectu" stellt den Gebrauch des Species-Begriffes zunächst dem Belieben anheim. Er ist für unseren Magister hier noch nicht direkt Gegenstand der Erörterung. Für Holcot handelt es sich darum, die Eigenständigkeit des Erkenntnisaktes hervorzuheben, indem dieser von der Seele selbst einerseits, vom Erkenntnisbild (species) andererseits unterschieden wird.

(vgl. ebd. 64, 273—276): Posset dici aliter quod non proprie dicitur „Scio rem" nec „Dubito rem", sicut nec proprie dicitur „Scio complexum vel propositionem", nec „Dubito propositionem"; sed debet sic dici „Scio sic esse in re sicut denotatur per propositionem" et „Dubito an sic sit in re sicut propositio denotat". Vgl. auch Holcots Kritik am ontologischen Gottesbeweis, vgl. „Der Wissenschaftscharakter der Theologie", S. 118ff.

[37] Vgl. o. Anm. 15, aus der wir den letzten Satz wiederholen: Eodem modo quod mens utitur cognitione sua aliquando pro se, aliquando pro rebus, unde non assentiendo istis terminis materialiter sumptis, sed significative acceptis.

[38] Vgl. E. Hochstetter, Studien zur Metaphysik und Erkenntnislehre Wilhelms von Ockham, 43, 104f, 107f.

[39] Vgl. o. Anm. 15. Für Gregor von Rimini vgl. J. Würsdörfer, a.a.O. 51f. Die zitierte Aristotelesstelle steht De mem. et rem.1 (450 a 4ff).
Für Ockham vgl. I Sent. d.27 q.3 Y: Quando intelligitur rosa simpliciter... intelligitur unum habens esse objectivum tale, quale rosa particularis extra habet in esse subiectivo, et illud nec est species nec actus nec res facta nec res subsistens, nec est rosa extra in quocumque esse, sed unum est fictum in anima, quod non est idem realiter cum aliquo extra et est commune.

Dieser innere Erkenntnisakt ist nämlich das subjektive Gegenstück zur propositio mentalis als dem Erkenntnisobjekt. Darum wendet Holcot ihm sein Interesse zu. Gleich am Anfang dieses Abschnittes der Quaestio wird er als „intentio" oder „Akt des Erkennens" bezeichnet[40]. Die species allein genügt für das aktive Erkennen nicht, vielmehr muß ein aktiver Faktor hinzukommen, der Akt des Erkennens[41]. Dafür spricht auch die Beobachtung, daß der erkennende Geist bei gleicher species des Objektes stärker oder schwächer tätig sein kann[42].

Diese Aktivität des erkennenden Geistes geht zusammen mit einem Erleiden[43]. Wir sehen, wie sehr diese Erklärung des Erkenntnisaktes derjenigen des hl. Thomas ähnelt. Es folgen weitere Argumente, in denen immer wieder die species als Erkenntnisbilder auftreten, bis schließlich unter Berufung auf die bekannte Aristoteles-Stelle in De anima die species ausdrücklich für die Erkenntnis gefordert werden[44]. Dabei lehnt Holcot die Lehre Ockhams von der unmittelbaren Erkenntnis der extramentalen Sache ohne Vermitt-

---

[40] Vgl. Holcot, IV Sent. q.10 RBM = Prologus O (RBM fol. 131 ra 11—15; O fol. 206 vb 54—57): Ad evidentiam illius conclusionis pono aliquas conclusiones, quarum prima est ista: Intentio est res distincta ab anima et a specie, si ponatur in intellectu. Probo: Nulla res est perfectio sui ipsius. Sed intentio seu actus intelligendi est perfectio animae. Igitur etc.

[41] Vgl. ebd. (RBM fol. 131 ra 30—47; O fol. 206 vb 66—207 ra 6): Praeterea: Existente specie Sortis in anima Platonis haec est propositio vera: Plato non intelligit Sortem in actu. Et postea haec est vera: Plato intelligit Sortem in actu. Et istae propositiones verificantur pro rebus. Igitur aliqua res denotatur esse de novo, quando fit de veritate transitus unius ad veritatem alterius... Sed planum est quod nulla res producta sufficit ad verificandum istam propositionem. Igitur oportet quod fiat per novam rem productam in Platone. Ista res est actus intelligendi. Igitur etc., quia non dico quod sit species, quia ponatur quod illa universaliter se habeat.

[42] Vgl. ebd. (RBM a.a.O. lin. 47—59; O fol. 207 ra 6—14): Praeterea anima intellectiva aliquando intensius aliquando remissius cogitat de obiecto stante specie universaliter. Igitur aliqua res ponenda est, quae primo sit intensior et postea remissior. Sed nec anima nec species intenditur nec remittitur. Antecedens patet, quia intelligat Sortes duo obiecta per duas species a et b. Tunc constat, cum sit virtutis finitae, minus intense utrumque, quam si aequali conatu intelligat alterum tantum. Desinat igitur intelligere b; igitur intensius intelligat a, si anima se habeat universaliter et species. Igitur in alia re est variatio. Non extra animam patet. Igitur anima prius causavit duas intentiones, unam intensam et aliam remissam.

[43] Vgl. ebd. (RBM a.a.O. lin. 59—64; O a.a.O. lin. 17—19): Praeterea: Intelligere est quoddam pati. Igitur intentio est quaedam passio. Sed ista passio non est receptio speciei, quia habita specie nondum est intellectus. Igitur etc.

[44] Vgl. Aristoteles, De anima III,4 (429 a 27—28). Thomas, i.h.l.III l.VII (ed. Pirotta 163ff, n.671—699); ders., S.th. I II q.67 a.2; S.c.g. II c.73 u. 74.

lung der species ab. Ockham brachte gegen die Lehre von den Erkenntnisbildern das Ökonomieprinzip zur Anwendung[45]. Ein subjektives, vom erkennenden Geiste geformtes Erkenntnisbild kann seine Erkenntnistheorie allerdings auch nicht entbehren. Holcot erwidert, daß weder der conceptus obiectivus noch irgend ein anderes geistiges Gebilde neben dem eigentlichen Erkenntnisakt, das manche als „Idolum" bezeichnen, die species ersetzen kann[46]. Die Theorie Ockhams, die an Stelle der species ein „fictum in anima" setzt, wird von Holcot als in sich widersprüchlich abgelehnt. Wenn nach dem gemeinsamen Argument der Gegner der Erkenntnisakt allein ohne species genügt, dann sei auch jenes „fictum" überflüssig. Darüber hinaus sei, was die Gotteserkenntnis betrifft, nicht mehr Gott selbst, sondern ein Idolum Gegenstand der Erkenntnis. Gott werde im Pilgerstand in begrifflichen Aussagen erkannt. Nach jener Lehre richte sich diese Erkenntnis aber nicht auf Gott, sondern auf ein Idolum, das für Gott supponiere[47]. Wir sehen, wie Holcot seine Lehre von der Gotteserkenntnis und Glaubenserkenntnis

[45] Vgl. E. Hochstetter, a.a.O. 41f. Dort auch das Zitat aus I Sent. d.27 q.2 K: Dico quod species neutro modo dicta est ponenda in intellectu, quia nunquam ponenda est pluralitas sine necessitate. Sed sicut alias ostendetur, quicquid potest salvari per talem speciem, potest salvari sine ea aeque faciliter. Ergo talis species non est ponenda. Hochstetter fügt hinzu: Vgl. auch ibid. d.2 q.8 C; d.3 q.6 C u. ö.
Zu Holcots Polemik gegen Ockhams Erkenntnislehre s. u. S. 233f.

[46] Vgl. Holcot, a.a.O. (RBM fol. 131 rb 41—59; O fol. 207 ra 47—60): Sed contra istud est directe Aristoteles, qui dicit quod anima est locus specierum, non autem tota, sed intellectus, 3. De anima. Respondetur quod dicitur „locus" metaphorice, quia recitat contra: Tunc scientia non foret habitus intellectualis etc. Dicit enim Ockham Super primum d.21 (1.27!) quod actus intelligendi et habitus esse in mente certum est et dicit quod <non> est species realiter distincta ab habitu et actu vel praecedens intentionem, quia quod potest fieri per pauciora etc. Dicit etiam quod probabile est sibi quod in intellectu praeter actum intelligendi sit aliquis conceptus formatus in esse obiectivo. Et similiter dicit quod probabile est quod in intellectu praeter actum intelligendi, quando intelligitur aliquod commune ad plura, est in intellectu vel subiective vel obiective quod est aliquo modo simile rei extra mentem quod a multis vocatur ydolum, in quo aliquo modo res cognoscitur, quamvis rem singularem cognosci in isto non est aliud quam ipsum cognosci, nisi forte praeter haec cognoscatur ipsum esse conceptum alicuius alterius.

[47] Vgl. ebd. (RBM fol. 131 va 23—34; O fol. 207 rb 11—18): De tertio quod dicit quod omnis cognitio habet pro obiecto ens tale fictum vel speciem talem subiective in intellectu, non videtur verum de facto quod per argumentum eorum commune probatur: Omnia salvantur ponendo actum intelligendi solum in anima; igitur illud fictum superfluit. Secundo quia per eum deus non cognoscitur in via nisi per conceptus complexos, ex quibus igitur non cognoscitur nisi quatenus cognoscitur unum ydolum quod potest supponere pro deo. (O enthält einige störende Fehler im zweiten Satz „Secundo...").

gegen Ockham abhebt[48]. Es zeigt sich deutlich, daß er an eine Leugnung der Realerkenntnis nicht dachte. Das letzte Argument, das sich gegen Ockhams Lehre von der Gotteserkenntnis richtet, hat in Holcots Beweisführung weniger eine sachliche als eine formale Bedeutung. Wie der ganze Zusammenhang zeigt, geht es Holcot mehr um die formale Widerlegung des Gegners. Noch einmal sei gesagt, daß die aussagenlogische Methode keinesfalls als Kennzeichen des Nominalismus angesehen werden darf.

Damit kehren wir noch einmal zu dem Versuch zurück, den Opponens Holcots zu identifizieren. Moody glaubt auf Grund der von ihm veröffentlichten Quaestio (s. o.), diesen in Walter Chatton gefunden zu haben, dessen Name in „Ockham" verschrieben wurde. Die Sachproblematik, in deren Zusammenhang dort Chatton genannt wird, ist die gleiche wie im Sentenzenkommentar. Auch der philosophiehistorische Befund trifft zu. Schließlich taucht der Name Chatton an einer viel späteren Stelle der Quaestio auf (Vgl. u. S. 234). Dennoch ist das Rätsel nicht gelöst, da die beiden fast wörtlich übereinstimmenden Handschriften nicht „Ockham", sondern „Tarentesius" haben. Wenn damit Petrus von Tarantasia gemeint ist[49], so kann der Name des berühmten Magisters Holcot nur dazu gedient haben, der kritisierten Lehrrichtung ein Kennzeichen zu geben. Die tieferen Probleme der Erkenntniskritik spielten für Petrus keine Rolle. Im Prolog seines Sentenzenkommentars behandelt er die Fragen nach Gegenstand und Methode der Theologie sehr kurz. Er bezeichnet die natürlichen Dinge als Gegenstand

---

[48] Lutterell erhebt gegen Ockham den Vorwurf in aller Deutlichkeit, er zerstöre die Realwissenschaft und den Glauben. In der Anklageschrift taucht diese Beschuldigung mit ausführlichen Belegen und Beweisen wiederholt auf. Vgl. Libellus contra doctrinam Guilelmi Occam (ed. Hoffmann) 17ff, 27, 72ff. Der 30. articulus der Anklageschrift lautet (ebd.72, n.187): Quod de nulla substantia scitur aliquid nec aliqua substantia cognoscitur in via, sed tantum conceptus de conceptu. Lutterell fährt fort (n.188): Istud est periculosum, quia omnem scientiam realem tollit et fidem.

[49] Petrus von Tarantasia, obwohl Zeitgenosse des hl. Thomas, muß seiner Lehre nach zur älteren Dominikanerschule gerechnet werden. Er las 1256—1258 in Paris über die Sentenzen. 1265 wurde er Provinzial für Frankreich und verfaßte mit Albertus Magnus und Thomas von Aquin eine Studienordnung für den Dominikanerorden. Er wurde 1276 Papst (Innozenz V), starb aber bereits im gleichen Jahr. In seinen Schriften zeigt sich schon der Übergang vom Augustinismus zum Aristotelismus. Vgl. Überweg — Geyer 398f; LThK V, 690; Quétif — Echard, Scriptores ordinis Praedicatorum, I, 350—354. Der Name Tarentesius kommt übrigens noch einmal in der gleichen Quaestio vor (RBM fol.130 rb 22—25; O fol.206 va 1—3): Dicit Tarentese quod deus et nos possumus intelligere rosam adnichilatam, sicut possumus intelligere res absentes, sive sunt sive non sunt.

der natürlichen Wissenschaften. Die Theologie richtet sich auf Gott und die „göttlichen Dinge"[50]. So ließe sich Petrus von Tarantasia als Vertreter eines unreflektierten Realismus bezeichnen. Die eigentliche Kontroverse spielte sich zwischen den zeitgenössischen Theologen ab, deren Namen dem damaligen Brauch nach nicht genannt wurden[51]. Walter Chatton bildet entweder eine Ausnahme[52] oder gehörte für Holcot bereits als „socius" Wilhelm Ockhams der Vergangenheit an, jedenfalls was seine Lehrtätigkeit an der Universität in Oxford betrifft.

Man sieht, daß diese Universität im 14. Jahrhundert nicht ein ausschließliches Reservat der Nominalisten war. Als kraftvoller Vertreter des Realismus ist neben Lutterell und Chatton ein dritter Autor hervorzuheben: Thomas Bradwardine, der zur selben Zeit wie Holcot in Oxford lehrte[53] und in der Erkenntnislehre Thomas von Aquin folgte[54]. Auch gegen ihn könnte Holcot seine Erkenntniskritik gerichtet haben. Diese Annahme liegt nahe, da Holcot und Bradwardine auch in rein theologischen Fragen Gegner waren, besonders auf dem Gebiete der Futura contingentia in der gegenseitigen Abstimmung von Freiheit und Determination[55].

d) Die weiteren Aussagen der Quaestio

Im Verlauf der Quaestio wird als Gegenstand des Wissens zuerst die Aussage und schließlich der ganze Komplex des syllogistischen Beweises aufgezeigt. Die verkürzte Quaestio in der Inkunabel schließt vor dem Satz, mit dem in den Handschriften die

---

[50] Vgl. Innocentius V (antea Petrus de Tarantasia), In IV libros Sententiarum Commentaria (ed. Tolosana 1). Prol. a. II: Nam primo modo scientia naturalis de corpore mobili potest dici una; secundo modo scientia Medicinae, quae est scientia sani et aegri. Ebd. a. III: Primo modo Deus est subiectum Theologiae; secundo modo omnes res divinae, inquantum esse divinum participant. So auch bei Bradwardine. Vgl. G. Leff, Bradwardine and the Pelagians, 115.

[52] Allerdings zitiert Holcot auch einen Magister Camasale, der wohl mit dem Kritiker der ockhamischen Logik, Richard Campsall, identisch ist. Vgl. Gilson, History of Christian Philosophy in the Middle Ages, 787.
Vgl. „Futura contingentia" Anm. 218.
In unserer Quaestio steht der Name anschließend an den oben Anm. 49 zitierten Text. Es handelt sich um eine nur zwei Zeilen umfassende Bemerkung, aus der nicht viel zu entnehmen ist: Tenet Camasale quod haec est falsa: Rosa intelligitur, rosa non existente, et sua opposita est vera videlicet: Nulla rosa intelligitur.
In den „Conferentiae" wird der jeweilige Opponens als „reverendus socius" bezeichnet.

[53] Vgl. H. A. Oberman, Archbishop Thomas Bradwardine a Fourteenth Century Augustinian, 14.

[54] Vgl. G. Leff, a.a.O. 91.

[55] Vgl. „Futura contingentia", S. 326—330.

weiteren Ausführungen über den Gegenstand der Erkenntnis eingeleitet werden: Der Akt des Wissens hat nicht nur die Schlußfolgerung, sondern den ganzen Syllogismus zum Objekt. Das totale
Objekt der Wissenschaft ist der ganze Beweis[56]. Das Wissen, das
sich so auf den ganzen Beweis richtet, ist das Wissen eines Kom-
plexes von vielen einzelnen Aussagen und ihres syllogistischen
Zusammenhanges miteinander. „Wissen" ist daher ein konnotativer Begriff, der eines bezeichnet und vieles mitbezeichnet[57]. Wissen
ist also für Holcot das gleichzeitige Miteinander mehrerer, syllogistisch aufeinander bezogener Erkenntnisse. Die Frage nach der
zeitlichen Ordnung dieser Erkenntnisse und Aussagen erübrigt sich;
denn je lebendiger ein menschlicher Geist ist, das bedeutet: je
reichere Phantasie er besitzt, desto mehr verschiedene aufeinander
bezogene Erkenntnisakte kann er zugleich formen[58]. Wir sehen aus
dem in Anm. 57 zitierten Text, wie Holcot aus der aristotelischen
Definition der Demonstratio[59] ein rein formallogisches Complexum
macht, ein Vorgehen, das man als nominalistisch bezeichnen kann.
Von den philosophischen Analysen, die diese Definition im ersten
Buch der zweiten Analytiken bei Aristoteles selbst begleiten, bleibt
nicht viel übrig, ebensowenig von den tiefgründigen Bemerkungen,
die Thomas sowohl bei der Kommentierung dieses Textes wie auch

[56] Vgl. Holcot, IV Sent. q.10 [RBM] = Prologus [O] (RBM fol. 129 vb 6—8;
O fol. 206 ra 44—46): Dicitur quod actus sciendi habet pro obiecto non solum
conclusionem, sed totum sillogismum, quia scire conclusionem est scire eam
propter praemissas. Unde totale obiectum scientiae est tota demonstratio.

[57] Vgl. ebd. (RBM ebd. lin. 16—27; O ebd. lin. 51—59): Ideo dico quod iste
terminus scire est terminus connotativus et supponit pro notitia conclusionis,
sed connotat ipsam esse causatam per notitiam praemissarum. Tamen si ista
res, quae vocatur scientia, causaretur in mente aliunde quam a notitia praemissarum, non deberet vocari scientia, quia ipsum vocabulum totum hoc
importat videlicet: notitia conclusionis causata ex notitia duarum praemissarum sillogistice applicatarum. Unde haec diffinitio primo Posteriorum:
„Demonstratio est sillogismus faciens scire", sic intelligitur, id est: Notitia
praemissarum est causa notitiae conclusionis ita quod simul tres actus sunt
in intellectu.

[58] Vgl. ebd. (RBM ebd. lin. 27—35 u. 56—60; O ebd. lin. 59—64 u. b lin. 4—6):
Et possibile est quod quilibet sit prior alio tempore, sicut homo in se experitur
quod dubitans conclusionem novit maiorem et similiter minorem, sed eas non
applicat et ideo illae duae notitiae non causant tertiam, nisi consequenter infra
modicum tempus simul existant, quo facto simul inducens cognovit primo
Posteriorum, et ideo ad hoc quod aliquis sit actu sciens **requiritur notitia**
trium propositionum, id est: tres notitiae simul existentes trium propositionum... Et ideo concedo conclusionem istam quod intellectus habet simul
multos actus cognoscendi, et quanto intellectus alicuius est melior, id est
quanto habet fantasias meliores, tanto plures actus habebit simul connexos.

[59] Vgl. Aristoteles, Anal. post. I, 2 (A c.2 71 b 17—18).

bei anderen Gelegenheiten dazu schrieb[60]. Bei Aristoteles mußte die Frage nach dem zeitlichen oder seinsmäßigen Früher der Prämissen eine entscheidende Rolle spielen, weil gerade im Beweis der inneren Abhängigkeit der Conclusio von den Seinsprinzipien und vom Wesen der Sache, über die eine Aussage getätigt wird, das Wesen des demonstrativen Beweises und des von ihm bewirkten Wissens besteht. Zugleich bestätigt diese „Übersetzung" der aristotelischen Definition in einen formal-logischen Begriffskomplex, daß der Nominalismus am ehesten von der Methodik her verstanden werden kann[61].

Will man dies als Nominalismus bezeichnen, so muß aber sofort hinzugesetzt werden, daß er bei Holcot nicht in einen reinen Formalismus ausartet. Dem logischen Formalismus wird, wie wir sahen, die Lebendigkeit des menschlichen Geistes gegenübergestellt, der nach dem Reichtum seiner Vorstellungskraft ein ganzes System wissenschaftlich strukturierter Aussagen in sich errichten kann. Dieses Wissen bewegt sich nicht ausschließlich in den Grenzen der Begriffswelt. Wenn auch alles Wissen in Begriffen gewonnen wird und sich als Wissen zunächst auf die Begriffe richtet, so wird doch von Holcot der bloße Nominalismus sofort abgewehrt: Die Begriffe, aus denen die Sätze komponiert werden, stehen nicht für sich, sondern für die Dinge. Wissen entsteht somit durch die „Komposition" der Begriffe, wobei der Intellekt als aktive Kraft tätig ist[62].

---

[60] Vgl. die Feststellung des hl. Thomas, daß die ganze Kraft des Beweises von dem „Mittel" (medium) des Beweises abhängt. Darunter ist das methodische Prinzip zu verstehen, das sich nach dem jeweiligen wissenschaftlichen Ziel richten muß. Dieses ist wiederum von der jeweiligen Disziplin abhängig. Der Astrologe bedient sich mathematischer, der Naturforscher naturwissenschaftlicher Prinzipien gegenüber dem gleichen Objekt, z. B. der Kugelgestalt der Erde. Vgl. S. th.I II q.54 a.2 ad 2, wo die Definition des Aristoteles zitiert wird. Gleich am Anfang der theologischen Summe bestimmt Thomas die verschiedenen Beweismittel durch die verschiedene „ratio cognoscibilis". Wegen der ebenso mannigfaltigen wie tiefgründigen Bedeutung des Begriffes „ratio" bei Thomas soll er hier nicht übersetzt werden. Die ratio cognoscibilis ist das innere methodische Prinzip einer wissenschaftlichen Disziplin, durch das die einzelne Wissenschaft auf ihr Ziel hingesteuert wird. (S. th.I q.1 a.1 ad 2.) Ihm entsprechen die „principia activa" der jeweiligen Disziplin.

[61] Ähnlich lautet das Urteil von A. Maier über den Ockhamismus. Vgl. Zwei Grundprobleme der scholastischen Naturphilosophie, 78: „Die Neigung des Ockhamismus, aus ontologischen Problemen sermocinal-logische zu machen und sie damit auszuschalten, auf der anderen Seite die empiristische Färbung führen zu einer anderen Konsequenz. An die Stelle der ontologisch-deutenden tritt eine rein deskriptive Betrachtung der Phänomene."

[62] Vgl. Holcot a.a.O. (RBM fol. 130 ra 50—58; O fol. 206 rb 46—52): Ex istis patent multa. Unum est quod ipsa simplicia intellecta sunt conceptus in scien-

Schließlich ist zu beachten, daß dieser Komplex von Begriffen und Aussagen, zu dem bei Holcot die aristotelische demonstratio wird, eine innere syllogistische Ordnung und Bezogenheit der Sätze aufweist, in der die conclusio zu den Prämissen im Verhältnis von Wirkung und Ursache steht. Holcot weist den Ausdruck „aggregatum" für diesen Aussagekomplex zurück. Die Sätze wiederum werden nicht nur hinsichtlich ihrer grammatikalischen und logischen Struktur gebraucht, sondern in ihrem inhaltlichen Bedeuten; daher fügt Holcot ausdrücklich hinzu, daß die drei Sätze, die den Syllogismus bilden, drei Erkenntnisse sind[63].

Damit ist die entscheidende Bedeutung der Aussage für die natürliche Wahrheitserkenntnis sowohl wie für den Glauben und die Theologie betont. Sie ist das Werk des tätigen Intellektes. Diese zentrale Stellung der Aussage in der Wahrheitserkenntnis ist auch der Grund für die sprachlogische Methode, deren sich Holcot bedient und die sich bis in die grammatischen Formen auswirkte. Immer wieder werden Hauptwörter in Verben aufgelöst und zu Aussagen ausgeformt, vor allem solche Substantive, die einen Mangel bezeichnen wie etwa die Blindheit oder das Böse. Sodann werden Aussagen über vergangene Dinge, die nicht mehr existieren, oder über zukünftige Dinge, die noch nicht existieren, mit mehreren Sätzen so umschrieben und umgeformt, daß sie in der neuen Form im eigentlichen Sinne gelten. Eine solche Umformung ist ein Erfordernis strenger Erkenntniskritik, da von etwas Nichtexistierendem keine Aussagen im eigentlichen Sinne gemacht werden können, weil es davon keine Erkenntnis im eigentlichen Sinne gibt. Weder der Mensch noch Gott selbst können ein Nichtexistierendes erkennen. Darum haben solche Sätze wie: „Die Rose wird erkannt", oder: „Der Antichrist wird erkannt", im eigentlichen Sinne keine Wahrheit, wenn die Rose und der Antichrist nicht existieren[64].

---

tia et non res extra. Aliud est quod ipsa sunt propositio seu compositio, quia ista eadem sunt intellecta, quae sunt composita ad invicem, non pro se sed pro rebus. Tertium est quod intellectus est virtus activa respectu compositionis et similiter formationis alicuius, licet non cuiuslibet. Nam alicuius intentionis simpliciter tota fantasia est causa forte propria, primo Perihermenias plane vide textum (vgl. Aristoteles, Periherm. c.1 16 a 6—7).

[63] Vgl. o. Anm. 57, besonders folgender Text (RBM fol. 129 vb 33—38; O fol. 206 ra 61—65): ... et ideo ad hoc quod aliquis sit actu sciens, requiritur notitia trium propositionum. <id est tres notitiae simul existentes trium propositionum> Non tamen quod scientia est aggregatum ex istis, sed est ultima et pro ultima terminus supponit, connotat tamen praecedentes sicut causam vel causas suae essentiae inter actus. Der in <> Klammern gesetzte Satzteil steht nur in RBM und dort am Rande von zweiter Hand hinzugesetzt.

[64] Vgl. Holcot, ebd. (RBM fol. 130 rb 27—36; O fol. 206 va 5—11. O weist einige

Auch hier sind es wie so oft bei Holcot die theologischen Aussagen über zukünftige Wahrheiten, welche diese sprachlogischen Überlegungen auslösen. Daneben treten Aussagen über Privationen wie das Böse, die Blindheit. Die Lösung unseres Magisters bewegt sich auf dem Felde der Sprachlogik. Wir demonstrieren dies an seiner Auseinandersetzung mit Anselmus, dessen Argumente er ausführlich zitiert, um sich schließlich von ihnen zu distanzieren.

Das Hauptmotiv der Argumentation des Anselmus zeigt eine auffallende Ähnlichkeit mit Holcots Beweisen: Ein Nichts kann sprachlich in der Weise eines Existierenden ausgedrückt werden, ein Erleiden in der Weise eines Tätigen. Die Weise oder Form des sprachlichen Ausdrucks ist dabei von der Sache selbst zu unterscheiden. Diese Unterscheidung erlaubt eine Verwendung von Worten, die eigentlich ein reales Ding bezeichnen, zur Bezeichnung eines Mangels oder eines Nichts. Anselmus führt noch einen zweiten sprachlogischen Grund an: Diejenigen Verben, die ein Erkennen bezeichnen (intelligere, cogitare, imaginari) sind „verba ampliativa". Ihre Aussagekraft vermag sich nicht nur auf reale Dinge zu erstrecken, sondern auch auf Nichtseiendes. Daher kann sowohl von etwas real Gegenwärtigem wie von etwas Nichtseiendem gesagt werden: „Es wird etwas erkannt". „Etwas" wird im zweiten Falle auf ein Nichtseiendes erweitert[65].

Schreibfehler auf): Si teneatur quod, si terminus supponens respectu verbi de praesenti cuiuscumque fuerit condicionis, non supponit nisi (om. O; add. sup. lin. RBM) pro non existentibus, patet quod (quia RBM) tales sunt falsae: Antichristus intelligitur, vel: Rosa intelligitur. Et posset dici quod si haec propositio fuisset ante creationem mundi et non intellecta a deo, haec fuisset falsa, quia nullam singularem habuisset veram. Unde haec est modo falsa: Caesar intelligitur a deo et huiusmodi. Et similiter tales: Deus intelligit Antichristum et diligit Antichristum, de virtute vocis sunt falsae . . .

[65] Vgl. ebd. (RBM fol. 130 va 28—55; O fol. 206 va 49—66): Dicitur quod illud quod nihil est potest intelligi, non tantum a deo, immo a nobis quod patet per Anselmum De casu diaboli c.11, ubi dicit multa demonstrari secundum formam locutionis, quae non sunt secundum rem, ut timere secundum formam vocis dicitur activum, cum tamen sit passivum, sicut caecitas dicitur aliquid secundum formam loquendi, cum non sit aliquid secundum rem, et alia multa, quae sic loquimur de illis sicut de rebus existentibus. Hoc modo malum et nichil significant aliquid <et quod significatur est aliquid> (add. RBM) non secundum rem sed secundum formam loquendi. Nichil enim non aliud significat nisi absentiam eorum, quae sunt aliquid, nec malum est aliquid nisi absentia boni, ubi deberet esse bonum. Unde conceditur quod rosa non existente rosa intelligitur, et haec similiter: Aliquid intelligitur. Et dicitur quod in ista propositione: aliquid intelligitur ly aliquid non supponit tantum pro illis, quae sunt aliquid, sed pro omni intelligibili. Unde dicitur quod talia

Scheinbar bewegt sich die Argumentation des Anselmus auf dem gleichen Boden wie die des Holcot. Der Begriff der forma vocis scheint dem der forma loquendi oder vis sermonis zu gleichen. Dennoch ist dieser Beweis nach dem Urteil Holcots unwirksam. Anselmus macht die Bezeichnung (significatio) eines Mangels von der forma loquendi abhängig. Dasselbe Wort, das eine wirkliche Sache bezeichnet, kann demnach secundum formam loquendi einen Mangel bezeichnen. Wenn ich von einer wirklich existierenden Rose sage: Die Rose existiert, dann stimmt die forma loquendi mit dem tatsächlichen Sachverhalt überein. Wenn ich aber sage: Die Blindheit existiert, dann wird etwas secundum formam loquendi als existierend ausgesagt, was in Wirklichkeit nicht existiert. Bei Anselmus bezeichnen solche Namen die Dinge selbst, jedoch in jeweils anderer Weise[66]. Man könnte an dieser Stelle Holcots Begriff der Konnotation erwarten. Er verwendet ihn in der Prädestinationslehre[67]. Wie die zitierten Stellen zeigen, wird mit dem konnotativen Begriff immer etwas Wirkliches bezeichnet; nur Ockham verwendet die Konnotation auch für Begriffe, die den Mangel an einem realen Ding bezeichnen[68]. Der Text, den wir hier analysieren, handelt um eine Frage, in der sich Holcot von Ockham klar unterscheidet. Darum konnte Holcot nicht auf den Gedanken kommen, die „forma loquendi" des Anselmus durch die Konnotation zu ersetzen. Ockham hat dies getan: Der Mangel bezeichnet das wirkliche Ding und mitbezeichnet seine Negation oder Privation. Für Holcot ist eine solche Aussagenoperation nur aus Gewohnheiten zu erklären. Sie widerspricht geradezu dem, was Holcot als „vis sermonis" ver-

verba: intelligitur, cogitatur, ymaginatur et huiusmodi, sunt verba ampliativa, et ideo dicitur quod ille discursus non valet: Aliquid intelligitur a Sorte et tantum rosa intelligitur a Sorte, igitur rosa est aliquid, quia in prima propositione ly aliquid ampliatur ad standum pro non ente et in conclusione non. Similiter non sequitur: Aliquid potest esse rudibile; sed tantum asinus potest esse rudibile; igitur tantum asinus est aliquid.

[66] Vgl. ebd. (RBM fol. 130 va 64 — b 12; O fol. 206 va 70 — b 7): Sed contra Anselmum: Non facit pro eo, quia Anselmus vult ibi quod aliter quaedam nomina significant entia et quaedam aliter sicut patet, quia aliter nomina privativa dicuntur significare et aliter positiva, ut cum dicitur: Rosa est, si propositio est vera, aliquid est in rei veritate et etiam aliquid secundum formam loquendi denotatur esse. Sed cum dicitur: Caecitas est, tantum denotatur aliquid esse secundum formam loquendi, et in rei veritate nichil est quod significatur nisi absentia visus, ubi deberet esse. Vult igitur quod aliter et aliter significant talia nomina ipsas res, et ideo dicuntur signa earum; nichil enim dicitur aliquid significare, nisi cuius significatum in rei veritate est vel denotatur aliquid esse secundum formam loquendi, ut patet de caecitate vel malo.

[67] Vgl. „Futura contingentia" S. 333f., Anm. 112—116.

[68] Vgl. ebd. S. 331f., Anm. 110.

steht[69]. Wir sehen, wie hier die „Kraft der Sprache" (Rede, Aussage) vom gewohnheitsmäßigen Reden abgehoben wird. Besteht Klarheit über die Uneigentlichkeit einer Redewendung, dann mag sie dahingehen. Die im uneigentlichen Sinne getätigte Aussage ist wahr, wenn sie so und nicht im eigentlichen Sinne verstanden wird. Vieles wird im uneigentlichen Sinne geredet, Weniges im eigentlichen[70]. Die ganze Quaestio ist ein eindrucksvoller Beweis für das Bestreben, aussagenlogisch so zu formulieren, daß die Bezeichnungsweise der Begriffe und die Intention der Aussage den Sachverhalt genau treffen. Die Definition des Anselmus scheint Holcot nicht der Sache gemäß, sondern „nach dem Sprachgebrauch". Begriffe, die in Wirklichkeit nicht bezeichnen, was sie bedeuten, sind untauglich für eine Aussage im eigentlichen Bedeuten des Gesagten. Im signifikativen Gebrauch zielt der Begriff auf etwas Wirkliches. Diese ganz und gar nicht nominalistische These wirkte sich wiederholt auf Holcots Theologie aus: in seiner Stellungnahme zur „natürlichen" Gotteserkenntnis[71], zum ontologischen Gottesbeweis[72], zur Aufgabe der Theologie und ihrer Unterscheidung von der Philosophie[73]. So zeigt sich auch an dieser Stelle, wie ein Begriff zentrale Bedeutung für die ganze Methode erhält.

e) Aussagenlogik und Erkenntnisrealismus

Die ganze Quaestio steht unter der Aufgabe, die Erkenntnisfunktion des Satzes darzustellen. Holcot führt zu dem Ergebnis, daß Wahrheit in der Aussage gefunden und festgestellt wird, nicht

---

[69] Vgl. Holcot, a.a.O. (RBM fol. 130 vb 12—30; O fol. 206 vb 7—20): Michi enim videtur quod ista diffinitas non est realis sed tantum secundum usum loquentium. Si enim per hanc: Rosa intelligitur, quae aequivalet isti Rosa est intellecta, intelligatur quod rosa sit aliquid quod intelligitur, planum est quod (et RBM) propositio est falsa nulla rosa existente. Si autem intelligatur per illam propositionem ista: Intelligo quod est quae foret rosa, si esset; vel quod haec foret vera: Si rosa esset, rosa intelligitur, tunc potest concedi ista: Rosa est intellecta, quae nichil aliud est dictu nisi quod intelligitur una res, quae foret rosa, si esset; hoc est: Si rosa esset, haec foret vera: Rosa est intellecta hac intentione. Quia, ut michi videtur, primus sensus est sensus propositionis de virtute vocis, ideo concedo quod est falsa et sensus est falsus. Cum autem sensus non est de virtute sermonis sed improprie, et sic accepta est vera. Sed si accipiatur pro ista propositione superius expressa, scilicet intelligo quaedam esse, qua existente si rosa esset, haec esset vera: Rosa intelligitur.

[70] Vgl. ebd. (RBM fol. 131 ra 10—11; O fol. 206 vb 53—54): Pauca quippe sunt, quae proprie loquuntur, plura improprie. Sed cognoscimus quid velimus. (!)

[71] Vgl. „Wissenschaftscharakter der Theologie" S. 114f, 130.

[72] Vgl. ebd. S. 118ff; 157ff.

[73] Vgl. ebd. S. 126ff; Holcot bemerkt ausdrücklich, daß der suppositio personalis der signifikative Gebrauch der Begriffe zugeordnet ist. Vgl. ebd. Anm. 245.

in den Dingen selbst. Die Urteilszustimmung richtet sich auf das Complexum. Gegenstand des Wissens, der Wissenschaft und des Glaubens sind Aussagen und Syllogismen. Daß die Urteile und Urteilskomplexe dabei auf Sachverhalte zielen, beweist Holcot in dieser Quaestio mit Hilfe aussagenlogischer Analysen. Gerade darum unterscheidet er zwischen der eigentlichen und der uneigentlichen Redeweise. Er begnügt sich nicht mit dem Argument des Anselmus, der mit der „forma loquendi" Aussagen als annehmbar erklärt, die dem eigentlichen Wortsinn nach abzulehnen sind. Dem gleichen Ziel dienen die subtilen Erörterungen um Aussagen, die ein Nichtexistierendes betreffen, sei es als Vergangenes oder als Zukünftiges. Immer geht es Holcot darum, einen Satz so zu formulieren, daß er den wahren Sachverhalt trifft. Seine Antworten zu den ersten drei Argumenta zeigen, daß er sehr wohl zwischen einer beim intentionalen Sein verharrenden Intentio und der auf Erkenntnis der extramentalen Sache zielenden Erkenntnisabsicht unterscheidet. Im zweiten Falle werden die Begriffe, die das Satzgefüge bilden, signifikativ gebraucht.

Für diese Hervorhebung des Satzes als „Ort" der Wahrheit konnte sich Holcot mit Recht auf die Autorität des Aristoteles berufen, der sowohl die Sachbezogenheit wie das intentionale Sein der Aussage gelehrt hat. Für das erste läßt sich ein Satz aus den Kategorien zitieren: „Wohl aber erscheint die Sache gleichsam als Grund, daß die Aussage wahr ist; denn sofern die Sache ist oder nicht ist, wird die Aussage wahr oder falsch genannt[74]." Dieser Feststellung steht eine eingrenzende Bermerkung in der Metaphysik gegenüber: „Das Falsche und das Wahre sind ja nicht in den Sachen — als ob etwa das Gute wahr und das Schlechte ohne weiteres falsch wäre — sondern in der Überlegung[75]." Beide Sätze stehen nicht im Widerspruch zueinander. Mit anderen Worten gesagt: Der intentionale Charakter der Aussage als Aussage hebt ihre Bezogenheit auf den Sachverhalt nicht auf. Der ganze Schlußteil der Quaestio Holcots ist ein Zeugnis für den Erkenntnisrealismus seiner Aussagenlogik. Um seine Hauptconclusio besser einsichtig zu machen, bringt er weitere Conclusiones, deren erste und wichtigste lautet: „Die Intentio ist unterschieden sowohl von der Seele wie von der Species, wenn eine solche im Intellekt angenommen wird[76]." Unter „intentio" versteht Holcot den Erkenntnisakt. Er

[74] Vgl. Aristoteles, Cat. c.12 (14 b 20—22).
[75] Vgl. ders., Met. V. 4 (E c.4, 1027 b 25—28); zur Bedeutung von „Sache" (πρᾶγμα) bei Aristoteles vgl. u. S. 253.
[76] Vgl. Holcot, a.a.O. (RBM fol. 131 ra 11—20; O fol. 206 vb 54—60): Ad evi-

bringt der Seele eine neue Vervollkommnung, die sie vorher nicht besaß: die Erkenntnis der Wahrheit. So besteht die Wahrheit tatsächlich im intentionalen Sein, im Erkanntsein. Dies wird in mehreren Beweisgründen dargelegt. Den Bezug vom Erkanntsein zum Sachverhalt bildet die Species. Holcot läßt es nicht mit dem Konditionalsatz bewenden: „. . . wenn eine Species im Intellekt angenommen wird." Die letzten Abschnitte der Quaestio dienen hauptsächlich noch dem Beweis für die Species als dem von der Sache gewonnenen Erkenntnisbild. Dabei unterzieht er Ockhams Konzeptualismus einer eingehenden Kritik[77], auf die wir hier noch einmal um des weiteren Zusammenhanges willen zurückkommen müssen (vgl. o. S. 217ff). Die „Fictum"-Theorie Ockhams weist er mit dessen eigener Waffe zurück[78]. Wenn für das Erkennen der

dentiam illius conclusionis pono aliquas conclusiones, quarum prima est ista: Intentio est res distincta ab anima et a specie, si ponatur in intellectu. Probo: Nulla res est perfectio sui ipsius; sed intentio seu actus intelligendi est perfectio animae; igitur etc. Maior patet ex terminis. Minor probatur sic. Omne cognoscens est perfectius non cognoscente; igitur constitutum ex anima et cognitione perfectius est quam anima tantum. Sed anima cognoscentis nichil importat ultra animam nisi actum; igitur actus est perfectio.

[77] Vgl. ebd. (RBM fol. 131 rb 41 — va 4; O fol. 207 ra 47—69): Sed contra istud est directe Aristoteles, qui dicit quod anima est locus specierum, non autem tota, sed intellectus, 3. De anima. Respondetur quod dicitur „locus" metaphorice, quia recitat contra: Tunc scientia non foret habitus intellectualis etc. Dicit enim Ockham Super primum d.21 quod actus intelligendi et habitus esse in mente certum est et dicit quod ‹non› est species realiter distincta ab habitu et actu vel praecedens intentionem, quia quod potest fieri per pauciora etc. Dicit etiam quod probabile est sibi quod in intellectu praeter actum intelligendi sit aliquis conceptus formatus in esse obiectivo. Et similiter dicit quod probabile est quod in intellectu praeter actum intelligendi, quando intelligitur aliquod commune ad plura, est in intellectu vel subiective vel obiective quod est aliquo modo simile rei extra mentem quod a multis vocatur ydolum, in quo aliquo modo res cognoscitur, quamvis rem singularem cognosci in isto non est aliud quam ipsum cognosci, nisi forte praeter haec cognoscatur ipsum esse conceptum alicuius alterius. (Ockham, I Sent. d.27 q.2 I/K.)
Quantum ad ista credo quod primum sit verum secundum est falsum; salvantur enim multae apparentiae in factis nostris ponendo species in memoria, quae non salvantur eas negando. Nec concludit argumentum suum, quando arguitur: Quaelibet res prius causat notitiam sui quam alterius, si igitur species poneretur, citius causaret species notitiam sui nec intentio nec habitus nec huiusmodi. Ideo dico quod hic est nulla talis qualitas (quantitas RBM), quae causat notitiam alterius et non sui. Alias notitia intuitiva causaret aliam notitiam sui et ista aliam et sic in infinitum.
De tertio videtur mihi quod tale esse obiectivum nichil est et quod includit contradictionem ponere esse obiectivum vel rem in tali esse . . .
[78] Vgl. Holcot ebd. (RBM fol. 131 va 23—28; O fol. 207 rb 11—14): De tertio quod dicit quod omnis cognitio habet pro obiecto ens tale fictum vel speciem

Erkenntnisakt allein genügt, dann wird nicht nur die Species, sondern auch das „Fictum" überflüssig. Darauf folgen noch ein zweiter und dritter Gegengrund. Der dritte weist nur kurz darauf hin,
daß ein solches Idolum (wie es in der Fictumtheorie Ockhams
gemeint ist) auch aus dem gleichen Grunde für die Erkenntnis des
Einzelnen anzunehmen sei[79]. (Dies widerspricht jedoch Ockhams
Theorie von der Unmittelbarkeit der intuitiven Erkenntnis.) Der
zweite Gegengrund faßt in wenigen Zeilen mehrere Ziele zusammen: die Zurückweisung der Fictumtheorie, die Erwähnung eines
zeitgenössischen Autors und seiner Stellung zu Ockham und schließlich eine aufs kürzeste zusammengefaßte Formel der eigenen
Theorie[80]. (Darum behandeln wir hier diese beiden Gegengründe
in umgekehrter Reihenfolge.) „Da Gott nach Ockhams Lehre im
Pilgerstand nur in Begriffen erkannt werde, trete an Stelle Gottes
das Idolum als Erkenntnisobjekt. Dieses supponiere für Gott."
Dann fährt Holcot mit einem doppelten „videtur" fort: „Dieses
Argument scheint auch Chatton[81] zu erheben, und es scheint ‚unsere'
Schlußfolgerung außer Kraft zu setzen." Auf die kritische Einstellung Walter Chattons zu Ockham hat Baudry aufmerksam
gemacht[82]. Ockhams Fictumtheorie und Holcots Lehre vom Complexum als „Ort" der Wahrheit haben eine gemeinsame Grundlage: die Begrifflichkeit der Erkenntnis überhaupt. So scheint sich
Walter Chattons Kritik auch gegen Holcot zu richten: Wenn Gott
im Pilgerstand nur durch Begriffe erkannt werde, so sei er nicht
selbst Gegenstand der Erkenntnis, sondern das für ihn supponierende Idolum oder Fictum. Gegen diesen Einwand hebt Holcot
nochmals seine Theorie ab: Die Schlußfolgerung der Quaestio (näm

---

talem subiective in intellectu, non videtur verum de facto quod per argumentum eorum commune probatur: Omnia salvantur ponendo actum intelligendi
solum in anima; igitur illud fictum superfluit.

[79] Vgl. ebd. (RBM ebd. lin. 35—38; O ebd. lin. 18—20): Tertio quia aequalis
ratio est ad ponendum tale idolum respectu singularis (singularium RBM),
quia quando singulare non est, non terminat actum intelligendi; igitur si ibi
propter determinationem, et hic etc.

[80] Vgl. ebd. (RBM ebd. lin. 28—34; O ebd. lin. 14—18): Secundo quia per eum
deus non cognoscitur in via nisi per conceptus complexos, ex quibus igitur non
cognoscitur, nisi quatenus cognoscitur unum ydolum quod potest supponere
pro deo. Istud argumentum videtur facere Chatton et videtur extraneum concedere conclusionem et tamen est verissima vocando conceptum mentis compositum, quo utimur pro deo.

[81] Zu Walter Chatton vgl. Gilson, History of Christian Philosophy in the Middle
Ages, 769. Vgl. o. Anm. 32—34.

[82] Zur Kritik Chattons an Ockham vgl. L. Baudry, Gauthier de Chatton et son
Commentaire sur les Sentences. AHDL 18 (1943) 345f.

lich daß der Satz Gegenstand der Wahrheitserkenntnis und des
Glaubens ist) ist absolut wahr, wenn wir unter dem mentalen
Begriff, in dem wir Gott erkennen, ein Compositum verstehen, dessen wir uns für Gott bedienen. Das „Idolum" oder „Fictum" in
Ockhams Theorie wird hier durch ein Compositum ersetzt, das nach
dem ganzen vorangegangenen Text nichts anderes als das „Complexum" sein kann, d. h. der Satz als Begriffs-Complexum.

Die letzten Zeilen der Quaestio zeigen uns schließlich, wie Holcot
die Ähnlichkeit zwischen Species (Erkenntnisbild) und Erkenntnisgegenstand erklärt. Hier bleibt allerdings von der Abstraktions-
theorie des hl. Thomas nichts mehr übrig. Bei Thomas gewinnt der
Intellekt in der Species tatsächlich die „Forma" des Erkenntnisobjektes, so daß zwischen dem Erkenntnisbild und dem Gegenstand
eine Wesensähnlichkeit besteht, die zwar nicht als real, sondern
nur als intentional bezeichnet werden kann[83]. Holcot liegt es
daran, die Ähnlichkeit von Erkenntnisbild und Erkenntnisgegenstand von der natürlichen Ähnlichkeit zweier gleichartiger Dinge
abzuheben. Der Begriff „Ähnlichkeit" wird für die Beziehung geistiger Inhalte auf äußere Objekte nur äquivok gebraucht. Zwei Bilder (Species) können „wahrhaft ähnlich und von einer Art sein;
dann ist ein Bild die Ähnlichkeit des anderen; aber Erkenntnisbild
und äußeres Ding sind nicht im eigentlichen Sinne und univok ähnlich; sonst wären sie von der gleichen Art (des Seins)." Als Grund
dafür, daß die Menschen bestimmte Ähnlichkeitsbilder für die
äußeren Dinge gebrauchen, nennt Holcot die Erfahrung, die wir
bei der Erinnerung an eine Sache machen. „Wenn ich den Herkules
gesehen habe und erblicke später eine Statue von gleichem Aussehen,
dann erweckt diese Ähnlichkeit in mir den Gedanken an Herkules.
Aus dieser Erfahrung übertrugen die Philosophen diese Namen:
Species, Idolum, Bild, Exemplar auf die äußeren Dinge, um solche
Eigenschaften zu bezeichnen, obwohl zwischen den Dingen (und
diesen Bildern) keine Ähnlichkeit dem Sein nach besteht." Darum
werden diese Bilder von den Philosophen als „ähnlich im Vergegenwärtigen, nicht aber im Sein" genannt. „Sie sind nicht von der
gleichen natürlichen Wesenheit wie die äußeren Objekte[84]."

---

[83] Vgl. Thomas Aq., Expositio super librum Boethii De Trinitate, q.1 a.2 (ed.
Decker 64f); S. th.I q.40 a.3 (dort wird nur der Begriff „Forma" gebraucht).

[84] Vgl. Holcot, a.a.O. (RBM fol. 131 va 38—62; O fol. 207 rb 20—38): Illa res,
quae est species in intellectu, non est naturalis similitudo obiecti eo modo, quo
duo alba dicuntur similia vel aliquid huiusmodi, quibus demonstratis vere
dicitur: Ista sunt similia; sed similitudo omnino dicitur aequivoce de talibus
qualitatibus spiritualibus et qualitatibus extra. Immo duae species sunt similes inter se vere et una species est similitudo alterius, sed non est similitudo

Mit dieser „empirischen" Erklärung für das Zustandekommen der Species entfernt sich Holcot weit von der Lehre des hl. Thomas. Vielleicht war jedoch eine grundsätzliche Darstellung der Species-Lehre hier gar nicht seine Absicht. Der scharfen Trennung zwischen ontologischer und intentionaler Ähnlichkeit liegt vielmehr eine Polemik gegen Ockham zugrunde. Die Frage der Ähnlichkeit zwischen „Fictum" und extramentaler Sache führte Ockham schließlich zur Aufgabe des „Fictum" oder „Idolum" und zur Ablösung der Fictum-Theorie durch die „Intellectio-Theorie", wie Hochstetter gezeigt hat[85]. Das Fictum besitzt als reines Gedankengebilde keinerlei ontologische Ähnlichkeit mit dem extramentalen Ding; denn nichts unterscheidet sich nach Ockham so sehr voneinander wie ein real Seiendes und ein intentional Seiendes. So kann man sich schwer vorstellen, wie etwas wirklich Seiendes mittels eines Begriffes erkannt werden könne, der ein solches Fictum darstelle. Dagegen besitze die Intellectio (auch „Intentio") eine größere (Seins-)Ähnlichkeit mit der extramentalen Sache als das Fictum als reines Gedankengebilde und eigne sich darum besser, für die Universalität

obiecti sive rei extra proprie loquendo et univoce, quia sic forent eiusdem speciei. Sed quia sic experimur in nobis et quando habemus notitiam alicuius rei absentis et occurrit nobis alia res sibi consimilis, causatur in nobis actualis notitia rei absentis, sicut si vidi prius Herculem et postea videam unam statuam, quae est figurata et colorata sicut Hercules fuit, quando eum vidi, iam statim moveor ad cogitandum de Hercule ita quod ista similitudo est causa illius cogitationis actualis de Hercule. Et propter hanc experientiam transtulerunt philosophi ista nomina: species, ydolum, imago, exemplar [extra] ad significandum tales qualitates requisitas ad intelligendum, licet in nullo sunt similes rebus extra in essendo et dicuntur apud philosophos similes in repraesentando, non in essendo, id est quod non sunt essentiae talis naturae, qualis naturae sunt obiecta extra.

[85] Vgl. E. Hochstetter, Studien zur Metaphysik und Erkenntnislehre Wilhelms von Ockham, 90f. Dort Anm. 3 Zitat aus Ockham, Expos. aur. proem. libri periherm.: Et contra istam opinionem non reputo aliquid ponderis nisi quod difficile est imaginari aliquid posse intelligi ab intellectu intellectione reali et tamen nec ipsum nec aliqua pars sua possit fieri in rerum natura: nec possit esse substantia nec possit esse accidens quale ponitur tale fictum. Similiter fictum tale plus differt a re quacumque quam quaecumque res ab alia, quia ens rationis et ens reale plus differunt quam quaecumque duo entia realia. Igitur tale ens fictum minus assimilatur rei, igitur multo minus potest supponere pro re quam intentio, quae sibi assimilatur plus, et per consequens minus erit communis rei extra quam intellectio: et per consequens minus habebit rationem universalis quam intellectio. Sed non propter aliud ponitur tale idolum sive fictum nisi ut supponat pro re et ut ex eo componatur propositio et ut sit communis ad res, quia ista omnia negantur a rebus. Igitur cum illa verius possint intentioni competere quam tali idolo, videtur quod superflue ponatur tale idolum sive fictum.

der Dinge zu stehen. Holcots Kritik arbeitet mit unbarmherziger Schärfe den ontologischen Unterschied zwischen intentionalem und realem Sein heraus. Indem er Ockham darin folgt, hebt er dessen Ausflucht in die Intellectio-Theorie auf.

f) Die Aussagen in den Conferentiae: Kritik am „Significatum propositionis"

Das Thema der Glaubenserkenntnis taucht erneut in den „Conferentiae" auf, in denen Holcot einzelne Lehrpunkte mit einem ungenannten Magister durchdiskutiert. Die Überschrift des ersten Artikels bringt in der Form der Behauptung (nicht der Frage, wie im Sentenzenkommentar) Holcots These: Gegenstand jeglicher Aussage sowohl in der Wissenschaft als auch im Glauben wie im Meinen ist das Complexum und nicht die mit dem Complexum bezeichnete Sache. Kurz vor dem Eintritt in die Diskussion mit dem Socius präzisiert Holcot den Ausdruck „bezeichnete Sache" als „Sache außerhalb der Seele, die mit dem Begriff oder mit den Begriffen einer solchen Aussage bezeichnet wird"[86]. Dieser These stehen drei Lehren seines Gegners entgegen, wie sich aus den weiteren Ausführungen Holcots ergibt. Erstens: Gegenstand der Aussage ist die extramentale Sache. Zweitens: Es gibt rein mentale Wissensinhalte ohne Aussageform. Drittens: Gegenstand der Aussage ist das Complexum significatum. Beginnen wir mit der zweiten Behauptung. Ihr wendet sich Holcot zuerst zu.

Der Socius argumentiert zuerst so: Der Mensch kann über vieles ein rein mentales Wissen gewinnen, ohne darüber eine Aussage zu bilden. Dabei wird vorausgesetzt, daß jede mentale Aussage das natürliche Abbild (similitudo) einer gesprochenen oder geschriebenen Aussage ist. Nun kann aber ein von der Geburt her Blinder erfahren, daß etwa ein Feuer warm ist, daß Sokrates ein guter Mensch ist u. a. Er kann also Wissensinhalte gewinnen, ohne ein Complexum zu wissen[87].

---

[86] Vgl. Holcot, Conferentiae, a.1 (fol. o V va 7—11; die folgenden Texte korr. nach O fol.207 rb 44ff): Primus articulus fuit quod obiectum fidei, scientiae et opinionis et universaliter omnis notitiae assertivae est complexum et non est res significata per complexum.
Ebd. (lin. 27—31): Et primo contra primum cum dicitur quod cuiuslibet notitiae asservativae sicut scientiae vel fidei sive opinionis obiectum est complexum et nulla res extra animam significata per terminum vel terminos talis propositionis.
[87] Vgl. ebd. (lin. 32—50): Arguitur primo sic: Capiatur aliquis, qui a sua nativitate fuerit tam surdus quam caecus, iste nunquam vidit propositionem scriptam nec audivit unquam propositionem vocalem; igitur nunquam formavit in se propositionem mentalem. Ista probatur, quia apud istum opinantem suppo-

Dieses Argument wie auch seine Voraussetzung finden wir fast
wörtlich bei Crathorn. In der Quaestio: ‚Ob der Mensch im Pilgerstand im eigentlichen Sinne wissen könne, daß es nur einen Gott
gibt‘[88], stellt dieser Magister verschiedene Schlußfolgerungen auf,
von denen die erste lautet: ‚Nicht alles, was als Gegenstand der
Wissenschaft im eigentlichen Sinne gewußt wird, ist ein mentaler
oder ein gesprochener Satz‘[89]. Es gibt also ein Wissen, das nicht
einen Satz, sondern womöglich das mit dem Satz Bezeichnete zum
Gegenstand hat. Dieses ‚Significatum‘ darf aber nicht mit der Propositio mentalis verwechselt werden. Auch der rein mentale Satz
ist von dem damit Bezeichneten zu unterscheiden. Das Verhältnis
zwischen gesprochenem und gedachtem Satz ist für Crathorn ein
anderes Problem, an dem sich erkennen läßt, wie deutlich dieser
Magister bereits die Sprachbezogenheit der Gedanken sieht[90].
Danach sind die gedachten Sätze und Begriffe natürliche Zeichen
und Abbilder der gesprochenen Begriffe und Sätze. Wie sich der
Intellekt von den Dingen mentale Bilder als deren Zeichen schafft,
so ruft der im gesprochenen Satz gebildete Sprachgegenstand ein
Entsprechendes mentales Zeichen oder Bild hervor: die Propositio
mentalis[91]. Hier zeigt sich eine geistige Verwandtschaft Crathorns
mit Gregor von Rimini.

sitio est quod omnis propositio mentalis est naturalis similitudo propositionis vocalis vel scriptae. Sed naturalis similitudo propositionis vocalis non
causatur in homine naturaliter, nisi aliquando audierit, nec mentalis similitudo propositionis scriptae causatur in anima hominis nec causari potest naturaliter, nisi viderit aliquando. Igitur si iste nunquam vidit nec audivit nec
habuit in se propositionem mentalem et tamen certum est quod tamen talis
multa potest scire puta quod ignis est calidus, quod Sortes est bonus homo, vel
opinari vel credere, igitur potest aliquis credere, scire vel opinari, et tamen
nullum complexum erit scitum ab eo.

[88] Vgl. Crathorn, q.4 (fol. 26 rb): Utrum viator possit scire scientia proprie dicta
quod sit tantum unus deus.

[89] Vgl. ebd. (fol. 26 rb 12ff): Ad evidentiam istius quaestionis ponentur quaedam
conclusiones. Prima est ista quod non omne istud quod scitur scientia proprie
dicta est propositio mentalis vel vocalis. Crathorns Begründung deckt sich an
dieser Stelle allerdings nicht mit der von Holcot zitierten. Er sagt schon hier:
Das Wissen richtet sich nicht auf den Satz, sondern auf das mit dem Satz
Bezeichnete: Quod probo sic: Sciens quod sol est eclipsabilis vel quod omne
mixtum est corruptibile, scit ista, quae significantur per istas propositiones:
Sol est eclipsabilis, omne mixtum est corruptibile. Sed significata istarum propositionum non sunt propositiones mentales nec vocales; igitur non omne
istud quod scitur est propositio mentalis vel vocalis ‹scita› scientia proprie
dicta.

[90] Sprengard hat diese sprachbezogene Erkenntnis als „Angleichung von Gedanken an Laute" bezeichnet; vgl. a.a.O. II, 45.

[91] Vgl. Crathorn, q.2 (fol. 12 va 24—27): Omnis propositio mentalis correspon-

Die Voraussetzung, daß jede mentale Aussage ein Abbild und eine Ähnlichkeit der gesprochenen oder geschriebenen Aussage ist, haben wir bereits als Lehre des Gregor von Rimini festgestellt[92]. Gregor kennt aber auch eine andere Art von Aussagen, die nicht Abbilder und Ähnlichkeiten der gesprochenen Aussagen sind, sondern rein mental gebildet werden. Solche Aussagen vermag auch der von Natur aus Stumme oder der Sprache völlig Unkundige zu formen[93]. Zwischen dem Text Gregors im Sentenzenkommentar und Holcots Zitation der Lehre seines Socius ist nur ein formaler, kein inhaltlicher Unterschied. Gregor nennt auch die rein mentalen Urteile „Aussagen", nach Holcots Zitation sind es keine „Complexa". Die Beispiele aber, die Holcot bringt, sind tatsächlich Sätze: „Das Feuer wärmt"; „Sokrates ist ein guter Mensch". Und daß auch ein Blinder und der Sprache Unkundiger rein mentale Wissensinhalte gewinnen und Urteile fällen kann, ist wörtlich Gregors Lehre. Außerdem muß berücksichtigt werden, daß die Stellen, die Würsdörfer für die rein mentalen Aussagen zitiert, Gregors Sentenzenkommentar entnommen sind, der in seine zweite Pariser Lehrtätigkeit, also nach 1341, zu datieren ist[94]. Dieser kann aber nicht die literarische Quelle für Holcot gewesen sein, da er ausdrücklich auf eine andere verweist: „Gegen die drei ersten Artikel argumentiert ein ehrenwerter Kollege in seiner ersten Lesung über die Hl. Schrift, wie ihr im Prolog im ersten Argument gehört habt, als ‚von uns' gesagt wurde, daß der Gegenstand jeder assertorischen Erkenntnis, sei es in der Wissenschaft, sei es im Glauben oder im Meinen, ein Complexum ist und nicht eine extramentale Sache[95]." Zwar wird als Gegner des ersten Argumentes im Prolog „Tarentesius" genannt; aber der sehr knapp formulierte Erkenntnisrealismus kann auch auf Gregor zutreffen, wenn man sich aus seiner differenzierten Erkenntnislehre, besonders aus seinen Ausführungen über die verschiedenen Arten von species, die passenden Stellen heraus-

dens propositioni prolatae est naturaliter similis et naturalis similitudo propositionis prolatae. Ergo partes propositionis mentalis sunt naturaliter similes partibus propositionis prolatae. Vgl. Sprengard a.a.O. 46. Sprengard hebt außerdem die Angleichung der mentalen Propositio an die gesprochene „durch Zeichen" von derjenigen „durch Gleichnisbild" ab (ebd. b 10—13): Nona conclusio est quod terminus mentalis correspondens termino prolato est signum naturale termini prolati et similiter terminus mentalis correspondens termino scripto illo modo quo verbum et species albedinis est signum naturale albedinis.

[92] Vgl. im vorigen Abschnitt („Der Akt des Glaubens") Anm. 124.
[93] Vgl. ebd. Anm. 126 u. 129.   [94] Vgl. Würsdörfer, a.a.O. 3f.
[95] In der Inkunabel steht dieser Hinweis o V va 27. Wir zitieren nach O (fol. 207 rb 56—60): Contra primos tres articulos arguit quidam socius reverendus in

sucht[96]. Trapp hat darauf hingewiesen, daß Gregor von Rimini im Laufe der Geschichte eine sehr verschiedene, ja gegensätzliche Beurteilung erfahren hat. Petrus Ceffons (SO Cist) betrachtet ihn 1353 als Nominalistengegner; Johannes Capreolus hat wohl das gegenteilige Urteil heraufbeschworen[97], das sich allgemein durchgesetzt hat[98] und das gewisser Korrekturen bedarf. Jedenfalls ist „Augustinustreue Gregors Ideal; dabei läßt er Fragen gern offen" (Trapp). So ist es verständlich, daß Elie in Gregor den Socius Holcots vermutete.

Auch bei Crathorn bleibt die Quellenfrage offen, mindestens ebenso wie bei Gregor; denn die uns überlieferten Quästionen sind nach Kraus nur Auszüge aus einem Sentenzenkommentar, der demnach bis heute als verschollen gelten muß. H. Schepers hat hingegen den Erweis gebracht, daß es sich tatsächlich um die Vorlesungen zu den Sentenzen selbst handelt[99]. Holcots Kritik weist jedoch auch auf Vorlesungen des Socius über die Hl. Schrift hin (lectio super bibliam). Eine ähnliche Parallelität Crathorns zu Gregor besteht bezüglich der philosophiegeschichtlichen Einordnung. J. Kraus sieht in Crathorn den Vertreter eines ausgeprägten Nominalismus[100]. Mit diesem Urteil zielt Kraus vor allem auf die Uni-

sua prima lectione super bibliam, sicut audiatis in primo contra primum, quando dicitur quod cuiuscumque notitiae assertivae sive scientiae sive fidei vel opinionis obiectum est complexum et nulla res extra animam significata per terminos talis propositionis vel terminum propositionis.
Gregor war 1323—29 Lektor in Paris, danach in Bologna, Padua und Perugia. (Vgl. D. Trapp in LThK IV, 1193) Würsdörfer erwähnt auch einen Aufenthalt Gregors in England (a.a.O. 3). N. Merlin nennt an biblischen Werken Gregors: Commentaria in epist. Divi Jacobi; Libri XIV super Epistulas D. Pauli (D. Th. C. VI, 1852—54).

[96] Vgl. im vorigen Abschnitt, Anm. 115.
Wie Würsdörfer gezeigt hat, liegt für Gregor von Rimini die Wahrheit „formaliter und vollkommen erst in der propositio, d. h. im komplexen Erkennen", „inchoativ und unvollkommen schon im einfachen Erkennen". „Jede komplexe Erkenntnis setzt einfache Erkenntnisse voraus" (a.a.O. 35). An der von Würsdörfer zitierten Stelle benutzt Gregor noch stärkere Ausdrücke. Er spricht nicht von der Voraussetzung der inkomplexen Erkenntnis für das Urteil, sondern sagt einfach: „Wer eine komplexe Erkenntnis besitzt, der hat auch eine einfache Erkenntnis der Termini oder dessen, was durch die Termini jenes Complexum bedeutet wird" (I Sent. d.3 q.1 concl. 3, bei Würsdörfer a.a.O. 35, Anm. 2: ... omne habens notitiam complexam de aliquo habet notitiam simplicem terminorum vel eorum quae importantur per terminos illius complexi). Das durch die einfachen Termini Bedeutete ist aber die Sache selbst.
[97] Vgl. D. Trapp, Gregor von Rimini. In: LThK IV (²1960) 1193.
[98] So auch B. Decker in RGG II (²1958) 1846, in Bezug auf Gregors Philosophie.
[99] Vgl. J. Kraus, Die Stellung des Oxforder Dominikanerlehrers Crathorn ..., 68. H. Schepers, Holcot contra Crathorn, a.a.O. 322ff.
[100] Vgl. a.a.O. passim, bes. 78, 87f.

versalienlehre Crathorns. Es stützt sich auf ein Stück aus der zweiten
Quaestio Crathorns, das Kraus ediert hat[101]. Für die Universalienlehre ist besonders der Schlußteil des edierten Textes wichtig[102],
während im Vorhergehenden[103] die Suppositions- und Signifika-
tionstechnik unseres Magisters einbezogen ist. Diesem Thema hat
Sprengard seine Aufmerksamkeit zugewandt und an breiterem
Quellenmaterial, das ihm Kraus zur Verfügung stellte[104], das Problem der Differenz und Zuordnung von Sachverhalt, Erkenntnis,
Zeichen und Sprache behandelt. Er ordnet Crathorn erkenntnistheoretisch der Richtung des Realismus zu, da er im Grunde an der
scholastischen Tradition festhalte[105], die das Ziel der Erkenntnis in
der Erfahrung der Wirklichkeit sieht. Crathorn sei jedoch kritischer
Realist, weil er zugleich die eigene Gegenständlichkeit des Erkennt-
nis- und Sprachbereiches von den realen, extramentalen Dingen
abgehoben habe. Sprengard verweist auch auf die anthropologischen
Konsequenzen dieser Feststellung.

Im weiteren Verlauf des Artikels wendet sich die Diskussion
einem neuen Punkt zu. Die vom Satz bezeichnete Sache wird nun
nicht mehr mit dem extramentalen Ding gleichgesetzt, sondern als
eine Art von mentalem Bedeutungsgehalt gekennzeichnet. Dieser
ist Gegenstand des Wissens, Glaubens und Meinens, nicht der Satz
und nicht die extramentale Sache. Dies geht deutlich aus der
Beschreibung hervor, die Holcot von der Lehre des Socius gibt[106].

[101] Quaestiones de universalibus Magistrorum Crathorn O.P., Anonymi O.F.M.,
Joannis Canonici O.F.M., ed. J. Kraus, Münster 1936.

[102] A.a.O. 93ff.

[103] So etwa 16, 18.

[104] Sprengard verweist darauf am Eingang seines Werkes in der Laudatio für
Herrn Professor Kraus und im Vorwort; vgl. a.a.O. I, 5 u. 8.

[105] Vgl.Sprengard, a.a.O. II, 113: „Als Wahrer des Alten ist Crathorn vor allem
daran zu erkennen, daß er an der jahrhundertealten scholastischen Überlieferung des Realismus festhält und die die mittelalterliche Geisteshaltung so tief
bestimmende Unionstheorie von Wissen und Glauben in Denken und Tun
vertritt. Crathorn ist kritischer Realist, insofern er klar den Grundsatz ausspricht: Gedanken und Dinge entsprechen einander. Sein Werk ist durchwaltet
von der Vorstellung: Der Mensch übertrifft sich selbst, indem er kraft der
intentionalen Transzendenz seiner Gedanken und der objektiven Transzendenz der (des?) Seienden sich Einzeldingen angleichen kann."

[106] Vgl. Holcot, Conferentiae a.1 (fol. o V vb 9—23; korr. nach O): Et propter
ista motiva tenet iste socius quod obiectum cuiuscumque notitiae assertivae,
sive sit scientia sive opinio sive sit fides, est res significata (significatum O)
per ipsam propositionem et non ipsa propositio. Et ad argumenta mea in
oppositum respondet sicut audietis. Arguebam enim pro opinione mea primo
sic: Tantum verum scitur; nulla res significata per propositionem est vera,
igitur nulla res significata per propositionem scitur. Praeterea secundo sic:
Capio hanc negationem: Homo non est asinus, et quaero, quae res est signi-

Da er von seinem eigenen Argument ausgeht, daß nicht das bezeichnete Ding wahr sei und gewußt werde (sondern die Aussage), hebt
sich die dritte These des Socius um so deutlicher ab. Was der Socius
unter der Res significata versteht, kommt genau zum Ausdruck.
Es ist nicht die extramentale Sache und nicht der Satz, sondern das
durch den Satz Gemeinte und Bedeutete. Statt „Res significata per
propositionem" sagt Holcot späterhin einfach: „Significatum propositionis". Dies ist nach der Lehre des Socius eine vom mentalen,
gesprochenen und geschriebenen Satz verschiedene Sache. Es ist
das durch die Aussagen zuerst Gewußte, Gemeinte oder Bezweifelte.
Wahrheit und Falschheit besteht im Significatum. Auch ein Nihil
kann Significatum des Satzes sein[107]. Diese Lehrmeinung unter-

ficatum istius propositionis. Non homo, quia eadem ratione asinus. Si utrumque, tunc aliqua res est homo et asinus, quia significatum propositionis est
una res sola secundum istos. Et sic aliqua res esset deus et diabolus, quia
significatum istius propositionis: Deus non est diabolus.
Vgl. ebd. (lin. 34—50, korr. nach O fol. 206 va 34—44; RBM fol. 132 ra 19—35):
Ad primum istorum respondet, negando istam minorem scilicet: nulla res
significata per propositionem est vera, et quod sit falsum, probat per
diffinitionem propositionis, quam dat Boethius, et habetur in Summulis quod
propositio est oratio iudicaria verum vel falsum significans. Igitur significatum alicuius propositionis est verum vel falsum, et significatum propositionis est aliquid distinctum a propositione. Et ideo non semper cum
intelligitur verum, intelligitur propositio vera; sed res significata per propositionem est verum et illud intelligitur et scitur. Ad secundum respondet quod
ille, qui scit quod homo non est asinus, scit significatum istius propositionis
et illud est verum. Et quando quaeritur, quae res est significatum, dicitur
quod nec praecise homo nec praecise asinus, sed distinctio essentialis vel
localis naturae hominis et asini. Unde bene concedit quod deus potest facere
hominem esse asinum per hoc solum quod poneret hominem et asinum in
eodem loco.

[107] Vgl. ebd. (fol. o VI ra 14—30) Holcot leitet die Zitation des Socius mit
beißender Ironie ein. Zugleich zeigt die Bemerkung, daß der Gegner ein
angesehener Magister ist und daß er auch seinerseits gegen Holcot argumentiert hat. Beides trifft aber auf Gregor von Rimini zu. : Ista scripsi cum taedio
et cum verecundia recito, ne diceretur quod non dignarer recitare socii dicta
contra me. Tamen nihil video in istis quod quemcumque puerum deberet
movere nisi fortassis ad risum. Tamen propter reverentiam dicentis recitabo
sua dicta. Dicit enim primo quod significatum propositionis est res distincta
a propositione tam vocali quam scripta quam mentali. Secundo quod significatum per propositionem est primo scitum, creditum et opinatum ac dubi-
tatum et sic de aliis. Tertio quod significatum per propositionem est verum
vel falsum. Quarto quod est dare propositionem veram, cuius significatum
nihil est, et tamen illud significatum est verum, sicut dicit de talibus: Caesar
fuit; antichristus erit et huiusmodi. Contra quod tamen nescio arguere, cum
concedat idem simul esse nihil et verum, et apud me omne verum est aliquid.
Quinto quod deus potest facere hominem esse asinum ponendo hominem et
asinum esse in eodem loco.

scheidet also noch einmal zwischen dem Complexum als dem im
Geiste geformten Satz und dem mit dem Satz gemeinten Inhalt,
dem „Significatum". Dieses ist nicht die extramentale Sache, sondern das mit dem Complexum Bedeutete.

Hubert Elie vertrat die Hypothese, daß Holcot hier die Erkenntnislehre des Gregor von Rimini zur Sprache gebracht hat[108]. Wir
sind dieser Annahme gefolgt und haben weitgehende Übereinstimmungen der Lehre Gregors mit der von Holcot kritisierten Meinung
gefunden. Wenn es sich auch am Ende ergeben wird, daß Holcot
seine Polemik gegen Crathorn richtete, dürfte der Vergleich mit
Gregor für das Verständnis der erkenntnistheoretischen Problematik
zur Zeit Holcots von großem Nutzen sein. Nach Gregor führt die
Einsicht in den ganzen Inhalt eines Beweises zur Wahrheit und zum
eigentlichen Gegenstand des Wissens. „Also ist die bloße formale
conclusio als solche, wie Ockham wollte, nicht Objekt des Wissens[109]." Holcot zitiert übrigens die Lehre Ockhams, vertritt aber
eine Lösung, die formal zwischen Ockham und Gregor liegt. Mit
Ockham sieht er in der Conclusio den eigentlichen Gegenstand des
Wissens, jedoch würden mit der Conclusio die Prämissen mit-
gewußt; denn „Wissen" sei ein konnotativer Begriff[110].

Der Unterschied Gregors zu Ockham liegt darin begründet, daß
ersterer vor aller sprachlichen Formulierung bereits geistige Erkenntnisinhalte kennt, denen der menschliche Geist zustimmt oder
nicht, rein geistige Aussagen, die nicht nur von der gesprochenen
Aussage, sondern auch von der mentalen, vor jeder sprachlichen
Formulierung gebildeten, zu unterscheiden seien[111].

Wie wir aus der eingehenden Untersuchung von Würsdörfer
wissen, wollte Gregor mehrere Arten mentaler Aussagen unter-

---

[108] Vgl. H. Elie, Le complexe significabile, 25ff.

[109] Vgl. Würsdörfer, a.a.O. 115.

[110] Vgl. Holcot, IV Sent. q.10 / Prol. (RBM fol. 129 vb 6—19; O fol. 206 ra
44—53): Dicitur quod actus sciendi habet pro obiecto non solum conclusionem, sed totum sillogismum, quia scire conclusionem est scire eam propter
praemissas. Unde totale obiectum scientiae est tota demonstratio.
Contra: Notitia conclusionis causatur a cognitione principiorum. Igitur notitia
principiorum non est notitia conclusionis nec pars eius. Consequentia patet,
quia nihil causat se nec partem (causam O *et* RBM *corr.*) sui effective. Sed
notitia conclusionis est scientia sive scire; igitur etc.
Quod autem notitia conclusionis sit scientia patet; nam illius conclusionis
est habita demonstratione scientia, cuius ante demonstrationem fuit dubitatio.
Et ista fuit conclusio; igitur etc. Ideo dico quod iste terminus scire est
terminus connotativus et supponit pro notitia conclusionis, sed connotat ipsam
esse causatam per notitiam praemissarum.

[111] Vgl. o. Anm. 93.

schieden wissen, deren letzte und sublimste nicht mehr die Gestalt eines grammatisch geformten Urteils hat[112]. „So tritt also das Problem des wortlosen oder, wie Benno Erdmann es nennt, des ‚nicht formulierten Denkens‘ schon in der spätmittelalterlichen Philosophie auf[113]."

Nun hat schon Michalski auf Grund einer Randnotiz im Cod. Ottob. 591 der Vatikanischen Bibliothek[114] in Crathorn den Socius vermutet, den Holcot in den Conferentiae bekämpft. Molteni macht auf Hinweise aufmerksam, die Holcot für die Identifizierung seines Gegners selbst gibt, wie „Socius meus", oder „Nuper" als zeitlichen Anhaltspunkt; viel wichtiger seien jedoch die inhaltlichen Argumente[115]. Hier finden wir tatsächlich wörtliche Übereinstimmungen zwischen den von Holcot zitierten Gegenargumenten und den Texten bei Crathorn. In der vierten Quaestio[116] lehrt er ausdrücklich, daß nicht alles, was Objekt der eigentlichen Wissenschaft ist, ein gedachter oder gesprochener Satz sei. Seinen Beweis führt er wie folgt: Wenn jemand weiß, daß sich die Sonne verfinstern kann oder daß alles Zusammengesetzte vergänglich ist, dann sind nicht die Sätze, sondern das mit den Sätzen Bezeichnete Gegenstand des Wissens. Dies demonstriert Crathorn an dem Satz: „Alles Zusammengesetzte ist vergänglich." Wer dies weiß, kennt auch den Grund für die Vergänglichkeit des Zusammengesetzten, nämlich sein Zusammengesetztsein aus Gegensätzlichem. Dieser Grund besteht aber nicht für den Satz: „Alles Zusammengesetzte ist vergänglich", weil nicht dieser Satz aus Gegensätzlichem zusammengesetzt ist, sondern das, was mit ihm gemeint und bezeichnet ist. Also ist dies mehr der eigentliche Gegenstand des Wissens (als der Satz)[117].

---

[112] Vgl. Würsdörfer, a.a.O. 36ff.

[113] Vgl. ders., a.a.O. 38.

[114] Vgl. K. Michalski, La physique nouvelle..., 12; P. Molteni, Roberto Holcot..., 26.

[115] Vgl. P. Molteni, a.a.O. Herr Professor Kraus, der bereits zur Universalienlehre Crathorns zwei Quästionen ediert hat und eine kritische Edition Crathorns vorbereitete, machte darauf aufmerksam, daß in diesem Magister der Socius des Holcot zu vermuten sei. Die folgenden handschriftlichen Belege sind der Erfurter Handschrift der Quästionen Crathorns entnommen: C.A.4º 395ª, fol. 1r—56v.

[116] Vgl. Crathorn, a.a.O. (fol. 26 rb): Utrum viator possit scire scientia proprie dicta quod sit tantum unus deus.

[117] Vgl. ebd. (fol. 26 rb 12—24): Ad evidentiam istius quaestionis ponentur quaedam conclusiones. Prima est ista quod non omne istud quod scitur scientia proprie dicta, est propositio mentalis vel vocalis. Quod probo sic: Sciens quod sol est eclipsabilis vel quod omne mixtum est corruptibile, scit ista, quae significantur per istas propositiones: Sol est eclipsabilis, omne mixtum est corruptibile. Sed significata istarum propositionum non sunt propositiones

Crathorn hebt damit wie Gregor das mit dem Satz Bezeichnete sowohl von dem Satz selbst wie von dem extramentalen Ding ab. Gedachte und gesprochene Sätze haben einen Wirklichkeitscharakter solcher Weise, wie man aufeinander folgende Wirklichkeiten als Sachen bezeichnet[118]. Crathorn sieht wie Gregor die gedachten Sätze (propositiones mentales) als Zeichen der gesprochenen und geschriebenen Sätze[119]. Der Verstand richtet also eigens solche Gedanken her, die den gesprochenen und geschriebenen Sätzen entsprechen. Wir haben bei Crathorn ähnlich wie bei Gregor drei für die Erkenntnis relevante Bereiche: die extramentale Sache, den Satz (der gedacht, gesprochen oder geschrieben sein kann) und das mit dem Satz Bezeichnete. Gegenstand des Wissens ist eigentlich nur das letzte, im weiteren Sinne auch der gedachte, gesprochene und geschriebene Satz, insofern er als Zeichen für eine bezeichnete Wirklichkeit gebraucht wird, wobei man sich der uneigentlichen Redeweise bewußt sein muß. Crathorn demonstriert diesen semiotischen Gebrauch der Propositio an dem Satz: „Intellectus est principiorum et scientia conclusionum", wobei er sich nicht scheut, eine in seinen Augen unkorrekte Formulierung der alten Philosophen im Sinne einer semiotisch richtigen Ausdrucksweise zu verbessern[120].

mentales nec vocales; igitur non omne istud quod scitur est propositio mentalis vel vocalis <scita> scientia proprie dicta. Probatur: Scitur a sciente quod omne mixtum est corruptibile, tunc sicut causa assignatur compositio ex contrariis. Sed a nullo sciente assignatur compositio ex contrariis causa istius propositionis scilicet: omne mixtum est corruptibile, sed magis istud quod per propositionem denotatur vel importatur. Igitur sciens quod omne mixtum est corruptibile, non solum scit istam propositionem: omne mixtum est corruptibile, sed magis proprie istud quod per propositionem importatur. Vgl. o. S. 207. Weitere Texte in dieser Quaestio, fol. 26 rb—va.

[118] Vgl. Sprengard, II, 42. Jedoch trifft die Übersetzung nicht genau den Sachverhalt. Crathorn hebt nicht nur die gesprochenen und geschriebenen Sätze von den extramentalen Dingen ab, sondern gerade auch die gedachten Sätze. Der Text lautet (q.2, fol. 17 vb 51—56): propositiones mentales et vocales sunt vere res eo modo, quo successiva realia vocantur res et quando dicitur, quod tunc logica foret scientia realis, dico, quod pro tanto non dicitur logica scientia realis, quia non est de rebus distinguendo res contra voces, quia logica principaliter intendit de vocibus significativis.

[119] Sprengard (a.a.O.) verdeutlicht dies genau mit folgenden Sätzen: „Der Verstand vergegenständlicht die Sprache durch solche Gedanken, die er eigens dazu ausrichtet, die gesprochenen und geschriebenen Sätze (propositiones prolatae sive vocales et scriptae) und deren Termini zu begreifen. Dieser Vorgang vollzieht sich als Angleichung des Denkens an die bedeutungsvollen Laute (voces) des Sprechens bzw. die bedeutungsvollen Zeichen der Schrift."

[120] Vgl. Crathorn, a.a.O. (fol. 26 rb 50 — va 2): Ideo per istam propositionem, quae habetur a philosophis et allegatur: Intellectus est principiorum et scientia conclusionum, debet intelligi ista propositio: Intellectus est illorum, quae

Das eigentliche Aussageobjekt ist also rein mental und dennoch real, ohne mit der Realität des Einzeldinges zusammenzufallen. Die Sätze sind wiederum Zeichen der im Denken erfaßten Wirklichkeit.

Der Ursprung des rein mentalen Aussageobjektes liegt allerdings noch weiter zurück, nämlich in der griechischen Philosophie selbst, näherhin in der Weiterentwicklung der aristotelischen Logik durch die Stoa. Lohmann hat gezeigt[121], wie die stoische Logik das Gedachte nicht nur vom Ding, sondern auch vom Denken unterscheidet. Dabei wird der bloß gemeinte Gegenstand als λεκτόν, d. h. als „sagbar", in der Sprache ausdrückbar, bezeichnet. Dieser Begriff entspricht genau dem Significatum des Gregor von Rimini und des Crathorn. Die intentionale Realität des „Aussagbaren" steht so als vermittelndes Glied zwischen der extramentalen Realität des Dinges selbst und der psychologischen Realität des Erkenntnisaktes. „Mit diesem Bezug auf die Sprache wird nicht bloß der naive ‚Realismus' überwunden, sondern auch jeder Psychologismus ausgeschlossen." Das „Aussagbare" stellt andrerseits gerade die für alle Erkenntnis geforderte Einheit zwischen dem Wortbegriff und der Sache her. Diese Einheit ist bereits in dem Satz des Aristoteles, daß die Seele in gewisser Weise alles Seiende ist[122], vorgedeutet.

Zweifellos vollzog auch Holcot mit seiner These, eigentliches Objekt des Erkennens sei die propositio mentalis, jene reinliche Unterscheidung des intentionalen Seins eines Glaubens- oder Wissensinhaltes vom realen Objekt. Nicht so klar ist die Absetzung des intentionalen Objektes vom intentionalen Akt. An einer Stelle des Prologs setzt Holcot die Propositio mentalis mit dem intentionalen Akt gleich. „Unterscheidendes Erkennen" ist ein Sammelbegriff, der drei nebeneinander und zugleich bestehende Akte bezeichnet, die sich auf drei Aussagen erstrecken. Die drei Aussagen

significantur per principia, et scientia est istorum, quae significantur per conclusiones. Philosophi enim et alii doctores in loquendo non distinxerunt inter signa et significata, et ex hoc occasionaliter defendunt errores et impugnant veritatem. Sciendum quod quia non possumus ipsa significata propositionum in se cognoscere nec in conceptibus naturalibus eorundem, quia de multis sillogicamus, quae nec in se nec in suis conceptibus naturalibus a nobis cognoscuntur sed tantum in eorum signis ad placitum usitatis, ideo utimur signis vice significatorum. Item volentes aliis exprimere ista, quae scimus, non possumus ipsa, quae sciuntur, in se ostendere audientibus nec in conceptibus naturalibus; ideo ponimus eis signa talium ad placitum vice et loco ipsorum, et talibus signis attribuimus non pro se sed pro suis significatis, licet improprie loquendo, ista, quae proprie sunt significatorum.

[121] Vgl. J. Lohmann, Vom ursprünglichen Sinn der aristotelischen Syllogistik, Lexis Bd. III,2. Lahr 1951, 214f.

[122] Vgl. Aristoteles, De anima III c.7 (Γ c.7,431, b 20).

sind die Aussageakte selbst[123]. Einige Zeilen später werden Intentio und der Akt des Erkennens gleichgesetzt[124].

Insofern jedoch Holcot in der Propositio mentalis den eigentlichen Gegenstand jeder Erkenntnis im Glauben und im Wissen sah, stand er auf einem gleichen Fundament der Erkenntnislehre wie Gregor und Crathorn. Diese Autoren heben das verknüpfende und urteilende Denken als den entscheidenden Faktor der Erkenntnis hervor. Für alle drei ist darum nicht die extramentale Sache eigentliches Objekt der Erkenntnis, sondern die Aussage, die zwar auf der Einsicht in einen Sachverhalt beruht, darüber hinaus aber diese Einsicht aussagt, formuliert und somit einen geistigen Inhalt als Gegenstand der Erkenntnis bietet. Daß Holcot die Lehre vom Complexum significatum so heftig bekämpfte, hatte einen Grund in der extrem aussagenlogischen Formulierung seiner Erkenntnislehre. Alle geistige Erkenntnis nimmt die Form einer Aussage an. Das Begriffspaar Res — Complexum ist bei Holcot gegensätzlicher Natur. Nur die sinnenhafte Erkenntnis hat die Dinge selbst unmittelbar zum Gegenstand, die geistige Erkenntnis dagegen das Complexum[125].

[123] Vgl. Holcot, IV Sent. q.10 / Prol. (RBM fol. 129 vb 58—64; O fol. 206 rb 7—11): Concedo etiam quod actus discernendi est terminus collectivus importans tres actus respectu trium propositionum. Tum propositiones mentales sunt ipsimet actus et actus, qui est propositio mentalis, importat tres actus applicatos, id est tres terminos propositionis vel saltem duos sicut ubi haec copula „est" praedicat secundum adiacens. (Im letzten Falle wird die copula „est" in kategorematischer Weise, d. h. als selbständiges Prädikat gebraucht. Vgl. Bocheński, Logik, n.29.01: „Auch sind von den kategorischen Aussagen über die Gegenwart die einen mit dem als zweites Beiliegenden (de secundo adiacente), die anderen mit dem als drittes Beiliegenden (de tertio adiacente). Ein Beispiel für das Erste (ist etwa): „Der Mensch ist", ein Beispiel für das Zweite: „Der Mensch ist ein Lebewesen"."
Zitiert aus Albert von Sachsen, Logica Albertucii Perutilis Logica. Venetiis 1522, III, 1 (fol. 17 ra).

[124] Vgl. Holcot ebd. (RBM fol. 131 ra 12—15 u. 59—64; O fol. 206 vb 55—57 u. 207 ra 14—18): Intentio est res distincta ab anima et a specie, si ponatur in intellectu. Probo: Nulla res est perfectio sui ipsius; sed intentio seu actus intelligendi est perfectio animae; igitur etc.
Intelligere est quoddam pati; igitur intentio est quaedam passio. Sed ista passio non est receptio speciei, quia habita specie nondum est intellectus. Igitur etc. Praeterea: Intentio est actus immanens, 3. Metaphysicae. Sed anima nec species rei est actio immanens. Igitur est tertium ponendum.

[125] Vgl. ders. Conferentiae a.1 (fol. o VI vb 2—13): Ideo dico sicut alias dixi quod cuiuslibet notitiae assertivae obiectum est complexum mentale, quia non capitur hoc obiectum sicut in sensatione, ubi requiritur communiter quod obiectum sit causativum sensationis. Sed capitur obiectum pro eo, de quo praedicatur esse scitum vel esse creditum, et pro eo per quod convenienter

Crathorn nimmt unter diesen drei insofern eine besondere Stellung ein, als bei ihm ein Verständnis für die Rolle der lautlichen Sprache beim Zustandekommen der Erkenntnis erwacht ist. Zwar lehrt auch Gregor, daß sich die propositio mentalis als Bild des gesprochenen Satzes in den verschiedenen Sprachen durch das Sprachidiom unterscheidet[126]. Ohne moderne sprachphilosophische Probleme in die Scholastik hineinzutragen, lassen sich bei Crathorn bestimmte Tatsachen aufweisen, die eine weitere Entwicklung auf die Sprache hin anstoßen. Der erste Schritt besteht in einer Unterscheidung zwischen der Welt der extramentalen Dinge und der Welt der Zeichen, d. h. der auf die Dinge gerichteten Begriffe. Crathorn fügt dieser Unterscheidung eine weitere hinzu, indem er die Welt der Sprache als eigenen Gegenstandsbereich gelten läßt[127]. Zwar wird die Sprache in ihrer semantischen Funktion bei Crathorn nicht thematisch[128], jedoch vollzieht er den entscheidenden Schritt, der die weitere Entwicklung in diese Richtung weist. Die Propositio mentalis ist für ihn Bild, Entsprechung und Zeichen der Propositio vocalis. Damit erhält der sprachlich geformte Satz für das Erkennen des mit ihm Bedeuteten die gleiche oder ähnliche Rolle zugewiesen, wie sie das Ding selbst oder sein im Gedächtnis bewahrtes Abbild[129] für den geistigen Begriff (das Verbum mentis) spielt[130]. Der gedachte Satz wird also hier zum Zeichen und Bild des gesprochenen Satzes, nicht umgekehrt! Diese von der herkömmlichen Erkenntnislehre

---

respondetur ad tales quaestiones: Quid scis? Quid credis? Quid dubitas? Quid opinaris? Et quia nunquam ad tales respondetur nisi per complexa sic dicendo: Scio deum esse, vel: Scio quod deus est, ideo obiectum scientiae dicitur esse complexum. Secus est, si quaereretur: Quid vides? Potest enim convenienter responderi: Sortem vel lapidem. Et ideo obiectum visionis dicitur res visa.

[126] Vgl. o. S. 207.

[127] Vgl. Sprengard, II, a.a.O. 32f.

[128] Vgl. a.a.O. 34.

[129] Beachte die Ähnlichkeit dieses Species-Begriffes mit dem des Gregor von Rimini.

[130] Vgl. Sprengard, II, a.a.O. 53. Crathorn, q.2 (fol. 14 va, 35—44): Propositio mentalis correspondens vocali non est aliud quam verbum propositionis vocalis cuius verbi generatio in mente intelligentis similis est generationi verborum aliorum rerum. Unde sicut verbum albedinis duobus modis generatur in mente intelligentis, uno modo ab ipsa albedine quando videtur, alio modo a specie albedinis tenente in memoria, sicut albedo cogitatur ipsa absente, sic propositio mentalis uno modo generatur in mente intelligentis a propositione vocali cuius est verbum sicut quando propositio vocalis actu auditur. Alio modo a specie propositionis vocalis conservata in memoria illius qui propositionem vocalem prius audivit, sicut quando vocalis propositio cogitatur ipsa non existente.

abweichende Konzeption ist ein deutlicher Beweis dafür, wie mit Crathorn ein Verständnis für die Bedeutung der Lautsprache beginnt. Darauf hat Sprengard mit Recht hingewiesen. Dies trennt Crathorn letzten Endes doch von Gregor von Rimini, der mit der Lehre vom Verbum mentis nullius linguae in der Tradition der Erkenntnislehre des hl. Augustinus steht. Mit Crathorn gemeinsam hat er die Lehre vom Significatum propositionis als Gegenstand der Erkenntnis.

g) Die metaphysische Voraussetzung: Der „ontologische Individualismus"

Der Gegensatz zwischen Gregor von Rimini und Robert Holcot, mag er nun zur literarischen Fehde geführt haben (Hubert Elie) oder nicht (Dal Pra), hat seinen letzten Grund in dem verschiedenen metaphysischen Ansatz der beiden Magister. Holcot konnte sich unter der vom Satz bezeichneten Sache nichts anderes vorstellen als die extramentale Sache in ihrer faktischen Existenz (oder Nichtexistenz). Alle seine Gegenargumente sind von dieser Gleichsetzung des Significatum mit der Res extra bestimmt. Nur der extramentalen Sache kommt das Sein im eigentlichen Sinne zu. Jede Aussage über ein Einzelding muß so geformt werden, daß sie nur von wirklich Existierendem sagt, daß es ist. Nur dann ist sie im eigentlichen Sinne wahr. Dieser „ontologische Individualismus" ist Ockhams Erbe[131]. In der extramentalen Welt existieren nur die Einzeldinge. Verknüpfung und Unterscheidung ist allein Sache des erkennenden Geistes. Der Ort, an dem dies geschieht, ist die im erkennenden Geiste gebildete Aussage. Sie erübrigt in Holcots Augen eine intentionale „Res significata". Ausdrücklich weist es Holcot zurück, den mentalen Satz als Zeichen des gesprochenen oder geschriebenen Satzes zu verstehen. Er ist sich bewußt, daß er damit die Grundlage der Lehre seines Socius zerstört[132].

Nun wissen wir, Gregor vertrat eine differenzierte Lehre über das mentale Urteil[133], die auch Elemente der augustinischen Erkenntnislehre zu Worte kommen ließ. Er kannte dazu eine Art

---

[131] Vgl. E. Hochstetter, a.a.O. 20—23; R. Guelluy, Philosophie et Théologie chez Guillaume d'Ockham, 108f.

[132] Vgl. Holcot, Conferentiae a.1 (fol. o VI vb 15—23): ... tota ista ratio fundatur super falsam imaginationem, quae ponit quod non est aliqua propositio mentalis nisi illa, quae est similitudo propositionis vocalis vel scriptae. Unde ponit unam propositionem falsam et super illam sibi ipsi concludit et nulli alteri. Unde negata hac propositione: Omnis propositio mentalis est naturalis similitudo vocalis vel scriptae, quae nihil valet, destruitur totum fundamentum dictorum suorum. Vgl. H. Elie, a.a.O. 42ff.

[133] Vgl. Würsdörfer, a.a.O. 36.

mentaler Urteile, die er als Bilder und Ähnlichkeiten der sprachlichen Urteile bezeichnete[134].

Doch treffen die kritischen Bemerkungen Holcots genau auf die Lehre Crathorns zu. Für ihn ist die sprachliche Aussage das erste und der mentale Satz das zweite, wie wir sahen. Damit erhielt die sprachlich oder schriftlich geformte Aussage eine eigene Gegenständlichkeit, während die mentale Aussage als Abbild und Zeichen des gesprochenen oder geschriebenen Satzes gedeutet wurde. Sprengard wies auf dieses onomatologische Interesse Crathorns hin, das zu seiner Zeit völlig neu war. Für diesen Magister unterscheiden sich daher nicht nur lautlich geformten Sätze, sondern auch die mentalen Sätze, die das gleiche Wissen aussagen, nach dem Sprachidiom. Denn der Engländer und der Grieche, die z. B. beide wissen, daß sich die Sonne am dritten Tage verfinstern werde, stimmen in der Aussage darüber nicht überein, da sie sich je verschiedener mentaler oder stimmlicher Sätze bedienen[135]. Das bedeutet aber, daß der Unterschied der lautlich oder schriftlich geformten Aussage auch die Verschiedenheit der propositio mentalis bedingt. Holcot sieht in dieser Zuordnung der Propositio mentalis zur Propositio vocalis als deren Bild und Zeichen den „Hauptirrtum" seines Gegners[136].

Mit der gleichen Heftigkeit bekämpft er dessen Lehre, daß nicht der Satz, sondern das mit ihm Bezeichnete der Gegenstand der Erkenntnis sei. Für Crathorn liegt dies in dem Unterschied zwischen Gegenstand und Zeichen begründet. Der Satz vermittelt die Erkenntnis dessen, was er bezeichnet. In dieser Rolle hat er die Bedeutung eines Zeichens für den Sachverhalt, auf den er sich richtet. Nicht das einzelne Ding, sondern das Ganze, was der Satz bezeichnet, ist Gegenstand der Aussage[137]. In diesem Punkt besteht eine wörtliche Kontroverse zwischen Holcot und Crathorn.

---

[134] Vgl. Gregor von Rimini, I Sent. prol. q.1 a.3: ... est genus enuntiationum mentalium... quae sunt vocalium enuntiationum imagines vel similitudines ab exterioribus vocibus in animam derivatae vel per ipsam factae. Zit. bei Würsdörfer, a.a.O. 36.

[135] Vgl. Crathorn, q.4 (fol. 26 rb 24—29): Tertio sic: Unum et idem potest sciri a duobus, qui non communicant in aliqua propositione mentali vel vocali, sicut patet de anglico et graeco, quorum uterque potest scire quod tertio die sol eclipsabitur. Igitur non omne quod potest sciri scientia proprie dicta est propositio mentalis vel vocalis.

[136] Vgl. o. Anm. 132.

[137] Vgl. Crathorn, q.4 (fol. 26 rb 29—44): Ideo videtur mihi quod id quod proprie scitur a sciente quod omne mixtum est corruptibile vel quod sol certo die eclipsabitur, non solum sunt haec propositiones vel consimiles: sol tali die eclipsabitur, omne mixtum est corruptibile, sed ista quae per tales propositiones importantur. Immo videtur mihi quod heac propositio sit falsa: Haec

Wir befinden uns hier auf dem Boden sublimer Untersuchungen und Unterscheidungen der scholastischen Erkenntnislehre. Die Unterschiede beruhen auf einer verschiedenen Verteilung der Gewichte in der Beurteilung der einzelnen Elemente, aus denen sich die Erkenntnis zusammensetzt. Hintergründig wirken auch metaphysische Grundentscheidungen mit. Gregor von Rimini begründet die Unabhängigkeit der idealen Wahrheit von den existierenden Gegenständen einerseits und von jeder sprachlichen Formulierung andrerseits mit der absoluten göttlichen Wahrheit.

Darin folgte er Augustinus, auf den er sich bereits mit seiner Lehre vom rein inneren Wort, „das keiner Sprache angehört", berief[138]. Noch bevor die Welt erschaffen war, habe das Urteil: „Die Welt wird erstehen", etwas Wahres ausgesagt. Und wenn die Welt untergegangen ist, so sei das wahr: „Die Welt ist untergegangen". Auch habe das Urteil Wahrheit: „Es existiert kein Geschöpf", wenn kein Geschöpf existiert. Alle derartigen Urteile bestehen in der ungeschaffenen ersten Wahrheit, selbst wenn die realen Gegenstände nicht oder nicht mehr existieren[139]. Im Gegensatz dazu gibt es für Holcot über faktisch nicht Existierendes keine Aussagen, die im eigentlichen Sinne wahr sind. Ein großer Teil der Prolog-Quaestio dient dazu, dies nachzuweisen und Aussagen solcher Art in eine Form umzuwandeln, in der sie in ihrer eigentlichen Bedeutung wahr sind[140].

Holcot berief sich übrigens ebenso auf die Autorität des hl. Augustinus wie Gregor, um die eigentümliche geistige Realität der Propo-

propositio est scibilis: sol eclipsabitur, et similiter haec est falsa: Ista propositio scitur. Sed haec est vera: Haec propositio: sol eclipsabitur, est signum istius quod scitur vel potest sciri vel est scibile. Et consimiliter dicendum est de aliis propositionibus, quae exprimunt scibilia vel scita. Sciens vero significatum istius propositionis: omne mixtum est corruptibile, potest scire hanc propositionem esse veram: omne mixtum est corruptibile, per tale medium: Omnis propositio quae ita significat esse sicut est vel fore sicut erit, est vera; sed haec propositio: omne mixtum est corruptibile, est huiusmodi; igitur est vera.
Sed istud quod scitur per istud medium, non est propositio: Omne mixtum est corruptibile, sed totum significatum istius propositionis conclusae: Haec propositio est vera: omne mixtum est corruptibile, vel istud totale significatum quod exprimitur per istud complexum: Haec propositio, omne mixtum ex contrariis est corruptibile, est verum signum.

138 Vgl. Augustinus, De trin. XV c.1 n.1 (PL 42, 1057); c.11 n.20 (1071ff); Würsdörfer, a.a.O. 37.
139 Vgl. Augustinus, Solil. II c.2 n.2 (PL 32, 885f); ebenso bei Anselmus, De ver. c.10 (ed. Schmitt, 190, lin. 13—32).
140 Vgl. Holcot, IV Sent. q. 10 / Prol. (RBM fol. 129 va ff; O fol. 204 ra ff): De obiecto actus credendi utrum sit ipsum complexum vel res significata per complexum. Vgl. o. S. 229ff.

sitio mentalis aufzuzeigen und die Lehre zu bekämpfen, wonach die Propositio mentalis nur das geistige Bild des gesprochenen oder geschriebenen Satzes sei. Auch darin zeigt sich die Verwandtschaft der beiden Magister, daß sie sich auf dieselben Autoritäten: Aristoteles und Augustinus, z. T. auf dieselben Textstellen berufen konnten[141]. Die Unterschiede sind erst im Ganzen des jeweiligen Lehrsystems relevant. Wir werden sehen, wie sich Holcots Lehre über die Futura contingentia von der Methode her einem besseren Verständnis erschließt. Holcot mußte das, was Gott vom Zukünftigen, vom Möglichen, vom faktisch Nichtexistierenden weiß, in mannigfachen Aussagen umschreiben, da er von einem idealen Objekt nichts wissen wollte. Da Augustinus aber seine Ausführungen mit Bildern aus dem Bereich der Sprache durchsetzte, bot er für eine aussagenlogische Ausdeutung willkommene Dienste, von denen Holcot Gebrauch machte. Aristoteles wiederum diente Holcot, die Sachtreue der Propositio mentalis aufzuzeigen; denn die in ihr gebrauchten Begriffe (παθήματα τῆς ψυχῆς) sind bei allen Menschen dieselben, und diese sind schließlich — so zitiert Holcot die Perihermeneiasstelle — die natürlichen Zeichen der extramentalen Dinge[142]. Sachlich ist diese Berufung auf Aristoteles durchaus berechtigt. Sie mahnt uns wieder einmal zur Vorsicht im Urteil über Holcots Erkenntnislehre; der Vorwurf eines erkenntnistheoretischen Nominalismus oder Skeptizismus ist im Hinblick auf so klare Äuße-

---

[141] Vgl. ders., Conferentiae, art. 1 (fol. o VI vb 19—38; der z. T. fehlerhafte Text wird nach den Hss korrigiert. Vgl. RBM fol. 132 vb 34—54; P fol. 108 va 39—63; O fol. 208 ra 38—52): Unde negata hac propositione: Omnis propositio mentalis est naturalis similitudo vocalis vel scriptae, quae nihil valet, destruitur totum fundamentum dictorum suorum. Quod autem istud sit omnino contra rationem, patet per auctoritatem Aristotelis primo Perihermenias, qui ponit propositionem componi ex conceptibus naturaliter significantibus. Item auctoritate Augustini De trinitate XV c.32: de visione scientiae, visio cogitationis (cognitionis P) exoritur quod est verbum linguae nullius, verbum verum de re vera. Et c.63: Gignitur internum verbum quod nullius linguae sit tanquam scientia de scientia. Et c.28 de parvis, perveniendum est igitur ad illud verbum mentis (hominis P) vel rationalis animantis (ad verbum hominis rationalis animantis P), ad verbum non de deo natae sed a deo factae imaginis dei quod neque prolatum est in sono neque cognitum est in similitudine soni quod alicuius linguae esse necesse sit, sed quod omnia quibus significantur signa praecedit et gignitur de scientia, quae manet in animo, quando eadem scientia dicitur intellectus, sicuti est. Et idem habetur c.24 et consequenter per totum librum. Et per Anselmum, Monologium c.31 et consequenter in multis locis.

[142] Vgl. Anm. 141. Aristoteles, Perihermeneias 1 (16 a 5—8): Καὶ ὥσπερ οὐδὲ γράμματα πᾶσι τὰ αὐτά, οὐδὲ φωναὶ αἱ αὐταί· ὧν μέντοι ταῦτα σημεῖα πρώτων, ταὐτὰ πᾶσι παθήματα τῆς ψυχῆς, καὶ ὧν ταῦτα ὁμοιώματα, πράγματα ἤδη ταὐτά.

rungen wie die eben zitierte nicht aufrecht zu erhalten, oder
bedarf mindestens einer Modifizierung.

Die Bedeutung der Aristotelesstelle ist allerdings viel komplizierter, als es nach dem ersten Eindruck des Wortlautes und nach
ihrem Gebrauch bei Holcot erscheint. Aristoteles ging es darum,
den Unterschied zwischen dem stimmlichen und geschriebenen Wort
einerseits und der rein psychischen Erfahrung andrerseits zu zeigen.
Letzte sind bei allen Menschen gleich, wie die durch sie erfahrenen
Dinge gleich sind. Aristoteles bringt die Gleichheit der παϑήματα
mit der Gleichheit der πράγματα in Beziehung. Es ist aber die Frage,
ob mit πράγματα bei Aristoteles die extramentalen Dinge gemeint
sind oder ob unter πρᾶγμα im weiteren Sinne das in der Aussage
bezeichnete Objekt verstanden werden muß. Gregor ist dafür eingetreten. Zwei in den Kategorien enthaltene Textstellen, die auch
Elie anführt, bestätigen diese Aristotelesauslegung. An der ersten
Stelle[143] lehrt Aristoteles, daß Bejahung und Verneinung auf dem
Gegensatz der „Tatsachen" beruhen. Er unterscheidet dabei
zwischen entgegengesetzten Dingen und entgegengesetzten Tat-
sachen, nämlich Blindheit und Blindsein, Sehkraft und Sehen. Der
Blinde wird nicht „Blindheit" genannt, der Sehende nicht „Seh-
kraft". Bejahung und Verneinung ist nun nicht in den durch die
Substantiva bezeichneten Dingen, sondern in den durch verbale
Aussagen bedeuteten Tatsachen. So stehen sich bejahende und ver-
neinende Aussagen gegenüber wie das mit den Aussagen Bedeutete.
„Denn auch hier ist die Weise des Gegensatzes dieselbe: Wie die
Bejahung der Verneinung, etwa der Satz: er sitzt, dem anderen
Satz: er sitzt nicht, gegenübersteht, so steht auch die durch beide
Sätze bezeichnete Sache: das Sitzen dem Nichtsitzen, gegenüber."
Die zweite Stelle[144] besagt in kürzerer Form dasselbe: „Wahr ist
die Aussage: ein Mensch ist, wenn ein Mensch tatsächlich ist. Und
dies läßt sich umkehren: Wenn die Aussage, nach der ein Mensch
ist, wahr ist, ist ein Mensch. Nun ist aber die wahre Aussage gewiß
nicht der Grund für das Sein von πρᾶγμα, wohl aber scheint πρᾶγμα
der Grund dafür, daß die Aussage wahr ist." Das πρᾶγμα ist in
diesen Beispielen nicht ein Einzelding wie Sehkraft, Mensch, ein
Seiendes; es ist vielmehr ein durch eine Aussage oder wenigstens
ein Verbum Bezeichnetes, nämlich Blindsein, Sehen, Sitzen, ein
Mensch sein.

Crathorn stimmt mit Gregor darin überein, daß nicht die Sache,
aber auch nicht der Satz als solcher Gegenstand des Wissens ist,

---

[143] Vgl. Aristoteles, Kat. 10 (12 a 35 — b 16).
[144] Vgl. ebd. (14 b 15—22).

sondern das mit dem Satz Bezeichnete. Er umschreibt zwar in mehreren Wendungen, was darunter zu verstehen ist. Seine Aufmerksamkeit gilt sowohl dem ontologischen Stand dieses ‚Significatum propositionis' als auch dem Zeichencharakter des Satzes selbst. Während für Holcot die Signifikation beim Gebrauch der Begriffe relevant ist und dort ihre entscheidende Bedeutung für den Realcharakter der Erkenntnis erhält[145], betrachtet Crathorn auch den Satz als Ganzes wie ein Zeichen und Bild des Sachverhaltes. Sehr aufschlußreich für diese Auffassung sind seine Ausführungen am Anfang der Quaestio über die Futura contingentia[146]. In der aussagenlogischen Formulierung ähnelt Crathorns Lehre sehr derjenigen Holcots[147]. Er unterscheidet sich jedoch von diesem durch die semantische Behandlung des Satzes. Wie der Text zeigt, kann man in diesem wichtigen Punkt der Erkenntnislehre Crathorn weder als Nominalisten noch als Empiristen bezeichnen[148]. Was er mit Ockham und anderen „Nominalisten" teilt, ist die Anwendung des Ökonomieprinzips: „Die Wahrheit des Satzes ist der Satz selbst und nicht eine zum Satz hinzutretende Qualität." Für den ‚Realitätscharakter' des Satzes fordert Crathorn, daß (wirklich) ist, was der Satz bezeichnet[149].

---

[145] Holcots Kritik an dem ontologischen Gottesbeweis des Anselmus beruht hauptsächlich auf diesem Argument. Vgl. u. S. 265.

[146] Crathorn, q.19 (fol. 50 va 49): Utrum deus cognoscat necessario futura contingentia.

[147] Den Ausgangspunkt der Erörterung über die Futura contingentia bildet die Frage nach der Wahrheit des Satzes (ebd. fol. 50 vb 7—10): Circa istam quaestionem sic procedam: Primo ostendam, quid est veritas propositionis. Secundo quid est futurum contingens... Zu dieser Frage vgl. den Abschnitt über die Futura contingentia.

[148] Vgl. Sprengard II, a.a.O. 19ff.

[149] Vgl. Crathorn a.a.O. (fol. 50 vb 10—22): Quantum ad primum dico sicut alias: Veritas propositionis est ipsa propositio vera et non aliqua qualitas superaddita propositioni verae, sive dicatur propositio vera, quia est vera res, sive quia dicatur vera, quia est verum signum. Tamen propositionem esse veram per modum signi veri vel sicut signum verum plura requiruntur. Primo requiritur quod ipsa propositio sit scripta vel prolata vel formata mentaliter, quia id quod non est propositio, non est propositio vera.
Secundo requiritur quod propositio sit ab aliquo concepta vel intellecta, quia si propositio est verum signum, alicui intellectui est verum signum, et omne istud quod est signum, alicui intelligenti est signum, et quod nulli intelligenti est signum, non est actu signum.
Tertio requiritur quod sit vel fuerit vel est, sicut propositio significat. Et istis tribus stantibus sequitur necessario quod propositio sit vera respectu istius significati et quod intelligenti sit verum signum, qui illa propositione utitur ut signum istius significati.

Gregor verbindet Scharfsinn mit metaphysischer Tiefe, wo er die verschiedenen Arten der mentalen Erkenntnisinhalte darstellt[150]. Obwohl er sich dabei vornehmlich auf Augustinus stützen konnte, verstand er es, die aristotelische Erkenntnislehre in seinen Dienst zu nehmen. Mit ihrer Hilfe gelang ihm die kräftige Betonung der transzendentalen Seite der Erkenntnis. Doch gebührt auch Holcot das Verdienst einer verfeinerten Darlegung, was besonders die logische Formulierung der Wahrheitserkenntnis betrifft. Jedenfalls steht seine Lehre, daß Wahrheit und Falschheit in der Aussage, im Complexum sei, durchaus auf aristotelischem Boden[151]. Der Streit um das „Significatum propositionis" (Crathorn) oder „Complexum significabile" (Gregor) als eigentümliches Objekt der Aussage wurde nur möglich auf dem Boden der verfeinerten Erkenntnistheorie des vierzehnten Jahrhunderts, in der das Interesse am transzendentalen Sein der Erkenntnisinhalte und der Aussagen so stark geworden war[152].

Elie stützte auf diese von ihm vermutete Kontroverse zwischen Gregor von Rimini und Holcot die Datierung der Conferentiae in die Jahre 1344—1349, nämlich zwischen dem Jahr, in dem Gregor zum erstenmal die Vorlesungen über die Sentenzen vollendete, und dem Todesjahr Holcots[153]. Da Gregor aber bereits 1341 in Paris mit den Vorlesungen (mit seiner zweiten Vorlesungstätigkeit!) begann und 1344 sein Kommentar bereits in fertigen Ausgaben vorlag[154], müßte die Entstehung der Conferentiae Holcots, wenn man von Elies These ausgeht, vordatiert werden.

Das alles sind jedoch Hypothesen, die von der Annahme ausgingen, daß Gregor der Gegner gewesen sei, gegen den Holcot opponiert habe. Die Textzitate sprechen jedoch eindeutig für Crathorn, wenn auch eine letzte literarkritische Unsicherheit dadurch besteht, daß wir allein die Quaestiones, nicht aber die Lectio super Bibliam dieses Magisters kennen, die Holcot auch erwähnt[155].

---

[150] Diesen Eindruck gewinnt man auch aus der Darstellung von Würsdörfer (vgl. a.a.O. 36ff). Er zeigt, daß Gregor die These Ockhams bekämpft: „Nur ein Satz sei wahr" (a.a.O. 40 Anm. 2). Damit wandte sich Gregor zugleich gegen die ganze ockhamistische Richtung, „die das Wissensobjekt zu sehr als einen Bestandteil des syllogistischen Denkens ansieht" (a.a.O. 112). Holcot folgte zwar Ockham in der Kennzeichnung der menschlichen Erkenntnis als „Schlußwissen", sah aber das entscheidende Element nicht im Schluß, sondern im gesamten Syllogismus, wie gezeigt wurde.

[151] Vgl. Aristoteles, Met. V, 4 (E c.4 1027 b 25—27 und 29—31).

[152] Vgl. H. Elie, Le complexe significabile, 7ff.

[153] Vgl. a.a.O. 44.

[154] Vgl. D. Trapp, Gregor von Rimini, a.a.O.

[155] Vgl. im vorigen Abschnitt („Der Akt des Glaubens") Anm. 98.

Schließlich dürften Schepers' literarkritische Untersuchungen entscheidend für Crathorn als den Gegner Holcots sprechen[156].

Sicher ist, daß die Conferentiae eine späte Schrift Holcots darstellen, wenigstens was die ersten drei Artikel betrifft. Die Problematik der Erkenntnistheorie wird um einen entscheidenden Schritt weitergetrieben, wenn auch an die früheren Ausführungen im Sentenzenkommentar angeknüpft wird. Die Grundauffassung Holcots hat sich nicht verändert. Sie steht zwischen Ockham, Crathorn und Gregor von Rimini. Alle vier Autoren verbindet das Bemühen, die begriffliche und aussagenlogische Seite der Wahrheitserkenntnis zu untersuchen. Auf dieser Ebene werden die Gegensätze formuliert. Metaphysische Gründe sind mehr von den Grundlagen her wirksam und bleiben bei der Disputation im Hintergrund. Was diese betrifft, standen Ockham und Holcot auf der einen Seite, Gregor von Rimini auf der anderen. Bei Crathorn erweitert sich das Interesse sowohl von den ontologischen wie von den aussagenlogischen Problemen aus auf diejenigen der Semantik und der Sprache.

---

[156] Vgl. ebd. Anm. 131.

V

DIE GOTTESLEHRE

Nach der eingehenden Untersuchung, die Alois Meissner der Gotteslehre des Robert Holcot gewidmet hat [1], könnte eine neue Behandlung dieses Themas als überflüssig erscheinen. Darum soll hier sogleich an die unterschiedliche Zielsetzung unserer Arbeit erinnert werden. Sie will als methodische Untersuchung die Gotteslehre von der Aussageweise her angehen. Meissner hat gleich am Anfang auf die eigenartige Wertung des Sentenzenkommentars von Holcot hingewiesen, die schon im Titel des Werkes zum Ausdruck kommt: Quaestiones super quatuor libros Sententiarum. Dies stelle „eine von den früher üblichen Sentenzenkommentaren schon bedeutend verschiedene Entwicklungsstufe" dar [2]. Die theologische Erörterung bewegt sich nicht mehr vorwiegend in der sachlichen Systematik des Stoffes, sondern dient einer kritischen Reflexion, wobei der Aussagemodus in den Vordergrund tritt. Hier muß auch der Weg gefunden werden, anscheinend sachliche Gegensätze der Lehre zu lösen [3]. Zugleich ist für die Beurteilung theologischer Aussagen in der Scholastik der geistesgeschichtliche Hintergrund viel stärker zu berücksichtigen. Was rein inhaltlich beurteilt als Agnostizismus, Fideismus und Traditionalismus angesehen werden könnte [4], gewinnt im Hinblick auf die geistesgeschichtliche Situation plötzlich eine andere Bedeutsamkeit. Man möge doch niemals vergessen, daß auch Thomas von Aquin in eine solche Situation gegensätzlicher Beurteilung geriet, in der Theologen von Rang bestimmte Sätze seiner Lehre als häretisch verurteilten! Der Abwehrkampf gegen den Averroismus schuf eine besondere geistige Lage, die von den

---

[1] Vgl. A. Meissner, Gotteserkenntnis und Gotteslehre nach dem englischen Dominikanertheologen Robert Holkot, Limburg/Lahn, 1953.

[2] Vgl. a.a.O. 13.

[3] Die sachlich-inhaltliche Interpretation einer solchen Textschwierigkeit erfordert eine Ergänzung vom Gesichtspunkt der Aussageweise. Vgl. dazu Meissner, a.a.O. 13.

Volle Zustimmung verdient freilich die Bemerkung des Verf.: „So muß denn jede Deutung versucht und bevorzugt werden, die den abweichenden Text mit der gewohnten, sonst feststellbaren Meinung zu vereinbaren weiß . . ." a.a.O. 29.

[4] Vgl. a.a.O. 23; 30.

Magistern der Theologie auf Grund der verschiedenen Lehrrich-
tungen, zu denen sie gehörten, in unterschiedlicher Weise gemei-
stert wurde[5].

Schließlich sind auch literarische Gründe zu berücksichtigen. Die
Unsicherheit der handschriftlichen Überlieferung und die Unzuverlässigkeit des gedruckten Materials, auf das allein sich bis heute
fast alle Arbeiten stützen, macht größte Vorsicht im Urteil erforderlich, besonders wenn es sich um eine vereinzelte These handelt,
wie dies bei dem Satz, daß Gottesliebe und Gotteshaß im selben
Menschen zusammen bestehen können, der Fall ist[6].

Aus der Gotteslehre Holcots wollen wir hier drei Themen unter
dem methodischen Gesichtspunkt dieser Arbeit herausgreifen, an
denen sich die Eigenart seiner Theologie besonders gut veranschau-
lichen läßt: die Gotteserkenntnis, die Gottesliebe und den Gottesbegriff.

1. Die Gotteserkenntnis

Daß für Holcot die Gotteserkenntnis grundsätzlich auf Offenbarung beruht, hat bereits Meissner in seiner Studie gezeigt[7]. Die
Frage nach der natürlichen Gotteserkenntnis wird von Holcot im
Zusammenhang der übernatürlichen Gottesliebe behandelt. Die
Quaestio trägt die Überschrift: Utrum viator teneatur frui soli
deo[8]. In der seit Augustinus üblichen Weise[9] unterscheidet Holcot
zwischen den beiden Willensakten des uti und frui[10]. Holcot zitiert

---

[5] Vgl. den Abschnitt: „Der Wissenschaftscharakter der Theologie", S. 88ff.
[6] In den Holcot zugeschriebenen Determinationes wird allerdings bedeutend vorsichtiger formuliert, nämlich daß Gott de potentia absoluta seine Liebe auch
dem ihn Hassenden eingeben kann. Vgl. Determinationes q.IX (fol. H vb
52—55): Et similiter loquendo de potentia dei absoluta deus potest ponere
caritatem in odiente se, si vellet, quia hoc fieri nullam contradictionem includit.
[7] Vgl. Meissner, a.a.O. 30.
[8] Vgl. Holcot, I Sent. q.4 (fol. c VIII vb 32ff).
[9] Vgl. Augustinus, De doctr. christ. I, c.3 u. 4 (PL 34, 19—20); Petrus Lombardus, Libri IV Sent. I d.1 (²1916, 14ff); Thomas Aq. i.h.l.; ders., S.th.I II q.11.
[10] Vgl. Holcot, a.a.O. (fol. d II vb 22—52; korrigiert nach O): Primus modus de
istis tribus videlicet quod voluntas diligit aliquid propter se potest considerari
dupliciter: Uno modo quod absolute diligat illud propter se. Alio modo quod
sic diligat illud propter se quod aestimat illud ut finem esse diligendum a
voluntate, et hoc est diligere aliquid propter finem ultimum. Et iste actus
voluntatis vocatur apud theologos frui stricte et proprie capiendo hoc verbum
frui. Unde Augustinus primo De doctrina christiana c.38: Dicimus nos ea re
frui, quam diligimus propter se. Et infra: Si inhaeseris atque permanseris
finem in ea ponens laetitiae tuae, tunc vere et proprie frui dicendus es. Ceteri

die gleiche Augustinusstelle, auf die sich Petrus Lombardus, Thomas von Aquin und viele andere berufen haben. Wir bemerken aber in seinen Ausführungen ein Feingefühl für Gegebenheiten der praktischen psychologischen Erfahrung. Schon beim Akt des Frui unterscheidet er zwischen der absoluten Bedeutung des Begriffes und seinem speziellen Gebrauch in der Sprache der Theologen. Er unterscheidet ferner beim Akt des Uti zwischem dem aktual und dem habitual Intendierten. Bei den Werken der Barmherzigkeit richtet sich die Intention allermeist unmittelbar auf den Notleidenden und die ihm dargebotene Hilfe. Dabei wirkt aber eine vorher auf Gott gerichtete Absicht habituell mit. Wir beobachten hier einmal mehr das Verständnis des Magisters für die Gegebenheiten des praktischen Glaubenslebens[11]. Im übrigen bleibt die Lösung der Frage in den traditionellen Bahnen: Die Fruitio darf sich allein auf Gott richten.

Darauf folgt die Frage, ob der Mensch in diesem Leben auch ohne Gnade Gott über alles lieben könne[12]. Holcot antwortet mit zwei Konklusionen. In der ersten bejaht er die Frage, weil der Mensch alles, was er für höchst liebenswert halte, auch über alles lieben kann. Es sei unsinnig, ein solches Vermögen dem menschlichen Willen abzusprechen. Nun kann der menschliche Intellekt aus seinen natürlichen Kräften und ohne übernatürlichen Habitus Gott für höchst liebenswert halten, sei diese Erkenntnis wahr oder irrtümlich. Holcot führt viele Gründe der natürlichen Einsicht an, die der praktischen Lebenserfahrung entnommen sind wie etwa, daß der Mensch auch ein Geschöpf über alles lieben könne[13].

vero actus voluntatis dicuntur uti ita quod uti sit amare aliquid propter aliud. Hoc tamen contingit dupliciter, quia vel utrumque istorum sit actu volitum et unum propter aliud. Et tunc voluntas proprie utitur illo quod propter aliud amat, sive amet illud tam propter se quam propter aliud, sive amet illud propter aliud tantum. Aliter contingit unum esse volitum actualiter et aliter habitualiter, sicut contingit quod aliquis utens medicina non cogitat actualiter de sanitate sed tantum habitualiter et tamen vere utitur medicina. Et isto modo multi faciunt elemosinas et opera misericordiae propter deum et tamen pro tunc non cogitant de deo, sed cogitaverunt ante. Ex his patet quid est frui proprie et quid uti, quia frui est sumere aliquid in facultatem voluntatis propter se et finem laetitiae suae in eo ponere. Uti est assumere aliquid in facultatem voluntatis non propter se finaliter sed propter aliud magis dilectum actu vel habitu.

[11] Vgl. den Abschnitt: „Einleitung" S. 8f.

[12] Vgl. Holcot, a.a.O. (fol. d III ra 34—37): Nunc videnda sunt quaedam circa fruitionem viae, ubi primo occurrunt quatuor difficultates communes. Prima utrum homo possit ex suis naturalibus diligere deum super omnia.

[13] Vgl. ebd. (fol. d III ra 45 — b 5 bzw. 40): Et in isto articulo dico duas conclusiones. Prima est affirmativa: Talis homo potest ex suis solis naturalibus

Die zweite Konklusion lautet: Kein Mensch kann frei aus natürlichen Kräften das Gebot der Gottesliebe unter dem jetzt bestehenden Gesetz erfüllen[14]. Diese sachlich gegensätzlichen Antworten
beruhen auf einem methodischen Prinzip, das wir auch bei Wilhelm
Ockham finden. In der Frage nach dem verdienstlichen Werk unterscheidet der Venerabilis Inceptor zwischen dem Anteil des Menschen und dem Anteil Gottes. Die einzelne Handlung wird gleichsam aufgespalten und das Wirken beider Partner in einer gegeneinander abgegrenzten Weise gesehen. Auf seiten des Menschen
liegt die Verdienstlichkeit in der freien Entscheidung des Willens,
auf seiten Gottes in der freien Annahme des geschöpflichen Werkes[15]. In ähnlicher Weise sieht Holcot den Akt der Gottesliebe
einerseits in seinem psychischen Vollzug, d. h. als ein durch das
Urteil des praktischen Intellektes hervorgerufenes Streben, andrer-

---

diligere deum super omnia. Hanc conclusionem probo sic. Omne illud quod
intellectus humanus ex suis naturalibus potest credere esse summe diligendum,
potest ex suis naturalibus summe diligere, quia irrationabile omnino videtur
quod homo crederet aliquid esse ab eo diligendum et tamen quod non posset
illud summe diligere, cum nihil sit magis in potestate voluntatis quam ipsa
voluntas, ut habetur III De libero arbitrio ca.3; sed deus est huiusmodi, quia
intellectus humanus potest eum credere sive veraciter sive erronee esse summe
diligendum, et hoc ex solis naturalibus, id est sine quocumque habitu super-
naturali. Ergo etc.
Dann folgen mehrfache Gründe der natürlichen Einsicht.
[14] Vgl. ebd. (lin. 40—43): Secunda conclusio est ista: Nullus homo potest libere
implere praeceptum de dilectione dei super omnia per sola naturalia stante
lege, quae nunc est.
[15] Vgl. Wilhelm Ockham, I Sent. d.17 q.2 C: Praeterea nihil est meritorium nisi
quia voluntarium, et hoc nisi quia libere elicitum vel factum, quia nihil
meritorium nisi quod est in nobis, hoc est in nostra potestate. Sed nihil est in
nostra potestate, ut possimus agere et non agere, nisi quia est a voluntate
tanquam a principio movente et non ab habitu, quia cum habitus sit causa
naturalis, nihil est indifferens <nisi> propter habitum.
Wenig später stellt Ockham beide „Faktoren" des Meritum gegenüber, einerseits den in seiner Natur unveränderten menschlichen Akt, andrerseits die
freie Annahme durch Gott; vgl. ebd. E: Ad primam rationem alterius opinionis
dico primo quod actus meritorius nec etiam actus caritatis excedit totam facultatem naturae humanae, quia omnis actus caritatis, quem secundum communem
cursum habemus in via, est eiusdem rationis cum actu ex puris naturalibus
possibili; et ita ille actus non excedit facultatem naturae humanae. Verumtamen illum actum esse meritorium non est in potestate naturae humanae, sive
habeat caritatem sive non habeat, sed est in libera dei acceptatione ita quod
sive caritas insit animae sive non insit et actu elicito, adhuc est in potestate dei
acceptare illum actum tanquam meritorium vel non acceptare. Unde idem
actus, qui modo elicitur ab habente caritatem et est meritorius, posset deus de
potentia sua absoluta non acceptare eum et tunc non esset meritorius, et tamen
esset idem actus et caritas eadem.

seits in seiner Bedeutsamkeit innerhalb der Gnadenordnung. Der
rein natürlich mögliche Akt der Gottesliebe wird von Gott nur angenommen, wenn er in der Gnade ausgeübt wird[16].

In dieser schroffen Gegenüberstellung des menschlichen Tuns
und der göttlichen Acceptatio besteht für die Gratia die Gefahr, zu
einer Art äußeren Bedingung abgewertet zu werden, zumal sie
Holcot nicht zur Substanz, sondern zu den von Gott gebotenen Umständen der Acceptatio rechnet. Doch gehört die Erörterung dieser
Frage in den folgenden Abschnitt über die Gottesliebe. Was es hier
zu beachten gilt, ist die starke Hervorhebung des menschlichen Werkes in seiner natürlichen Substanz. Damit beabsichtigt Holcot jedoch
nicht die Aufstellung einer Art reinen Naturordnung. Er steht
einfach in einer für seine Zeit schon historischen Tradition, wie wir
sehen werden[17]. Allerdings ist seine Weise, das menschliche Tun
und das natürliche Geschehen in Relation zum göttlichen Wirken
zu bringen, mehr pragmatisch und weniger von metaphysischen
Argumenten gestützt wie bei Thomas von Aquin und Duns Scotus.
Nach diesen Vorbemerkungen wollen wir Holcots Kritik an der
natürlichen Gotteserkenntnis untersuchen, die wir in dieser Quaestio über die Gottesliebe finden.

Es steht nach dem Wortlaut des Textes fest, daß Holcot die natürliche Beweisbarkeit der Existenz Gottes bestreitet. Was immer
von Gott ausgesagt werden mag, kann nur aus dem Glauben genommen werden, soll es wirklich zutreffen[18]. Die Argumentation

---

[16] Vgl. Holcot, a.a.O. (fol. d III rb 43—54): Haec conclusio probatur, quia lex
iubet quod actus cadens sub praecepto fiat in gratia et caritate, quae sunt
habitus supernaturales. Ergo licet existens extra caritatem scilicet carens
habitu infuso diligat deum super omnia per sola naturalia, non tamen sequitur
quod impleat praeceptum ad intentionem praecipientis. Et hoc est quod dicunt
doctores quod homo potest sine gratia implere praeceptum quantum ad substantiam praecepti vel facti cadentis sub praecepto, non tamen quantum ad
circumstantiam facti vel quantum ad intentionem praecipientis.

[17] Vgl. u. S. 270ff.

[18] Vgl. Holcot, a.a.O. (fol. d V rb 47 — va 13; korr. nach O fol. 135 va 58—71):
Sicut nulla propositio affirmativa et categorematica, cuius subiectum est
implicativum falsi, est propositio vera, ita nulla propositio categorica affirmativa, cuius subiectum est implicativum crediti, est naturaliter evidens vel
potest esse naturaliter evidens. Sed haec propositio: Deus est super omnia
diligendus, est propositio, cuius subiectum est implicativum cuiusdam mere
crediti sicut istius: Deus est summum bonum, et istius: Deus est. Ergo
haec propositio: Deus est super omnia diligendus, non potest esse naturaliter
evidens. Maior patet, quia sicut haec est falsa: Homo est homo vel: Homo
est animal rationale mortale, si nullus esset homo, et haec similiter: Asinus
currit, si nullus asinus sit, ita haec propositio est mere credita: Deus est
prima causa, deus est primus motor, et sic de aliis. Minor ostenditur videlicet

stützt sich vornehmlich auf das logische Gelten des Aussagemodus. Der Beweisgang ist kurz folgender: Jede kategorisch bejahende Aussage ist falsch, die eine falsche Implikation enthält. Ebenso ist jede kategorisch bejahende Aussage, die eine zum Glauben gehörende Implikation enthält, nicht von natürlicher Einsichtigkeit. Schon hier kann man bemerken, daß diese strenge Unterscheidung von Glauben und Wissen auf einem logisch-methodischen Prinzip beruht. Dies wird an einer späteren Stelle der Quaestio noch deutlicher, wo Holcot sagt, daß die Aussage: „Gott ist", in der Rede eines Heiden nicht das bedeutet, was der Christ damit sagt. Eine bejahende kategorische Aussage kann aber nur wahr oder falsch sein. Da der Christ in Wahrheit, nämlich vom Glauben her redet, ist die Aussage „Gott ist" im Munde des Heiden falsch[19]. Dies intendiert bereits der am Anfang gebrauchte Begriff der „falschen Implikation".

Auf dieser Ebene bewegt sich Holcots Kritik an den Gottesbeweisen des Aristoteles, des Johannes Damascenus und des Anselmus, während er Thomas von Aquin umdeutet[20]. Der Gottesbeweis des Aristoteles aus der Bewegung ist für Holcot darum nicht tauglich, weil die Prämissen des Syllogismus, auf den er zurückgeführt werden kann, von verschiedener Modalität sind. Die Kritik setzt also am Aussagemodus der Behauptung ein, Aristoteles habe bewiesen, daß Gott existiere. Diese Behauptung konstituiert nämlich einen Modalsatz, der unter eine der bekannten vier Modalitäten: des Notwendigen, des Unmöglichen, des Möglichen und des Kontingenten fällt. Sowohl bei Anselmus wie bei Aristoteles werde der Satz: „Gott ist" von einer Prämisse hergeleitet, die als in sich bekannt gesetzt wird. Bei Anselmus lautet sie: Es gibt ein notwendiges Sein, bei Aristoteles: Es gibt einen ersten Beweger und eine erste Ursache. Der Gottesbeweis des Aristoteles hat folgende syllogistische Form: Es ist bewiesen, daß es eine erste Ursache gibt;

---

quod haec sit implicativa crediti: Deus est super omnia diligendus ab homine, patet, quia si ponatur oratio exprimens quid nominis loco istius termini „deus", propositio erit implicativa unius crediti, sicut si dicatur sic: Deus est ens infinitum, et multo magis si ponatur conceptus, quem habet christianus de isto termino „deus".

[19] Vgl. ebd. (fol. d VII vb 7—14): Dico tamen quod nunquam aliquis philosophus probavit ratione naturali hanc mentalem: Deus est, demonstrata propositione mentali, quae est in mente fidelis catholici, immo nunquam talem conceptum habuit, sicut correspondet isti voci in mente fidelis. Unde iste terminus „deus" est in usu communi aequivocus inter colentem ydolum et colentem verum deum.

[20] Vgl. o. S. 108.

Gott ist die erste Ursache; also ist bewiesen, daß Gott existiert. Nun verweist Holcot den ersten Satz in die Modalität des Möglichen, wie die erläuternden Beispiele zeigen. Holcot hält den Beweis einer ersten Ursache und eines ersten Bewegers für nicht hinreichend, um zu einer Aussage über ein wirklich Seiendes (de inesse) zu kommen. Er vergleicht ihn sodann mit dem Beweis des Aristoteles über die Himmelssphären, der nicht mehr gültig ist, weil er in einem wichtigen Punkt, nämlich in der Zahl der Sphären, einen Irrtum enthalte. Damit verweist er methodisch den Gottesbeweis aus der Bewegung in den physikalischen Bereich. Physikalische Argumente sind aber für theologische und metaphysische Beweisziele untauglich. Dieser Satz bedarf des rechten Verständnisses von der Methodik her. Er will besagen, daß die naturwissenschaftliche Beweismethode für einen theologischen Beweis nicht anwendbar ist[21].

Der Syllogismus ist also im ganzen nicht schlußkräftig (sensu composito). Aber auch im Hinblick auf den Subjektsbegriff allein „Gott" (sensu diviso) vermag er nichts zu leisten, weil dieser von dem Heiden in einer anderen Bedeutung gebraucht wird als von dem Christen. Vorausgesetzt ist der signifikative Gebrauch dieses Begriffes, weil er nur so über ein wirklich Seiendes aussagekräftig ist[22]. Der Begriff „Gott" bezeichnet nämlich im Gebrauch eines Christen und eines Heiden je etwas anderes. Darum ist er untauglich für einen Gottesbeweis aus der Kraft der natürlichen Vernunft. Es sind also zwei Gründe, aus denen Holcot einen solchen Beweis ablehnt. Der erste liegt in der unzureichenden Struktur des Beweisschlusses durch die verschiedene Modalität der Prämissen und der Conclusio. Ist auch nur eine Prämisse von der Modalität des Möglichen, so kann die Schlußfolgerung niemals apodiktisch sein. Der zweite Grund liegt im Bezeichnungsinhalt des Subjektsbegriffes „Gott". Dieser ändert sich im Gebrauch der natürlichen Einsicht und der Offenbarung. Da aber nur die Offenbarung zu sagen vermag, was der Begriff „Gott" in Wahrheit bezeichnet, kann es keine natürliche Erkenntnis von Gott geben, die dasselbe meint, was der Christ glaubt[23]. Nur wenn man einmal diese aussagenlogische Kri-

---

[21] Man darf Holcot nicht ausschließlich sachlich interpretieren, wenn er lehrt, daß Übersinnliches (insensibile) nicht durch eine sinnenhafte, wahrnehmbare Wirkung bewiesen werden könne. Dies besagt, daß der demonstrative Beweis in den Bereich der natürlichen Erkenntnis gehört. Es bedeutet nicht, daß es von sinnenhaften Erkenntnissen keinen Schluß auf einen geistigen Urheber gibt. Vgl. Meissner, a.a.O. 17, Anm. 11 u. 12.

[22] Vgl. o. S. 150ff.

[23] Der Druck (fol. d VII va 12 — b 14) ist fehlerhaft und wird korrigiert und

tik am Gottesbeweis genau verfolgt hat, kann man Holcot gerecht werden und sich vor offenkundigen Fehlurteilen bewahren. Man mag diese Theologie als Traditionalismus und Fideismus bezeichnen (obwohl diese Begriffe aus einer viel späteren theologiegeschichtlichen Situation stammen, die doch wesentlich anders war),

ergänzt nach den Hss (dort q.3: O fol. 136 vb 29—69; P fol. 27 rb 23 — va 21; RBM fol. 29 ra 22 — b 6): Similiter verum est quod Anselmus nititur probare quod sit tantum unum necesse esse, et Aristoteles quod sit unum primum movens et una prima causa et unus princeps omnium, XII Metaphysicae. Notandum est quod illa propositio „deum esse est demonstratum ab Aristotele" est distinguenda secundum compositionem et divisionem, quia demonstratum, probatum, opinatum, conclusum, scitum et huiusmodi faciunt aliquo modo propositionem modalem, quia de tota compositione praedicantur sicut faciunt quatuor modi famosi: necessarium, impossibile, possibile, contingens etc. Sensus compositus istius propositionis „deum esse est demonstratum" est iste, quando ille modus demonstratum praedicatur de tota propositione sicut haec: demonstrata ista: deus est, est demonstrata. Sensus divisus est, quando iste terminus demonstratum praedicatur de aliqua propositione, cuius subiectum supponit pro eodem, pro quo iste terminus deus supponit.
In primo sensu loquimur, quando investigamus, an deum esse est demonstrabile, id est an haec propositio „deus est" sit conclusio alicuius demonstrationis. Et in isto sensu iste discursus non valet: Primam causam esse est demonstratum; deus est prima causa; igitur deum esse est demonstratum, sicut non valet: Ultimam sphaeram esse est demonstratum ab Aristotele; nona sphaera (sphaera carens stellis P) est ultima sphaera vel verisimiliter caelum empireum est ultima sphaera; igitur nonam sphaeram (caelum empireum P) esse est demonstratum ab Aristotele, et hoc accipiendo maiorem et conclusionem in sensu composito; nam Aristoteles non credidit plures sphaeras esse quam octo nec probavit plures, et ideo octavam dicit ultimam. Unde non valet argumentum. Unde maiori existente de possibili et minori de inesse non sequitur conclusio de possibili, nec in sensu composito nec diviso. Unde iste discursus non valet: Omnem episcopum esse Johannem est possibile; Petrus est episcopus; ergo Petrum esse Johannem est possibile; nam maior est vera in sensu composito et minor vera de inesse et conclusio est impossibilis. Et ideo nec iste discursus valet: Omnem episcopum esse Johannem est possibile est probatum a me; Petrus est episcopus; ergo Petrum esse Johannem est possibile est probatum a me. Similiter da quod ego sciam conclusionem istam: Aliquis angulus est acutissimus secundum speciem, quia nullus distinctus specie ab eo est acutior, et tamen quod nunquam viderim nec intellexerim aliquem angulum contingentem, non sequitur: Omnis angulus acutissimus secundum speciem est angulus contingentiae; aliquis angulus scitur a me esse acutissimus secundum speciem, igitur aliquis angulus scitur a me esse angulus contingentiae. Maior est vera et minor similiter in sensu composito et conclusio est falsa secundum casum. Ideo discursus sicut supra dictum est non valet. Similiter nec valet: Ultimum corpus esse creditur (est demonstratum) ab Aristotele; caelum empireum est ultimum corpus vel sphaera carens stellis est ultimum corpus; igitur sphaeram carentem stellis esse est creditum ab Aristotele. Sic in proposito loquendo nihil valet discursus iste: Primum movens esse est demonstratum ab Aristotele; deus est primum movens, igitur deum esse est demonstratum ab Aristotele. Dico igitur quod nunquam ... (Fortsetzung wie Text in Anm. 19).

mit Skeptizismus und Antirationalismus hat sie auf keinen Fall etwas zu tun[24].

Gegen den Gottesbeweis des Anselmus führt Holcot ebenfalls das Rüstzeug der Logik und Sprachtheorie ins Feld. Da wir auf diesen Beweis schon in dem Abschnitt über den Wissenschaftscharakter der Theologie ausführlich eingingen[25], sollen hier nur noch zwei aussagenlogische Argumente hervorgehoben werden. Das erste Argument geht von dem aussagenlogischen Gebrauch aus, in dem der Hauptterminus des anselmischen Argumentes genommen wird: Wenn ich mit dem, worüber nichts Höheres gedacht werden kann, von vornherein nicht etwas bezeichne, über dessen Sein oder Nichtsein ich bereits ein Urteil habe, d. h. aber, wenn ich diesen Terminus nicht signifikativ gebrauche, so leistet das ganze Argument nichts. Um den Terminus aber signifikativ zu gebrauchen, muß ich bereits das kennen, was er bezeichnet, nämlich Gott. Dann ist jedoch der ganze Beweis sophistisch[26]. Mit diesem Vorwurf leitet Holcot seine Kritik ein. Von ihm ist auch sein zweites Gegenargument getragen. Der Terminus des anselmischen Argumentes wird nämlich verdoppelt, indem er das erste Mal rein gedanklich, das zweite Mal auf ein wirklich Seiendes angewandt wird. In dieser Verdoppelung wird ein logischer Widerspruch offenbar. Was als rein Gedachtes vollkommener ist als alles, was gedacht werden kann, ist im Hinblick auf wirklich Seiendes nicht mehr vollkommener als alles, was gedacht werden kann. Das als vollkommen Denkbare ist also nicht das als vollkommen Denkbare[27].

Crathorns Kritik am anselmischen Argument ist kurz und bündig. Für ihn hat das, worüber nichts Größeres gedacht werden kann, überhaupt keine Realität. Der Beweis des Anselmus enthält eine falsche Implikation, wenn er in dieser Weise Gedachtes mit Wirklichem vergleicht: Das nur Gedachte ist weder größer noch geringer als das wirklich Seiende, sondern es ist überhaupt nichts[28]. Der

[24] Vgl. o. S. 105f.
[25] Vgl. o. S. 118ff.
[26] Vgl. den Abschnitt: „Der Wissenschaftscharakter der Theologie", S. 153, dort die Anm. 203ff.
[27] Vgl. ebd. Anm. 211.
[28] Vgl. Crathorn, q.4 (fol. 29 ra 10—20): Dico igitur ad rationem Anselmi quod ista est vera: Deus est istud, quo maius cogitari non potest. Tamen hoc non est per se nobis notum nec potest a nobis probari evidenter ex aliquo per se nobis noto pro statu isto. Et quando dicitur hoc: Quilibet intendit importari per istum terminum ‚deus' scilicet id, quo maius cogitari non potest, concedo. Non tamen ex hoc sequitur quod quilibet cognoscit evidenter quod id quod significatur per istum terminum deus, sit realiter. Et quando probatur quod sit, quia id quod est realiter etc., dicendum quod istud non est verum

Name „Seiendes" wird zuweilen von einer wirklichen Sache ausgesagt, zuweilen von etwas, das schlechthin ein Nichts ist, aber insofern als ein in der Seele Seiendes bezeichnet wird, weil es von der
Seele erkannt wird[29]. Crathorn läßt den Ausdruck „Sein" und
„Sache" auch für den gesprochenen und geschriebenen Satz gelten;
aber ihre Realität wird deutlich von derjenigen der wirklichen Dinge abgehoben. Sonst wäre die Logik eine „Realwissenschaft"[30].
    Kehren wir zum Holcot-Text zurück. Man muß ihn einmal in
seinem ganzen Wortlaut auf sich wirken lassen, um zu verstehen,
mit welchem Vertrauen auf seine logische Kunstfertigkeit dieser
Magister an die Kritik der Theologie der Vorzeit heranging. Er
weist ausdrücklich darauf hin, daß erst dem logisch Geschulten die
Fehler aufgehen, die in einer uneigentlichen und „verkürzten" Redeweise sich verstecken[31].
    Die Lehre des Johannes Damascenus, daß die Gottesidee dem
Menschen angeboren sei, bekämpft Holcot ebenfalls mit Argumenten der Logik und der Erkenntnispsychologie[32]. Wäre der

propter implicationem falsam; implicat enim quod id quod non est realiter
sed tantum intellectualiter, sit minus quam istud quod est realiter et intelligitur, et istud non est verum, quia istud quod non est realiter sed tantum
intelligitur, nec est maius nec minus quam id quod est realiter, quia non
est aliquid.

[29] Vgl. ders. Quaestiones de Universalibus (ed. Kraus 43 lin.4—10): Hoc nomen
ens aliquando dicitur de eo, quod est vera res, aliquando dicitur de eo, quod
est simpliciter nichil, sed pro tanto dicitur ens in anima, quia ab anima intelligitur. Et sciendum quod haec consequentia semper est neganda: a est ens
in anima tertio modo; ergo est ens vel ergo est aliquid.
Mit ‚ens in anima tertio modo' bezeichnet Crathorn etwas nur Gedankliches,
dem keine reale Existenz entspricht. Vgl. ebd. (42 lin. 15—22).

[30] Vgl. ebd. (S. 43 lin. 31 — S. 44 lin. 5): Dicendum ergo, quod propositiones
vocales et mentales sunt vere res eo modo, quo successiva realia vocantur
res; et quando dicitur, quod tunc logica foret scientia realis, dico quod pro
tanto non dicitur logica scientia realis, quia non est de rebus distinguendo
res contra voces, quia logica principaliter intendit de vocibus significativis.

[31] Vgl. Anm. 111.
Holcot, I Sent. q.4 (fol. d VII rb 14—17): Unde sicut nos decipimur, licet hoc
non percipiamus, ita etiam fuit de isto doctore, qui in multis etiam pertinentibus ad logicam deceptus fuit valde.

[32] Vgl. ebd. (fol. d VII rb 1—12; korr. nach RBM q.3 fol. 28 rb 16—25 u.
O q.3 fol. 26 vb 43—55): Ad Damascenum dico quod capitulum illud in-
titulatur: Demonstratio quod deus est. Unde ibi intendit probare deum esse,
quod frustra foret, si deum esse esset naturaliter per se notum. Et ideo
quando dicit, cognitio essendi deum esse naturaliter omnibus hominibus
inserta, plane dicit contra Philosophum, si secundum vocem dictum suum
accipiatur, qui vult animam esse sicut tabulam rasam, id est nudam in primo
instanti carentem omni cognitione. Sed potest utrumque sic glossari: In omni
homine est anima, quae est capax cognitione dei. Sed tamen haec propositio

Damascener von der Existenz einer angeborenen Gottesidee über-
zeugt, so hätte er das betreffende Kapitel nicht überschrieben: Beweis für die Existenz Gottes. Für eine Erkenntnis, die dem Menschen von Natur aus angeboren ist, sei nämlich ein Beweis überflüssig. Er würde sich auch zur Lehre des Aristoteles, daß die Seele
einer unbeschriebenen Tafel zu vergleichen sei, in Widerspruch
setzen, wenn man diese Lehre ihrem genauen Wortlaut nach nimmt
(secundum vocem). Beide Lehren, nämlich die von der angeborenen
Gottesidee und jene, die eine natürliche Gotteserkenntnis außerhalb des Glaubens vertritt, lassen sich dahingehend auslegen, daß
jedem Menschen eine Seele innewohnt, die der Gotteserkenntnis
fähig ist. (Dieses Verständnis wird demjenigen „secundum vocem"
entgegengesetzt.) Allerdings vergißt Holcot nicht hinzuzufügen,
daß auch diese Aussage nur im Glauben gemacht werden kann.
Wir wissen ja, daß der Begriff „Gott" nur im Glauben in Wahrheit bezeichnet, was er bedeutet. Was der Ungläubige mit dem Begriff „Gott" bezeichnet, ist dem Gottesbegriff des Christen kontradiktorisch entgegengesetzt. Einen Teil dieser Argumente haben wir
bereits im Quodlibet: Utrum theologia sit scientia, kennengelernt
und in dem Abschnitt über den Wissenschaftscharakter der Theologie eingehend behandelt. Hier gilt es nun, Holcots Kritik am
natürlichen Gottesbeweis zu erläutern. An der verschiedenen Anwendung eines gleichen Argumentes, das wir bei Thomas von
Aquin finden, können wir studieren, wie er sich in der Methodik
von diesem unterscheidet. Der Unterschied liegt in einer anders-
artigen Erkenntnistheorie.

Die entscheidende These, von der Holcots Kritik an der natürlichen Gotteserkenntnis ausgeht, finden wir auch bei Thomas von
Aquin: Der Heide erkennt die Natur Gottes nicht, darum kann
er sie nicht bezeichnen. So gebrauchen der Heide und der Gläubige
die Gottesbezeichnung äquivok. Dieses Argument setzt Thomas
den drei ersten Argumenten entgegen, nach denen der Gottesbegriff bei Heiden und Gläubigen univok gebraucht wird. Beide
Extreme lehnt er ab und gibt die Lösung der Frage in der analogen
Bedeutung des Gottesbegriffes[33]. Diese beruht in logischer Hinsicht auf der gleichen Bedeutung und der gleichen Bezeichnungsweise des Begriffes „Gott" bei Gläubigen und Heiden. „Die Namen vervielfachen ihre Bedeutung nicht gemäß ihrer Verwendung
in der Aussage, sondern auf Grund ihrer verschiedenen Bezeich-

per solam fidem tenetur videlicet quod anima humana est capax dei. Vgl.
Meissner, a.a.O. 21.
[33] Vgl. Thomas Aq., S.th. I q.13 a.10.

nung[34]." Der Begriff der Analogie wird an dieser entscheidenden Stelle der Theologischen Summe mit sprachlogischen Argumenten analysiert. Die Magister der Scholastik hatten ein feines Sprachgefühl für die Bedeutungsfunktion des Namens[35]. Thomas verwendet gerade in dieser Quaestio 13 „Über die Gottesnamen" wiederholt sprachlogische Argumente [36]. Der Beweis in a. 10 soll zu der Einsicht führen, daß dem Gläubigen wie dem Heiden ein Gottesname gleichen Bedeutungsgehaltes möglich ist.

Holcots Kritik hat einen wesentlich anderen sprachlogischen Ausgangspunkt. Er geht nicht vom Namen „Gott", sondern vom Urteil: „Gott ist" aus. Er fragt nicht wie Thomas nach der Significatio des Namens, sondern nach dem signifikativen Gebrauch des Begriffes. Dieser gehört aber in die logische Funktion des Urteils, d. h. der Aussage über Sein oder Nichtsein eines Sachverhaltes[37]. Holcot erwägt also nicht die Bedeutung des Namens, sondern die logische Geltung einer Aussage. Daher kann er sagen, daß sich das Urteil: „Gott ist", bei Gläubigen und Heiden kontradiktorisch unterscheidet.

Für beide Magister bleibt das Geheimnis Gottes einem letzten menschlichen Erkennen verschlossen. Thomas sagt ausdrücklich, daß auch der Gläubige das Wesen Gottes nicht zu erkennen vermag, und stellt ihn in dieser Beziehung dem Heiden gleich[38]. Selbst die in der Hl. Schrift verkündete Wahrheit ist nur wie ein abgeleiteter Lichtstrahl der Ersten Wahrheit, der uns nicht zur Erkenntnis des innersten Wesens Gottes und seiner in ihm verborgenen Ratschlüsse zu führen vermag[39]. Die theologische Analyse und Reflexion hat eine absolute Grenze. Auch Holcot hat dies deutlich ausgesprochen[40].

2. Die Gottesliebe

Der Einfluß der aussagenlogischen Methodik auf Holcots Lehre von der Gottesliebe wurde bereits gezeigt[41]. Hier geht es darum,

---

[34] Vgl. ebd.: Ad primum ergo dicendum quod nominum multiplicitas non attenditur secundum nominis praedicationem, sed secundum significationem. Dagegen Holcot, vgl. o. Anm. 19.

[35] Vgl. M. Heidegger, Die Kategorien- und Bedeutungslehre des Duns Scotus, 128.

[36] Vgl. besonders a.1 ad 3; a.2 ad 2; a.9.

[37] Vgl. o. S. 265.

[38] Vgl. Thomas Aq., S.th. I q.13 a.10 ad 5.

[39] Vgl. Thomas Aq., In de div. nom. c.1, 1.1 n.15 (ed. Pera 7).

[40] Vgl. Anm. 69; ferner: „Der Wissenschaftscharakter der Theologie", S. 128.

[41] Vgl. den Abschnitt: „Die Logik als Instrument der Theologie", S. 56—61.

den theologiegeschichtlichen Ort dieser Lehre aufzuzeigen. Die Diskussion bewegte sich immer von neuem um das Verhältnis menschlichen Tuns und menschlicher Freiheit zum Wirken der Allmacht und Gnade und Liebe Gottes.

Die Frage nach der Möglichkeit einer natürlichen Gottesliebe wird von Holcot in zwei Teilfragen erörtert: Erstens, kann der Mensch aus seinen natürlichen Kräften Gott über alles lieben? Zweitens, kann mit der natürlichen Vernunft bewiesen werden, daß Gott über alles zu lieben ist[42]? Die beiden Fragen betreffen absolut verschiedene Probleme. Die zweite Frage ist bereits im vorangegangenen Abschnitt behandelt worden. Wir hatten gesehen, daß alle Erkenntnis über das wirkliche Sein Gottes und die Folgerungen, die sich für den Menschen daraus ergeben, nach Holcot auf Offenbarung beruhen. Damit ist die Antwort auf die zweite Frage eindeutig. Auf die erste Frage gibt Holcot zwei entgegengesetzte Antworten: Der Mensch kann ohne Gnade und ohne eingegossene Liebe Gott über alles lieben[43]. Jedoch erfüllt er das Gebot der Gottesliebe erst, wenn er den Akt der Liebe im Habitus der übernatürlichen Gnade und Liebe setzt[44].

Die erste Antwort stellt die Selbstmächtigkeit des Willens heraus, dem es von Natur aus zukommt, sich selbst zu bewegen. Mit ihr steht Holcot in einer augustinischen oder wenigstens augustinistischen Lehrtradition[45], die in der Scholastik von Anselmus[46], Bonaventura[47] und besonders profiliert von Duns Scotus aufgenommen wurde[48]. Für Scotus ist die Freiheit der sicherste und beste Beweis für die geistige Macht des Willens. Darüber hinaus gilt

---

[42] Vgl. Holcot, I Sent. q.4 (fol. c VIII vb 32ff): Utrum viator teneatur frui soli deo. Ebd. (fol. d III ra 36—39; korr. nach O, fol. 134 va 6—8): Utrum homo possit ex suis naturalibus diligere deum super omnia. Secundo utrum deum esse super omnia diligendum possit naturali ratione demonstrari.

[43] Vgl. ebd. (ra 45— b 5) s. o. Anm. 13.

[44] Vgl. ebd. (rb 40—54): Secunda conclusio est ista: Nullus homo potest libere implere praeceptum de dilectione dei super omnia per sola naturalia stante lege, quae nunc est. Haec conclusio... (Fortsetzung wie in Anm. 16).

[45] Vgl. E. Gilson, Johannes Duns Scotus, 601; dort auch der Hinweis auf Augustinus, De civ. dei, XII,6 (PL 41,354). Ferner K. Ziesché, Verstand und Wille beim Glaubensakt, Paderborn 1909, 58. Ziesché verweist auf Hypognosticon III c.5 (PL 45, 1624f).

[46] Vgl. Anselmus, De concordia praescientiae et praedestinationis et gratiae dei cum libero arbitrio, q.3 c. 11 (ed. Schmitt II 283,21—284,4): Voluntas quidem instrumentum movet omnia alia instrumenta, quibus sponte utimur...; ipsa vero se suis affectionibus movet. Unde dici potest instrumentum se ipsum movens.

[47] Vgl. K. Ziesché, a.a.O. 58; Bonaventura, II Sent. d. 25 I. 1.2.c.

[48] Vgl. E. Gilson, a.a.O. Dort auch die Scotus-Texte.

seine Aufmerksamkeit dem Willen als Vorbedingung, ja als Substanz jedes Aktes, der sich auf Gott bezieht. Der Akt der Gottesliebe erfordert in seiner Substanz den natürlichen Willen des Menschen, soll er in Wahrheit ein Akt des Menschen selbst sein, d. h. den Menschen in eine wirkliche Partnerschaft zu Gott bringen. Daher erfährt nach Scotus der natürliche Wille keine Veränderung seines Wesens, wenn er im Stand der Gnade oder gar der Glorie seine Akte hervorruft. Wo immer die Theologie der Christenheit auf das Heilswirken Gottes mit dem Menschen stieß, stellte sich ihr auch die Frage nach der menschlichen Partnerschaft. Augustinus hat sie zum erstenmal in der Geschichte der christlichen Theologie mit der geistigen Vitalität des eigenen Erlebens aufgegriffen. Es ist nicht erst ein Verdienst des „Nominalismus", daß die menschliche Aktivität ernst genommen wurde, daß an der Erfahrung der Kontingenz so etwas wie Welterfahrung zum Durchbruch kam[49]. Vielmehr begegnen wir hier einem Urelement christlicher Theologie, das allerdings von den Theologen je nach den Prinzipien ihres theologischen Entwurfes verschieden angegangen wurde.

So hat auch Thomas, der gerade in der Gnadenlehre in der augustinischen Tradition steht, die Frage nach der natürlichen Gottesliebe bejaht[50]. Anders als Augustinus geht Thomas vom Begriff der Natur aus. Gott wirkt das Heil niemals gegen die Natur und gegen das Wesen des Menschen, weil er damit seinem eigenen Werk widersprechen würde. Der aristotelische Naturbegriff wird mit dem christlichen Schöpfungsbegriff verschmolzen. Die reine Natur ist für Thomas niemals etwas anderes als die von Gott geschaffene Natur. Weil der Mensch in seinem natürlichen Sein von Gott geschaffen ist, darum strebt er natürlicherweise mehr zu Gott als zu sich selbst oder zu irgendeinem anderen Ziel, das nicht Gott ist. D. h.: Er liebt Gott über alles. So begründet Thomas die natürliche Gottesliebe in der natürlichen Hinneigung des Geschöpfes zu seinem Schöpfer[51]. Er verwendet für diese natürliche Anlage den aristotelischen Ausdruck „aptus natus"[52]. Das dem Geschöpf eigene Tun wird unter diesem Gesichtspunkt zum Tun Gottes, der das Geschöpf in dieser seiner Natur erschuf. Auch fügt Thomas hinzu,

---

[49] Vgl. R. Steiger, Zum Begriff der Kontingenz im Nominalismus. In: Geist und Geschichte der Reformation (Festgabe Hans Rückert), Berlin 1966, 35—67; 66.
[50] Thomas von Aquin behandelt diese Frage sowohl in der Schöpfungslehre wie in der Gnadenlehre. In der Lehre über die Engel bejaht er die Möglichkeit der natürlichen Gottesliebe auch für den Menschen: S.th. I q.60 a.5. Zum gleichen Ergebnis kommt er in der Gnadenlehre: S.th. I II q.109 a.3.
[51] Vgl. ders., S.th. I q.60 a.5
[52] Vgl. ders., S.th. I II q.109 a.3. Aristoteles, Phys. II,8 (B c.8 199 a 10).

daß der Mensch selbst im Stand der unversehrten Natur der göttlichen Hilfe bedurft hätte — wenn auch nicht der übernatürlichen
Gnade — um den Akt der Gottesliebe hervorzubringen. Aus all
dem ergibt sich, daß Thomas von Aquin zeigen wollte, was der
Mensch als Partner des göttlichen Heilshandelns tut. Während
Scotus und die ihm folgenden Theologen von der Geistesmächtig-
keit des menschlichen Willens ausgehen, setzt Thomas am Natur-
und Seinsbegriff an. Mit Pelagianismus hat dies alles nichts zu tun.
Vielmehr wird hier die Partnerschaft des Menschen beim Heilswirken Gottes ins Blickfeld gerückt. Dies ist eine prinzipielle Voraussetzung für den Eingang der Kategorie des Geschichtlichen in
die Theologie überhaupt[53].

Hier stellt sich die Frage ein, ob es die Lehre vom Menschen
war, die zu den verschiedenen Aussagen in der Gnadenlehre führte,
oder ob nicht umgekehrt ein verschiedenes Verständnis vom Wesen
und Wirken Gottes zu den Thesen geführt hat, in denen Duns
Scotus, Wilhelm Ockham und Holcot verwandt sind. Auch Thomas
läßt selbst in der Gottschau die natürliche Erkenntnis und Liebe
bestehen. In den sehr knappen Ausführungen über die natürliche
Erkenntnis und Liebe der Engel lehrt er ausdrücklich, daß diese
natürlichen Kräfte auch im Stand der Gottschau erhalten bleiben[54].
Natürliche und übernatürliche Erkenntnis stehen zueinander in
einer Zuordnung wie das Erste zum Zweiten. In der Seligkeit
erfährt die erschaffene Natur ihr Heil. Thomas sieht das Wirken
der Gnade im Sinne einer inneren Erhebung, welche die natürlichen
Kräfte durchdringt und belebt, ohne ihnen Gewalt anzutun.

---

[53] Scholastische Theologie in ihrer oft recht unterschiedlichen Ausformung muß
zuerst aus ihrer eigenen Begriffswelt und dem Gebrauch der Begriffe in der
Theologiegeschichte gedeutet werden. Das Gewicht der Tradition bewirkt,
daß die Einheit der Grundtendenz stärker ist als die Unterschiedlichkeit der
verschiedenen Ausformungen. Das wird besonders dann übersehen, wenn man
moderne Fragestellungen in die Scholastik hineinträgt. Bei Holcot ist zudem
noch zu berücksichtigen, daß seine Aussagen stets unter dem Gesichtspunkt
einer von der Logik beherrschten Methode und z.T. einer praktisch-pastoralen
Zielsetzung verstanden werden müssen. Moltenis Untersuchung der Gnadenlehre Holcots bewegt sich zu einseitig im theologischen Inhalt der Aussagen.
Holcot nennt z.B. den Willen des Geschöpfes Teilursache der Gnade, schränkt
aber zugleich die Bedeutung von „Causa" überhaupt ein, indem er zwischen
dem eigentlichen und dem metaphorischen Gebrauch dieses Begriffes unterscheidet. Im eigentlichen Sinne ist Gott allein Ursache der Gnade. Die pastorale
Zielsetzung des Magisters erhellt aus seiner Bemerkung: „In hac quaestione
magis pie quam logice est loquendum." Vgl. Molteni, a.a.O. 111ff; 116—119,
Anm. 1—29; bes.19 (in den Anmerkungen die Textbelege aus Holcot).

[54] Vgl. Thomas Aq., S.th. I q.62 a.7.

Molteni hat gezeigt, daß Holcot eine zweifache Hinordnung des
Menschen zur Seligkeit lehrt. Gott hat jeden Menschen zur über-
natürlichen Seligkeit in Gnade und Glorie berufen. Diese vom
Glauben her verstandene Seligkeit stellt Holcot an erste Stelle.
Ihr setzt er ein zweites Verständnis von Seligkeit zur Seite. Er
bezeichnet damit die Fähigkeit und Hinordnung der menschlichen
Natur, die Seligkeit zu empfangen[55]. Diese Formulierungen sind
der thomasischen Zuordnung von Natur und Gnade verwandt.
Die Seele wird von Gott als „capax" für die Seligkeit geschaffen.
Darin liegt eine „natürliche" Voraussetzung für den Empfang der
übernatürlichen Erhebung in Gnade und Glorie.

Bei Scotus, Ockham und Holcot bleibt der natürliche Mensch im
Stand der Gnade in seinem natürlichen Wesen unverändert. Der
übernatürliche Habitus tritt zur Natur hinzu. Scotus, der in diesem
Punkt der Lehrer Ockhams und Holcots ist, tritt für die Selbstmächtigkeit des Willens im Akt der übernatürlichen Gottesliebe
bis in den Stand der Glorie, also der unmittelbaren Gegenwart
Gottes, ein. Der Akt der Gottesliebe im Pilgerstand wie im Stand
der Vollendung bleibt ein menschlicher Akt und muß es bleiben.
Darum muß der menschliche Wille aus seiner Natur zum Akt der
vollkommenen Gottesliebe fähig sein. Damit wird die Lehre der
Kirche über die Notwendigkeit der Gnade nicht in Frage gestellt,
was auch Holcot ausdrücklich vermerkt[56]. Doch auch Thomas legt
Wert auf die Erhaltung und Erhebung der menschlichen Natur und
ihrer Kräfte im Stand der Gnade und der Glorie, wie wir gesehen
haben[57]. Während Thomas jedoch dem Zusammenwirken von
Gnade und Natur nachspürt, treten Scotus, Ockham und Holcot mit
der Methode der Unterscheidung an dieses Problem heran. Als
Klammer, die menschliches und göttliches Wirken im Bereich der
Gnade zusammenhält, dient diesen Theologen der Begriff der
Acceptatio, der Annahme des menschlichen Werkes aus göttlicher
Freiheit, wobei Scotus mehr auf die Synthese von Freiheit, Liebe
und Weisheit in Gott bedacht ist[58], während Ockham und Holcot
die Transzendenz des göttlichen Willens und seiner Ratschlüsse
betonen. Dabei rückt Gottes Wesen und Wirken in eine Verbor-

---

[55] Vgl. Molteni, a.a.O. 61ff.
[56] Vgl. Holcot, a.a.O. (fol. d III rb 54 — va 3).
[57] Zu dem Grundsatz des hl. Thomas, daß die Gnade die Natur nicht aufhebt,
sondern vollendet, vgl. S.th. I q.1 a.8 ad 2; ders., In Boeth. De trin. q.2 a.3
(ed. Decker 94, 3—13).
[58] Vgl. dazu meine Arbeit: Die Schriften des Oxforder Kanzlers Johannes
Lutterell, 212ff.

genheit, die menschlicher Weisheit und Logik unzugänglich ist[59]. Wie stark Holcot die Freiheit Gottes im Gnadenwirken herausstellt, zeigt eine Formulierung, in der er Gnade und Acceptatio als Voraussetzung des Gott wohlgefälligen Handelns nennt und die Acceptatio mit Gott selbst gleichsetzt[60]. Damit stehen wir vor der Frage nach dem Gottesbegriff in der Lehre Holcots.

3. Der Gottesbegriff

Horváth bezeichnet in seinem Werk über die theologische Methodik des hl. Thomas den Gottesbegriff als den „allumfassenden Erkenntnisgrund" der Theologie dieses Magisters[61]. Der Gottesbegriff hat in der Tat für das gesamte theologische Lehrsystem eines Magisters eine entsprechende prinzipielle Bedeutung wie der „theologische Grundsatz" für den einzelnen theologischen Traktat. M. Dominikus Koster hat in seinem Beitrag zur Söhngen-Festgabe darauf hingewiesen, daß die Theologen der mittelalterlichen Scholastik ein sicheres Gefühl für die Bedeutung des theologischen Grundsatzes hatten und es dadurch gut verstanden, den einzelnen Traktat auf einem einheitlichen Erkenntnisgrund aufzubauen, der wie ein Prinzip den Inhalt des ganzen Traktates implicite in sich enthielt[62]. Der theologische Grundsatz ist weder ein Glaubenssatz noch ein Satz der theologischen Wissenschaft; er hat vielmehr „übertheologischen" Charakter. Er muß so formuliert sein, daß er dem Glauben entspricht und zugleich als rationales Prinzip der

---

[59] Holcots Begriff der Logica fidei ist als Ausdruck der Transzendenz Gottes zu werten. Molteni (Roberto Holcot, 85) sieht in der Lehre von der göttlichen Acceptatio das Herzstück der Rechtfertigungs- und Gnadenlehre Holcots. Uns scheint, daß die formalen Elemente seiner theologischen Methodik zum Verständnis seiner Rechtfertigungstheologie noch wichtiger sind. Dies wird auch deutlich, wenn man der Argumentation Holcots in dem von Molteni (a.a.O. 166—176) edierten Quodlibet Schritt für Schritt folgt. Für die Akzeptationslehre Holcots darf man nicht nur auf Ockham zurückgreifen, sondern mindestens ebenso wichtig ist Duns Scotus. Vgl. zu diesem Thema die Untersuchungen von W. Dettloff, O.F.M. (Die Lehre von der Acceptatio divina bei Johannes Duns Scotus mit besonderer Berücksichtigung der Rechtfertigungslehre. Werl 1954; Die Entwicklung der Akzeptations- und Verdienstlehre von Duns Scotus bis Luther. BGPhMA XL Heft 2. Münster 1963.)

[60] Vgl. Holcot, I Sent. 1. (fol. a VII ra 33—40): Sed voluntas creata est solum partialis causa respectu huius operationis, quae est servare rectitudinem. Et non potest in illam nisi concurrentibus aliis, quae non sunt in sua potestate, videlicet gratia et acceptatione divina, quae est ipse deus.

[61] Vgl. A. M. Horváth, Studien zum Gottesbegriff, 17. Vgl. den Abschnitt: „Die Logik als Instrument der Theologie", S. 16.

[62] Vgl. M. D. Koster, Von der Findung der theologischen Grundsätze. In: Einsicht und Glaube, 280—298; 284.

vom Glauben erleuchteten und geführten Vernunft zu dienen vermag[63]. Dies gilt in analoger Weise für den Gottesbegriff als den
„allumfassenden Erkentnisgrund" des gesamten theologischen
Systems.

In einer Arbeit über die theologische Methodik eines Magisters
ist es unumgänglich, die Bedeutung des Gottesbegriffes für das
ganze Lehrsystem zu untersuchen. Außerdem werden von einzelnen
theologischen Aussagen her die Verbindungslinien zum Gottesbegriff gezogen werden müssen. Gewisse Wiederholungen sind
daher unvermeidbar. Hier geht es darum, den von Holcot gebrauchten Gottesbegriff in jenem methodischen Sinne zu umreißen,
wie er im Anschluß an Horváth und Koster eben aufgezeigt wurde.
Damit unterscheidet sich die vorliegende Arbeit von derjenigen
Meissners, der die einzelnen theologischen Aussagen in der Gotteslehre Holcots dargestellt hat. Hier wird ein anderes Ziel verfolgt.
Wir fragen nach den tragenden Grundvorstellungen und Grundbegriffen vor ihrer theologischen Ausformung.

Das erste Merkmal der Gottesvorstellung, die Holcot in seinem
theologischen Denken leitet, ließe sich wohl am treffendsten mit
dem Begriff der Absolutheit umschreiben. Der Begriff „absolut"
wird natürlich in der theologischen Gotteslehre allgemein gebraucht, unabhängig von einem bestimmten Lehrsystem. Bei Thomas von Aquin tritt er sehr häufig auf, nicht nur in den Gottes-
prädikationen, stets aber in einer Art mitbezeichnender Bedeutung.
Abgesehen von der am häufigsten vorkommenden adverbialen Verwendung[64] steht der Begriff „absolutum" immer in einer aussagenlogischen Korrelation, sei es im Vergleich von Wesen und
Relationen in Gott[65], sei es im Hinblick auf die verschiedene
Verwendung des Begriffes bei Gott und den Geschöpfen[66], sei es in
seiner rein formalen Bezeichnungsweise[67].

Wir verwenden hier den Begriff „absolut" nicht in dieser korre-
lativen Bezeichnungsweise, sondern in seiner wörtlichen Bedeutung;
dann trifft er die Gottesvorstellung Holcots noch genauer als der

---

[63] Vgl. a.a.O. 291f.

[64] Vgl. das Stichwort „absolute" in: Deferrari-Barry, A complete Index of the
Summa Theologica of St. Thomas Aquinas, 1.

[65] Vgl. Thomas Aq., S.th. I q.28 a.2.

[66] Vgl. ebd., besonders ad 2.

[67] Vgl. ebd. q.3 a.8 ad 3: „Differre" und „diversum esse" haben eine verschiedene
Bezeichnungsweise, wenn sie ihrer Wortbedeutung nach genommen werden:
... diversum absolute dicitur, sed omne differens aliquo differt. Beachtlich ist
dabei auch der doppelte Hinweis auf die „vis in verbo" von Thomas. Vgl.
auch ebd. q.13 a.11: Et ideo quanto aliqua nomina sunt minus determinata
et magis communia et absoluta, tanto magis proprie dicuntur de deo a nobis.

Begriff der Transzendenz. Holcot löst nämlich den Gottesbegriff
der christlichen Offenbarung von jeder Weise der geschöpflichen
Analogie ab.

Methodisch wird dies ausformuliert in dem Begriff der Logica
fidei, auf den wir hier nicht näher einzugehen brauchen[68]. Dieser
Begriff ist nicht nur das Ergebnis einer strengen Anwendung
logischer Regeln auf theologische Gegenstände, er wird auch getragen von einer tiefen erlebnismäßigen Überzeugung unseres Magisters von der Unzulänglichkeit des menschlichen Geistes vor dem
göttlichen Geheimnis. Gestützt auf die Autorität des Augustinus
und Anselmus bringt Holcot diese seine geistige Einstellung am
Eingang eines der schwierigsten Kapitel zum Ausdruck, die es in
der Theologie gibt, nämlich bei der Frage nach dem Vorherwissen
Gottes über die Futura contingentia[69]. Obwohl er in dieser Quaestio
wenig später die Regeln der Disputierkunst als Ausgangspunkt und
methodische Grundlage der theologischen Erörterung aufstellt[70],

[68] S. o. S. 23—40.
[69] Vgl. Holcot, II Sent. q.2 (fol. h V rb 32 — va 11; korr. nach O fol. 153 rb
31ff u. P. fol. 57 ra 51ff): Quantum ad primum est notandum quod cum timore
et reverentia oportet exprimere etiam illa, quae vera sunt, quando loquimur
de deo. Unde Augustinus De civitate dei X c.23: Liberis verbis loquuntur
philosophi nec in rebus ad intelligendum difficillimis offensionem religiosarum
aurium pertimescunt Nobis autem ad certam regulam loqui fas est, ne verborum licentia etiam de rebus, quae his significantur, impiam gignat opinionem.
Haec ille. Et ideo quae in ista materia dico, sine pertinacia investigationis
gratia dico. Et licet nullam rationem haberem ad concordandum cum rerum
contingentia divinam praescientiam et revelationes, non minus ideo crederem
quin vere simul stent deum tales revelationes posse revelare et eas post
revelationem esse contingentes et argumenta optima, quae ponunt in contrarium, reputarem sophistica, licet nullus foret, qui ea sciret solvere. Unde
Anselmus De concordia c. XVIII (q.3 c.6, ed. Schmitt II 272,4—6) dicit quod
quando rationem habemus, cui scriptura repugnat, quamvis nobis ista ratio
videatur inexpugnabilis, nulla tamen veritate fulciri credenda est. Et Augustinus De civitate dei V c.IX disputans contra opinionem Ciceronis, qui
negavit praescientiam dei, dicit: Nullo modo cogimur aut retenta praescientia
dei tollere voluntatis arbitrium aut retento voluntatis arbitrio de deo quod
nefas est negare praescientiam futurorum. Sed utrumque complectimur et
veraciter et fideliter confitemur illud, ut bene credamus hoc et bene vivamus . . .
Item Augustinus ad Volusianum: Dicamus deum aliquid posse quod nos
fateamur investigare non posse. Et Anselmus de quaestione illa dicit quod
multa debemus fateri deum posse, quae nos non valeamus obtinere. Et Cur
deus homo IV c.27: Deus facere potest quod hominis ratio comprehendere
non potest. Vgl. Anselmus, Cur deus homo II c.17 (ed. Schmitt 126,7—8).
Vgl. Augustinus De civ. Dei X,23 u. V,9 (PL 41,300; 153); Ad Vol. c.II,8
(PL 33,519).
[70] Vgl. ebd. (fol. h VI rb 16—38). Vgl. im Abschnitt: „Futura contingentia"
Anm. 56.

18*

versagt er von vornherein der Ratio die Lösung des Problems. Wie
Gottes Vorherwissen und Kontingenz des Geschehenden in Einklang zu bringen sind, vermag nur der Glaube zu sagen. Die
menschliche Logik reicht nicht aus. Dennoch ist sie in der Theologie
nicht zu verwerfen, im Gegenteil! Sie hat eine wertvolle Aufgabe
zu erfüllen, indem sie uns vor irrigen Meinungen bewahrt, zu denen
wir durch einen Mißbrauch der Begriffe getrieben werden könnten.
Holcot zitiert dieses Augustinuswort und macht es sich ohne Widerspruch zu eigen. Die Zurückhaltung der menschlichen Vernunft vor
dem geheimnisvollen Gott ist nicht als theologischer Irrationalismus
zu werten, sondern ergibt sich aus der praetheologischen Setzung
eines Gottesbegriffes und einer ihm zugrunde liegenden Gottesvorstellung, bei denen die Absolutheit Gottes besonders stark betont,
ja als die wesentliche Eigenschaft Gottes angesehen wird.

Aus dem gleichen Grunde hebt Holcot auch die göttliche Gutheit
von jeder geschöpflichen Gutheit ab[71]. Holcot sagt nicht, daß man
über Gottes Eigenschaften, besonders über seine Gutheit, keine
Aussage machen könne; er lehrt jedoch, daß die wesentliche Gutheit
Gottes nicht von der Gutheit der Geschöpfe abhänge. Darum könne
man auch nicht von den Vorstellungen der geschöpflichen Gutheit
ausgehen. Das gilt besonders für jene göttlichen Attribute, die
eine Vollkommenheit bezeichnen, die sich auf Gottes Relation zu
den Geschöpfen bezieht wie z. B. „gerecht" und „barmherzig".
Holcot rechnet dazu aber auch die Begriffe „Schöpfer", „Herr",
„erste Ursache", „höchstes Gut", „erster Beweger", „letztes Ziel".
All diese Attribute (und ähnliche) würden wegfallen, wenn Gott
nichts geschaffen hätte; dennoch würde dies die wesentliche göttliche Gutheit in keiner Weise mindern. Den gleichen Gedanken
finden wir bereits bei Ockham.

Diese Betonung der Absolutheit Gottes hat freilich bei Holcot
zu Aussagen geführt, die theologisch sehr hart klingen. Wir begegnen ihnen besonders in der Lehre über die Futura contingentia.
Solche Sätze[72] fordern das Urteil geradezu heraus, Holcot habe das
Omnipotenzprinzip überzogen. Andrerseits sind seine Aussagen
über die wesentliche Gutheit Gottes so eindeutig[73], daß jene extremen Sätze eine Auslegung verlangen, die sie im Gesamtzusammenhang der Theologie Holcots widerspruchslos bestehen läßt. Dies

---

[71] Vgl. Holcot, Quodl.q.: Utrum generalis resurrectio necessario sit futura
(P fol. 183 va 40ff; 185 va 33—58). Vgl. im Abschnitt „Futura contingentia"
Anm. 148—150; für Wilhelm Ockham ebd. Anm. 42. Vgl. Aristoteles, Eth.Nic.
V,3 (E c.3 1130 a 4).
[72] Vgl. im Abschnitt „Futura contingentia" Anm. 181.
[73] Vgl. ebd. Anm. 183.

gelingt, wenn sie erstens als Ausdruck der Absolutheit Gottes gewertet werden und zweitens unter den von der „Ars obligatoria" geforderten Regeln beurteilt werden[74]. Da wir im Laufe der Arbeit wiederholt darauf eingehen müssen, können wir uns hier mit diesem Hinweis begnügen.

Das zweite grundlegende Merkmal des von Holcot gebrauchten Gottesbegriffes ist seine Transzendenz. Gnoseologisch findet sie ihren Ausdruck in der Leugnung der natürlichen Gotteserkenntnis und in der Formel von der Logik des Glaubens. Was Gott in Wahrheit ist, vermag nur der Offenbarungsglaube zu sagen[75]. Die großen Philosophen, die manches Richtige über Gott lehrten, hatten nach Holcot ihr Wissen aus der Offenbarung geschöpft; denn vor ihnen lebten die Patriarchen, und es ward die Gottesverehrung den Menschen bereits geoffenbart. Einige der Philosophen wandten sich dennoch dem Götzendienst zu, teils aus Furcht vor den Tyrannen, teils um dem Volk zu gefallen; darum sind sie nach dem Worte des Apostels unentschuldbar. Die Bedeutung dieser Aussagen liegt nicht in der geschichtlichen Datierung; diese hat nur das Ziel, den Anfang jeglicher Gotteslehre in die Offenbarung zu versetzen. Damit wird die Transzendenz Gottes gegenüber dem Erkennen des Menschen unterstrichen.

Ihren schärfsten Ausdruck findet diese in der Formel von der „Logik des Glaubens". Im Gegensatz zu Thomas sagt Holcot, daß die Glaubensgeheimnisse nicht nur über, sondern gegen die natürliche Vernunft seien und daher auch eine von der natürlichen Logik unterschiedene Logik des Glaubens erfordern[76]. Auch hier muß

---

[74] S. u. S. 351f.

[75] Vgl. Holcot, I Sent. q.3 (fol. d VI vb 7—13; korr. nach O fol. 136 rb 40—47): Ad probationem, quae est per verba Pauli Ad Rom.1 quod ipsi fuerunt inexcusabiles eo quod non coluerunt deum sicut deum etc. dico quod ante ortum magnorum philosophorum fuerunt patriarchae et cultus dei fuit revelatus hominibus et ideo philosophi hoc sciverunt. Et cum quidam eorum, licet hoc crediderunt, non tamen eum coluerunt, sed tyrannorum timore et ut vulgo placerent coluerunt idola ut solem vel lunam sicut probat Augustinus De civitate dei XVIII c.35, ideo fuerunt inexcusabiles. Vgl. Augustinus, De civ. dei XVIII c.41 (PL 41,600f); De vera rel. c.VI,6 (PL 34,126).

[76] Vgl. a.a.O. q.1 (fol. a II vb 44—50): Contra ista et primo contra hoc quod dicitur quod articuli fidei non sunt contra rationem naturalem, arguitur sic: Ratio naturalis dictat oppositum esse verum. Unde et philosophi concludunt quod impossibile est mulierem concipere sine viro et huiusmodi. Et ideo est quod actus credendi est meritorius. Igitur non sunt solum supra vel iuxta sed contra rationem naturalem.
Zur „Logik des Glaubens" vgl. den Abschnitt: „Die Logik als Instrument der Theologie", S. 34.
Vgl. auch Holcot ebd. (fol. a II va 23—27): Sed articuli fidei sunt maxime

sofort davor gewarnt werden, in solchen Thesen den Ausdruck
eines theologischen Irrationalismus zu sehen. Was die natürliche
Vernunft übersteigt, braucht nicht in sich unvernünftig zu sein.
Spürt man dem sachlichen Gehalt der Texte genau nach, so ergibt
sich, daß der Unterschied der Formel „contra rationem" zu der
des hl. Thomas „supra rationem" mehr in der Aussageweise und
einer durch den Gottesbegriff gesetzten Aussagetendenz liegt.
Dieser Eindruck drängt sich an einer Textstelle auf, die wir kurz
vor der eben zitierten in der gleichen Quaestio finden[77]. Dort sagt
Holcot, daß die Glaubensartikel die natürliche Fassungskraft der
Vernunft überschreiten und in einem so großen Maße der Vernunft
zu widersprechen scheinen — obgleich sie ihr nicht widersprechen
—, wie es auch dem einfachen Landmann gegen die Vernunft
zu sein scheint, daß die Sonne größer ist als die ganze Erde. Man
beachte den hier in Parenthese gesetzten, mit „obgleich" eingelei-
teten Nebensatz. Eine textliche Schwierigkeit besteht allerdings
insofern, als die Handschriften O, P und RBM statt „dico" (in
der Ink.) „dicunt" oder „dicitur" haben, so daß die Parenthese
dann nicht Holcot, sondern der Gegenseite zuzuschreiben wäre.
Aber auch bei diesem Wortlaut ändert sich am Inhalt nicht allzu-
viel. Die Glaubensartikel bleiben für die Vernunft unzugänglich
und haben auch nach der Lesart der Handschriften den Anschein,
der Vernunft zu widersprechen. Ebenso klar wird aus dem Zusammenhang, daß dies kein absoluter Widerspruch ist, wenn auch die
Grundlage der thomasischen Analogia fidei aufgegeben wird.

Die Formel von der Logica fidei zeigt freilich den breiten Gra-
ben auf, der Holcots Gotteslehre von derjenigen des hl. Thomas
trennt, die von seiner Metaphysik her geprägt ist[78]. Wenn auch
bei Holcot die logische Methode der Argumentation viel zu den
scharfsinnigen und zuweilen überspitzten Formulierungen beigetragen hat, so darf darüber nicht übersehen werden, daß die
theologischen Grundbegriffe und Grundsätze für den ganzen Auf-

propositiones inevidentes inter omnes propositiones, quae creduntur esse verae;
nam sunt contra omnem rationem naturalem, sicut quod una res sit tres res
et quaelibet illarum trium, vel quod virgo pariat dei filium et huiusmodi.
[77] Vgl. ebd. (fol. a II ra 54 — va 4; O fol. 121 rb 40—44; P fol. 2 rb 53 — va 1;
RBM fol. 2 ra 9—14): Ad secundam rationem a quibusdam conceditur quod
articuli fidei non sunt contra rationem naturalem sed sunt supra rationem
naturalem. Dico (dicitur O, RBM; dicunt P) tamen quod naturalem appre-
hensionem rationis excedunt et pro tanto videntur rationi repugnare, quamvis
non repugnent, sicut rustico videtur rationi repugnans quod sol sit maior
tota terra...
[78] Vgl. Horváth, a.a.O. 56—67.

bau eines Lehrsystems und seine innere Geschlossenheit und Folgerichtigkeit entscheidend sind.

Das Prinzip der absoluten Transzendenz Gottes sehen wir auch
in der Lehre über das Verhätnis von Natur und Gnade wirksam
werden. Holcot greift zwar den Satz des hl. Thomas auf, daß die
Gnade die Natur nicht zerstört, sondern vervollkommnet, gibt
ihm aber eine wesentlich verschiedene Deutung[79]. Für Holcot ist
die menschliche Natur an sich, also abgesehen von den Folgen der
Sünde, mit Schwächen und Unvollkommenheiten belastet. Dazu
gehört die Irrtumsfähigkeit. Die Vervollkommnung der Natur
durch die Gnade besteht in einer heilenden Wirkung. Ohne den
Glauben ist das menschliche Erkennen dem Irrtum ausgeliefert.
Die Verbindung dieser Lehre zum Gottesbegriff besteht darin, daß
die absolute Transzendenz Gottes nicht die Mitwirkung ontologischer Prinzipien an der theologischen Druchdringung der Glaubensgeheimnisse gestattet. Natürliches Erkennen und natürliches
Streben[80] bleiben zwar auch für Holcot seinsmäßige Vorbedingungen des übernatürlichen Glaubens und Liebens. Da es aber zwischen
Natur und Übernatur keine Analogie gibt, sieht Holcot die natürliche Erkenntnis und die natürliche Gottesliebe nur in ihrer faktischen Existenzweise und in ihrer psychologischen Wirkungsweise.

Ganz anderem Denken begegnen wir in der Theologie des hl.
Thomas, die ebenfalls vom Gottesbegriff her als dem Subjekt der
Theologie ihre Form erhält[81]. Den Ausgangspunkt bietet die Spekulation über das Sein, und zwar zuerst über das erfahrbare Sein, das
sich als kontingent und nur in Teilhabe bestehend erweist. Kontingenz, Teilhabe und Potentialität sind jedoch nicht hinreichend,
den Seinsbegriff in seiner Allgemeinheit auszufüllen. Die Möglichkeit eines in sich subsistierenden Seins läßt sich jedoch von diesem

---

[79] Vgl. Thomas Aq. S.th. I q.1 a.8 ad 2. Man beachte, daß Thomas diese Formel
hier auf das Verhältnis der natürlichen Erkenntnis zum übernatürlichen Glauben anwendet. (Die entsprechende Relation zwischen natürlichem Verlangen
und übernatürlicher Caritas, wie sie in q.60 a.1 zur Sprache kommt, wird
angedeutet.) Vgl. die gleiche Argumentation in q.2 a.2 ad 1.
Dagegen heißt es bei Holcot, I Sent. q.1 (fol. a VI ra 51 — b 5): Ad secundum concedo quod fides perficit naturam. Immo dico quod fides est instituta
in praesenti potius ad credendum quam ad sciendum. Unde illud desiderium
naturale, quo homo scire desiderat, non satiabitur nisi videndo deum. Et non
sequitur: Contrariatur rationi vel argumento naturalis rationis; ergo non perficit naturam. Immo magis oppositum; nam natura eo ipso quod imperfecta
est sine fidei gratia, eo ipso errat vel errare potest. Et ideo fides istum
errorem excludendo naturam perficit.
[80] Für die natürliche Gottesliebe vgl. o. S. 268—273.
[81] Vgl. Horváth, a.a.O. 69ff.

Ausgangspunkt aus beweisen. Die Brücke von der Möglichkeit zur Wirklichkeit des in sich subsistierenden Seins bildet das Glückseligkeitsverlangen des Menschen. Horváth hat in feiner Analyse gezeigt[82], daß Thomas darunter mehr versteht als das natürliche Verlangen nach der Erkenntnis des allgemeinen Seins. Vielmehr zielt dieser Glückseligkeitstrieb „auf die Vervollkommnung unseres ganzen Seins" ab[83]. Der Weg dahin wird freilich für Thomas grundsätzlich durch die Erkenntnis beschritten, deren Gegenstand das Sein ist[84]. Daher sieht er in dem Ausspruch: „Der da ist", den Begriff, der dem Wesen Gottes am besten entspricht. Von der Seinsphilosophie erhalten auch die Gottesbeweise des hl. Thomas ihre fundamentale Bedeutung, und zwar nicht nur für die natürliche Gotteserkenntnis, sondern gerade für die Glaubenstheologie.

Für Holcot ist das göttliche Wesen nicht mit den Erkenntnismitteln der natürlichen Vernunft zu ergründen. Damit wird aber Gottes Wesen nicht als irrational angesehen. Holcot nennt die „Logik des Glaubens" ausdrücklich „rational"[85]. Dies beweist, daß die für die natürliche Vernunft widersprüchlichen, paradoxen Aussagen über Gott und göttliche Dinge, die wir bei Holcot finden[86], Ausdruck und Folge der Transzendenz seines Gottesbegriffes sind. Gottes Sein ist nicht in sich irrational, sondern es entzieht sich den Maßstäben der natürlichen Vernunft. Wäre das erste der Fall, so gäbe es überhaupt keinen zutreffenden Gottesbegriff. Einen solchen haben wir jedoch durch die Offenbarung erhalten[87].

Auch auf sprachlogische Argumente stützt Holcot die „Logik des Glaubens". Er kann sich auf Aristoteles[88] dafür berufen, daß die einzelnen Wissenschaften je nach ihren eigenen Prinzipien vorgehen. Die Prinzipien der einen Wissenschaft sind nicht dieselben wie die einer anderen. So argumentiert der Glaube aus anderen Prinzipien als die Naturphilosophie, die Glaubensmoral nach anderen als die Ethik. Auf diese Weise unterscheiden sich Glau-

---

[82] Vgl. a.a.O. 42—56. [83] Vgl. a.a.O. 59.

[84] Vgl. a.a.O.: „Die ganze Macht der Natur drängt uns deshalb zum Aufsuchen jener Erkenntnisquellen, aus welchen dieser Gegenstand bestimmt werden kann; sie führt und trägt uns bei der Benützung der hierzu geeigneten Erkenntnismittel."

[85] Vgl. Holcot, I Sent. q.5 (fol. e V ra 42—43): Eodem modo rationalis logica fidei alia debet esse a logica naturali.

[86] Ein besonders gutes Beispiel hierfür bietet I Sent. q.5: Utrum deus sit tres personae distinctae (fol. e III vb 32ff). Über das „Paradoxon" in Holcots Theologie vgl. den Abschnitt „Futura contingentia", S. 338—342.

[87] Vgl. u. a. den Abschnitt „Der Wissenschaftscharakter der Theologie", S. 104—109.

[88] Vgl. Met. B (c.2 996a — b 26).

benslogik und natürliche Logik. Wenn schon Averroes in seinem Kommentar zur Metaphysik des Aristoteles zwischen der Logik, die für eine einzelne Wissenschaft gültig ist, und der allen Wissenschaften gemeinsamen Logik unterschieden habe, so muß man mit größerem Recht eine Logik des Glaubens fordern, weil hier von einem besonderen Gegenstand her auch besondere Prinzipien der Methode und der Disputation verlangt werden[89]; denn schon in der Disputation, die nach den Regeln der Ars obligatoria durchgeführt wird, gelten besondere logische Gesetze. Dies meint Holcot mit der Unterscheidung zwischen einer Disputation, die sich innerhalb der Ars obligatoria[90] (locus certa specie obligationis obligatus) bewegt, und einer Antwort, die nur von der Qualität der jeweiligen Aussage ausgeht.

Mit Absolutheit und Transzendenz hängt ein drittes Merkmal des Gottesbegriffes zusammen, das vornehmlich Gottes Wirken nach außen betrifft, die Freiheit. Meissner[91] hat zahlreiche Textstellen zusammengestellt, aus denen sich nach seinem Urteil eine voluntaristische Gottesvorstellung unseres Magisters ergibt[92]. Wir möchten hier die Wiederholung einer solchen Zusammenstellung vermeiden und dem Ziel dieser Untersuchung folgend die methodologische Stellung der Lehre von der göttlichen Freiheit aufzeigen.

[89] Vgl. Holcot, I Sent. q.5 (fol. e V ra 36—54; korr. nach RBM fol. 32 va 14—25; O fol. 139 vb 66—140 ra 4): Similiter non est inconveniens quod logica naturalis deficiat in his, quae fidei sunt. Et ideo sicut fides est supra philosophiam naturalem ponens res produci per creationem, ad quam philosophia naturalis non attingit, ita moralis doctrina fidei ponit quaedam principia, quae scientia naturalis non concedit. Eodem modo rationalis logica fidei alia debet esse a logica naturali. Dicit enim Commentator secundo Metaphysicae com.XV. quod quaedam logica est universalis omnibus scientiis et quaedam propria unicuique scientiae. Et si hoc est verum, a multo fortiori oportet ponere unam logicam fidei. Et similiter alia logica utitur locus certa specie obligationis obligatus et alia libere respondens secundum qualitatem propositionum. Immo philosophi non viderunt aliquam rem esse unam et tres; ideo de ea in suis regulis mentionem non fecerunt.

[90] Zur Bedeutung von „Ars obligatoria" vgl. den Abschnitt „Futura contingentia" S. 351f.

[91] Vgl. A. Meissner, a.a.O. 78—96.

[92] Nach Ueberweg - Geyer 589, vertrat Holcot auf dem Gebiete der Ethik den absoluten Voluntarismus „noch ungeschminkter als Ockham". Der Einwand, Holcot habe die Potentia dei absoluta allzu spitzfindig diskutiert, wird schon bei Quétif-Echard erhoben, allerdings in zurückhaltender Weise: Si quid meo sensu culpandum in Holcotho, illa est nimia subtilitas in quaestionibus de absoluta dei potentia: Si hoc deus faceret, si hoc iuberet, si hoc revelaret, quod saeculi non solum sui, sed etiam nostri pluribus condonandum, quod tamen in quodam clericorum regularium seu Theatinorum theologo Italo severissime damnavit nostra aetate sacra facultas Parisiensis. Vgl. Quétif-Echard, Scriptores ordinis Praedicatorum, I, 629 b.

Einleitend sei daran erinnert, daß die Lehre von der Freiheit und Allmacht Gottes das Gottesbild Holcots nicht ausschließlich bestimmt. Meissner hat bereits darauf hingewiesen. „Mit beredten Worten weiß Holcot die Liebe, Güte und Barmherzigkeit des göttlichen Willens zu preisen. ... Gott ist wesenhaft Güte[93]." Die von Meissner zitierten Textbelege stammen fast ausschließlich aus dem Weisheitskommentar und den „Moralitates", die Holcot als Hilfe für den Dienst der Glaubensverkündigung verfaßt hatte. Wir wissen, daß Holcot besonders um dieser Werke willen von den Zeitgenossen hoch geschätzt wurde[94]. Wir entdecken nun bei diesem Genie des Humors und Esprit' (B. Smalley) eine „tieffromme und gemütstiefe Haltung". „Holcot nimmt hier die schönen Worte des Johannes Damaszenus auf: ‚Weil Gott überreich an Güte ist, so war er nicht zufrieden, sich selbst in seliger Schau zu besitzen, sondern beschloß in einem Übermaß seiner Güte, Wesen zu schaffen, denen er Gutes erweisen könnte. Er gab ihnen also Anteil an seiner Güte, indem er sie aus dem Nichts ins Dasein rief und das All schuf[95].'" Gott ist also nicht nur Allmacht, sondern ebenso wesenhaft Güte. Diese Feststellung muß uns im Urteil über die zweifellos stark betonte Eigenschaft der Allmacht und Freiheit zur Vorsicht mahnen.

Dazu kommt ein zweiter Tatbestand, der in den Texten ganz klar bezeugt ist. Die Freiheit des göttlichen Willens hat eine Grenze am Widerspruchsprinzip[96]. „Die Behauptung, Gott kann (alles) tun, was keinen Widerspruch in sich schließt, ist wahr, wenn sie recht verstanden wird. Recht verstanden wird sie nämlich folgendermaßen: Gott kann nicht etwas tun, dessen Verwirklichung und dessen Ausgesagtwerden in allen nur möglichen Aussagen irgendwelche Contradictoria zur Folge haben, die zugleich wahr sind. Und er kann all das tun, dessen Verwirklichung keinerlei Contradictoria zur Folge hat, die zugleich wahr sind." Daß Holcot die Widerspruchsfreiheit des göttlichen Willens aussagenlogisch formuliert, liegt z. T. in der Eigenart seiner theologischen Methode

---

[93] Vgl. a.a.O. 81f.

[94] Vgl. „Einleitung" S. 3.

[95] Vgl. Meissner, a.a.O. 81. Holcot, Com. in Sap. c.I, 1.13. Johannes Dam., De fide orth. I c. 2 (PG 94,863).

[96] Vgl. Holcot, II Sent. q.2 (fol. h IV rb 40—47): Ad secundum dubium dico quod haec suppositio: deus potest facere, quicquid non includit contradictionem, est vera, si bene intelligatur. Intelligitur enim sic: Deus non potest facere, quo facto et existentibus omnibus propositionibus, quae possunt esse, sequuntur aliqua contradictoria esse simul vera. Et omne illud potest facere, quo posito in esse non sequuntur aliqua contradictoria esse simul vera.

begründet[97]. Der logische Ort der Seinserkenntnis ist der Satz. Daher bezeichnet Holcot auch das Complexum als Inhalt des Glaubens[98]. Doch muß auch hier wieder vor einer nominalistischen Auslegung dieser Theologie gewarnt werden. Der Wortlaut des Textes zeigt ganz deutlich, daß die Aussagen auf Seiendes und Seinsverhalte zielen (Deus non potest facere, quo facto... Et omne illud potest facere, quo posito in esse). Außerdem ist zu bedenken, daß schon Aristoteles das Widerspruchsprinzip in der Lehre vom Satz untersucht hat und dabei mit der aussagenlogischen Frage das ethische Problem der Freiheit verknüpfte[99]. Seinserkenntnis wird in der Aussage formuliert und kann nur so vorgelegt werden.

Noch ein drittes Argument läßt sich gegen einen absoluten Voluntarismus des Gottesbegriffes in Holcots Theologie anführen. Holcot lehrt eindeutig die wesenhafte Gutheit Gottes[100]. In der Fortführung des gleichen Beweises, der die Transzendenz der göttlichen Gutheit gegenüber dem geschöpflichen Sein zum Ziel hat, spricht Holcot von einem ständigen Innewohnen des Guten im göttlichen Wesen, auch wenn es keine Wirkungen des Guten zu den Geschöpfen hin gäbe. Er unterscheidet nämlich in Gott zwischen dem Wirken des Guten zum Geschöpf hin und dem habituellen Gutsein. Letztes kommt Gott auch dann zu, wenn es keine Kreatur gäbe. Den Anlaß zur Erörterung dieser Frage bieten wie so oft die Futura contingentia. Holcot richtet sich gegen die Lehre des Anselmus, daß Gott der Gutheit seines Wesens widersprechen würde, wenn er seine den Geschöpfen gegebenen Verheißungen nicht erfüllte. Dagegen betont unser Magister, daß Gottes Gutheit nicht von den Geschöpfen abhänge[101].

Diese ganze Argumentation ist für das Verständnis des Gottesbegriffes von größter Bedeutung. Wir sehen nämlich, wie Holcot das Gutsein Gottes am göttlichen Wirken zu den Geschöpfen hin darstellt. Dabei geht es nicht nur um diejenigen Eigenschaften, die Gottes Gutsein in Relation zu den Geschöpfen bringen, wenn diese auch vornehmlich als Beweis dienen. Von ihnen aus schließt Holcot auf die „bonitas moralis" Gottes. Diese wird aber im Hinblick auf das Wirken Gottes gesehen, auch dann wenn sie nicht in eigentliche, auf die Geschöpfe gerichtete Akte übergeht. Diese in Gott bleibende Gutheit wird als habituell bezeichnet. Sie besteht ohne Rück-

---

[97] Meissner spricht von einer „rein logischen Widerspruchsfreiheit" der göttlichen Allmacht bei Holcot. Vgl. a.a.O. 92.

[98] S. o. S. 216.

[99] Vgl. den Abschnitt: „Futura contingentia", S. 297f.

[100] Vgl. ebd. Anm. 183. S. u. S. 358.

[101] Vgl. „Futura contingentia" Anm. 182.

sicht auf die Kreatur, gehört also zum göttlichen Sein in absoluter
Weise. Dennoch muß beachtet werden, daß Holcot nicht von der
„wesentlichen Gutheit Gottes" in einem streng seinsmäßigen Sinne
spricht, sondern für diese zweifellos dem göttlichen Sein zukommende Gutheit die Aussageweisen des Wirkens gebraucht, nämlich
des Aktes und des Habitus. Gerade der letzte Begriff ist im Gebrauch der aristotelisch-thomistischen Philosophie als Brücke vom
Sein zum Wirken besonders gut geeignet, bezeichnet er doch das
Angelegtsein (dispositio) eines Dinges sowohl im Hinblick auf die
eigene Natur wie auch auf ein Wirken nach außen[102]. Das habi-
tuelle Gutsein Gottes begründet sein Wirken des Guten nach
außen. Es besteht aber das erste auch ohne das zweite in Gott,
so daß Gottes Gutheit aus seinem Wirken um die geschaffene Welt
keinerlei Zuwachs erfährt[103].

Zweierlei folgt daraus. Erstens ist bewiesen, daß Holcots Gottesbegriff nicht von einem absoluten ethischen Voluntarismus geprägt
ist. Zweitens zeigt sich, wie in der Methode der Gotteslehre der
Blick vom Sein Gottes auf das göttliche Wirken gelenkt wird. Hier
dürfte auch der verborgene Ansatzpunkt für die Betonung der
Freiheit und der Allmacht Gottes liegen. Das Omnipotenzprinzip
ist letzten Endes Ausdruck einer Gottesvorstellung, die das Wirken
Gottes dem Sein Gottes voranstellt, wohlgemerkt nicht grundsätzlich, sondern für die Methode einer Theologie, die ihre Aufmerksamkeit vornehmlich auf das Handeln Gottes mit seinen Geschöpfen richtet. Die dem wirkenden Gott innerlichst zukommende
Eigenschaft ist die Freiheit. Sie ist die Grundvoraussetzung personaler Partnerschaft. Wo immer in einem theologischen Entwurf
Gott zuerst als der mit dem Geschöpf handelnde Partner gesehen
wird, kommt es zu einer kräftigen Hervorhebung der göttlichen
Freiheit. Diese Tendenz im theologischen Denken Holcots ist an
vielen Stellen deutlich spürbar.

An einem Beispiel soll dies hier eingehend dargestellt werden. Es
ist der ersten Quaestio des 2. Buches seines Sentenzenkommentares
entnommen[104], in der ebenfalls Fragen der Prädestinationslehre

---

[102] Vgl. Thomas Aq., S.th. I II q.49 a.1; Aristoteles, Met. V, 20 (E c.20,
   1022 b 4—13).

[103] Vgl. Anm. 100: Esse tamen iustus habitualiter et esse pronus et promptus et
   voluntarius ad faciendum iuste, quando decet et expedit, hoc convenit deo
   sine creatura, et sive creatura sit sive non sit, deus autem non est melior,
   quando facit iuste quam quando nihil facit. Et ideo nihil bonitatis accrescere
   potest deo ex aliqua operatione circa creaturam.

[104] Vgl. fol. e VIII ra: Utrum creator generis humani iuste gubernet genus
   humanum.

behandelt werden. Die Quaestio trägt die Überschrift: Ob der Schöpfer des Menschengeschlechtes dieses gerecht regiert. Das dritte Gegenargument lautet: „Kein ‚Acceptator personarum' regiert gerecht jene Personen, von denen er ohne ihr Verdienst die eine annimmt und die andere verwirft. Nun regiert Gott die Menschen in dieser Weise, wie es bei Malachias (1,2) heißt: Jakob liebte ich, Esau aber haßte ich. Auch läßt sich nicht einwenden, daß er diesen in Voraussicht seiner (künftigen) Missetaten verwarf und jenen in Voraussicht seiner (künftigen) Verdienste erwählte; denn nach Augustinus gehen die künftigen Werke und der künftige Glaube aus der göttlichen Gnade hervor[105]." Bringen wir den Einwand in die Form eines Syllogismus, so würde er folgendermaßen aussehen: Ein Acceptator personarum zieht eine Person der anderen vor nur im Hinblick auf jene Person und ohne Rücksicht auf einen sachlichen Grund; Gott erwählt und verwirft, ohne auf Verdienst oder Missetat zu schauen; also regiert Gott in der Weise eines Acceptator personarum. Er zitiert den bekannten Vers Mal. 1,2 und könnte sich noch auf viele Textstellen, besonders im Alten Testament, berufen, in denen diese Freiheit Gottes in der Gnadenwahl zum Ausdruck kommt[106].

Nun zur Responsio Holcots! Wir wenden uns sofort dem letzten Teil zu, der Frage nach der Bedeutung des Begriffes „Acceptator personarum". Holcot definiert ihn: „Wer den einen dem anderen vorzieht, in einer anderen Weise, als es sich ziemt." Dies erläutert er an einem sofort hinzugefügten Beispiel: „Wenn Sokrates und Plato das gleiche Verdienst haben und ich gegenüber keinem von beiden verpflichtet bin, jedoch aus Freigebigkeit dem Sokrates 10 (Pfunde) geben will und dem Plato keines, so bin ich darum kein Acceptator personarum." Wer also gibt oder nicht gibt, was er nicht schuldet, der handelt nicht ungerecht. „So muß man aber von Gott reden, der dem getauften Kinde ohne Verdienst das ewige Leben

---

105 Vgl. Holcot, II Sent. q.1 (fol. f rb 54 — va 9; korr. nach O fol. 142 ra 37—45; P fol. 36 vb 17—29; RBM fol. 35 rb 15—24): Tertio principaliter sic: Nullus acceptator personarum iuste gubernat personas, quarum alteram praeacceptat et alteram reprobat sine merito vel demerito. Sed deus sic gubernat homines quod unum acceptat et alterum reprobat sine merito vel demerito, Malach. c.1: ‚Jacob dilexi, Esau autem odio habui', et similis in aliis. Neque valet dicere quod istum reprobavit, quia vidit eius malitiam futuram, et istum elegit, quia vidit eius merita futura, quia hoc retractavit beatus Augustinus dicens, opera futura et futuram fidem procedere ex gratia divina, lib. II c.23.

106 Das ganze 9. Kapitel des Römerbriefes ist von dem Gedanken der absoluten Freiheit der göttlichen Gnadenwahl getragen. Sogar die absolute Reprobation ließe sich daraus folgern, wenn man beim strengen Sinn der Worte bliebe.

schenkt, wenn es stirbt, dem ungetauften aber nicht. Weil er keinem
von beiden etwas schuldet, darf man ihn weder einen Acceptator
personarum nennen noch der Ungerechtigkeit zeihen[107]."

Zwischen dem erwählenden oder verwerfenden Gott und seinem
Geschöpf steht nichts mehr, weder Verdienst noch Gnadenhabitus;
denn Gott kann auch de potentia absoluta den Sünder ohne Gnade
beseligen[108]. Holcot bringt schließlich diese Freiheit Gottes auf eine
Formel, in der die absolute Prädestination und Reprobation gesiegt
zu haben scheinen: „Gott prädestiniert vor jeglichem Verdienst und
verwirft vor jeglicher Schuld, und dennoch ohne Ansehen der Person, weil dies letzte heißen würde, daß er den einen dem andern
in ungebührender Weise vorzöge und damit dem anderen entzieht, was ihm zukommt[109]." Wir müssen hier wenigstens 6 Verse
aus dem neunten Kapitel des Römerbriefes in Parallele setzen, um
diese Lehre von der Freiheit des an seinen Geschöpfen handelnden
Gottes recht zu deuten. Die Verse knüpfen übrigens an die gleiche
Malachiasstelle an, auf die sich auch Holcot beruft: „So steht es
auch geschrieben: ‚Jakob habe ich geliebt, Esau aber gehaßt‘
(Mal 1,2). Was werden wir nun sagen? Ist etwa Ungerechtigkeit
bei Gott? In keiner Weise! Sagt er doch zu Moses: ‚Erbarmen will
ich mich, wessen ich mich erbarmen will, und dem schenke ich mein
Mitleid, mit dem ich Mitleid haben will‘ (2 Mos. 33,19). So kommt
es also nicht aufs Wollen an, auch nicht aufs Laufen, vielmehr

---

[107] Den letzten Teil der Textstelle haben wir in der Übersetzung etwas gekürzt.
Vgl. Holcot, a.a.O. (fol. f VII ra 8—23): Tertio videndum est, quis sit
acceptator personarum. Dici potest quod ille generaliter est acceptator personarum, qui unum praeponit alteri aliter quam debet. Unde si Sortes et Plato
sint duo aequalis meriti omnino et ego neutri istorum tencor in aliquo, volo
tamen de libertate mea dare Sorti decem et Platoni nihil, non ideo sum
acceptator personarum, quia nihil subtraho Platoni quod sibi debetur. Isto
modo dicendum est de deo, quia licet velit dare isti parvulo iam nato vitam
aeternam, qui nunquam merebitur, si baptizabitur et morietur, et parvulo
alteri eodem tempore nato, qui morietur ante baptismum, non vult dare vitam
aeternam, ideo non est deus acceptator personarum, quia neutri est aliquid
debitum a deo. Nec potest argui de iniustitia, quia nulli subtrahit quod ei
debetur.

[108] Vgl. Holcot, I Sent. q.4 (fol. d III vb 54 — d IV ra 2): Similiter non sequitur
formaliter, sed ut nunc tantum: Iste caret caritate, ergo si decedat, damnabitur; nam non includit contradictionem quod deus hominem sine caritate
beatificet.

[109] Vgl. ders. II Sent. q.1 (fol. f VII ra 23—28): His visis ad primam formam
argumenti dico quod deus praedestinat ante meritum et reprobat ante
demeritum, et tamen sine acceptatione personarum, quia acceptio significat
in acceptis praeponere unum alteri aliter, quam debet, et sic substrahere ab
uno aliquid sibi debitum.

allein auf das Erbarmen Gottes. So sagt die Schrift denn auch zu
Pharao: ‚Gerade dazu habe ich dich aufgerufen, damit ich meine
Allmacht an dir zeigen kann und daß mein Name in der ganzen
Welt gepriesen werde' (2 Mos. 9,16). Und so erbarmt er sich dessen,
den er will, und er verstockt auch, wen er will" (Rom. 9, 13—18).
Der Vergleich der vorher zitierten Stelle aus dem Sentenzenkommentar mit diesem Römerbrieftext sollte uns warnen, über Holcots
theologische Formulierung des gleichen sachlichen Inhaltes das
Urteil eines absoluten Voluntarismus in der Gottesvorstellung zu
fällen. Es läßt sich aber auch nachweisen, daß dies vom Wortlaut
des Textes her nicht statthaft ist. Holcot gebraucht zwar eine Formel, die für eine positive und aktive Reprobation des Nichterwähl-
ten durch Gott zu sprechen scheint: „Gott erwählt vor jeglichem
Verdienst und verwirft vor jeglicher Schuld." Man darf aber nicht
die Einleitungsformel übersehen, in der ausdrücklich gesagt wird,
daß die Antwort „zu der ersten Form des Argumentes" gegeben
wird. Wir müssen also die Aussageweise berücksichtigen und dürfen
nicht allein vom Inhalt der Aussage ausgehen. Am Eingang der
Responsio zum dritten Argument (Gott sei ein Acceptator personarum) werden drei entscheidende Fragen gestellt: Erstens, gibt es im
Prädestinierten eine Ursache seiner Erwählung? Zweitens, gibt es
im Verworfenen eine Ursache seiner Verwerfung? Drittens, wer ist
eigentlich als „Acceptator personarum"[110] zu bezeichnen? Danach
umreißt Holcot terminologisch genau vier verschiedene Bedeutungen des Begriffes „Vorherbestimmung". Er sei aequivok und könne
im aktivischen und im passivischen Sinne gebraucht werden. In
einem dritten Sinne sei „Vorherbestimmung" gleichbedeutend mit
der ewigen Seligkeit oder mit der Gnade oder mit jeder Gnaden-
gabe, die dem Menschen für sein letztes Ziel gegeben werde. In
einer vierten Weise stehe der Begriff „Vorherbestimmung" nicht für
eine Sache allein, sondern für ein Complexum wie der Begriff
„Hausbau", der in einer verkürzten Ausdrucksweise für viele Tätigkeiten gebraucht werde, nämlich für das Zusammenfügen von Höl-
zern und Steinen zu einem bestimmten Gebilde; so werde der
Begriff „Vorherbestimmung" an Stelle eines solchen Complexum
gebraucht: Gott will einem Geschöpf das ewige Leben geben, das
jenes nicht hat, aber haben wird[111].

[110] Vgl. ebd. (fol. f VI va 27—33): Ad tertium principale quando arguitur:
nullus personarum acceptator gubernat iuste etc. Pro materia istius argumenti oportet videre tria: Unum est, an in praedestinato sit aliqua causa
suae praedestinationis. Secundo an in reprobato sit aliqua causa suae repro-
bationis. Tertio quis dicendus est proprie acceptator personarum.
[111] Vgl. ebd. (lin. 33—48): Circa primum primo ponam quasdam distinctiones.

Nach diesen terminologischen Unterscheidungen antwortet Holcot auf die erste Frage, ob die Erwählung im Erwählten eine
Ursache habe. Die Antwort fällt entsprechend den vier Unterscheidungen, die am Begriff der Vorherbestimmung vorgenommen wurden, verschieden aus. In der ersten Bedeutung: Vorherbestimmung
als Actio Gottes, ist die Antwort negativ. Die Vorherbestimmung
hat in diesem Sinne genommen keine Ursache im Erwählten; denn
sie ist mit Gott identisch. „Vorherbestimmung" ist gleichbedeutend
mit dem Terminus: Der vorherbestimmende Gott[112]. Er kann aber
für sein Wirken als Gott gar keine andere Ursache haben als sich
selbst. Auf keinen Fall ist im Geschöpf eine Ursache dafür zu
suchen. In diesem Verständnis der Vorherbestimmung ist die Antwort gegeben: „Gott erwählt ohne Verdienst und verwirft ohne
Schuld[113]."

Der Textzusammenhang gewährt uns drei Ergebnisse für das
Verständnis dieser Theologie. Erstens erkennen wir, wie Holcot
den Gottesbegriff seiner Theologie vom Wirken Gottes her formt.
Er steht damit in der Nähe des biblischen Gottesbegriffes[114]. Auch
die theologische Aussageform, in der das Verbum dem Substantiv vorgezogen wird, bestätigt dies[115]. Zweitens widerlegen die
Texte die Behauptung, Holcot habe einen voluntaristischen Gottesbegriff vertreten. Dafür wird besonders der Begriff der Potentia
absoluta als Beweis angeführt. Dabei verkennt man die eigentliche
theologische Aussagetendenz dieses Begriffes bei Holcot. Er dient
nämlich dazu, die Mächtigkeit und Nähe des allzeit wirkenden
Gottes herauszustellen, die das Gegenstück zur Kontingenz alles
Außergöttlichen ist. Der Begriff der absoluten Allmacht wird so zu
einem Schlüssel für das Verständnis der Kontingenz des Zukünf-

---

Prima est quod iste terminus praedestinatio aequivoce dicitur. Uno modo
sonat in actionem, alio modo in passionem. Tertio modo possumus dicere
quod gloria aeterna est praedestinatio vel gratia est praedestinatio, et
generaliter omne donum collatum homini a deo, quo homo bene utitur ad
beatitudinem, potest vocari praedestinatio. Quarto modo iste terminus praedestinatio pro nulla re supponit sicut iste terminus aedificatio, sed est terminus, quo utimur propter eloquentiam et breviloquium loco unius complexi.
Unde iste terminus aedificatio denotat aliquem apponere et coniungere ligna
et lapides et huiusmodi in certam figuram, et sic iste terminus praedestinatio
accipitur loco talis complexi: Deum velle dare alicui vitam aeternam, quam
ille non habet, sed habebit.

[112] Vgl. ebd. (lin. 48—51): Si igitur quaeratur, an praedestinatio habeat aliquam
causam in praedestinato, dici potest quod praedestinatio primo modo loquendo nullam causam habet, cum sit deus.
[113] Vgl. Anm. 109.
[114] Vgl. den Abschnitt: „Die Logik als Instrument der Theologie", S. 76ff.
[115] Vgl. ebd.

tigen. Auch im „sicheren Besitz" der Glorie wird sich das Geschöpf der Kontingenz seines Standes bewußt. Diese gründet letzten Endes in Gott selbst, der alles Außergöttliche aus seiner freien Allmacht heraus gesetzt hat und gar nicht anders wirken kann, ohne seine Gottesnatur preiszugeben[116]. Ausdruck der Allmacht Gottes ist darum in gleicher Weise das de potentia ordinata Gesetzte.

Im übrigen kommt das Begriffspaar Potentia absoluta — ordinata verhältnismäßig selten vor. Holcot bedient sich meist der Redewendungen wie etwa: nach der jetzt bestehenden Ordnung, nach dem jetzt bestehenden Gesetz u. a.[117]. An einer einzigen Stelle findet sich eine Folgerung aus dem Begriff der Potentia absoluta, die mit der Glaubenstradition kaum in Einklang zu bringen ist: „Was die absolute Allmacht Gottes betrifft, so kann Gott kraft dieser in einem Menschen, der ihn haßt, die Liebe einwohnen lassen, weil dies keinen Widerspruch in sich schließt[118]." Dieser Text steht jedoch in den Determinationes (q. 9!) und ist darum als Maßstab für die

---

[116] Vgl. Holcot, Quodl. P fol. 180 va 35—47; vgl. „Futura contingentia" Anm. 85.

[117] Vgl. den Text in Anm. 108. Ferner: II Sent. q.4 (fol. k III va 23—24): An beati possunt mereri et damnati demereri stante lege, quae nunc est. III Sent. q.1 (fol. k VIII va 32—35): Sed contra arguo sic: Mutata lege, quae nunc est, homo potest eligere non esse; sed legem mutari est possibile; igitur hominem eligere non esse est possibile. Ebd. (fol. l III rb 40—42): Ad secundum quando allegatur ab Augustino quod nulla natura potest vincere voluntatem, vult dicere quod secundum legem statutam nulla natura potest cogere voluntatem . . .
IV Sent. q.1 (fol. m IV rb 12—19): Ad secundum principale quando arguitur quod si sint duo (scl. parvuli baptizati), qui nunquam meruerunt, inaequaliter praemiarentur . . . verum est quod conclusio non est impossibilis, quia deus possit praemiare sicut placet; tamen negatur consequens et consequentia de lege statuta. Ebd. q.7 (fol. o ra 4—8): . . . stante lege, quae nunc est de imortalitate animae nullus potest vera electione . . . eligere non esse . . .
Schließlich findet sich der Begriff der potentia ordinata noch in der quodlibetalen Quaestio, deren längere Überschrift hier wörtlich wiedergegeben wird, da sich die ganz am Schluß stehende Responsio dann von selbst versteht (P fol. 160 rb 53—59): Utrum doctrina venerabilis Anselmi rationabiliter debeat reprobari. Quod sic erroneum, ut patet 8. De libero arbitrio, ubi docet quod rectitudinem voluntatis deus non potest auferre a voluntate, et tamen tenet quod illa est alia res a voluntate quod est erroneum, quia omnem rem distinctam totaliter ab alia potest deus separare; igitur etc. (Ebd. vb 8—11): Ad istam propositionem de rectitudine voluntatis intendit quod deus non potest istam separare a voluntate habente gratiam ipsa invita de potentia ordinata.

[118] Vgl. Holcot, Determinationes, q.9 (fol. H vb 52—55): Et similiter loquendo de potentia dei absoluta deus potest ponere caritatem in odiente se, si vellet, quia hoc fieri nullam contradictionem includit.

Theologie Holcots mit Vorsicht zu benutzen. Handschriftlich ist er nur in P überliefert[119].

Wenn diese Quaestio tatsächlich von Holcot stammt, dann enthält sie allerdings die extremste Formulierung seiner Theologie. Wir müssen den Argumenten in den wichtigsten Punkten folgen. Holcot stellt zwei Fragen an den Anfang: Können im Seligen die Gottschau und die liebende Erfahrung der göttlichen Gegenwart voneinander getrennt werden? Kann der Selige, wenn er Gott schaut, den Akt der Gottesliebe aufheben?[120] Holcot bejaht beide Fragen[121]. Der erste Grund dafür liegt in seinem „ontologischen Individualismus"[122]. Die einzelnen menschlichen Akte werden als je verschiedene Wirklichkeiten angesehen[123].

Die gleiche Unterscheidungstechnik wendet Holcot auf die Frage nach dem Zustand der Seligkeit an. Sie besteht nicht in einem einzelnen Akt oder Erleben, sondern setzt sich aus mehreren Akten oder Erlebnissen zusammen. Auch die sprachlogische Methode ist hineinverwoben, da die Antwort mit der Formel „de virtute sermonis" eingeleitet wird[124]. Das Wort des hl. Augustinus, das ewige Leben bestehe in der Anschauung Gottes[125], muß sprachlogisch

---

[119] Vgl. Quodl. P (fol. 207 ra 51—54): Utrum angelus non confirmatus clare videns deum posset deum non diligere stante ista visione.

[120] Vgl. ebd. (fol. 207 rb 36—42): In ista quaestione erunt duo articuli pertractandi. Primus erit iste: An aliquo modo possint stare simul quod creatura rationalis clare videat deum et tamen non fruatur eo. Secundus erit: An sit in potestate voluntatis creatae suspendere actum suum, ne fruatur deo stante illa visione clara.

[121] Vgl. ebd. (lin. 42—47): Quantum ad primum dico duas conclusiones. Prima est quod ista stant simul quod creatura rationalis videat deum clare et non fruatur eo. Secunda est quod possibile est creaturam rationalem habere claritatem visionis et lumen gloriae et tamen non fruatur deo.

[122] Vgl. „Die Lehre vom Glauben", S. 249ff.

[123] Vgl. ebd. (lin. 47—52): Primam conclusionem probo multipliciter. Primo sic: Visio dei non est essentialiter fruitio, sed visio prior est saltem quoad causalitatem et fruitio res distincta posterior. Igitur possibile est deum manutenere visionem sine fruitione. Consequentia patet, quia sunt duae res distinctae totaliter. Igitur deus potest separare unam ab alia.

[124] Vgl. ebd. (fol. 207 vb 5—11): Ad secundum dicitur quod illud assertum est falsum de virtute sermonis, quia nec visio est beatitudo nec fruitio nec dilectio. Sed beatitudo est unum aggregatum ex illis omnibus [illis]. Unde Boethius libro De consolatione <philosophiae>: Beatitudo est status omnium bonorum aggregatione perfectus. Et Anselmus libro De concordantia: Beatitudo est sufficientia competentium commodorum.

[125] Vgl. ebd. (fol. 207 va 40—43): Item <Augustinus, De trin.> 12 c.39: ‚Quae est vita aeterna nisi illa visio, quae conceditur iustis et non conceditur impiis‘, et multis aliis locis id dicit sicud: Quod tota contemplatio est tota merces deus, etc.

analysiert werden. Es faßt Mehreres in einem Sprachlaut zusammen, wobei ein Teil für das Ganze genommen wird. Tatsächlich besteht die Freude der Seligen in mehreren verschiedenen Erlebnissen, die nicht voneinander getrennt existieren. Selig ist, wer immer Gott schaut, wer immer ihn liebt usw.[126]. Mit der einleitenden Formel „de facto" ist gesagt, daß die tatsächliche Gnaden- und Heilsordnung durch diese kritische Analyse theologischer Aussagen nicht berührt wird. Diese Einstellung unseres Magisters geht auch aus einer späteren Bemerkung hervor, in der er apodiktisch erklärt, daß der Wille der Seligen unveränderlich in der Gottesliebe verharre[127].

Der zweite Grund liegt in seiner Lehre von der göttlichen Allmacht. Diese kann mit der einen menschlichen Fähigkeit oder mit dem einen menschlichen Akt mitwirken, dem anderen aber die Mitwirkung versagen. So kommt der eine Akt (die Visio) zustande, der andere (die Fruitio) nicht[128]. Diese beiden grundlegenden Argumente (Unterscheidung der psychischen Akte und Freiheit der göttlichen Allmacht) werden im Verlauf der Quaestio durchgespielt und bedingen die extremen Formulierungen, die man nicht allein als Folgerung aus der Lehre von der Potentia dei absoluta ansehen darf[129]. Wichtiger als das Motiv der Allmacht ist jene rigorose Unterscheidung der psychischen Akte in verschiedene Realitäten. Von diesem Ansatzpunkt aus ist es möglich anzunehmen, daß durch Gottes Allmacht die gegensätzlichen Akte und Habitus zusammen oder nebeneinander bestehen[130]. Zwischen dem Habitus der Caritas

---

[126] Vgl. ebd. (fol. 207 vb 11—15): Tum dictum Augustini verificatur in proposito per synecdochem; nam accipit partem pro toto, quia de facto non separantur in beatis; sed quicumque clare videt, est beatus; similiter qui fruitur, est beatus; et sic de aliis.

[127] Vgl. ebd. (fol. 208 va 58 — b 1): Tertio patet ista conclusio, quia ita est quod voluntas beatorum ita diligit deum quod non potest non diligere; alioquin non forent confirmati in beatitudine, cuius oppositum dicit Magister secundo Sententiarum d.7. quod boni angeli adeo sunt confirmati in gratia quod non possunt fieri mali.

[128] Vgl. ebd. (lin. 53—61): Secundo sic: Quandocumque una res habet duas vel tres operationes distinctas, possibile est deum concurrere ad causandum unam non causando reliquam, et maxime ad causandum priorem sine posteriori. Sed creatura rationalis existens in statu, in quo potest videre deum, nata est elicere duas operationes scilicet cognitionem et dilectionem mediante cognitione; igitur possibile est deum concurrere ad causandum operationem primam et suspendere operationem secundam; igitur...

[129] So Molteni, a.a.O. 78ff.

[130] Vgl. ebd. (fol. 207 vb 16—32): Ad tertium quando accipitur quod omnis, qui videt deum clare, iudicat eum esse summe diligendum, si intelligatur quod nullus potest videre deum clare, nisi iudicet eum esse summe diligen-

und dem Akt des Gotteshasses besteht dazu kein formaler Gegensatz, da ja — so müssen wir dieses Argument ergänzen — der
erste als Habitus nach der Art der Natur wirkt und der zweite
in den Bereich des Willens gehört. Beides liegt auf verschiedenen Ebenen[131].

Selbst der Akt des Gotteshasses könnte von Gott angenommen
werden, wenn er nämlich nicht als formaler Akt, sondern in seinem
materialen Vollzug gesehen wird wie etwa das Aufheben einer
Gabel oder die Bewegung eines Fingers[132]. Wir erinnern an eine
Unterscheidung, die Holcot in ähnlicher Weise beim Akt der Glaubenszustimmung vornimmt. Er stellt die Frage, ob Gott den Glaubensakt in einem Geschöpf auch ohne dessen Mitwirkung hervorrufen könne und antwortet mit Ja und Nein. Weil Gott als Erstursache auch die Wirksamkeit der Zweitursache ausüben kann,
könnte er den Willensakt des Geschöpfes kraft seiner göttlichen
Allursächlichkeit auch selbst bewirken; doch wäre eine „Willenszustimmung" in diesem Falle keine Willenszustimmung (im eigentlichen Sinne)[133].

Im zweiten Artikel geht Holcot noch einen Schritt weiter. Er
sagt, man müsse auch eine Art der Gottschau zugeben, in der dem

> dum, quia sic et non aliter facit, ad propositum dicendum est quod non est
> ita. Nam cum visio intuitiva dei sit notitia incomplexa et omne iudicium sit
> notitia complexa, deus potest conservare claram visionem dei in mente
> alicuius sine tali iudicio. Hoc quantum ad primam propositionem argumenti.
> Ulterius quando arguitur quod si non diligit deum summe, ommittit contra
> iudicium rationis, igitur peccat, dicendum est quod etiam posito quod
> iudicaret deum esse summe diligendum super omnia, adhuc esset possibile
> quod deus suspenderet actum diligendi, qui sequi deberet, et tunc talis non
> faciens secundum iudicium rationis in nullo peccaret, quia forat imperatus
> a deo, ne talem actum eliceret.

[131] Vgl. ebd. (lin. 43—50): Ad quintum: Non video contradictionem, quin illa
quatuor compatiantur se virtute divina scilicet: habitus caritatis, lumen
gloriae, clara visio et odium dei in eadem voluntate creata. Unde simul
possunt poni in eadem mente virtute divina, nec est repugnantia formalis
inter illa nec inter caritatem et peccatum mortale nec inter habitum caritatis
et odium dei. Daß Sünde und Gnade nicht formal entgegengesetzt sind, sagt
folgender Text: Nam peccatum est actus creaturae vel omissio creaturae,
et forma contraria ibi non est aliquis habitus, sed tantum actus oppositus et,
per consequens, propter solum actum erit creatura accepta. Vgl. Quaest.
quodl. Utrum per potentiam dei absolutam possit aliquis acceptari sine caritate eidem formaliter inhaerente; ed. Molteni, Roberto Holcot, 173, lin.
28—30 (B fol. 202 va).

[132] Vgl. ebd. (lin. 50—55): Similiter non est necessarium quod odium dei semper
sit peccatum; posset enim deus odium sui acceptare ad bonum, si vellet, et
habere pro indifferenti, sicud modo habet pro indifferenti levare festucam
et movere digitum et huiusmodi.

[133] Vgl. „Die Lehre vom Glauben", S. 183f; dort auch die Texte aus Holcot.

Willen die Freiheit bliebe, Gott zu hassen[134]. Die Formulierung des Textes ist so eindeutig, daß es keine andere Erklärung gibt. Holcot sagt ausdrücklich, daß der Akt der Gotteserkenntnis oder Gottschau in diesem Falle tatsächlich fortdauern und mit dem Akt des Gotteshasses zusammen bestehen soll. Zum Beweis führt Holcot an, Gott könne einem solchen Geschöpf offenbaren, daß er es verdammen oder vernichten wolle. Dann würde dieses Geschöpf Gott als Grund eines sehr großen Schadens erleben und ihn deshalb hassen oder fliehen[135].

Diese Texte stehen da und müssen zur Sprache gebracht werden, mag auch die Unsicherheit der Textüberlieferung eine Zurückhaltung im Urteil erfordern. Zu ihrem Verständnis sei erinnert, daß sie nicht allein stehen. Holcot hat mit beredten Worten die Liebe Gottes gepriesen. Wir werden bald ein Beispiel kennenlernen. Ferner sollte ein formaler Erklärungsgrund erwogen werden: Die Quaestiones quodlibetales stehen im Unterschied zum Sentenzenkommentar vorzüglich im Dienst der theologischen Disputation. Das literarische Genus dieser Literatur erlaubt es uns nicht, jede Aussage als Lehre des Magisters zu werten. Die Quaestio enthält eine Äußerung, die dies ganz deutlich macht. Holcot bezeichnet schließlich die verschiedenen, von ihm durchspekulierten Möglichkeiten, wie sich das Geschöpf in der seligen Gottschau verhält, als „Problemata neutra". Niemand vermag sie zu lösen, weil sie jede Erfahrung übersteigen[136].

Setzen wir dieser Quaestio einen anderen Text aus dem Sentenzenkommentar zur Seite, der mit aller Deutlichkeit zeigt, daß Holcot weit davon entfernt ist, den Begriff der Potentia dei zu verabsolutieren. Er steht in jener Quaestio, die für die Lehre über die Futura

---

[134] Vgl. ebd. (fol. 208 ra 33—41): Tertia conclusio: Talis potest esse visio clara dei communicata voluntati creatae quod voluntas poterit libere odire deum clare visum, supposito etiam in omnibus istis conclusionibus quod non sit in potestate voluntatis dimittere intellectum a cognitione vel visione dei, quia sic esset voluntati facile non diligere deum; sed manuteneat deus cognitionem vel visionem sui in voluntate secundum intellectum communem.

[135] Vgl. ebd. (fol. 208 vb 27—33): Hoc probo sic: Deus clare visus potest apprehendi sub ratione summi nocivi, quia stante clara visione potest deus revelare voluntati quod vult eum adnihilare vel dampnare vel sub aliqua alia intentione, quam voluntas potest odire vel fugere, [per] se deus potest voluntati ostendere; igitur etc.

[136] Vgl. ebd. (fol. 208 vb 9—15): Sed quia contra hanc rationem non potest efficaciter argui nisi ab eo, qui deum vidisset, ideo transeo et sufficiunt mihi probabilitates, quia conclusiones, quas persuadeo, sunt super experientiam naturalem et sunt mihi fere problemata neutra et nimis difficile arbitror quare assignare ut dicitur 1 Thessalonicorum (?).

contingentia sehr aufschlußreich ist, II Sent. q. 2: Utrum deus ab
aeterno sciverit se producturum mundum. Der Schlußteil dieser
Quaestio fehlt allerdings in der Inkunabel und ist auch nicht in
allen Hss enthalten[137]. Holcot geht der Frage nach, ob jemand mit
Notwendigkeit schuldig werden könne, dem Gott seine zukünftige
Sünde offenbar macht. Wir lassen hier die weitschweifigen und
bilderreichen Ausführungen beiseite und wenden uns sofort jenem
Abschnitt zu, der aus zwei Gründen besondere Aufmerksamkeit
verdient. Erstens setzt Holcot dort die Potentia dei in Einklang mit
der göttlichen Gerechtigkeit und Barmherzigkeit. Gott tut etwas,
das zwar im Vermögen seines Willens liegt, darum nicht, weil es
der höchsten Gerechtigkeit und der höchsten Liebe widersprechen
würde. Zweitens: Diese Zuordnung und Harmonie von Allvermögen
einerseits, Gerechtigkeit und Liebe andrerseits wird aber nicht primär aus dem Wesen Gottes gefolgert, sondern vom Geschöpf her,
freilich insofern es von Gott gerufen wurde und damit Partner des
göttlichen Wirkens ist. Der Text lautet: „Gott kann nicht einem
Menschen oder einem Engel, die sich im Stand der göttlichen Liebe
befinden, ein in der Zukunft geschehendes Schuldigwerden und die
darauf liegende ewige Strafe offenbaren, nicht weil eine solche
Offenbarung dem göttlichen Allvermögen widerspräche, insofern es
Allvermögen ist, sondern weil sie zur höchsten Gerechtigkeit und
zur höchsten Liebe im Widerspruch steht; Gott würde nämlich dadurch sein vernunftbegabtes Geschöpf so in den Zustand des Elends
versetzen ohne dessen Schuld, weil dieses Geschöpf eine solche
künftige Strafe nicht voraussehen kann außer im Zustand des
Elends[138]."

Mit einem solchen Text ist eine Überbetonung der göttlichen
Allmacht unvereinbar. Obwohl diese kräftig hervorgehoben wird,
löst sie Holcot nicht aus dem Zusammenhang der göttlichen Gerechtigkeit und Barmherzigkeit. Dabei leitet ihn ein anthropozentrisches
Motiv. Er blickt auf den Menschen als Geschöpf Gottes. Es ist
undenkbar, daß Gott seine Geschöpfe ruft, um sie ohne Schuld in
die Erkenntnis ihres Elends zu versetzen. Dieses anthropozentrische
Motiv weist aber wieder zurück auf Gott selbst, dessen Wesen von

---

[137] Vgl. „Beschreibung des literarischen Materials", S. 404.
[138] Vgl. ders., II Sent. q.2 (O fol. 155 ra 56—62; RBM fol. 52 ra 36—43): In
ista materia potest dici quod deus non potest revelare alicui homini vel angelo
existenti in caritate peccatum suum futurum nec suam poenam aeternam
propter istud peccatum, non quia ista revelatio repugnat potentiae dei, inquantum est potentia, sed quia repugnat summae iustitiae et summae misericordiae, quia deus faceret suam creaturam rationalem tam miseram sine
culpa, quia ipsa non posset praescire talem poenam futuram, nisi esset misera.

uns nicht allein im Hinblick auf das göttliche Allvermögen zu sehen ist, sondern auch als höchste Gerechtigkeit und Barmherzigkeit; dies freilich insofern Gott mit dem Menschen handelt und der Mensch so zum Partner Gottes wird.

Aufs Ganze gesehen bleibt Holcots Lehre von der Prädestination innerhalb der allgemeinen Lehrtradition. Die Freiheit der göttlichen Gnadenwahl und die Verantwortung des freien Geschöpfes gegenüber dem Gnadenanruf Gottes werden in kunstvollen logischen Distinktionen einander gegenübergestellt. Mit Hilfe dieser logischen Kunstfertigkeit kann Holcot sowohl die Prädestination in dem absolut freien Willen Gottes verankern wie auch die Freiheit und Verantwortlichkeit des Geschöpfes in der Entscheidung des eigenen Heiles aufrechterhalten[139].

Der einzige Mangel, den man an diesen Ausführungen Holcots empfinden könnte, wenn man sie mit der theologischen Durchdringung der Prädestinationslehre bei Thomas und Duns Scotus vergleicht, besteht darin, daß die theologischen Probleme allzusehr zu solchen der Aussageweise umgeprägt werden. Auf keinen Fall hat Holcot eine positive aktive Reprobation gelehrt[140]. Wer diese aus dem oben zitierten Text[141] herausliest, übersieht die formale Struktur der Argumentation, die von der Methode der scholastischen Disputation geprägt ist.

Damit sind wir bei dem dritten Ergebnis der vorangegangenen Textuntersuchungen. Es besteht in der Einsicht, die theologischen Aussagen Holcots stets nach den Gesetzen der Aussagenlogik zu

---

[139] Wir verweisen auf den umfangreichen Text II Sent. q.1 (fol. f VI va 18   f VII ra 8). Vgl. auch den Abschnitt: „Futura contingentia". Die Prädestinationslehre Holcots folgt eindeutig derjenigen des hl. Thomas, S.th. I q.23 a.5.

[140] Vgl. Holcot a.a.O. (fol. f VI 28—35): Haec tamen causalis non est vera: Ideo deus praeordinavit Petrum ad vitam aeternam, quia fuit crediturus etc., sed econtra secundum sanctos. Sed aliter dicunt de reprobatione. Nam ideo deus praescivit Iudam damnandum et praeordinavit se eidem daturum poenam, quia Iudas fuit peccaturus et non econverso; et ideo deus, qui est reprobatio activa, non est causa, quare ipse peccavit. Vgl. ebd. (fol. f VII ra 1—8): Videntur ergo doctores aliter loqui de praedestinatione et praedestinato et aliter de reprobatione et reprobis. Nam de praedestinatis tales causales sunt verae: Quia Petrus est praedestinatus, Petrus salvabitur. In reprobis autem non debent tales concedi: Quia deus Iudam reprobavit, ideo peccavit et ideo damnabitur, sed econtra: Quia Iudas erat peccaturus, ideo deus eum reprobavit.

[141] Vgl. Anm. 109. Zur formalen Struktur der Argumentation vgl. o. S. 287f. Molteni (a.a.O. 136f. 138 Anm. 12), der diese Textstelle als Beleg für die Potentia dei absoluta ansieht, berücksichtigt nicht die einleitende Formel: „Ad primam formam istius principalis."

analysieren. Wir verweisen in diesem Zusammenhang auf die
unterschiedliche Begründung der natürlichen Gottesliebe bei Holcot
gegenüber Thomas von Aquin. Thomas sieht in der Geschöpflichkeit
den naturgemäßen Grund dafür, daß der Mensch Gott über alles
lieben kann[142]. Für Holcot ist dieses Argument nicht stichhaltig[143].
Im Gegenteil! Natürlicherweise ist der Mensch sich selbst Ziel seines
Strebens und seiner Liebe[144]. Dennoch gibt Holcot auch die Möglichkeit einer natürlichen Gottesliebe zu. Sie beruht auf einem entsprechenden Urteil, das dem Menschen immer möglich sei, ob es
nun wahr oder irrtümlich gefällt werde[145]. Es gibt keinen Artikel
und keinen Satz in dieser Theologie, der seinen Aufbau und seine
Form nicht der logischen Kunstfertigkeit des Magisters verdankt.
Dies trifft in einer solchen Weise zu, daß oft nur das Verständnis
der Aussageform den richtigen Sinn des Aussageinhaltes erschließt.

Wir glauben aber, gerade in diesem Abschnitt gezeigt zu haben,
daß Holcot von theologischen Grundbegriffen und Ansätzen aus
seine Theologie aufbaut. Theologische Ziele beherrschen damit die
ganze Entfaltung seiner Lehre. Das soll über der aussagenlogischen
Methode seiner Argumentation nicht vergessen werden.

---

[142] Vgl. o. S. 270.
[143] Vgl. Holcot, I Sent. q.4 (fol. d VII ra 12—23): Ad quintum potest dici quod
   non est demonstrabile, quin homo sit finis sui ipsius et non ordinetur ad
   aliquid aliud sicut ad finem, scilicet ad felicitatem... Et quando dicitur
   quod ordinatur ad felicitatem sicut ad finem, sensus est quod homo debet se
   ordinare, ut bene et feliciter vivat. Unde finis hominis est hoc totum, scilicet
   ipsum feliciter vivere ita quod ipse includatur in fine suo aliquo modo
   loquendi.
[144] Vgl. ebd. (lin. 51—54): Ad octavum potest dici quod verum est quod ipse
   homo est finis et maxime diligendus a se naturaliter et omnia alia propter se.
[145] Vgl. o. S. 259.

FUTURA CONTINGENTIA

1. Der Stand der Frage

Die zukünftigen kontingenten Geschehnisse waren für die Theologie kein Gegenstand spitzfindiger Spielerei. Sie gehören vielmehr schon zu den Themen der frühesten Theologiegeschichte, wenn auch nicht in der ausführlichen Formulierung wie in der Scholastik. Die Antike stellte dem christlichen Offenbarungsglauben zwei Fragen, die das Verhältnis von menschlicher Freiheit und göttlichem Vorherwissen angehen. Die erste Frage richtet sich auf die Ermöglichung der menschlichen Freiheit angesichts des religiösen Determinismus und Fatalismus des antiken Götter- und Schicksalsglaubens. „Man kann die traurige Macht, die diese im Grunde jeden persönlichen Gottesbegriff aufhebenden Schicksalsvorstellungen auf die Menschen der hinsichtlich der äußeren Kultur sonst so hochstehenden hellenistischen Antike ausübten, kaum überschätzen[1]." Die apologetische Aufgabe gegenüber der heidnischen Umwelt veranlaßte Augustinus zu einer kräftigen Herausstellung der menschlichen Willensfreiheit in seiner Schrift De libero arbitrio[2], so daß er in der späteren Auseinandersetzung mit den Pelagianern seiner früheren Lehre gewisse Erläuterungen und Rechtfertigungen hinzufügen mußte[3]. Doch schon in der vorchristlichen Antike entstand in Aristoteles ein Verteidiger der Selbstmächtigkeit menschlicher Überlegung und Freiheit. Im neunten Kapitel von Perihermeneias lehrt der Stagirite, daß von den nichtseienden, jedoch möglichen Dingen sowohl Sein wie Nichtsein ausgesagt werden kann[4]. Nur vom Gegenwärtigen und Vergangenen ist notwendig die Bejahung oder die Verneinung falsch[5]. Dabei bewegen Aristoteles nicht allein die logischen Fragen über die Formulierung kontradiktorischer Aus-

---

1 Vgl. K. Prümm, Der christliche Glaube und die altheidnische Welt, Leipzig 1935, 83.
2 Vgl. K. Kolb, Menschliche Freiheit und göttliches Vorherwissen nach Augustin, 33ff.
3 Vgl. a.a.O. 37, Anm. 3.
4 Vgl. Perihermeneias c.9 (19a 39 — b 4).
5 Vgl. ebd. (17b 28—29).

sagen, sondern er weist ausdrücklich auf die ethische Begründung der freien Überlegung und Entscheidung hin, die der Mensch bezüglich der zukünftigen Geschehnisse in einem gewissen Umfange besitzt[6]. Dennoch konnten sich die christlichen Theologen mit der Lehre des Aristoteles über die Futura contingentia nicht zufriedengeben. Gerade die aussagenlogische Formulierung seiner Antwort mußte ihren Widerspruch hervorrufen. Aristoteles schloß ausdrücklich von der Kontingenz der Dinge auf die Kontingenz der Aussagen: „Da somit die Behauptungen in derselben Weise wahr sind wie die Dinge, so muß offenbar bei allem, was sich so verhält, daß in dem einen wie in dem anderen Falle auch das Gegenteil möglich ist, die kontradiktorische Aussage sich ebenso verhalten. Das erfüllt sich eben bei dem, was nicht immer ist oder nicht immer nicht ist. Denn da muß zwar ein Glied der Kontradiktion wahr sein, bzw. falsch, aber nicht dieses oder jenes bestimmte Glied, sondern beliebig das eine oder das andere von beiden, und es muß vielleicht auch das eine eher wahr sein als das andere, aber doch nicht so, daß es notwendig wahr wäre oder falsch[7].“ Diese Formulierung berücksichtigte nämlich nicht die Unveränderlichkeit und absolute Sicherheit des göttlichen Vorherwissens bezüglich der Futura contingentia. Holcots Darstellung der Frage geht daher sofort von der zitierten Lehre des Aristoteles aus. Seine ganze Beweisführung ist aussagenlogisch aufgebaut. Dabei entzieht er die ganze theologische Frage eindeutig der Zuständigkeit des Philosophen. Wir bemerken auf dem Grunde der Argumentation die These von der Logica fidei. Auch für Holcot stellt sich schließlich wie für alle christlichen Theologen die Frage nach dem Verhältnis der Kontingenz des Geschehens zu der Absolutheit des göttlichen Wissens.

Bevor wir uns jedoch der Lehre Holcots zuwenden, möchten wir den Stand der Frage bei den hervorragendsten Scholastikern vor ihm erläutern.

Das Verhältnis der kontingenten Geschehnisse zum göttlichen Willen und Wissen bildet eines der Hauptthemen der Scholastik. In der Forschung der Neuzeit wurde es wiederholt zum Wertmaßstab gemacht, nach dem man die dogmatische Korrektheit der einzelnen scholastischen Autoren beurteilte. Schon P. Minges hat Scotus gegen den Vorwurf eines exzessiven Voluntarismus und Indeterminismus verteidigt[8]. Zwanzig Jahre später griff

---

[6] Vgl. ebd. (18b 31—32; 19a 6—8).

[7] Vgl. ebd. (19a 32—39). Übersetzung nach Eugen Rolfes in der Ausgabe Felix Meiner, Hamburg 1958, 105.

[8] P. Minges, Der Gottesbegriff des Duns Scotus. Ders., Ist Duns Scotus Indeterminist?

H. Schwamm das Thema noch einmal auf und arbeitete die besondere Lehre des Duns Scotus und seine Kritik an Bonaventura und Thomas von Aquin heraus[9]. Der Autor verfolgte die Entwicklung der Lehre in der Zeit nach Scotus und zog auch Wilhelm Ockham in seine Untersuchung hinein[10]. Sein Urteil über Ockham wurde einige Jahre später durch Ph. Boehner korrigiert, der sich auf zuverlässigeres Quellenmaterial stützen konnte, das Schwamm noch nicht vorlag, wie Boehner entschuldigend seiner Kritik hinzufügte[11]. Die wichtigste Quelle war der von Boehner selbst edierte Traktakt Ockhams über die Prädestination, Gottes Vorherwissen und die zukünftigen kontingenten Geschehnisse und Dinge[12].

Will man die Stellung der einzelnen Magister zu dieser Frage verstehen, so muß man von dem jeweilig verschiedenen Kontingenzbegriff ausgehen. Untersuchen wir daraufhin die einzelnen Aussagen. Thomas von Aquin unterscheidet Notwendiges und Kontingentes entsprechend ihrem verschiedenen Sein in ihrer Ursache. Das Kontingente ist so in seiner Ursache und geht so aus ihr hervor, daß es auch nicht hervorgehen kann. Das Notwendige wird dagegen von seiner Ursache notwendig hervorgebracht, so daß es unmöglich ist, daß es nicht sei[13]. Notwendiges und kontingentes Sein unterscheiden sich also entsprechend der notwendig oder kontingent wirkenden Ursache. Wo ist nun die kontingent wirkende Ursache zu suchen? Thomas antwortet: Auf seiten der Materie. In einer ontologischen Linie verbindet Thomas Kontingenz — Potenz — Materie — Individuale. Vom Verbum posse schreitet er zum Substantiv potentia, von diesem zu materia. Man darf wohl übersetzen: Was sein und nicht sein kann, das ist in Potenz; diese erstreckt sich wiederum auf die Materie und sie ist Individuationsprinzip. Die entgegengesetzte Linie bilden die Begriffe Notwendigkeit — Form — Universale[14]. Um nun das Verhältnis des göttlichen Wol-

---

[9] Vgl. H. Schwamm, Das göttliche Vorherwissen bei Duns Scotus und seinen ersten Anhängern, Innsbruck 1934, 8—17.

[10] Vgl. a.a.O. 126—130.

[11] Vgl. Ph. Boehner, Ockhams tractatus de praedestinatione et de praescientia dei et de futuris contingentibus and its main problems. In: Ders., Collected Articles on Ockham, 421. (Zuerst veröffentlicht in: Proceedings of the American Catholic Philosophical Association, vol. XVI. Washington D.C. 1941, 177—192.)

[12] The Tractatus de praedestinatione et de praescientia dei et de futuris contingentibus of William Ockham, ed. Ph. Boehner, Franciscan Institute Publications, Philosophy Series n.2. St. Bonaventure 1945.

[13] Vgl. Thomas Aq., S.c.g. I, 67: Contingens a necessario differt, secundum quod unumquodque in sua causa est; contingens enim sic in sua causa est, ut non esse ex ea possit et esse, necessarium vero non potest ex sua causa nisi esse.

[14] Vgl. ders., S.th. I q.86 a.3: Est autem unumquodque contingens ex parte

lens zum kontingent Seienden in der Lehre des Thomas von Aquin zu verstehen, müssen wir die Frage nach dem Erkennen des Kontingenten einbeziehen.

Kontingentes wird nach der Lehre des Thomas direkt durch den Sinn und nur indirekt durch den Intellekt erkannt[15]. Da Gottes Wissen unveränderlich ist, muß ihm auch das Kontingente in einer unveränderlichen Weise gegenwärtig sein. Nun sind aber Notwendiges und Kontingentes in ihrem Seinsstand gleich, wenn beides verwirklicht und keines mehr zukünftig ist. Wir werden sehen, wie sich Holcot in diesem Punkte von seinem Ordenslehrer entfernte. Thomas begründete dieses Wissen Gottes, das alles Gegenwärtige, Vergangene und Zukünftige wie mit einem Blick umgreift, mit dem Ewigkeitsbegriff des Boethius[16]. Daher hat Gott auch vom Kontingenten ein sicheres und unveränderliches Wissen. Wie unterscheidet sich darin jedoch Kontingentes und Notwendiges? Durch die Verschiedenheit ihrer Ursachen! So entsprechen sich in der Lehre des hl. Thomas das göttliche (und menschliche) Erkennen des Kontingenten und der ontologische Grund des Kontingenten[17]. Der Kontingenzbegriff ist bei Thomas wesentlich ontologisch geformt.

Ganz anders bei Duns Scotus! Sein Kontingenzbegriff ist wesentlich von der Theologie her bestimmt. Diese Einsicht läßt sich aus dem lapidaren Satz des Doctor subtilis gewinnen, daß in keiner Ursachenart der Grund des Kontingenten liegen könne außer in der ersten Ursache, „wie es die Katholiken behaupten"[18]. Der Zusatz besagt viel. Wer den christlichen Glauben bekennt, kann sich nicht

---

materiae, quia contingens est quod potest esse et non esse; potentia autem pertinet ad materiam. Necessitas autem consequitur rationem formae, quia ea quae consequuntur ad formam, ex necessitate insunt. Materia autem est individuationis principium; ratio autem universalis accipitur secundum abstractionem formae a materia particulari.

[15] Vgl. a.a.O.

[16] Auf den Ewigkeitsbegriff des Boethius bezieht sich Thomas ausführlich I Sent. d.38 q.1 a.5 (ed. Mandonnet 910); De ver. q.2 a.12 (ed. Spiazzi, 53). Boethius, De cons. phil. V pr. 6 (CSEL 67, 126 lin. 16—23).

[17] Vgl. Thomas Aq. S.th.I q.14 a.13.

[18] Vgl. Duns Scotus, Op. Ox. I d.39 q. unica, n.14 (ed. Garcia I, 1215): Nulla causatio alicuius causae potest salvare contingentiam, nisi prima causa ponatur immediate contingenter causare, et hoc ponendo in prima causa perfectam causalitatem, sicut Catholici ponunt. Zit. von Gilson, Johannes Duns Scotus, 328 Anm. 1. Gilson fügt hinzu: „Diese ‚vollkommene Kausalität', wie sie die Katholiken verstehen, wird weiter unten erklärt im Zusammenhang mit der göttlichen Allmacht, deren Begriff, da jede Argumentation des Duns Scotus voraussetzt, daß Gott jede beliebige Wirkung immediate verursachen kann, schon jetzt bei dem soeben Gesagten wirksam ist. Die perfecta causalitas und die omnipotentia der Katholiken sind ein und dasselbe."

mit einer Lösung der Frage zufrieden geben, bei der die Kontingenz in die Zweitursächlichkeit verlegt und damit der unmittelbaren Allmacht Gottes entzogen wird. Zwei Momente sind an der Lehre des Doctor subtilis zu beachten: Er führt erstens die Verursachung des Kontingenten unmittelbar auf den Willen Gottes zurück. Natürlich sieht auch Thomas die letzte Ursache des Kontingenten im göttlichen Willen. Jedoch kann man diese Ursächlichkeit als eine mittelbare bezeichnen, insofern Gott das Kontingente mittels der kontingenten Ursachen bewirkt[19]. Den kontinuierlichen Zusammenhang zwischen göttlicher Ursache und jeglicher Wirkung wahrt hier Thomas mit einem Kunstgriff, indem er erklärt, daß die erste Ursache tatsächlich in der zweiten Ursache wirkt, sich jedoch in der Art und Weise der Wirkung dieser anpaßt[20]. Dabei werden wir auf das Beispiel der Natur verwiesen, wenn wir sehen, wie die Blüte des Baumes nicht in der Art und Weise der entfernten Ursache, nämlich der Sonnenbewegung, sondern in derjenigen der nächsten Ursache, nämlich der pflanzlichen Wachstumskraft, bewirkt wird. Das Beispiel zeigt, daß Thomas hier von einem Naturprinzip her argumentiert. Wir begegnen ihm noch an vielen anderen Stellen seines Denkens. Es lautet: Receptum est in recipiente secundum modum recipientis[21]. Man muß freilich sehen, daß es Thomas ganz und gar in den Dienst eines theologischen Beweises genommen hat. Aber gerade dann wird man auch die Kritik des Duns Scotus verstehen. Sie vollzieht sich in mehreren Schritten, die aber eine kontinuierliche Bewegung bilden. Daß es in der Welt Nichtnotwendiges gibt, ist evident, wenn auch nicht a priori beweisbar. Wer dies leugnet, den solle man der schon von Avicenna empfohlenen orientalischen Behandlung unterwerfen, die sich allerdings gegen die Leugner des Widerspruchsprinzips richtet: Man solle sie so

---

[19] Vgl. Thomas Aq., I Sent. d.38 q.1 a.5 (ed. Mandonnet 910): Similiter etiam scientia dei est invariabilis causa omnium; sed effectus producuntur ab ipso per operationes secundarum causarum; et ideo, mediantibus causis secundis necessariis producit effectus necessarios ut motum solis et huiusmodi. Sed mediantibus causis secundis contingentibus producit effectus contingentes. Vgl. S.c.g. I, 67, 85.

[20] Vgl. ebd. (909) Quandoque enim sunt causae multae ordinatae, effectus ultimus non sequitur causam primam in necessitate et contingentia sed causam proximam, quia virtus causae primae recipitur in causa secunda secundum modum causae secundae. Effectus enim ille non procedit a causa prima nisi secundum quod virtus causae primae recipitur in secunda causa: ut patet in floritione arboris, cuius causa remota est motus solis, proxima autem virtus generativa plantae.

[21] Vgl. Thomas Aq., S.th.I q.75 a.5; q.76 a.1 ob.3; q.89 a.4; S.c.g.I, 43; II, 74, 79; De pot. 3,3 ob.1; 7, 10 ad 10.

lange schlagen oder ihre Füße brennen, bis sie zugeben, daß Schlagen und Nichtschlagen, Brennen und Nichtbrennen nicht dasselbe sind. So solle man auch jene, die die Nichtnotwendigkeit leugnen, solange auf die Folter spannen, bis sie anerkennen, daß es auch möglich ist, sie nicht zu foltern[22]. Nichtnotwendiges kann seine Ursache nur in einem freien Willen haben. Scotus sieht in der Lehre der Philosophen, daß es Nichtnotwendigkeit in der Welt gibt und daß dennoch die erste Ursache notwendig wirkt, einen inneren Widerspruch[23]. Dies ist der Punkt, an dem Scotus seine Kritik an Thomas ansetzt, der die Notwendigkeit der ersten Verursachung mit der Notwendigkeit des göttlichen Wissens begründet[24]. Im Wissen ist nach Thomas für Gott alles Zeitliche gegenwärtig. Der Grund, auf dem diese Gegenwärtigkeit alles Zeitlichen ermöglicht wird, ist wie gesagt der Ewigkeitsbegriff des Boethius[25]. Nach Scotus ergibt sich jedoch aus der Koexistenz der göttlichen Ewigkeit mit dem in der Zeit Wirklichen kein Vorherwissen Gottes von den geschaffenen Dingen; denn Koexistieren ist eine reale Relation und setzt daher die reale Existenz beider Glieder voraus. Im Vorherwissen ist jedoch das Vorhergewußte noch nicht real da[26]. Der tiefste Grund, aus dem Scotus die Lehre des Thomas über das Vorauswissen Gottes ablehnt, stammt aus seiner Überzeugung, daß sie dem Glauben nicht gerecht wird. Wissen gehört zum Bereich des Naturhaften, dem das Willensmäßige entgegengesetzt ist. Mit diesem Gegensatz kämpft Scotus gegen den „griechisch-arabischen Nezessitarismus: Wenn die erste Ursache einzig mit naturhafter Notwendigkeit handelte, wäre die Welt völlig ihrer Notwendigkeit unterworfen" (Gilson)[27]. Damit sind wir am Kern des scotischen Kontingenzbegriffes. Für Scotus ist Nichtnotwendigkeit aufs engste mit Freiheit verknüpft. Die Nichtnotwendigkeit des Zufalls genügt nicht als Voraussetzung für finales Handeln. Hier ist die Nichtnotwendigkeit eines freien Willens erforderlich. Wenn Aristoteles die Notwendigkeit der (ersten) Ursache behauptet, so läßt sich die

[22] Vgl. Scotus, Op.Ox.I d.39 q. u. n.13 (I, 1215); Rep.Par.I, d.40 n.6 (XXII, 474 b). Gilson, a.a.O. 327.

[23] Vgl. Op.Ox. a.a.O. n.12 (I, 1213); besonders II, d.1, q.3, n.16 (II, 44). Gilson, a.a.O. 326.

[24] Vgl. Thomas Aq., S.th.I q.14 a.13 ad 1. Gilson, a.a.O.

[25] Vgl. Thomas Aq., S.th.I q.14 a.13: Deus autem cognoscit omnia contingentia, non solum prout sunt in suis causis, sed etiam prout unumquodque eorum est actu in seipso. Vgl. auch I Sent. d.38 q.1 a.5; De ver. q.2 a.12; S.c.g.I c. 67.

[26] Vgl. W. Pannenberg, Die Prädestinationslehre des Duns Skotus, Göttingen 1954, 18. Duns Scotus, I Sent. d.39 (Op.Ox. I, 1222f).

[27] Vgl. Gilson, a.a.O. 160.

Nichtnotwendigkeit der Wirkungen nicht aufrechterhalten[28]. Der notwendig wirkende Gott ist nicht der Gott der Christen, sondern der Gott der Philosophen[29]. Daher kann mit Recht gesagt werden, daß für Scotus der Glaube der angemessene Weg ist, der zu dem frei wirkenden Gott führt. Damit sind wir bei dem zweiten Moment, das in der Kontingenzlehre des Scotus zu beachten ist. Wir können es als die methodische Priorität des Glaubens vor der Philosophie bezeichnen. Wir finden es auch gelegentlich anderer Fragen wieder. So hält Scotus die natürliche Unsterblichkeit der Seele zwar für möglich, aber nicht für beweisbar, nicht aus Skeptizismus gegenüber der Philosophie überhaupt, sondern weil die Prinzipien der Philosophie für einen solchen Beweis nicht hinreichen. In diesem Falle wird der Unterschied zu Thomas allerdings durch den Seinsbegriff des Scotus bewirkt[30]. Für uns genügt die Feststellung der methodischen Priorität des Glaubens. Sie soll uns warnen, vorschnell von Skeptizismus und Fideismus zu reden, wenn scholastische Autoren manche Gebiete, die Thomas von Aquin für das natürliche Erkennen offen hielt, dem Bereich des Glaubens und der Theologie zuweisen. Was Scotus recht ist, das ist auch Holcot zuzubilligen.

Die Kontingenzlehre Ockhams hat Philotheus Boehner an Hand des Tractatus de praedestinatione et de praescientia Dei et de futuris contingentibus dargestellt[31]. Um eine bloße Wiederholung zu vermeiden, sollen nur die entscheidenden Punkte hervorgehoben werden. Wie es schon die Überschrift des Traktates andeutet, setzt Ockham das Kontingente in engste Verbindung mit dem Vorherwissen und dem Vorherbestimmen Gottes. Ferner: Was wir die Vorherbestimmung Gottes nennen, sei sie in der Weise der aktiven Prädestination oder der aktiven Reprobation, ist identisch mit Gott selbst, wie auch passive Prädestination und Reprobation nichts anderes bezeichnen als die prädestinierte oder reprobierte Person selbst. Aktive Prädestination bezeichnet also drei Dinge zugleich: Gott, das ewige Leben und die von Gott in Gnaden angenommene Person[32]. Zwei Einsichten folgen daraus für das Verständnis der Theologie Ockhams: Erstens eine gewisse personale Sicht der Kon-

---

[28] Die ausführliche Darstellung der Kontingenzlehre des Scotus samt ihrer Abhebung von der des Aristoteles und Thomas von Aquin hat uns Gilson in dem bereits zitierten Scotus-Werk gegeben, so daß hier nur die Hauptpunkte kurz skizziert zu werden brauchen.

[29] Vgl. Gilson, a.a.O. 179, 205f., 222, besonders 272—277, 284, 329, 337, 663—666 u. a.

[30] Vgl. Gilson, a.a.O. 506.

[31] S. o. Anm. 12.

[32] Vgl. Boehner, a.a.O. 423.

tingenz, d. h. ein Wechsel aus der Gegenständlichkeit eines Seins-
Status in die Sphäre personalen Tuns oder Erleidens; zweitens ein
Wechsel in der Methode von der sachlich-theologischen Spekulation
zur logisch-sermocinalen Erörterung. Dies letzte wird noch deut-
licher an der zweiten von Boehner herausgestellten „Supposition"
Ockhams, die Boehner ausdrücklich eine logische nennt[33]. Ockham
bezeichnet alle Aussagen auf dem Gebiet der Prädestination als
kontingente Aussagen, mögen sie im grammatischen Tempus der
Vergangenheit, der Gegenwart oder der Zukunft gemacht sein.
Ockham stimmt zwar mit der Lehre des Aristoteles überein, daß
ein kontingentes Geschehen, wenn es einmal eingetreten ist, seinen
Kontingenz-Status verliert. Die Aussage: Sortes sitzt, ist so wahr,
daß ihre Wahrheit durch keine Macht des Himmels oder der Erde
geändert werden kann, wenn das Faktum eingetreten ist. Von diesem allgemeinen Grundsatz sind jedoch die Aussagen über die
Prädestination ausgeschlossen. Sie bleiben immer kontingent, ob
sie im Tempus der Vergangenheit, der Gegenwart oder der Zukunft
getätigt werden. So sehr Ockham formal die Logik des Aristoteles
für seine eigene Beweisführung ausschöpft, so entschieden entfernt
er sich hier von dem Philosophen in der Beantwortung einer theologischen Frage. Holcot folgte ihm in dieser Ausformung der Lehre
über die Wahrheit eines kontingenten Satzes, der vom Prädestinationsratschluß abhängig ist. Die Notabilia aus Richard Camasale
sind ein Hinweis, wie hier feste theologische Formeln entstehen, in
denen die Prädestinationslehre in scharfen Gegensatz zu den Sätzen
des Aristoteles über die Futura contingentia gebracht wird[34]. Dazu
kommt Ockhams Präjudiz gegen den Stagiriten, den er bezichtigt,
das sichere Vorherwissen Gottes geleugnet zu haben[35]. Der Wortlaut der Ausführungen in Perihermeneias rechtfertigt diese Beschuldigung nicht, da Aristoteles nur das menschliche Vorherschauen im
Auge hat. Jedoch befriedigte die Theologen der Text darum nicht,
weil darin für eine Aussage über Gottes Wissen kein Anhaltspunkt
war[36].

Damit sind die wichtigsten Akzente, die Ockham in der Kontin-
genzlehre setzt, genannt. Daraus erklärt sich die Verbindung von
Kontingenz und Freiheit bei Ockham. Er bezeichnet geradezu die
Fähigkeit des Willens, von einer Handlung abzustehen, als eine

[33] Vgl. a.a.O.
[34] Vgl. u. Anm. 218.
[35] Vgl. a.a.O. 424, 426, 430ff.
[36] So auch Bonaventura, Scotus und viel später Silvester Maurus. Dagegen hält
   sich der hl. Thomas mit seinem Urteil über Aristoteles zurück. Vgl. Boehner,
   a.a.O. 427, 431f.

Art der kontingenten Verursachung[37]. Noch stärker als Scotus legt Ockham den Grund der kontingenten Dinge in den Willen Gottes und scheidet das vom göttlichen Willen informierte göttliche Wissen aus der theologischen Spekulation über die Kontingenz aus. Das heißt: Das notwendige und unveränderliche göttliche Vorherwissen erstreckt sich auf alle Gegenstände. Es wird also durch die Kontingenz des Nichtnotwendigen so wenig in Frage gestellt, wie es seinerseits diese Kontingenz aufhebt. Wie steht es nun mit dem Grund der Kontingenz in Gott? Ockhams Antwort bewegt sich auf zwei Ebenen, der theologisch-spekulativen und der sermocinalen. Den theologischen Grund der Kontingenz sieht Ockham anders als die hervorragenden Magister vor ihm. Weder das vom göttlichen Willen determinierte Wissen Gottes (Scotus), noch die Ideen (Bonaventura), noch die alles umgreifende Allgegenwart Gottes (Boethius, Thomas von Aquin), sondern allein die Unendlichkeit Gottes ist der Grund dafür, daß Gott alles Zukünftige weiß. Ockham setzt die Unendlichkeit Gottes mit dem Wesen Gottes gleich[38]. Wie soll man sich aber das Zusammenwirken des sicheren Vorherwissens mit der Kontingenz und mit der göttlichen Freiheit erklären? Ockham weist bei dieser Frage auf die Grenzen menschlicher, auch theologischer Aussage hin: Sed modum exprimere nescio[39]. Es liegt in der Konsequenz seiner Zurückhaltung gegenüber einer philosophischen Lösung des Kontingenzproblems, nun auch die Möglichkeiten theologischer Aussagen der Kritik und der Einschränkung zu unterziehen. Dieser Vorstellung vom verborgenen Gott entspricht die stärkere Hervorhebung des menschlichen Lebens als Pilgerstand[40]. Theologisches Gottesbild und Menschenbild entspre-

---

[37] Vgl. Boehner, a.a.O. 426. Daselbst Zitat aus Ockham, Quodl. ed. Argentinae 1491, quodl. 1 q.16: Voco libertatem potestatem, qua possum indifferenter et contingenter effectum ponere, ita quod possum eundem effectum causare et non causare, nulla diversitate circa illam potentiam facta. Ferner I Sent. d.38 q.1 G: Praeter istos modos adhuc est unus modus, quo potest voluntas creata cessare ab actu causandi, scilicet se sola, quantumcumque nullum praedictorum desit, sed omnia sint posita, et hoc est et non aliud voluntatem contingenter causare.

[38] Vgl. a.a.O. 441.

[39] Vgl. a.a.O. 440 Anm. 41. Boehner weist auf I Sent. d. 38 q. unica M hin und zitiert die bald folgenden Worte Ockhams (N): Sed hoc evidenter declarare et modum, quo scit omnia futura contingentia, exprimere est impossibile omni intellectui pro statu isto. Vgl. auch Tractatus de praedestinatione... q.1 (ed. Boehner, 15): Ideo dico, quod impossibile est clare exprimere modum, quo Deus scit futura contingentia. Tamen tenendum est, quod sic, contingenter tamen. Et debet istud teneri propter dicta Sanctorum, qui dicunt, quod Deus non aliter cognoscit fienda quam facta.

[40] Vgl. dazu den Aufsatz von E. Hochstetter, Viator mundi. Einige Bemerkungen

chen sich. Das Wissen um diese letzte theologische Aporie des Kontingenzproblems führt keineswegs zum Verzicht auf die theologische Aussage. Im Gegenteil! Gerade die theologische Aussage der Kontingenz als Aussage ermöglicht erst das Zusammen von Gottes Unveränderlichkeit und der Freiheit seines Willensratschlusses gegenüber dem Kontingenten. Ockham erklärt dies mit der Unterscheidung zwischen dem, was „formaliter" in Gott ist, und dem, was „per praedicationem" in Gott ist. Nur das erste ist notwendigerweise in Gott. Das Wissen über Kontingentes ist jedoch nur „per praedicationem" in Gott. Daß Gott um etwas Kontingentes weiß oder daß er „Herr" ist, wird einmal von Gott ausgesagt und ein andermal nicht ausgesagt, im zweiten Fall nämlich, wenn das Kontingente nicht existierte oder wenn Gott nichts erschaffen hätte[41]. In keinem Fall würde die Vollkommenheit des göttlichen Wesens gemindert werden[42]. „Herr" ist somit nur ein Name, ein Begriff, der von Gott in kontingenter, zeitlicher Weise ausgesagt wird, und nicht mit dem Wesen Gottes identisch (Vgl. Anm. 41). So deutet Ockham sermocinal, wie die Kontingenz und Freiheit des göttlichen Tuns nach außen auf dem Grunde der Unveränderlichkeit des göttlichen Wesens möglich ist. Die sermocinale Methode, die Ockham so liebt und so gut beherrscht, ist hier ganz und gar in den Dienst der Theologie gestellt. Das Beispiel zeigt, wie sehr man sich davor hüten muß, aus den aussagenlogischen Formulierungen auf einen angeblichen Nominalismus des Autors zu schließen.

2. Die Darstellung im Sentenzenkommentar

Bei Robert Holcot finden wir nun die aussagenlogische Formulierung der Lehre von den futura contingentia vollkommen ausge-

zur Situation des Menschen bei Wilhelm von Ockham. In: Wilhelm Ockham, Aufsätze zu seiner Philosophie und Theologie. Münster 1950, 1—20.

[41] Vgl. Wilhelm Ockham, Tractatus de praedestinatione... q.2 (ed. Boehner, 30): Dico quod illud, quod est in Deo vel potest esse in eo formaliter, necessario est Deus; sed scire A non est sic in Deo sed tantum per praedicationem, quia est quidam conceptus vel nomen, quod praedicatur de Deo et aliquando non; et non oportet quod sit Deus, quia hoc nomen „Dominus" praedicatur de Deo contingenter et ex tempore et tamen non est Deus.

[42] Vgl. a.a.O. (ed. Boehner, 31): Si dicatur, sequitur: Deus non scit A, A est verum, igitur Deus est imperfectus — concedo, quod si ambae praemissae sint verae, quod tunc sequitur conclusio. Sed ex veritate primae per se non sequitur aliqua imperfectio in Deo, quod tamen requiritur ad hoc, quod esset perfectio simpliciter. Exemplum: Ex veritate istarum duarum: Deus non est dominus, et: Homo est servus, sequitur imperfectio in Deo, scilicet quod non sit dominus cuiuslibet servi; sed ex prima per se nulla sequitur imperfectio in Deo, quia posito quod nulla creatura sit, tunc non sequitur: Deus non est dominus, est igitur imperfectus.

bildet. Er behandelt sie in II. Sent. q. 2, sowie in einigen quodlibetalen Quaestionen. An allen Stellen stimmen seine Ausführungen
im Grundsatz miteinander überein. Die Ausgangsfrage knüpft an
die Formulierung bei Aristoteles in Perihermeneias an: Ob in den
Aussagen über zukünftiges Kontingentes die Wahrheit nur einer
der gegensätzlichen Behauptungen zukomme. Aristoteles verneine
dies. Jedoch stehe die Lehrmeinung der Theologen dagegen, weil
sonst jede Prophetie unmöglich wäre, da diese doch auf dem
sicheren göttlichen Vorherwissen beruhe[43]. Im Quodlibet wird
übrigens die Perihermeneias-Stelle ausdrücklich benannt. Holcot
erkennt mit Scharfblick, daß Aristoteles dem Problem der Futura
contingentia sofort eine aussagenlogische Formulierung gab, indem
er die Frage der Erkennbarkeit als eine Frage der Aussagemöglichkeit hinstellte, da die Unbestimmtheit des realen Geschehens die
Möglichkeit gegensätzlicher Aussagen zulasse[44]. Den Anstoß für
die aussagenlogische Formulierung gibt in der Scholastik Anselm
von Canterbury, De veritate c. 11, wo er die Wahrheit der Prädestination mit der Wahrheit eines Satzes über zukünftiges Geschehen
gleichsetzt. Thomas von Aquin greift diesen Vergleich auf in De

---

[43] Vgl. II Sent. q.2 a.7 (fol. h V ra 7—17): Jam restat videre de septimo articulo,
an in propositionibus de futuro in materia contingenti sit determinata veritas
in uno contradictoriorum et falsitas in reliquo. Et videtur sententia Aristotelis
quod non, sicut arguebatur. Unde videtur quod neutra pars in materia contingenti est vera vel falsa. Opinio autem theologorum huic est contraria. Credimus
enim deum scire resurrectionem esse futuram et omnium contradictoriorum
determinate alteram partem. Alias prophetia esset impossibilis nec ei oporteret
credere.

[44] Vgl. Aristoteles, a.a.O. (19a 32—35): Da somit die Behauptungen in derselben
Weise wahr sind wie die Dinge, so muß offenbar bei allem, was sich so verhält, daß in dem einen wie in dem andern Falle auch das Gegenteil möglich
ist, die kontradiktorische Aussage sich ebenso verhalten. (ed. Meiner 105) Ferner ebd. (18b 36—39): Ja, es trüge auch nichts aus, ob bestimmte Personen das
kontradiktorisch Entgegengesetzte behauptet hätten oder nicht. Denn die Dinge
verhalten sich offenbar so, wie sie sich verhalten, auch wenn der eine etwas
nicht behauptet und der andere es nicht bestritten hat. Denn sie stehen nicht
wegen einer vorausgegangenen Bejahung oder Verneinung bevor oder nicht
bevor, so wenig in zehntausend Jahren wie in beliebig langer oder kurzer Zeit
(ed. Meiner 103f). Holcot, In quaestione: Utrum clare videns deum videat
omnia futura contingentia (Quodlibeta, P fol. 179 rb 42—180 rb 14). Vgl.
fol. 179 rb 65 — va 11: Secundo distinguo de isto termino „futura contingentia“, quia uno modo dicuntur propositiones de futuro, quarum non est veritas
determinata vel falsitas, quia licet sunt verae vel falsae, illae tamen, quae
sunt verae, possunt nunquam fuisse verae, et illae, quae sunt falsae, possunt
nunquam fuisse falsae, ... et per istum modum dicitur communiter quod in
futuris contingentibus non est veritas determinata quod habetur primo Perihermeneias, ubi vocat Aristoteles futura contingentia propositiones de futuro contingentes.

Ver. q. 6 a. 3, arg. 6 et ad 6[45] und nennt auch sofort die aristotelische Quelle. Er unterscheidet jedoch zwischen der Wahrheit der
Prädestination und derjenigen des zukünftigen Geschehens, indem
er nur der ersten die Unveränderlichkeit zuspricht. Das heißt: Der
Prädestinationsratschluß hat zwar ein futurum contingens zum
Gegenstand. Da Thomas jedoch die Prädestination im Wissen
Gottes verankert, dem wiederum alles Geschehende zugleich gegenwärtig ist, kann er auch sagen, daß die Wahrheit der Prädestination
das Zukünftige wie etwas Gegenwärtiges sieht und damit Gewißheit besitzt. Die Kontingenz bleibt dennoch bestehen, wie Thomas
ausdrücklich sagt, und damit auch das Paradoxon zwischen der
unveränderlichen göttlichen Wahrheit und der Kontingenz des in
Freiheit geschehenden Zukünftigen, eben das eigentliche Paradoxon
der Prädestination. Wenn Holcot Prädestination und Futura
contingentia theologisch in einem Zusammenhang sieht, so knüpft
er damit formal an Anselmus an, bleibt dabei sachlich der Lehre des
hl. Thomas treu. Um so mehr entfernt er sich jedoch von Thomas
in der Frage nach dem Grund der Kontingenz. Wir werden sehen,
daß er hierin Scotus und Ockham näher ist. Holcot baut nun die
aussagenlogische Formulierung aus und untersucht mit Hilfe fein-
ster Unterscheidungen die möglichen Aussagen über die Futura
contingentia, wobei sowohl die Kontingenz der Geschehnisse wie
die Freiheit Gottes wie auch die absolute Sicherheit des göttlichen
Vorherwissens gesichert sein müssen. Um der Kontingenz willen
muß die Aussage über die Futura contingentia in der Weise wahr
sein, daß sie auch niemals wahr gewesen sein kann. Hingegen ist
eine Aussage über Vergangenes oder Gegenwärtiges entweder
wahr oder falsch. Ihre Wahrheit oder Falschheit ist an sich gesehen
niemals abhängig von der Aussage über ein zukünftiges Geschehen[46]. Diese Aussage bleibt getreu am Text der Periherme-

---

[45] Vgl. Thomas Aq., De ver. q.6 a.3, arg. 6: Praeterea secundum Anselmum (in
dial. De veritate, cap. XI) eadem est veritas praedestinationis et propositionis
de futuro. Sed propositio de futuro non habet certam et determinatam veritatem, sed variari potest, ut patet per Philosophum in lib. Periher. (cap. ult.) et
in II De generat., ubi dicit, quod futurus quis incedere, non incedet. Ergo nec
veritas praedestinationis certitudinem habet.
Ad sextum dicendum quod similitudo Anselmi quantum ad hoc tenet, quod,
sicut veritas propositionis de futuro non aufert futurorum contingentiam, ita
nec veritas praedestinationis; sed differt quantum ad hoc, quod propositio de
futuro non respicit futurum nisi ut futurum est, et hoc modo non potest habere
certitudinem; sed veritas praedestinationis et praescientiae respicit futurum
ut est praesens, ut in quaestione de scientia dei (quaest.2 art. 12) dictum est;
et ideo certitudinem habet. Vgl. auch unten Anm. 70.
[46] Vgl. II Sent. q.2 art. 7 (fol. h V ra 22—28): Dico ergo sicut dicitur communiter

neias-Stelle. Anders ist es allerdings bei Aussagen über ein vergangenes Kontingentes, dessen Wahrheit von einem zukünftigen Kontingenten abhängt. Wir werden noch sehen[47], daß für diesen Fall die
Lehre des Aristoteles keine Antwort gibt. Es ist der Fall der Prädestination. Für ihn ist die Theologie auf ihre eigene „Logik" angewiesen. Für die einfache Aussage über Vergangenes gilt jedoch die
aristotelische Entscheidung: Sie ist entweder wahr oder falsch. Ferner
kann das kontradiktorische Gegenteil einer solchen Aussage weder
gleichzeitig noch nacheinander bestehen. Die Gleichzeitigkeit scheidet selbstverständlich mit Rücksicht auf das Kontradiktionsprinzip
aus, was Holcot gar nicht erst näher begründet. Das „Nacheinander" würde die ganze Problematik der Futura contingentia aufheben, die ja für den Theologen in dem Verhältnis der unveränderlichen Wahrheit der Aussage zur Kontingenz des Geschehens
selbst und damit zur göttlichen Freiheit besteht. Daher kann eine
solche Aussage von Ewigkeit her wahr und im gegenwärtigen Zeit-
punkt wahr und dennoch falsch sein und damit von Ewigkeit her
falsch sein; dennoch würde es sich dann mit ihr nicht anders verhalten, wie es sich von Ewigkeit mit ihr verhält: Wenn sie nämlich
jetzt falsch wäre, dann wäre sie es auch von Ewigkeit[48]. Ein kunstvolles logisches Spiel, bei dem die einzelnen Aussagen die Kontingenz des ausgesagten Geschehens und die Unveränderlichkeit der
ewigen göttlichen Wahrheit in wechselseitigem Spiel je meinen! Die
Kühnheit dieses Spiels erreicht ihren Höhepunkt, da nun auch noch
die Freiheit des menschlichen Tuns einbezogen wird: Sokrates
könne bewirken, daß ein Satz von Ewigkeit her wahr und damit
im Wissen Gottes sei, der es niemals war; denn daß Sokrates selig

---

quod propositio de futuro necessario („Necessario" ist adverbial gebraucht und
gehört nicht zu dem vorher stehenden „futuro". Die Handschrift RBM hat es
nicht. Die Hinzufügung entspricht jedoch der Vorlage des aristotelischen
Textes, in dem es häufig vorkommt.) est vera sic tamen quod nunquam potest
fuisse vera, et ideo aliter est vera quam illa, quae est de praeterito simpliciter
vel de praesenti. Est tamen sic vera quod nullo modo ad sui veritatem requirit
aliquam de futuro esse veram, quia si aliqua talis sit vera, necessarium erit
postea quod illa fuerit vera.

[47] Vgl. u. S. 314f, 372f.

[48] Vgl. II Sent. q.2 art.7 (fol. h V ra 29—39): In propositionibus autem de futuro
in materia contingenti sic est quod utrumque contradictoriorum potest esse
verum et tamen nec simul nec successive. Praeterea aliqua propositio est vera
et potest esse falsa et tamen non potest desinere esse vera nec incipere esse
falsa. Item aliqua propositio est vera et potest esse falsa, et tamen non potest
mutari a veritate in falsitatem. Item aliqua propositio fuit vera ab aeterno
et est vera nunc, et tamen potest fuisse falsa ab aeterno. Tamen si fiat falsa,
non aliter se habebit quam se habuerit ab aeterno, quia si nunc sit falsa, ab
aeterno fuit falsa.

werde oder nicht, liegt auch in der Freiheit des menschlichen Handelns. Wird damit Gottes Wissen (und Handeln) abhängig vom Menschen? Nein! Es bleibt bestehen, daß in Gott kein neues Wissen beginnt und daß von Ewigkeit her wahr ist, was tatsächlich wahr ist[49]. Zugleich zeigt sich in diesen Ausführungen ein doppeltes Kontingenz-Verständnis bei Holcot, nämlich sowohl im Sinne von Zufälligkeit oder Nichtnotwendigkeit als auch im Sinne von Freiheit.

Die eigentliche Schwierigkeit bezüglich der Futura contingentia beginnt jedoch bei der Frage, wie die Kontingenz der Geschehnisse und die zugleich geforderte Unveränderlichkeit des göttlichen Wissens in dem Falle in Einklang gebracht werden, wenn Gott den Menschen sein Wissen von der Zukunft mitteilt, d. h. also im Fall der prophetischen Offenbarung. Da nämlich die Futura contingentia auch nach ihrer Offenbarung kontingent bleiben, muß zugegeben werden, daß eine Änderung des künftigen Geschehens in einem der Offenbarung widersprechenden Sinne möglich ist. Wie steht es in diesem Fall mit der Wahrheit der göttlichen Prophetie? Dieser Frage ist der ganze übrige Teil der Quaestio 2 gewidmet, besonders der sogleich anschließende Artikel 8: Ob Gott die Futura contingentia offenbaren kann. Dieser Artikel setzt natürlich die Lehre vom göttlichen Vorherwissen der Futura contingentia voraus, wie Holcot alsbald bemerkt und in der er sich an Petrus Lombardus anschließt. Ein Vergleich mit dem Text des Lombarden zeigt die Übereinstimmung, nur daß Holcot die Lehre entsprechend seiner Vorliebe für logische Formulierungen in aussagelogischer Form bringt, wie wir gesehen haben. Mit Scharfblick hebt Holcot den entscheidenden Punkt hervor: Bleiben die geoffenbarten Futura contingentia auch nach der Offenbarung kontingent[50]? Wir werden

---

[49] Vgl. ebd. (39—46): Item Sortes potest facere aliquam propositionem fuisse veram ab aeterno, quae nunquam fuit <vera, et facere aliquam propositionem esse scitam a deo, quae nunquam fuit> scita a deo, et tamen deus non potest incipere scire eam. Istae propositiones patent in talibus: Sortes erit beatus, Sortes non erit beatus, quia ista, quae est vera de istis, semper erit vera, et tamen potest nunquam fuisse vera, non tamen incipere esse vera. Die in den Klammern <> beigefügten Worte befinden sich im Text der Hs RBM fol. 49 va 23—24. Hingegen ist der Text in P noch mehr verkürzt als in der Inkunabel: Item Sortes potest facere aliquam propositionem esse scitam a deo quae nunquam fuit scita a deo, et tamen deus non potest incipere scire eam. P fol. 56 vb 58—61.

[50] Vgl. II Sent. q.2 a.8 (fol. h V rb 17—27): Octavus articulus: an deus possit revelare futura contingentia. Hic dico quod iste articulus praesupponit deum scire futura contingentia quod concedo sicut oportet, ut patet primo Sententiarum dist. 38 et 39 per totum. Sed dubium est, an deus possit scire plura quam scit vel non. De hoc scire dixi alias contra Ockham, quaere quintum

sehen, daß Holcot diese Frage bejaht. Sie zieht allerdings eine neue Schwierigkeit nach sich, nämlich die schon genannte Frage nach der Wahrheit der göttlichen Rede. Holcots Antwort erscheint zunächst bestürzend: Gott kann täuschen und hat es tatsächlich getan, wie die Schrift bezeugt[51]. Auch Ockham hat die Folgerung gesehen, jedoch abgelehnt. Er beschritt den Ausweg der „konditionalen" Prophetie. Das Kontingente bleibt auch nach der Offenbarung, nach der Voraussage kontingent. Darum ist die Aussage einer solchen Offenbarung nicht von notwendiger Wahrheit, also könnte sie auch falsch sein. Dennoch ist Offenbartes niemals als falsch anzusehen. Die Propheten haben nichts Falsches gesagt, vielmehr sind ihre Aussagen über Kontingentes bedingt, auch wenn die Bedingung nicht immer ausdrücklich ausgesprochen wird. Ockham nennt zwei biblische Beispiele, die Offenbarung an David, Ps. 131,12, für die ausdrückliche Bedingung, die Offenbarung an Ninive durch Jonas, Jon. 3,4, für die stillschweigende Bedingung[52]. Diese Formulierung von der „konditionalen Aussage der Prophetie" ist ein Beleg dafür daß in Ockhams Theologie der Begriff einer Logica fidei keinen Platz hat. Jedoch spricht auch er von der Unzulänglichkeit der aristotelischen Logik in der Theologie.

articulum de scientia dei, quam habet deus de futuris contingentibus, an possit futura contingentia revelare creaturae rationali, et dato quod sic, an talia revelata sint contingentia post revelationem.

[51] Vgl. ebd. (fol. h VI ra 7—21): Ego autem contradictionem non video sequi, si conceditur deum asserere falsum scienter. Sed deum mentiri vel periurare vel deum esse falsum eo modo quo mendax dicitur esse falsus, non conceditur, quia secundum Augustinum libro De mendacio: Mendacium est falsa vocis significatio cum intentione fallendi. Et hoc debet sic exponi: cum intentione deordinata fallendi. Deus autem non potest habere intentionem deordinatam in aliquo facto suo, et ideo deus non potest mentiri neque peccare. Nulli tamen dubium quin deus possit asserere falsum scienter et cum intentione fallendi creaturam, quia non includit contradictionem in deo, immo imperfectus esset, si non posset intendere (P! intelligere Ink.), quia aliqua creatura potest mereri, ut decipiatur a deo. Es folgen Beispiele aus der Hl. Schrift.

[52] Vgl. Wilhelm Ockham, Tractatus de praedestinatione et de praescientia dei et de futuris contingentibus (ed. Ph. Boehner, 11): Dico quod nullum revelatum contingens futurum evenit necessario, sed contingenter . . . Et concedo, quod non fuit revelatum tamquam falsum, sed tamquam verum contingens et non tamquam verum necessarium, et per consequens tale poterit et potest esse falsum. Et tamen Prophetae non dixerunt falsum, quia omnes prophetiae de quibuscumque futuris contingentibus fuerunt conditionales, quamvis non semper exprimebatur conditio; sed aliquando fuit expressa, sicut patet de David et de throno suo (Ps. 131, 12), aliquando subintellecta, sicut patet de Ninive destructione a Jona propheta: „Adhuc post quadraginta dies et Ninive subvertetur" (Jon. 3,4) nisi scilicet poeniterent; et quia poenituerunt, ideo non fuit destructa.

Holcot geht hier einen entscheidenden Schritt weiter zur strengen
Trennung von Glauben und Wissen.

Um den Sinn und überhaupt die theologische Möglichkeit seiner
Antwort zu verstehen, bedarf es einer sorgfältigen Analyse seiner
Methode, die gerade in den beiden letzten Artikeln (8 und 9) dieser
Quaestio zu so folgenschweren Aussagen geführt hat. Holcot gibt
selbst am Anfang von Artikel 8 die Gliederung für den Schlußteil
der Quaestio[53]. Er stellt die Aussagen der Väter (auctoritates
sanctorum) an die Spitze. Daran schließen sich sprachlogische
Überlegungen über die unterschiedlichen Bedeutungen bestimmter
Begriffe an. Damit wird die theologische Ausage wieder einmal in
ein feines Geflecht logischer und sprachlogischer Formeln einge-
fangen. Doch damit nicht genug! Holcot will drittens gewisse
„Suppositiones" vorausschicken, die der endlichen Beantwortung
der Argumenta principalia dienen sollen. Der Begriff „Suppositio"
ist hier nicht im logischen Sinne wie etwa bei Petrus Hispanus[54]
und bei Wilhelm Ockham[55] gebraucht. Vielmehr geht Holcot, jedenfalls an dieser Stelle, auf den grammatischen Gebrauch des Wortes
zurück, wie wir ihn bei Beda finden. „Suppositio" ist dabei vom
Verbum suppono her zu verstehen und meint im aktivischen Sinne
„Zugrundelegen", hier von Prinzipien oder Regeln oder Ausgangs-
punkten (Behauptungen) für die Erörterung oder Diskussion einer
Frage. Diese Bedeutung von „suppositio" ergibt sich eindeutig aus
dem folgenden Text. Holcot ersetzt dort das Hauptwort durch
das Tätigkeitswort, das er viermal gebraucht[56]. Vergleicht man

---

[53] Vgl. II Sent. q.2 a.8 (fol. h V rb 27—31): ... ubi sunt quatuor videnda. Primo
praemittam quasdam auctoritates sanctorum. Secundo quasdam diffinitiones et
terminorum expositiones. Tertio quasdam suppositiones. Quarto ad quasdam
rationes factas in argumento principali illius opinionis respondebo.

[54] Vgl. Petri Hispani Summulae logicales, ed. Bocheński (Marietti) 1947, 57ff:
Tractatus VI, De suppositionibus.

[55] Eine Zusammenstellung der verschiedenen Suppositionsarten bei Ockham gibt
mit Quellennachweisen L. Baudry, Lexique philosophique de Guillaume
d'Ockham, 258—262. Baudry sagt einleitend zu Ockhams Gebrauch der
Supposition: „Terme technique, que Guillaume ne définit pas et qui n'est pas
facile à définir. Allerdings verwendet auch Ockham den Ausdruck „suppositio"
in der Bedeutung von Ausgangsbasis oder Behauptung für eine Erörterung.
So am Anfang des Tractatus de praedestinatione et de praescientia dei et de
futuris contingentibus. Vgl. Ph. Boehner, Collected articles on Ockham, 423ff.

[56] Vgl. II Sent. q.2 a.9 (h VI rb 16—36): In nono articulo primo supponendae
sunt aliquae regulae logicales propter quasdam formas, quae regulae in arte
obligatoria diffusius pertractantur. Et est primo sciendum quod, quando opponens ponit casum et quando respondens admittit, respondens est obligatus
ad respondendum secundum casum. Et quandocumque dicitur ab opponente:
Ponatur quod ita sit vel aliquid aequivalens, fit respondenti una positio, quae
est species obligationis, si admittat. Secundo suppono quod omne sequens ex

diesen Text mit den Erklärungen, die Beda in seiner alphabetisch angelegten „Orthographia" zu dem Wort „pono" und seinen verschiedenen Abwandlungen gibt, so ist ersichtlich, daß Holcots Gebrauch auf diese grammatikalische Deutung zurückgreift[57]. Zwar ist die Formel suppono = aliquid subtus inducens inhaltlich sehr allgemein, aber gerade dieses Formelhafte macht sie besonders geeignet für den formalen Gebrauch durch Holcot. Wie der zitierte Text zeigt, stellt Holcot an den Anfang der Responsio bestimmte logische Regeln der Disputation. Den Einfluß dieser Methode haben wir eingehend in dem Kapitel über die Bedeutung der Logik in der Theologie Holcots dargelegt[58]. In der Responsio zum siebenten Argumentum principale[59] können wir erfahren, wie eine rigorose Anwendung der logischen Regeln den theologischen Stoff aus seiner Eigentlichkeit heraushebt und den Schwerpunkt des ganzen theologischen Bemühens auf das Formale der Disputationskunst verschiebt. Ein Vergleich der Responsio mit dem Argumentum principale zeigt diesen Einfluß des Formalismus ganz deutlich. Schon im Argumentum principale wird das göttliche Vorherwissen der Contingentia nach den Regeln der Sprachlogik einer ausführlichen Analyse unterzogen[60]. Gottes Vorherwissen hat einen Satz zum Gegenstand. Der einfache Gegenstand eines künftigen Geschehens wird für Holcot im göttlichen Erkennen zu einer Aussage. Die Schwierigkeit, die Unveränderlichkeit des göttlichen Wissens mit der Kontingenz des Zukünftigen in Einklang zu bringen, wird in aussagenlogischer Form dargestellt[61]. Die Wahrheit des

posito formaliter concesso est concedendum et quod omne repugnans est negandum tanquam impertinens. Respondendum est secundum quod constat respondenti de sua qualitate. Tertio suppono ex eadem arte quod omnis positio aequivalet uni depositioni, quia illa aequivale[n]t respondenti, quia si ponitur quod tu es Romae, tunc deponitur ista: Tu non es Romae ... et ideo qui posuit unum contradictorium, deposuit reliquum et econtra. Quarto suppono hanc regulam: Posito falso contingenti non est inconveniens concedere impossibile per accidens eadem arte. Non plus de istis.

[57] Vgl. Beda, De orthographis. In: Grammatici latini, ed. Henricus Keil, Leipzig 1880 — Hildesheim 1961, Bd. VII, 286: Pono simpliciter aliquid statuens. dispono aliquid operis impensioris vel consilii facturus: est etiam disponere foederis ineundi. propono non nunquam ad interrogandum pertinet et quaestionem. adpono adiectionis est, impono insuendi, superpono aliquem censum vel laborem uni cuique indicens. praepono aliquid praeferens: sic et antepono. postpono aliquid inferius iudicans. compono ornandi aut eloquii aut artificii est, sepono separandi. suppono aliquid subtus inducens. depono labefactandi est vel vita excedendi.

[58] Vgl. „Die Logik als Instrument der Theologie", S. 16ff.

[59] Vgl. II Sent. q.2 (fol. h VI rb 40 — vb 22).

[60] Vgl. ebd. (fol. g III vb 11 — g IV rb 11).

[61] Vgl. ebd. (g III vb 20—33): Per consequens deus modo in futuris contingenti-

Zukünftigen wie auch die des Gegenwärtigen und Vergangenen sieht Holcot in der Wahrheit eines Satzes. Die Kontingenz des Zukünftigen erfordert nun das Paradoxon, daß ein Satz in der Weise „wahr sein kann, daß er es niemals gewesen ist"[62]. Ein Vergleich der kontingenten Aussagen über Zukünftiges mit denen über Vergangenes oder Gegenwärtiges läßt dieses Paradoxon scharf hervortreten. Die Aussagen über Vergangenes und Gegenwärtiges sind auch bei kontingenten Gegenständen von eindeutiger Wahrheit, es sei denn, man ändere den Inhalt der im Satz gebrauchten Begriffe, so daß sie nicht mehr das Ausgesagte bezeichnen. Dieser Hinweis auf die Signifikation der Begriffe bestätigt erneut die sprachlogische Formulierung der Theologie Holcots[63]. Dagegen kommt den Sätzen über zukünftiges Kontingentes keine determinierte Wahrheit zu. Den Sätzen über zukünftiges Kontingentes werden nun auch solche über Vergangenes oder Gegenwärtiges gleichgestellt, „deren Aussagen auf das Gleiche hinauslaufen oder in der gleichen Weise ausgelegt werden müssen". Welcher Art Sätze meint Holcot? Es sind diejenigen der Prädestination. Von ihnen gilt das Gleiche wie von den Sätzen über zukünftiges Kontingentes. Solche Sätze werden von Gott so gewußt, daß sie auch

---

bus cuiuslibet contradictionis sciret alteram partem. Consequens falsum videlicet quod deus sciat aliquam propositionem de futuro in materia contingenti puta istam: a erit. Sit a peccatum quod Sortes libere committet cras. Tunc arguo sic: Deus scit a fore. Ergo ab aeterno scivit a fore vel incepit scire a fore. Non potest dici quod incepit scire a fore, quia posset tunc aliquid scire vel praescire in tempore et ex tempore. Consequens falsum et contra Magistrum I Sent. dist. 39. Si ab aeterno scivit a fore, pono quod a fore fuit heri scriptum in pariete. Ergo haec est modo vera: Scriptum in pariete fuit verum. Consequentia patet, quia haec est una vera de praeteritis et per consequens necessaria; ergo necesse est Sortem peccare.

[62] Vgl. ebd. (g III vb 33—40): Ad istud argumentum potest dici sic quod haec propositio: „a erit" est vera, tamen contingenter et ideo licet sit vera, potest tamen nunquam fuisse vera. Et eodem modo ista: „Deus scivit a fore" vera est per casum, contingenter tamen, quia sic est vera quod potest nunquam fuisse vera. Et eodem modo dicitur de ista: „Hoc scriptum heri fuit verum" demonstrato isto scripto heri: „a erit".

[63] Vgl. ebd. (g III vb 40—54): Et haec est differentia inter propositionem de futuro in materia contingenti et eis aequivalentes, sive sint de praesenti sive sint de futuro, et propositiones de praeterito et de praesenti, quae nunquam aequivalent talibus nec tales virtualiter includunt, quia si aliqua sit propositio vera de praesenti vel de praeterito, necessario semper erit postea verum dicere quod illa fuit vera, sicut si haec fuit vera: „Modo Sortes sedet", haec est necessaria: Haec fuit vera: „Sortes sedet". Neque deveniat postea falsa, nisi omittetur significatio terminorum. Et eodem modo est de illis de praeterito, quae nullo modo exponi debent per aliquam de futuro, puta de ista: Sortes fuit albus, quia si haec est modo vera, haec semper erit postea vera: Haec fuit vera: „Sortes fuit albus".

nicht wahr sein können, mögen sie in ihrer Formulierung auch auf
Vergangenes oder Gegenwärtiges zielen[64]. Diese sprachlogische
Formulierung des Problems hat einen doppelten Grund. Der erste
ist in der Erkenntnistheorie Holcots zu suchen, näher in seinem
Wahrheitsbegriff. Wahrheit ist für Holcot mit der Aussage gleichzusetzen. Wahrheit ist immer Wahrheit eines Satzes[65]. Der zweite
Grund ist theologischer Natur. Das theologische Problem der
Futura contingentia erhebt sich mit aller Schärfe angesichts der
prophetischen Aussagen Christi und der Heiligen, wie wir gesehen
haben[66]. Damit wird klar, daß sich diese beiden Gründe gegenseitig ergänzen. Am Ende dieses Abschnittes wird das Paradoxon
von Kontingenz und göttlichem Vorherwissen nochmals grell be-
leuchtet. Holcot schließt seine Ausführungen mit der Bemerkung,
daß der Satz: „Sokrates ist prädestiniert" von Ewigkeit her nur
wahr sein kann und sein Gegensatz falsch sein muß, wenn er
einmal wahr ist. Niemals kann er erst wahr und dann falsch sein[67].

Dies ist sachlich die Lehre des hl. Thomas, dessen Einfluß in
diesem Punkt Holcots Lehre bestimmt hat, ebenso auch die Lehre

[64] Vgl. ebd. (fol. g III vb 54 — g IV ra 8): Sed in propositionibus de praesenti
   et praeterito, quae aequivalent propositionibus de futuro vel exponi habent
   per aliquam de futuro, secus est. Nam ista propositio: „a fuit scitum a deo",
   quae est de praesenti, vel ista: „a est scitum a deo", quae est de praeterito,
   sic est vera modo quod tamen potuisset nunquam fuisse vera. Et ideo a est
   scitum a deo, potest tamen nunquam fuisse scitum a deo. Et eodem modo
   quantumcumque haec sit vera: Sortes fuit praedestinatus, haec tamen est
   semper contingens: Haec fuit vera: Sortes est praedestinatus.
[65] Der Text ist in der Inkunabel (fol. g II va 23—32) verderbt und wird hier nach
   P u. RBM zitiert.
   Vgl. II Sent. q. 2 (P fol. 45 va 50—60): ... quia veritas propositionis non
   est alia res a propositione vera, quia si sic vel foret accidens propositionis vel
   res significata per propositionem. Primum non potest dari, quia tunc oratio vera
   (vere RBM) mutaretur quando transiret a veritate in falsitatem (a falsitate in
   veritatem RBM). Consequens falsum et contra Philosophum in Praedicamentis
   capitulo de substantia; nam ista est proprietas substantiae, quae sibi soli competit scilicet quod sit susceptibilis contrariorum; igitur etc. Nec potest dari
   secundum, quia secundum Anselmum De veritate c.2 veritas enuntiationis non
   est res enuntiata; sed res enuntiata est causa veritatis in enuntiatione. Igitur
   veritas propositionis est propositio.
   Ebd. (fol. g VII va 14—19): Secundo dico quod veritas propositionis non est
   res significata per propositionem, quia tunc aliqua propositio esset vera, quae
   nullam haberet veritatem, ut patet de ista: Caesar non est chymaera, ubi termini non supponunt pro aliquibus rebus.
   Zum Begriff der Wahrheit s. „Die Lehre vom Glauben", S. 216, 225ff, 231ff.
[66] S. o. S. 310.
[67] Vgl. II Sent. q.2 (fol. g IV ra 9—11): Si tamen haec sit vera: Sortes est
   praedestinatus, ab aeterno fuit vera et sua opposita falsa, ita quod neutrum
   ipsorum potest successive esse verum post reliquum.

Ockhams! Die Lehre von der Unveränderlichkeit des göttlichen Prädestinationsratschlusses ist von Duns Scotus durchbrochen worden, allerdings in einer so sublimen theologischen Argumentation, daß die Unveränderlichkeit des göttlichen Wesens nicht aufgehoben wurde. Formaler und negativer Leitgedanke ist dabei die Unvergleichlichkeit des göttlichen und menschlichen Willens. Pannenberg interpretiert die Lehre des Scotus mit den Worten: „Wir denken uns den Prädestinationsratschluß immer als vergangen... Aber diese Vorstellung ist falsch; denn das Jetzt der Ewigkeit, in welchem jener Akt geschieht, ist immer gegenwärtig. Deshalb ist Gottes Wille und sein Akt so anzusehen, als ob (was freilich unmöglich ist) jetzt, in diesem Augenblick, Gott anfinge zu wollen. Und so frei kann Gott im Jetzt der Ewigkeit wollen, was er will, wie wenn sein Wille noch auf nichts festgelegt wäre[68]." Nach Thomas kann hingegen der einmal gefaßte Prädestinationsratschluß nicht geändert werden. Dies entspricht der Unveränderlichkeit des göttlichen Wissens, das Thomas, gestützt auf den Ewigkeitsbegriff des Boethius[69], in einer gleichen (das bedeutet: „gleichzeitigen") Präsenz zu allen zeitlichen Geschehnissen sieht[70]. Andrerseits kann

[68] Vgl. W. Pannenberg, a.a.O. 61. Dort auch die Stelle aus Scotus, Ox. I d.40 (X 681): Ad primum argumentum dico, quod argumentum procedit ex falsa imaginatione, cuius imaginationis intellectus iuvat ad intelligendum veritatem propositae quaestionis. Si enim, per impossibile, intelligeremus Deum adhuc non determinasse voluntatem suam ad alteram partem, sed quasi deliberaret, utrum vellet istum praedestinare aut non, bene posset intellectus noster capere, quod contingenter ipsum praedestinaret vel non praedestinaret, sicut patet in actu voluntatis nostrae. Sed quia semper recurrimus ad actum voluntatis divinae quasi praeteritum, ideo quasi non concipimus libertatem in voluntate ista ad actum, quasi iam sit positus absolute a voluntate. Sed ista imaginatio falsa est. Illud enim nunc aeternitatis in quo est iste actus semper praesens est, et ita intelligendum est de voluntate divina sicut volitione eius ut est huius obiecti, sicut per impossibile nunc inciperet Deus habere velle in isto nunc, et ita libere potest Deus in nunc aeternitatis velle quod vult, sicut si ad nihil esset voluntas sua determinata. — Der Vorwurf Bradwardines gegen Holcot, dieser mache das Wissen Gottes von den Futura contingentia abhängig, müßte sich also eher gegen Scotus richten. Er ist jedoch in beiden Fällen unberechtigt. Vgl. G. Leff, Bradwardine and the Pelagians, 106.

[69] S. o. Anm. 16.

[70] Vgl. Thomas Aq., De ver. q.6 a.3 ad 10: Dicendum quod, absolute loquendo, Deus potest unumquemque praedestinare vel non praedestinare, aut praedestinasse vel non praedestinasse, quia actus praedestinationis, cum mensuretur aeternitate, nunquam cedit in praeteritum, sicut nunquam est futurum; unde semper consideratur ut egrediens a voluntate per modum libertatis. Tamen ex suppositione hoc efficitur impossibile; non enim potest non praedestinare supposito quod praedestinaverit, vel e converso, quia mutabilis esse non potest; et ita non sequitur quod praedestinatio possit variari.

von allem Zukünftigen, dessen Geschehen oder Nichtgeschehen von der geschöpflichen Freiheit abhängt, die Kontingenz nicht abgetrennt werden. Thomas sieht die Lösung des Widerspruchs zwischen der Sicherheit des göttlichen Wissens und der Freiheit des kontingenten Geschehens in der göttlichen Anordnung, aus der beide Arten von Geschehnissen hervorgehen: notwendige und kontingente. So wird die Kontingenz in die göttliche Anordnung selbst verlegt[71]. Jedoch ist bei Thomas der göttliche Wille nicht die unmittelbare Ursache des kontingenten Wirkens kontingenter Ursachen. Wie wir gesehen haben, bringt Gott kontingentes Wirken mit Hilfe der von ihm geschaffenen kontingenten Ursachen hervor. Die Kontingenz ist somit unmittelbar in den Zweitursachen begründet und wird über diese von Gott bewirkt. So ist die Kontingenz letzten Endes auch bei Thomas in der göttlichen Anordnung begründet. Mit Recht wurde darauf hingewiesen, wie in dieser Darstellung ein „religiöses Paradoxon" zum Ausdruck kommt[72]. Im Gegensatz etwa zu Bradwardine, der dieses Paradoxon rigoros zugunsten der absoluten Notwendigkeit des göttlichen Willens auflöst[73], hat Holcot es stehen gelassen. Durch die aussagenlogische Formulie-

---

[71] Vgl. ders., S.th.I q. 19 a.8: Cum igitur voluntas divina sit efficacissima, non solum sequitur quod fiant ea, quae Deus vult fieri, sed quod eo modo fiant, quo Deus ea fieri vult. Vult autem quaedam fieri deus necessario et quaedam contingenter, ut sit ordo in rebus, ad complementum universi. Et ideo quibusdam effectibus aptavit causas necessarias, quae deficere non possunt, ex quibus effectus de necessitate proveniant; quibusdam autem aptavit causas contingentes defectibiles, ex quibus effectus contingenter eveniunt. Non igitur propterea effectus voliti a Deo eveniunt contingenter, quia causae proximae sunt contingentes, sed propterea quia Deus voluit eos contingenter evenire, contingentes causas ad eos praeparavit.

[72] Vgl. M. Schüler, Prädestination, Sünde und Freiheit bei Gregor von Rimini, 133. Verf. schreibt zu S.th.I q.19 a.8: „Thomas hat ein Verständnis gehabt für das religiöse Paradoxon und damit seine Freiheitslehre durchführen können. Er behauptet tatsächlich die empirische Freiheit innerhalb der göttlichen Nezessität, und man kann dem Gedanken die Größe und Erhabenheit nicht absprechen, solange man überhaupt ein mit der Absolutheit Gottes gegebenes Paradoxon anerkennen will." Noch schärfer sehe ich dieses Paradoxon allerdings in De ver. q.6 a.3 ad 4 ausgesprochen: Causa secunda, quam oportet supponere ad inducendum praedestinationis effectum, etiam ordini praedestinationis subiacet; non autem est ita in virtutibus inferioribus respectu alicuius superioris virtutis agentis. Et ideo ordo divinae praedestinationis, quamvis sit cum suppositione voluntatis humanae, nihilominus tamen absolutam habet certitudinem, etsi in exemplo inducto contrarium appareat. Damit ist gesagt: Das geschöpfliche Beispiel des Verhältnisses von causa prima (Sonne) und causa secunda (Zeugungskraft) reicht nicht aus, das Zusammen von Prädestination und Freiheit aufzuzeigen. Es beweist eher das Gegenteil und veranschaulicht somit das Paradoxon.

[73] Vgl. G. Leff, Bradwardine and the Pelagians, 81; 106f. 122—124.

rung kommt es bei ihm allerdings zu sehr harten Sätzen, die jedoch
in Berücksichtigung dieser Methode und im Gesamtzusammenhang
viel von ihrer Schärfe verlieren. Wenn man auf dem Grunde
dieser Methode auf den sachlichen Inhalt der Lehre Holcots schaut,
so wird man sagen müssen, daß er jedenfalls in der Lehre vom
Wissen Gottes um Prädestination und Futura contingentia die
Theologie seines großen Ordenslehrers nicht verlassen hat, wenn er
auch in der Begründung der Kontingenz eher auf seiten von Scotus
und Ockham steht; denn diese sieht auch er in der Freiheit des göttlichen Wirkens nach außen.

Der Gegensatz zwischen Bradwardine[74] und den von ihm bekämpften Theologen[75], zu denen auch Holcot zu rechnen ist, läßt
sich nicht auf den Nenner Augustinismus-Pelagianismus bringen.
Wie schon Kolb gezeigt hat, stürzte der Pelagianismus die elemen-
taren Grundsätze des christlichen Glaubens um, indem er das Heil
grundsätzlich in das natürliche Vermögen des Menschen verlegte[76].
Im Kampf gegen einen solchen Grundirrtum kommen die feineren
theologischen Fragen nach dem Zusammenwirken von Natur und
Gnade, von Gottes Allmacht und der Freiheit des geschöpflichen

---

[74] Zur Polemik Holcot — Crathorn vgl. u. S. 358ff.

[75] Vgl. Leff, S. 127ff.

[76] Vgl. Kolb, Menschliche Freiheit und göttliches Vorherwissen nach Augustin,
99: „Denn der erste Anlauf der pelagianischen Häresie war derb und brutal;
er leugnete ganz elementare Grundsätze des christlichen Glaubens, wie die
Erbsünde, die Notwendigkeit der inneren Gnade, identifizierte die Gnade
mit dem Gesetz (Ähnlichkeit mit Theodor von Mopsvestia) ... Der Pelagianismus erkannte somit nur die Möglichkeit persönlicher Versündigung an, hielt
den Menschen für dermaßen sittlich selbständig, daß er das Gute und Böse
einzig und allein aus seiner sittlichen Anlage heraus tue, und hob natürlicherweise, infolge seines Standpunktes, jede eigentliche Erlösung und Auserwäh-
lung in Christo auf...
In tiefen und subtilen Gedanken bewegte sich mithin der Pelagianismus
durchaus nicht. Gerade seine schnell fertige Verneinung christlicher Geheim-
nisse und seine derbeinfachen Erklärungen enthoben ihn der Notwendigkeit,
feine Unterscheidungen zu treffen; sie ließen solche Unterscheidungen nicht
einmal zu." Verf. zeigt, wie es Augustinus in den späteren Abhandlungen
um das subtile Problem des Zusammenwirkens von Gnade und Freiheit geht,
wobei freilich die Grundtendenz immer stärker zu einer Überhöhung des
Gnadenwirkens und der gnadenhaften Erwählung führt, eine Nachwirkung
der Kämpfe mit dem extremen Pelagianismus, dessen Angriffe niemals völlig
ruhten. So ist es verständlich, daß jede auch nur scheinbare Verkürzung der
göttlichen Allwirksamkeit das Etikett „pelagianisch" erhielt. Die gleiche Praxis
finden wir in den theologischen Kämpfen des frühen vierzehnten Jahrhunderts
wieder. In Wirklichkeit gibt es aber auf keiner Seite „Pelagianer" oder auch
nur „pelagianisierende" Theologen, weil sich die ganze Auseinandersetzung
auf einer viel subtileren Ebene vollzieht.

Willens nicht zur Erörterung. Keiner der von Leff und von Ober-man[77] dargestellten Gegner und Zeitgenossen Bradwardines hat je daran gedacht und sich in einem solchen Sinne geäußert, daß man auf eine Preisgabe der christlichen Gnadenlehre schließen könne. Oberman hat mit dem Hinweis auf die Forschungen von Laun eine weitgehende Übereinstimmung zwischen Bradwardine und Gregor von Rimini aufgezeigt[78]. Dabei bewahrt sich Gregor die Freiheit, gegen Bradwardines Lehre von der notwendig bewe-genden Ursächlichkeit Gottes scharf Stellung zu nehmen[79]. Dazu mag ihn das von der frühen Theologiegeschichte her stammende Motiv bewogen haben, jeden Determinismus bezüglich der Futura contingentia als heidnisch abzulehnen[80]. Schließlich bleibt mit Recht anzuzweifeln, ob Bradwardines Determinismus tatsächlich von Augustinus her den entscheidenden Anstoß erhielt und nicht viel-mehr vom aristotelischen Kausaldenken. Diese Annahme liegt nahe, da Bradwardine von der Artistenfakultät her unmittelbar in das theologische Problem eintrat, das er in De causa Dei darstellte[81].

---

[77] Vgl. „Einleitung", Anm. 57.

[78] Vgl. a.a.O. S. 211ff. J. F. Laun, Die Prädestination bei Wiclif und Bradwar-dine. In: Imago Dei (Festschrift für G. Krüger) Giessen 1932, 51ff. Laun spricht Bradwardine in der Neubelebung des Augustinismus die Priorität vor Gregor zu. Er urteilt, daß „bei Gregor semipelagianische Tendenzen hervor-treten". Ich möchte dieses Urteil unter den in Anm. 76 gezeigten Aspekt stellen.

[79] Vgl. M. Schüler, a.a.O. S. 135: „Gegen Thomas hebt er besonders den Gedan-ken hervor (salva eius reverentia), daß weder ein einzelnes futurisches Ens, resp. eine komplexe futurische Wahrheit, noch die Futurität als solche schlecht-hin notwendig sein kann, weil sonst die Folge wäre, daß nichts nach der einen oder anderen Seite möglich ist, sondern es so oder nicht so mit Notwendigkeit kommt: Quod est contra sanctos et fidem catholicam. Nach dem ist also eine theologische Determinationslehre eo ipso untheologisch und gegen den Glauben. Das ist das Urteil Gregors über das System eines Bradwardine. Ergo est con-tingens. Ergo in quacumque consequentia ipsa sumatur: semper erit simpliciter et absolute contingens... (F. 139 a). Jede necessitas absoluta wird abgelehnt und statt ihrer die necessitas conditionata eingesetzt."

[80] S. o. S. 297f.

[81] Dies glaubt Schüler bei Bradwardine festgestellt zu haben a.a.O. 180: „Brad-wardin hat in der Artistenfakultät doziert und hier die Erkenntnis gewonnen, daß der Wille immer durch die Erstursache bestimmt sein muß. Die Not-wendigkeit der Determination der Zweitursache durch die Erstursache hat ihn mit innerer Konsequenz auf das theologische Gebiet gewiesen und ließ den philosophischen Dozenten theologische Vorlesungen halten: denn der Determi-nismus, den ihm die Philosophie übermittelt hatte, war der griechisch-arabische und ursprünglich philosophische, der die Erstursache mit dem allgemeinen Begriff Gott identifiziert. Es ist also ein religionsphilosophischer Determinis-mus, den Bradwardin lehrt, und kein anderer." Trotzdem kann Bradwardine ein strenger Augustiner genannt werden, wenn man das Urteil auf die Prädestinations- und Gnadenlehre beschränkt und den ganzen Bereich um die

Dann würde allerdings Bradwardines extreme Lehre von der Allursächlichkeit Gottes und seiner nötigenden Einwirkung auf das freie und kontingente Geschehen einen Mangel enthalten. Die Anerkennung einer unauflösbaren Verknüpfung von Gottes allwirkender Macht einerseits — Thomas nennt den Gotteswillen auch im Wirken der kontingenten Geschehnisse „efficacissima" — und Freiheit und Kontingenz andrerseits wird von Bradwardine der Sache nach preisgegeben. Holcot ließ dieses Paradoxon stehen. Mit der Feststellung dieses Paradoxons scheint das siebente Argumentum principale, wonach entweder alles Zukünftige notwendig geschehe oder die Kontingenz des Zukünftigen eine Veränderlichkeit des göttlichen Wissens bewirke[82], in unmittelbarem textlichem Anschluß widerlegt. Jedoch kommen die Haupteinwände erst im zweiten Teil des Argumentum zur Sprache. Und hier wird nun die Erörterung auf die Ebene der Disputierkunst geschoben, so daß die ausführliche Responsio im zweiten Teil der Quaestio sich wie eine Disputatio ausnimmt. Hier liegt auch der Grund dafür, daß Holcot diese Responsio mit vier Regeln der Disputierkunst einleitet. Das Argumentum principale wird in sechs Einzeleinwände aufgegliedert, von denen der zweite am deutlichsten diese Methode der Disputation zeigt. Holcot argumentiert: Es wird angenommen, sein Opponens habe gestern bedingungslos den Satz aufgestellt: A wird sein. Heut stelle er dem Opponens entgegen: Es ist möglich, daß A nicht ist. Negiert der Opponens diesen Satz, dann muß A mit Notwendigkeit sein. Gibt er ihn zu, dann sei die Annahme zulässig: A wird nicht sein. Ist dies aber wahr, dann war es immer wahr, und niemals war das andere wahr: A wird sein, was der Opponens gestern aufgestellt hat, ohne daß ihm eine Bedingung der Disputation auferlegt war. Also habe er gestern schlecht

Erbsünde und den materialen Gehalt der persönlichen Sünde ausschließt (so Schüler, 180f u. 113f). Dennoch bleibt es wegen des grundsätzlich philosophischen Ansatzpunktes ein formaler Augustinismus, worin er sich gründlich von Gregor von Rimini und Holcot unterscheidet. Auch wörtliche Übereinstimmungen, auf die Oberman hingewiesen hat (a.a.O. 214 Anm. 2), beweisen nichts gegen solch einen grundsätzlichen Unterschied, der auf dem theologischen Gesamtaspekt beruht.

[82] Vgl. II Sent. q.2 (fol. g III vb 11—33): Septimo ad principale quaero an produxit mundum contingenter vel necessario. Si necessario, igitur naturaliter, igitur ab aeterno, quia posita causa sufficienti et non impossibili et naturaliter agente necesse est effectum poni. Igitur sic mundus fuisset ab aeterno. Consequens falsum. Si contingenter et libere producit, igitur semper ante instans productionis mundi haec fuisset contingens: Deus producet mundum. Igitur si fuisset scita a deo, fuisset simul vera et contingens ad utrumlibet et sic per consequens deus modo in futuris contingentibus cuiuslibet contradictionis sciret alteram partem. Fortsetzung s. o. Anm. 61.

disputiert[83]. Auf dem Grunde dieses „Disputierspiels" steht wieder das Paradoxon von Kontingenz und Aussagewahrheit. Mit Hilfe seines Wahrheitsbegriffes stellt Holcot eine unmittelbare Beziehung von Aussagewahrheit und der in Gott personifizierten Wahrheit her. Zudem tritt jede theologische Aussage wie auch jede prophetische Aussage in unmittelbare Beziehung zur göttlichen Wahrheit, so daß bei jeder solchen Aussage in kontingenter Materie das Paradoxon von Kontingenz und Aussagewahrheit vor uns steht. Das Spiel der Disputierkunst um dieses Paradoxon ist keine Spielerei, sondern wird in der Hand dieses Meisters zu einem kunstvollen Instrument, das unaussagbare Geheimnis in eine dem menschlichen Verständnis sich annähernde Sprache zu bringen.

3. Die Darstellung in den Quodlibeta

Die Quodlibeta sind entsprechend dieser Literaturart in der Methode der Disputation aufgebaut. Ihre Formulierungen sind daher schärfer als in den systematischen Werken. Die theologischen Aussagen werden natürlich noch stärker in die aussagenlogische Form gebracht. Dies hat eine weitschweifige Beweisführung zur Folge, aus der diejenigen Stücke ausgewählt werden sollen, die Holcots Thesen am deutlichsten und kürzesten hervortreten lassen. Die erste lautet: Die Sicherheit und Notwendigkeit des göttlichen Vorherwissens und der göttlichen Anordnung schließen die Kontingenz nicht aus. Diesen allen scholastischen Magistern gemeinsamen Grundsatz kleidet Holcot in eine aussagenlogische Form. Der erste Teil, der die Sicherheit des göttlichen Vorherwissens betrifft, bildet in der Gestalt eines Syllogismus die Überschrift zur Quaestio: Ist folgendes ein notwendiger Schluß: Gott weiß, daß A geschehen werde, also wird A geschehen, wenn A ein Zukünftiges ist? Holcot hält entgegen, daß, bejaht man die Frage, die Kontingenz des zukünftigen A aufgehoben werde. Dennoch wird zunächst eine bejahende Antwort gegeben. Das Vorherwissen Gottes ist von solcher Art, daß es das Vorhergewußte sicher eintreten läßt. Diese Antwort bewegt sich noch ganz in den Bahnen des Thomas von

---

[83] Vgl. II Sent. q.2 (fol. g IV ra 19—29): Praeterea sit ita quod heri concessisti nulla obligatione tibi facta: A erit. Hodie propono tibi istam: A potest non evenire. Si neges, igitur a necessario eveniat. Si concedas, ponatur in esse: A non eveniet. Tunc arguo sic: A non eveniet. Igitur haec semper ante fuit vera: A non eveniet, si fuit vera semper ante. Igitur haec nunquam fuit vera: A eveniet, et ultra. Igitur non fuit vera heri, et heri fuit concessa a te nulla obligatione tibi facta. Igitur heri concessisti falsum nulla obligatione tibi facta. Igitur heri male respondisti.

Aquin, insofern nämlich die Gewißheit des Zukünftigen mit dem Vorherwissen Gottes begründet wird. Holcot fragt jedoch, was heißt es: Gott weiß, daß A geschehen wird? Was bezeichnen wir mit dem Verbum „wissen"? Nichts anderes als etwas evident Wahrem zustimmen. Wenn Gott nun dem zustimmt, daß A sein wird, dann wird A auch sein. Wiederum ist die Argumentation auf die aussagenlogische Ebene gebracht. Sie dient, die Sicherheit des göttlichen Vorherwissens zu zeigen. (Im zweiten Teil versteht es Holcot, mit der gleichen Methode für die Kontingenz des Zukünftigen zu argumentieren.) Er führt sein Argument als argumentum in oppositum ins Feld. Es ist das bekannte: Das kontingente Vorherwissen Gottes ist ein solches Wissen, daß es auch ein Nichtwissen sein kann. Diesen Gedanken finden wir schon bei Ockham[84]. Holcot gibt ihm eine aussagenlogische Form: die Aussage ist kontingent: Gott weiß zwar, daß A geschehen werde, doch er weiß es in einer solchen Weise, daß er es auch niemals gewußt haben könnte. Und Holcot fügt hinzu, daß ein Satz, der unter vielen Auslegungen eine kontingente aufweist, im ganzen kontingent ist. Am Ende löst Holcot den Satz: Gott weiß, daß A geschehen werde, in zwei Sätze auf, von denen jeder noch einmal ein Satzgefüge bildet. Er sagt, der Satz sei gleichbedeutend mit folgendem Kopulativ: „Gott stimmt diesem Satz (complexum) zu, A werde sein" und: „Es wird so sein, daß A sein wird". Der zweite Teil dieses Kopulativs ist kontingent, also auch der übrige[85].

[84] Vgl. Wilhelm Ockham, Tractatus de praedestinatione... q.2 (ed. Boehner, 29): Tunc ad argumentum dico quod consequentia non valet, quia quamvis ipsa scientia sit immutabilis et obiectum scitum scilicet futurum contingens sit immutabile sic, quod non potest esse primo verum et postea falsum, sicut frequenter dictum est, non tamen sequitur, quod neccessario Deus scit illud, sed contingenter: Quia licet ipsum A non possit mutari de veritate in falsitatem nec econverso, tamen est contingens, et ita potest esse falsum et per consequens non sciri a Deo, et ita contingenter scitur a Deo et non necessario.

[85] Vgl. Holcot, Quodl. P (fol. 180 rb 14—35): Utrum haec consequentia sit necessaria: deus scit a fore, igitur a erit; significet a unum futurum contingens. Quod sic quia oppositum consequentis non potest stare cum antecedente. Ad oppositum: Si ista sit necessaria — et antecedens est necessarium — igitur consequens; igitur consequens non est contingens. In ista quaestione suppono quod consequentia necessaria vocetur consequentia bona, quae talis est quod non potest <non> ita esse, sicut significatur per antecedens etc. Secundo suppono quod scire accipitur pro assentire evidenter alicui vero. Hoc supposito dico ad quaestionem quod sic, quia si deus scit a fore, verum est quod a erit, et si verum est quod a erit, a erit; igitur a principio deus scit a fore, igitur a erit. Similiter haec consequentia est: Sortes scit a fore, igitur a erit. Ad rationem in oppositum dicitur quod haec est contingens: Deus scit a fore, quia sic scit a fore quod potest nunquam scivisse a fore. Unde quando aliqua propositio habet multas expositiones, si una illarum sit contingens, tota erit contingens. Modo ista: Deus scit a fore, aequivalet isti copulativae:

Wie großen Wert Holcot auf die Sicherung der Kontingenz legt,
geht aus der darauf folgenden Quaestio hervor: Ob ein zukünftiges
Kontingentes auch nach der Offenbarung kontingent bleibe[86]. Das
Ergebnis der Quästionen über die Kontingenz soll weiter thesen-
artig gezeigt werden. Die zweite These würde nun lauten: Die Kontingenz des Nichtnotwendigen kann auch nicht durch die absolute
Allmacht Gottes aufgehoben werden. Ja, Gott selbst kann vom
Kontingenten kein notwendiges Wissen haben. Holcot unterscheidet
scharfsinnig zwischen sicherem und kontingentem Wissen. Selbst
die Seligen, denen Gott die Gewißheit ihrer Seligkeit offenbart, so
daß sie nie etwas anderes erwarten, wissen jedoch auch, daß es
anders sein könnte; sonst bliebe ihnen der Stand ihrer immerwäh-
renden Geschöpflichkeit und Abhängigkeit von Gott verborgen[87].
Damit wird die Kontingenz zum wichtigsten Merkmal des Geschöpfes und seiner allseitigen Abhängigkeit von Gott. Das Gewicht
dieser Aussage ist bedeutend! Es lotet die theologische Tiefe so
mancher Formulierungen aus, die infolge einer logisch zugespitz-
ten Redeweise hart klingen.

Die dritte These betrifft die Voraussage des zukünftigen Kontingenten: Auch nach der göttlichen Voraussage durch die Propheten
und durch Christus bleibt das zukünftige Kontingente kontingent
und muß nicht notwendig eintreffen. In der viele Spalten umfassenden Quaestio: Ob die allgemeine Auferstehung notwendig eintreten wird[88], führt Holcot alle Argumente und Gegenargumente
seiner Lehre an, die an den verschiedensten Stellen seiner Werke
verstreut sind. Die Gegenargumente gehen von der Wahrhaftigkeit
der prophetischen Rede, der Irrtumslosigkeit Christi und schließlich
Gottes selbst aus, die mit der Annahme in Frage gestellt werden,
daß ein prophezeites künftiges Ereignis auch nicht eintreten könne.

Deus assentit huic complexo: A erit, et ita erit quod a erit, cuius secunda
pars est contingens. (Hier endet die Quaestio.)

[86] Vgl. ebd. (fol. 180 rb 36—39): Utrum facta revelatione alicuius futuri contingentis ipsum maneat contingens post revelationem.

[87] Vgl. ebd. (fol. 180 va 35—47): Ad rationes igitur istas dicendum: Ad primam
nego primam consequentiam, quia certitudo, quam deus facit in beatis, non
est talis quod sic erit et impossibile, quin sic erit, quia deus ipse non potest
talem notitiam habere de futuro contingenti, quia non potest facere de
potentia sua absoluta, quin ipse potest facere tale contingens datum, nec
quin ipse potest non facere. Sed causat in eis talem certitudinem quod semper
erunt beati et illi adhaerent ita fortiter, ac si aliter esse non posset. Sciunt
tamen quod aliter esse potest, quia aliter lateret eos conditio creaturae semper
dependentis a deo.

[88] Vgl. ebd. (fol. 183 vb 40—41): Utrum generalis resurrectio necessario sit
futura.

Da Christus die Auferstehung vorausgesagt habe, hätte er sich oder die Menschen getäuscht, wenn das Vorausgesagte auch nicht eintreten könne. Dasselbe gilt von der Aussage der Propheten, vom Glauben der seligen Jungfrau und der Heiligen; all das sei unwahr und nutzlos und der Glaube daran ohne Verdienst, wenn die Auferstehung auch nicht geschehen könne[89]. Ja, die Möglichkeit des Irrtums werde durch die Kontingenz des Offenbarten in Gottes Wesen selbst hineingetragen — nicht nur durch die behauptete Irrtumsfähigkeit Christi auf Grund der Idiomenkommunikation —. Denn bleibe das zukünftige Offenbarte kontingent, dann könne es auch nicht eintreffen und Gott hätte in diesem Falle etwas geplant, was gar nicht eintreffe, also sich getäuscht[90]. Diese Gegenargumente

[89] Vgl. ebd. (41—47): Quod sic arguitur, quia si non sed contingenter, sequitur quod Christus potuit fuisse deceptus et homines fefelisse, immo quod haec est possibilis: Christus modo est deceptus et omnes beati sunt decepti. Ebenso (fol. 184 ra 6—13): Si hoc potest esse falsa: Resurrectio fuit futura, non fuisset vera fides Beatae Virginis et aliorum sanctorum de resurrectione futura, et si vera non fuit, nihil prodesse potuit. Condicionale ponit Anselmus 2º Cur deus homo c.16. Igitur modo est possibile quod Beata Virgo nunquam meruit per fidem resurrectionis quod est impossibile, quia haec est absolute necessaria: Beata Virgo meruit credendo resurrectionem. Der Bedingungssatz Anselms bezieht sich zwar auf den Tod Christi, meint jedoch genau das, was Holcots Gegenargument sagen will: Die absolute Sicherheit der göttlichen Anordnung als Voraussetzung für einen verdienstlichen Glauben. Der Text lautet: Sed tamen hoc mihi semper occurrit quod dixi, quia si vellet non mori non magis hoc posset, quam non esse quod erat. Vere namque moriturus erat, quoniam si vere non fuisset moriturus, non fuisset vera fides futurae mortis eius, per quam et illa virgo de qua natus est, et multi alii mundati sunt a peccato. Nam si vera non fuisset, nihil prodesse potuisset. Qua propter si potuit non mori, potuit facere non esse verum quod verum erat (ed. Schmitt II, 122, 1—7) Den Grund der absoluten Sicherheit der Erfüllung legt Anselmus in den festen und unwandelbaren Willen Gottes; er bedingt die Notwendigkeit des Eintritts, die jedoch keine zwingende Notwendigkeit ist, wie Anselmus im folgenden Kapitel zeigt (ed. Schmitt, a.a.O. 122ff). Vgl. Holcot ebd. (40—49): Praeterea Christus post resurrectionem suam dixit discipulis suis Lucae 24,44: ‚Haec sunt verba, quae locutus sum ad vos, cum adhuc essem vobiscum, quoniam necesse est impleri omnia, quae dicta sunt in lege Moysi et prophetis et psalmis de me'. Sed constat quod in prophetis scribitur quod resurrectio corporum est futura; igitur necesse est quod impleatur, et per consequens non contingenter erit.

[90] Vgl. ebd. (fol. 184 rb 33—49): Praeterea si resurrectio potest nunquam fuisse futura, sequitur quod deus potest decipi secundum notitiam divinitatis et non solum per communicationem idiomatum... Consequentiam probo sic: Omne reputans fore quod non erit decipitur; deus potest fore reputans aliquid fore quod non erit; igitur deus potest decipi. Maior est necessaria et discursus apparet ex primo Priorum, quia si maior sit de inesse et minor de possibili, sequitur conclusio de possibili. Sic est in proposito. Igitur etc. Minor vero probatur haec scilicet: Deus potest esse reputans aliquid fore quod non erit,

stammen nicht aus logischen Spitzfindigkeiten. Holcot unterbaut sie
vielmehr mit zahlreichen Autoritäten. Für die unveränderliche
Wahrheit der prophetischen Aussage führt er die schon von Cassiodor gegebene Definition der Prophetie an, die wir auch in der
Glossa ordinaria finden und die durch Petrus Lombardus den Magistern der Scholastik übermittelt wurde: Die Prophetie ist eine
göttliche Eingebung oder Offenbarung, die das Eintreten der Dinge
mit unwandelbarer Wahrheit anzeigt[91]. Holcot greift die Gedanken, mit denen Thomas den Text des Lombarden kommentiert,
in dem Gegenargument auf, daß Gott die Erfüllung der Prophetie
seiner eigenen Wahrheit schulde. Holcots Ausdrucksweise ist allerdings schärfer, wie wir sahen, indem er negativ formuliert: Das
göttliche Erkennen selbst könne getäuscht werden, wenn die Auferstehung nicht eintreten könne[92].

Neben den Argumenten der Autoritäten stehen natürlich eine
ganze Anzahl der von Holcot so häufig angewandten Einwände
logischer Art. All diesen setzt unser Magister seine These entgegen:
Die allgemeine Auferstehung wird auf freie Anordnung Gottes hin
geschehen, also kontingent; denn die gegenteilige Behauptung würde
in Gottes Handeln nach außen Notwendigkeit hineintragen[93].

quia faciat deus quod resurrectio non erit. Et arguitur sic: Deus potest
reputare a fore. Igitur deus potest reputare aliquid fore quod nunquam erit.
Consequentia patet ab inferiori ad superius. Vgl. Aristoteles, Anal. pr.I c.16
(A c.16 35 b 23—28).

[91] Vgl. Cassiodor, Expos. in Psalt. Praefatio c.1 (PL 70,12 B); Glossa ordinaria,
Prothemata in Psalt. (PL 113,842 A); Petrus Lombardus, In psalmos davidicos
Commentarii Praefatio (PL 191,58). Vgl. Holcot a.a.O. (fol. 184 ra 49 — b 2):
Praeterea arguitur sub hac forma: Resurrectio generalis est prophetice praedicta; igitur necessario et immobiliter erit sicut est prophetatum. Antecedens
patet in Daniele et Job et Ezechiele et aliis. Et consequentiam probo per
diffinitionem prophetiae, quae est ista scilicet quod prophetia est divina
inspiratio rerum eventus immobili veritate denuntians. Igitur si aliquod est
prophetatum fore, istud immobiliter erit. Igitur deus non potest facere, quin
erit.

[92] Thomas Aq. zitiert S.th. II II q.171 a.6 einleitend die Definition der Prophetie von Cassiodor und fügt dann hinzu: ... prophetia est quaedam cognitio
intellectui prophetae impressa ex revelatione divina per modum cuiusdam
doctrinae. Veritas autem eadem est cognitionis in discipulo et in docente,
quia cognitio addiscentis est similitudo cognitionis docentis ... Oportet igitur
eandem esse veritatem propheticae cognitionis et enuntiationis quae est cognitionis divinae, cui impossibile est subesse falsum ... Unde prophetiae non
potest subesse falsum. Für die härteren Formulierungen Holcots vgl. Anm. 90.

[93] Vgl. Holcot, ebd. (fol. 185 rb 10—14): Ad oppositum arguitur sic: Resurrectio
generalis fiet libere a deo; igitur contingenter fiet a deo. Ista consequentia
patet, quia si deberet fieri necessario a deo, deus necessitaretur ad agendum
aliquid extra se; consequens falsum.

Jedoch liegt hier nicht der Hauptgegenstand der theologischen Erörterung, sondern vielmehr in der Frage nach dem Verhältnis der
Kontingenz zur göttlichen Voraussage. Alle im ersten Teil der
Quaestio gebrachten Gegenargumente bewegen sich um diese Frage:
Wie kann angesichts der Kontingenz des künftigen Ereignisses die
Gewißheit des göttlichen Vorherwissens und die Freiheit der göttlichen Vorherbestimmung behauptet werden? Wie wir sahen,
erfolgte der Anstoß des Kontingenzproblems bereits in den Anfängen der Theologiegeschichte, als sich die Väter und die frühen scholastischen Theologen gezwungen sahen, gegen den „Nezessitarismus" der Antike die Freiheit des göttlichen Heilsplanes und gegen
Aristoteles die Sicherheit des göttlichen Vorherwissens zu verteidigen. Mit der Entwicklung der scholastischen Theologie nahm das
Interesse an den Futura contingentia nicht ab. Im Gegenteil! In
der ersten Hälfte des vierzehnten Jahrhunderts behandeln die
Theologen diese Frage nicht nur in den Sentenzenkommentaren,
sondern einzelne von ihnen in eigenen Traktaten oder wenigstens
in besonderen Quodlibeta — Quästionen, die sich durch ihre Ausführlichkeit von den anderen unterscheiden[94]. Die Darstellung, die
uns Gordon Leff über Thomas Bradwardine geschenkt hat, kommt
in ihrem Laufe immer wieder auf dieses Thema zurück[95]. Bradwardines theologischer Kampf spielt sich auf diesem Felde ab, das
durch die Begriffe der göttlichen Allursächlichkeit und Allmacht
einerseits und der Kontingenz und Freiheit andrerseits abgesteckt
ist. Bradwardine, der Eiferer für die Allmacht Gottes, wirft sich
den „pelagianisierenden" und „skeptischen" Theologen entgegen.
die um der Kontingenz willen die Sicherheit des göttlichen Vorherwissens leugnen oder sogar die Allgemeingültigkeit der aristotelischen Logik preisgeben. Um die Kontingenz zu verteidigen, leugnen sie entweder Gottes Wissen um den Eintritt des Kontingenten,
ehe es tatsächlich geschieht — so Aureolus, Durandus de S. Porciano und Holcot —, oder sie behaupten, daß auch Gottes Wissen
um das Kontingente selbst kontingent sei, wie Buckingham und
Adam of Woodham[96]. Die Schlüsselfigur in diesem Kreis der von
Bradwardine bekämpften Theologen sei Wilhelm Ockham[97]. Von
zwei Richtungen her hat Ockham nach der Darstellung Leffs den
Pelagianismus in seine Theologie gebracht. Vor Gottes absoluter

---

[94] Erinnert sei an Wilhelm Ockham, Tractatus de praedestinatione...; Thomas
Bradwardine, De causa Dei.
[95] G. Leff, Bradwardine and the Pelagians.
[96] Vgl. ebd. 163.
[97] Vgl. ebd. 188ff.

Allmacht sei die Gnade für das Heil nur bedingt notwendig. Andrerseits betont Ockham die Unerläßlichkeit des freien Willens für die Verdienstlichkeit[98]. Bei den späteren Theologen vollzieht sich die Auseinandersetzung, die nun von beiden Seiten geführt wird, von Bradwardine und seinen „pelagianischen" Gegnern, in der Hauptsache um die Kontingenz des Zukünftigen. Bei Aureolus sei dies ausschließlich der Fall. Dieser bediene sich zur Erklärung der Kontingenz der dreiwertigen Logik, womit er die Sicherheit des göttlichen Vorherwissens in Abrede stelle[99]. Im Kampf zwischen Bradwardine und Holcot gehe es sowohl um absolute Notwendigkeit der Gnade für das Heil[100] wie um die Gewißheit des göttlichen Vorherwissens und seiner Kundgabe in der prophetischen Offenbarung[101]. Im ersten Falle gebe Holcot wie auch Ockham mit Hilfe des Begriffs von der Allmacht Gottes der Gnade nur eine bedingte Notwendigkeit. Gott könne auf Grund seiner absoluten Allmacht das Geschöpf auch ohne Gnade annehmen. Der Begriff der absoluten Allmacht ermöglicht so die pelagianisierende Behauptung der Annahme des Geschöpfes in seiner reinen Natürlichkeit[102]. Hier wollen wir bei der Auseinandersetzung zwischen Holcot und Bradwardine um das Vorherwissen Gottes stehen bleiben. Es stellt sich uns die Frage, ob der Gegner, mit dem sich Holcot über die Futura contingentia auseinandersetzt, allein Bradwardine ist oder ob nicht mindestens auch andere Magister mit in Erwägung gezogen werden müssen. Der aus den Quästionen Crathorns zitierte Text, auf den wir bald eingehen wollen, spricht von einer Opinio modernorum. Holcots Zitate treffen sachlich auf Bradwardines Lehre zu. Danach fordert es die unerschütterliche Gewißheit der göttlichen Prophezeiung, daß sie in Erfüllung geht. Ihre Wahrheit ist nun praktisch nicht mehr kontingent, sondern notwendig. Der göttliche Willensratschluß, der in der Prophezeiung offenbart werde, sei ja unabänderlich. So sind es im Grunde zwei theologische Motive, die hier zu Worte kommen: die Gewißheit der göttlichen Voraussage und die Unwandelbarkeit des göttlichen Willens. Holcot legt auf die Erörterung dieser Lehre großen Wert. Schon in der Einteilung der Quaestio, die er nach dem Argumentum in oppositum gibt, hebt er diese Lehre der „Modernen" als Lehrmeinung eines einflußreichen

---

[98] Vgl. ebd. 205.

[99] Vgl. ebd. 213. Leff beruft sich auf Michalski (Le problème de la volonté, 317) und weist auf Ph. Boehners ablehnende Stellungnahme hin.

[100] Vgl. ebd. 216ff. [101] Vgl. ebd. 224ff.

[102] Vgl. dazu auch H. A. Oberman, „Facientibus quod in se est Deus non denegat gratiam". Robert Holcot, O.P., and the Beginning of Luther's Theology. In: HThR 55 (1962), 317—342.

Mannes (cuiusdam valentis) hervor[103]. Die Lehre Bradwardines
wird sehr genau wiedergegeben, wie der Vergleich mit den entsprechenden Stellen aus De causa Dei zeigt[104]. Da ich auf die Zitate

[103] Vgl. Holcot, Quodl. P (fol. 185 rb 24—185 va 4): In ista quaestione intendo
tria facere, quia primo tractabitur iste articulus: Utrum revelatum a deo
maneat contingens post revelationem sicut fuit ante, et loquitur de aliqua
propositione de futuro revelata hominibus, cuiusmodi est ista: Resurrectio
corporum erit. Secundo dicetur ad quaestionem in forma sua et tertio ad
rationes principales. Circa primum tria fient. Primo ponetur una opinio
modernorum et secundo contra eam obiciam. Tertio quaedam via alia
adiungetur. Circa primum est notandum quod est opinio cuiusdam valentis
quod facta revelatione absoluta de quocumque articulo de futuro, cuiusmodi
est ista: Resurrectio mortuorum erit, non manet ille articulus postea contingens, sed necesse est sic esse sicut per illud revelatum denotatur fore,
nec potest deus impedire vel omittere, ne illud impleat, quia tale posse foret
contra dei veritatem, et ideo non foret possibile, sicut posse facere contradictoria esse simul vera non est posse, immo <foret> contra potentiam
dei. Quando tamen dicitur quod deus de potentia sua absoluta potest facere
oppositum, dicit quod haec propositio duplicem habet intellectum. Unus est
secundum communiter intelligentes quod deus potest dimittere ordinationem
factam et facere oppositum ita quod haec sit vera simpliciter et absolute:
Deus potest facere oppositum. Secundus sensus est iste: Nisi deus sic
ordinasset, deus posset facere oppositum ita quod absolute considerando
potentiam dei ut potentia est sine eius ordinatione, non repugnat potentiae
eius oppositum facere nec in ea est defectus ad hoc. Primus sensus negatur
et secundus conceditur. Et ita tenet haec opinio quod propositio de futuro
absolute revelata a deo vel asserta est simpliciter necessaria ita quod deus
propter talem assertionem vel revelationem non potest facere oppositum nec
impedire, quin illud fiet vel eveniet quod revelatum est.

[104] Vgl. Bradwardine, De causa Dei (ed. Savile) 685: Ponamus igitur simul esse
et praescientiam dei, quam sequi necessitas futurarum rerum videtur, et
libertatem arbitrii, per quam multa sine ulla necessitate fieri creduntur...
Sed si aliquid est futurum sine necessitate, hoc ipsum possit praescire deus
qui praescit omnia futura; quod autem praescit deus futurum, est sicut
praescitur necesse esse; igitur aliquid esse futurum sine necessitate vel (l. est)
praesciri sine veritate. Nequaquam ergo recte intelligenti nomen repugnare
videntur praescientia, quam sequitur haec necessitas, et libertas arbitrii, a
qua removetur necessitas, quoniam et necesse est, quae deus praescit futura
esse, et deus praescit aliquid esse futurum sine omni necessitate.
Ebd. p. 823: ... quod omne actum volutionis et cognitionis divinae praesentem
necesse est, necessitate sequente praedicta semper fuisse et similiter semper
fore; quare et quod omnia, quae praesentialiter sunt, fiunt aut eveniunt,
simili necessitate sunt, fiunt et eveniunt in praesenti; et quod omnia, quae
evenient, simili necessitate evenient in futuro; imo et quod omnia, quae nunc
fiunt, de aliqua necessitate praecedente nunc fiunt; et quod omnia, quae
eveniunt de aliqua necessitate praecedente, evenient in futuro.
Ebd. p.864: Item apud deum est determinata scientia omnium futurorum,
quia per causam determinatam, per suam scilicet voluntatem, per quam scit
ea ... Item omnia sunt semper praesentia in aeternitate et intrinsice apud
deum...

bei Leff angewiesen bin, konnte ich leider nicht den Hinweis Holcots
auf die in Gottes Allmacht gelegene Möglichkeit, Gegensätzliches
zu bewirken, verifizieren. Sie scheint mit angedeutet in dem Ausdruck: est ergo necessarium ex suppositione. Doch halte ich die
Unterscheidung wichtig für das rechte Verständnis von Holcots
Lehre, weil dadurch das Wesen der Kontingenz deutlich abgehoben
wird von der Möglichkeit Gottes, auf Grund seiner absoluten
Allmacht, also unter Absehung von der Anordnung, Gegensätzliches
zu tun. Holcot nimmt diese Unterscheidung stillschweigend an. Die
Kontingenz gehört für ihn in den Bereich der göttlichen Anordnung. Dies liegt in der schon von Scotus so betonten Freiheit Gottes
im Wirken nach außen.

Die Antwort Holcots läßt sich auf eine kurze These bringen:
Die Aufhebung der Kontingenz hat die Notwendigkeit des göttlichen Willens im Wirken nach außen zur Folge. Die Antwort
nimmt genau die Gedanken Bradwardines auf, der grundsätzlich
auch an der Freiheit des menschlichen Willensratschlusses festhält
und Gottes Willen mit Gottes Wesen gleichsetzt. Was Gottes Freiheit angeht, so ist sie geradezu das eigentliche Ziel von De causa
Dei gegenüber den „pelagianisierenden" Gegnern. Holcot führt nun
das Argument des Gegners in ein Dilemma[105]. Gottes Anordnung

Ebd. p. 853: Omne quod est, quando est necesse est esse, et quod fit et
factum esse fieri et factum esse, et deum velle sic esse.
Ebd. p. 814: Si igitur divina voluntas est immutabilis, posito quod aliquid
velit necesse est ex suppositione eum hoc velle. Item omne aeternum est
necessarium, deum autem velle aliquid causatum esse est aeternum; sicut
enim esse suum ita et velle aeternitate mensuratur. Est ergo necessarium, sed
non absolute consideratum, quia voluntas dei non habet necessariam habitu-
dinem ad hoc volitum; est ergo necessarium ex suppositione.
Ebd. p. 805: . . . omnia autem futura sunt aeternaliter praeordinata et prae-
scripta atque praedicta in voluntate et mente divina... Omnia ergo futura
evenient de necessitate huiusmodi ordinata. (Zit. bei Leff, a.a.O. 104—107)
[105] Vgl. Holcot a. a. O. (fol. 185 va 4—32): Sed contra istam opinionem arguitur
sic: Quaero de ordinatione vel revelatione vel assertione divina, aut ordinatio
dei est ipse deus vel creatura vel creaturae vel deus et creatura. Si deus,
igitur est natura divina, igitur quod repugnat illi ordinationi, repugnat
naturae divinae et per consequens potentiae divinae. Et si deus propter illam
ordinationem necessitaretur ad alterum oppositorum, sequitur quod deus ex
natura sua necessitaretur ad alterum oppositorum, quod tamen non concedit
haec opinio. Si illa ordinatio est creatura vel creaturae vel deus et creaturae,
deus potest talem creaturam vel creaturas adnihilare, quia omne aliud a se
potest deus adnihilare secundum Augustinum 4. Super Genesim c.14 exponens
illud Johannis: „Pater meus usque modo operatur", et quomodo illa auctoritas concordat cum illa Genesis 1: „Requievit deus die septimo". Dicit quod
pater et filius operantur creaturarum omnium administrationem, alioquin
continuo dilaberentur. Creatoris nam potentia et omnipotentis atque omnia

und ihre Voraussage ist entweder Gott selbst oder ein Geschöpf. Im ersten Falle — dies ist tatsächlich Bradwardines Lehre — wird die Notwendigkeit zu den Werken nach außen in Gott selbst hineingetragen, so daß Gottes Wirken auf eine von zwei entgegengesetzten Möglichkeiten festgelegt wird. Dies steht aber gerade im Gegensatz zu der vorgetragenen Lehrmeinung der absoluten Freiheit und Selbstmacht Gottes. Ist jedoch die göttliche Anordnung das Geschöpf oder die Geschöpfe oder Gott und die Geschöpfe, dann könnte man mit Augustinus einwenden, daß Gott ein solches Geschöpf jederzeit vernichten kann. Gott bedarf dazu keines positiven Willensratschlusses; sondern der Entzug seines die Geschöpfe ständig erhaltenden Willens würde diese ins Nichts sinken lassen. Gott ist nicht wie ein irdischer Baumeister, dessen Werk gleichsam seiner Macht entgleitet; wenn dieser etwas verfertigt hat, bleibt es unabhängig von ihm in seinem Bestand, er mag bei ihm verharren oder sich entfernen[106]. Gottes Schöpfung ist jedoch so sehr in seine Hand gegeben, daß sie nicht einen Augenblick ohne die erhaltende Kraft des Schöpfers bestehen kann.

Zwei Merkmale müssen an diesem Abschnitt der Quaestio beachtet werden, ein formales und ein inhaltliches. Das formale Merkmal besteht in der Gleichsetzung der von Gott ausgesagten Tätigkeiten mit Gott selbst mit Hilfe der Konnotation. Dabei wird eine nähere Erörterung, wie diese Gleichheit der verschiedenen Attribute mit Gott zu verstehen sei, übergangen. Man könnte sagen, eine solche Erörterung erübrige sich, weil der Gegner einer solchen Gleichsetzung der göttlichen Willensratschlüsse mit dem göttlichen Sein zustimme, wenigstens mittelbar über den Begriff der Ewigkeit: Item omne aeternum est necessarium, deum autem velle aliquid causatum esse est aeternum; sicut enim esse suum ita et velle aeternitate mensuratur[107]. Jedoch die Selbstverständlichkeit der Formulierung ist damit nicht erklärt. Vielmehr setzt sich hier eine Eigentümlichkeit der Methode durch, in der Holcot unter dem Einfluß Ockhams steht. Auch Ockham betrachtet die Bezeich-

tenentis virtus causa subsistendi est omni creaturae, quia virtus ab eis, quae creata sunt, regendis si aliquando cessaret, simul et illorum cessaret species omnis, quae natura concideret. Non enim sicut structor, aedificium cum fabricaverit, abscedit et illo cessante atque abcedente stat opus eius, ita mundus nec ictu oculi stare poterit, si ei deus regimen suum subtraheret.

[106] Absichtlich wurde hier der Text etwas freier wiedergegeben, um die für den scholastischen Theologen selbstverständliche allseitige Abhängigkeit der Schöpfung von Gott deutlich zu machen. Der wörtliche Text könnte für den modernen Leser den menschlichen Baumeister darin vor dem Schöpfer auszeichnen, daß sein Gebäude einer ständig erhaltenden Kraft nicht bedarf.

[107] Vgl. Anm. 104.

nungen, die Gottes Wirken nach außen beinhalten, vom aussagenlogischen Standpunkt. So kann er sagen, daß solche Namen wie „Herr", „Helfer" Gott selbst bezeichnen und nicht eine von Gott irgendwie unterschiedene Relation zum Geschöpf; dieses werde nur „mitbezeichnet", weshalb diese Namen „konnotativ" genannt werden[108]. Nicht nur in Gott, auch an und für sich gesehen stellt Ockham die Relation unter den Begriff der Konnotation. Daran interessiert uns hier nur die Formel: „Unterscheidung" zwischen zwei Dingen bezeichnet nicht ein besonderes Drittes, sondern eben diese zwei voneinander unterschiedenen Dinge[109]. Endlich dienen die konnotativen Begriffe nicht nur zur Erklärung der Relation, auch die Privation als Aussagevorgang wird als eine Art der Konnotation dargestellt. „Nicht-Mensch" bezeichnet den Menschen und sagt von ihm, daß er kein Mensch ist; „Blindheit" bezeichnet das Auge und sagt von ihm, daß es zum Sehen nicht fähig ist[110].

[108] Vgl. Wilhelm Ockham, I Sent. d.18 q.1 L: Dico quod nullum respectum realem dei ad creaturam importat, quia nullus est respectus realis Dei ad creaturam, nec etiam respectum rationis proprium Spiritus Sancti importat, quia nullus est respectus rationis — sicut communiter homines imaginantur — Dei ad creaturam. Verumtamen propter auctoritatem sanctorum loquentium Deum referri ad creaturam, sicut Magister allegat Augustinum in littera, est advertendum, quod sancti frequenter vocant nomina respectiva nomina connotativa, et similiter Philosophus sic accipit, volens quod aliqua nomina sunt ad aliquid, id est: connotant aliquid praeter id quod principaliter significant. Et ideo dicunt aliquid referri, quando tale nomen connotativum de eo praedicatur, quamvis tale nomen nihil nisi absolutum significet et per consequens non significet aliquem respectum, qui quocumque modo differt ab omnibus absolutis. Et ideo, quia haec est vera: Deus est refugium, Deus est Dominus, et sic de aliis, dicit beatus Augustinus referri et refugium relative dici, hoc est: hoc nomen refugium est nomen relativum, hoc est connotativum.
Ohne uns hier auf eine Erörterung des metaphysischen Standes der Relation einzulassen, möchten wir nur die Aufmerksamkeit auf den aussagetechnischen Gebrauch der konnotativen Wörter richten. Wir finden ihn bei Holcot häufig wieder, und er beeinflußt, wie gesagt, solche Sätze wie: „Die göttliche Anordnung ist Gott". „Die göttliche Anordnung ist das Geschöpf."
[109] Vgl. Wilhelm Ockham, II Sent. q.1 E: Et ista via vitat multa inconvenientia, quae oportet ponere secundum ponentes relationes distinctas a fundamento... hoc nomen distinctio significat ipsa duo distincta absoluta et non aliquem respectum medium, vel significat unum principaliter et connotative aliud.
[110] Vgl. ebd. Prol. q.2 (in ord. 3) L: Si dicitur quod hoc non est positivum sed tantum privatio, respondeo quod privatio et universaliter negatio dicunt praecise aliquas res vel rationes. Et ita non est imaginandum quod privatio vel negatio sit aliquod conceptibile distinctum a rebus positivis vel rationibus, sed dicunt illas, sicud non-homo dicit aliquod quod non est homo. Eodem modo caecitas dicit oculum non potentem videre, et ideo satis simile est de istis et de aliis.

Dieses Vorgehen ist eine Folge der Formalisierung der Logik und erleichtert natürlich wesentlich die Anwendung der logischen Technik auf Aussagegefüge. Sie macht den logischen Zusammenhang der einzelnen Glieder und Funktoren übersichtlich und erleichtert die Operation mit ihnen. Die Frage nach dem metaphysischen Stand einer Relation oder Privation rückt dabei in den Hintergrund. Jedoch sollte man angesichts des „transzendentalen" Gebrauches der Konnotation bei Ockham, wie ihn die Beispiele zeigen (es sind eigentlich drei verschiedene kategoriale Bereiche: die Relation, die Privation und die Attribute), die metaphysische Frage ausschalten und die konnotativen Namen und Begriffe in ihrer aussagenlogischen Funktion sehen. In dieser Weise haben sie die Methode der theologischen Aussage beeinflußt, was sich auch bei Holcot nachweisen läßt.

Was Holcot über den Begriff der Prädestination sagt, ist in der Formulierung von Ockhams Lehre über die Konnotation geprägt. Nachdem Holcot die Prädestination als äquivoken Begriff bezeichnet hat, weil sie im aktiven und passiven Sinne gebraucht werden kann — nämlich im Sinne des göttlichen Prädestinationsaktes und im Sinne der vom Geschöpf empfangenen Prädestinationsgnade —, fährt er fort, daß die Glorie oder auch die Gnade wie endlich jede dem Endziel des Menschen dienende Gabe als Prädestination bezeichnet werden kann. Ockham würde sagen: Prädestination bezeichnet nicht ein „absolutum", sondern mehrere „absoluta", nämlich den prädestinierenden Gott, das prädestinierte Geschöpf und die dem Geschöpf durch Gott bestimmte Gabe des ewigen Lebens, also formal ganz ähnliche Erklärungen wie für den Begriff der Relation oder der Privation. Tatsächlich finden wir solche Formulierungen in dem bereits zitierten Traktat Ockhams über die Prädestination[111]. Ockham sagt: „Prädestination" bezeichnet kein „absolutum". Holcot sagt: „Prädestination" steht nicht für eine bestimmte Sache, sondern gehört zu jenen Begriffen,

---

[111] Vgl. Wilhelm Ockham, Tractatus de praedestinatione q.1 K (ed. Boehner 11): Prima suppositio est, quod praedestinatio activa non est aliqua res distincta quocumque modo a Deo vel divinis personis, nec reprobatio activa, nec praedestinatio passiva est aliquod absolutum vel respectivum distinctum aliquo modo a praedestinato. Sed hoc nomen „praedestinatio" vel conceptus, sive accipiatur active sive passive, et significat ipsum Deum, qui daturus est vitam aeternam alicui, et illum, cui datur, ita quod tria significat, scilicet Deum, vitam aeternam, et illum cui datur. Et similiter reprobatio significat Deum daturum alicui poenam aeternam.
Boehner weist auf die Parallele im Sentenzenkommentar hin: I Sent. d.41 q.1 F.

die wir um einer eleganten und abgekürzten Redeweise willen
gebrauchen, statt ein Satzgefüge zu formulieren. Ähnlich gebrauchen wir den Begriff „Bauwerk" an Stelle mehrerer Aussagen, daß
nämlich jemand Hölzer und Steine u. ä. zu einem bestimmten
Gebilde zusammenfügt. So wird auch der Terminus „Prädestination" an Stelle folgenden Satzgefüges gebraucht: Gott wolle je-
mandem das ewige Leben geben, das jener nicht hat, aber haben
wird[112]. Auch die sofort folgende Frage, ob die Prädestination
im Prädestinierten selbst irgendeine Ursache habe, wird mit Hilfe
des dargestellten methodischen Prinzips beantwortet: Da die
(aktive) Prädestination Gott selbst ist, kann sie keine Ursache im
Prädestinierten haben[113]. Dies ist jedoch nicht die einzige Antwort,
die auf diese Frage möglich ist. Indem die Frage in dem verschiedensten Sinn verstanden wird, läßt sie sich jeweils bejahen
oder verneinen. Wir wollen das Geflecht der Beweisführung an
dieser Stelle nicht weiter verfolgen, sondern vielmehr zwei Beispiele für den Gebrauch der Konnotation durch Holcot anführen.
Das erste betrifft die Willensfreiheit und zeigt in sehr deutlicher
Weise, wie Holcot mit Hilfe der Konnotation einunddenselben
Begriff in verschiedenen Bedeutungen gebraucht. Die absolute Bedeutung des Begriffes bleibt dabei immer gleich, eine Grundvoraussetzung für formallogische Operationen. Freiheit bezeichnet
immer den Willen selbst. Der Bedeutungswandel wird durch die
Konnotation erreicht. Freiheit von der Sünde meint den Willen,
insofern er in der Gnade ist. Freiheit vom Elend bezeichnet den
Willen, der nicht unter Strafe leiden muß. Freiheit vom Zwang
bezeichnet den Willen, der nicht zu bestimmten Handlungen gezwungen wird usw. So zielen all diese Bezeichnungen auf eine
Sache — Ockham würde sagen: auf ein „absolutum" —. Sie be-

---

[112] Vgl. Holcot, II Sent. q.1 U (fol. f VI va 33—49): Circa primum primo
ponam quasdam distinctiones. Prima est quod iste terminus „praedestinatio"
aequivoce dicitur. Uno modo sonat in actionem, alio modo in passionem.
Tertio modo possumus dicere quod gloria aeterna est praedestinatio vel
gratia est praedestinatio. Et generaliter omne donum collatum homini a deo,
quo homo bene utitur ad beatitudinem, potest vocari praedestinatio. Quarto
modo iste terminus „praedestinatio" pro nulla re supponit sicut iste terminus
aedificatio, sed est terminus, quo utimur propter eloquentiam et breviloquium
loco unius complexi. Unde iste terminus aedificatio denotat aliquem apponere
et coniungere ligna et lapides et huiusmodi in certam figuram. Et sic iste
terminus „praedestinatio" accipitur loco talis complexi: deum velle dare
alicui vitam aeternam, quam ille non habet, sed habebit.

[113] Vgl. a.a.O. (49—52): Si igitur quaeratur, an praedestinatio habeat aliquam
causam in praedestinato, dici potest quod praedestinatio primo modo loquendo nullam causam habet, cum sit deus.

zeichnen nämlich immer den Willen. Dennoch sind es keine
Synonyma, nämlich auf Grund ihrer verschiedenen Konnotation[114].
Das zweite Beispiel findet sich beim Begriff der Offenbarung in dem
Artikel, der uns in diesem Paragraphen besonders beschäftigt: Ob
Gott das zukünftige Kontingente offenbaren kann. Es ist der
8. Artikel der 2. Quaestio des 2. Buches. Die Quaestio trägt die
Überschrift: Ob Gott von Ewigkeit her wußte, daß er die Welt
hervorbringen werde[115]. An Holcots Aussagen interessiert uns jetzt
nur der rein formale Gebrauch der Konnotation. „Offenbaren",
sagt Holcot, heißt eine Zustimmung zu einem wahren Satz hervorrufen. „Offenbarung" ist also ein konnotativer Begriff, der eine
Beschaffenheit des menschlichen Geistes bezeichnet, nämlich die
Zustimmung, und darauf hindeutet, daß der Satz, dem zugestimmt
wird, wahr ist[116]. Holcot unterscheidet zwar zwischen der Zustimmung, die einem wahren Satz und einer von Wahrheit oder Falschheit absehenden Aussage gegeben wird, jedoch ist diese Unterscheidung für das Beispiel der Konnotation ohne Belang.

Holcot formuliert seinen Widerspruch gegen Bradwardines
Lehre von der unveränderlichen Wahrheit der Prophetie mit den
Kunstgriffen der Aussagelogik. Die Aufmerksamkeit auf diese
manchmal bis zur Übertreibung ausgeschliffene Methode darf uns

---

[114] Vgl. ders. I Sent. q.3 (fol. b VI rb 26—41): Istis distinctionibus positis dico,
quod libertas quantum ad rem, quam principaliter importat et pro qua
supponit, quocumque modo accipiatur, est voluntas. In diversis tamen accep-
tationibus diversa habet connotata. Nam libertas a peccato supponit pro
voluntate et connotat eam esse in gratia. Libertas a miseria connotat eam
esse sine poena. Libertas a necessitate connotat eam non posse cogi ad actum
suum. Libertas indifferentiae connotat eam non magis inclinari ad unum
oppositorum quam ad aliud. Libertas contradictionis connotat eam velle
posse utrumque oppositorum. Et sic omnes isti termini supponunt pro una re,
quae est voluntas. Non tamen sunt nomina synonyma propter diversa
connotata. Die Rolle der Konnotation bei der Unterscheidung der verschiedenen Arten von Freiheit berücksichtigt m. E. Molteni in seiner Untersuchung
zu wenig (vgl. a.a.O. 66). Auch möchten wir die Lesart ‚quantum ad rem'
vorziehen, da nur P den Wortlaut der Inkunabel ‚quantum ad rectitudinem'
hat, wie schon Molteni bemerkt. a.a.O. 71, Anm. (7) und 72, Anm. (11).

[115] Vgl. ders. II Sent. q.2 (fol. g II rb 37—39): Quaeritur secundo, utrum deus
ab aeterno sciverit se producturum mundum. Ebd. Art. 8 (fol. h V rb 17—19):
Octavus articulus an deus possit revelare futura contingentia.

[116] Vgl. ebd. (fol. h V vb 31—39): Primo modo accipiendo hoc nomen revelare
haec est contingens: Deus revelavit Sorti diem iudicii fore, et postquam hoc
revelavit Sorti, et haec est contingens: Iste assensus fuit revelatio demonstrato assensu, qui in rei veritate fuit revelatio, quia sic iste terminus
revelatio est unus terminus connotativus supponens pro illa qualitate, quae
est assensus, et importans quod complexum, cui assentitur, sit verum.
Auch der Begriff „Prophet" ist ein konnotativer Begriff. Vgl. u. Anm. 118.

nicht blind machen gegenüber den sachlich-theologischen Motiven. Im vorliegenden Falle ist es das theologische Paradoxon zwischen der Unveränderlichkeit Gottes und der Freiheit Gottes. Bradwardine gibt im Urteil Holcots die Freiheit Gottes preis, um die unveränderliche göttliche Wahrheit zu retten. Jedoch begründet Bradwardine gerade die Unveränderlichkeit der geoffenbarten Wahrheit mit der Festigkeit und absoluten Macht des göttlichen Willens, der das Zukünftige angeordnet hat. Bei Holcot bleibt die Kontingenz des Zukünftigen bestehen, und zwar aus demselben Grunde, der Bradwardine dazu treibt, sie der Notwendigkeit zu opfern, nämlich um der Allmacht Gottes willen. So stehen bei Holcot nebeneinander der absolute Wille Gottes, der mit dem Sein Gottes gleich und darum unveränderlich ist, und die Kontingenz. Holcot hat eine Art theologischer Formeln aufgestellt, die beide Aussagen aufeinander abstimmen sollen. Die Formel für die Unveränderlichkeit der göttlichen Wahrheit lautet: Gottes Offenbarung des zukünftigen Kontingenten ist in der Weise wahr, daß sie auch nicht wahr sein kann[117]. Das bedeutet tatsächlich, daß die zukünftigen Geschehnisse von Gott vorher gewußt und gewollt worden sind. Dennoch muß auch ihre Kontingenz ausgesagt werden können, wofür Holcot paradoxe Redewendungen gebraucht: Der Tag des Gerichtes kann auch nicht sein; Gott kann etwas Falsches offenbaren und die Menschen in Irrtum führen; Petrus kann getäuscht werden, nämlich wenn die vom Herrn vorausgesagte Verleugnung nicht eintritt[118]. Diese Formeln sind einerseits der Ver-

[117] Vgl. oben Anm. 49.
[118] Als Beispiel folgende Texte aus Holcots Sentenzenkommentar: II Sent. q.2 a.8 (fol. h V vb 43—48): Si autem iste terminus revelatio exponatur secundo modo pro eo quod est simpliciter causare assensum alicui complexo, sic est necessaria haec: Deus revelavit Sorti quod dies iudicii erit, et non dependet ab aliquo futuro, quia sic potest deus revelare falsum, si velit decipere et fallere creaturam ...
III Sent. q.1 (fol. 1 VII ra 17—24): Secundo ostendo quod deus potest decipere creaturam rationalem et immediate per seipsum et mediate per bonos homines et angelos. Et hoc probo sic: Deus potest immediate causare in homine notitiam veram de aliquo complexo contingente. Ergo et errorem. Antecedens est manifestum et consequentia patet, quia ista res, demonstrata notitia vera, quae nunc est assensus veridicus, per mutationem rei potest fieri error.
II Sent. q.2 EE (fol. h VI vb 22—28): Ad octavum principale cum dicitur: Si deus sciret contingentia, posset ea revelare angelo vel homini sic quod post revelationem manerent contingentia, concedo. Et cum arguitur tunc: Quicquid est revelatum futurum in sacra scriptura sicut de die iudicii, resurrectione et huiusmodi, posset esse contingens et per consequens scriptura possit esse falsa, concedo.

such, gegensätzliche theologische Aussagen, hier über Gottes unveränderlichen Willen und die Freiheit und Kontingenz, irgendwie zusammenzubringen, ein allgemeines methodisches Anliegen scholastischer Theologie! Andrerseits kommt in ihnen das Paradoxon der Prädestinationslehre sehr scharf zum Ausdruck. Doch bevor wir den theologischen Sinn des Paradoxon erörtern, sei daran erinnert, daß Holcot Logiker ist. Die oben zitierten Aussagen: „Gott kann etwa Falsches offenbaren" u. ä. dürfen nicht sofort unter moralischem Aspekt gesehen werden. „Irrtum", „Falsches", „Täuschung" sind in Holcots Formalismus zuerst rein logische Contradictoria zu „Wahrheit", die in seiner Diktion ohne Rücksicht auf ihren moralischen Charakter gebraucht werden. Holcot ist sich dabei durchaus bewußt, daß er als Theologe die Frage nach der Moralität nicht unberücksichtigt lassen darf. Er versucht ihr durch den Hinweis auf die rechte Absicht (intentio) gerecht zu werden (vgl. oben, Anm. 51). Gott kann Falsches sagen, aber er kann nicht lügen; denn die Lüge ist nach Augustinus eine Falschaussage mit der Absicht zu täuschen. Holcot fügt noch hinzu: mit der ungeordneten Absicht. Zu einem noch größeren Mißverständnis würde es führen, aus diesen Wendungen auf einen schrankenlosen Voluntarismus in Holcots Gotteslehre zu schließen. Wiederholt bezeichnet er den Willen Gottes und das Wesen Gottes als in sich gut, wenn auch diese Gutheit für uns oft verborgen bleibt, weil sie nicht aus den Relationen Gottes zu den Geschöpfen erkannt werden kann. Darum glauben wir, die im Ganzen eines Systems sich widersprechenden Aussagen als Paradoxa ansehen zu dürfen. Sie sind nämlich Folgerungen aus je zwei entgegengesetzten theologischen Einsichten, nämlich der Unveränderlichkeit des göttlichen Ratschlusses und der Kontingenz des göttlichen Wirkens nach außen. Wir werden bald sehen, wie gerade darin das Wesen des theologischen Paradoxon besteht. Holcots Theologie erregt durch ihre häufig paradoxe Redeweise immer wieder Anstoß bei den auf Ausgleich und Synthese eingestellten Theologen. Jedoch auch das Paradoxon ist in gewissen Grenzen ein berechtigtes und notwendiges Motiv theologischer Methode. Diese Grenzen der im Paradoxon über-

---

Ebd. FF (fol. h VII va 42—50): Ad quartum concedo quod modo est in potestate mea facere sic aliquem mortuum ante centum annos fuisse prophetam. Iste terminus propheta est terminus connotativus, cuius significatum est aliquod praedicens verum. Et planum est quod si de me aliquis praedixit aliquid me facturum, cum possum facere et non facere libere, consequens est quod possum facere eum fuisse prophetam et non fuisse prophetam, quia possum facere quod ipse dixerit verum aut falsum.

steigerten Aussagen werden wiederum innerhalb dieser Aussageweise selbst gezogen. Zuweilen bringt Holcot die paradoxe Aussage in eine geglättete Form, wie z. B. in seiner Antwort auf das Argument, daß sein Kontingenzbegriff die Wahrheit der göttlichen Offenbarung und die unfehlbare Sicherheit der göttlichen Anordnung zerstöre. Wie ernst Holcot dieses Argument nimmt, beweist die Tatsache, daß er es in seine beliebte aussagenlogische Form kleidet, wobei er den Begriff der Konnotation zu Hilfe nimmt: „Offenbarung" oder „Anordnung" Gottes stehen für Gott selbst und bezeichnen eine in der menschlichen Seele hervorgerufene Wirkung mit, wodurch Gott in ihr die Zustimmung zu einem offenbarten Satz hervorruft. Nun ist es aber unvereinbar, daß Gott ein zukünftiges Geschehen offenbare und anordne und dann verhindere. Holcot antwortet mit ähnlichen Worten, wie wir sie soeben aus dem Sentenzenkommentar kennenlernten, nur daß hier seine Ausführungen noch präziser sind — auch im scholastischen Sinne, d. h. losgelöst von theologischen Implikationen verwandter Art wie etwa über die göttliche Allmacht und Unabhängigkeit von aller Relation zum Geschöpf hin. Es heißt einfach: Daraus folge nicht, daß eine Offenbarung oder eine Anordnung Gottes notwendig in Erfüllung gehe; denn was von Gott gewollt ist, kann auch niemals von Gott gewollt sein, und was von Gott vorausgewußt ist, kann auch niemals von Gott vorausgewußt sein[119]. So wird die Unveränderlichkeit des göttlichen Willens

---

[119] Vgl. ders. Quodl. P (fol. 185 vb 18—47): Si dicatur ad primum argumentum quod illa revelatio sive assertio sive ordinatio supponit pro notitia vel volutione divina et connotat aliquem effectum in creatura, quia iste terminus revelatio active accepta supponit pro deo et connotat quod in aliqua creatura sit certa notitia assertiva alico quod vocatur „revelatum", et ideo si haec est revelata a deo: Resurrectio corporum erit, denotatur quod aliqua creatura assentit isti propter revelationem divinam et verum est quod ita erit, quia falsum non potest revelari, et ideo non stant simul quod revelatum sit quod resurrectio corporum erit et tamen quod resurrectio possit impediri. Et eodem modo dicitur de isto termino „ordinatio", quia principaliter significat voluntatem dei et connotat quod deus vult illud esse vel fore determinate, et per consequens importat quod sic erit, quia si deus voluit sic fore, ita erit. Et ideo ista non stant simul: Deus ordinavit quod resurrectio corporum erit, et: Resurrectio corporum non erit. Si inquam sic dicatur, non propter hoc sequitur quod revelatum necessario erit vel quod ordinatum a deo necessario erit, quia quod est volitum a deo, potest nunquam fuisse volitum a deo, sicut quod est praescitum a deo, potest nunquam fuisse praescitum a deo et Sortes praedestinatus potest nunquam fuisse praedestinatus; nam quodlibet istorum est contingens: Resurrectio corporum erit; deus praedestinavit Petrum; deus praescivit animam Christi ad mortem, sicut infra dicetur.

und Wesens ganz klar festgehalten, ohne daß die Kontingenz preisgegeben wird. Die theologische Aussage muß beides berücksichtigen, ohne erklären zu können, wie es miteinander vereinbar ist. Ockham gibt dies deutlich zu[120]. Holcot kleidet diese Wahrheit in das Gewand der paradoxen Aussageweise.

Der Begriff der Paradoxie wird in der Theologie der Gegenwart erneut erörtert. Wilfried Joest hat darüber einen zusammenfassenden Bericht gegeben[121]. Die kritischen Stimmen von Klaas Schilder, Heinrich Scholz und Karl Barth werden nicht unterschlagen. Schilder übt in seiner geschichtlichen Darstellung des Paradoxiebegriffes scharfe Kritik am Gebrauch dieses Begriffes in der neueren Theologie[122]. Diese kritische Haltung wurde in der Gegenwart von Ernst Rüdiger Kiesow wiederum betont, der sich „gegen ein zu hemmungsloses und undifferenziertes theologisches Reden von und in Paradoxien" wandte[123]. Mag auch Kierkegaard als „Vater einer Theologie des Paradoxon" gelten, so muß doch der frühe Karl Barth als Vorkämpfer einer solchen Theologie in der Gegenwart angesehen werden[124]. Allerdings änderte er 1932 seine Einstellung und empfahl einen sparsameren Gebrauch dieses Begriffes in der Theologie. Von philosophischer Seite hielt Heinrich Scholz „nichtsynthetisierbare logische Paradoxa auch in der Theologie für nicht vollziehbar"[125]. Joest hat durch die Unterscheidung zwischen prälogischem Paradoxon und dem eigentlichen logischen Paradoxon das Problem scharf umrissen. Das prälogische Paradoxon als eine dem allgemeinen oder jeweiligen Vorverständnis widersprechende Redeweise widerläuft zwar der üblichen Erwartung und Meinung, erweist sich jedoch als zutreffend. Es liegt also zutiefst kein eigentlicher logischer Anstoß vor. Dies ist jedoch beim logischen Paradoxon der Fall. Das prälogische Paradoxon habe sich von der

---

[120] Vgl. o. Anm. 39.

[121] Vgl. W. Joest, Zur Frage des Paradoxon in der Theologie. In: Dogma und Denkstrukturen, Göttingen 1963, 116—151.

[122] Vgl. K. Schilder, Zur Begriffsgeschichte des „Paradoxon", mit besonderer Berücksichtigung Calvins und des nach-Kierkegaardschen „Paradoxon". Joest, a.a.O. 116.

[123] Vgl. E. R. Kiesow, Dialektisches Denken und Reden in der Predigt, Berlin 1957. Joest, a.a.O.

[124] Vgl. Joest, a.a.O. 122f.

[125] Joest zitiert (a.a.O. 124) H. Scholz, Unter welchen Bedingungen ist eine evangelische Theologie als Wissenschaft möglich? In: Zwischen den Zeiten 1931, 3ff. Daselbst fordert H. Scholz in einem in Barths Seminar gehaltenen Vortrag die Theologen auf, ihm aus dem Bereich ihrer Wissenschaft auch nur „eine einzige echte Antinomie zu nennen, für die sie behaupten, daß sie beide Glieder derselben bejahen."

Antike her durch das ganze Mittelalter hindurch erhalten. Auch an
der einzigen Stelle, an der im Neuen Testament das Wort Para-
doxa vorkomme, nämlich Luk 5,26, habe es diese praelogische
Bedeutung. Das eigentliche logische Paradoxon tritt erst seit der
Barockzeit auf und bewegt sich unbedingt im Bereich sinnvoller
Behauptungen. Eine Paradoxie ist niemals mit einer sinnlosen
Behauptung gleichzusetzen. Hier unterscheidet Joest nochmals. Der
Widerspruch paradoxer Thesen kann scheinbar und in diesem Fall
auflösbar sein oder aber einen Denkwiderspruch implizieren, der
logisch nicht auflösbar ist. Nur diese zweite Art wird von Joest
besprochen[126]. Dabei beschränkt sich Joest auf das Gebiet dogma-
tischer Aussagen[127], obwohl auch manche Stellen des Bibeltextes im
strengen Sinne paradox formuliert sind[128]. Das Ergebnis seiner
Arbeit liegt in dem Nachweis, daß paradoxe Aussagen in der Theologie berechtigt und unumgänglich sind. Bemerkenswert ist, daß
sich die theologische Antinomie niemals zwischen zwei entgegengesetzten Sätzen abspielt. Joest bringt in seinen Beispielen stets
ein Dreierpaar von Sätzen, die jeder für sich theologisch unverzicht-
bar sind; die aus je zwei Sätzen gezogenen Folgerungen ergeben
jedoch logisch unauflösbare Widersprüche zu dem jeweils dritten
Satz. Die von Joest gewählten Beispiele betreffen die Fragen um
Gottes Allmacht und Güte angesichts der Sünde[129] und um die
Prädestination[130]. Die Inkarnationslehre wird im Anschluß an
Heinrich Vogels „Christologie" (1949) ebenfalls herangezogen.
Vogel spricht daselbst (S. 164) vom Paradox der Menschwerdung[131]. Er bekennt sich wie Joest zur grundsätzlichen Bindung
des menschlichen Denkens an das Kontradiktionsprinzip auch in
der Theologie. Das antinomische Paradox ist für diese Autoren wie
auch für Karl Barth und erst recht für Kierkegaard nicht „Denkmöglichkeit einer theologischen Sonderlogik", sondern „zeigt die
Unmöglichkeit des allgemeinen Denkens (an das auch der Theologe
qua Denker durchaus gebunden bleibt) an, die Offenbarung syn-
thetisch zu begreifen"[132]. Auch Joest betont am Ende seiner Untersuchung nochmals, daß die wahre Bedeutung des theologischen
Paradoxon nicht im Aufheben des logischen Denkens vor dem
Geheimnis Gottes bestehe, sondern in dem Erweis, daß „die Wirklichkeit Gottes und seines Handelns den innerweltlichen, geschöpflichen Wirkfaktoren inkommensurabel sei"[133]. Mit dieser vorsichti-

---

[126] Vgl. Joest, a.a.O. 117.
[127] Vgl. ebd. 116.
[128] Vgl. ebd. 121.
[129] Vgl. ebd. 134ff.

[130] Vgl. ebd. 146ff.
[131] Vgl. Joest, ebd. 127.
[132] Vgl. ebd. 127.
[133] Vgl. ebd. 150.

gen Bejahung des theologischen Paradoxon (das im bekennenden
Glauben zu einer höheren Auflösung gebracht wird, also nur für
das theologische Denken bestehen bleibt) steht Joest in der theologischen Lehrtradition von Edmund Schlink, dem er seine Arbeit
als Dankesgruß gewidmet hat[134]. Schlink hat das Paradox in der
Prädestinationslehre in einer eigenen Studie behandelt, auf die
bereits hingewiesen wurde[135]. Sein Schüler Henning Schröer hat auf
Anregung von Schlink über dieses Problem eine eingehende Monographie verfaßt[136].

Wir haben auf diese Diskussion des theologischen Paradoxon in
der Theologie der Gegenwart hingewiesen, weil sich angesichts
mancher sehr harten Aussprüche Holcots zwei Fragen ergeben, ob
nämlich solche Wendungen als Ausdruck theologischer Paradoxien
anzusehen und ob sie annehmbar sind. Wie wir sahen, stellt Joest
ausdrücklich fest, daß alle Vertreter einer paradoxialen Theologie
(einschließlich seiner selbst) innerhalb der Logik und ihrer Denkge-
setze bleiben, ja daß sie diese für das theologische Paradoxon geradezu voraussetzen. Holcot hingegen scheint mit dem Ausdruck einer
Logica fidei die natürliche Logik für den Glauben aufzuheben. Er
spricht wiederholt davon, daß die natürliche Logik in den Dingen
des Glaubens nicht ausreicht. Die einzelnen Lehren, an denen Holcot dies aufweist, gehören in das Gebiet der Trinität, der Inkarnation, der göttlichen Wirksamkeit nach außen (Vorsehung, Prädestination, Weltregierung) und der Moral[137]. Am Beispiel der Trinitätslehre wird der Unterschied zwischen der Wahrheit der einzelnen Aussagen und der theologischen Unmöglichkeit ihrer gegenseitigen Zuordnung, die logisch formal richtig vorgenommen wurde,
besonders deutlich. Der Syllogismus lautet: Dieser Gott wirkt die
Schöpfung; dieser Gott ist die Dreifaltigkeit; also wirkt die Dreifaltigkeit die Schöpfung. Alle drei Sätze sind wahr, jedoch der

---

[134] Vgl. ebd. 116.
[135] Vgl. E. Schlink, Der theologische Syllogismus als Problem der Prädestinationslehre. In: Einsicht und Glaube, 299—320.
Vgl. „Die Logik als Instrument der Theologie", S. 35.
[136] Vgl. H. Schröer, Die Denkform der Paradoxalität als theologisches Problem,
Göttingen 1960. Vgl. Joest a.a.O. 116.
[137] Ganz deutlich wird die Unzulänglichkeit rein logisch strukturierter Aussage-
formeln von Holcot in I Sent. q.5 H ausgesprochen (fol. e V ra 33—39): Et
ideo de forma sic non est bonus syllogismus scilicet expositorius: Hic deus
creat; hic deus est trinitas; ergo trinitas creat, licet omnes propositiones sint
verae. (Daran schließt sich die bekannte These:) Similiter non est inconveniens
quod logica naturalis deficiat in his, quae fidei sunt.

Syllogismus ist schlecht. Die Wahrheit der einzelnen Aussagen ist unbestritten, ihre gegenseitige Zuordnung nach den Regeln der Logik jedoch theologisch undurchführbar. Die Ähnlichkeit dieser Feststellung mit den Untersuchungen von E. Schlink[138] und W. Joest[139] ist offenbar. Wir möchten die Antwort auf die obige Frage vorwegnehmen und alsdann belegen. Holcot beabsichtigt keinesfalls, mit dem Ausdruck der „Glaubenslogik" das logische Denken in der Theologie ad absurdum zu führen. Erst recht darf gegen ihn aus diesem Ausdruck nicht der Vorwurf der Lehre von der doppelten Wahrheit hergeleitet werden, nennt doch Holcot ausdrücklich alle dem Glauben widersprechenden Aussagen der Philosophen Sophismata[140]. Auch sollte uns seine scharfe Kritik an Averroes davor warnen, Holcot ausgerechnet in dessen geistiger Nähe zu sehen[141]. So dient also der Ausdruck von der logica fidei schließlich nur dazu, die Inkommensurabilität[142] des natürlichen Erkennens mit dem Erkennen und Bekennen des Glaubens herauszustellen. Holcot spricht vom unbegreiflichen (incomprehensibilis) Wesen und Wirken Gottes. Dabei bleibt auch die Logik des Glaubens eine vernünftige Logik; Holcot nennt sie rationalis logica fidei, worauf schon hingewiesen wurde. Endlich kann man den kaum als einen Feind der Logik in der Theologie bezeichnen, der von der Logik so ausgiebigen Gebrauch macht wie Holcot.

Zum Beleg für die vorstehenden Sätze soll hier eine Stelle aus dem Sentenzenkommentar herangezogen werden, die sowohl die Verwendung der Logik als Instrument theologischer Beweisführung als auch die Grenzen der theologischen Aussagemöglichkeiten zeigt. In der Quaestio, ob Gott das Menschengeschlecht gerecht regiert[143],

---

138 Vgl. E. Schlink, Der theologische Syllogismus, s. o. Anm. 135.
139 Vgl. W. Joest, Zur Frage des Paradoxon..., s. o. Anm. 121.
140 Vgl. Holcot, I Sent. q.1 L (fol. a VI ra 40—50): Ad primum argumentum secundi dubii quando arguitur quod, si articuli fidei essent contra rationem naturalem, sequeretur quod conclusio demonstrationis esset falsa, nego illam consequentiam. Et ad probationem cum dicitur, omne contrarium fidei est falsum; sed tu dicis quod conclusum per rationem naturalem est contrarium fidei, concedo. Et ideo conclusum — prout alias dixi saepius et frequenter — per rationem naturalem non est demonstratio sed sophisma. Unde omnis talis demonstratio concludens oppositum fidei, etiam si nesciatur solvi ab aliquo homine scientifico, est credenda sophistica. Et hoc vult Anselmus.
141 Vgl. ders. Quaestio quodl. Utrum theologia sit scientia, ed. Muckle [145]f; s. u. Anm. 226.
142 Vgl. o. Anm. 133.
143 Vgl. II Sent. q.1 (fol. e VIII ra): Utrum creator generis humani iuste gubernet genus humanum.

nimmt Holcot ausführliche Erwägungen und Unterscheidungen zu dem Begriff „gerecht" vor. Der Begriff „gerecht" kann in dreifacher Weise ausgelegt werden: erstens wie es sich nach Sitte und Gesetz für jemanden geziemt; zweitens im Sinne der iustitia distributiva und drittens wie es Gott und dem Geschöpf zukommt. In der dritten Weise kann man auch gerecht nennen, was Gott will; und in dieser Weise sind die Ausdrücke: Dies ist gerecht, und: Gott will dies, umkehrbar. Holcot beruft sich auf die Autorität des hl. Anselmus, dessen Werken tatsächlich die Wendungen Holcots z. T. wörtlich entnommen sind[144]. Nun können alle drei Arten „gerecht" von Gott ausgesagt werden. Gott handelt mit dem Menschen im Sinne der ersten und zweiten Weise „gerecht", wenn er dem Menschen gibt, was ihm zukommt; denn Gott kann sich auch im Sinne der iustitia distributiva zum Schuldner machen. Doch gerade in diesem Sinne kann er auch „ungerecht" sein, weil die Schöpfungs- und Gnadenordnung als ganzes dem Geschöpf nicht geschuldet ist, sondern auf der freien Anordnung Gottes beruht. Ja, sogar im Maße seiner dem Geschöpf geschuldeten Gerechtigkeit, die Gott durch seine Verheißung gleichsam sich selbst auferlegte, kann Gott „ungerecht" sein, indem er dem Sünder die ihm gebührende Strafe erläßt. Holcot schließt diese hier verkürzt wiedergegebenen Ausführungen: Es sei schwierig, ja unmöglich, in allen göttlichen Wirkungen die Gerechtigkeit zu wahren, obwohl auch in dieser zweiten Weise des göttlichen Handelns, nämlich in der Weise der von Gott selbst gewollten iustitia distributiva, eine gerechte Sinngebung zu glauben ist, mag sie uns auch unbegreiflich erscheinen[145].

Wir fassen Inhalt und Struktur dieser Aussagen kurz zusammen. Die Argumentation bewegt sich in der bei Holcot gewohnten logischen Strenge. Darum kann er nicht als Verächter der Logik in der Theologie bezeichnet werden. Das Paradoxon: Gott ist gerecht — Gott ist ungerecht, tritt mit aller Schärfe hervor. Wir finden es an einem Gegenstand der Theologie, der in der Theologiegeschichte

---

[144] Vgl. ebd. C (fol. f III ra 1—32), Text vgl. „Die Logik als Instrument der Theologie", Anm. 110.

[145] Vgl. ebd. (lin. 32—48), Text a.a.O.
In den folgenden Zeilen 49 — b 21 sagt Holcot, daß Gott tatsächlich „Schuldner" des Menschen werden kann, nämlich indem er dem Menschen eine Verheißung gibt, sowie auch innerhalb der Ordnung von Verdienst und Gnade. Dann fährt er fort (b 21—39): Sic dico ad quaestionem exponendo ly iuste primo modo videlicet quod in quibusdam deus iuste gubernat et in quibusdam non . . . Text a.a.O.

wiederholt dazu Anlaß gab[146]. Das paradoxe Theologumenon löst sich aber im Glauben auf, mag dies auch für unsere Einsicht unbegreiflich sein[147].

Hier müssen wir wieder zu unserem Quodlibet über die Auferstehung zurückkehren. Es läßt sich zeigen, wie dort Holcot die Paradoxialität der Aussagen über die Futura contingentia im Gottesbegriff selbst begründet. Holcot antwortet auf das Argument, daß um der Gutheit und Treue Gottes willen die göttliche Verheißung in Erfüllung gehen müsse. In seiner Antwort setzt er die Gutheit Gottes von jeder Relation zur geschöpflichen Gutheit ab. Gottes wesentliche Gutheit hängt nicht von dem Geschöpf ab. Nun schließen aber Begriffe wie Gerechtigkeit, Barmherzigkeit u. ä. die Beziehung zu einem anderen ein, wie Aristoteles lehrt. Niemals kann jedoch die wesenhafte göttliche Gutheit von ihrer Beziehung zum Geschöpf her bezeichnet werden. Dies tun wir jedoch nicht nur bei den auf einer Relation beruhenden Vollkommenheiten Gottes wie Gerechtigkeit, Barmherzigkeit u. ä., sondern auch bei den absoluten Vollkommenheiten, wenn wir Gott als „erste Ursache", „höchstes Gut", „ersten Beweger", „letztes Ziel" u. dgl. bezeichnen. Holcot fügt hinzu: „nach unserer Vorstellungsweise", und fährt fort, daß auch mit diesen Attributen keine Vollkommenheiten bezeichnet werden, deren Mangel der absoluten Gutheit Gottes abträglich wäre; denn Gott wäre nicht weniger gut, wenn er alles von ihm Geschaffene oder Angeordnete niemals geschaffen hätte oder wieder aufheben würde[148]. Trotzdem bleibt bestehen, was

---

[146] Vgl. oben Anm. 122.

[147] Joest betont am Ende seines Beitrages diese im Bekenntnis vollziehbare Auflösung des im theologischen Denken unaufhebbaren Paradoxons (a.a.O. 150f): „So ist das theologische Denken gewiß nicht auf der ganzen Linie dem unlösbaren Widerspruch ausgeliefert. Behält der Widerspruch da, wo es sich unter ihn beugen muß, das letzte Wort? Für das Denken, das die Möglichkeit der zum Widerspruch führenden Realität begreifen will, gewiß. Nicht aber für den Glauben, der sich mit der Existenz dieser Realität auseinanderzusetzen hat. Denn er setzt sich so mit ihr auseinander, daß er gegen sie an die Macht Gottes appelliert und des Sieges Gottes gewiß ist." Joest verweist auf H. Schröers Begriff vom supplementären Paradoxon, in: Die Denkform der Paradoxalität als theologisches Problem, 45, 114—117 und passim.

[148] Vgl. Holcot Quodl. P (fol. 185 va 33—58): Praeterea nihil pertinens ad essentialem dei bonitatem dependet a creatura, quia iustitia, secundum quam deus sit iustus vel misericors vel verax in promissis vel servans legem statutam, dependet a creatura, quia iustitia est ad alterum, sicut patet 5. Ethicorum, et misericordia est ad alterum et sic de praedictis. Igitur nihil de numero istorum pertinet ad dei bonitatem, sed sine quacumque bonitate creata esset bonitas essentialis. Igitur ad destructionem cuiuscumque creaturae nulla arguitur diminutio bonitatis in deo.

Holcot selbst an anderer Stelle sagt[149], daß Gott sich selbst zum Schuldner des Geschöpfes machen kann und damit — wie es in dieser Quaestio heißt — per accidens Gottes Gutheit vom Geschöpf abhängig ist. Doch wird damit das gegenwärtige Argument, daß die absolute und wesenhafte Gutheit Gottes sich selbst genügt, nicht aufgehoben[150]. Wir sehen, beide Aussagen bleiben nebeneinander stehen. Der letzte theologische Grund besteht in der Verborgenheit des göttlichen Wesens vor jeder von geschöpflichen Relationen ausgehenden Aussage. Diese Verborgenheit hebt aber nicht die Möglichkeit der theologischen Aussage auf. Und darum schließt Holcot diesen Abschnitt über das Verhältnis des göttlichen Wissens und der göttlichen Treue zur Erfüllung des Vorausgesagten mit jenen Formeln, die ihm dienen, die Unwandelbarkeit des göttlichen Wesens im Wissen und in der Treue mit der Kontingenz des Geschöpflichen in Einklang zu bringen: Gott weiß so voraus, daß er auch niemals vorausgewußt haben kann; Gott prädestiniert so, daß er auch niemals prädestiniert haben kann usw.[151]. Das

> Nec valet dicere quod verum in dicendo de perfectionibus absolutis, non de relativis, quia tales termini perfectionales secundum imaginationem nostram, sicut sunt prima causa, summum bonum, primus motor, finis ultimus et huiusmodi infiniti, quando praedicantur de deo, nullam perfectionem in deo arguunt, sine qua deus esse non possit, sed de eo praedicantur praecise per accidens, sicut iste terminus creans vel dominus et sic de aliis. Et ideo si deus omnia sua statuta abrogaret et faceret quod nunquam fuissent statuta et nihil faceret de promissis, non minus bonus foret, quam fuit ante mundi constitutionem, quando nihil fuit nisi ipse.

149 Vgl. ders. II Sent. q.1 (fol. f III ra 48 — b 3): Ad istum intellectum datum quod alicui non sit inconveniens isto modo loqui de deo dicendo deum debitorem creaturae et quod deus facit quod debet et sicut debet. Probo sic: Hoc est verum de deo; igitur non est inconveniens deo. Consequentia patet, quia medium inconveniens deo est impossibile secundum Anselmum. Antecedens probo sic: Omne communicans alteri communicatione politica debet alteri quod sibi promittit, sed deus communicat hominibus communicatione civili sicut dominus servis et eis multa promittit; igitur post promissionem est vere debitor.

150 Vgl. ders. Quodl. P (fol. 185 vb 7—18): Si igitur dicatur quod bonitas per accidens dependet a creatura, quia deus sic ordinando et statuendo se obligavit ad conservandum creaturam vel ad causandum creaturas, hoc non excludit argumentum, quia quaero aut deus sufficit omnino de sua bonitate aut non. Si non, habetur quod bonitas dei dependet a creatura quod est nimis absurdum. Si sic, igitur omittendo quod facere promittit, vel non causando quod est revelatum, nullam bonitatem amittit nec alicam imperfectionem incurrit.

151 Vgl. ebd. (lin. 18—47; Text vgl. o. Anm. 119).
   Die Formel: Qui est praedestinatus, potest non esse praedestinatus, finden wir übrigens schon bei Bonaventura (I Sent. d.40 a.2 q.1; 706ff), wie Pannenberg gezeigt hat. Bonaventura will damit sowohl der Kontingenz des göttlichen

Gegenargument, auf das diese Aussagen antworten, ist ein kunstvolles Geflecht aussagenlogischer Formeln, die mit Hilfe der Konnotation die Wahrheit und Sicherheit der göttlichen Offenbarung
im Wesen Gottes selbst begründen. Darum wird die Stelle in ihrem
ganzen Zusammenhang wörtlich hier wiedergegeben.

Daran schließt sich ein weiterer Grund für die Unaufhebbarkeit
der Kontingenz einer göttlichen Offenbarung, nämlich die Freiheit
und Kontingenz des Geschöpfes[152], die aufgehoben wäre, wenn das
einmal Offenbarte mit Notwendigkeit eintreten würde; denn Gott
kann zukünftige Dinge offenbaren, deren Verwirklichung in die
Freiheit und Kontingenz des Geschöpfes gelegt sind. Auch dieses
Argument wird in aussagenlogischer Form vorgelegt: Gott offenbart Sätze solcher Art wie: Sortes wird morgen dies oder jenes
aus verschiedenen Möglichkeiten erwählen. Ein solcher Satz wäre
auf Grund der Behauptung des Opponenten notwendig; zugleich ist
er (seiner Bedeutung nach) kontingent, weil er Sortes die Möglichkeit auszuwählen zugesteht, eine unmögliche Konsequenz, weil
in ihr Gegensätzliches zugleich gefolgert wird.

Es folgen weitere Beispiele für die Freiheit und Kontingenz des
göttlichen Wirkens nach außen, die jedes einzeln breit und ausführlich behandelt werden. Sie sollen hier kurz zusammengefaßt
werden. Christi Tod blieb auch nach der Offenbarung, die seine
Seele vom ersten Augenblick ihres Daseins darüber erhielt, eine
freie Tat. Ferner: Was immer Gott in Zukunft tun wollte und
Christus darüber offenbart wurde, blieb in die Freiheit des göttlichen Willens gestellt, auch nach der Offenbarung. Auch in seinem Erlösungsratschluß war Gott allezeit frei und behielt die Art
und Weise seiner Verwirklichung völlig in seiner Hand[153]. Dazu

Prädestinationsratschlusses wie der Freiheit des menschlichen Willens gerecht
werden. Vgl. W. Pannenberg, Die Prädestinationslehre des Duns Skotus,
48—51.
[152] Vgl. ebd. (lin. 48—57): Praeterea arguitur adhuc contra dictam opinionem,
quae ponit quod omne revelatum est necessarium, postquam fuit revelatum,
quia si hoc esset verum, sequitur quod deus non posset revelare tales propositiones: Sortes libere et contingenter eliget hoc vel illud cras, quia tali propositione revelata hoc foret necessaria: Sortes eliget illud per positum et Sortes
contingenter eliget istud idem et per consequens poterit non eligere. Igitur
eadem propositio est necessaria et contingens; consequens impossibile.
[153] Vgl. ebd. (fol. 185 vb 58—186 ra 50) (Wir wählen aus dem Stück die wichtigsten Sätze aus): Praeterea deus certificavit animam Christi de modo suae
passionis quod videlicet sine defensione angelorum et hominum caperetur a
Judaeis et occideretur et quod Christus non foret rogaturus patrem de aliquo
succursu ... et tamen non obstante ista revelatione, quae facta fuit sibi ab
hora conceptionis suae, potuit imminente passione rogasse patrem ... Praeterea
animae Christi revelatum est, quae et quot et qualia deus faciet in futurum.

gehört auch die Freiheit, sich zu erbarmen, wessen er sich erbarmen will. An diesen Argumenten hatte Holcot besonders Gefallen. Die Freiheit des göttlichen Heilsplanes erscheint damit als ein wichtiges Argument für die Kontingenz. Dabei stützt er sich auf Augustinus[154], auf Petrus Lombardus[155], der seinerseits Augustinus wörtlich zitiert, und auf Anselmus[156]. Die Stelle ist damit zugleich ein Zeugnis dafür, wie sich Holcot für die besonders profilierten Thesen seiner Theologie auf die Autorität der Väter und der früheren scholastischen Theologen beruft. Augustinus, Anselmus und Petrus Lombardus werden am häufigsten zitiert, fast immer mit genauer Stellenangabe, die in den meisten Fällen stimmt. Holcot bricht schließlich die Erörterung weiterer Argumente ab. Die Bemerkung, mit der er dies tut, ist bezeichnend für seine Methode der Disputation: Vieles könne noch gegen den Beweisweg angeführt werden und dennoch von denen, die das Gegenteil behaupten, leicht widerlegt werden[157]. Die Aufgabe der theologischen Wissenschaft[158] besteht für ihn in der Erörterung der theologischen Aussagen nach Art einer Disputation, bei der Argumente und Gegenargumente ständig gegeneinander abgewogen werden. Dieser Methode entspricht die Aussagenlogik genau als Instrument. Dieses Vorgehen ist schon rein formal daran erkennbar, daß Holcot die theologischen Wahrheiten und die Wirklichkeiten des Glaubens immer in die Form eines Satzes bringt, bevor er sie in die theologische Erörterung einbezieht. Die Frage, ob die Auferstehung

---

Igitur impossibile est deum secundum illam opinionem alia facere, quam quae facturus est. Et sic sequitur quod impossibile fuisset aliter liberasse genus humanum quam per mortem filii. Consequens falsum et contra Augustinum 13 De trin. c.11 (c.X, 13; PL 42, 1024) et Magistrum sententiarum libro 3.d.20 c.1., ubi dicit sic: Si igitur deus, qui utrique praeerat, id est homini et daemoni, hominem liberare vellet sola iussionis virtute, hominem poterit liberare rectissime. Unde Augustinus eodem libro c.26 (c. XVI, 21; PL 42, 1030): Innumerabilibus modis ad nos liberandum uti posset, et c.22 (c.XVIII, 23; PL 42, 1032) ... dicit quod deus potuit suscepisse hominem non de genere ipsius Adam, immo creasse unum hominem, qui fuisset melior, et vicisse diabolum ... Praeterea Magister sent. libro primo d.43 c.5: Deus non vult omnes iustificare et tamen quis dubitat eum posse. Igitur secundum Magistrum deus potest omnes homines salvare et tamen revelatum est Christo et angelis quod non erit ita ... (Fortsetzung in Anm. 157).

[154] Vgl. De Trin. XIII; vgl. Anm. 153.

[155] Vgl. Libri IV Sententiarum, I d.43; III d.20 ([2]1916, S. 263ff und 640ff).

[156] Vgl. Cur deus homo c.9 (ed. Schmitt 61ff).

[157] (Schluß von Anm. 153) Multa possent contra viam adduci et tamen a dicentibus oppositum faciliter possent solvi. Vide Anselmum in Cur deus homo: Propter quod deus exaltavit illum etc.

[158] S. „Die Logik als Instrument der Theologie", S. 20.

der Toten sein wird (so lautet noch die Überschrift unserer Quaestio), wird nun in die Form einer Aussage gebracht und in dieser Form beantwortet: Jede Aussage über ein zukünftig Geschehenes, die kontingent wahr ist, bleibt kontingent wahr, solange sie überhaupt wahr ist. Dies gilt auch, wenn Gott den Satz offenbart: Die Auferstehung der Toten wird sein. Zweierlei wird damit von Holcot festgestellt: Durch die göttliche Offenbarung kann aus einer kontingenten Wahrheit niemals eine notwendige Wahrheit werden. Die Kontingenz einer solchen Wahrheit besteht aber darin, daß Gott immer bewirken könne, daß sie niemals wahr gewesen sei. In kontingenter Weise ist etwas in der Weise wahr, daß es auch niemals wahr gewesen sein kann[159]. Wie in diesen gegensätzlichen Formeln das theologische Paradoxon zwischen der Unveränderlichkeit des göttlichen Wissens und Wollens und der Kontingenz und Freiheit des göttlichen Wirkens nach außen zum Ausdruck kommt, wurde bereits gezeigt. An dieser Stelle wird der Anteil deutlich, den die aussagenlogische Form an den oft so extremen theologischen Thesen Holcots hat. Unmittelbar darauf folgt die Antwort zur Quaestio in ihrer „vorgelegten Form"[160]. Diese war nicht aussagenlogisch ausgerichtet. Die Quaestio lautet ja nicht: Ist der Satz, die Auferstehung der Toten wird sein, immer wahr? Vielmehr hieß es nur: Wird die Auferstehung der Toten sein? In einer Disputatio ist aber der Respondens an die vom Opponens formulierte Form gebunden, wenn er diese einmal als Grundlage annimmt. Holcot weist selbst öfters darauf hin, was ein erneuter Beweis für seine theologische Methode der Disputation ist[161]. So antwortet hier

---

[159] Vgl. Holcot, Quodl. P (fol. 186 ra 50 — b 2): Tertio pono viam isti omnino contrariam et dico quod omnis propositio de futuro contingenter vera tamdiu est contingenter vera, quamdiu est vera, sicut quamdiu ista erit vera: Resurrectio corporum erit, tamdiu erit vera: Resurrectio corporum contingenter erit, quantumcumque fiat revelatio super hoc alicui creaturae, quia semper deus potest facere quod talis propositio nunquam fuit vera, quia sic est vera quod potest nunquam fuisse vera. Et hoc est esse contingenter verum videlicet esse verum et posse nunquam fuisse verum.

[160] Vgl. ebd. (b 2—8): Ex hiis patet ad quaestionem in forma, qua proponitur, tenendo partem negativam videlicet: Generalis resurrectio corporum non necessario est futura sed contingenter, quia est futura et tamen deus potest facere quod nunquam fuit futura, sicut patet per viam communem scolae in materia de futuris contingentibus.

[161] Vgl. ders. II Sent. q.2 DD (fol. h VI rb 17—25): In nono articulo primo supponendae sunt aliquae regulae logicales propter quasdam formas, quae regulae in arte obligatoria diffusius pertractantur. Et est primo sciendum quod, quando opponens ponit casum et quando respondens admittit, respondens est obligatus ad respondendum secundum casum. Et quandocumque dicitur ab opponente: ponatur quod ita sit vel aliquid aequivalens, fit respon-

unser Magister auf die am Anfang vorgelegte Frage in der Form dieser Frage. Jedoch sind die Argumente, mit denen er die Antwort vorbereitet, methodisch sprachlogisch aufgebaut und durchformuliert, so daß er seine Antwort mit Recht mit den Worten einleiten kann: Ex hiis patet.

Der letzte Teil des Quodlibet dient der Antwort auf die Argumenta principalia. Hier begegnen wir zwei sehr hart klingenden theologischen Aussagen, die jedoch gerade durch ihre scharfsinnige logische Begründung geeignet sind, Holcots Methode verständlich zu machen. Die erste steht gleich zum Beginn dieses Teiles und besagt: Wenn die Auferstehung der Toten nicht notwendig eintrete, dann könnte Christus getäuscht worden sein oder hätte die Menschen täuschen können[162]. Holcot trifft gegenüber diesem Argument mehrere Unterscheidungen. Zunächst unterscheidet er einen zweifachen Sinn der Behauptung, nämlich ob der Irrtum dem göttlichen Wissen oder der menschlichen Seele Christi zugeschrieben wird. Im ersten Sinne verneint er die Behauptung, im zweiten Sinne gibt er die Möglichkeit zu, obgleich er die Tatsächlichkeit eines Irrtums in der Seele Christi ablehnt. Gott könne nämlich in der Seele Christi die Erkenntnis eines wirklichen Geschehens hervorrufen, sodann jedoch die Wirklichkeit dieses Geschehens aufheben und die Erkenntnis in der Seele Christi fortbestehen lassen[163], übrigens ein Argument, das wir bei Ockhams Beweis der

---

denti una positio, quae est species obligationis, si admittat. Weitere Beispiele werden in dem Abschnitt über den Wissenschaftscharakter der Theologie gebracht. Hingewiesen sei auf zwei Stellen im Sentenzenkommentar: I Sent. q.3 (fol. c VII ra 51 — b 52) wird das Reden Gottes in der Offenbarung als Aussage nach den formalen Regeln der Disputierkunst (ars obligatoria) dargestellt. An der zweiten Stelle: I Sent. q.5 J (fol. e V ra 42 — b 16) sucht Holcot, die Logica fidei mit Hilfe formal-logischer Argumente verständlich zu machen. Die Obligatio zu einem bestimmten Beweisgang kann für den Respondens durch die Positio des Opponens zustande kommen, aber auch durch eine bestimmte Art der Logik gefordert werden, die dem Sachgebiet, auf das sie angewandt werden soll, entspricht. Auf diese Weise begründet Holcot die Logica fidei.

[162] Vgl. ders. Quodl. P (fol. 186 rb 9—11): Ad primum igitur inconveniens arguitur quod si non sit necessario futura, sequitur quod Christus potest fuisse deceptus et etiam alios fefelisse.

[163] Vgl. ebd. (lin. 11—26): Hic dico quod Christum esse deceptum potest habere duos sensus: Vel quia deus deceptus est, ut ponatur error in notitia divina, vel quia denotatur esse deceptionem in anima Christi vel error. In primo sensu consequentia est neganda, in secundo concedenda. Licet enim nunquam fuit error in anima Christi, possibile est tamen deo causare errorem in ea, quia hoc contradictionem non includit. Si enim Christo habente notitiam huius propositionis: Sortes sedet, deus adnihilaret Sortem et conservaret in anima Christi notitiam praedictam, illa notitia, quae prius fuit scientia, iam

intuitiven Erkenntnis eines Nichtexistierenden bereits finden[164].
Nun wäre dieses „Wissen" eines Nichtexistierenden ein „Irrtum".
Wissen und Irrtum werden hier rein formal als logische Gegen-
sätze genommen. Diese logische Formalisierung erleichtert den
Umgang mit den Begriffen, hat jedoch eine inhaltliche Leerung der
Sprache und Sprachelemente zur Folge, die solchem Denken mit
einer gewissen Berechtigung die Kennzeichnung als „Nominalis-
mus" eingebracht hat. Doch wirkt in der Behauptung, die Seele
Christi könne getäuscht werden, auch ein theologischer Grund mit.
Holcots Christologie betont mehr als die der meisten anderen
Scholastiker die Menschheit und die menschliche Natur Christi[165].
Ausgeschlossen sind jedoch Irrtum und Täuschung in Gott selbst.
Auch hier geht Holcot mit sprachlogischen Überlegungen vor: Man
kann zwar sagen: Gott kann erachten, daß a geschehen wird, und
a wird nicht geschehen. Jedoch folgt daraus nicht, daß Gott
getäuscht werden kann; denn schon die zweite Prämisse ist falsch,
Gott erachte als zukünftig geschehend, was dann nicht geschieht.
Die beiden Sätze: „Gott erachtet voraus..." und „a wird nicht
geschehen" bilden ein Kopulativ, dessen beide Teile je wahr sind,
die jedoch nicht beide zusammen vereinbar sind[166]. Diese Aussage
Holcots erfordert eine Korrektor des Inkunabeltextes. Dort steht
nämlich: Der Satz: Die Seele Christi kann getäuscht werden, kann
auf Grund der Idiomenkommunikation erweitert werden zu dem
Satz: Gott kann getäuscht werden. Eine solche Aussage hat in der
Theologie Holcots keinen Platz. Die Handschriften des Senten-

---

foret error. Et ideo sola notitia divina est, in qua non potest esse error, licet
in ea possit esse notitia oppositorum.

[164] Vgl. Wilhelm Ockham, II Sent. q.26, Notabilia N: Nam illud quod purum
nihil est, potest intelligi sicut Sortes, quem aliquando vidi, si annihilaretur,
nihilo minus possum intelligere Sortem, et tamen illud quod intelligo, est
purum nihil. Eodem modo purum nihil possum videre oculo corporali, si
viderem aliquod obiectum intuitive, et tamen deus destrueret illud obiectum
et conservaret visionem meam; tunc viderem purum nihil.

[165] S. u. S. 352f.

[166] Vgl. Holcot Quodl. P (fol. 187 rb 26—42): Ad 11. quando arguitur quod deus
secundum deitatem potest decipi per hanc formam: Omne reputans fore quod
non erit decipitur; deus potest esse reputans fore quod non erit; igitur deus
potest decipi. Maior est de inesse et minor de possibili; igitur conclusio possibilis: Dico quod minor est falsa, quia haec est impossibilis: Deus est reputans
fore quod non erit. Et quando arguitur sic: Deus potest reputare a fore et a
non erit; igitur potest reputare aliquid fore quod non erit: Dico quod consequentia non valet, quia antecedens est una copulativa, cuius utraque pars
est vera. Unde quamvis haec modo sit vera: Deus potest reputare a fore et a
non erit, haec tamen est impossibilis: Deus reputat a fore et a non erit, quia
licet utraque pars sit possibilis, sunt tamen illae partes incompossibiles.

zenkommentars gewähren uns übrigens die richtige Leseart. Sie
haben statt „Gott": „Christus"[167].

So bleibt es immerhin noch bei den Aussagen: Christus kann
getäuscht werden; Christus kann täuschen. Das Ärgernis solcher
Aussagen, besonders der zweiten, versucht Holcot durch eine weitere Unterscheidung zu beseitigen. Im weiteren Sinne bedeutet
„täuschen" soviel wie einen Irrtum verursachen, in dem jemand
etwas Falsches als wahr behauptet. Von der moralischen Intention
einer solchen Handlung wird dabei abgesehen. Im strengeren Sinne
wird mit dem Begriff „täuschen", „in den Irrtum führen" eine unge-
ordnete, böse Absicht verbunden. In diesem zweiten Sinne darf „täuschen" nicht von Gott (und von Christus) ausgesagt werden. Holcot
nennt diesen doppelsinnigen Gebrauch von „täuschen" äquivok
und beruft sich dafür auf die Autorität der „Doktoren" und des
hl. Augustinus[168]. Jedoch ist mit dieser Unterscheidung das Ärger-

---

[167] Vgl. ders. II Sent. q.2 EE (fol. h VII va 4—10): . . . et certe haec fuit impossibilis post assertionem Christi factam Petro: Christus voluit Petrum
credere hoc quod Christus credidit quod dictum suum fuit verum et haec fuit
contingens medio tempore anima Christi fuit decepta, et sic per consequens
deus potest decipi per communicationem idiomatum, sicut haec similiter fuit
vera per communicationem idiomatum: Deus potest mori. Vergleichen wir damit den Text in O und RBM. O fol. 154 va 16—21: . . . et certe haec fuit
impossibilis post assertionem Christi factam Petro: Christus voluit Petrum
credere hoc et Christus credidit hoc esse falsum assensu creato, quia haec
fuit necessaria: Christus scivit quod dictum suum fuit verum, et hoc fuit
contingens medio tempore: Anima Christi fuit decepta. Et sic per consequens
Christus potest decipi per communicationem idiomatum, sicut haec est
possibilis: Christus fuit mortuus per communicationem (O: creationem)
idiomatum.
RBM fol. 51 rb 2—8: wörtlich wie in O. Wir sehen auch, daß der Inkunabeltext einen sinnentstellenden Fehler enthält und damit schon im ersten Teil
unverständlich ist.

[168] Vgl. ders. ebd. (Forts. des Textes Anm. 163) (lin. 26—44): Et in hoc sensu
illud ad quod deducitur, non est inconveniens. Nam istum sensum argumentum bene probat et ita dico quod multo minus est inconveniens illud ad
quod secundo deducitur quod Christus potest homines fefelisse extensive
loquendo de fallere. Nam iste terminus fallere accipitur apud doctores
aequivoce, sicut patet per Augustinum 83 Quaestionum q.53, in qua diceret
contradictoria, nisi aequivocaret de decipere. Fallere enim vel decipere nihil
plus importat proprie loquendo nisi voluntarie causare in aliquo errorem,
quo affirmat falsum pro vero. Sed arguitur: aliter accipitur strictius et magis
improprie, et sic in diffinitione exprimente quid nominis includitur una
determinatio vel circumstantia talis malitiae: male vel maliciose vel deordinate causare errorem in aliquo. Primo modo concedendum est quod deus
potest fallere, secundo modo non potest. Allerdings hat 1340 die Pariser
Universität gegen eine solche Argumentation, die sich auf den „eigentlichen
Sprachgebrauch" und die „Kraft des Wortes" (de virtute sermonis) stützt,
Stellung genommen. Vgl. u. im Abschnitt: „Ergebnisse", Anm. 53.

nis der beiden Aussagen zwar gemildert, aber nicht beseitigt. Eher hat man den Eindruck, einer der bei Holcot gewohnten Formalisierungen der Begriffe zu begegnen, da „täuschen" im ersten Falle in rein erkenntnistechnischem Sinn gebraucht wird, nämlich als formal gegensätzlich zu: „Die Wahrheit sagen". Holcot nennt diesen Gebrauch von „täuschen", bei dem von der moralischen Bedeutung abgesehen wird, den eigentlichen Sprachgebrauch („proprie loquendo"), den anderen, strengeren Gebrauch von „täuschen", der mit dem Begriff eine böse Absicht verbindet, uneigentlich („magis improprie"). Diese Einsicht in die Methode entlastet Holcot von dem Vorwurf sachlicher Verstöße gegen die Glaubenswahrheit, den manche seiner extremen Formulierungen leicht nach sich ziehen können. Wir glauben, daß sich diese Einsicht im vorliegenden Fall noch weiter führen läßt. Es ist zuerst einmal zu beachten, daß Holcot in dieser Quaestio tatsächlich ausgeschlossen haben will, daß Christus die Menschen getäuscht habe. Er spricht nur von der Möglichkeit einer Täuschung[169]. Gewiß, auch dies klingt, rein sachlich genommen, für viele Ohren wie ein Ärgernis. An dieser Stelle ist für das richtige Verständnis ein zweiter Schritt notwendig. Wir erinnern uns, daß Holcot seine theologische Argumentation nach den Regeln der Disputation aufbaut[170]. Dabei spielt die „Obligation" eine wichtige Rolle. Man versteht darunter die Verpflichtung des Respondens auf eine bestimmte Voraussetzung oder Annahme, die der Opponens aufstellt und die sein Partner annimmt[171]. Nun spielt in der scholastischen Lehre von den Obligationen der Zeitfaktor eine entscheidende Rolle. Bocheński hat darauf hingewiesen, daß die „Zeit der Obligation" ein terminus technicus der scholasti-

---

[169] Vgl. ebd. (lin. 45—50): Advertendum est tamen quod, licet haec sit possibilis: Christus fefellit homines, haec tamen non est possibilis: Christus fefellit homines in praedicando tempore, quo vixit, quia nec voluit nec intentionem fallendi habuit in doctrina saltem bonos homines. Die folgenden Sätze sind für uns hier nicht von Bedeutung (lin. 50—53): Utrum autem fefellit malos iudaeos et alios sibi insidiantes, dubium ad praesens est. Sed si hoc fecit, iuste et ordinate fecit. Der letzte Satz greift noch einmal die bereits besprochene Unterscheidung der Äquivokation von „täuschen" auf. Im übrigen wird die Frage, ob Gott täuschen kann, für Holcot auch durch Aussagen der Hl. Schrift ausgelöst und im Sentenzenkommentar behandelt. Vgl. I Sent. q.1 R (fol. a VIII rb 6—32); II Sent. q.2 CC (fol. h VI ra 16—45).

[170] Vgl. ders. II Sent. q.2 DD (fol. h VI rb 16—38). Vgl. o. Anm. 56.

[171] Vgl. ders. ebd. (lin. 19—24): Et est primo sciendum quod, quando opponens ponit casum et quando respondens admittit, respondens est obligatus ad respondendum secundum casum. Et quandocumque dicitur ab opponente: Ponatur quod ita sit vel aliquid aequivalens, fit respondenti una positio, quae est species obligationis, si admittat. Zur scholastischen Einordnung der Obligationen vgl. Bocheński, Logik, 183—186.

schen Disputationsmethode ist. Sie bedeutet die Zeit, für die der
Disputierende an eine bestimmte Annahme gebunden ist[172]. So
erhalten auch die beiden befremdenden Aussagen, die uns hier
beschäftigen, durch die Zeit eine formale und eine sachliche
Bestimmung und Eingrenzung. Die formale Eingrenzung hält die
Sätze innerhalb des Kontingenzproblems. Daher erklärt Holcot im
Sentenzenkommentar den Satz: Christus wußte, daß sein Wort
wahr sei, für notwendig. Dagegen sei der Satz: Christus wurde
getäuscht, „mittels der Zeit kontingent"[173]. Das kann nicht bedeuten, daß die Zeit die Kontingenz bewirkt. Dies ist niemals Holcots
Lehre. Für ihn liegt vielmehr der Grund der Kontingenz in der
Natur alles Seienden, das nicht Gott ist, und im Wirken Gottes
nach außen. So kann der Ausdruck „mittels der Zeit" hier nur im
formalen Sinne gemeint sein, wie er in den Obligationen der Dis-
putationstechnik verwandt wird. So will der Ausspruch sagen:
An und für sich kommen dem Wissen Christi Irrtumslosigkeit und
dem Wort Christi Wahrhaftigkeit zu. In der Erörterung der Kontingenz erhalten jedoch die Sätze: Die Seele Christi konnte getäuscht
werden, Christus (Gott) konnte täuschen, eine heuristische Aufgabe: Sie sichern die unbedingte Kontingenz alles zukünftig
Geschehenden, das aus der freien Anordnung Gottes hervorgeht,
ebenso aber die Unveränderlichkeit und Unbedingtheit des göttlichen Ratschlusses. Für eine solche Methode kann wohl nur Verständnis aufbringen, wer dem Paradoxon eine legitime Bedeutung
für die theologische Erkenntnis einräumt. Bei den Scholastikern
dienen die Obligationen zur Auflösung der Antinomien, wie das
von Bocheński angeführte Beispiel zeigt[174]. Außerhalb der Zeit
der Obligation bleibt die Antinomie unlösbar, innerhalb der Zeit
erhält die antinomische Aussage einen Beweiswert. In unserem
Falle halten die Sätze: Die Seele Christi konnte getäuscht werden,
Christus konnte täuschen, die paradoxale Spannung zwischen den
unveränderlichen göttlichen Ratschlüssen und der Kontingenz des
göttlichen Wirkens nach außen aufrecht. Jedoch darf man die
Sätze nicht aus der Zeit der Obligation herauslösen, in der sie disputiert werden. Sie sind relevant im Aussagenbereich der Kontingenzlehre, verlieren jedoch ihre Aussagekraft in der Christologie. Tatsächlich täuschte sich Christus nicht, noch wollte er die
Menschen in seiner Lehre täuschen. Diese Aussage bezeichnet Holcot, wie wir sahen, als notwendig, die andere nur als möglich.

---

[172] Vgl. Bocheński, a.a.O. 284, n. 35. 38.
[173] Vgl. o. Anm. 167.
[174] Vgl. Bocheński, a.a.O.

Schließlich gibt Holcot jenen Sätzen über das Wissen und Lehren Christi auch eine sachliche Eingrenzung durch die Zeit. Dies
geschieht durch zwei Aussagen. Die erste ist negativ und betrifft
die Person Christi unmittelbar: Für die Zeit seines irdischen Lebens
wollte Christus die Menschen nicht täuschen, noch hatte er je eine
solche Absicht in seiner Lehre[175]. Damit wird der Inhalt dieser Aussage auch sachlich aus dem tatsächlichen Leben und Wirken Christi
herausgelöst, so daß nur die reine Möglichkeit übrig bleibt. Diese
muß jedoch um der Kontingenz und der Unveränderlichkeit Gottes
willen gefordert werden. Hier spielt nun die Zeit eine positive
Rolle. Darauf bezieht sich die zweite, positive Aussage Holcots zu
der Frage, ob Christus täuschen könnte. Danach ist die Wahrheit
einer kontingenten Aussage von der Zeit abhängig. Diese Feststellung Holcots ergibt sich aus seinen Sätzen mehr indirekt aus
einer Antwort auf ein Augustinuswort, das man ihm entgegenhal-
ten könnte: „Wenn Christus getäuscht hätte, wäre er nicht die
Wahrheit." Wir greifen hier gleich die entscheidenden Sätze Holcots heraus: Dieser Schluß ist nur berechtigt, wenn Christus seine
Jünger durch einen Scheinleib getäuscht hätte. Dieses Verständnis
liege im Sinnzusammenhang der Augustinusstelle, die sich gegen
eine (mit der Wahrhaftigkeit Christi unvereinbare und darum)
unmögliche Folgerung richte. Das Falsche, das Augustinus hier als
Inhalt der Täuschung meint, ist jedoch von der Art, daß ihm niemals ein in der Zukunft sich ereignendes Wahres zur Wahrheit
nutzen kann. Dies entspricht Holcots Lehre. Die Kontingenz wird
niemals durch die Zeit bewirkt. Wohl ist aber die Wahrheit der
kontingenten Aussage von der Zeit abhängig. Daher ist eine Aussage über etwas Vergangenes, die von einem zukünftigen Kontingenten abhängt, nicht von Notwendigkeit. Diese These des Richard
Camasale entspricht genau der Lehre Holcots über die Wahrheit
kontingenter Aussagen[176]. Es war notwendig, diesem komplizierten Beweisgang Schritt für Schritt zu folgen, weil kaum bei einem
anderen Magister der Scholastik ein aus dem Zusammenhang
genommener Satz so leicht zu einem ungerechten Urteil führt wie

---

[175] Vgl. o. Anm. 169. Zum folgenden vgl. ders. Quodl. P (fol. 186 rb 53 — va 2):
Et ad illam consequentiam Augustini: Si Christus fefellit, veritas non est,
dici potest quod loquitur de fallere secundo modo, vel aliter: Quod consequentia est bona, si antecedens intelligatur ad mentem Augustini, puta: Si
Christus fefellit discipulos ostendendo eis corpus fantasticum, veritas in eo
non est. Et arguitur sicut ex impossibili sequitur quodlibet, et hoc est modo
impossibile, cum sit falsum de praeterito non exigens ad sui veritatem aliam
veram de futuro.

[176] Vgl. o. Anm. 64. Zu Richard Camasale vgl. u. Anm. 218.

bei Holcot. Ob diese sprachlogisch ausgeklügelte Methode allerdings der eigentlichen Ratio der Theologie entspricht, ist eine
andere Frage. Eines macht sie sicher sehr deutlich, nämlich die
Grenze menschlicher Aussagemöglichkeit in einer Theologie, die
sich für ihre Erkenntnis- und Aussagenmethodik vornehmlich des
aristotelischen logischen Instrumentariums bedient. Dies war in der
Tat auch Holcots Absicht. Er hat sie an besonders geeigneten
Gegenständen der Theologie ausgeführt, wozu vornehmlich die
Prädestinationslehre und das ganze Gebiet der Futura contingentia gehören.

Schließlich ist in allen Texten aus der Feder Holcots diese bereits
beschriebene Methode der Disputation zu berücksichtigen. Das gilt
besonders für die quodlibetalen Quästionen. Dadurch erhält die
theologische Erörterung bis zu einem gewissen Grad den Charakter der Unverbindlichkeit. Es kann der Eindruck entstehen, daß
nicht in erster Linie eine theologische Erkenntnis das Ziel der
Argumentation ist, sondern der formallogische Sieg des Opponens
über die Gegenargumente des Respondens und umgekehrt. Doch
wäre es einseitig und ungerecht, die theologischen Disputationen
dieser Art bei Holcot, bei Ockham und anderen „nominalistischen"
Theologen darum als theologisch unbedeutsam oder gar zersetzend
abzulehnen. Ein solches Urteil übersieht leicht die echte theologische Thematik, die das Anliegen der theologischen Methodik im
vierzehnten Jahrhundert bleibt, mögen auch die Formen der Beweisführung im Vergleich zu denjenigen im dreizehnten Jahrhundert
allzu gekünstelt erscheinen. Nach diesen Überlegungen wenden
wir uns dem letzten Teil der Quaestio zu, in der wir die eben
getroffenen Feststellungen bestätigt finden.

Zunächst sei auf eine Bemerkung hingewiesen, die das vorwiegend methodische Interesse Holcots an der theologischen Argumentation erneut bekundet. Das Gegenargument stützt sich auf 1 Kor
15,16: Stehen aber die Toten nicht auf, so ist auch Christus nicht
auferstanden[177]. Gestützt auf Augustinus wird dieser Satz von der
rein sprachlogischen Seite her interpretiert: Wir sehen, wie der
Apostel aus zwei falschen Sätzen eine gute Schlußfolgerung zieht.
Die falschen Prämissen lauten: Stehen die Toten nicht auf — so ist

---

[177] Vgl. Holcot, Quodl. P (fol. 184 ra 23—31): Praeterea Cor.5 (15!) sic arguit
Apostolus ad probandum resurrectionem: Si inquit mortui non resurgent,
igitur nec Christus resurrexit. Et secundum Augustinum 2° De doctrina
christiana c.31. consequentiae quas facit Apostolus, sunt bonae, licet habeant
sententias falsas, id est licet antecedens et consequens sit falsa. Si igitur
antecedens potest esse verum, consequens potest esse verum, videlicet istud:
Christus non resurrexit. Consequens impossibile.

Christus nicht auferstanden. Die Form der Schlußfolgerung, die in der konditionalen Verbindung der beiden Sätze besteht, ist richtig. Wenn jedoch der Antecedens wahr sein kann, dann kann auch der Schlußsatz wahr sein, d. h. wenn die Toten nicht auferstehen, dann ist auch Christus nicht auferstanden. Aus dem Konditionalsatz und dem Konditionalverhältnis von Vordersatz und Nachsatz wird nun ein kategorischer Schluß, der sich selbst widerlegt, weil die Schlußfolgerung, Christus ist nicht auferstanden, unmöglich ist. Das Argument soll die Notwendigkeit der Auferstehung der Toten beweisen, ist also gegen die Kontingenzlehre Holcots gerichtet. Interessant ist bereits die sprachlogische Formulierung des Argumentes. Doch Holcot weist es mittels einer sprachlogischen Kritik ab. Die Schlußfolgerungen des Apostels seien nicht formal und beweisend (demonstrativae), sondern „zeitlich" bedingte, an das menschliche Verständnis gerichtete Überredungen[178]. Holcot unterscheidet zwischen dem logischen-demonstrativen Beweis und dem Argumentum ad hominem. Die Aussagen des Apostels gehören zu der letzteren Form, mögen sie auch als Schlußfolgerungen formuliert sein.

Die Methode der Disputation bleibt nun bis zum Schluß die Form, in der die Argumenta principalia aufgelöst werden. Wir wollen dies hier nicht mehr im einzelnen verfolgen, sondern nur die sachlichen theologischen Argumente beachten. Auf diese Weise wird auch deutlich, daß Holcots Interesse nicht bei der formalen Methodik der theologischen Disputation stehen bleibt. Im Gegenteil! Der Beweisgang wird nun sachlich inhaltlich durch ganz bestimmte theologische Themen in Bewegung gehalten. Da ist zunächst die Frage nach der Wahrhaftigkeit und Treue Gottes, die Holcot nicht ruhen läßt. Da die Kontingenz eines zukünftigen Geschehens durch eine göttliche Voraussage nicht aufgehoben werden kann, folgt mit logischer Notwendigkeit, daß die Voraussage falsch war. Für diesen Einwand war jedoch die Lösung bereits gefunden, wie wir gesehen hatten. Holcot unterscheidet zwischen einer falschen Rede als Gegensatz zur wahren Rede und der mit einer verkehrten oder bösen Absicht durchgeführten Täuschung. Nun wird jedoch das Argument noch einen Schritt weiter geführt Die göttliche Voraussage über ein zukünftiges Kontingentes ist zuweilen mit einem göttlichen Schwur verbunden. Da Kontingentes nicht einzutreffen braucht, könnte Gott etwas Falsches beschworen

---

[178] Vgl. ebd. (fol. 186 va 17—20): Ad quintum dicendum quod illae consequentiae Apostoli non sunt formales nec demonstrativae, sed sunt temporales persuasivi ad hominem tantum.

haben. Zwei Antworten erhält dieses Argument. Die erste lautet in
Fortsetzung der bisherigen Argumentation[179]: In diesem Falle war
die Voraussage niemals mit einem Versprechen oder mit einem
Schwur verbunden; denn ein Schwur Gottes, der sich auf etwas
Kontingentes richtet, wird von der Kontingenz des Vorausgesagten
mitbetroffen. Trifft das Vorausgesagte nicht ein, was auf Grund
eben dieser Kontingenz sein kann, so kann auch kein göttliches
Versprechen oder gar ein Schwur vorliegen. Wenn wir sagen: Gott
erfüllte sein Versprechen nicht, so liegt eine verkürzte Redeweise
vor, weil Gott in diesem Falle niemals etwas versprochen hätte.
Notwendig ist nur der Satz: Dies war ein Ausspruch Christi. Kontingent dagegen ist der Satz: Dies war ein Versprechen oder ein
Schwur Christi. Diese Antwort bleibt im rein Formalen einer logischen Folgerichtigkeit, die durch alle Einwände hindurch an der
Kontingenz unbedingt festhält. Holcot antwortet jedoch noch auf
einem anderen Wege[180], nämlich dem der sachlich-theologischen

---

[179] Vgl. ebd. (fol. 186 vb 1—21): Ad ista potest dici quod haec est necessaria:
Hoc fuit dictum Christi, vel: Hoc fuit prolatum a Christo. Sed haec est
contingens: Hoc dictum Christi fuit promissio, vel: Hoc prolatum a Christo
fuit assertio Christi cum iuramento. Unde concederet tenens hanc viam quod
iuratum a Christo potest esse falsum, quia potest esse quod nunquam fuit
iuramentum Christi. Unde haec est necessaria: Christus dixit hoc, id est:
Christus protulit hoc. Sed haec est contingens: Hoc prolatum a Christo fuit
iuramentum. Sed dicis: Ponatur quod Christus iuravit hoc promissum.
Admitto. Contra: Adhuc per te illud quod iuravit fore, potest non esse.
Ponatur igitur quod non erit.
Respondeo: Concedo quod illud iuramentum est contingens. Dico tamen quod,
si ponatur in esse quod non erit resurrectio, tunc nunquam fuit iuratum a
Christo; nam ista repugnant: hoc non erit et: hoc fuit iuratum a Christo fore,
quorum tamen utrumque est contingens, et admisso uno oportet negare
reliquum.

[180] Vgl. ebd. (lin. 28—187 ra 17): Alio modo potest dici quod Christus potest
non implere quod promisit, et quando arguitur quod potest esse mendax vel
periurus etc., dicitur negando consequentiam. Et ratio est, quia omnes tales
termini consignificant saltem ex usu loquendi quandam malitiam in genere
moris, quae nullo modo deo convenire potest. Et ideo potest ista consequentia
negari: Deus promisit quod resurrectio erit et resurrectio nunquam erit;
igitur deus mentiebatur. Sed conceditur quod deus dixit falsum scienter et
quod decepit homines, quia istud non videtur expresse contineri maltitiam
moris quod hoc dicat falsum scienter vel decipiat. Unde sicut non sequitur:
Deus occidit innocentem; igitur deus peccat, ita non sequitur: Deus non facit
quod iuravit se facturum, nec unquam faciet; igitur est periurus, quia iste terminus periurus significat illum, qui periurat, aliter debere facere ex ordinatione
alicuius legis, cui subicitur, ex cuius legis observatione bonitas sua dependet
sic quod obligatur istam legem servare vel amittere bonitatem moralem. Deus
autem nulli legi potest esse obnoxius, quoniam sine eius observatione potest
esse bonus moraliter, quia sic divina bonitas dependeret a creatura et deus

Argumentation, die sich hier auf der absoluten Allmacht und Freiheit Gottes erhebt. Dem theologischen Argument geht ein sprachlogisches voraus. „Mendax", „periurus" bezeichnen „vom Sprachgebrauch her" eine mit der Falschaussage verbundene moralische Schlechtigkeit; daher dürfen sie nicht gebraucht werden, wo es sich um Aussagen und Verheißungen Gottes handelt, obwohl diese falsch sein und die Menschen täuschen können. Schließlich stellt Holcot sein Hauptargument auf: Gott ist als der letzte Gesetzgeber selbst keinem Gesetz unterworfen. Angesichts dieser Behauptung ist man versucht, Holcots Gotteslehre eines absoluten Voluntarismus zu bezichtigen, zumal er noch den Vergleich mit der willkürlichen Freiheit eines absoluten Herrschers hinzufügt. Schließlich sieht Holcot selbst Christus in der Freiheit eines solchen absoluten Gesetzgebers und bringt dies in drastischen Redewendungen zum Ausdruck[181]. Doch dürfen uns diese noch so extremen Formeln nicht verleiten, über jene Aussagen hinwegzulesen, die den Ausgleich für diese und sogar den tiefsten theologischen Grund aufzeigen und damit den extremen Formeln innerhalb einer bestimmten theologischen Sprache eine gewisse Legitimität erteilen. Holcot spricht ausdrücklich von einer göttlichen Gutheit, die er allerdings in völliger Unabhängigkeit von der geschöpflichen Ordnung sieht. Er glaubt, daß diese Unabhängigkeit durch keine auf die Geschöpfe hin aufgestellte Anordnung oder Forderung gestört werden darf, was jedoch der Fall wäre, wenn die Freiheit und Kontingenz des

foret minus bonus quam est, si destrueret omnem creaturam, et secundum hoc deus inciperet esse melior, quam fuit ante legis observationem. Unde sicut princeps, qui est supra legem, potest aliquem actum facere sine peccato vel malitia, qualem existens sub lege nullo modo potest facere sine peccato, ita deus non perficiendo quod promisit facit sine malitia falsitatis vel periurii quod tamen existens sub lege nullo modo posset facere. Et sic dicendum est quod deus potest facere oppositum illius quod se promisit facturum, vel omittere quod se iuravit facturum. Istae enim propositiones non explicite significant malitiam; nam homo aliquis in casu tenetur omittere quod se iuravit facturum, sicut patet de iuramento illicito, et ideo tales propositiones possunt concedi de deo. Sed si ab eis arguitur ad aliam propositionem, in qua ponitur terminus convolutus cum malitia secundum usum loquentium, cuiusmodi sunt tales: periurus, mendax, forte neganda est consequentia.

[181] Vgl. ebd. (lin. 17—27): Unde sicut Christus, dum fuit viator, potuit abstulisse rem Zachaei sine furto et cognovisse eius uxorem sine adulterio, quia fuit supra legem sicut principalis legislator, furtum autem et adulterium sunt termini convoluti cum malitia secundum Aristotelem 2° Ethicorum c. 7°, sic in proposito Christus potest facere oppositum illius quod est revelatum, prophetatum, promissum vel iuratum a seipso, et tamen Christus non potest esse periurus vel mendax.

zukünftig Prophezeiten aufgehoben würde[182]. Dies betont Holcot
sogar in offener Polemik gegen Anselmus, dessen Unterscheidung
zwischen necessitas coactionis und necessitas honestatis er ablehnt.
Gott darf in seinem Handeln keiner Notwendigkeit unterworfen
sein. Jedoch: Die Tugenden der Güte, der Gerechtigkeit, der Frei-
giebigkeit, die wir auch von Gott aussagen, erfordern eine Relation
zu einem anderen, für Gott also zu dem Geschöpf. Bedarf darum
Gott nicht doch der Geschöpfe, um in diesen Tugenden gut zu sein?
Holcot antwortet mit einer Unterscheidung zwischen dem Habitus
und dem Wirken dieser Tugenden. Den Habitus besitzt Gott; er
gehört zu seiner wesenhaften Gutheit, auch wenn er ihn niemals in
Werken betätigt. Dazu ist Gott nicht verpflichtet, weil seine Gutheit nicht von seinem Wirken nach außen zu den Geschöpfen hin
abhängen darf[183]. Die wesenhafte Gutheit Gottes wird also nicht in
einem schrankenlosen Voluntarismus aufgelöst.

4. Die Polemik zwischen Holcot und Crathorn

Die aussagenlogische Formulierung der Prädestinationslehre
durch Holcot bewegt uns zu einem Vergleich mit einem anderen
Magister, der sich der gleichen Methodik bedient. Auch Crathorn
hat eine Quaestio über die Erkenntnis geschrieben, die Gott von
den zukünftigen kontingenten Dingen hat. Er beginnt diese, wie
wir bereits sahen, mit einer Überlegung über die Wahrheit der
Aussage[184]. Darauf folgen mehrere Conclusiones, in denen der
Begriff des Kontingenten definiert wird. Hier zeigt sich bereits der

---

[182] Vgl. ebd. (fol. 187 va 26—37): Ad 13m ubi arguitur de dictis Anselmi Cur
deus homo c.5 (II c.5; ed. Schmitt 100, 20—28), ubi videtur probare quod
deus necessitate immutabilitatis servandae honestatem implet dicta sua, non
autem necessitate coactionis; igitur secundum eum, si non implet promissa,
perderet honestatem, id est bonitatem moralem quod est directe contra dicta.
Ad istud argumentum dico quod nescio hoc glossare, quin saltem intentio
Anselmi sit contra me, et ideo nego eum, quia habet consequenter dicere quod
bonitas moralis in deo dependet ex creatura.

[183] Vgl. ebd. (lin. 37—52): Sed videtur quod istud sit verum videlicet quod
bonitas dei moralis dependet ex creatura, quia deus non potest esse bonus
moraliter, nisi creatura sit. Probatur, quia non potest esse iustus nisi
creatura sit, nec liberalis, quia istae sunt virtutes ad alterum. Dicendum est
quod iustitia et liberalitas possunt accipi vel pro habitibus vel pro operationibus. Operari autem iuste non potest deus sine creatura. Esse tamen iustus
habitualiter et esse pronus et promptus et voluntarius ad faciendum iuste,
quando decet et expedit, hoc convenit deo sine creatura, et sive creatura sit
sive non sit, deus autem non est melior, quando facit iuste quam quando
nihil facit. Et ideo nihil bonitatis accrescere potest deo ex aliqua operatione
circa creaturam. Vgl. „Die Gotteslehre", S. 283f.

[184] Vgl. „Die Lehre vom Glauben", S. 254.

grundlegende Unterschied im ganzen Beweisgang. Für Holcot liegt das Hauptinteresse seiner Kontingenzspekulation auf dem Verhältnis der Kontingenz zur Aussage. Anders bei Crathorn! Bis zur vierten Conclusio erörtert Crathorn das Verständnis von Kontingenz. Kontingentes Zukünftiges ist indifferent in seiner Existenz, da es sowohl sein wie nicht sein kann[185]. Ist das Kontingente faktisch in die Existenz versetzt, dann kann es nun, da es existiert, unmöglich nicht existieren. Dennoch ist es möglich, daß es nicht in die Existenz versetzt wäre[186]. Ähnlich liegt es beim Kontingenten der Vergangenheit. Das einmal Geschehene kann nicht ungeschehen gemacht werden. Seine Kontingenz läßt aber zu, daß es auch niemals gewesen sein kann[187]. Der Schlußteil dieser Conclusio wendet sich wieder dem kontingenten Zukünftigen zu und bringt im Vergleich zum Anfang (Anm. 185) nichts Neues.

Die zweite und dritte Conclusio behandeln den theologischen Grundsatz, daß alles Außergöttliche kontingent ist. Dabei stoßen wir auf die höchst moderne Unterscheidung zwischen naturgesetzlicher Notwendigkeit und theologischer Kontingenz: Der Sonnenaufgang gehört notwendig zum Ganzen des Weltgeschehens, das aber von Gott in seinem gewohnten Gang in kontingenter und nicht in notwendiger Weise erhalten wird. Und so kann man den Sonnenaufgang als ein kontingentes Geschehen bezeichnen[188]. In der vierten Conclusio sagt Crathorn, daß kein zukünftiges Kontingentes etwas Reales sei. Da ein solches erst in der Zukunft sein wird, aber auch nicht sein kann, existiert es tatsächlich nicht[189].

[185] Vgl. Crathorn q.19 (Utrum deus cognoscat necessario futura contingentia) (fol. 50 vb 23—32): Secundo videndum, quid est futurum contingens et ad utrumlibet. Et videtur mihi quod isti termini imponuntur ad supponendum pro omni eo quod non est sed erit et possibile est ipsum esse et possibile est ipsum non esse.

[186] Vgl. ebd.: Ens vero contingens vel esse contingenter dicitur id quod est quod licet sit impossibile non esse, dum est, tamen possibile fuit ipsum non esse et possibile est ipsum non fore.

[187] Vgl. ebd.: Contingens praeteritum vel fuisse contingenter dicitur id quod licet impossibile sit non fuisse, potuit tamen non fuisse.

[188] Vgl. ebd. (lin. 37—48): Secunda conclusio est quod omne quod fuit aliud a deo, fuit contingenter... Tertia conclusio est quod omne quod est aliud a deo, contingenter est...
Et si dicitur quod ortus solis necessario erit cras, igitur aliquid aliud a deo erit et tamen necessario erit: dicendum quod ortus solis contingenter erit cras, si erit, et non necessario, quia posset non esse. Licet enim sol non possit cras non oriri conservato universo in cursu solito, universum tamen conservabitur a deo in cursu solito contingenter et non necessario, et ideo sol contingenter orietur.

[189] Vgl. ebd. (lin. 48—55): Quarta conclusio est quod nullum futurum con-

Wir sehen, daß Crathorn in diesen vier Conclusiones sein Augenmerk auf den ontologischen Stand des Futurum contingens richtet. Erst in der fünften Conclusio tritt die Propositio, die ein Futurum contingens bezeichnet, in den Blickpunkt. Jedoch ist es nicht der Aussagecharakter, das Bedeuten oder die Bezeichnungsweise eines solchen Satzes, was ihn zuerst interessiert, sondern dessen ontologischer Stand. Wie wir schon sahen, behandelt Crathorn den Satz als Ganzes wie ein Zeichen, das für einen Sachverhalt steht und darum seine eigene Gegenständlichkeit hat[190]. Ein solcher Satz ist, einmal formuliert, nicht mehr kontingent in dem Sinne, daß er auch nicht sein kann, mag er auch ein Futurum contingens bezeichnen; denn er ist wirklich und nicht nur in Potenz[191]. Die Wahrheit eines Satzes ist somit nicht kontingent, mag er auch etwas Kontingentes bezeichnen[192]. Dennoch kann Crathorn sagen, daß jeder wahre Satz die Wahrheit nur in kontingenter Weise enthält. Da nämlich die Wahrheit des Satzes zu diesem nichts hinzufügt, sondern mit dem Satz zu bestehen aufhört[193], jeder Satz aber an der Kontingenz alles Außergöttlichen teilnimmt, verfällt die Wahrheit des Satzes ebenso wie der Satz selbst der Kontingenz[194]. Hier kündigt sich ein Dilemma an.

tingens ad utrumlibet est aliquid reale, quia isti termini imponuntur ad supponendum praecise pro illis, quae non sunt, sed erunt, possent tamen <non> esse. Igitur nihil quod est, est proprie loquendo futurum contingens ad utrumlibet. Unde si a est futurum contingens ad utrumlibet, a non est, sed erit, licet possibile sit ipsum non fore. Et licet a sit modo futurum contingens ad utrumlibet, tamen pro isto instanti conclusio erit verum dicere: a erit, a non erit futurum contingens ad utrumlibet.

190 Vgl. „Die Lehre vom Glauben", S. 254.

191 Vgl. Crathorn, a.a.O. (lin. 55 — fol. 51 ra 1): Quinta conclusio est quod nulla propositio est futurum contingens ad utrumlibet, quia omne istud quod est propositio, est actualiter et non solum in potentia. Sed nullum futurum contingens ad utrumlibet est actualiter, sed potentia solum. Igitur nulla propositio est futurum contingens ad utrumlibet. Unde si a sit futurum contingens ad utrumlibet et ista propositio scribatur: a erit, licet significet futurum contingens ad utrumlibet et formetur de futuro contingenti ad utrumlibet, tamen non est futurum contingens ad utrumlibet.

192 Vgl. ebd. (lin. 1—4): Sexta conclusio est quod hoc complexum verum: a erit, non est verum contingens ad utrumlibet nec veritas ipsius est veritas contingens ad utrumlibet, licet sit de contingenti ad utrumlibet.

193 Vgl. „Die Lehre vom Glauben", S. 254.

194 Vgl. Crathorn, a.a.O. (lin. 4—9): Septima conclusio quod omnis propositio vera contingenter est vera, quia omnis propositio potuit non fuisse vera et poterit non esse vera. Igitur omnis propositio vera contingenter est vera. Antecedens probo, quia omnis propositio potuit non fuisse propositio et poterit non esse propositio et per consequens potuit non fuisse vera, sicut potuit non fuisse propositio.

In der zehnten Conclusio wendet sich Crathorn den Sätzen zu, die etwas Nichtkontingentes bezeichnen. Sie können niemals falsch werden, obwohl sie kontingent sind; denn Sätze wie: „Gott ist", „Gott war", „Gott wird sein" können niemals etwas Falsches bezeichnen, obwohl es möglich ist, sie niemals zu formulieren[195]. In dieser Conclusio wird das Dilemma offenbar, in das man durch die Gleichsetzung von Aussage und Wahrheit geraten kann. Wie soll die Kontingenz der Propositio dann ohne Auswirkung auf die Wahrheit des Bezeichneten bleiben? Crathorn ist tatsächlich die Antwort darauf schuldig geblieben und rettet sich allein mit der Berufung auf ein Prinzip logischer Methodik.

In der elften Conclusio wird das Problem genau formuliert und an einem Beispiel veranschaulicht. Aus den kontingenten Sätzen: „Gott ist", „Gott wird sein", „Gott war" müßte man (nach Crathorns Theorie) auf die Kontingenz des göttlichen Seins schließen. Aber dieser Schluß ist falsch; denn etwas Wahres beweist nie etwas Falsches[196]. Wir können im Laufe dieser Quaestio dieses Axiom wiederholt finden. Für Holcot stellt sich das Dilemma, das Crathorn wie den Gordischen Knoten zerschlagen möchte, erst gar nicht, weil er von vornherein auf der Ebene der aussagenlogischen Methodik disputiert und dort alle Regeln der Ars obligatoria, die er meisterhaft beherrscht, ins Spiel zu bringen vermag. Allerdings sind Aussagen wie: „Gott kann täuschen", „ein Prophet kann bewirken, daß er kein Prophet ist" u. ä. nur annehmbar, wenn sie nicht unmittelbar sachlich und herausgelöst aus dem Geflecht der Disputationsmethode genommen werden. Dies hat Crathorn offenbar getan, wenn er gegen Holcots Thesen polemisiert, was an mehreren Stellen deutlich erkennbar ist. Wiederholt lehnt er die These ab, Gott könne eine Anordnung oder eine Voraussage zunichte oder falsch machen[197]. Wir sahen, daß bei Holcot ein sol-

---

[195] Vgl. ebd. (lin. 12—18): Decima conclusio est quod aliquae propositiones, si formantur et concipiantur ut signa alicorum, ista duo non stant simul quod tales propositiones sunt formatae et intellectae modo praedicto et quod sunt falsae respectu illorum significatorum, sicut patet de istis: Deus est, deus erit, deus fuit. Sed ex hoc non sequitur quod non sint contingenter verae, quia contingenter sint formatae, et possibile fuit ipsas non formari.

[196] Vgl. ebd. (lin. 18—22): Undecima conclusio est quod ista consequentia non valet: Istae propositiones: Deus est, deus erit, deus fuit, sunt verae contingenter; igitur deus est contingenter, deus fuit contingenter, erit contingenter, quia antecedentia illarum consequentiarum sunt vera et consequentia falsa. Et certum est quod verum non infertur falsum; igitur etc.

[197] Vgl. ebd. (fol. 51 rb 22—34): Supponatur quod a sit futurum contingens ad utrumlibet producendum in b instanti futuro et sit instans futurum ad mille

cher Ausspruch als paradoxer Ausdruck für die Kontingenz alles außergöttlichen Geschehens zu verstehen ist, die unbedingt durchgehalten werden muß.

Neben dem formal logischen Axiom, daß aus Wahrem nichts Falsches hergeleitet werden könne, stützt sich Crathorn auf die Begriffsbedeutung von „kontingent". In ihr liege die Nichtnotwendigkeit eingeschlossen. Darum erstrecke sich Gottes Wissen über zukünftiges Kontingentes sowohl auf die Möglichkeit der Existenz wie die der Nichtexistenz des Gewußten[198]. Diese Argumentation richtet sich gegen Holcot, geht aber im Grunde an seinen sublimen aussagenlogischen Analysen vorbei. Crathorn bekämpft vor allem Holcots These, die Kontingenz eines Zukünftigen erfordere, daß Gott von dessen Eintreten kein Wissen habe, nämlich dann, wenn es nicht eintritt. Crathorn geht an einer Stelle so weit zu fordern, daß der Sicherheit des göttlichen Vorherwissens die Sicherheit des Geschehens entsprechen müsse[199]. Diese Behauptung nähert sich sehr

annos, si ista propositio: a crit in b, fuisset scripta et conservata a deo ab aeterno, ab aeterno fuisset vera, nec deus de tota potentia sua potuit ipsam falsificare in alico instanti praeterito vel alico modo fecisse quod non fuisset vera in alico instanti praeterito ipsa propositione non corrupta sed conservata in eodem instanti. Et si ponatur quod ista propositio: a erit in b, conservetur usque ad b instans, in quo creabitur a, huic propositioni non est compossibile quod praedicta propositio sit falsa in alico instanti citra b. Et tamen hoc non infert quod a necessario erit in b vel quod a necessario producetur in b. Cum hoc enim stat quod a erit contingenter et quod a erit futurum contingens ad utrumlibet producendum in b instanti futuro contingenter.

Vgl. ebd. (fol.51 va 6—11): Si dicitur quod deus non potest producere a in b, quia est modo potens ad non producendum a in b, et ideo haec potest esse falsa: a erit in b in quolibet instanti citra b: Sed istud non valet. Probo quia haec: a erit in b, infert istam: a potest non esse in b. Consequentia est necessaria, ut dictum est supra conclusione duodecima, et veritas consequentis nunquam arguit, suum antecedens posse esse falsum.

[198] Vgl. die vorhergeh. Anm., ferner ebd. (lin. 48—55): Decima septima conclusio est: Si a est futurum contingens ad utrumlibet in b instanti futuro ad mille annos, deus modo praescit a futurum in b. Et tamen a posse non esse in b non arguit deum posse nescire a futurum in b in alico instanti citra b. Probo quia ista: Deus scit a futurum in b, infert istam scilicet posse non fore in b, quia deus scit a esse futurum contingens ad utrumlibet. Igitur cum veritas consequentis non inferat antecedens posse esse falsum, ista consequentia non valet: a potest non esse in b; igitur deus potest nescire a fore in b in alico instanti citra b.

[199] Vgl. ebd. (fol. 51 vb 42—53): Ad ista argumenta et consimilia danda est consimilis responsio, et qui scit respondere ad unum, scit respondere ad omnes. Ad primum dicendum quod, si a est futurum in b, deus ab aeterno scivit quod a erit in b. Et ista: Deus scivit quod a erit in b, bene infert istam: a erit in b ita quod consequentia ista est bona et necessaria, si fiat. Et quando

der Lehre Bradwardines von der absoluten göttlichen Vorherbestimmung. Crathorn bemüht sich, trotzdem die Kontingenz des Geschehens durchzuhalten. Doch Holcot hat die formal-logische Konsequenz auf der Seite seiner Argumentation[200]. Die These Holcots, Gott könne vom Eintreten des kontingenten Zukünftigen nicht wissen, obgleich er um dessen kontingente Zukünftigkeit wußte, weil die Kontingenz die Möglichkeit des Ausbleibens einschließe und dies wiederum das Nichtwissen Gottes erfordert, erwähnt Crathorn mit dem Ausdruck tiefster Ablehnung, ohne Holcot beim Namen zu nennen. Eine solche Meinung widerspreche dem gesunden Menschenverstand[201]. Darauf legt er in unermüd-

dicitur quod antecedens est necessarium, igitur consequens: Dico quod antecedens est ista propositio: Deus scivit ab aeterno quod a erit in b. Et consequens est haec propositio: a erit in b. Et sicut patet ex supradictis: Nulla propositio est necessario vera, quia nulla propositio est necessaria. Ideo istud antecedens non est necessario verum sed contingenter est verum, sicut contingenter est, et potest non esse verum, sicut potest non esse, et potest esse falsum, quia si a est futurum in b instanti, adveniente b et producto a in b instanti haec est falsa: Deus scivit quod a erit in b. Concedo tamen, si a erit futurum in b quod haec: Deus scivit ab aeterno quod a erit in b, erit vera in quolibet instanti, si formatur in quolibet instanti citra b, et impossibile est hanc esse falsam in alico instanti citra b: Deus scivit ab aeterno quod a erit in b.

[200] Crathorn sucht die Kontingenz und die ihr vorausgehende Freiheit Gottes von der Bedeutung der Begriffe her festzuhalten, während Bradwardine mehr theologisch argumentiert. Holcots Gegenargumente stützen sich in jedem Fall auf die Künste der logischen Disputation (Ars obligatoria). Vgl. o. S. 329f die Argumentation gegen Bradwardine.

[201] Vgl. Crathorn, a.a.O. (fol. 51 va 56 — vb 16). Decima octava conclusio est: Si a est futurum in b, deus sciret ab aeterno quod a erit in b. Et tamen a posse non fore in b non arguit deum posse nescivisse a futurum in b. Et probatur ista sicut praecedens, quia a posse non fore in b, est consequens ad istam: Deus scivit ab aeterno a fore in b.
Secundo probatur sic, quia verum non infert impossibile. Sed haec est vera: a potest non fore in b; haec autem impossibilis: Deus potest nescivisse vel non scivisse a futurum in b in alico instanti citra b, si deus scivit a futurum in b. Probo primo, quia haec est de praeterito: Deus scivit quod a erit in b; igitur postquam a est futurum in b, deus non potest non scivisse a futurum in b.
Dicitur quod, licet ista sit de praeterito, tamen dependet a futuro. Et ideo licet deus scivit a esse futurum, tamen potest non scivisse.
Contra: Licet ista: Deus scivit quod a est futurum in b, formetur de futuro, tamen si divina essentia in aliquo instanti praeterito fuit scientia istius complexi veri: a est futurum, non potest non fuisse scientia istius complexi in isto instanti, immo intellectus cuiuscumque bene dispositus vel bene dispositi horreret istam sicut falsam: Deus scivit quod a est futurum et deus potest non scivisse quod a est futurum, sicut quilibet potest experiri in seipso.
Probatur secundum ista: aliquis fidelis, qui credidit resurrectionem mor-

lichen Formeln dar, wie das „Wissen" und „Nichtwissen" Gottes
bezüglich eines kontingent Zukünftigen korrekt ausgedrückt werden muß[202]: Wenn A (als Futurum contingens) in B geschehen
soll, dann wußte Gott von Ewigkeit, daß A in B geschehen werde.
Er hätte es niemals in einem Augenblick vor dem Augenblick B
nicht wissen können . . . (Wir kürzen die wiederholten Formulierungen ab, die Crathorn gebraucht.) Dennoch konnte Gott in
jedem Augenblick vor dem Augenblick B nicht wissen oder nach
dem Augenblick B nicht gewußt haben, daß A in B geschehen wird.
Die Begründung leitet Crathorn mit quia ein: Wenn nämlich der
Augenblick B herangekommen ist und A und B wirklich sind,
⟨was Gott jederzeit bewirken kann⟩, dann ist folgender Satz wahr:
Gott weiß nicht, daß A in B geschehen werde. (Es ist ja bereits
geschehen. Dieser futurische Satz wird darum im Augenblick B
falsifiziert.) Und auch dieser Satz ist wahr: Gott wußte niemals, daß
A im Augenblick B geschehen werde, obgleich folgender Satz in
jedem Augenblick nach B falsch ist: Gott wußte nicht, daß A in
B geschehen werde. Schwierig ist es, den Sinn des Satzes zu verstehen: „Gott wußte niemals, daß A in B geschehen werde", der für
den Augenblick B gilt, in dem A geschehen ist. Hier hilft allein die
Kunst der Logik weiter. Man vergleiche diesen Satz mit dem sofort
folgenden Konditionalsatz. Beide unterscheiden sich nur durch den
Gebrauch der Verneinung: „niemals" und „nicht". Lösen wir die
Verneinung „niemals" (nunquam) auf in „nicht jemals" (non
unquam), dann lautet das kontradiktorische Gegenteil dazu: „Gott
wußte jemals, daß A in B eintreten werde." Dieser Satz wird aber
in dem Augenblick, da A hervorgebracht wird, falsifiziert, und es
wird sein Contradictorium wahr. Dieses ganze Spiel der Aussagen
über Gottes Wissen und Nichtwissen des Kontingenten ist lediglich
gegen Holcots paradoxe Redeweise gerichtet und bringt die Frage

tuorum esse futuram, posset modo non credidisse ipsam esse futuram quod
non est intelligibile.

[202] Vgl. ebd. (lin. 16—28): Ideo dico, si a est futurum in b, deus ab aeterno
scivit quod a est futurum [est] in b nec potest modo non scivisse quod a
est futurum in b, nec in alico instanti citra b potest deus non scire vel non
scivisse quod a est futurum in b, ad intellectum istum: Deus non potest
modo non scire vel non scivisse quod a est futurum, nec poterit in alico
instanti citra non scire in illo instanti vel non scivisse quod a est futurum
in b. Tamen deus modo potest et in quolibet instanti citra b poterit non
scire vel non scivisse in quolibet instanti post b quod a est futurum in b,
quia adveniente b instanti et producto a et b instanti haec est vera: Deus
non scit quod a est futurum in b, et haec est vera: Deus nunquam scivit quod
a est futurum in b, licet haec sit falsa in quolibet instanti post b: Deus non
scivit a fuisse futurum in b.

selbst keinen Schritt weiter. Beachtenswert bleibt natürlich die Methodik, die auch Crathorn auf die Frage nach den Futura contingentia anwendet. Hier bewirkt die Entscheidung Crathorns, den ganzen Satz als Zeichen für einen Sachverhalt anzusehen, den entscheidenden Unterschied zu Holcot.

Folgende Ergebnisse können wir aus der bisherigen Analyse der Crathorn-Texte gewinnen: In der Vorliebe für die Anwendung der Logik zur Lösung theologischer Fragen bewegt er sich auf dem gleichen Boden wie Holcot. Er folgt ihm aber nicht in jene äußerst sublimen, zuweilen spitzfindigen Formulierungen, die Holcot aus der Ars obligatoria gewinnt. Gewisse Argumente, die wir zunächst als gegen Bradwardine gerichtet erkannt haben[203], treffen auch auf Crathorns Thesen zu. Allerdings scheint es, daß Holcot bei seinen Thesen über die Futura contingentia an mehrere Mitmagister dachte, denen er widersprach. Einen unter ihnen nennt er mit besonderer Achtung und gleichsam als den Führer der Gruppe[204]. Wenn wir zwischen Bradwardine und Crathorn wählen sollen, dann möchten wir uns für Thomas Bradwardine entscheiden.

Der weitere Verlauf der Quaestio Crathorns bringt nichts Neues mehr. Die Argumente wiederholen sich. Gegen Ende faßt Crathorn noch einmal die gegnerische Meinung in drei Argumenten zusammen: 1. Alles zukünftige Kontingente kann sein oder nicht sein; „A ist" kann darum wahr und nicht wahr, wahr oder falsch sein. 2. Wenn das Kontingente (=A) nicht ist, dann weiß es auch Gott nicht als Seiendes. Ist der Vordersatz kontingent, dann ist es auch der Schlußsatz. Darum kann dies wahr sein: Gott weiß nicht, daß A sein werde, wenn A ist, wie ja auch wahr sein kann, daß A nicht ist, wenn A tatsächlich ist. 3. A ist nicht; also weiß Gott nicht, daß A sein wird. Wer aber bewirken kann, daß der Vordersatz wahr ist, kann auch den Schlußsatz wahr machen. Also . . .[205].

---

[203] Vgl. o. S. 329f.

[204] Vgl. o. Anm. 103.

[205] Vgl. Crathorn, a.a.O. (fol. 52 va 4—14): Sed contra ista arguitur sic: Omne futurum contingens ad utrumlibet potest esse et non esse; igitur haec: a est, potest esse vera et non vera, vera et falsa.

Secundo sic: Haec est contingens: a non est; sed sequitur: a non est; igitur deus non scivit a fore. Cum igitur antecedens sit contingens, et consequens; igitur haec potest esse vera: Deus non scivit a fore in posito quod a est, sicut haec potest esse vera: a non est, si a sit futurum.

Tertio sic: Sequitur: a non est. Igitur deus non scivit a fore; igitur qui potest facere quod antecedens sit verum, potest facere quod consequens sit verum. Sed haec potest esse vera: a non est, quia a poterit non esse; igitur haec poterit esse vera: Deus non scivit a fore.

Diese Argumente geben verkürzt Holcots Beweisführung wieder.
Crathorns Antwort bestätigt die Grundvoraussetzungen seiner
Beweisführung. Er unterscheidet zwischen dem ontologischen Status des Satzes und dem des Geschehens. Als ein Geschehendes hat
der Satz seine eigene Kontingenz und braucht an der Kontingenz
des Geschehenden nicht teilzunehmen. Als Zeichen hat er seine
eigene Gegenständlichkeit und ist streng determiniert. Ändert sich
das Geschehen, dann wird er falsch. Die Aussage: „A ist nicht (wird
nicht sein)", die Holcot als kontingente Möglichkeit offen läßt,
lehnt Crathorn demzufolge als falsch ab[206].

Wir sehen, wie sich die Polemik zwischen diesen beiden Magistern auf dem Felde der Disputierkunst abspielt. Holcot läßt Aussagen gelten, die nur im Spiel der Ars obligatoria erträglich
sind[207]. Crathorn lehnt solche Sätze ab, weil für ihn der Satz als
Ganzes Zeichen für einen Sachverhalt ist. Er verliert seine Wahrheit, wenn er als Zeichen nicht mehr zutrifft. Crathorn ist in diesem
Punkt erkenntnistheoretisch viel mehr „Realist" als Holcot. Beide
Magister haben in dieser Polemik nicht mit sarkastischen Bemerkungen gespart. Für Holcot ist aber das Problem nicht nur eine
Frage der richtigen Aussageweise. Vielmehr geht es ihm wie
Ockham um die kräftige Herausstellung der geschöpflichen Kontingenz und der göttlichen Freiheit. Übrigens wirkt auch bei Crathorn diese Tendenz stets mit. Im Hintergrund scheint jedoch Bradwardine zu stehen, der wohl dem Streit die entscheidenden theologischen Akzente gab. Holcot wie Crathorn gehen dem Problem
mit der Kunst der Logik zu Leibe. Während sich bei Crathorn
aber doch das Gewicht mehr der Notwendigkeit des Zukünftigen,

---

[206] Vgl. a.a.O. (fol. 52 va 42—49; b 5—10): Ad primum istorum dicendum quod
haec propositio formata: a est (l. erit) in b, non est futurum contingens
ad utrumlibet, licet formetur de futuro contingenti ad utrumlibet; nec est
vera contingenter ad utrumlibet, sed est determinate vera, et impossibile
est quod sit falsa respectu istius significati stante significatione terminorum
citra instans vel tempus, in quo a est. Et tamen: ex hoc non sequitur quod
a necessario est; a vero producto haec eadem propositio est falsa, si maneat
scripta, et impossibile est ex tunc eam verificari scilicet istam: a erit in b
instanti, quia impossibile est b esse post b.
Ad secundum dicendum quod haec propositio: a non erit, est res contingens
et est contingenter, sed non est res futura contingenter ad utrumlibet nec
est futura falsa contingenter ad utrumlibet, sed est determinate falsa illo
casu posito, et impossibile est eam esse veram usque ad tempus certum, ut
patet ex dictis.
Ad tertium dicendum quod ista: a non est (l. erit), est determinata falsa
nec potest verificari citra productionem ipsius; ergo arguens assumit falsum.
[207] Vgl. o. S. 320.

was Gott in Freiheit erkannt und vorausgesagt hat, zuneigt, sucht Holcot mit Hilfe seiner aussagenlogischen Dialektik das Paradoxon zwischen der absoluten Gewißheit göttlichen Wissens, der Freiheit göttlichen Wollens und der Kontingenz des außergöttlichen Geschehens aufrechtzuerhalten. Ob ihm dies gelungen ist, wird wahrscheinlich von den Theologen je nach ihrem theologischen Konzept, das sie vom Verhältnis von göttlichem und geschöpflichem Wirken im Hinblick auf das Heil haben, immer verschieden beurteilt werden. Die Aufgabe dieser Arbeit bestand nicht darin, diese Frage einer Entscheidung näher zu bringen. Hier ging es darum zu zeigen, welcher Mittel und Wege sich ein Magister bediente, um theologische Fragen zu erörtern und wo möglich zu entscheiden.

5. Zusammenfassung

Die formal oft so antinomischen Aussagen bei Holcot erweisen sich als ein kunstvolles Spiel scholastischer Disputation, in der bestimmte theologische Sätze besonders herausgestellt werden sollen: die Freiheit des göttlichen Willens; seine Unveränderlichkeit in den ewigen Ratschlüssen, auch wenn sie Kontingentes betreffen[208]; die Begründung der Kontingenz im göttlichen Handeln selbst. Daher ist kontingent nicht gleichzusetzen mit zweifelhaft[209]. Die Kontingenz einer Glaubenswahrheit mindert nicht die Festigkeit der Glaubens-

[208] Vgl. Holcot, Quodl. P. (187 vb 4—25): Ultra ad aliam formam: Deus faciet immutabiliter quod resurrectio erit; igitur necessario immutabiliter hoc implebit secundum Anselmum. Nego consequentiam, quia nulla necessitate hoc implebit sed solum libere et contingenter, et potest non implere, si voluerit sine quacumque sui mutatione, sicut potest velle quod nunquam voluit et facere quod nunquam facere disposuit sine quacumque mutatione, sicut docet Magister primo Sententiarum d.43 c.11 (c. unico, ed. ²1916, p.268 n.398). Potest, inquit, deus aliud facere quam facit et tamen, si aliud faceret, non alius ipse esset. Et potest aliud velle, quam vult, et tamen eius voluntas nec alia nec nova nec mutabilis esse potest. Etsi enim potest velle quod nunquam voluit, nec tamen noviter nec nova voluntate sed sempiterna tantum velle potest. Potest enim velle quod ab aeterno potuit voluisse. Igitur patet secundum Magistrum quod ista consequentia non valet: Potest velle oppositum illius quod nunc vult; igitur voluntas eius est mutabilis, quia potest nunquam voluisse istud quod modo vult, sicut potest nunquam voluisse Petrum esse praedestinatum.

[209] Vgl. ebd. (lin. 26—36): Ad quartodecimum quando arguitur quod, si debemus credere quod resurrectio erit contingenter, igitur non debemus aequali certitudine credere quod hoc erit quod potest non esse, sicut credo quod hoc fuit quod potest non fuisse. Dico quod aequaliter adhaereo duabus propositionibus et tamen uni adhaereo sicut necessariae et alteri sicut contingenti, quia utrique adhaereo propter auctoritatem dicentis, quae una est. Et ille qui dicit quod utraque est vera, dicit quod una est necessaria et alia contingens.

zustimmung, die der Autorität Gottes gilt, der das Notwendige
wie das Kontingente mit gleicher Autorität offenbart. Auch hebt
die Kontingenz nicht die Sicherheit der Seligkeit auf[210]; denn die
Sicherheit, mit der die Seele Christi um ihre Seligkeit weiß, ist frei
und kontingent von Gott geschenkt. Nur so entspricht sie dem
Stand der Geschöpflichkeit, wie wir bereits gezeigt hatten[211]. Wir
sehen schließlich, wie die Erörterung der Kontingenz zum Gottesbegriff hinführt und umgekehrt, wie vom Gottesbegriff her die
Kontingenz einsichtig gemacht wird. Wir erkennen daran die formale Einheit des theologischen Entwurfes bei Holcot. Von der
Kontingenz werden wir auf die Gotteslehre verwiesen.

Das Ergebnis der Lehre Holcots läßt sich in zwei Feststellungen
zusammenfassen. Die erste betrifft die Methode. Die zuweilen so
extremen Formeln Holcots dürfen nicht für sich genommen werden. Man kann für sie nur Verständnis finden, wenn man sie im
Zusammenhang der gesamten, von Logik und Sprachlogik geformten Methode beläßt, in die der Magister seine Theologie wie in
ein Koordinatensystem einfügt. Wir konnten an gegebener Stelle
noch deutlicher sehen, wie gerade in diesem sprachlogisch-metho-
dischen Aspekt für Holcot der Wissenschaftscharakter der Theologie zur Geltung kommt, und dies entgegen seiner von der Sache
her erhobenen Skepsis gegenüber der aristotelischen Logik innerhalb der Theologie[212]. Die zweite Feststellung war sachlicher Art.
Sie sei hier nur kurz wiederholt. Holcots Kontingenzlehre ergibt
sich aus seinem Gottesbegriff, näherhin aus seiner Lehre von der
absoluten Freiheit und Unveränderlichkeit Gottes. Andererseits
berücksichtigt sie den Stand der Geschöpflichkeit, der für alles
Sein und Wirken außerhalb des göttlichen Wesens selbst die Notwendigkeit ausschließt. Notwendigkeit wird hier im metaphysischen Sinne verstanden, nicht in dem der Naturnotwendigkeit, den
Holcot mit Thomas von Aquin und den meisten Magistern der
Scholastik dem Prozeß des menschlichen Erkennens zu Grunde

---

[210] Vgl. ebd. (fol. 188 ra 17—26): Ad ultimum quando arguitur quod pari
ratione omne quod erit, contingenter erit et sic continuatio beatitudinis
animae Christi erit contingenter et sic non haberet securitatem de sua
beatitudine: Nego ultimam consequentiam, sed deus libere et contingenter
continuabit beatitudinem animae Christi. Ipsa tamen habet securitatem quod
libere continuabitur et quod posset non continuari. Alias enim foret decepta,
si sic crederet se beatam quod necessario foret beata. (Damit schließt die
Quaestio.)

[211] Vgl. Anm. 87.

[212] S. „Der Wissenschaftscharakter der Theologie", S. 127f.

legt²¹³. So steht die Lehre von der Kontingenz bei Holcot im Zusammenhang seines ganzen theologischen Denkens. Die Verbindungslinien zu anderen theologischen Lehren muß man sich vergegenwärtigen, wenn einzelne Sätze in ihrer extremen, antinomischen, systemsprengenden Formulierung erschrecken. Dieser methodische Grundsatz, die einzelnen Aussagen Holcots, die so oft zu radikalen Thesen ausformuliert sind, immer im Zusammenhang der ganzen Theologie zu sehen, muß auf alle theologischen Gebiete angewandt werden. Sonst kommt es leicht zu einseitigen Urteilen. Die Verneinung der natürlichen Gotteserkenntnis wird als Skepsis und Agnostizismus gedeutet²¹⁴. Holcot hat jedoch keineswegs die entscheidende Verantwortung der natürlichen menschlichen Überlegung für die Erkenntnis Gottes und des göttlichen Heils geleugnet. Im Gegenteil! Die Autorität der heidnischen Philosophen auch in Fragen der Gotteserkenntnis wird von Holcot wie bei den Magistern der Scholastik vor ihm benutzt, wenn er auch ihr Wissen auf göttliche Offenbarung zurückführt²¹⁵. Ähnliches gilt für die Beurteilung der Gnaden- und Prädestinationslehre. Auf Grund einzelner Aussagen könnte man Holcot ebensogut eines extremen Voluntarismus zeihen wie andrerseits des Pelagianismus²¹⁶. Wenn

---

²¹³ Daraus erklärt sich Holcots Lehre, daß die rein intellektive Zustimmung nicht vom Willen, sondern durch die Einsicht in die Evidenz einer Erkenntnis bewirkt wird. Vgl. I Sent. q.1 C (fol. a II rb 50 — va 7): Experiri enim quilibet potest in seipso quod proposita sibi propositione, quae est sibi neutra vel dubia, puta quod rex sedet vel quod papa est Romae, non potest sine alia ratione addita assentire vel dissentire; sed velit nolit, nisi plus concipiat, propositio erit sibi dubia sicut prius et manebit sibi dubia, donec cogatur assentire ei propter evidentiam connexionis illius ad aliam propositionem, quam credit esse veram, vel propter testimonium aliquorum, quibus rationabiliter debet credere, vel propter notitiam aliquam intuitivam novam in eo vel quia aliquo modo aliter sibi apparet de significato illius propositionis, quam ante apparuit.

²¹⁴ Vgl. H. A. Oberman, Spätscholastik und Reformation I. Der Herbst der mittelalterlichen Theologie, 220—227. Verf. hält diesem Urteil eine Reihe von Stellen aus dem Weisheitskommentar Holcots entgegen. Für das weit verbreitete Urteil des Skeptizismus bei Holcot kann er auf mehrere Autoren verweisen: K. Michalsky, Les curants philosophiques à Oxford et à Paris pendant le XIV. siècle, Krakau 1920, 70. D. Knowles, The Religious Orders in England, II, Cambridge 1955, 80f. G. Leff, Bradwardine and the Pelagians, 216. B. Smalley, Robert Holcot, 82; dslb., English Friars and Antiquity in the Early Fourteenth Century, 183, 185f. A. Meissner, Gotteserkenntnis und Gotteslehre nach dem Englischen Dominikanertheologen Robert Holcot, 30.

²¹⁵ Vgl. Oberman, a.a.O. 223f.

²¹⁶ Für Holcot ist die Schöpfungs- und Heilsordnung in den absolut allmächtigen und freien Willen Gottes gelegt. Dafür gebraucht er die extreme Formel:

---

es gilt, die absolute Freiheit Gottes und den radikalen Anfang des Heils im göttlichen Willen auszusagen, findet Holcot ebenso „einseitige Thesen" wie für das entgegengesetzte Anliegen, wenn Gott nun förmlich zum „Schuldner" des Geschöpfes wird, eine Formel, in der die Verantwortung des Geschöpfes und die leben-

Gott ist in dieser Hinsicht „ungerecht", weil er niemandem die Ordnung des Heils schuldet. Auch die kurze Formel, die auf Anselmus zurückgeht, könnte bei Holcot im Sinne eines extremen Voluntarismus ausgelegt werden. Vgl. Holcot, II Sent. q.1 (fol. f III ra 24—48). (Text vgl. o. S. 51 Anm. 110f).
Holcot benutzte bald danach das Omnipotenzprinzip, um die absolute Freiheit Gottes in seinem Wirken nach außen zu zeigen. Zugleich zeigt diese Stelle, wie er einen Mißbrauch dieses Prinzips durch den Pelagianismus kurzer Hand zurückweist. Daß Gott auf Grund der Allmacht annehmen kann, wen er will, auch in puris naturalibus, bedeutet nicht, daß diese Annahme ex puris naturalibus verdient werden kann. Holcot spricht nämlich nicht von einem Angenommen-werden des Geschöpfes aus dessen natürlichen Kräften und Verdienst, sondern „sine meritis". Es geht also gar nicht um die Frage Natur und Gnade, sondern um die Herausstellung der absoluten Freiheit Gottes auch gegenüber dem natürlichen Tun und Können des Geschöpfes! Diese Stelle stützt Obermans Argumentation gegenüber Leff (a.a.O. 230). Vgl. Holcot, ebd. (fol. f III va 52 — b 7): Ad quintum quando arguitur de homine creato sine originali etc. nihil habemus dicere secundum legem statutam nunc. Deus tamen posset multipliciter ordinare, sicut sibi placeret vel annihilando ipsum vel conservando sibi vitam aeternam sine meritis. Et non valet: Ponitur in coelo sine meritis; igitur homo potest mereri coelum ex puris naturalibus, sicut patet. Et posset eum ponere in inferno, si vellet, vel posset eum manutenere extra pro semper, sicut vellet, et quicquid faceret, iuste fieret tertio modo exponendo ly iuste. Andrerseits bezeichnet Holcot an derselben Stelle Gott als Schuldner des Geschöpfes im eigentlichen Sinne; freilich wird der eigentliche Pelagianismus mit dem Hinweis abgewiesen, daß Gott sich selbst zum Schuldner des Geschöpfes machen kann. Damit wird jedoch das Geschöpf in einen Stand gesetzt, in dem es in wirklicher Partnerschaft zu Gott steht, und zwar im Hinblick auf das Heil. Die Stelle lautet (fol. f III ra 48 — b 14): Ad istum intellectum datum quod alicui non sit inconveniens isto modo loqui de deo dicendo deum debitorem creaturae et quod deus facit quod debet et sicut debet, probo sic: Hoc est verum de deo; igitur non est inconveniens deo. Consequentia patet, quia medium inconveniens deo est impossibile secundum Anselmum. Antecedens probo sic: Omne communicans alteri communicatione politica debet alteri quod sibi promittit; sed deus communicat hominibus communicatione civili sicut dominus servis et eis multa promittit; igitur post promissionem est vere debitor. Confirmatur ratio, quia non est inconveniens ponere in deo illud, sine quo fidelitas servari non potest neque eius veritas; sed si promisit et non est debitor, non est fidelis. Secundo sic: Homo potest mereri apud deum; igitur potest deum facere debitorem suum. Consequentia patet, quia mereri non est aliud quam quod aliquis faciat sibi debitum vel quod faciat sibi idem vel magis vel alio modo debitum seu multiplicius debitum, ita quod in diffinitione istius termini mereri includitur facere aliquod debitum. Ergo homo merendo apud deum facit aliquem sibi debitorem et non nisi deum; igitur etc.

dige personale Partnerschaft zu Gott zum Ausdruck kommt. So dürfen uns die aufgezeigten antinomischen Sätze in der Kontingenzlehre Holcots nicht zu einem einseitigen Gesamturteil verleiten.

Wenige Zeit später sind solche Sätze anscheinend zu feststehenden Formeln geworden. Sie mögen zum Verruf dieser Theologie geführt haben, weil sie an sich und nicht mehr im methodischen und sachlichen Zusammenhang des ganzen theologischen Denkens gesehen wurden. Die Formeln bestätigen zugleich, daß Holcots Theologie nicht die eines einsamen Außenseiters ist. Dies ist auch das gemeinsame Ergebnis der beiden Arbeiten von H. A. Oberman und Gordon Leff[217] über Thomas Bradwardine. Obwohl das Urteil der beiden Autoren über den Magister selbst auseinandergeht, so sehen sie ihn doch beide im Kampf mit einer Gegnerschaft, die in den theologischen Fragen der Mitwirkung Gottes mit seinen Geschöpfen im Grunde übereinstimmen.

Eine Zusammenstellung von solch kurzen, formelhaften Sätzen über die Kontingenz und das Vorherwissen Gottes habe ich in einer Handschrift gefunden, die sich jetzt im Besitz des Britischen Museums in London befindet und aus der Bibliothek des St.-Nikolaus-Stiftes aus Kues, also dem Eigentum des Nikolaus Cusanus stammt. Es handelt sich um den Codex Harleiensis 3243. Der Text steht fol. 78 (88) und enthält Notizen aus einem nicht angegebenen Werk des Richard Camasale über unsere Materie[218]. Die Formeln, die wir dort finden, muten uns nun ver-

---

[217] Vgl. H. A. Oberman, Archbishop Thomas Bradwardine, a Fourteenth Century Augustinian.
Vgl. Leff, Bradwardine and the Pelagians.

[218] Wir bringen hier den vollständigen Text dieses Stückes, der in der Hs nur 1½ Spalten umfaßt. Vgl. Brit. Mus. Cod. Harl. 3243, fol. 78 (88) va — b 22 (Der Codex hat an dieser Stelle eine doppelte Seitennumerierung.): Notabilia quaedam Magistri Richardi Camasale pro materia de contingenti et praescientia dei.
1. Aliqua propositio est contingenter vera et tamen non potest mutari a veritate in falsitatem, quamvis possit esse falsa. Ratio est quia ista: Antichristus erit, est vera et potest esse falsa. Sed si falsa ponitur, ab aeterno falsa fuit, ita quod ibi non esset mutatio et istud tenendum est de propositionibus de futuro.
2. Aliqua propositio est vera et potest esse falsa et tamen non potest cessare esse vera, quia si cessaret a veritate, mutaretur a veritate in falsitatem. Eodem modo est aliqua falsa, et potest esse vera et tamen non potest cessare esse falsa, quia si falsa ponitur, ab aeterno fuit falsa et per consequens non incipit esse falsa, et si non incipit esse falsa, non desinit esse vera. Et ita intendit doctor, cum dicit quod ibi est necessitas immutabilitatis sed non inevitabilitatis. (*Text:* necessitatis)

3. Tertium: Deus vel alius potest scire utrumque contradictorium et tamen nec utrumque simul nec unum post alterum, quia utrumque potest esse verum et tamen nec simul nec alterum post alterum. Patet ex primo notabili.

4. Aliqua sunt contradictoria, quorum utrumque potest esse verum nec tamen simul nec unum post alterum.

5. Aliqua sunt, quae non sciuntur a deo et possunt sciri ab eo et tamen si nunc scirentur a deo, non aliter se habuissent nunc, quam prius se habuissent vel quam ab aeterno se habuerunt. Nam si ista, quae nunc non sunt scita, essent scita a deo, semper fuissent scita et per consequens non aliter se haberent nunc quam prius. Tunc ab aeterno se habuissent, si essent nunc a deo scita; deus enim potest scire antichristum non venturum sicut antichristus potest esse non venturus.

6. Aliqua propositio ab aeterno fuit vera, quae potest esse falsa et tamen si esset falsa, non aliter se haberet quam ab aeterno habuisset.

7. Ego possem facere aliquam propositionem fuisse scitam a deo, quae non est scita a deo et econverso, quia ponatur quod a nunquam eveniet, posito tamen quod cum hoc a dependeat a libera voluntate mea possum facere quod a eveniet, et sequitur propositum, quia si eveniet a voluntate mea, ab aeterno fuit scitum a deo a debere evenire.

8. Possum facere aliquam propositionem semper fuisse veram, quae tamen nunquam fuit vera, quia si possum facere quod a eveniet, ego possum facere quod haec est vera: a eveniet. Sed si haec sit vera: a evenict, semper fuit vera et tunc ultra sequitur, quod deus ab aeterno scivit a fore. Sed qui potest facere quod aliquis scit verum, potest facere quod consequens sit verum. Igitur ex quo possum (possum *dupl.*) facere quod haec sit vera: a eveniet, possum facere quod deus ab aeterno scivit istud quod nunquam scivit.

9. Aliquid fuit et tamen nunquam postea posset esse et tamen non erit necessarium istud transisse in praeteritum, quia sit b instans praeteritum, in quo deus scivit a fore pro futuro, tunc haec fuit vera: a fore in b est verum, et nunquam erit vera nec potest esse vera, quia b instans, cum sit praeteritum, non potest fore, et tamen non est necessarium istud transisse, nec necessario transit in praeteritum, quia ista: deus scivit a in b fore est contingens simpliciter et eius veritas, et quamvis transivit, adhuc veritas eius est contingens, quia dependet ab una de futuro, quae est contingens, scilicet ab ista: a erit, quae est contingens. Nisi enim a deberet fore, non scivisset a in b instanti praeterito fore; unde propositio de praeterito vera non est necessaria, quae dependet a futuro contingenti. (*in marg.*: nota bene)

10. Aliquid est factum quod potest non esse factum, sicut Petrus iam est certus de sua beatitudine et heri fuit certus et tamen potest non esse certus.

11. In divina essentia oppositum istorum contradictorum, quae modo repraesentantur, potest ab aeterno non respraesentari; sed non similiter quoad complexa.

12. Divina essentia habet unum modum repraesentandi, licet non determinatur ad unum oppositum.

13. Quamvis divinus intellectus sciat omne repraesentatum in divina essentia et solum istud, tamen aliquid potest scire quod actu non repraesentatur in ea, sed potest in ea repraesentari, patet ex XI. Et quamvis divinae essentiae conveniat naturaliter repraesentare, non tamen necessario respectu contingentem, nisi obicianter (*Text*: obiciantur).

14. In propositione de praeterito vera, quando actus exercitus per verbum praeteriti temporis non transit sed permanet vel quando ita de praeterito dependet a futuro contingenti, tunc ista de praeterito ita est contingens sicut

traut an, da sie fast bis auf den Wortlaut denen gleichen, die wir bei Holcot im Zusammenhang seines ganzen theologischen Denkens fanden. Einzelne Punkte werden noch schärfer hervorgehoben, einzelne Lehrsätze weitergeführt. Eine besondere Betonung erhält der Gedanke, daß auch eine Behauptung über ein kontingentes Geschehen der Vergangenheit kontingent bleibt, wenn sie von einem zukünftigen Kontingenten abhängt[219]. Dies richtet sich offenbar gegen die Lehre des Aristoteles, die für den streng theologisch denkenden Magister der Scholastik hier eine Lücke aufweist. Nach Aristoteles ist beim Gegenwärtigen und Vergangenen die Bejahung oder die Verneinung notwendig wahr oder falsch[220]. Wie wir gesehen hatten, darf Aristoteles durch seine Lehre vom zukünftigen Kontingenten zwar als Vorkämpfer der menschlichen Willensfreiheit gegenüber dem „antiken Nezessitarismus" angesehen werden[221]. Für den christlichen Theologen enthielt seine Lehre jedoch eine gefährliche Lücke, da sie für die feineren Unterscheidungen keinen Ansatzpunkt bot, welche das Zusammenspiel von göttlicher Unveränderlichkeit und Kontingenz, von göttlicher Vorherbestimmung und geschöpflicher Freiheit erfordern. An dieser Stelle

---

ista de futuro, sicut ista: a fuit futurum dependit ab ista: a erit futurum. (*Sub columna prima add.*: Nota propositio de praeterito dependens ab una de futuro est ita contingens sicut ista de futuro. 14.)
15. Quamvis scientia dei non dependeat ab aliquo extra deum, tamen veritas istius propositionis: deus scit a fore, dependet ex alico extra.
16. Quamvis scientia dei sit in se necessaria, tamen deus non scivit necessario a, quia est contingens, et ideo non potest necessario scire sic quod deus noscat eam necessario esse veram.
Ex istis 16 dictis patet quod certa et infallibilis cognitio potest haberi de futuris contingentibus sine mutatione a veritate in falsitatem sive desinatione veritatis vel successione falsitatis post veritatem vel deceptione in scientia, quia propositio potest esse contingenter vera et tamen non mutari de veritate in falsitatem nec desinere esse vera etc. Igitur multo magis deus potest aliquid scire contingenter et tamen scientia non potest mutari in falsitatem nec arguit desinationem in scientia nec in propositione nec successionem, ita quod deus potest scire quod non scitur, sive successionem, quia unicus actus indivisibilis est, nec arguit deceptionem, quia non omnis, quia est certus, est necessario certus, sicut Petrus est certus de sua beatitudine et tamen contingenter, quia potest esse non beatus. Unde contingentia nullum illorum quatuor arguit in deo sicut nec in propositione, ut satis clare patet ex dictis. Zum Autor vgl. E. A. Synan, Richard of Campsall, an English Theologian of the Fourteenth Century. MS XIV (1952) 1—8. E. Gilson, History of Christian Philosophy in the Middle Ages, 787.
[219] Vgl. Anm. 218 Teil 9.
[220] Vgl. Aristoteles, Perihermeneias c.9 (18a 28—29).
[221] S. o. S. 297.

haben die Notabilia des Richard Camasale die Randglosse: nota
bene! Im 14. Stück wird das Thema in einer etwas modifizier-
ten Form noch einmal aufgegriffen. Wiederum macht eine Glosse,
die diesmal unter dem Text steht, besonders darauf aufmerksam.
Noch einmal wird gesagt, daß eine Aussage über etwas vergangenes Kontingentes, das von einem zukünftigen Kontingenten
abhängt, ebenso kontingent ist wie die Aussage über das zukünftige
Kontingente. Man merke wohl: Die Feststellung gilt nicht dem
Kontingenten an sich, sondern den Aussagen über Kontingentes.
Vergangenes und zukünftiges Kontingentes sind Aussageobjekte
derselben Art, besonders wenn der Aussageakt selbst ein Zeit-
wort der Vergangenheit gebraucht, dabei jedoch selbst noch fort-
besteht. Die Unterscheidung zwischen dem Gegenstand und der
Aussage darüber ist ein gemeinsames methodisches Merkmal dieser Theologie. Seine Beachtung ist zu ihrem Verständnis von größter Wichtigkeit, um nicht Häresien zu vermuten, wo gar keine sind.
Als Beispiel dafür sei noch auf den 15. Satz hingewiesen: Obgleich
das Wissen Gottes nicht von etwas abhängt, das außerhalb Gottes
ist, so hängt doch die Wahrheit des Satzes: Gott weiß, daß a
geschehen werde, von etwas ab, das außerhalb Gottes ist. Man
muß eine sehr abstrakte, fast mathematische Denkoperation vor-
nehmen, um das Anliegen dieser theologischen Formel zu verstehen. Ihre Richtigkeit, ihre theologische Korrektheit wird sofort einsichtig, wenn eingesehen wird, daß der Satz selbst: Gott weiß,
daß a geschehen werde, etwas ist, das außerhalb Gottes ist. Also
ist auch seine Wahrheit von etwas außerhalb Gottes abhängig. Erst
wenn ich weiß, was geschehen wird (ist), weiß ich, was Gott in seinem ewigen, unveränderlichen Wissen bereits weiß.
Es sei noch einmal gesagt: Diese Formeln wollen gegen die für
die christlichen Theologen zu sehr vereinfachende Lehre des Aristoteles die Grundsätze herausstellen, die sich aus der Offenba-
rungslehre für die Prädestination und die Futura contingentia
ergeben: Die Unveränderlichkeit des göttlichen Ratschlusses, die
Kontingenz des außergöttlichen Geschehens und die vom Gegenstand und vom Geschehen selbst zu unterscheidende Aussage. Der
Nachsatz der Notabilia zählt diese Punkte im einzelnen auf. Auch
hier finden wir Holcots Lehre in einer Kurzfassung fast wortge-
treu wieder. Seine Grundthesen stehen durchaus innerhalb der
scholastischen Tradition. Sie gehören schlechthin zum gemeinsamen Lehrinhalt aller scholastischen Magister. Keiner von ihnen
hat die Futura contingentia vom Vorherwissen Gottes ausgenom-

men, so auch Holcot nicht[222]. Die Formel: Gott weiß, daß a geschehen werde, in der Weise, daß er es auch nicht weiß, ist gerade ein Beweis für die Sicherheit und Festigkeit des göttlichen Vorherwissens der Futura contingentia. Man muß sich nur zuvor einmal in die Eigenart der aussagenlogischen Methode hineingedacht haben. Dann verlieren auch solche Formeln wie: Christus kann täuschen, ein Prophet kann Unwahres sagen, ihr Ärgernis, das zweifellos besteht, wenn sie nämlich in ihrem Gelten an sich verstanden werden[223]. Vergleicht man ferner die Lehre von der absoluten Freiheit Gottes bei Bradwardine und Holcot, so fällt es schwer zu sagen, welcher von beiden sie stärker betont hat. Für Holcot ist gerade die Freiheit Gottes ein wichtiges Motiv zur Begründung der Kontingenz. Es ist auffällig, wie stark das theologische Anliegen der Kontingenz gerade bei den Männern ist, die Leff als Gegner Bradwardines vorstellt: Durandus, Ockham, Aureoli, Buckingham, Woodham und Holcot[224]. Man wird diese Betonung von göttlicher Freiheit und geschöpflicher Kontingenz viel stärker als Kampfparolen gegen den Averroismus sehen müssen, der den Magistern der verschiedensten theologischen Richtungen und Schulen als gemeinsamer Feind galt. Leff weist darauf hin, daß Bradwardine ganz besonders gegen Averroes opponierte, gegen ihn persönlich und gegen seinen Determinismus[225]. Man vergleiche aber damit die heftigen Sätze, die Holcot dem Kommentator entgegenschleudert, nachdem er zuvor mit höchster Skepsis von dem gesprochen hatte, was der Philosoph überhaupt aus der natürlichen Wissenskraft für die Gotteserkenntnis leisten kann[226]. Die Gleichheit

---

[222] Leff wollte in dieser Lehre einen der Angriffspunkte Bradwardines gegen Holcot sehen. Vgl. G. Leff, Bradwardine and the Pelagians, 106f, 163f, 226. Nach Oberman hat Petrus Aureoli gelehrt, die Futura contingentia müßten vom Vorherwissen Gottes ausgenommen werden; wer dies leugne, verfalle unausweichlich dem Determinismus. Vgl. H. A. Oberman, Archbishop Thomas Bradwardine..., 32. Nach Schwamm lehnt Aureoli nur die innere Kontingenz des göttlichen Willens ab, also die scotische Begründung der Kontingenz im göttlichen Willen selbst. Das ist aber etwas anderes, als die kontingente Geschehen vom Willen Gottes auszuschließen oder die Kontingenz des Geschehens! Vgl. H. Schwamm, Das göttliche Vorherwissen bei Duns Scotus und seinen ersten Anhängern, 120.

[223] So Leff, a.a.O.

[224] Vgl. Leff, a.a.O. 138, 234, 239.

[225] Vgl. Leff, a.a.O. 113.

[226] Vgl. Holcot, Quaestio quodlibetalis: Utrum theologia sit scientia (ed. Muckle [144]—[146]): Ad quintum dubium potest dici generaliter quod non habemus ab aliquo philosopho demonstrative probatum quod aliquis angelus est, neque de deo, neque de aliquo incorporeo. Sed quicquid ipsi de talibus in libris

der Kritik am philosophischen Rationalismus und Determinismus des Averroes müßte eigentlich jeden Autor kritisch machen, die Gegensätze zwischen Bradwardine und Holcot in theologischen Grundwahrheiten zu sehen. Allerdings war der hier zitierte Text aus der quodlibetalen Quaestio: Utrum theologia sit scientia, bis 1958 nur in den Handschriften erreichbar. Schließlich kam Leff selbst zu dem Ergebnis, daß Bradwardines System mit dem Übergewicht der göttlichen Allursächlichkeit den Keim eines theolo-

scripserunt, vel acceperunt per legislatores vel ab aliis, qui eos praecesserunt, in quibus relinquebatur quoddam vestigium umbrosum cognitionis dei a primis parentibus, licet forte hoc non cognoverint. ... Similiter certum est Abraham et alios patriarchas fuisse in Caldea et in Aegypto in quibus terris antiquissimi philosophi claruerunt quando ad Graecos derivata est philosophia. Philosophi autem, tum quia curiosi, quia etiam ambitiosi, volentes reddere causam in omnibus, etiam in his quae vulgus opinabatur miscuerunt Philosophiam suam cum dictis legislatorum et prophetia fidei celebrata per patres et praedecessores suos, non quod ipsi per naturalem rationem aliquod incorporeum ut deum vel angelum vel animam esse convincerent, sed ne insufficientes in assignandis causis et rationibus eorum, quae sapientes ut legumlatores vel prophetae vel forte vulgus opinabatur, viderentur, persuasiones adduxerunt quales potuerunt, multas falsas, paucas veras ... Et ideo ribaldus ille pessimus Commentator Averrois, omnium legum contemptor, qui legem Christianorum, Judaeorum et Saracenorum plane contemnit, 11° Metaphysicae commento 18, quia posuerunt creationem esse, et specialiter legem Christianorum, quae ponit trinitatem, deridet, commento 38 prope finem. Iste enim omnem legem contemnit in prologo, quem scribit super 3^m librum physicorum, dicens: Videmus modernos loquentes dicere quod qui primo addiscunt philosophiam non possunt postea addiscere leges, sed qui primo addiscunt legem non absconduntur eis postea aliae scientiae. Et reddit causam secundum malitiam suam capitulo sequenti: eo quod aliqui sunt ita assueti recipere falsum quod propter assuefactionem impediuntur a veritate ... et hoc modo, scilicet per assuefactionem, aestimatur quod apologi positi civitati corrumpunt multa principia necessaria, et ... ideo fides vulgi est fortior quam fides philosophorum, et hoc est, quia vulgus non assuevit audire aliud; philosophi autem audiunt multa et ideo quando disputatio et consideratio communis est omnibus, corrumpitur fides vulgi, et ideo quaedam leges prohibent disputare.
Nota hic circa stolida dicta sua quod habentes per prophetarum revelationem leges, sicut habent Christiani et Judaei tantummodo vocat loquentes quasi garrulantes sine sensu vel ratione. Similiter alios de lege sua, quia fuit aliquando Saracenus, vocat volentes quasi sine scientia non quod ratio cogit sed quod voluntas eligit. Vult ergo dicere in praedicto prologo quod loquentes tales dicunt quod homo imbutus in aliqua lege potest postea addiscere philosophiam, quia naturales rationes necessitabunt eum ad dissentiendum legi, sed qui primo addiscit philosophiam, nunquam potest postea legibus assentire. Appologos vocat leges et statuta et ceremonias, quibus multitudo hominum in communi civitate regulabatur, et ideo dicit quod, quando licet omnibus publice disputare, tunc fides vulgi corrumpitur et cetera sunt plana. Ita dico quantum ad philosophos.

gischen Determinismus in sich trage, der lange Zeit später bei Luther und Calvin aufgegangen sei[227].

Der Streit der Theologen um die Fragen der göttlichen Vorher-bestimmung und der geschöpflichen Freiheit, der Notwendigkeit und der Kontingenz vollzog sich auf einem ganz anderen Felde als dem des Pelagianismus, auch wenn dieser Name zuweilen als Kampfparole gebraucht wurde. Weder Duns Scotus noch Ockham noch Holcot haben je daran gedacht, den Anfang und die Verwirk-lichung des Heils in irgendeiner Weise von der Allmacht Gottes auszuschließen und den geschöpflichen Kräften zuzuweisen. Allein der diesen Theologen gemeinsame Begriff der Acceptatio weist alle pelagianisierenden Tendenzen weit aus den Grenzen ihres theologischen Denkens. Die ganze theologische Diskussion bewegt sich vielmehr in den viel sublimeren Fragen nach dem Verhältnis der einzelnen Faktoren: Gnade, freier Wille, Acceptatio u. a.; von den geschöpflichen Kräften und Faktoren gibt es nichts, wodurch ohne Gott das Heil bewirkt werden könne. Bei Holcot erhält diese Diskussion noch eine besondere methodische Kompliziertheit durch die aussagenlogische Methode, mit der er seine Theologie bis zum letzten Satz durchformt. Es ist nicht notwendig, als Motiv dieser Methode das Prinzip einer dreiwertigen Logik anzusetzen. Manche modernen Autoren glauben, dieses Motiv bei denjenigen Theolo-gen vermuten zu dürfen, die besonders ausführlich die Unbe-stimmtheit des Futurum contingens erörtern. Dies ist aber bei bestimmten Fragen der Prädestination, der Willensfreiheit, der Ethik der Fall. Michalski wollte die Idee einer dreiwertigen Logik schon bei Duns Scotus, dann bei Wilhelm Ockham festgestellt haben. Anlaß war die Frage des göttlichen Vorherwissens bei den Futura contingentia[228]. Ihm folgte Leff, der bestimmte Lehren Ock-hams und Aureolis auf den Ansatz einer dreiwertigen Logik zurückführte. Bei Ockham (und den ihm folgenden Theologen) werde die Lehre vom Vorherwissen Gottes durch den skeptischen Gebrauch bewirkt, den man vom Begriff der absoluten Allmacht Gottes macht. Aus ihm ergäben sich drei Merkmale für das Futu-rum contingens: Neutralität (A ist ebenso möglich für Gott wie B), Möglichkeit (jedes ist für Gott möglich) und Unbestimmtheit (Got-tes Wille ist nicht festgelegt)[229]. Auf diese Weise würden die Futura

---

[227] Vgl. Leff, a.a.O. 124.
[228] Vgl. K. Michalski, Le problème de la volonté, Studia philosophica II, 297f; 313f.
[229] Vgl. Leff, a.a.O. 130f.

contingentia von einem sicheren Vorherwissen Gottes ausgenommen. Dies gelte auch für Aureoli. Leff fügt hinzu: Es ist klar, daß
diese Leugnung des göttlichen Vorherwissens auf der dreiwertigen
Logik beruhe[230]. Boehner hat gegen Michalskis These Stellung
genommen und die Frage einer dreiwertigen Logik bei den Theologen des 14. Jahrhunderts untersucht, darunter auch für Ockham
und Aureoli[231]. Boehner behandelte die Frage im Anhang seiner
Edition des Tractatus de Praedestinatione von Wilhelm Ockham.
Er stellt sie in den Zusammenhang mit der Aristoteles-Interpretation durch die scholastischen Magister. Ockham schreibe zwar
Aristoteles die Lehre von der „unbestimmten Wahrheit des zukünftigen Kontingenten" zu (was der Theorie einer dreiwertigen Logik
entspricht), lehne sie jedoch im Hinblick auf die absolute Sicherheit des göttlichen Vorherwissens ab. Anders Aureoli, der umgekehrt diese Theorie Aristoteles abspreche, jedoch die Unbestimmtheit des zukünftigen Kontingenten lehre. Gottes Vorherwissen sei
allerdings von absoluter Sicherheit, da Gott alles Seiende intuitiv schaut. Zum Beleg führt Boehner ausführliche Texte an. Leff
hinwiederum zitiert Boehner in zwei Fußnoten und lehnt seine
Ausführungen ab[232]. Wir halten es für ratsam, mit der Übertragung moderner wissenschaftlicher Begriffe in eine weit zurück-
liegende Vergangenheit vorsichtig zu sein. Zum Verständnis der
Lehre Holcots ist die Annahme einer dreiwertigen Logik nicht
notwendig. Die Unbestimmtheit des Futurum contingens läßt
sich ohne Zuhilfenahme der dreiwertigen Logik aus dem Kontingenzbegriff des Aristoteles philosophisch deuten[233]. Dies gilt auch
für Aureoli, wofür Leff selbst die Belegstelle liefert[234]. Damit
ist nicht abgestritten, daß manche Einsichten und Begriffe, die
erst in der Neuzeit gewonnen wurden, zum Verstehen früherer
theologischer und philosophischer Systeme hilfreich sein können.
Man wird sogar noch einen Schritt weiter gehen und von einer
geistigen Vorbereitung der späteren Ergebnisse sprechen dürfen.
Wir hatten darauf hingewiesen, daß schon Wilhelm Ockham die

---

[230] Vgl. ebd. 212f.
[231] Vgl. Ph. Boehner, in: The Tractatus de Praedestinatione . . . (ed. Boehner)
43ff, 76, 82, 118ff. Boehner verweist auf H. Schwamm, Das göttliche Vorherwissen . . . 113—124. Vgl. o. Anm. 222.
[232] Vgl. Leff, a.a.O. 213. Anm. 1: Ph. Boehner, in Ockham's Tractatus de
praedestinatione, pp. 43 et seq. has denied this, but this is the effect of
Aureole's position.
[233] Vgl. o. S. 297.
[234] Vgl. Leff, a.a.O. 212, Anm. 1.

aristotelische Logik als unzureichendes — was nicht gleichbedeutend
ist mit unbrauchbares — Instrument der theologischen Argumentation ansieht. Holcots Begriff der Logica fidei verschärft diese
These. So wird man auch von Holcot sagen dürfen: Seine Kritik
an der Logik in der Theologie wollte zeigen, daß neue, von der
aristotelischen Grundlage unterschiedene Denkmethoden notwendig sind, um in der theologischen Erkenntnis voranzukommen.
Man mag unter diesem Aspekt die mehrwertige Logik als „Wirkung seiner Position" bezeichnen, wie es Leff für Aureoli tut[235].
Daß Holcot eine mehrwertige Logik tatsächlich praktizierte, ist aus
den Quellen nicht erweisbar. Sein Ziel und — wenn man will —
sein Verdienst liegt in der Kritik an der überlieferten Methode,
und das Ergebnis dieser Kritik ist das Postulat neuer Wege und
Einsichten.

[235] Vgl. o. Anm. 232.

VII

ERGEBNISSE

Holcots Bedeutung liegt in erster Linie auf dem Gebiete der Methodik. Hier hat er im Vergleich zu den Magistern vor ihm und seiner Zeit neue Wege beschritten. Ein besonders ausgeprägter Zusammenhang besteht mit Wilhelm Ockham, jedoch ist er nicht als dessen treuer Schüler anzusehen. Die Anwendung der aussagenlogischen Methode auf die Theologie ist seine eigenste Leistung. In der Darstellung methodischer Grundsätze und in der Anwendung der formalen Logik auf die Theologie ist er noch eigenständiger und konsequenter als Ockham. Die Analyse dieser Methodik dürfte auch von Nutzen für die Theologie der Gegenwart sein.

Doch auch in der eigentlich theologischen Thematik hat Holcot bestimmte Grundbegriffe besonders scharf herausgearbeitet und umgrenzt, die im Vordergrund der theologischen Diskussion seiner Zeit standen. Es sind dies vor allem die Begriffe der göttlichen Freiheit und der geschöpflichen Kontingenz. Sie haben sich als Leitgedanken auf andere Gegenstände seiner Theologie ausgewirkt. Auch diese Beobachtung hat Gegenwartsbedeutung. Darauf sollen nun einige zusammenfassende Hinweise gegeben werden.

1. Methodologischer Aspekt

Auf den ersten Eindruck hin erscheint die Kritik an der theologischen Aussage als das hervorstechende Merkmal der von Robert Holcot betriebenen Theologie. Selbst wenn ihre Bedeutung vornehmlich darin bestünde, verdiente diese Theologie nicht, als „Skeptizismus" verurteilt zu werden. Heute setzt sich immer stärker die Einsicht durch, daß die Kritik, unter deren Zeichen die „Spätscholastik" stand, zu den genuinen Aufgaben des scholastischen Lehrbetriebes gehört[1]. Holcots kritische Reflexion stellt darüber

---

[1] Vgl. J. Koch, Scholastik. In: RGG V (³1961) 1494—1498; 1497: „Wie es aber eine falsche Vereinfachung wäre, sie (scl. die großen Theologen des 13. Jhdts.) aus ihrer vielgestaltigen Umgebung herauszulösen, so ist es nicht minder unberechtigt, mit Duns Scotus oder Ockham die Spätscholastik zu beginnen und bei beiden nach Zeichen der Auflösung oder des Niederganges zu suchen. Der kritische Geist, der sie und ihre Schüler beseelt, ist durchaus scholastisch."

hinaus methodologische Erkenntnisse heraus, die eine stärkere Beachtung verdienen, als es bisher der Fall war.

Der erste Grundsatz methodologischer Art, von dem unser Magister ausgeht, besteht in der Forderung einer jedem Sachgebiet entsprechenden Methode. Er verwendet zwar nicht ausdrücklich diesen Begriff, sondern spricht von der jeder Wissenschaft eigenen Logik oder von dem „Modus loquendi", dessen sich die verschiedenen Autoren jeweils bedienen. Gerade bei der Begründung der „Logica fidei" leiten Holcot methodologische Argumente. Die natürliche Logik und ihr Verhältnis zum Glauben werden in Vergleich gesetzt mit ähnlichen methodologischen Vorüberlegungen bei anderen Erkenntnisgebieten und Erkenntnisgegenständen[2]. Solche Überlegungen wiegen viel schwerer, als bisher angenommen wurde. Wahrscheinlich liegt hier der Schlüssel zum Verständnis dieser Theologie. Ihre Einschätzung ist für die Theologiegeschichte und für die Gegenwart von entscheidender Bedeutung. Mit einer Grundsatzkritik, die das ganze Phänomen auf die allein inhaltliche Ebene versetzt und dann mit Schlagworten wie „Fideismus" und „Agnostizismus" kennzeichnet, wird der Zugang zum methodologischen Verständnis von vornherein verschlossen.

Scharfsinnige methodologische Überlegungen führen Holcot auch zur kritischen Stellungnahme gegenüber den Autoren der früheren Zeit und den Socii. Wir fügen hier noch ein Beispiel aus dem Sentenzenkommentar hinzu. In der Frage, ob die Willensfreiheit vom Willen selbst zu unterscheiden sei, stellt Holcot seiner Responsio einige Distinctiones voraus. Er begründet dies mit der Rücksicht auf den verschiedenen Modus loquendi, dessen sich die einzelnen Magister in ihren Aussagen bedienen[3].

Ein Ausspruch des Anselmus über die „unendliche Freude" der ewigen Seligkeit gibt Holcot Gelegenheit zu sprachtheoretischer Kritik. Zum Verständnis sei zunächst daran erinnert, daß die

---

[2] Vgl. Holcot, I Sent. q.5 (fol. e V ra 16—54): Similiter non est inconveniens quod logica naturalis deficiat in his, quae fidei sunt...
Vgl. den Abschnitt: „Die Gotteslehre", Anm. 89; ferner „Die Logik als Instrument der Theologie", Anm. 35.

[3] Vgl. Holcot, I Sent. q.3 (fol. b ra): Utrum voluntas creata in utendo et fruendo sit libera. Ebd. a.2. (fol. b VI ra 17—22): In secundo articulo, ubi quaeritur, utrum libertas sit alia res a voluntate, antequam ostendatur, praemittendae sunt distinctiones quaedam, quae pro isto et aliis articulis valere poterunt propter diversos modos loquendi, qui in doctorum dictis inveniuntur. Vgl. jedoch u. Anm. 53.

Scholastik keine unendliche geschaffene Größe kennt[4]. Auch Holcot
macht hierin keine Ausnahme. Nun legt er aber das Wort von der
„unendlichen Freude" sprachtheoretisch so aus, daß es seine Aussagekraft behält. Anselmus werde durch das unsagbar große Maß
der Seligkeit zu einer hyperbolischen Redeweise herausgefordert,
die in ihrem Wortlaut nicht streng der Wahrheit entspricht[5]. Die
Hyperbolie rechtfertigt das Adjektiv „unendlich". Anselmus will
durch diese Redeweise das Herz anfachen, Gott zu ehren und zu
lieben. Ziel dieser Rede ist also nicht die abstrakte Feststellung
eines Sachverhaltes, sondern die Motivierung des Geistes zu einer
bestimmten Aktivität. Neben dieses Ziel stellt Holcot die Aussage
secundum formam loquendi, wie es in seiner sprachtheoretischen
Terminologie heißen würde und deren Ziel die formal richtige
Feststellung der Wahrheit ist.

Schließlich zeigt den Feinsinn Holcots für Methodik jene Unterscheidung, die er zwischen der Aussageweise der Heiligen Schrift
und dem Beweis der natürlichen Erkenntnisweise trifft[6]. In 1 Kor
15,13 begründet der Apostel Paulus die Gewißheit der Auferste-
hungshoffnung mit der Tatsache der Auferstehung Christi. Der
Zusammenhang zwischen beiden wird vom Apostel in einem Konditionalsatz ausgesprochen: Gibt es keine Auferstehung der Toten,
dann ist auch Christus nicht auferstanden. Daraus würde sich der
Schluß ergeben: Also ist... eitel euer Glaube. Da der Folgesatz
aber unmöglich ist (nämlich: Christus ist nicht auferstanden), muß
der Bedingungssatz mindestens kategorisch verneint werden. Daraus ergibt sich die Gewißheit des Auferstehungsglaubens. Zur Veranschaulichung der logischen Figur sei auf die Wahrheitswert-
matrize verwiesen, die Bocheński im Anschluß an die „philonische"
Implikation aufgestellt hat[7]. Sie veranschaulicht sehr schön die von
Holcot gemeinte logische Aussagekraft des Pauluswortes. Holcot

---

[4] Vgl. „Der Wissenschaftscharakter der Theologie", Anm. 209; „Die Logik als
Instrument der Theologie", Anm. 48—51.
[5] Vgl. Holcot, I Sent. q.4 (fol. e III ra 31—39; korr. nach O fol. 138 va 52ff und
RBM fol. 30 vb 58ff): Et ideo intentionem Anselmi ibidem reputo velle
excitare animam ad devotionem et dilectionem dei quod multum fit per con-
siderationem gaudii futuri. Illud autem gaudium est omnino ineffabile. Et ideo
sicut voluit facere quod non potuit, ita dixit quod non erit, ut ostenderet
illud gaudium maius esse quam dicere posset. Unde loquitur hyperbolice per
hyperboliam, quia magnitudo hoc exigerit, et non praecise ad mensuram
veritatis.
[6] Vgl. im Abschnitt: „Futura contingentia" S. 354f, sowie die zugehörigen Anm.
177—178.
[7] Vgl. Bocheński, Logik 135, n. 20. 07 u. 20. 071.

lehnt sie natürlich ab; denn eine solche Gewißheit des Auferstehungsglaubens würde die Kontingenz des Auferstehungsgeschehens aufheben. Worauf es uns hier ankommt, ist die methodologische Begründung, die er dafür gibt: Der Apostel wolle keine formalen Schlußfolgerungen oder Beweise vorlegen, sondern „zeitliche" Überredungen ad hominem. Dies ist ein deutliches Zeichen für das Verständnis, das unser Magister der Aussageweise der Hl. Schrift entgegenbringt, die er damit von dem streng logischen Modus loquendi der Philosophie abhebt, ohne sie jedoch als unzulässig zu kennzeichnen. Dieser Text steht nicht vereinzelt da[8]. Wir ersehen daraus, daß für Holcot der Modus loquendi auch von der Aussageabsicht eines Autors oder eines Ideengehaltes bestimmt wird. Wichtiger sind allerdings unserem Magister die Grundsätze für die formale Richtigkeit der Aussage. Der scheinbar übertriebene Formalismus in der logischen Methode zielt in Wirklichkeit darauf, die formale Richtigkeit der theologischen Sätze zu sichern. Hier schafft Holcot ein Gegengewicht zu der auch zugelassenen Variationsmöglichkeit der Aussageweisen. Gegen Anselmus versteht er unter der „Forma loquendi" die eigentliche Aussageweise[9]. Eine logisch einwandfreie Argumentation erfordert es, die Begriffe in ihrer eigentlichen Bedeutung anzuwenden. Die Regeln der Aussagenlogik sollen die Sachgerechtigkeit der Aussage sichern. Logik und Sprachphilosophie stehen so ganz im Dienst der theologischen Aussage. Die Art und Weise, wie Holcot Supposition und Signifikation[10] verwendet, sowie die Tatsache, daß er die Species als Erkenntnismedium zuläßt[11], erlauben es nicht, ihn unter die „Nominalisten" einzureihen, wenn mit diesem Begriff die Vertreter einer Erkenntnislehre gemeint sind, die im Intentionalen, Begrifflichen den alleinigen Gegenstand der menschlichen Erkenntnis sehen und darauf begrenzen. Das Ziel der Logik Holcots und seiner kritischen Reflexion über die logischen Denkweisen ist die wahre und richtige Erkenntnis der Wirklichkeit. Dies dürfte auch für Wilhelm Ockham zutreffen. Was allerdings die Entstehung und die Bedeutungsstruktur des Universalbegriffes betrifft, so steht Holcots Lehre derjenigen Ockhams nahe und entfernt sich weit von der Lehre des Thomas von Aquin[12].

[8] Vgl. im Abschnitt: „Die Lehre vom Glauben", 1. „Der Akt des Glaubens", Anm. 89.
[9] Vgl. o. S. 230f.
[10] Vgl. o. S. 117.
[11] Vgl. o. S. 233ff.
[12] Vgl. o. S. 236.

Die neueste Diskussion über den „Nominalismus" der Spätscholastik knüpfte unlängst an die Erkenntnistheorie des Nikolaus Cusanus an[13]. Josef Koch bezeichnete diese besonders im Hinblick auf das letzte Werk des Cusaners, das Compendium, als ausgesprochen nominalistisch, während P. Platzeck das Urteil „Nominalismus" bei den spätmittelalterlichen Theologen (wie z. B. Gerson) viel stärker variieren möchte. Rudolf Haubst brachte die ganze Frage um einen entscheidenden Schritt einer Lösung näher, indem er drei Nominalismusbegriffe unterschied: erstens einen Nominalismus, der in einer Beschränkung des Erkenntnisproblems auf die sprachlogische Reflexion besteht; zweitens einen reinen Nominalismus, der jede Realgültigkeit der Begriffe in Frage stellt; drittens einen theologischen Nominalismus, mit dem bestimmte spätscholastische Spekulationen wie etwa diejenige über das Verhältnis zwischen Potentia dei absoluta und ordinata bezeichnet werden. Johann Auer habe diese Unterscheidung in seinem Nominalismus-Artikel im LThK angeregt[14]. Die zweite Form trifft auf Robert Holcot wie auf Wilhelm Ockham sicher nicht zu und ist in der Geschichte der mittelalterlichen Philosophie und Theologie wohl nur bei Roscelin einigermaßen konsequent ausgebildet. Doch besteht hier eine Unsicherheit der Textüberlieferung.

Angeregt durch diese neueste Diskussion ließe sich die Denkform Holcots als „methodischer Nominalismus" bezeichnen. Während jedoch Ockhams Erkenntnislehre in einem nachweisbaren Zusammenhang mit seiner Ontologie steht[15], läßt sich ähnliches für Holcot nur erschließen[16]. Sicher ist, daß er nicht auf dem Boden der platonisch-augustinischen Erkenntnis- und Seinslehre steht[17].

Wollte man von einem Denker der Gegenwart aus einen Zugang zu der eigenwilligen Methode des Robert Holcot finden, so dürfte dafür noch am ehesten Wittgenstein in Frage kommen[18]. Für ihn gewährt die Sprache den einzig möglichen Zugang zur eigentlichen Wissenschaft, in der sie „simplex sigillum veri" ist. Allerdings sind die ursprünglichen Sprachen dazu ungeeignet, weil ihre Logik so

---

[13] Vgl. R. Haubst (Herausg.), Mitteilungen und Forschungsbeiträge der Cusanus-Gesellschaft. Mainz 6 (1967) 46f.

[14] Vgl. J. Auer, LThK VII (²1962) 1020—1023.

[15] Vgl. im Abschnitt: „Die Lehre vom Glauben", 2. „Der Inhalt des Glaubens", Anm. 131.

[16] Vgl. o. S. 249.

[17] Vgl. o. S. 251ff.

[18] Wir gehen hier aus von dem Artikel von G. Funke, Einheitssprache, Sprachspiel und Sprachauslegung bei Wittgenstein. In: Zeitschrift für Philosophische Forschung (München) 22 (1968) 1—30.

undurchschaubar ist, daß die Gedanken mehr verkleidet als durchsichtig gemacht werden. Daher fordert Wittgenstein eine für die wissenschaftliche Aussage eigens geschaffene Sprache[19]. Dies entspricht genau der Forderung, die Robert Holcot immer erneut erhebt, die theologische Aussage so zu formulieren, daß der Ausdruck genau dem Sinn des Satzes entspricht. Die Falschheit eines Satzes beruht daher nach Holcots Kritik zumeist auf einem Fehler der logischen oder grammatischen Regeln, wie wir fast durchgehend an Hand der Texte gesehen haben. Was aber aus einem logischen Regelverstoß falsch wird, ist genauer als Unsinnigkeit zu bezeichnen statt als Falschheit. Stellen wir daneben die bittere Kritik, die Wittgenstein an den Philosophen übt. Wegen der undurchschaubaren Logik, welche die ursprünglichen Sprachen beherrscht und die Gedanken mehr verkleidet als durchsichtig macht, erscheinen „die meisten Sätze und Fragen, welche über philosophische Dinge geschrieben worden sind, ... nicht falsch, sondern unsinnig"[20].

Die Ungenauigkeit im Gebrauch der Begriffe beruht zumeist auf einer Mißachtung des Unterschiedes zwischen uneigentlicher und eigentlicher Redeweise, auf die Holcot wiederholt hinweist. Die Beobachtung dieses Unterschiedes taucht bereits in der Logik des zwölften Jahrhunderts auf. Nach der Ars disserendi des Adam von Balsham[21] beruht eine Art der Äquivokation auf der Vermengung des alltäglichen Gebrauchs eines Begriffes (usus loquendi communis) mit seiner technischen Verwendung in einer bestimmten wissenschaftlichen Disziplin (modus loquendi docentibus concessus). Eine Vorlage für diese feine Unterscheidung finden wir aber schon in den augustinischen Principia dialectica[22]. Holcot steht somit am Zielpunkt einer langen Tradition der Entwicklung und Verfeine-

---

[19] Vgl. a.a.O. 15. Vgl. Wittgenstein, Tract. log. phil. 4.022; Notebooks v. 19. 9. 1916 (Schriften, 25, 175).
[20] Vgl. a.a.O. Vgl. Wittgenstein, Tract. log. phil. 4.003 (Schriften, 26).
[21] Vgl. L. M. De Rijk, Logica Modernorum I, 65f.
[22] Vgl. Augustinus, Principia dialectica X, ed. Migne 32, 1416—1417: Ambiguitatum, quae ab aequivocis veniunt, primo genera tria sunt: unum ab arte, alterum ab usu, tertium ab utroque; arte nunc dico propter nomina, quae in verborum disciplinis verbis componuntur — aliter enim definitur apud grammaticos quid sit aequivocum... Alterum genus est quod ex loquendi usu venire memoravimus... At si utrumque confundat audientem vel legentem, sive quod ex arte sive ex loquendi usu dicitur, nonne tertium genus recte annumerabitur?
Zitiert bei De Rijk, a.a.O. 64 Anm. 2, der wiederum verweist auf Minio — Paluello, The 'Ars Disserendi' of Adam of Balsham 'Parvipontanus'; in: Mediaeval and Renaissances Studies III (1954) 126ff.

rung logischer Techniken. Auf dieser Ebene müssen die Verbindungslinien zu Wittgensteins Kunstsprache gezogen werden.

Der Vergleich läßt sich über die Sprachlogik hinaus ins Gebiet
der Metaphysik verfolgen. Wittgensteins Kunstsprache vermag nur
über Sachen und Sachverhalte auszusagen, die Teil dieser Welt
sind; denn ein Satz ist nur insoweit wahr, als er Bild der Wirklichkeit ist. Darum ist es unmöglich, mit dieser Sprache etwas über
die Welt als Ganzes, über ihren Sinn zu sagen, „denn der Sinn der
Welt muß außerhalb ihrer liegen"[23]. Damit soll nicht geleugnet
werden, daß es eine außerhalb der Tatsachen und Sachverhalte der
Welt liegende Wirklichkeit gibt. Kant formulierte diese Wirklichkeit in den Postulaten, Wittgenstein bezeichnet sie als unaussprechbar. Dies bedeutet aber nicht, daß sie für uns nicht existiert.
„Es gibt allerdings Unaussprechliches. Das zeigt sich, es ist das
Mystische[24]." Solche Formulierungen halten davor zurück, diese
Negierung der sprachlichen Aussagemöglichkeit für das die gesetzte
Weltwirklichkeit Übersteigende als Agnostizismus zu bezeichnen.
Wir finden hier aber eine moderne Entsprechung für Holcots
radikale Unterscheidung zwischen den Aussagen des Glaubens und
den Aussagemöglichkeiten der Philosophen über Gott. Die „Logica
fidei" bewirkt im Grunde gesehen, daß die Sätze des Glaubens
nicht mehr Aussagen im technischen Sinne einer natürlichen rationalen Logik sind.

Schließlich sei noch einmal an das methodologische Grundprinzip
erinnert, die einzelnen Aussagen stets im Zusammenhang des ganzen Lehrgebäudes auszulegen. Dieser Grundsatz ist gerade Holcot
gegenüber von entscheidender Bedeutung. Wie wenig ein einzelner Ausspruch beweist, geht aus folgendem Zitat hervor, das
G. Leff[25] aus Robert Holcot, I Sent. q. 4 a. 3 H anführt: ... dico
quod ista consequentia non valet: deus infundit charitatem isti:
vel auget vel conservat in isto scilicet a charitatem, et non b,
ergo magis diligit a quam b, quia capio unum praescitum ad
mortem aeternam existentem in gratia, et alium praedestinatum
existentem in peccato mortali, istum plus diligit manifestum est,
quia isti vult maius bonum, scilicet vitam aeternam; et tamen
nullam caritatem sibi dat. Similiter et non sequitur formaliter, sed
ut nunc tantum: Iste caret caritate, ergo si decedat, damnabitur.
Nam non includit contradictionem quod deus hominem sine

---

[23] Vgl. J. Funke, a.a.O. 26. Vgl. Wittgenstein, Tract. log. phil. 6.41 (Schriften,
80).
[24] Vgl. a.a.O. 26f. Vgl. Wittgenstein, Tract. log. phil. 6.522 (Schriften, 82).
[25] Vgl. G. Leff, Bradwardine and the Pelagians, 217 Anm. 2.

caritate beatificet. Leff sagt dazu: God's love is clearly greater for the sinner to whom He has given beatitude than for him, who was given grace. This, says Holcot, shows that God's grace and His love bear no relation to each other; the one does not necessarily imply the other. Diese Auslegung der vorliegenden Argumentation vereinfacht die theologische Aussage in unerlaubter Weise. Drei wichtige methodische Faktoren bleiben außer acht: die aussagenlogische Formulierung, der Begriff der Potentia absoluta und der Zeitfaktor. Der erste Teil des zitierten Textes zeigt im Spiel der Aussagenlogik, daß die vollendete Liebe Gottes allein in der freien Prädestination erfahren wird. Sachlich stimmt diese Lehre Holcots mit derjenigen des Gregor von Rimini überein[26].

Im zweiten Teil des von Leff zitierten Textes (Similiter et non sequitur formaliter . . .) werden zwei verschiedene Vorbedingungen der Aussage miteinander verglichen, nämlich die bestehende Ordnung und die in der göttlichen Allmacht begründete Möglichkeit. Die gesetzte Ordnung bedeutet gegenüber der absoluten Allmacht eine Einschränkung. Daraus folgt, daß eine Aussage, die sich auf die bestehende Ordnung bezieht, nicht von absoluter Geltung sein kann. Das meint der Ausdruck: non sequitur formaliter, sed ut nunc tantum. Was formaliter geschlossen werden kann, gilt ohne jede Einschränkung. „Formale Logik" nennt Holcot die für alle Seinsbereiche gültige Logik[27]. In Gottes absoluter Freiheit sind

---

[26] Vgl. M. Schüler, Prädestination, Sünde und Freiheit bei Gregor von Rimini, 61f: „Subjekt des Prädestinationsgeschehens ist nicht allein der durch die Selbstordination wirksame Gott, sondern der in dieser absolut bleibende lebendige göttliche Wille. Diesem kontingenten Willen gegenüber ist die Nezessität der Erlangung der Glorie bei den Prädestinierten und der ewigen Strafe bei den Reprobierten kontingent, mit anderen Worten, in der göttlichen Kontingenz bleibt das Schicksal der Prädestinierten oder Reprobierten kontingent. Einem jedem, dem Gott Gnade und Glorie geben wird, gibt er sie frei, kann sie also auch nicht geben. Dico esse possibile quod iste qui fuit predestinatus, nunquam fuerit predestinatus (I d. 40/41, q.1 a.3, F. 144b). Der Grund für diese reale Möglichkeit liegt in dem Wesen des kontingenten absoluten Willens Gottes begründet. Dieser Wille kann nicht verdammen wollen und infolgedessen es nicht gewollt haben. Gleicherweise kann er prädestinieren (in präsentischer Aktualität) und infolgedessen prädestiniert haben. Das bedeutet also die Koincidenz der präsentischen und perfektischen Tätigkeit und ist Umschreibung der Überzeitlichkeit des göttlichen Willensaktes." Holcot vertrat die gleiche Lehre, die er in die Form einer subtilen Aussagenlogik kleidet. Er behandelt das Thema in dem Artikel über das Wissen Gottes von den kontingenten Dingen, II Sent. q.2 Art. 7 (fol. h V ra 28—44), vgl. „Futura contingentia" Anm. 46—49.

[27] Vgl. den Abschnitt: „Die Logik als Instrument der Theologie", Anm. 35.

alle Aussagen zulässig, die keinen inneren Widerspruch enthalten, mag auch innerhalb der gesetzten Ordnung nur ihr Gegenteil gültig sein. „Es schließt nämlich keinen inneren Widerspruch ein, daß Gott einen Menschen ohne die (eingegossene) Liebe selig macht." Dieser Satz gilt natürlich nur de potentia absoluta. Die von Gott gewollte Wechselbeziehung von Gnade und Glorie wird festgehalten, wie aus dem Ausdruck: ut nunc tantum, d. h. für die bestehende Heils- und Gnadenordnung, hervorgeht. In der dafür gebrauchten Formel „ut nunc tantum" liegt schließlich ein Hinweis auf den Zeitfaktor, der für das Verständnis der Disputatio, besonders der dabei angewandten Obligationen, von größter Wichtigkeit ist[28]. Auf all dies wurde im einzelnen bereits eingegangen; darum mögen hier diese abschließenden Bemerkungen genügen.

Eines wird hier allerdings offenbar, wie weit diese Gotteslehre vom Analogiedenken des Thomas von Aquin entfernt ist. Dies berechtigt dennoch nicht, Holcots Methode als Agnostizismus zu verwerfen. Seine theologische Reflexion ist von der Überzeugung getragen, daß Gott sich im geschichtlichen Handeln sowohl wie gegenüber jedem einzelnen menschlichen Geist so hinreichend gezeigt hat, daß der Mensch ihn erkennen kann, wenn er die verliehenen Gnadengaben und seine Erkenntniskräfte gebraucht.

2. Theologischer Aspekt

Die Aufspannung der theologischen Rede in formal-logische Techniken darf nicht als einziger Erklärungsgrund der Theologie Holcots angesehen werden. Auch ursprünglich theologische Grundsätze beherrschen das Denken dieses Magisters. In dem Abschnitt über die Gotteslehre wurde dies bereits ausführlich dargelegt. Die Art und Weise, wie Holcot Freiheit und Kontingenz im göttlichen Wirken und im geschöpflichen Geschehen sieht, bringt Gott und das Geschöpf in eine größere Unmittelbarkeit der Korrelation[29]. Dies wirkt sich auf verschiedene theologische Gebiete aus: die Gnaden- und Verdienstlehre, die Lehre von der Wirksamkeit der Sakramente, die Lehre von der Kirche, die Christologie u. a. Eine Untersuchung einzelner theologischer Themen muß die Verbindung zu den oben genannten Begriffen sehen und aufzeigen. Sie sind die

---

[28] Vgl. den Abschnitt: „Der Wissenschaftscharakter der Theologie", S. 119f; „Futura contingentia" S. 351f.
[29] Vgl. o. S. 286.

theologischen Grundbegriffe, von denen aus sich das Verständnis der theologischen Argumentation in den Einzelfragen und deren Zusammenhang mit dem Ganzen erschließt[30].

Dem Ziel dieser Untersuchung entsprechend wurden hier theologische Themen nur unter dem Gesichtspunkt der Methodik herangezogen. Darüber hinaus ist es notwendig, die theologischen Lehren des Magister Holcot auch im einzelnen und in der hier umrissenen Weise zu untersuchen. Insbesondere möchten wir zum Schluß eine solche Untersuchung seiner Christologie anregen.

Wir gehen von den Sätzen Holcots aus: „Die Seele Christi konnte getäuscht werden." „Christus wollte die Jünger täuschen[31]." Sie führen uns mitten in eine Frage hinein, die heute wieder in den Mittelpunkt der theologischen Diskussion gerückt ist. Es ist die Frage nach dem Verhältnis des menschlichen und göttlichen Wissens Christi, die zutiefst ein Ringen um die richtige theologische Interpretation des Inkarnationsgeheimnisses ist. Je nach dem besonderen formalen Grund, von dem aus die Theologen an diese Frage herantreten, lassen sich hauptsächlich drei Gruppen unterscheiden.

Von seiten der lutherischen Theologie hat Heinrich Vogel den ontischen Widerspruch herausgestellt, der in der Menschwerdung des Gottessohnes zutage tritt. Er geht von der Frage aus: „Handelt es sich in dem Satz von der Fleischwerdung um ein ontisches oder um ein noetisches Problem[32]?" Seine Antwort lautet: „Der Widerspruch, unter den die Erkenntnis des Glaubens sich demütigen läßt und wider den das Ärgernis in Verzweiflung und Trotz angeht, ist ein ontischer Widerspruch, der seine ontische Versöhnung und Überwindung erfährt[33]." „Ontisch" nennt Vogel den Widerspruch, um die theologische Erklärung der Inkarnation gegen jede Form von Doketismus abzuheben. Für das lutherische Verständnis bedeutet aber „Fleischwerdung" ein Hineingegebenwerden Gottes in das Sündhaft-Menschliche, d. h. in eine Menschheit, die unter dem Todesfluch und dem Zorn Gottes steht[34]. Das Paradoxon[35], das in diesem logisch unauflösbaren Widerspruch liegt, vermag allein der Glaube zu lösen, in dem der Mensch eine eigene Weise zu ver-

[30] Vgl. o. S. 274f.
[31] Vgl. Holcot, II Sent. q.2 (fol. h VI vb 36—37; h VII ra 38—42).
[32] Vgl. Heinrich Vogel, Christologie I. München 1949, 165.
[33] Vgl. a.a.O. 201f.
[34] Vgl. a.a.O. 203.
[35] Zum Begriff des Paradoxon vgl. o. S. 338—341; 352.

stehen findet, die vom Geheimnis der Menschwerdung her bestimmt ist[36].

Die theologische Diskussion auf katholischer Seite hat sich am stärksten auf das Selbstbewußtsein Jesu gerichtet. Man könnte den Formalgrund dieser Diskussionsrichtung als psychologisch bezeichnen. Natürlich darf dieser Begriff nicht zu eng genommen werden. Die Psychologie des Selbstbewußtseins Jesu löste eine erneute theologische Erörterung des Verhältnisses von Gottheit und Menschheit in Jesus aus. Der Anstoß kam von Schriftaussagen, die in einem offenen logischen Widerspruch zueinander stehen. Es gibt ganz klare Aussagen, in denen sich Christus vollkommenes Wissen, ungetrübte Heiligkeit, ja die Fülle der göttlichen Vollkommenheit zuspricht. Besonders das Johannesevangelium bringt eine große Zahl solcher Zeugnisse, z. B. 1,18; 3,11; 3,31—32; 3,34—35; 8,38. Aus den Synoptikern lassen sich Mt 11,25ff und Lk 10,21ff danebenstellen. Das Jüngerzeugnis bestätigt diese Selbstaussagen Jesu: Jo 1,14—16; Kol 1,18—19; 2,3; 2,9. Diesen und ähnlichen Stellen stehen andere gegenüber, die eine Entwicklung im Wissen Jesu und ein Reifen seiner persönlichen Vollkommenheit aussagen, ja sogar von einem Nichtwissen Christi, einer Ähnlichkeit seines Bewußtseins mit der menschlichen Schwachheit sprechen: Lk 2,52; Mk 13,32; Hebr 2,17. Noch schärfer wird der Gegensatz angesichts der Ölbergszene und der von Christus laut bekundeten „Gottverlassenheit" am Kreuz: Mt 27,26; Mk 15,34. Nun bewegt sich die katholische Diskussion, die von Rudolf Haubst eingehend dargestellt wurde[37], an einem anderen theologischen Ort als dem, der von Kierkegaard, Bultmann und Heinrich Vogel mit dem Paradoxon der Inkarnation umschrieben wird. In der katholischen Theologie der Gegenwart geht es um das Verständnis der wesenhaften Göttlichkeit in der wahrhaften und wirklichen Menschennatur Jesu Christi, um die Auswirkungen dieser wirklichen Gottgegenwart auf die Seele Christi und ihr Erleben und Erleiden, um die Wirklichkeit und Echtheit des in der Schrift klar bezeugten menschlichen Erlebens und Erleidens im irdischen Gottessohn. Die christologische Frage wird weithin zu einer christo-psychologischen, die freilich immer in Zusammenhang mit dem ganzen Inkarnationsgeheimnis gestellt wird. Die psychologische Seite dieser Frage hat von E. Gutwenger eine systematische Darstel-

---

[36] Dies nachzuweisen dient der Schlußteil von Kapitel III (Vogel, Christologie 192ff). Er trägt die Überschrift: „Die Einheit der Wahrheit in der Versöhnung des Widerspruchs."

[37] Vgl. R. Haubst, Probleme der jüngsten Christologie. In: ThRv 52 (1956) 145—162; ders., Welches Ich spricht in Christus? In: TThZ 66 (1957) 1—20.

lung erhalten[38], der das Problem des echten Erleidens menschlicher Schwäche angesichts der Einheit des Bewußtseins Jesu mit besonderem Scharfsinn aufgriff[39]. Die zweite Gruppe der Schriftaussagen, in denen menschliche Leidensfähigkeit, Schwachheit, Gottverlassenheit der Seele Christi, ja auch eine Entwicklung seines menschlichen Geistes und ein „Raum der Unwissenheit" deutlich bezeugt werden, erfordern ein Neudurchdenken der Gottschau, mit der die Seele Christi auf Erden begnadet war. Schon Haubst hat in den zitierten Artikeln darauf energisch hingewiesen. Gutwenger formulierte diese Forderung in folgender Weise: Die Tatsache der von der Kirche gelehrten Gottschau Christi bleibe zwar unangetastet. Jedoch „daß aus dieser Gottschau beseligende Liebe und Freude entsprangen, kann füglich in Frage gestellt werden. Denn sonst ergeben sich eine Reihe von Konsequenzen, die auf dem christologischen Sektor nur schwer und kurzschlußhaft mit dem einfachen Wort der Bibel in Einklang gebracht werden können[40]." Man wird sogar sagen müssen, daß diese Konsequenzen auf eine Uneigentlichkeit der Menschheit Jesu hinauslaufen, und dies gerade in Entsprechung zu dem scholastischen Grundsatz: „Agere sequitur esse", insofern eine Veruneigentlichung der Tätigkeiten zu einer Verflüchtigung des Wesens (Doketismus) führen muß.

Ein dritter Weg zum theologischen Durchdenken des Inkarnationsgeheimnisses ist von Karl Rahner aufgewiesen worden[41]. Er geht von einem anthropologisch-geschichtlichen Formalprinzip aus. Die anthropologischen Überlegungen setzen mit einer Kritik am antiken, hellenistischen Bildungsideal an, das im Wissen die eigentliche Vollkommenheit sah und sich darum „ein bestimmtes Nichtwissen nur als Zurückbleiben hinter der Vollkommenheit, auf die hin der Mensch angelegt ist, denken" kann[42]. Wir wissen heute, daß für die wahrhafte Entfaltung der menschlichen Person Freiheit erforderlich ist. Diese setzt im menschlichen Seinsbereich einen Raum der Unwissenheit voraus, in den hinein das Wagnis der Person geschehen kann. Die Ermöglichung eines solchen Wagnisses gehört wesentlich zur Eigenart menschlichen Daseins und zur geschicht-

---

[38] Vgl. E. Gutwenger, Bewußtsein und Wissen Christi, Innsbruck 1960.

[39] Vgl. a.a.O. 89: „An der Einheit des Bewußtseins, auch an der Einheit des Bewußtseins Jesu darf nicht gerüttelt werden." Schon Haubst hat diese Forderung 1957 erhoben und theologisch mit der Einheit der hypostatischen Union begründet. Vgl. R. Haubst, Welches Ich spricht in Christus? a.a.O. 17.

[40] Vgl. a.a.O. 150.

[41] Vgl. K. Rahner, Dogmatische Erwägungen über das Wissen und Selbstbewußtsein Christi. In: Schriften zur Theologie V (²1964), 222—245.

[42] Vgl. a.a.O. 230.

lichen Weise seiner Existenz[43]. Der Zusammenhang dieser Überlegungen mit dem Wissen Christi über die Futura contingentia[44] liegt auf der Hand. Damit sind wir aber bei dem Lösungsversuch, den uns Robert Holcot anbietet.

Wir stützen uns auf einen Text in II Sent. q. 2[45]. Es muß auch an dieser Stelle wieder davor gewarnt werden, sich allein auf den gedruckten Text zu verlassen[46]. Da hier keine erschöpfende Darstellung des theologischen Problems beabsichtigt ist, werden nur die tragenden Begriffe aufgewiesen, mit denen Holcot die Frage angeht. Im Mittelpunkt steht der Begriff der Kontingenz. Auf ihr beruht die Möglichkeit, daß es in der Seele Christi ein Nichtwissen über zukünftiges Kontingentes gibt. Die ganze Argumentation ist, wie bei Holcot üblich, in ein aussagenlogisches Geflecht eingesponnnen. Die Modalität der Sätze wird dabei nach den Regeln der Logik gegeneinander abgewogen. Zu den logischen Modalitäten des Notwendigen, Kategorischen und Möglichen tritt bei Holcot die Berufung auf die Kontingenz hinzu. Dies fällt schon rein äußerlich auf, wenn man Holcots Argumentation mit einer von ihm zitierten Opinio vergleicht[47]. Sowohl vorher wie nachher häufen sich die Hinweise auf die Kontingenz, in die Gottes Offenbarung in Chri-

---

[43] Vgl. a.a.O.: „Eine Philosophie der Person und der Freiheit des endlichen Wesens, der Geschichte und der Entscheidung könnte doch wohl verhältnismäßig leicht zeigen, daß zum Wesen des Selbstvollzugs der endlichen Person in geschichtlicher Entscheidung der Freiheit notwendig das Wagnis, der Gang ins Offene, das Sichanvertrauen an das Unübersehbare, die Verborgenheit des Ursprungs und die Verhülltheit des Endes, also eine bestimmte Weise von Nichtwissen wesentlich gehören, daß Freiheit auch immer die weise Unverstelltheit des Freiheitsraumes, seine willig angenommene Leere als den dunklen Grund ihrer selbst, als Bedingung ihrer Möglichkeit verlangt." Zur Bedeutung des Geschichtlichen (auch als Gegensatz zu mythologischer Überhöhung der Menschheit Jesu) vgl. ebd. 240—243.

[44] Diese Fragen hängen natürlich eng mit denen der eschatologischen Verkündigung Jesu zusammen.

[45] Die Quaestio lautet: Utrum deus ab aeterno sciverit se producturum mundum.

[46] Die Textstelle befindet sich in der Ink. fol. h VI vb 36ff; O fol. 154 ra 63ff; RBM fol. 50 vb 18ff; P 58 va 41ff. Auch die Lesarten in den Hss stimmen hier nicht überein.

[47] Vgl. Holcot, II Sent. q.2 (fol. h VI vb 55 — VII ra 10; korr. nach den Hss): Unde omnis difficultas istorum argumentorum solveretur, si posset solvi illud commune argumentum de revelatione facta Petro de negatione Christi. Et de isto dicunt aliqui quod postquam Christus asseruit hoc Petro, potuit nunquam asseruisse illud ad talem intellectum. Sed hanc oportet concedere quod Christus praedicavit falsum posito quod haec sit falsa: dies iudicii erit, quia posito falso possibili (nur in P: contingenti) non est inconveniens concedere impossibile per accidens. Et non est impossibile nisi per accidens: Christus praedicavit falsum in a. Haec autem responsio non sufficit mihi.

stus und in jedem über Geschöpfliches ausgesagten Wort eingetreten ist. Wie großes Gewicht Holcot der Kontingenz alles Geschöpflichen beilegt, zeigte bereits seine Bemerkung, daß sie auch für die
Seligen fortbestehe und das Wissen um sie durch das Erlebnis der
himmlischen Freude nicht aufgehoben werde[48].

Das Argument der Kontingenz ist von theologischer Qualität.
Dies tritt mit aller Deutlichkeit hervor, wenn man es mit den Argu-
menten vergleicht, die in der Diskussion der Gegenwart zu dieser
Frage vorgetragen werden. Sie stützen sich zu einem wesentlichen
Teil auf psychologische und anthropologische Prinzipien[49]. Der
Docotor infatigatus hat mit einem unermüdlichen Scharfsinn den
Kern der theologischen Problematik herausgearbeitet, der im Ein-
gehen des absoluten Gottes in den Bereich der Kontingenz liegt. Die
Paradoxialität der theologischen Aussagen, die über dieses im Grun-
de unaussagbare Geheimnis versucht werden, löst Holcot auf dem
Wege des Ars obligatoria. Sie war in der Scholastik das wichtigste
Instrument, mit dem man an die Antinomien herantrat[50]. Der Zeit-
faktor spielte dabei eine wesentliche Rolle. Er taucht auch in unserer
Textstelle auf[51].

An dieser Stelle tritt die eigenartige Zuordnung der aussagenlogischen Methode zur Theologie Holcots zu Tage. Einerseits sind
die theologischen Elemente die entscheidenden Formprinzipien seines ganzen Systems. In der hier vorliegenden christologischen Frage
geht es um das Zusammenstimmen von göttlicher Absolutheit und
außergöttlicher Kontingenz. Für den Theologen Holcot wird diese
Frage allerdings zu einem Problem der richtigen theologischen Aussage. Daher möchte ich die Bedenken, die ich über die theologische
Angemessenheit der aussagenlogischen Methode zu Wort kommen
ließ, bewußt in der Schwebe halten[52]. Ihr Gewicht darf nicht leicht-
fertig verringert werden. Schon im vierzehnten Jahrhundert erhob
sich die Befürchtung, daß diese Methode zu einem Überwuchertwer-
den der Theologie durch die Sprachkritik führen könnte. Diese
Sorge liegt nicht nur der Anklageschrift Lutterells gegen Ockham

---

[48] Vgl. o. S. 323.
[49] R. Haubst betonte dagegen, auch das psychische Ich-Erlebnis Jesu in seiner
Bezogenheit auf die göttliche Hypostase und niemals von ihr losgelöst zu sehen.
„Denn selbst die „Verlassenheit" am Kreuze kann nicht bedeuten, als hätte
sich im Bewußtsein Jesu das der Wirklichkeit widersprechende Erlebnis abge-
spielt, als bloßer Mensch aus der hypostatischen Einheit ausgestoßen zu sein."
Vgl. ders., Welches Ich spricht in Christus? a.a.O. 17.
[50] Vgl. o. S. 351ff.
[51] Vgl. Holcot, ebd. (fol. h VII ra 11—24).
[52] Vgl. o. S. 354.

zugrunde, sondern wurde auch offen von den Magistern ausgesprochen, die 1339/40 in Paris die ockhamistische Logik verurteilten. Sie wandten sich besonders gegen die Argumentation „de virtute sermonis", durch die der sermocinale Sinn einer Stelle als falsch erwiesen wurde, während doch die sachliche Meinung des Autors gar nicht zu mißdeuten und unbezweifelbar richtig sei. Die Magister antworteten: Der Sprachgebrauch besitze gar keine selbständige Bedeutung, vielmehr entscheide die Absicht des Autors über ihn[53].

Wir wissen heute auf Grund unserer Kenntnis der scholastischen Sprachtheorie und Logik, daß mit diesem Urteil das von Ockham und seiner Richtung aufgeworfene Problem der Zuordnung von Theologie und Logik nicht gelöst ist. Im Gegenteil! Durch die Fortschritte, die in der Gegenwart auf dem Gebiet der Sprachphilosophie und Methodenlehre gemacht wurden, ist es noch drängender geworden.

Eines dürfte aber als sicheres Ergebnis einer sprachtheoretischen Analyse der Theologie Holcots feststehen: Eine anerkennende Beurteilung dieser Theologie ist von entscheidender Bedeutung für die Bewertung der ganzen theologischen Entwicklung der „Spätscholastik". Wir haben hier versucht, ein Verständnis ihrer Methode zu eröffnen. Das nächste Erfordernis besteht in einer allseitigen Untersuchung der theologischen Grundbegriffe.

Wir konnten hier bereits öfters aus zwei Arbeiten zitieren, die sich Holcots Theologie zum Ziel der Darstellung gesetzt haben, nämlich Meissners Werk über die Gotteslehre Holcots und Moltenis Untersuchung der Gnaden- und Rechtfertigungslehre unseres Magisters. Beide Werke haben unzweifelhaft das Verdienst, auf diesen einflußreichen, aber doch recht unbekannten Theologen durch reichliche Verwendung von Quellenmaterial aufmerksam gemacht zu haben. Auch muß anerkannt werden, daß die theologiegeschichtlichen Linien, die von Duns Scotus mehr als von Thomas Aq. ausgehend über Wilhelm Ockham zu Holcot hinführen, im großen und

---

[53] Vgl. Denifle — Chatelain, Chartularium Univ. Parisiensis II, n.1023 u. 1042; p. 505f: Et quia sermo non habet virtutem, nisi ex impositione et usu communi auctorum vel aliorum, ideo talis est virtus sermonis, qualiter eo auctores utuntur et qualem exigit materia, cum sermones sint recipiendi penes materiam subiectam.
Vgl. G. Ritter, Studien zur Spätscholastik II. Via antiqua und via moderna auf den deutschen Universitäten des XV. Jahrhunderts. SAH Phil.-hist. Klasse (1922) 7; S. 20. Michalski verweist ebenfalls auf das Dekret der Pariser Universität und stellt dem Text dieses Dokumentes Zitate aus Schriften Ockhams und Buridans zum Vergleich zur Seite. Vgl. K. Michalski, Le problème de la volonté . . . , a.a.O. 225—259.

ganzen richtig wiedergegeben wurden, wenn man von den Einzelheiten absieht. Jedoch darf nicht übersehen werden, daß sich in der Forschung der Gegenwart immer stärker die Bedeutung der differenzierenden Lehren herausstellt, die durch verallgemeinernde Systematisierungen vorschnell verdeckt werden. Ich verweise auf die kritische Bemerkung, mit der Bruno Decker seine theologiegeschichtlichen Vergleiche der Zeitgenossen des Jakob von Metz schließt, in denen er doch auf Grund exakter Quellenanalyse dem Urteil vorangegangener anerkannter Mediävisten entgegentrat: „Man sieht also auch hier, daß die geschichtliche Wirklichkeit viel zu differenziert ist, als daß sie mit Hilfe einiger weniger Schablonen bewältigt werden könnte[54]."

Molteni hat die herkömmlichen Urteile über Holcots theologische Richtung, die mit den Schlagworten „Voluntarismus", „Moralpositivismus", „Skeptizismus" umschrieben wurden[55], abgeschwächt und sieht den positiven Sinn dieser Theologie darin, daß sie die Freiheit Gottes und die Aktualität des göttlichen Heilshandelns kräftig herausstellte[56]. In der Lehre über die konstitutive Bedeutung von Gnade und Caritas steht Holcot nach Molteni in der Scholastischen Tradition des 13. Jahrhunderts, besonders des hl. Thomas[57]. Allerdings geht er der Frage der Unterscheidung zwischen beiden nicht weiter nach, sondern sieht sie unter dem Aspekt der Acceptatio. Sein Interesse gilt stärker der Frage: Ist im Menschen Freiheit ohne Gnade? Damit verschiebt sich aber das Problem auf das Verhältnis von Freiheit und Acceptatio. Wir möchten dazu noch auf den Begriff der Kontingenz[58] hinweisen, der für das Verständnis der Lehre von Gott und seinem Wirken auf die Geschöpfe ebenso wichtig bei Holcot ist wie bei Ockham. Schließlich sei nochmals unterstrichen, daß der Einfluß der sprachlogischen Methode auf die theologische Sprache unseres Magisters viel stärkere Beachtung verdient. Dieses Erfordernis ist leider auch in Moltenis Interpretation der Theologie Holcots offengeblieben, was uns besonders in dem Kapitel über die Rectitudo des Willens und darin über Ursächlichkeit Gottes gegenüber der Sünde auffiel[59]. Die Aussage Holcots über Gott als „Erstursache der Sünde", die Molteni in den Zusammenhang der Aussagen über die absolute Allmacht Gottes stellt, würde unter dem

---

[54] Vgl. B. Decker, Die Gotteslehre des Jakob von Metz, 531.
[55] Vgl. Molteni, a.a.O. 149f.
[56] Vgl. a.a.O. 150.
[57] Vgl. a.a.O. 51—58.
[58] Molteni weist u. a. auf die Kontingenz des Sittengesetzes hin (a.a.O. 80).
[59] Vgl. a.a.O. 75—83.

methodischen Aspekt gesehen noch weit mehr von seiner scheinbaren Radikalität verlieren. Möchte unsere Studie einen Anstoß dazu geben, die Theologie des vierzehnten Jahrhunderts stärker von der Methode her aufzuschlüsseln.

VIII

BESCHREIBUNG DES LITERARISCHEN MATERIALS

Während der vorangegangenen Untersuchung war es wiederholt notwendig, mit der inhaltlichen Textanalyse literarkritische Fragen zu verbinden. Besonders eindrucksvoll ließ sich in dem Abschnitt über den Inhalt des Glaubens zeigen, wie sehr bei Holcot das Textverständnis von der kritischen Benutzung der Quellen abhängig ist. Der fehlerhafte Druck macht es überdies ständig notwendig, die Handschriften zum Vergleich heranzuziehen.

Im folgenden soll eine möglichst ausführliche Beschreibung des benutzten literarischen Materials geboten werden. Ich bin mir dabei bewußt, daß manche Frage offen bleibt; doch würde die restlose Bewältigung des literarkritischen Problems, das besonders für die Quodlibeta Holcots besteht, eine eigene Arbeit erfordern, wie sie etwa für Durandus de S. Porciano von Josef Koch vorgelegt wurde. Doch wäre im Verfolg dieses Beispieles die thematische Bearbeitung weiter aufgeschoben worden, wobei es fraglich bleibt, bei der gegenwärtigen Quellenlage wirklich zu einem endgültigen Ergebnis des Quellenbefundes zu gelangen. Darum sollte hier zuerst einmal von der Methode her ein Zugang zu der eigenwilligen Theologie des Robert Holcot geöffnet werden. Im Hinblick auf dieses Ziel wurden die hier vorgelegten gedruckten und handschriftlichen Quellen untersucht.

Die Beschreibung der Texte soll zugleich eine erste Ausgangsbasis für eine weitere Erforschung der theologischen Themen bieten. Holcot dürfte auch für die Theologie, also nicht nur für Methodik und Sprachtheorie, von größerer Bedeutung sein, als es bisher angenommen wurde. Wir hatten ihn als einen besonders ausgeprägten Verfechter einer Theologie kennengelernt, die von der Logik und Sprachphilosphie durchformt war. Eine Untersuchung seiner Theologie wird die Regeln einer solchen Methodik ebenso berücksichtigen müssen wie diejenigen der Literarkritik. Unter diesem Gesichtspunkt wurde in der vorliegenden Arbeit versucht, beide Erfordernisse, Methodenkritik und Literarkritik, miteinander zu verbinden.

Die gedruckten Texte

Die gedruckten systematischen Werke Holcots werden vorerst nach der Inkunabel beschrieben, die von Johannes Trechsel 1497 in Lyon hergestellt wurde. Sie enthält folgende Werke:

A Opus quaestionum ac determinationum super libros sententiarum (Sentenzenkommentar) (fol. a ra — o V rb)

Wir geben ein Verzeichnis der Quästionen, um den Druck besser mit den Hss vergleichen zu können.

I Buch

1. Utrum quilibet viator existens in gratia assentiendo articulis fidei mereatur vitam aeternam.
2. De obiecto actus credendi, utrum sit ipsum complexum vel res significata per complexum.
3. Utrum voluntas creata in utendo et fruendo sit libera libertate contradictionis.
4. Utrum viator teneatur frui soli deo.
5. Utrum deus sit tres personae distinctae.
6. Utrum aliqua res simpliciter simplex sit in genere.

II Buch

1. Utrum creator generis humani iuste gubernat genus humanum.
2. Utrum deus ab aeterno sciverit se producturum mundum.
3. Utrum daemones libere peccaverunt.
4. Utrum angelo confirmato conveniat deputari ad custodiendum hominem viatorem.

III Buch

1. Utrum filius dei incarnari potuit.

IV Buch

1. Utrum baptismus rite susceptus conferat gratiam baptizato.
2. Utrum confirmatio sit sacramentum.
3. Utrum in sacramento eucharistiae sub speciebus panis vere et realiter existat corpus Christi.
4. Utrum confessio sacerdoti facienda sit homini necessaria ad salutem.
5. Utrum poenitenti et confesso non proprio sacerdoti habenti tamen commissionem generalem audiendi confessiones necesse sit eadem peccata iterum confiteri proprio sacerdoti.
6. Utrum quilibet sacerdos posset quemlibet absolvere a quocumque peccato.

7. Utrum peccator possit satisfacere deo pro peccato mortali.

8. Utrum finale praemium boni viatoris sit aeterna beatitudo.

Unter dem Expl. der 8. Quaestio (fol. o V rb) zwei Zeilen: Et sic est finis quaestionum huius quarti et per consequens totius operis sententiarum.

B Conferentiae (fol. o V va — p II va)

Wir geben hier Anfang und Ende dieses Stückes wieder. Schon bei der Aufzählung der Artikel mußten Korrekturen nach den Hss vorgenommen werden.

Superscriptio: Sequuntur sex articuli in libris Holkot recitati et per eum in scholis disputati per modum conferentiae.

Inc.: Sex sunt articuli, quos in diversis materiis dixi. Contra quos quidam socii reverendi institerunt rationabiliter. Primus articulus fuit quod obiectum fidei scientiae et opinionis et universaliter omnis notitiae assensio est complexum et non est res significata per complexum.

Secundus articulus fuit quod liberum arbitrium non sufficit ad determinandum intellectum ad actum credendi, ut ideo praecise aliquis credat aliquam propositionem esse veram, quia vult credere eam esse veram.

Tertius articulus fuit quod omnis cognitio creaturae est res distincta a creatura cognoscente.

Quartus articulus quod omnis cognitio creaturae causatur effective a creatura cognoscente saltem sicut a causa partiali et reperitur in eadem sicut accidens in subiecto.

Quintus articulus fuit dictus in materia de fruitione viae q. 3 super primum et fuit talis: Casu possibili posito potest homo licite frui creatura et meritorie.

Sextus fuit quod in casu possibili posito idem actus numero est meritum et demeritum successive.

Et contra tres primos articulis arguit quidam socius reverendus in sua prima lectione super bibliam. Et primo contra primum . . .

Expl.: Sed quia gentilis iudicat talem esse veram: Iste est deus, demonstrato idolo quod adorat, ideo errat et per consequens idolatrat. De sexto articulo patuit alibi.

C De imputabilitate peccati (fol. A ra — C VIII va)

Superscriptio: Incipit eiusdem magistri Roberti Holkot de imputabilitate peccati subtilissima disquisitio.

Inc.: Utrum omne peccatum sit imputabile voluntati. Et arguitur quod non, quia tunc omne peccatum originale foret imputabile voluntati.

Expl.: Hoc sentit magister sententiarum li IV dist. 34 ca. 8 (II d. 41 c. 1—2). Ubi dicit sic: omne quod non est ex fide peccatum est quod non sic intelligendum est, ut quicquid fit ab infidelibus, peccatum sit, sed omne quod fit contra fidem, id est contra conscientiam male fit. Vel in omni eo quod infidelis facit peccat, non quia illud facit, sed quia eo modo illud facit, quo non est referens ad debitum finem. Et sic patet ad quaestionem et ad argumenta.

D Determinationes[1] (fol. D ra — I X rb)

In der Überschrift wird auf die Unsicherheit der Textüberlieferung hingewiesen. Wir geben sie im vollen Wortlaut wieder.

Superscriptio: Sequuntur determinationes quarundam quaestionum eiusdem magistri Roberti Holkot, quas licet nonnullae earum semiplenae sint, praetermissas tamen, ut in epistola nostra diximus, non oportuit. Verumtamen non desunt, qui eas a discipulis Holkot collectas putent aut ab ipso inter profitendum in gymnasio publico dictatas, cum alii etiam scriptas ab eo velint postmodum, quod neglexisse videtur, recognoscendas et perficiendas. Verum utcumque id sese habeat boni aequique, consulas lector optime et pro tua utilitate audacius susceptum munus benignius amplectare.

Dieser Teil enthält 15 Quästionen. Die meisten von ihnen sind in den Quaestiones quodlibetales der Hs P (z. T. auch in B) enthalten.

Die Quästionen haben folgende Überschriften:

1. Utrum aliquis in casu possit extra praecepto obligari ad aliquid quod est contra conscientiam suam.
2. Utrum viae vivendi, quas Christus docuit, sint meritoriae vitae aeternae (P 51, fol. 160 vb).
3. Utrum voluntas humana in utendo creaturis sit libera (P 53, fol. 165 va).
4. Utrum viator existens in gratia ordinate utendo et fruendo posset vitare omne peccatum (P 57, fol. 173 rb).

---

[1] Vgl. im Abschnitt: „Die Logik als Instrument der Theologie" Anm. 39 und 41. Michalski hat die erste der Determinationes bei Richard Swineshead nachgewiesen. Vgl. K. Michalski, La physique nouvelle et les différentes courants philosophiques au XIVe siècle. Krakau 1928, 125—133. Zur literarhistorischen Lage der Determinationes vgl. auch E. A. Moody, A Quodlibet Question of the Objects of Knowledge and of Belief. In: Speculum 39 (1964) 53—74; 56 f. Die zuverlässigste Auskunft jetzt bei H. Schepers, Holkot contra dicta Crathorn, a.a.O. 336.

5. Utrum anima Christi fruens deo fruatur ex ipso necessario quolibet quod est deus (P 54, fol. 168 ra).
6. Utrum creatura rationalis sit a deo facta ad fruendum finaliter solo deo (P 55, fol. 170 va).
7. Utrum obiectum fruitionis beatificae sit deus vel aliud a deo (P 56, fol. 172 va).
8. Utrum fruitio possit manere in voluntate et non esse fruitio (P 88 fol. 205 rb).
9. Utrum angelus non confirmatus videns deum posset deum non diligere stante illa visione (P 89, fol. 207 ra).
10. Utrum cum essentia divina stat pluralitas personarum (P 90, fol. 209 ra).
11. Circa principium secundi libri, in quo arguitur de causalitate dei respectu creaturae, quaero istam quaestionem: Utrum deus est causa effectiva omnium aliorum a se (P 92, fol. 215 rb).

Vor der zwölften Quaestio steht folgende Bemerkung: Sequitur quoddam fragmentum quaestionis, in quo sex articulos auctor se executurum pollicetur, quorum duos dumtaxat nec eis satis plene prosequitur; sed nec plura repperi nec ab eo confecta crediderim.

12. Utrum deus fuerit causa effectiva mundi per creationem.
13. Utrum Christus convenienter redemit genus humanum (P 6, fol. 146 va).

Die nächste Quaestio erstreckt sich nur über eine halbe Spalte; davor folgende Bemerkung: Sequitur aliud fragmentum auctoris, omnino imperfectum quod si quid praetermissum voluissem, maxime praetermisissem; sed aequius iudicavi auctoribus fidem servare eos, ubi imperfecti sunt, cum protestatione ponendo quam omittendo.

14. Utrum deus sit a nobis cognoscibilis.
15. Utrum doctrina evangelica beati Matthaei de Christo sit generaliter vera tota (P 13, fol. 149 ra).

Die Handschriften

Aus zwei Gründen ist es notwendig, für eine Darstellung der Lehre Holcots die Handschriften heranzuziehen. Erstens ist nur ein Teil seiner Werke gedruckt worden, nämlich der Sentenzenkommentar, die Conferentiae, ein Traktat De imputabilitate peccati und einige Quaestiones quodlibetales unter dem Titel der Determinationes, alles in der oben beschriebenen Inkunabel des Johannes Trechsel. Dazu kommen einige neuere Editionen wie das Quod-

libet: Utrum theologia sit scientia, und der Sermo finalis[2]. Es
fehlen die meisten Quaestiones quodlibetales. Mitten in einigen Hss
des Sentenzenkommentars befindet sich auch der Tractatus de stellis, der für die Geschichte der Astrologie im 14. Jahrhundert von
großer Bedeutung ist. Schon Michalski hat eine genaue Beschreibung und Vergleichung der handschriftlich überlieferten Werke
Holcots gegeben. Eine erschöpfende Aufzählung aller Manuskripte
finden wir in der zitierten Studie von H. Schepers, die uns in die
Probleme der Textüberlieferung gerade bei diesem Magister ein-
führt. Zusätzlich verweisen wir auf die Angaben bei Quétif —
Echard und Emden[3].

Zweitens erfordern die gedruckten Texte ständig Korrekturen
durch die Handschriften. An vielen Stellen ist nur auf diese Weise
der wahre Sinn einer Aussage zu gewinnen. Das beste Beispiel dafür bietet die zweite Quaestio des ersten Buches vom Sentenzenkommentar, die in der Inkunabel nur den zehnten Teil des handschriftlich überlieferten Textes enthält. In allen mir zugänglichen Arbeiten, in denen diese Quaestio herangezogen wurde, ist dies nicht
berücksichtigt worden. Es erübrigt sich hier, die überaus sorgfältigen
Untersuchungen Schepers' zu wiederholen oder zu ergänzen. Zusätzlich soll aber eine Liste der Quaestionen geboten werden, da erfah-
rungsgemäß solche Listen von großem Nutzen für weitere For-
schungsarbeiten sind. Sie helfen oft, einzelne versprengte Quaestionen zu identifizieren.

A Der Sentenzenkommentar und die Conferentiae

Für den Sentenzenkommentar standen sieben Handschriften zur
Verfügung. Die Sigla für die einzelnen Hss setzen wir in Klammern
dahinter.

[2] J. T. Muckle, Utrum Theologia sit Scientia. A Quodlibet Question of Robert
Holcot O. P. In: MS XX (1958) [127]—[153].
J. C. Wey, The Sermo finalis of Robert Holcot. In: MS XI (1949) 219—224.
Dazu kommen: von Molteni, 2 Quaestiones quodl., nämlich: Utrum per potentiam dei absolutam possit aliquis acceptari sine charitate eidem formaliter
inhaerente (P fol. 221 rb — vb; B fol. 200 vb — 202 va). Utrum observantia
legis mosaycae fuit Judaeis meritoria vitae aeternae (RBM fol. 168 ra — 169
rb; P fol. 181 ra — 183 vb; B fol. 242 vb) Bei Molteni a.a.O. 166—204. Ferner
von E. A. Moody die Quaestio: Utrum deus posset scire plura quam scit (RBM
fol. 150 ra — 151va). Vgl. E. A. Moody, A Quodlibetal Question of Robert
Holkot, O. P. . . . In: Speculum 39 (1964) 53—74; 59—65. Die Edition stützt
sich auf RBM; die Quaestio ist auch in P und B enthalten. Vgl. u. Anm. 14.
[3] K. Michalski, a.a.O.; Schepers, Holkot contra dicta Crathorn, 331—339;
Quétif — Echard, Scriptores Ordinis Praedicatorum I, 629a—632a. A. B.
Emden, A biographical Register of the University of Oxford to A.D. 1500.
Vol. II, 946f.

1. Oxford, Oriel College (15) (O)
2. London, Royal British Museum 10 C VI (fol. 1—141) (RBM)
3. Cambridge, Pembroke College 236 (P)
4. Oxford, Balliol College 71 (B)
5. Oxford, Corpus Christi College 138 (C)
6. Erfurt, Codex Amplonianus 4° 112 (A1)
7. Erfurt, Codex Amplonianus 2° 105 (A2)

Bei den Texthinweisen wurde soweit möglich von der Inkunabel ausgegangen. Für die Herstellung zuverlässiger Texte wurden in der Regel die ersten drei Handschriften benutzt. Einen besonders schönen und vollständigen Text bietet 0, wenn auch zu berücksichtigen ist, daß dieser Codex wohl ins 15. Jahrhundert zu datieren, also jünger als die anderen Handschriften ist. Im übrigen sind die Varianten nicht so bedeutend, daß daraus wesentliche inhaltliche Unterschiede folgen. Bei der Beschreibung weisen wir vor allem auf die Unterschiede zum gedruckten Text hin.

1. Oriel College 15 (O)

Foliierung: Auf dem ersten Blatt eine Zahl am rechten oberen Rande: 114, mit der eine Numerierung der Blätter beginnt, die oft unterbrochen wird. Vom zweiten Blatt an eine Bezifferung in der rechten oberen Ecke, beginnend mit 121. Entsprechend muß das erste Blatt die Ziffer 120 erhalten. Wir legen diese Numerierung für die Seitenzählung zugrunde. Die Seiten sind zweispaltig beschrieben.

Diese Hs enthält zum Eingang des ersten Buches eine Einleitung mit einem Lob der Theologie.

Inc. (fol. 120 ra): Introitus Holkoth ad primum librum sententiarum. Jerusalem evangelistam dabo, Isaias 41 (Versus 27). Scola devota theologicae facultatis civitati Jerusalem merito moraliter comparatur, si ipsa non pro lapsu, quo prorupit, sed pro statu, quo floruit, capiatur.

Expl. (fol. 120 va): De hoc autem meo offertorio faciendo exponere possum illud Judicum 14 (Versus 12): Dabo vobis triginta sindones et totidem tunicas, cuius ratio ⟨est⟩ quia evangelium Matthaei habet 28 carmina (1. capitula?), quae cum uno prologo et lectione hodierna faciunt 30 tunicae. Sed 30 sindones, qui sunt penni tenues, significant litterales expositiones, quae per me super istas tunicas valde tenuiter apponuntur. Dabo igitur vobis 30 sindones et totidem tunicas et tamen si theologice Jerusalem legerem convenienter hanc sacram scripturam, satis verificari posset pro tertio principali istud Johannis 4 (Versus 14): Aqua, quam ego dabo ei, fons salientis in

vitam aeternam. Quae auctoritas tria ponit: Instrumentum coope-
rans, non agens principale: Ego incrementum exuberans nectar
originale: Fiet in eo fons, delectamentum exsuperans omne tempo-
rale, aquae salientis in vitam aeternam, ad quam nos producat, qui
sine fine vivit et regnat. Amen.

Der Schluß der Einleitung kann als Beispiel für die bildhafte
Sprache dienen, deren sich Holcot mit Vorliebe bedient. B. Smalley
zählt ihn darum zu den Meistern der frommen Beredsamkeit im
14. Jahrhundert[4].

Das erste Buch (fol. 120 va — 141 rb) weist im Unterschied zur
Inkunabel nur 5 Quästionen auf. Die Q. 2 der Inkunabel wird in
diesem Codex als „Prolog" geführt, worauf eine Bemerkung unter
der ersten Spalte der zweiten Seite hinweist (fol. 120 va). Sie taucht
aber erst am Ende des ganzen Sentenzenkommentars auf (fol. 206
ra). Sodann ist diese Quaestio in den Hss um ein Vielfaches umfangreicher als im Druck. Wegen der inhaltlichen Bedeutung dieser
Unterschiede wurde darauf bereits im Laufe der Untersuchung eingegangen[5].

Im zweiten Buch (fol. 141 rb — 164 ra bzw. 171 vb) sind in 0
die Quästionen 3 und 4 gegenüber der Inkunabel umgestellt. Quaestio 2 enthält einen längeren Text als in der Inkunabel, die mit der
Responsio zum 8. Argument schließt: Ad octavum concedo quod
angeli sunt confirmati; potest tamen ita esse quod nunquam fuerunt
confirmati. (Omnes aliae formae argumentorum possunt solvi per
praedicta in articulis). Inkun. fol. h VIII ra 36—39. Der in ( )
stehende Satz findet sich nicht in O. Dort fährt der Text unmittelbar nach der Responsio fort: Sciendum quod Daniel existens in Caldea inter Hebraeos captivatos intellexit per prophetiam quod primo
anno Darii fuit 70°captivitatis istius populi et quod tunc secundum
divinam promissionem erit captivitas liberanda de manu Persarum,
cui apparens Gabriel nuntiavit sententiam datam a deo de libertate
et licentia redeundi.

Expl.: Ad istud concedo quod Sortes non potest servare ordinem
caritatis, qui nunc est secundum legem communem, sed facta tali
revelatione foret alius ordo caritatis apud deum, qui tunc non debet

---

[4] Vgl. B. Smalley, English friars and Antiquity in the Early fourteenth Century,
133. Schepers bestätigt die Vermutung, die Wey und Smalley schon äußerten,
daß dieser Sermo den Prolog zum verschollenen Matthaeus-Kommentar Holcots
darstellt; vgl. Schepers a.a.O. 353.
[5] Vgl. den Abschnitt: „Die Lehre vom Glauben", S. 208—211.

ex praecepto caritatis diligere seipsum ad tantum bonum sicut proximum, et tamen naturaliter hoc faceret. O fol. 154 vb 46 — 156 rb 4.

Als fünfte Quaestio finden wir hier den umfangreichen Tractatus de stellis (fol. 164 ra — 171 vb): Utrum stellae sint creatae, ut per lumen et motum sint in signa et tempora.

Inc.: Et quod non arguitur, quia si sic, tunc sol ex institutione sui creatoris curreret motum circularem circa terram et sic vicissim causare⟨t⟩ diem et noctem, sicut dicit Magister sententiis libro 2.d 15 (13). Consequens falsum, quia si sic sequuntur plura inconvenientia.

Expl.: Ad 10. principale concedo quo stella et orbis sunt eiusdem speciei intermediae et inter se simpliciter, sed non eiusdem speciei specialissimae, si⟨cut⟩ dictum fuit in articulo quarto quaestionis.

Darunter eine Zeile: Gratia servanti stellas et cuncta creanti. Darunter: Explicit liber secundus.

Das dritte Buch (fol. 171 vb — 185 vb) weist 3 Quästionen mehr auf als der gedruckte Text. Die erste Quaestio ist in der Hs O und in der Inkunabel (dort die einzige Quaestio) gleichlautend. In O folgen nun:

Q. 2. Utrum doctrina evangelica beati Matthaei de Christo sit generaliter tota vera. (fol. 177 vb — 180 ra)

Inc.: Quod non videtur per nutrimentum sicut alii homines. Consequens falsum, igitur antecedens. Consequentia patet, quia secundum doctrinam evangelicam Christus more aliorum hominum de parvo puero factus est vir perfectae quantitatis.

Expl.: Ad secundum quod fuit de ista auctoritate: Omne quod in os intrat etc., Mat. 15 (Versus 17), respondit sanctus Thomas sic exponendo de quolibet cibi aliquid in secessu emittitur per sudores et varias evacuationes naturae.

Q. 3. Utrum beatus Matthaeus gaudiat iam in caelo de conversione sua a theloneo ⟨ad⟩ episcopatum. (fol. 180 ra — b)

Inc.: Quod non arguitur, quia si sic, igitur vult se conversum fuisse ⟨a⟩ theoloneo ad episcopatum.

Expl.: Ad quintum dicendum quod partes casus includunt contradictionem.

Q. 4. Utrum filius dei assumpsit naturam humanam in unitatem suppositi. (fol. 180 rb — 185 vb)

Inc.: Et quod non arguitur, quia si sic, igitur assumpsit hominem; igitur consequens falsum, quia nullus homo ⟨fuit⟩ assumptus. Consequentiam probo, quia eadem res praecise est humanitas et homo; igitur si assumpsit humanitatem, assumpsit hominem.

Expl.: Ad quartum scilicet si assumere etc. concedo quod omnes essent unus homo et non sequitur ulterius: igitur omnes essent una persona. Ad quintum principale patet ex dictis in ultimo articulo istius quaestionis.

Darunter: Explicit tertius liber Holcoth super sententias. Diese drei Quaestionen wiederholen sich in den Quaestiones quodlibetales des Codex P, dort Nr. 1, 13 und 14.

Das vierte Buch (fol. 185 vb — 204 rb) beginnt mit einer in der Inkunabel fehlenden Quaestio über die sakramentale Gnade.

Q. 1. Utrum cum omni sacramento debito modo suscepto recipienti sacramentum informans gratia conferatur. (fol. 185 vb — 191 vb)

Inc.: Et quod non arguitur sic, quia non datur gratia cum baptismo. Probatio: quia si sic, vel quaelibet gratia baptismalis est minima vel non.

Expl.: Ad istam secundam formam nego eam, quia plus suscipitur in subiecto conclusionis quam fuit subiectum minoris, et ideo est peccatum in forma. Nam si adderetur in subiecto minoris sicut in subiecto conclusionis, minor esset falsa ista: Sed omne e erit immediate post a.

Diese Quaestio enthält eine kritische Bemerkung über die Unfehlbarkeit der Kirche, die für die Ekklesiologie Holcots bedeutungsvoll ist. Sie soll hier wenigstens zitiert werden, ohne daß auf die Thematik näher eingegangen wird (fol. 189 rb 52—61): Ad primum argumentum concedo quod ecclesia militans posset errare circa fidem ecclesiae credendam vel exponendam, sed de facto per dei gratiam non erravit nec errabit. In Petro enim videlicet licet fides non deficiet finaliter, cui dictum est: ‚Ego rogavi pro te, ut non deficeret‘ etc. (Luk 22,32), tamen deficit ad tempus, quando negavit Christum, et sic posset deficere cum omnibus personis ecclesiae saltem ad tempus circa aliquid pertinens ad fidem in speciali et a multo fortiori posset etiam errare in statuendo aliquid quod ad fidem pertinet. Nec per rationem naturalem probari potest, utrum in talibus semper innitenda est sententiae ecclesiae tanquam sententiae magis probabili.

Quaestio 2—5 in O entsprechen Quaestio 1—4 in der Inkunabel. Darauf folgt in O Q. 6: Utrum peccator potest satisfacere deo pro peccato mortali (fol. 199 rb — 200 ra).

In der Inkunabel steht diese Quaestio als siebente.

Q.7 in O entspricht q. 6 in der Inkunabel.

Q.8 in O entspricht q. 5 in der Inkunabel.

Q.9 in O entspricht q. 8 in der Inkunabel.

O wie Ink. schließen mit dieser Quaestio, so daß beidemal der Schluß gleichlautet:

Expl.: (O fol. 204 rb 38—42): Et quando arguitur: Igitur non diligit spontanea voluntate, nego consequentiam, sicut negat Magister istam conclusionem 1.2° d. 7 (c.2, ed. Quaracchi 334), ubi dicit quod confirmati spontanea voluntate fruuntur et nulla necessitate cogente et tamen non possunt eum non amare, qui est benedictus in saecula sempiterna. Amen. Darauf folgen zwei Zeilen:

Explicit quaestio nona et ultima libri quarti operis Holcoth super sententias et sequitur sermo finalis. Darauf folgt der eben angekündigte ‚Sermo finalis‘ (fol. 204 rb — 205 ra):

Inc.: ‚Cursum consumavi, fidem servavi‘, Thim. 4 (2 Tim 4,7). Solicitudo scolastica studiosi circa sacrae theologiae notitiam adquirendam comparatur amicitiae amaturi, qui per laborosam militiam nititur quaerere sibi sponsam.

Expl.: . . . et ut sententiam meam accipiam more Christi, vos magistros et socios deo patri recommendabo, sicut ipse discipulo‹s› suos fecit sic dicens Jo. 17 (Versus 11): ‚Pater sancte, serva eos in nomine tuo, quos dedisti mihi’, et infra (Versus 15): ‚Non rogo, ut tollas eos de mundo, sed ut serves eos a malo’ et ad vitam perducas aeternam. Amen.

Darunter steht, etwa in der Mitte der Spalte ein zweizeiliger Vers:

Laus tibi sit ipse quem liber explicit iste. Mentem scriptoris salvet deus omnibus horis.

Es folgt fol. 205 ra — vb cin Verzeichnis der Quästionen, Artikel, Dubia usw.

Am Ende stehen zwei Bemerkungen, die sich auf den Aufbau des Codex beziehen:

Expliciunt tituli quaestionum, quas tractavit Holkoth super quatuor libros sententiarum cum materiebus et conclusionibus et dubiis in eis motis. Cuius operis primus liber continet 5 quaestiones et secundus 5 et tertius 4 et quartus 9 quaestiones. Numerus totalis quaestionum: 23.

Darunter eine Zeile frei, danach: Nota quod sequens articulus prologus est operis Holkoth super sententias et ideo statim post sermonem primum loco prologi poneretur.

Inc. (fol. 206 ra): De obiecto actus credendi, utrum erit ipsum complexum vel res significata per complexum, est apud quosdam dubium. Et tenet Tarantesius quod universaliter scientiae et opinionis et fidei et cuiuscumque talis assensus obiectum est res significata per partes propositionis seu res significata per complexum et non ipsum complexum.

Expl. (fol. 207 rb 33—38): . . . et propter hanc experientiam transtulerunt philosophi ista nomina species, idolum, imago [extra] ad
significandum tales qualitates requisitas ad intelligendum, licet in
nullo sunt similes rebus extra in essendo et dicuntur apud philosophos similes in repraesentando, non in essendo, id est quod non sunt
essentiae talis naturae, qualis naturae sunt obiecta extra.

Darunter steht folgende Bemerkung:

Explicit prologus in opus Holkoth, qui immediate post sermonem
in principio poneretur.

Dieser „Artikel" (in O fol. 206 ra — 207 rb) steht in der Inkunabel als q.2 des ersten Buches, allerdings auf einen Bruchteil verkürzt[6].

Daran schließen sich die Conferentiae an (fol. 207 rb — 209 ra).
Sie werden durch folgende Bemerkung eingeleitet: Hic incipiunt sex
articuli de diversis materiis prius tractatis, contra quos quidam socii
rationabiliter insteterunt. Primus articulus incipit modo, quo vide-
bitur inferius.

Darauf folgt eine Aufzählung der Artikelüberschriften. Da der
Text fast wörtlich mit dem oben wiedergegebenen des Druckes
übereinstimmt, der bereits nach den Hss korrigiert wurde, erübrigt
sich hier die Zitation.

Auch in O fehlen wie in der Inkunabel der vierte und der sechste
Artikel. Der fünfte Artikel beginnt unvermittelt hinter dem dritten
(In der Inkunabel dort die Bemerkung: Articulus quartus coincidet
cum tertio. Ideo dicendum sicut ad tertium — fol. p ra 17—18).
Hinter dem fünften Artikel bricht in O der Text ab (in der Inku-
nabel die Bemerkung: De sexto articulo patuit alibi — fol. p II v 22).

Am Ende fügt der Schreiber hinzu:

Expliciunt sex articuli, quos impugnaverunt videlicet magistri,
qui in sententiis concurrebant. Sed Holkoth clare solvens eorum
argutias ita, quid de materiebus illis sensit, ingeniosissime declara-
vit.

Die letzte Spalte enthält noch ein kurzes Verzeichnis der Quästionen des Sentenzenkommentars und der Artikel der Conferentiae
(fol. 209 rb).

Im letzten Viertel dieser Spalte wird ein neuer Text angekündigt:
Jam sequuntur 12 quaestiones magistri Nicholai ascensione Oxonii
disputatae.

---

[6] Vgl. die vorhergehende Anm.

2. Royal British Museum 10 C VI ff. 1—141 (RBM)

Diese Hs ist zweispaltig beschrieben und nachträglich in der rechten oberen Ecke numeriert. (Dieser ziemlich unregelmäßigen Paginierung nach müßte das erste Blatt die Ziffer 7 tragen.)

Diesen Text hielt Michalski für die „Ordinatio", d. h. die von Holcot selbst revidierte Herausgabe des Sentenzenkommentars[7]. Die Anzahl und die Aufteilung der Quästionen stimmen mit O überein bis auf folgende Unterschiede:

RBM beginnt sofort mit q. 1 des ersten Buches.

Die Quaestio: De obiecto actus credendi, utrum sit ipsum complexum . . ., die in der Inkunabel I Sent. q. 2, in O als Prolog steht, findet sich in RBM als q. 10 des vierten Buches. Die davor stehende q. 9: Utrum finale praemium boni viatoris sit ‹aeterna beatitudo› (fol. 125 va 48 — 129 rb), in O ebenfalls q. 9, in der Inkunabel q. 8, hat bereits einen formellen Schluß, gleichlautend mit dem Text in O und im Druck. Daraus geht hervor, daß q. 10 in RBM später hinzugefügt wurde.

Darauf folgen die Conferentiae (fol. 131 ra — 136 ra). Die Einleitung: Jerusalem evangelistam dabo . . ., steht unmittelbar hinter den Conferentiae, fol. 136 rb — 137 ra 62. Daran schließt sich ohne weitere Überleitung der Sermo finalis: Cursum consumavi, fidem servavi . . ., fol. 137 ra 63 — 138 ra 5. Darunter steht der zweizeilige Vers:

Laus tibi sit Christe, quem liber explicit iste. Mentem scriptoris salvet deus omnibus horis. Es folgt ein alphabetisches Sachregister und ein Verzeichnis der Quaestionen. (fol. 138 ra 8 — 141 vb 27).

3. Pembroke College Ms 236 (P)

Vor der ersten Quaestio hat diese Hs ein alphabetisches Verzeichnis der quodlibetalen Quästionen. Die Foliierung beginnt erst bei der ersten Quaestio und ist später hinzugefügt; Ziffern in der rechten oberen Ecke, Seiten zweispaltig beschrieben. Zum 1. Buch (fol. 1 — 35 rb) fehlt die Quaestio De obiecto actus credendi (Ink. I Sent. q. 2). Sie ist in dieser Hs nicht enthalten. Auf fol. 1a steht zweimal als Überschrift: Quodlibeta Ro (Roberti) Holcot. Es folgt jedoch der Sentenzenkommentar. Im 2. Buch (fol. 35 va — 74 vb), Quaestio 2, fehlt der Zusatz wie in O und RBM; Expl. wie in der Inkunabel. Q. 3 u. 4 sind gegenüber der Ink. umgestellt.

---

[7] Vgl. Michalski, a.a.O.; Moody, a.a.O.

Das 3. Buch (fol. 64 vb — 86 ra) enthält nur die erste Quaestio wie die Inkunabel.

Das 4. Buch (fol. 86 rb — 117 ra) enthält nur 8 Quästionen. Es fehlen die in den Hss O und RBM an erster Stelle stehende Quaestio über die sakramentale Gnade im allgemeinen sowie die letzte Quaestio. Ab der 4. Quaestio wechselt in P die Reihenfolge gegenüber der Inkunabel sowie O und RBM, nämlich:

Q. 4. Utrum peccator possit satisfacere deo pro peccato mortali. (fol. 100 vb)

Q. 5. Utrum quilibet sacerdos possit quemlibet absolvere a quocumque peccato. (fol. 103 ra)

Q. 6. Utrum confessio facienda sacerdoti sit homini necessaria ad salutem. (fol. 104 ra)

Q. 7. Utrum poenitenti confesso non proprio sacerdoti habenti tamen commissionem audiendi confessiones necesse sit eadem peccata iterum confiteri proprio sacerdoti. (fol. 104 vb) Mit dem Expl. von Quaestio 7 bricht der Sentenzenkommentar in P ab (fol. 107 rb 6—8): Item sententia Romanae Sedis potest in melius commutari: 35, q. 9 Sententiarum. Vgl. Ink. IV Sent. q. 5. (fol. n VI ra 19—21).

Es folgen unmittelbar die Conferentiae mit einer zur Ink. und zu O und RBM variierenden Überschrift (fol. 107 rb 9—12): Quatuor sunt articuli, quos in diversis materiis dixi, contra quos reverendi socii potenter institerunt.

Expl. (fol. 112 rb unten): Sed quia gentilis iudicat unam talem esse veram iste est deus, demonstrato idolo ‹quod adorat, ideo errat et per consequens idolatrat›. P bricht vor dem in ‹   › stehenden Text ab.

Darauf folgt die achte Quaestio mit gleichlautendem Inc. und Expl. wie in der Inkunabel (fol. 112 va — 117 ra 23). Eine längere Bemerkung leitet nun zum Tractatus de stellis über. Holcot unterscheidet bei dieser Gelegenheit zwischen Planeten und Fixsternen (fol. 117 ra 24—34): Distinctione 15^a (14) secundi libri Sententiarum agit Magister de opere quartae diei creationis mundi declarans, quomodo deus die quarta ordinavit caelum per luminaria maiora et stellas, ut circurrent terram et illuminarent eam et essent in signa et tempora et dies et annos. Et quia tam planetae quam stellae fixae communi nomine stellae nuncupantur, ideo citra istam distinctionem quaero istam pro materia praetacta quaestionem.

Mit großem Initiale beginnt nun die Quaestio (lin. 35—38): Utrum stellae sunt creatae ut per motum et lumen sunt in signa et tempora.

Die Quaestio ist in acht Artikel untergeteilt und reicht von fol. 117 ra 35 — 132 ra 43. Inc. und Expl. wie in O (vgl. o. S. 405). Danach beginnen ohne Überleitung die Quaestiones quodlibetales.

4. Balliol College 71 (B)

Die Blätter sind zweispaltig beschrieben. Foliierung oben in der Mitte des Blattes, beginnend mit 1^m. Ziffer 30 wird zweimal gebraucht.

Unterschiede zur Inkunabel. 1. Buch (fol. 1—38 rb)

Dieser Codex enthält an der gleichen Stelle wie die Inkunabel, nämlich I Sent. q. 2, den vollständigen Text der Quaestio: De obiecto actus credendi utrum sit ipsum complexum vel res significata per complexum (fol. 7 ra — 9 rb 22).

Inc.: Est apud quosdam dubium et tenet thar ... Hier doch „Chartona"? Die Quaestio wiederholt sich am Ende des 4. Buches, wo der Name deutlicher geschrieben wird.

Expl.: Et propter hanc experientiam transtulerunt philosophi ista nomina: species, idolum, imago, exemplar ad significandum tales qualitates requisitas ad intelligendum, licet in nullo sunt similes rebus extra in essendo. Et dicuntur apud philosophos similes in rem praedicando (1. repraesentando) non essendo, id est quod non sunt essentiae talis naturae, qualis naturae sunt obiecta extra etc. Die letzten beiden Quaestionen sind z. T. doppelt.

2. Buch (fol. 38 va — 87 vb): Quaestio 2 hat den erweiterten Schluß wie O. Ende: fol. 63 vb.

Quaestio 3 u. 4 in umgekehrter Reihenfolge wie in Ink. Als Quaestio 5 steht hier der Tractatus de stellis, fol. 76 rb 51 — 87 vb. Davor eine kurze Einleitung fol. 76 rb 41—50. Expl. wie in O, vgl. oben S. 405.

3. Buch (fol. 88 ra — 110 rb 23): q. 2—4 wie O, vgl. oben S. 405f.

4. Buch (fol. 110 rb — 142 ra 37): Es beginnt mit der gleichen allgemeinen Quaestio über die sakramentale Gnade wie O, vgl. oben S. 406. Die Reihenfolge der Quästionen verläuft im übrigen wie in O, vgl. oben S. 406f.

Nach der letzten Quaestio des 4. Buches schließt ohne Überleitung die Quaestio an, die eine Wiederholung von I Sent. q. 2 ist: De obiecto actus credendi utrum sit ipsum complexum vel res significata per complexum. Est apud quosdam dubium et tenet Tarentesius (hier deutlich!) quod universaliter scientiae et opinionis et fidei et cuiuscumque talis assensus obiectum est res significata ... (fol. 142 ra 38 — 144 va 21). Danach beginnen ohne weitere Einleitung mit dem ersten Artikel die Conferentiae (fol. 144 va 22 — 149 rb).

Den Abschluß bildet ein alphabetisches Sachregister zum Sentenzenkommentar (fol. 149 v — 156 v, Zeilen über die ganze Seite geschrieben).

5. Corpus Christi College 138 (C)

Die Hs ist einspaltig geschrieben. Foliierung ab dem zweiten Blatt mit Ziffern (2 usw.) in der rechten oberen Ecke. Der Sentenzenkommentar beginnt ohne weitere Einleitung mit der ersten Quaestio des 1. Buches. Diese Hs zählt die Quästionen in laufender Reihenfolge über alle vier Bücher durch! Wir vergleichen wieder mit dem gedruckten Text.

Im 1. Buch (fol. 1 v — 32 r) fehlt die Quaestio 2 der Inkunabel: De obiecto actus credendi... Es folgt als Quaestio 2 die Quaestio 3 der Inkunabel usw.

Im 2. Buch (fol. 32 r — 70 v) Quästionen wie in der Ink., nur 3 und 4 (C: 8 und 9) vertauscht.

Das 3. Buch (fol. 70 v — 81 v) enthält nur eine Quaestio (als q. 10) wie in der Ink.: Utrum filius dei potuit incarnari. Im 4. Buch (fol. 81 v — 105 v) fehlt die Quaestio über die Firmung (Ink. q. 2). Nach der Quaestio 14 (= Ink. q. 5) (Utrum poenitenti confesso non proprio sacerdoti habenti tamen commissionem confessiones audiendi necesse sit eadem peccata iterum confiteri proprio sacerdoti) folgen ohne weitere Überleitung die Conferentiae, ohne daß dieser Name fällt.

Inc.: Sex sunt articuli, quos in diversis materiis dixi, contra quos socii reverendi rationabiliter institerunt. Primus articulus fuit quod obiectum scientiae... (fol. 105 v; Expl.: fol. 110 v).

Danach folgen fol. 111 r — 118 r die übrigen Quaestionen entsprechend Ink. q. 6—8 (C: q. 15 — 17) Expl. wie in der Inkunabel. Dahinter der Vermerk: Explicit Holcot super quatuor libros Sententiarum.

Den Abschluß bildet ein Verzeichnis der Quästionen und z. T. auch ihrer Gliederungen. Es setzt eine neue Numerierung ein: fol. 123 — 126. Das Verzeichnis endet fol. 125 v. Fol. 126 ra ist leer.

6. Codex Amplonianus 4° 112 (A 1)

Der Codex enthält auf Papier, einspaltig beschrieben, den Sentenzenkommentar. Die Quästionen sind nicht numeriert, einige fehlen. Foliierung in der rechten oberen Ecke der Blätter mit Bleistift, später hinzugefügt.

Wir vergleichen mit der Inkunabel:

1. Buch (fol. 1 r — 41 r) enthält die Quästionen in der gleichen Reihenfolge wie die Inkunabel mit Ausnahme der Quaestio 2 (Ink.), De obiecto actus credendi, die dieser Codex nicht enthält. Nach der letzten Quaestio steht fol. 41 r die Bemerkung: Expliciunt quaestiones Holkot super primo Sententiarum. Sequitur ultima quaestio quarti libri: Utrum peccator possit satisfacere deo pro peccato mortali (fol. 41 r — v). Diese Quaestio bricht unvollendet ab. Auf der nächsten Seite beginnt das 2. Buch.

2. Buch (fol. 42 r — 74 r) enthält nur die ersten zwei Quästionen der Inkunabel. Die übrigen zwei stehen im 4. Buch, das danach beginnt.

4. Buch (fol. 74 r — 126 r). Quaestio 1: An baptismus rite susceptus conferat baptizato gratiam. Die Anzahl und die Reihenfolge der Quästionen entspricht bis q. 6 (Expl. fol. 92 r) denen der Inkunabel. Darauf folgt die Quaestio: Utrum filius dei potuit incarnari (fol. 92 v — 105 v), Ink.: III Sent. q. 1. Darauf folgt die Quaestio: Utrum finale praemium boni viatoris sit beatitudo (fol. 105 v — 111 r), Ink.: IV Sent. q. 8. Danach folgen zwei Quästionen, die in der Inkunabel im 2. Buch stehen:

Utrum angelo confirmato conveniat deputari ad custodiendum hominem viatorem (fol. 111 r — 123 v) Ink. II Sent. q. 4. Utrum daemones libere peccaverunt (fol. 123 v — 126 r) Ink. II Sent. q. 3.

Unter dem Ende dieser Quaestio steht nachgetragen ein Bruchstück einer Quaestio.

Zum Schluß eine „Tabula quaestionum Olchot super libros Sententiarum" (fol. 126 v), ein später hinzugefügter Versuch eines Inhaltsverzeichnisses, nach einer halben Seite abgebrochen.

7. *Codex Amplonianus 2⁰ 105 (A 2)*

Eine sehr schöne, z. T. mit rot verzierten Initialen versehene Pergamenthandschrift, zweispaltig geschrieben. Der Codex weist eine doppelte Foliierung auf, erstens in der rechten unteren Ecke mit roten (griechischen?) Schriftzeichen und römischen Ziffern, zweitens mit Bleistift in der rechten oberen Ecke später hinzugefügt. Wir benutzen hier diese Numerierung. Das 1. Buch (fol. 1 ra — 33 rb) enthält dieselben Quästionen in gleicher Reihenfolge wie die Inkunabel mit Ausnahme der Quaestio De obiecto credendi (Ink. I Sent. q. 2), die in diesem Codex ganz fehlt. Die Quästionen sind nicht numeriert.

Nach der letzten Quaestio des ersten Buches folgt der Tractatus de Stellis (fol. 33 va — 48 ra).

Danach beginnen ohne Überleitung die vier Quästionen des 2. Buches (fol. 49 rb — 74 va) wie in der Inkunabel, die dritte und vierte jedoch in umgekehrter Reihenfolge.

Danach folgt ohne weitere Einleitung die Quaestio: Utrum filius dei potuit (potest) incarnari (fol. 74 va — 88 ra).

Hierauf beginnt das 4. Buch (fol. 88 ra — 102 rb): Ad quartum librum quaeritur. Utrum baptismus rite susceptus conferat gratiam baptizato. Die Reihenfolge der Quästionen ist bis q. 7 wie in der Inkunabel. Q. 8 der Inkunabel fehlt. Es beginnen sofort die Conferentiae mit der knappen Einleitung: Sex sunt articuli . . . (fol. 102 rb — 106 ra).

Damit schließen die von Holcot stammenden Stücke dieses Codex. Ein unmittelbar darauf folgender Artikel über das Altarssakrament (fol. 106 ra 37 — 110 vb) dürfte ihm nicht zuzuschreiben sein.

Inc.: Omnes catholicae fidei professores firmiter credunt et nullatenus dubitant corpus Christi sumptum de virgine sub specie panis prolatis verbis sacramentalibus cum intentione debita a sacerdote realiter et veraciter contineri, quamvis a nobis corporali oculo videri non possit.

Expl.: . . . et sicut est de albedine, ita est de ceteris, qualibet et de materia et de forma materiali.

B Die Quaestiones quodlibetales

Von den Quodlibeta lagen mir folgende Hss vor:
1. RBM fol. 141 vb — 174 ra
2. P fol. 132 ra — 221 vb
3. B 246 fol. 182 ra — 265 va

Alle drei Hss sind zweispaltig beschrieben.

Glorieux hat bereits eine Liste der Quästionen aufgestellt, in die er alle drei Hss eingearbeitet hat.[8] Um eine genaue Übersicht über die Verteilung der Quästionen auf die drei Hss zu geben, soll hier eine Beschreibung der Texte folgen. Dabei fügen wir der Liste Glorieux's, von der wir ausgegangen sind, einige Ergänzungen und Corrigenda bei. RBM enthält zudem verschiedene literarkritische Bemerkungen, die hier ebenfalls wiedergegeben werden.

---

[8] Vgl. P. Glorieux, La littérature quodlibétique, II. Paris 1935, 258—261. Vgl. dazu Michalski (a.a.O. 15), der die Hs RBM für die „Ordinatio" des Magisters hält.

1. *Royal British Museum 10 C VI*

Wir beginnen mit dieser Hs, weil sie eine Aufteilung der Quästionen auf drei Quodlibeta hat. In ( ) setzen wir die Nr. der Quästionen in P und B. Eine Liste der Quästionen hat bereits E. A. Moody gegeben[9]. Sie endet mit der Quaestio 6 des dritten Quodlibet. Wir ergänzen auf die Gesamtzahl und fügen die interessanten Zwischenbemerkungen im ersten Teil der Sammlung hinzu.

Erstes Quodlibet fol. 141 vb — 152 rb

1. In disputatione de quolibet propositae fuerunt 27 quaestiones, quarum prima est haec: Utrum theologia sit scientia. (fol. 141 vb — 146 rb) (86; 1)

Diese umfangreiche Quaestio ist eine der wenigen, die durch die Edition von Muckle[10] im Druck vorliegen. Die Zahl von 27 Quästionen wird in diesem Quodlibet bei weitem nicht erreicht. Eine Erklärung dafür können wir in einer Bemerkung in der letzten Quaestio dieses Quodlibets finden, in der eine ganze Reihe von Fragen genannt werden, die aber nicht mehr behandelt werden.

2. Consequenter quaerebatur una quaestio de deo, quatenus convenit cum creaturis, et fuit quaestio de attributis mota sub hac forma: Utrum perfectiones attributales essentiales in divinis indistincte praecedant omnem operationem intellectus. (fol. 146 rb — 148 ra) (91; 3)

Diese Quaestio ist wegen ihrer aussagenlogischen Methodik beachtenswert; da sie aber hauptsächlich die trinitarischen Relationen behandelt, haben wir sie in der Untersuchung nicht berücksichtigt.

3. Vor der dritten Quaestio stehen folgende überleitende Bemerkungen:

Usquequo prius de habitu theologico. Sequuntur quaestiones motae de theologiae subiecto. Quaerebantur autem de deo inter quaestiones theologicas et speculativas quaedam quaestiones per propositiones de possibili, multipliciter istas autem, quae fuerint quaesitae per propositiones de inesse. Quaedam quaerebantur de deo absolute, quaedam quatenus convenit cum creaturis, et quaedam de deo per comparationem ad naturam, quam assumpsit puta quod fuit ista: Utrum haec sit concedenda: Deus est pater et filius et spiritus sanctus. (fol. 148 ra — 149 ra) (87; 2)

4. Consequenter de deo per comparationem ‹ ad › naturam, quam assumpsit, fuit proposita una talis: Utrum unio naturae humanae

[9] Vgl. Moody, a.a.O. 57f.
[10] Vgl. o. Anm. 2.

ad verbum sit una res distincta absoluta vel respectiva. (fol. 149 ra
— vb) (94; 4)

5. Quaestiones motae de deo per propositiones de possibili fuerunt
duae. Una fuit de dei potentia, alia de eius scientia. Prima fuit
ista: Utrum deus potest facere quodlibet de quolibet. (fol. 149 vb —
150 ra) (95; 5)

6. Secunda quaestio fuit ista: Utrum deus posset scire plura quam
sit (1. scit). (fol. 150 ra — 151 va) (96; 6)

Diese Quaestio ist von E. A. Moody ediert worden[11].

7. Nun folgen eine Anzahl Notizen über Quästionen, die jedoch
zunächst nicht ausgeführt werden:

De habitibus vero vitiosis quaerebatur unum et erat istud: Utrum
septem vitia capitalia specifice distinguuntur. (21; 11) Licet autem
habitus moralis sit vitiosus (1. virtuosus), tamen de actibus secus
videtur quibusdam esse dicendum; nam quidam actus videntur
virtuosi et quidam vitiosi et quidam sunt ⟨in⟩differentes. De actu
virtuoso in generali proponebatur una talis quaestio multum diffi-
cilis: Utrum quilibet viator continue possit intendere meritorium
actus aut viciosum (1. virtuosum) quantum ad qualitatem culpae
etc. De quodam actu vicioso fuit proposita una talis quaestio: Utrum
quilibet (1. quaelibet) transgressio voluntaria voti liciti sit peccatum
mortale. De quantitate vero poenae, qua quidam actus vitiosi iuste
puniuntur, fuit quaesitum sic: Utrum pro alico peccato sit aliquis
aeternaliter dampnandum. De actu vero tali, qui aliquando potest
fieri virtuose, aliquando vitiose et pro tanto vocari potest aliquo
modo indifferens, proponebatur una quaestio talis: Utrum quilibet
homo possit velle sine peccato poenam condignam descendenti in
peccato mortali. Sunt igitur istae quaestiones in universo morales
novem, quarum prima est haec: Utrum in beato Paulo fuerunt
virtutes theologicae pro tempore raptus. (fol. 151 vb - 152 ra) (97; 7)

8. Dubium est an obligatio mandatorum obligat ad substantiam
actus vel ad modum. (fol. 152 ra)

9. Utrum ⟨deus⟩ obligans hominem ad aliquod antecedens obliget
ipso facto ad consequens. (fol. 152 ra — b) (16; 15)

Expl.: Item nullus potest sine deliberatione conteri, quia nec
aliquem actum veritatis (1. virtutis) habere. Item ista minima
contritio foret actus imperfectissimus et tamen sibi deberetur maior
praemii quocumque bono operi sequenti in eodem; igitur non potest
dici instantanea. (fol. 152 rb 26 — 31)

---

[11] Vgl. Moody, a.a.O. 59—64.

Zweites Quodlibet fol. 152 rb — 157 va
Erster Teil
In disputatione de quolibet proponebantur a sociis decem quaestiones praeter duas quas proposui eo ipso de illis decem. Quinque fuerunt de materiis disputatis et quinque fuerunt alico modo in materia connexae. Omnes enim tangebant materiam de voluntate creata secundum quod est causa actus moralis meriti vel peccati, et fuerunt istae in forma: Prima: Utrum deus possit facere creaturam rationalem inpeccabilem.

Es folgt eine Aufzählung der fünf nachstehenden Quästionen.

1. Ad primum arguebatur quod deus potest facere creaturam rationabilem inpeccabilem. (fol. 152 rb — 153 ra)

2. Utrum voluntas peccabilis in qualibet temptatione sua sufficiat ex se a peccato declinare ita quod excludatur gratia vel habitus. (fol. 153 ra — va)

3. Utrum meritum viatorum consistat solum in actu voluntatis. (fol. 153 va — b)

4. Utrum actus exterior habeat propriam bonitatem vel malitiam super actum interiorem. (fol. 153 vb — 155 ra)

5. Utrum imperium voluntatis possit impediri per aliquam virtutem intellectivam vel sensitivam. (fol. 155 ra — va)

Zweiter Teil

Item quaestiones non (1. nunc) connexas in materia, quae in disputatione de quolibet per socios movebantur. Una erit de iustitia divina et quatuor fuerunt de perfectione et imperfectione humana. Prima fuit ista in forma: Utrum creator rationalis creaturae iuste operatur in omni operatione et in omni tempore suo. De perfectione vero humana quaerebantur duo et similiter de imperfectione humana. Quaerebantur alia duo inter eas, quae de humana perfectione quaerebantur. Una fuit de quadam eminenti perfectione, quae non convenit nisi paucis. Alia fuit de quadam perfectione communi, quae deberet convenire omnibus et singulis. Prima fuit ista: Utrum aureola doctoris debeatur solis doctoribus sacrae theologiae, qui in ea incipiunt et in universitate approbata iuxta modum et formam universitatis. Secunda fuit ista: Utrum dilectio dei aeterna homini sit possibilis. Quae vero, quae de humana imperfectione quaerebantur, fuerunt istae: Utrum quodlibet peccatum veniale diminuat ‹vel› dimidiat habitum caritatis. Alia: Utrum adultus rite baptizatus possit per tempus vitare omne peccatum.

1. Ad primum arguebatur probando quod creator rationalis creaturae non operatur vel operabatur iuste in omni opere suo, et hoc sic. (fol. 155 va — 156 ra) (P 63)

27 Hoffmann, Die theologische Methode

2. Utrum aureola doctoris debeatur solis doctoribus sacrae theologiae, qui in ea incipiunt in universitate approbata iuxta modum et formam universitatis. (fol. 156 ra — vb) (P 64)

3. Utrum dilectio dei aeterna sit homini possibilis. (fol. 156 vb — 157 ra) (P 65)

4. Utrum peccatum quodlibet veniale diminuat habitum caritatis. (fol. 157 ra — va) (P 66)

5. Utrum adultus rite baptizatus possit per tempus vitare omne peccatum. (fol. 157 va) (P 67)

Drittes Quodlibet fol. 157 va — 174 ra

In disputatione de quolibet proponebantur 22 quaestiones, quarum quaedam erant de deo, quaedam de homine, quaedam quaestiones ad utrumque et quaedam de proprietatibus tempore purae corporeae in deo (?); namque consideramus divinae essentiae cognitionem ad intra et revelationem ad extra; divinae potentiae operationem; naturae humanae assumptionem et divinae voluntatis notificationem per praecepta et prohibitiones. Et secundum ista sex quaerebantur 6 quaestiones divinam maiestatem concernentia (1. concernentes). Prima fuit ista: Utrum clare videns deum videat omnia futura contingentia. Secunda fuit: Utrum ista consequentia sit necessaria: Deus scit a fore; igitur a erit, et sit a unum futurum contingens. Tertia fuit ista: Utrum facta revelatione alicuius futuri contingentis ipsum maneat contingens post revelationem. Quarta fuit ista: Utrum deus possit aliquem punire de condigno. Quinta fuit ista: Utrum Christus fuisset incarnatus dato quod homo non peccasset. Sexta fuit ista: Utrum deus obligando viatorem ad aliquod antecedens obligat eum ad quodlibet suum consequens. (fol. 157 va 32 — 53)

Die nun folgenden Quästionen entsprechen nicht genau dieser Aufzählung. Die hier an sechster Stelle genannte Quaestio steht im ersten Quodlibet als q. 9 (fol. 152 ra — b)[12]. Ohne weitere Erklärung folgen nun 19 Quästionen.

1. Ad primam quaestionem arguebatur probando quod clare videns deum videt omnia futura contingentia. (fol. 157 va — 158 vb) (P 68)

2. Utrum ista consequentia sit necessaria: Deus scit a fore; igitur a erit; significet a unum futurum contingens. (fol. 158 vb — 159 ra) (P 69)

3. Utrum facta revelatione alicuius futuri contingentis ipsum maneat contingens post revelationem. (fol. 159 ra — va) (P 70)

[12] Vgl. o. S. 416.

4. Utrum Christus incarnatus fuisset dato quod homo non peccasset. (fol. 159 va — b)

5. Utrum deus possit aliquem punire de condigno. (fol. 159 vb — 160 va)

6. Utrum sapientia increata iuste puniat peccatorem iuxta demerita. (fol. 160 va — 161 vb)

7. Utrum generalis resurrectio necessario sit. (fol. 161 vb — 163 rb) (P 73)

8. Utrum sapientia [et] increata disponat suaviter universa. (fol. 163 rb — 167 rb) (P 74)

9. Utrum perfectio vitae praesentis sit potissime in actu contemplationis. (fol. 167 rb — 168 ra) (P 75)

10. Utrum observantia legis mosaicae fuit Judaeis meritoria vitae aeternae. (fol. 168 ra — 169 rb) (P 72)

11. Utrum deus possit punire peccantem mortaliter ad condignum. (fol. 169 rb — vb) (P 71)

12. Utrum male agentes sunt a legislatoribus puniendi. (fol. 169 vb — 170 vb) (P 80)

13. Utrum voluntas possit agere contra iudicium rationis. (fol. 170 vb — 171 va) (P 81)

14. Utrum voluntas potest libere educere intentionem in intellectu de actu primo in actum secundum. (fol. 171 va — 172 va) (P82)

15. Volentis (1. volens) quicquid vult, necessario vult et libere. (fol. 172 va)

16. Quod nulla ignorantia sit punienda. (fol. 172 va)

17. Utrum peccans mereatur puniri. (fol. 172 vb — 173 ra) (P 83)

18. Utrum discedens sine peccato possit iuste dampnari. (fol. 173 ra — b) (P 84)

19. Utrum haec sit concedenda: Christus est creatura. (fol. 173 rb — vb)

Expl. (fol. 174 ra 34 — 43): Ad omnes auctoritates, quae videntur esse contra, sic dico quod sancti noluerunt dicere quod haec sit vera praedicatio: Christus est creatura. Sed sancti admiratione loquebantur de Christo et extendunt nomen creaturae ad Christum, quia tantum se pro nobis exinanivit, ac si esset pura creatura, et ideo ut sancti excitent animos hominum ad devotionem, dicunt: Creator factus est creatura, ratione cuius se humiliavit et pro nobis mortem sustinuit, ac si fuisset pura creatura. Et sic omnes aliae auctoritates intelliguntur et sic patet ad obiecta.

Damit schließen die Quodlibeta. Danach folgt eine Aufzählung der Quästionen und Artikel des ersten Buches des Sentenzenkommentares (fol. 174 ra — b). Die letzte halbe Spalte ist leer.

2. Pembroke College 236

Diese Hs bringt ohne weitere Überleitung unmittelbar nach dem Tractatus de Stellis eine große Anzahl von Quästionen; diese sind weder numeriert noch auf einzelne Quodlibeta verteilt wie in RBM. Die Bezeichnung als Quaestiones quodlibetales sucht man vergebens. Auch finden wir gegenüber RBM neue Fragen. Wegen dieser Eigenarten geben wir hier eine vollständige Liste der Quästionen. Auffallend ist die große Zahl von Quästionen, die einen so knappen Text haben, daß sie als Bruchstücke angesehen werden müssen. In Klammern setzen wir die Ziffern der Numerierung in B.

1. Utrum filius dei assumpsit naturam humanam in unitate suppositi. (fol. 132 — 141 v)

2. Utrum beatus Matthaeus convenienter narravit Christi genealogiam. (fol. 141 v — 143 ra) (37)

3. Utrum historia conceptionis Christi sit in toto vera. (fol. 143 rb — vb) (38)

4. Utrum virginitas beatae virginis fuit laudabilior quam eius foecunditas. (fol. 143 vb — 144 rb) (10)

5. Utrum beata virgo fuit concepta in originali peccato. (fol. 144 va — 146 va)

6. Utrum Christus convenienter redemit genus humanum. (fol. 146 va — vb) (51)

Diese Quaestio steht in den Determinationes als q. 13.

7. Utrum divinitas sit pars Christi. (fol. 146 vb — 147 ra) (53)

8. Utrum Christus fuisset incarnatus dato quod homo non pecasset. (fol. 147 ra — b) (78)

9. Utrum voluntas humana in Christo fuit divinae voluntati conformis. (fol. 147 rb — va) (54)

10. Utrum Christus propter beneficium redemptionis sit amplius diligendus ab homine, quam si nunquam hominem redemisset. (fol. 147 vb — 148 rb) (24)

11. Utrum Christus probavit resurrectionem suam convenientibus argumentis. (fol. 148 rb — vb) (20)

12. Utrum motus ascensus Christi in caelum fuit sensibiliter successivus. (fol. 148 vb — 149 ra) (21)

13. Utrum doctrina evangelica beati Matthaei de Christo sit generaliter tota vera. (fol. 149 ra — 151 va)

Diese Quaestio steht in den Determinationes als q. 15, außerdem in den Hss RBM und O als III Sent. q. 2, jedoch mit erheblichen Textvarianten im ersten Teil.

14. Utrum beatus Matthaeus gaudeat iam in caelo de conversione sua a theloneo ad apostolatum. (fol. 151 va — 152 ra) (15)

Diese Quaestio steht in den Hss RBM und O als III Sent. q. 3.

15. Utrum sapientia increata obligando viatorem ad aliquod antecedens obliget eum eo ipso ad quodlibet suum consequens. (fol. 152 ra — va) (16)

16. Utrum in quolibet poenitente virtuose pro peccatis virtute passionis Christi praeveniat gratia gratum faciens. (fol. 152 va — 153 ra) (17)

17. Utrum quilibet viator existens in peccato tenetur quam cito poterit poenitere. (fol. 153 ra — rb) (18)

18. Utrum in quolibet poenitente requiritur spes veniae ad hoc, quod meritorie poeniteat. (fol. 153 va — b) (19)

19. Utrum cuilibet viatori deputetur ad custodiendum angelus confirmatus. (fol. 154 ra — b) (22)

20. Utrum angelus confirmatus libere operetur circa hominem, quem custodit. (fol. 154 rb — va) (23)

21. Utrum septem vitia capitalia specie distinguantur. (fol. 154 va — b) (11)

22. Utrum qualitas sustineat magis aut minus. (fol. 154 vb — 155 ra) (12)

23. Utrum contraria possunt esse in eodem subiecto coextensa. (fol. 155 rb) (13)

24. Utrum homo possit peccare. (fol. 155 rb — vb) (14)

25. Utrum alicuius mortalis possit esse aliqua circumstantia venialis. (fol. 155 vb — 156 ra) (25)

26. Utrum aliqua virtus creata possit in actum suum absque hoc, quod immediate a deo applicetur. (fol. 156 ra) (26)

27. Utrum deus possit esse causa peccati. (fol. 156 ra — b) (27)

28. Utrum deus velit fieri voluntate efficienti quod fit. (fol. 156 rb) (28)

29. Utrum ad operationes licitas sequitur necessario peccatum mortale. (fol. 156 rb — va) (30)

30. Utrum gratuite diligens deum plus se possit pro eadem mensura mereri et demereri. (fol. 156 va) (29)

31. Utrum Sortes deberet peccare mortaliter pro vita aeterna consequenda. (fol. 156 va) (31)

32. Utrum sine recta ratione in intellectu possit voluntas elicere actum rectum et virtuosum. (fol. 156 va — b) (32)

33. Utrum ultra omnem gradum possibilem haberi in via possit caritas augeri ex merito hominis. (fol. 156 vb) (33)

34. Utrum respectu dilectionis gratuitae caritas habeat efficientiam in mente. (fol. 156 vb) (34)

35. Utrum perfectio vitae praesentis sit potissime in actu contemplationis. (fol. 156 vb — 157 ra) (35)

Vgl. die ausführliche Quaestio 77, fol. 193 rb — 194 ra.

36. Utrum deus posset dare potentiam creandi cuicumque creaturae. (fol. 157 ra) (36)

37. Utrum oratio sit ab ecclesia convenienter usitata. (fol. 157 ra) (39)

38. Utrum oratio dominica sit rationabiliter ordinata. (fol. 157 ra — va) (40)

39. Utrum deus secundum exigentiam meritorum vel demeritorum distribuat poenas et praemia. (fol. 157 va — b) (41)

40. Utrum omne peccatum sit voluntati hominis debite imputandum. (fol. 157 vb) (42)

41. Utrum voluntas creata (B: rationalis creatura) sit causa principalis cuiuslibet sui demeriti actualis. (fol. 157 vb — 158 ra) (43)

42. Utrum anima beata retardetur a plenitudine suae beatitudinis propter appetitum ad corpus. (fol. 158 ra — 158 va) (44)

43. Utrum diabolus peccavit, quando tenebatur non peccare. (fol. 158 va) (45)

44. Utrum animae existentes in purgatorio delectentur de poenis, quas ibi patiuntur. (fol. 158 va) (46)

45. Utrum sacerdos, qui tenetur ex voto ad castitatem, incidens in fornicationem, gravius peccet quam laycus coniugatus committens adulterium. (fol. 158 va — b) (47)

46. Utrum vovens ingressum religionis et intrans cum proposito exeundi adimpleat votum. (fol. 158 vb — 159 ra) (48)

47. Utrum periurium sit gravius peccatum quam homicidium. (fol. 159 ra) (49)

48. Utrum licitum sit fidelibus ponere in ecclesiis et venerari ymagines istorum, qui non sunt ascripti ab ecclesia romana cathalogo sanctorum. (fol. 159 ra) (50)

49. Utrum aliqua propositio possit componi ex intentionibus et speciebus in anima naturaliter significantibus rem extra. (fol. 159 ra — 160 rb) (52)

50. Utrum doctrina venerabilis Anselmi rationabiliter debeat reprobari. (fol. 160 rb — vb) (56)

51. Utrum viae vivendi, quas Christus docuit, sunt meritoriae vitae aeternae. (fol. 160 vb — 162 vb) (57)

Diese Quaestio steht in den Determinationes als q. 2.

52. Utrum sola continuatio temporis addat bonitatem vel malitiam operationi morali. (fol. 162 vb — 165 va)

Diese Quaestio wird in einer kurzen Vorbemerkung (fol. 162 vb 52) als Artikel 3 der vorhergehenden Quaestio gekennzeichnet: Sequitur tertius articulus.

53. Utrum voluntas humana in utendo creaturis sit libera. (fol. 165 va — 168 ra) (58)

In den Determinationes als q. 3.

54. Utrum anima Christi fruens deo fruatur eoipso necessario quolibet, quod est deus (fol. 168 ra — 170 va) (59)

In den Determinationes als q. 5.

55. Utrum creatura rationalis sit a deo facta ad fruendum finaliter solo deo. (fol. 170 va — 172 va) (60)

In den Determinationes als q. 6.

56. Utrum obiectum fruitionis beatificae sit deus vel aliud a deo. (fol. 172 va — 173 rb) (61)

In den Determinationes als q. 7.

57. Utrum viator existens in gratia ordinate utendo et fruendo posset vitare omne peccatum. (fol. 173 rb — 175 rb) (62)

In den Determinationes als q. 4.

58. Utrum deus potest facere naturam rationalem impeccabilem. (fol. 175 rb — 175 vb) (80)

59. Utrum voluntas peccabilis in qualibet sua temptatione sufficiat ex se declinare a peccato ita, quod excludatur gratia vel habitus. (fol. 175 vb — 176 ra) (81)

60. Utrum meritum viatoris solum consistat in actu voluntatis. (fol. 176 ra — va) (82)

61. Utrum actus exterior habeat propriam bonitatem vel malitiam super actum interiorem. (fol. 176 va — 177 rb) (83)

62. Utrum imperium voluntatis possit impediri per aliquam virtutem intellectivam vel sensitivam. (fol. 177 rb — vb) (84)

63. Utrum creator rationalis creaturae iuste operatur vel operabatur in omni opere suo. (fol. 177 vb — 178 rb) (85)

64. Utrum aureola doctorum solis debeatur doctoribus sacrae theologiae, qui in ea incipiunt in universitate approbata. (fol. 178 rb — 178 vb) (86)

65. Utrum dilectio dei aeterna sit homini possibilis. (fol. 178 vb — 179 ra) (87)

66. Utrum quodlibet peccatum veniale diminuat habitum caritatis. (fol. 179 ra — b) (88)

67. Utrum adultus rite baptizatus poterit per tempus vitare omne peccatum. (fol. 179 rb) (64)

68. Utrum clare videns deum videat omnia futura contingentia. (fol. 179 rb — 180 rb) (89)

69. Utrum haec consequentia sit necessaria: Deus scit a fore. Igitur a erit. Significet a unum futurum contingens. (fol. 180 rb) (90)

70. Utrum facta revelatione alicuius futuri contingentis ipsum maneat contingens post revelationem. (fol. 180 rb — vb) (77)

71. Utrum Christus posset aliquem punire ad condignum. (fol. 180 vb — 181 ra) (79)

72. Utrum observantia legis mosaycae fuit Judaeis meritoria vitae aeternae. (fol. 181 ra — 183 vb) (74)

73. Utrum generalis resurrectio necessario sit futura. (fol. 183 vb — 188 ra) (75)

74. Utrum sapientia increata disponit suaviter universa. (fol. 188 ra — 192 va) (76)

75. Utrum lex sapientiae increatae obliget viatorem ad impossibile. (fol. 192 va — 193 rb) (65)

76. Utrum sapientia increata beatificet hominem virtuosum secundum merita. (fol. 193 rb) (66)

77. Utrum perfectio vitae praesentis sit potissime in actu contemplationis. (fol. 193 rb — 194 ra) (67)
Vgl. die kurze Quaestio 35, fol. 156 vb — 157 ra.

78. Utrum deus possit punire peccantem mortale ad condignum. (fol. 194 ra) (68)

79. Utrum homo de necessitate salutis teneatur ad opus supererogationis. (fol. 194 ra — b) (69)

80. Utrum male agentes sint a legislatoribus puniendi. (fol. 194 rb — 195 va) (70)

81. Utrum voluntas possit agere contra iudicium suae rationis. (fol. 195 va — 196 rb) (71)

82. Utrum voluntas libere educere possit intentionem in intellectu de actu primo in actum secundum. (fol. 196 ra — 197 ra) (72)

83. Utrum peccans mereatur puniri. (fol. 197 ra — b) (73)

84. Utrum discedens sine peccato possit iuste dampnari. (fol. 197 rb — va)
Nach sechs Zeilen Text folgt eine kurze Abhandlung über die unendliche Teilbarkeit einer kontinuierlichen Menge.

85. Utrum sapientia increata iuste puniat peccatores iuxta demerita. (fol. 197 va — 199 ra) (63)

86. Utrum theologia sit scientia. (fol. 199 ra — 202 vb) (1)

87. Utrum haec sit concedenda: Deus est pater et filius et spiritus sanctus. (fol. 202 vb — 205 rb) (2)

88. Utrum fruitio possit manere in voluntate et non esse fruitio. (fol. 205 rb — 207 ra)

In den Determinationes als q. 8.

89. Utrum angelus non confirmatus clare videns deum posset deum non diligere stante ista visione. (fol. 207 ra — 208 vb)

In den Determinationes q. 9.

90. Utrum cum unitate essentiae divinae stet pluralitas personarum. (fol. 209 ra — 214 va)

In den Determinationes q. 10.

91. Utrum perfectiones attributales in divinis indistincte praecedant omnem operationem intellectus. (fol. 214 va — 215 rb) (3)

92. Utrum deus sit causa effectiva omnium aliorum a se. (fol. 215 rb — 217 va)

In den Determinationes q. 11.

93. Utrum circumstantia aggravet. (fol. 217 va — 218 ra)

94. Utrum unio naturae ad verbum sit una res distincta absoluta vel respectiva. (fol. 218 ra — vb) (4)

95. Utrum deus potest facere quidlibet de quolibet. (fol. 218 vb) (5)

96. Utrum deus possit scire plura quam scit. (fol. 218 vb — 220 va) (6)

97. Utrum in beato Paulo fuerunt virtutes theologicae pro tempore raptus sui. (fol. 220 va — b) (7)

98. Utrum caritas beatorum in patria possit corrumpi. (fol. 220 vb — 221 rb) (8)

99. Utrum per potentiam dei absolutam possit aliquis acceptari sine caritate eidem formaliter inhaerente. (fol. 221 rb — vb) (9)

Expl.: Secundo sic: Formae oppositae habent effectus formaliter oppositos; sed anima per peccatum est naturaliter deo odibilis; igitur per caritatem diligibilis; igitur etc.

Von diesen Quästionen sind nicht in B: 1; 5; 13; 52; 84; 88 — 90; 92; 93.

3. Balliol College 71

Die Quästionen sind numeriert meist oberhalb der rechten Spalte der Vorderseite, ab q. 27 auch am Rande. In Klammern setzen wir die Ziffern der Numerierung in P.

Inc.: In disputatione de Quolibet propositae fuerunt quaestiones 34 (?), quarum prima est haec:

1. Utrum theologia sit scientia. (fol. 182 ra — 192 ra) (86)

2. Utrum haec sit concedenda: Deus est pater et filius et spiritus sanctus. (fol. 192 ra — 194 ra) (87)

3. Utrum perfectiones attributales essentiales indistincte praedicentur ante omnem operationem intellectus. (fol. 194 ra — 195 va) (91)

4. Utrum unio naturae humanae ad verbum sit una res distincta absoluta vel respectiva. (fol. 195 va — 198 ra) (94)

5. Utrum deus possit facere quidlibet de quo[d]libet. (fol. 198 ra — b) (95)

6. Utrum deus possit scire plura quam scit. (fol. 198 rb — 199 va) (96)

7. Utrum in beato Paulo fuerint virtutes theologicae pro tempore sui raptus. (fol. 199 vb — 200 ra) (97)

8. Utrum caritas beatorum in patria possit corrumpi. (fol. 200 ra — va) (98)

9. Utrum per potentiam dei absolutam possit aliquis acceptari sine caritate eidem formaliter inhaerente (fol. 200 vb — 202 va) (99)

10. Utrum virginitas beatae virginis fuit laudatior quam eius foecunditas. (fol. 202 va — 203 va) (4)

11. Utrum septem vitia capitalia specie distinguantur. (fol. 203 va — b) (21)

12. Utrum qualitas suscipiat magis aut minus. (fol. 203 vb — 204 va) (22)

13. Utrum contraria possunt esse in eodem subiecto coextensa. (fol. 204 va) (23)

14. Utrum homo posset peccare. (fol. 204 va — 205 rb) (24)

15. Utrum beatus Matthaeus gaudeat iam in coelo de conversione sua a thelonio ad apostolatum. (fol. 205 rb — 206 ra) (14)

16. Utrum sapientia increata obligando viatorem ad aliquod antecedens obligeret eum in ipso ad quodlibet suum consequens. (fol. 206 ra — va) (15)

17. Utrum in quolibet poenitente virtuose pro peccatis virtute passionis Christi praeveniat gratia gratum faciens. (fol. 206 va — 207 ra) (16)

18. Utrum quilibet viator existens in mortali peccato tenetur, quam cito poterit, poenitere. (fol. 207 ra — va) (17)

19. Utrum in quolibet poenitenti requiritur spes veniae ad hoc quod meritorie poeniteat de peccato. (fol. 207 va — 208 ra) (18)

20. Utrum Christus probat resurrectionem suam convenientibus argumentis. (fol. 208 ra — va) (11)

21. Utrum motus ascensus Christi in coelum fuit sensibiliter successivus. (fol. 208 va — b) (12)

22. Utrum cuilibet viatori deputetur ad custodiam aliquis angelus confirmatus. (fol. 208 vb — 209 ra) (19)

23. Utrum angelus confirmatus libere operetur circa hominum custodiam vel circa hominem quem custodit. (fol. 209 rb — 209 va) (20)

24. Utrum deus propter beneficium redemptionis sit amplius diligendus ab homine, quam si nunquam hominem ab inferno redimeret. (fol. 209 va — 210 ra) (10)

25. Utrum alicuius peccati mortalis possit esse alica circumstantia venialis. (fol. 210 ra — b) (25)

26. Utrum aliqua virtus creata possit in actum suum absque hoc quod immediate a deo applicetur. (fol. 210 rb — va) (26)

27. Utrum deus possit esse causa peccati. (fol. 210 va) (27)

28. Utrum deus velit fieri voluntate efficienti quod fit contra eius praeceptum vel prohibitionem. (fol. 210 va — b) (28)

29. Utrum gratuit[at]e diligens deum plus sibi possit pro eadem mensura mereri et demereri. (fol. 210 vb) (30)

30. Utrum ad operationes licitas sequatur necessario peccatum mortale. (fol. 210 vb) (29)

31. Utrum Sortes deberet peccare mortaliter pro vita aeterna consequenda. (fol. 210 vb) (31)

32. Utrum sine recta ratione in intellectu possit voluntas elicere actum rectum et virtuosum. (fol. 211 ra) (32)

33. Utrum ultra omnem gradum possibilem haberi in via possit caritas augeri ex merito hominis. (fol. 211 ra — b) (33)

34. Utrum respectu dilectionis gratuitae caritas habeat efficaciam in mente. (fol. 211 rb) (34)

35. Utrum perfectio vitae praesentis sit potissime in actu contemplationis. (fol. 211 rb — va) (35)

36. Utrum deus possit dare potentiam creandi alicui creaturae. (fol. 211 va) (36)

37. Utrum beatus Matthaeus convenienter narravit Christi genealogiam. (fol. 211 va — 212 vb) (2)

38. Utrum historia conceptionis Christi sit tota vera. (fol. 212 vb — 213 va) (3)

39. Utrum oratio sit ab ecclesia convenienter usitata. (fol. 213 va — b) (37)

40. Utrum oratio dominica sit rationabiliter ordinata. (fol. 213 vb — 214 rb) (38)

41. Utrum deus secundum exigentiam meritorum vel demeritorum distribuat poenas et praemia. (fol. 214 rb) (39)

42. Utrum omne peccatum sit voluntati hominis debite imputandum. (fol. 214 rb — va) (40)

43. Utrum rationalis creatura (P: Voluntas creata) sit causa principalis cuiuslibet sui demeriti actualis. (fol. 214 va — b) (41)

44. Utrum anima beata retardetur a plenitudine suae beatitudinis propter appetitum ad corpus. (fol. 214 vb — 215 rb) (42)

45. Utrum David (1. diabolus) peccavit, quando tenebatur non peccare. (fol. 215 rb — va) (43)

46. Utrum animae existentes in purgatorio delectentur de poenis, quas ibi patiuntur. (fol. 215 va) (44)

47. Utrum sacerdos, qui tenetur ex voto ad castitatem incidens in fornicationem gravius peccat quam laicus coniugatus committens adulterium. (fol. 215 va — b) (45)

48. Utrum vovens ingressum religionis et intrans cum proposito exeundi impleat votum. (fol. 215 vb) (46)

49. Utrum periurium sit gravius peccatum quam homicidium. (fol. 216 ra) (47)

50. Utrum licitum sit fidelibus ponere in ecclesiis et venerari imagines istorum, qui non sunt ascripti ab ecclesia romana cathalogo sanctorum. (fol. 216 ra) (48)

Aliqua est propositio, quam nescit esse veram nec falsam nec tibi dubiam, de qua tamen consideras . . .[13] (fol. 216 rb)

51. Utrum Christus redemit convenienter genus humanum. (fol. 216 rb — va) (6)

52. Utrum aliqua propositio possit componi ex intentionibus et speciebus in anima naturaliter signantibus rem extra. (fol. 216 va — 218 rb) (49)

53. Utrum divinitas sit pars Christi. (fol. 218 rb) (7)

54. Utrum voluntas humana in Christo fuit divinae voluntati conformis. (fol. 218 va — b) (9)

55. Utrum omnis amor, quo deus dilexit homines, fuit moraliter virtuosus. (fol. 218 vb — 219 ra)

56. Utrum doctrina venerabilis Anselmi rationabiliter debeat reprobari. (fol. 219 ra — b) (50)

57. Utrum viae vivendi, quas Christus docuit, sint meritoriae vitae aeterna. (fol. 219 va — 225 rb) (51)

58. Utrum voluntas humana in utendo creaturis sit libera. (fol. 225 rb — 228 va) (53)

59. Utrum anima Christi fruens deo fruatur eo ipso necessario quolibet quod est deus. (fol. 228 va — 231 ra) (54)

---

[13] Dieser Satz leitet einen kurzen Artikel ein, der keine eigene Quaestio bildet. Kein Utrum, jedoch wurde der Raum für die Initiale freigelassen. Kein Zusammenhang mit der vorangegangenen Quaestio.

60. Utrum creatura rationalis sit a deo facta ad fruendum finaliter solo deo. (fol. 231 ra — 233 ra) (55)

61. Utrum obiectum fruitionis sit deus vel aliud a deo. (fol. 233 ra — 234 ra) (56)

62. Utrum viator existens in gratia ordinate utendo et fruendo posset vitare omne peccatum. (fol. 234 ra — 236 rb) (57)

63. Utrum sapientia increata iuste puniat peccatores iuxta demerita. (fol. 236 rb — 238 ra) (85)

64. Utrum adultus rite baptizatus poterit per tempus vitare omne peccatum. (fol. 238 ra) (67)

65. Utrum lex sapientiae increat[ur]ae obliget viatorem ad impossibile. (fol. 238 ra — vb) (75)

66. Utrum sapientia increata beatificet hominem virtuosum secundum merita. (fol. 238 vb — 239 ra) (76)

67. Utrum perfectio vitae praesentis sit potissime in actu contemplationis. (fol. 239 ra — va) (77)

68. Utrum deus possit punire peccatum mortale ad condignum. (fol. 239 va) (78)

69. Utrum homo de necessitate salutis teneatur ad opus supererogationis. (fol. 239 vb) (79)

70. Utrum male agentes possint a legislatoribus puniri. (fol. 239 vb — 241 ra) (80)

71. Utrum voluntas possit agere contra iudicium suae rationis. (fol. 241 ra — vb) (81)

72. Utrum voluntas possit libere educere intentionem in intellectu de actu primo in actum secundum. (fol. 241 vb — 242 va) (82)

73. Utrum peccans mereatur puniri. (fol. 242 va — b) (83)

74. Utrum observantia legis moysaicae fuit Judaeis meritoria vitae aeternae. (fol. 242 vb — 245 rb) (72)

75. Utrum generalis resurrectio necessario sit futura. (fol. 245 rb — 248 vb) (73)

76. Utrum sapientia increata disponit suaviter universa. (fol. 248 vb — 255 va) (74)

77. Utrum facta revelatione alicuius futuri contingentis ipsum maneat contingens post revelationem. (fol. 255 va — 256 rb) (70)

78. Utrum Christus fuisset incarnatus dato quod homo non peccasset. (fol. 256 rb — vb) (8)

79. Utrum deus posset aliquem punire de condigno. (fol. 256 vb — 257 va) (71)

80. Utrum deus potest facere creaturam rationalem et inpeccabilem. (fol. 257 va — 258 rb) (58)

81. Utrum voluntas peccabilis in qualibet temptatione sua sufficiat quod ex se a peccato declinat ita quod excludatur gratia vel habitus. (fol. 258 rb — va) (59)

82. Utrum meritum viatoris solum consistat in actu voluntatis. (fol. 258 va — 259 ra) (60)

83. Utrum actus exterior habeat propriam bonitatem vel malitiam super actum interiorem. (fol. 259 ra — 260 rb) (61)

84. Utrum imperium voluntatis possit impediri per aliquam virtutem intellectivam vel sensitivam. (fol. 260 rb — vb) (62)

85. Utrum creator rationalis creaturae iuste operatur vel operabatur in omni opere suo. (fol. 261 ra — b) (63)

86. Utrum aureola doctoris debeatur solis doctoribus sacrae theologiae, qui in ea incipiunt in universitate approbata iuxta modum et formam universitatis. (fol. 261 rb — 262 ra) (64)

87. Utrum dilectio dei aeterna sit homini possibilis. (fol. 262 rb — va) (65)

88. Utrum peccatum quodlibet veniale diminuat habitum caritatis. (fol. 262 va — b) (66)

89. Utrum clare videns deum videat omnia futura contingentia. fol. 263 ra — 264 rb) (68)

90. Utrum ista consequentia sit necessaria: Deus scit a fore, igitur a erit, et significaret ‹ a › unum futurum contingens. (fol. 264 rb) (69)

91. Utrum beatus Johannes Baptista testimonium perhibendo de Christo placuit deo. (fol. 264 rb — va)

Von diesen Quästionen sind nicht in P: 55 u. 91.

Expl. (fol. 164 va 14 — 16): Item consentit in mortem iniustam et ino[s]centis. Ergo non fuit agnus dei. Nihil plus de ista quaestione.

Darauf folgt eine Liste dieser 91 Quästionen (fol. 264 va — 265 va). Darunter steht der Vermerk: Expliciunt tituli quaestionum omnium quodlibetorum Holkot[14].

---

[14] Nach der Drucklegung dieser Arbeit erhielt ich von Herrn Professor William J. Courtenay (University of Wisconsin, Madison) die Mitteilung, daß er eine kritische Edition der Quodlibeta Holcots vorbereitet, die er in zwei Jahren zu veröffentlichen hofft. Als Vorgabe erschien bereits die Quaestio: Utrum deus possit scire plura quam scit. Vgl. W. J. Courtenay, A Revised Text of Robert Holcot's Quodlibetal Dispute on Whether God is Able to Know More Than He Knows. In: Archiv für Geschichte der Philosophie 53 (1971) 1—21.

QUELLENVERZEICHNIS

Ungedruckte Quellen

Crathorn
Quaestiones. Erfurt, Cod. Amplonianus 4° 395a
Richardus Camasale
Notabilia quaedam Richardi Cammassale pro materia de contingenti et praescientia dei. Brit. Mus. Cod. Harl. 3243, fol. 78(88) v.
Robert Eliphat
In IV libros Sententiarum. Vat. lat. 1111; Dominikanerkloster Wien, Cod. 108.
Robert Holcot
Super IV libros Sententiarum
Conferentiae
Oxford, Oriel College 15 (O)
London, Royal British Museum 10 C VI (RBM)
Cambridge, Pembroke College 236 (P)
Oxford, Balliol College 71 (B)
Oxford, Corpus Christi College 138 (C)
Erfurt, Codex Amplonianus 4° 112 (A1)
Erfurt, Codex Amplonianus 2° 105 (A2)
Quaestiones quodlibctales
London, Royal British Museum 10 C VI (RBM)
Cambridge, Pembroke College 236 (P)
Oxford, Balliol College 246 (B)
Sigla in ()

Gedruckte Quellen

Aegidius Romanus
Errores philosophorum (ed. J. Koch, Milwaukee 1944)
Alexander de Hales
Summa theologica (tom. I—IV, Ad Claras Aquas 1924 seq.)
Anselmus Cantuariensis
Opera omnia, rec. F. S. Schmitt, Seccoviae 1938 seq.
De veritate (tom. I)
Proslogion (tom. I)
Cur deus homo (tom. II)
De concordia praescientiae et praedestinationis et gratiae dei cum libero arbitrio (tom. II)
Albert von Sachsen, Logica Albertucii Perutilis Logica, Venetiae 1522.
Aristoteles
Opera Graece. Ex recensione I. Bekkeri ed. Academia Regia Borussica, Berolini 1831
Analytica posteriora
Categoriae

De interpretatione (cit. Perihermeneias)
Topica
De sophisticis elenchis
Physica
De caelo et mundo
De anima
Metaphysica
Ethica Nicomachea
Translatio Eugen Rolfes, off. Felix Meiner, Lipsiae 1948
Zweite Analytiken
Sophistische Widerlegungen

Augustinus
De civitate dei (PL 41)
De doctrina christiana (PL 34)
De trinitate (PL 42)
Enchiridion (PL 40)
De bono coniugii (PL 40)
Soliloquium (PL 32)
Liber 83 quaestionum (PL 40)
Contra Faustum (PL 42)
In Johannem tractatus (PL 35)
Sermo 43 (PL 38)

Pseudo-Augustinus
Hypomnesticon (Hypognosticon) (PL 45)
Principia dialectica (PL 32)

Beda
De orthographis (ex rec. Henricus Keil, Grammatici latini Lipsiae 1880 —
Hildesheim 1961, tom. VII)

Boethius
Philosophiae consolatio (CSEL 67) (cit. De cons. phil.)

Bonaventura
In IV libros Sententiarum (Ad Claras Aquas 1934)

Cassiodorus
Expositio in psalterium (PL 70)

Clemens Alexandrinus
Stromata (BKV 2. Reihe, tom. 17, 19 u. 27)

Crathorn
Quaestiones de Universalibus Magistrorum Crathorn O.P, Anonymi O.F.M.,
Ioannis Canonici O.F.M. Ad fidem Manuscriptorum ed. Johannes Kraus. In:
Opuscula et Textus. Series scholastica ed. M. Grabmann et Fr. Pelster S.J.
Monasterii 1936.

Glossa ordinaria
Prothemata in Psalterium (PL 113)

Gregorius Arminiensis
Super primum et secundum Sententiarum, Venetiae 1522 (Nachdruck: Franciscan Institute Publications, ed. E. M. Buytaert, O.F.M., Louvain-Paderborn
1955)

Guilelmus Altissiodorensis
Summa aurea (ed. F. Regnault, Parisiis 1500)

Henricus Gandavensis
Summa quaestionum ordinariarum, Parisiis 1520 (Nachdruck: Franciscan Institute Publications, ed. E. M. Buytaert, O.F.M., Louvain-Paderborn 1953)

Johannes Dacus
Opera (ex rec. Alfredus Otto, Haunie 1955)

Johannes Damascenus
De fide orthodoxa (PG 94)

Johannes Duns Scotus
Opera omnia (ex rec. C. Balic, Civitas vaticana 1950 seq.; ex rec. M. F. Garcia, O.F.M., Ad Claras Aquas 1912—1914; ex rec. nova L. Wadding 〈ed. Vivès〉 Parisiis 1891—1895)

Johannes Lutterell
Libellus contra doctrinam Guilelmi Occam (ex rec. Fritz Hoffmann: Die Schriften des Oxforder Kanzlers Johannes Lutterell. Erfurter Theologische Studien, tom. 6, Lipsiae 1959)

Johannes Parisiensis
In IV libros Sententiarum (Jean de Paris [Quidort] O.P., Commentaire sur les Sentences. Reportation. Livre I. Edition critique par Jean Pierre Muller, O.S.B. Studia Anselmiana XLVII, Romae 1961)

Immanuel Kant
Kritik der reinen Vernunft (ex rec. Ernst Cassirer, Berolini 1912—1922)

Gottfried Wilhelm Leibniz
Theodizee (ex rec. Gerhard Krüger, Leibniz, Die Hauptwerke. Stuttgart [3]1949)

Petrus Abaelardus
Dialectica (First Complete Edition of the Parisian Manuscript by L. M. De Rijk. Assen 1956)

Petrus Aureoli
Scriptum super primum Sententiarum (ed. E. M. Buytaert, O.F.M., Franciscan Institute Publications, Louvain-Paderborn 1953)

Petrus Hispanus
Summulae logicales (ed. I. M. Bocheński, O. P. Taurini 1947)

Petrus Lombardus
Libri IV Sententiarum (Ad Claras Aquas [2]1916)

Petrus de Tarantasia
In IV libros Sententiarum, Tolosae 1652 (Nachdruck: The Gregg Press Incorporated Ridgewood, New Jersey, 1964)

Robert Holcot
Opus quaestionum ac determinationum super libros Sententiarum
Sex articuli in libris Holcot recitati et per eum in scolis disputati per modum conferentiae
De imputabilitate peccati disquisitio
Determinationes quarumdam quaestionum. Lugduni 1497
Vgl. ferner Literaturverzeichnis unter: Molteni, Moody, Muckle und Wey.

Thomas de Aquino
Opera omnia iussu Leonis XIII edita, Romae 1882 seq.
Summa theologiae
Summa contra gentiles
In Sententiarum libros IV (ed. Mandonnet-Moos, Parisiis 1929 seq.)
In octo libros Physicorum Aristotelis expositio (ed. P. M. Maggiolo, O. P. Taurini 1954)
In Aristotelis librum De anima (ed. Pirotta, O. P. Taurini 1948)

Quaestio disputata De veritate (ed. Spiazzi, O.P., Taurini 1953)

Compendium theologiae (Opuscula theologica I, ed. R. A. Verardo, Taurini 1934)

De ente et essentia (Opuscula philosophica, ed. Perrier, O.P., Parisiis 1949)

In librum beati Dionysii de divinis nominibus expositio (ed. Pera, O.P., Caramello, Mazzantini, Taurini 1950)

Expositio super librum Boethii De trinitate (ed. Bruno Decker, Leiden 1955)

Thomas de Erfordia

Tractatus de modis significandi sive Grammatica speculativa (ed. M. F. Garcia, O.F.M., sub nomine Johannis Duns Scoti, in: Lexicon scholasticum philosophico-theologicum. Ad Claras Aquas 1910)

Wilhelm Ockham

Summa logicae (ed. Philothus Boehner, O.F.M., Franciscan Institute Publications, Louvain-Paderborn 1954)

Super IV libros Sententiarum subtilissimae quaestiones earumdemque decisiones, Lugduni 1495

Septem quodlibeta, Argentineae 1491

Tractatus de praedestinatione et de praescientia dei et de futuris contingentibus (ed. Philotheus Boehner, O.F.M., Franciscan Institute Publications, St. Bonaventure, N. Y. 1945)

LITERATURVERZEICHNIS

A u e r , Johann, Die menschliche Willensfreiheit im Lehrsystem des Thomas von Aquin und Johannes Duns Scotus. München 1938.

A u e r , Johann, Die Bedeutung der „Modell-Idee" für die „Hilfsbegriffe" des katholischen Dogmas. In: Einsicht und Glaube (Festschrift für Gottlieb Söhngen). Freiburg 1962, 259—279.

A u e r , Johann, Nominalismus. In: LThK VII (²1962) 1020—1023.

B a u d r y , Léon, Lexique philosophique de Guillaume d'Ockham. Paris 1958.

B a u d r y , Léon, Gauthier de Chatton et son Commentaire sur les Sentences. AHD XVIII (1943).

B e t t o n i , Ephrem, O.F.M., L'ascesa a Dio in Duns Scot. Mailand 1943.

B e u m e r , Johannes, S.J., Zwang und Freiheit in der Glaubenszustimmung nach Robert Holkot. In: Scholastik 37 (1962) 514—529.

B e u m e r , Johannes, S.J., Thomas von Aquin zum Wesen der Theologie. In: Scholastik 30 (1955) 195—214.

B e u m e r , Johannes, S.J., Der Augustinismus in der theologischen Erkenntnislehre des Petrus Aureoli. In: Franziskanische Studien 36 (1954) 137—171.

B i e l m e i e r , A., O.S.B., Die Stellungnahme des Herveus Natalis in der Frage nach dem Wissenschaftscharakter der Theologie. In: Divus Thomas 3 (1925) 399—414.

B o c h e ń s k i , I. M., Formale Logik. Freiburg-München 1956. (zit. „Logik")

B o c h e ń s k i , I. M.-M e n n e , Albert, Grundriß der Logistik. Paderborn 1962.

B o e h n e r , Philotheus, O.F.M., Medieval Logic. Manchester 1952.

B o e h n e r , Philotheus, O.F.M., Ockham. Philosophical Writings. Edinburgh 1957.

B o e h n e r , Philotheus, O.F.M., Theory of Truth. In: Collected Articles on Ockham, ed. E. M. Buytaert, O.F.M. Louvain-Paderborn 1958, 174—200.

B o e h n e r , Philotheus, O.F.M., Ockhams Tractatus de Praedestinatione et de Praescientia Dei et de Futuris Contingentibus and its main Problems. In: Collected Articles on Ockham, ed. E. M. Buytaert, O.F.M. Louvain-Paderborn 1958, 420—441.

B o e h n e r , Philotheus, O.F.M., Ockhams Theory of Signification. In: Collected Articles on Ockham, 201—232.

B o e h n e r , Philotheus, O.F.M., The notitia intuitiva of non-existents according to William Ockham. In: Traditio I (1943) 223—275.

B r a n d i s , August, Über die Reihenfolge der Bücher des aristotelischen Organons, AAB 1833.

B r e u n i n g , Wilhelm, Die hypostatische Union in der Theologie Wilhelms von Auxerre, Hugos von St. Cher und Rolands von Cremona. Trier 1962.

C h a r l a n d , Th. M., O.P., Artes praedicandi. Contribution à l'histoire de la Rhétorique au moyen âge. Publication de l'Institut d'études médiévales d'Ottawa VII. Paris—Ottawa 1936.

C h e n u , M. D., O.P., La Théologie comme Science aux XIIIe siècle. Paris 1957.

D a l P r a , Mario, Linguaggio e conoscenza assertiva nel pensiero di Roberto Holkot. In: Riv. critica di storia della filosofia 11 (1956) 15—40.

D e c k e r , Bruno, Die Gotteslehre des Jakob von Metz. BGPhMA XLII, 1 Münster 1967.

D e c k e r , Bruno, Sola scriptura bei Thomas von Aquin. In: Universitas (Festschrift für Bischof Stohr) Band I. Mainz 1960, 117—129.

D e f e r r a r i , Roy J.-B a r r y , M. Inviolata, A complete Index of The Summa theologica of St. Thomas Aquinas. Baltimore 1956.

D e n i f l e - C h a t e l a i n , Chartularium Universitatis Parisiensis. Paris 1889— 1897.

D e R i j k , L. M., Logica modernorum. Assen 1962.

D r e i l i n g , R., Der Konzeptualismus in der Universalienlehre des Franziskanerbischofs Petrus Aureoli. Münster 1913.

E h r l e , Franz, Der Sentenzenkommentar Peters von Candia. In: Franziskanische Studien. Beiheft 9. Münster 1925.

E l i e , Hubert, Le complexe significabile. Paris 1936.

E m d e n , A. B., A biographical register of the University of Oxford to A. D. 1500. Oxford 1958.

E n c y c l o p a e d i a Britannica Bd. 4. London 1956.

F a r m e r , H. H., Revelation and Religion. London 1954.

F u c h s , Ernst, Die Sprache im Neuen Testament. In: Wilhelm Schneemelcher (Herausg.), Das Problem der Sprache in Theologie und Kirche. Berlin 1959.

F u n k e , Gerhard, Einheitssprache, Sprachspiel und Sprachauslegung bei Wittgenstein. In: Zeitschrift für Philosophische Forschung 22 (1968) 1—30.

G a d a m e r , Hans-Georg, Wahrheit und Methode. Tübingen ²1965.

G a n d i l l a c , M. de, Ockham et la „Via moderna". In: Fliche, A., Histoire de l'église. Bd. 13, 449—512. Paris 1956.

G e y e r , Bernhard, Die patristische und scholastische Philosophie. 11. Auflage (F. Überweg, Grundriß der Geschichte der Philosophie II) Berlin 1928.

G e y e r , Bernhard, Der Begriff der scholastischen Theologie. In: Synthesen in der Philosophie der Gegenwart. (Festgabe Adolf Dyrroff) Bonn 1926, 112— 125.

G i l s o n , Étienne, History of Christian Philosophy in the Middle Ages. New York 1955.

G i l s o n , Étienne, Johannes Duns Scotus. Einführung in die Grundgedanken seiner Lehre. Übertr. von Werner Dettloff. Düsseldorf 1959.

G i l s o n , Étienne, Pourquoi saint Thomas a critiqué saint Augustin. In: AHD, I (1926—27) 8—25.

G l o r i e u x , P., La littérature quodlibétique Vol. II. Paris 1935.

G o l l w i t z e r , Helmut, Das Wort „Gott" in christlicher Theologie. In: ThLZ 92 (1967) 161—176.

G r a b m a n n , Martin, Die geschichtliche Entwicklung der mittelalterlichen Sprachphilosophie und Sprachlogik. In: Mittelalterliches Geistesleben III. München 1956, 243—253.

G r a b m a n n , Martin, Die Entwicklung der mittelalterlichen Sprachlogik. In: Mittelalterliches Geistesleben I. München 1956, 104—146.

G r a b m a n n , Martin, Thomas von Erfurt und die Sprachlogik des mittelalterlichen Aristotelismus. In: Sitzungsberichte der Bayerischen Akademie der Wissenschaften. Jg. 1943 H. 2. München 1943.

G r a b m a n n , Martin, Die theologische Erkenntnis- und Einleitungslehre des hl. Thomas von Aquin. Freiburg (Schweiz) 1948.

G u e l l u y , Robert, Philosophie et Théologie chez Guillaume d'Ockham. Paris 1947.

G u t w e n g e r , Engelbert, S.J., Bewußtsein und Wissen Christi. Innsbruck 1960.

H a h n , Sebastian, Thomas Bradwardinus und seine Lehre von der menschlichen Willensfreiheit. Münster 1905.

H a u b s t , Rudolf, Probleme der jüngsten Christologie. In: ThRv 52 (1956) 145—162.

H a u b s t , Rudolf, (Herausg.) Mitteilungen und Forschungsbeiträge der Cusanusgesellschaft VI. Mainz 1967.

H a u b s t , Rudolf, Welches Ich spricht in Christus? In: TThZ 66 (1957) 1—20.

H e i d e g g e r , Martin, Die Kategorien- und Bedeutungslehre des Duns Scotus. Tübingen 1916.

H i r s c h b e r g e r , Johannes, Geschichte der Philosophie. Freiburg ⁸1965.

H o c h s t e t t e r , Erich, Viator mundi. Einige Bemerkungen zur Situation des Menschen bei Wilhelm von Ockham. In: Wilhelm Ockham, Aufsätze zu seiner Philosophie und Theologie. Münster 1950.

H o c h s t e t t e r , Erich, Studien zur Metaphysik und Erkenntnislehre Wilhelms von Ockham. Berlin 1927.

H o f f m a n n , Fritz, Die Schriften des Oxforder Kanzlers Johannes Lutterell. Erfurter Theologische Studien Bd. 6. Leipzig 1959.

H o r v á t h , Alexander M., O.P., Studien zum Gottesbegriff. Thomistische Studien VI. Band. Freiburg (Schweiz) 1954.

J o e s t , Wilfried, Zur Frage des Paradoxon in der Theologie. In: Joest, Wilfried — Pannenberg, Wolfhart (Herausg.), Dogma und Denkstrukturen. Göttingen 1963, 116—151.

J u n g h a n s , Helmar, Ockham im Lichte der neueren Forschung. Dargestellt an IIand der Arbeiten des Franziskaners Philotheus Böhner und seiner Gesprächspartner. Leipzig 1964 (Diss. Masch.).

K a e p p e l i , Th., O.P., Der Johanneskommentar des Michael de Furno O.P. In: AFP IV (1934) 225.

K a p p , Ernst, Der Ursprung der Logik bei den Griechen. Göttingen 1965.

K i e s o w , Ernst-Rüdiger, Dialektisches Denken und Reden in der Predigt. Berlin 1957.

K n o w l e s , David, The Religious Orders in England II. Cambridge 1955.

K o c h , Josef, Durandus de S. Porciano O.P., Forschungen zum Streit um Thomas von Aquin zu Beginn des 14. Jahrhunderts; I. Teil, Literargeschichtliche Grundlegung. BGPhMA XXVI, 1. Münster 1927.

K o c h , Josef, Scholastik. In: RGG V (³1961) 1495.

K o c h , Josef, Jakob von Metz, der Lehrer des Durandus de S. Porciano O.P. In: AHD IV (1930) 169—226.

K o c h , Josef, Neue Aktenstücke zu dem gegen Wilhelm Ockham in Avignon geführten Prozeß. RThAM VII (1935) 353—380; VIII (1936) 79—93; 168—197.

K o c h , Josef — R i e d l , O. John, Giles of Rome Errores Philosophorum. Critical Text with Notes and Introduction. Milwaukee 1944.

K o l b , Karl, Menschliche Freiheit und göttliches Vorherwissen nach Augustin. Freiburg 1908.

K o s t e r , Mannes Dominikus, Von der Findung der theologischen Grundsätze. In: Einsicht und Glaube (Festschrift für Gottlieb Söhngen), Freiburg 1962, 280—298.

K r a u s , Johannes, Die Stellung des Oxforder Dominikanerlehrers Crathorn zu Thomas von Aquin. In: ZKTh 57 (1933) 66—88.

K r e b s , Engelbert, Theologie und Wissenschaft nach der Lehre der Hochscholastik an Hand der bisher ungedruckten Defensa doctrinae S. Thomae des Herveus Natalis. Münster 1912.

K u t s c h e r a , Franz von, Das Verhältnis der modernen zur traditionellen Logik. In: PhJ 71 (1964) 219—229.

L a l a n d e , André, Vocabulaire technique et critique de la Philosophie. Paris 1962.

L a n d g r a f , Artur Michael, Dogmengeschichte der Frühscholastik II, 1. Die Lehre von Christus. Regensburg 1953.

L a n g , Albert, Die Wege der Glaubensbegründung bei den Scholastikern des 14. Jahrhunderts. BGPhMA XXX 1—2. Münster 1930.

L a n g , Albert, Die Entfaltung des apologetischen Problems in der Scholastik des Mittelalters. Freiburg 1962.

L a n g , Albert, Robert Holcot. In: LThK VIII (²1963) 1339 f.

L a u n , J. F., Die Prädestinationslehre bei Wiclif und Bradwardine. In: Imago Dei (Festschrift für G. Krüger) Giessen 1932.

L e c h n e r , Joseph, Johannes von Rodington, O.F.M., und sein Quodlibet de conscientia. In: Aus der Geisteswelt des Mittelalters. (Festgabe Martin Grabmann) BGPhMA Suppl.-Band III, 2, 1125—1168.

L e c l e r c q , Dom. J., O.S.B., La théologie comme science d'après la littérature quodlibetique. In: RThAM XI (1939) 351—374.

L e f f , Gordon, Bradwardine and the Pelagians. Cambridge Studies in Medieval Life and Thought. New Series: Volume 5. Cambridge 1957.

L e f f , Gordon, Gregor of Rimini. Manchester 1961.

L e i s e g a n g , Hans, Denkformen. Berlin 1951.

L o h m a n n , Johannes, Vom ursprünglichen Sinn der aristotelischen Syllogistik. Lexis Bd. III, 2. Lahr 1951.

M a i e r , Anneliese, Zwei Grundprobleme der scholastischen Naturphilosophie. Rom 1951.

M a i e r , Anneliese, Diskussionen über das aktuell Unendliche in der ersten Hälfte des 14. Jahrhunderts. In: Ausgehendes Mittelalter I. Rom 1964, 41—85.

M a i e r , Anneliese, Ergebnisse der scholastischen Naturphilosophie. In: Ausgehendes Mittelalter I. Rom 1964, 425—457.

M a i e r , Anneliese, Die Vorläufer Galileis im 14. Jahrhundert. Rom 1949.

M a i e r , Anneliese, An der Grenze von Scholastik und Naturwissenschaft. Rom ²1952.

M a n d o n n e t , P., O.P., Siger de Brabant et l'averroisme latin au XIIIe siècle. I Louvain 1911; II Louvain 1908.

M a n t h e y , F., Die Sprachphilosophie des hl. Thomas von Aquin und ihre Anwendung auf Probleme der Theologie. Paderborn 1937.

M e i s s n e r , Alois, Gotteserkenntnis und Gotteslehre nach dem englischen Dominikanertheologen Robert Holcot. Limburg 1953.

M e r l i n , N., Gregor von Rimini. In: DThC VI, 1852—54.

M e y e r , Hans, Abendländische Weltanschauung Bd. 3. Die Weltanschauung des Mittelalters. Paderborn—Würzburg 1952.

M i c h a l s k i , K., Le problème de la volonté à Oxford et à Paris au XIVe siècle. In: Studia philosophica II. Lwów 1937, 233—365.

M i c h a l s k i , K., La physique nouvelle et les differents courants philosophiques au XIVe siècle. In: Bulletin de l'Académie polonaise des Sciences et des Lettres. Krakau 1928, 9—18; 32—40.

M i c h a l s k i , K., Les courants philosophiques à Oxford et à Paris pendant le XIVe siècle. In: Bulletin de l'Académie polonaise des Sciences et des Lettres. Krakau 1922, 59—88.

M i n g e s , Parthenius, O.F.M., Das Verhältnis zwischen Glauben und Wissen, Theologie und Philosophie nach Duns Scotus. Paderborn 1908.

M i n g e s , Parthenius, O.F.M., Ist Duns Scotus Indeterminist? BGPhMA V, 4. Münster 1905.

M i n g e s , Parthenius, O.F.M., Der Gottesbegriff des Duns Scotus. Theologische Studien der Leo Gesellschaft 16. Wien 1907.

M o l t e n i , Paolo, Roberto Holcot o. p., Dottrina della Grazia e della Giustificazione con due questioni quodlibetali inedite. Pinerolo 1967.

M o o d y , E. A., A Quodlibet Question of Robert Holkot, O. P. on the Problem of the Objects of Knowledge and Belief. In: Speculum 39 (1964) 53—74.

M u c k , O., S.J., Zur Logik der Rede von Gott. In: ZKTh 89 (1967) 1—28.

M u c k l e , J. T., C.S.B., Utrum Theologia sit scientia. A Quodlibet Question of Robert Holcot O. P. In: MS XX (1958) 127—153.

O b e r m a n , Heiko Augustinus, Spätscholastik und Reformation I. Der Herbst des Mittelalters. Zürich 1965.

O b e r m a n , Heiko Augustinus, Archbishop Thomas Bradwardine a Fourteenth Century Augustinian. Utrecht 1957.

O b e r m a n , Heiko Augustinus, „Facientibus quod in se est Deus non denegat gratiam." Robert Holcot, O.P., and the Beginning of Luthers Theology. In: HThR 55 (1962) 317—342.

O ' C a l l a g h a n , J. J., Walter Chatton's Doctrine of Intuitive and Abstractive Knowledge. Toronto 1949.

O ' D o n n e l l , J. R., C.S.B., Nine Mediaeval Thinkers. Toronto 1955.

P a n n e n b e r g , Wolfhart, Die Prädestinationslehre des Duns Skotus. Göttingen 1954.

P i n b o r g , Jan, Die Entwicklung der Sprachtheorie im Mittelalter. BGPhMA XLII, 2. Münster—Kopenhagen 1967.

P i n b o r g , Jan, Eine neue sprachlogische Schrift des Simon de Dacia. In: Scholastik 39 (1964) 220—232.

P r ü m m , Karl, S.J., Der christliche Glaube und die altheidnische Welt. Leipzig 1935.

Q u é t i f , Jacobus — É c h a r d , Jacobus, Scriptores Ordinis Praedicatorum Bd. 1. Paris 1719 — Torino 1961.

R a h n e r , Karl, S.J., Dogmatische Erwägungen über das Wissen und Selbstbewußtsein Christi. In: Schriften zur Theologie V (²1964), 222—245.

R a t z i n g e r , Joseph — F r i e s , Heinrich, Einsicht und Glaube (Festgabe Gottlieb Söhngen), Freiburg 1962.

R i c h t e r , Vladimir, S.J., Logik und Geheimnis. In: Gott in Welt 1. Bd. (Festgabe Rahner), 188—206.

R i t t e r , Gerhard, Studien zur Spätscholastik II. Via antiqua und via moderna auf den deutschen Universitäten des 15. Jahrhunderts. SAH 1922 Heft 7.

R o o s , Heinrich, Die modi significandi des Martinus de Dacia. BGPhMA XXXVII, 2. Münster 1952.

R o o s , Heinrich, Ein unbekanntes Sophisma des Boethius von Dacia. In: Scholastik 38 (1963), 378—391.

S a n t e l e r , Josef, S.J., Der kausale Gottesbeweis bei Herveus Natalis nach dem ungedruckten Traktat De cognitione primi principii. Philosophie und Grenzwissenschaften III, 1. Innsbruck 1930.

S m a l l e y , Beryl, Robert Holcot, O.P. In: AFP XXVI (1956) 5—97.

S m a l l e y , Beryl, English Friars and Antiquity in the Early Fourteenth Century. Oxford 1960.

S ö h n g e n , Gottlieb, Fundamentaltheologie. In: LThK IV (²1960) 452—459.

S ö h n g e n , Gottlieb, Kants Kritik der Gottesbeweise in religiös-theologischer Sicht. In: Die Einheit in der Theologie. München 1952, 140—160.

S p r e n g a r d , Karl Anton, Systematisch-historische Untersuchungen zur Philosophie des XIV. Jahrhunderts, 2 Bde. Mainzer Philosophische Forschungen Bd. 3a—b. Bonn 1967/68.

S y n e n , E. A., Richard of Campsall, an English Theologian of the Fourteenth Century. In: MS XIV (1952) 1—8.

S c h e p e r s , Heinrich, Holkot contra dicta Crathorn. In: PhJ 77 (1970) 320—354.

S c h i l d e r , Klaas, Zur Begriffsgeschichte des „Paradoxon", mit besonderer Berücksichtigung Calvins und des nach—Kierkegaardschen „Paradoxon". Kampen 1933.

S c h l i n k , Edmund, Der theologische Syllogismus als Problem der Prädestinationslehre. In: Einsicht und Glaube (Festschrift für Gottlieb Söhngen) Freiburg 1962, 299—320.

S c h m ü c k e r , Rainulf, O.F.M., Propositio per se nota, Gottesbeweis und ihr Verhältnis nach Petrus Aureoli. Werl 1941.

S c h n e e m e l c h e r , Wilhelm (Herausg.), Das Problem der Sprache in Theologie und Kirche. Referate vom Deutschen Evangelischen Theologentag 27.— 31. Mai 1958 in Berlin. Berlin 1959.

S c h o l z , Heinrich, Geschichte der Logik. Berlin 1931.

S c h o l z , Heinrich, Unter welchen Bedingungen ist eine evangelische Theologie als Wissenschaft möglich? In: Zwischen den Zeiten 1931, 3 ff.

S c h r ö e r , Henning, Die Denkform der Paradoxalität als theologisches Problem. Göttingen 1960.

S c h ü l e r , Martin, Prädestination, Sünde und Freiheit bei Gregor von Rimini. In: FKGG 3. Bd. Stuttgart 1934.

S c h ü t z , Ludwig, Thomas — Lexikon. New York ²1956.

S c h w a m m , Hermann, Das göttliche Vorherwissen bei Duns Scotus und seinen ersten Anhängern. Philosophic und Grenzwissenschaften V, Heft 1/4. Innsbruck 1934.

S c h w a m m , Hermann, Robert Cowton O.F.M. über das göttliche Vorherwissen. Philosophie und Grenzwissenschaften III, Heft 5. Innsbruck 1931.

S t e g m ü l l e r , Friedrich, Les questions du commentaire des Sentences de Robert Kilwardby. In: RThAM VI (1934), 55—79; 215—228.

S t e i g e r , Renate, Zum Begriff der Kontingenz im Nominalismus. In: Geist und Geschichte der Reformation (Festgabe Hans Rückert), Berlin 1966.

T r a p p , Damasus, O.E.S.A., Gregor von Rimini. In: LThK IV (²1960) 1193.

U l l r i c h , Lothar, Fragen der Schöpfungslehre nach Jakob von Metz. Erfurter Theologische Studien Bd. 20. Leipzig 1966.

V a n S t e e n b e r g h e n , Fernand, The Philosophical Movement in the Thirteenth Century. Edinburgh 1955.

V a n S t e e n b e r g h e n , Fernand, Siger de Brabant d'après ses oeuvres inédits. Second volume: Siger dans l'histoire de l'Aristotélisme. Louvain 1942.

V o g e l , Heinrich, Christologie. München 1949.

V r i e s , Josef de, S.J., Das esse commune bei Thomas von Aquin. In: Scholastik 39 (1964) 163—177.

W a r n a c h , Viktor, Zum Argument im Proslogion Anselms von Canterbury. In: Einsicht und Glaube (Festschrift für Gottlieb Söhngen), Freiburg 1962, 337—357.

W e r n e r , Karl, Die Sprachlogik des Johannes Duns Scotus. Wien 1877.

W e y , J. C., The sermo finalis of Robert Holcot. In: MS XI (1949), 219—224.

W i t t g e n s t e i n , Ludwig, Schriften. Frankfurt 1960.

W ü r s d ö r f e r , Joseph, Erkennen und Wissen nach Gregor von Rimini. BGPhMA XXII, 1. Münster 1917.

W y s e r , Paul, O.P., Theologie als Wissenschaft. Salzburg—Leipzig 1938.

Z i e s c h é , Kurt, Verstand und Wille beim Glaubensakt. Paderborn 1909.

Z i m m e r l i , Walther, Die Weisung des Alten Testamentes zum Geschäft der Sprache. In: Wilhelm Schnemelcher (Herausg.), Das Problem der Sprache in Theologie und Kirche. Berlin 1959.

Z u u r d e e g , W. F., The Nature of Theological Language. In: JR 40 (1960) 1—8.

Abkürzungen werden zitiert nach dem Abkürzungsverzeichnis des Lexikon für Theologie und Kirche, [2]1957.

NAMENREGISTER

SACHREGISTER

für die Kapitel I—VII

29*

VERZEICHNIS DER SCHRIFTSTELLEN

Beiträge zur Geschichte der Philosophie und Theologie des Mittelalters
Die neue Folge

Ausführliche Prospekte auf Wunsch.
Verlag Aschendorff, D-44 Münster, Gallitzinstraße 13

Aschendorff